中国畜牧业

年 鉴

2010

中国畜牧业年鉴编辑委员会　编

中国农业出版社

中国畜牧业年鉴编辑委员会

各地委员

梅克义（北　京）　王红军（天　津）　张　钰（河　北）
雷郭堂（山　西）　郭　健（内蒙古）　宋树才（辽　宁）
贾　涛（吉　林）　祖　伟（黑龙江）　李建颖（上　海）
王春喜（江　苏）　张火法（浙　江）　董卫星（安　徽）
黄华康（福　建）　黄峰岩（江　西）　冯继康（山　东）
宋虎振（河　南）　万卫东（湖　北）　曹英华（湖　南）
陈福林（广　东）　梁雨祥（广　西）　朱清敏（海　南）
王　健（重　庆）　杨昌明（四　川）　熊文中（贵　州）
张泽军（云　南）　次　真（西　藏）　杨黎旭（陕　西）
黄全成（甘　肃）　焦小鹿（青　海）　马继东（宁　夏）
张志恒（新　疆）　顾　桦（大　连）　隋振华（青　岛）
徐震宇（宁　波）　路慧英（厦　门）　郑　璇（深　圳）
苗启华（新疆兵团）

大连雪龙产业集团有限公司

企业沿革

大连雪龙产业集团有限公司总投资 3.16 亿元人民币，是集高档肉牛育种、繁育、饲养、屠宰、精深加工、有机肥料生产、粗草饲料出口等产业于一体的农业产业化龙头企业。雪龙黑牛肉作为 2008 年北京奥运会核心区的主供牛肉，其品味与营养给来自世界各地的运动员留下了美好的印象，并得到了第 29 届奥林匹克组织委员会的表彰；2010 年成为上海世博会餐饮牛肉供应企业，在胡锦涛主席宴请世博会贵宾的四道“海派菜”中，以雪龙牛肉为原材料的“一品雪花牛”得到国内外嘉宾的极力称赞。

1993 年 11 月 15 日大连雪龙农副产业有限公司成立，主营东北地区生产羊草、稻草等牛用粗饲料；

2002 年 7 月 4 日大连雪龙产业集团成立，主营高档肉牛养殖、稻草等牛用粗饲料出口；

2004 年 10 月 19 日大连雪龙产业集团成立，主营高档肉牛养殖、稻草等牛用粗饲料出口；

2005 年被大连市政府授予“农业产业化龙头企业”；

2007 年被辽宁省政府授予“辽宁省农业产业化龙头企业”、“辽宁省现代农业示范基地”、“省级工程技术研究中心”、农业部认定为“国家级牛肉加工技术研发专业分中心”、被科技部授予“国际科技合作基地”；

2008 年被授予大连市农业引智成果推广示范基地、获得品牌中国 · 大连市年度领军品牌、被大连市政府授予大连市民最喜爱商标；

2009 年和 2010 年分别成为中国南北极科考队和上海世博会餐饮牛肉供应企业。

上述各项荣誉及资质的取得，使雪龙集团在企业自身快速发展的同时，也分别承担着大连市、辽宁省和国家级的重大科技项目的研发工作，担负起了更多的社会责任。

“雪龙牛肉”的诞生开创了中国高档肉牛产业的先河、填补了此前无国产高档牛肉的空白，是我国畜牧业特别是肉牛养殖业发展的重要里程碑。它缩短了我国与世界发达国家高档肉牛产业近 20 年的距离，随着“雪龙牛肉”高档牛肉品牌的建立，中国结束了没有自产高档牛肉的历史！

荣誉证书

◆ 2006 年通过了 ISO22000：2005 食品安全管理体系和 HACCP 食品卫生管理体系认证。

ISO22000 用主动和系统的方法确保食品安全，促进不同相关方之间的沟通，包括政府，国际贸易商，生产厂商，批发和零售商及消费者并且基于风险评估的结果确定食品安全的工作重点，使资源得到最充分的利用；

HACCP 是决定产品安全性的基础，公司利用 HACCP 控制产品的安全性比利用传统的最终产品检验法更可靠，实施时也可作为谨慎防御的一部分。HACCP 作为控制食源性疾患最为有效的措施得到了国际和国内的认可，并被 FDA 和世界卫生组织食品法典委员会批准。

◆ 2007 年“雪龙黑牛”肉品通过了辽宁省清真商业食品管理协会“清真食品”的认证。

清真食品除必须符合国家相关卫生标准外，还应符合穆斯林饮食习惯，不得含有伊斯兰饮食禁忌成分，其生产、加工及储运均不得与伊斯兰教教法相悖。此项认证的获得，再次为完美公司、专卖店及其业务员开拓市场创造了新的契机，同时也为广大穆斯林消费者提供了更好的选择。完美健康食品引领消费新潮流，在同类产品中成为佼佼者。

◆ 2007 年“雪龙黑牛”肉品通过中国绿色食品发展中心的国家 A 级绿色食品认证。

A 级绿色食品生产地的环境质量符合《绿色食品产地环境质量标准》，生产过程中严格按绿色食品生产资料使用准则和生产操作规程要求，限量使用限定的化学合成生产资料，并积极采用生物学技术和物理方法，保证产品质量符合绿色食品产品标准要求。

◆ 2008 年获得全国工业产品生产许可证

获得食品质量安全生产许可证的企业，其生产加工的食品在出厂销售之前，必须在最小销售单元的食品包装上标注由国家统一制定的食品质量安全生产许可证编号并加印或者加贴食品质量安全市场准入标志“QS”。带有 QS 标志的产品就代表着经过国家的批准所有的食品生产企业必须经过强制性的检验，所以让消费者更加放心。

◆ 2008 年获得“北京 2008 奥运会核心区牛肉供应企业”的称号

打造畜禽种业航母 引领中国牧业健康发展

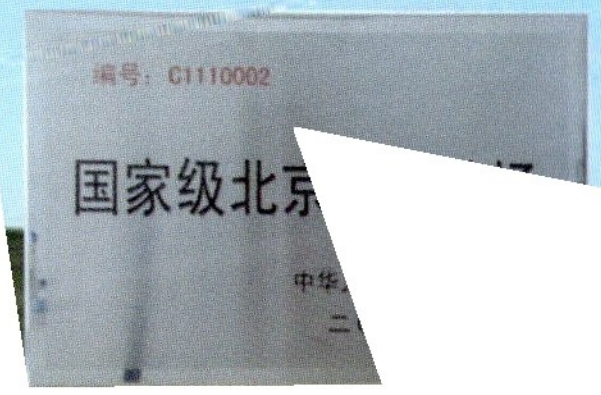

邮编： 100076
电话 ： 010-67942127
传真 ： 010-67954219
…大兴区德茂庄

集团介绍 GROUP PROFILE

成立于1996年的正邦集团，是农业产业化国家重点龙头企业、国家农产品加工技术创新机构。

2009年集团下属农牧、农资、粮油、零售、金融投资五大业务，三百多家子/分公司，遍布二十多个省市自治区，总产值突破百亿大关，规模进江西省前九位。2007年旗下江西正邦科技股份有限公司在深圳证券交易所上市，成为江西省民营企业首发上市公司。

■种猪公司

江西省原种猪场有限公司是一家专业从事种猪销售及技术服务的育种公司，拥有全国最健康的优良种猪：杜洛克、大约克、长白、蒙山种猪四个品系，于2010年顺利通过了国家农业部遴选，成为全国首批16个国家生猪核心育种场之一。2011年底育种公司基础母猪将达到两万头的规模。

●抓好一个示范基地场建设，以点带面、全面发展。

以上高猪场作为示范基地（被国家农业部列为国家级规模化养猪示范场），实现各猪场工程的标准化、一体化、现代化运营模式。

●加强多方面合作，加快种猪发展步伐，营造良好的发展环境。

争取政府的相关支持，实现种猪发展政策的利好局面；加强与饲料、兽药销售的联动，实现资源互享；实现与肉食品公司的合作，共创正邦品牌优质猪肉；加强与养猪企业、大专院校和个人合作，通过租赁并购、共建人才培训试验基地、派驻技术管理等多种形式实现共赢。

■商品猪公司

在2011年，商品猪业务预计实现超过五亿元的主营业务收入。

●加快引进种猪速度，加快种猪配种进度。保障年出栏量。

●轻资产运作方式控制猪场。

●肥育投苗量及卖大猪。

●提高生产指标。从配种技术、养好公猪入手。

●对于无饲料价值或无治疗价值的猪只及时淘汰处理。

●现行服务部模式转型，降低风险。

■禽业公司

●正邦集家禽孵化、饲料生产、养殖及屠宰加工为一体，已形成每年1000万羽鸡、5000万羽鸭的规模销量。

- 2002年　荣获“农业产业化国家重点龙头企业”称号
- 2006年　荣获“中国制造企业500强”称号
- 2006年　荣获“中国名牌产品”称号
- 2007年　江西正邦科技股份有限公司发行上市(股票代码00215)
- 2005年　荣获“全国三十强饲料企业”称号
- 2007年　荣获“中国畜牧业协会副会长单位”
- 2008年　建立“博士后科研工作站”
- 2010年　荣获“第一届全国养猪行业百强优秀企业”称号
- 2010年　荣获“江西省养猪行业协会副事长单位”

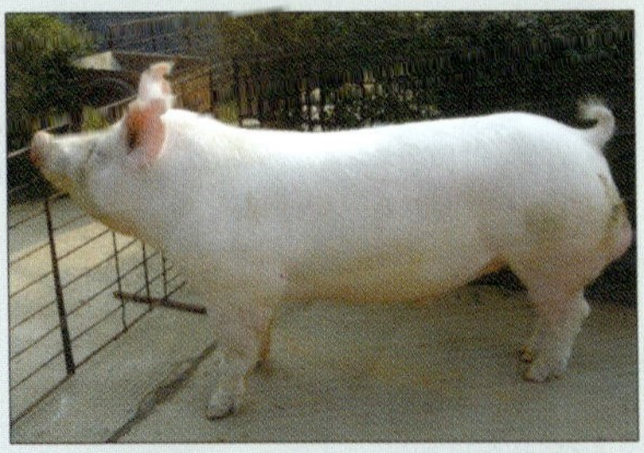

地址:江西省南昌市高新开发区艾溪湖一路569号 电话:0791-6397495 6397496 传真:0791-6397834 Http://www.zhengbang.com

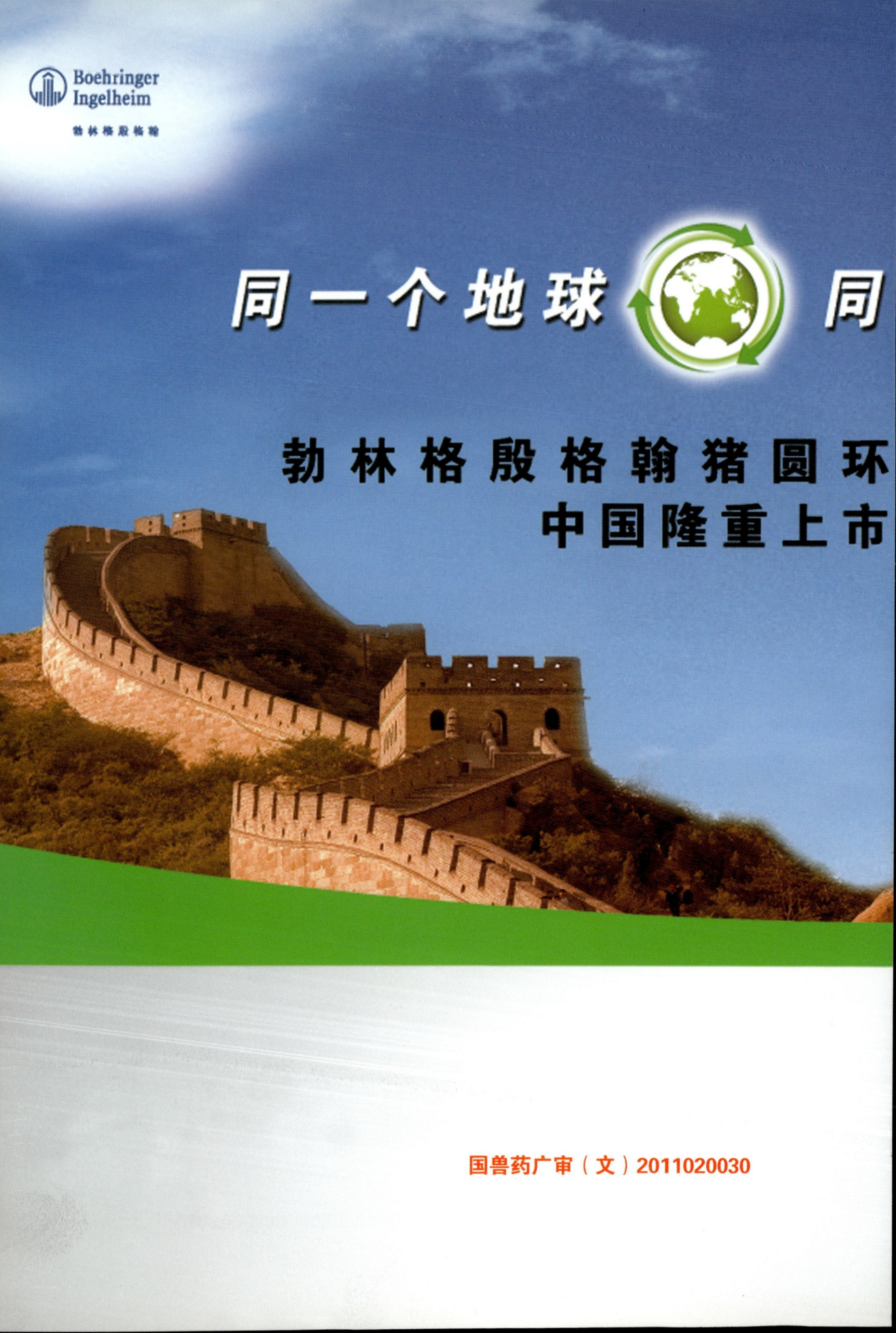
Boehringer
Ingelheim
勃林格殷格翰
同一个地球
同
勃林格殷格翰猪圆环
中国隆重上市
国兽药广审（文）2011020030

FLEX
一个圆环
病毒疫苗
Ingelvac
CircoFLEX®
suspension injectable
pour porcins
50 ml (50 doses)
Boehringer
Ingelheim

National Renderers Association

协会简介

美国动物蛋白及油脂提炼协会（National Rendered Association）简称NRA，是代表美国炼得(Render) 业的官方行业协会。成立于1933年，协会下的会员单位是美国的273家和加拿大的29家炼得工厂。协会的总部设立在美国的首都华盛顿市的市中心地区（弗吉亚历山大）。另外在拉丁美洲和亚洲共设有两个分支办事处，分别在拉丁美洲的墨西哥和亚洲的香港。

政府和法规事务

美国动物蛋白及油脂提炼协会参与政府和立法来保护了提炼工业的利益，NRA全体工作人员和协会的会员与联邦政府和各州政府的各个管理机构保持良性的互动。与国家政府机构保持良好的关系与邦交，本着合作与坚持科学的精神，使各级政府和公众更好地了解炼得行业和产品。

国际项目

美国动物蛋白及油脂提炼协会的国际项目组开发了全球的提炼产品的市场。协会安排了科技美国动物蛋白及油脂提炼协会的国际项目组开拓了全球的提炼产品的市场。通过技术交流，产品性能开发等方式促进国外买家和北美出口商之间的贸易往来，

美国动物蛋白及油脂提炼协会亚洲部
地址：香港铜锣湾糖街1-5号铜锣湾商业大厦21楼
电话：00852-28902529　传真：00852-25768045
电邮：nrahkg@nrahongkong.com.hk
中文网址：http://www.nraasia.org

National Renderers Association

NRA

NRA's 51 members companies operate more than 205 rendering plants in the United States and Canada. The Association's has 16 international members and more than 120 associate members. NRA addresses current industry issues, promotes domestic and international marketing, supports research and provides education and information for the industry. NRA emphasizes a spirit of cooperation and scientific support for governments and regulatory agencies so that the rendering industry and its products can be better understood.

NRA's international program develops markets for rendered products all over the world. The Association conducts technical seminars and feed trials, participates in trade shows, brings study groups to the United States, provides subject matter experts and delivers other general trade services to U.S. suppliers and foreign buyers. Our associaion also improves market access by working to eliminate artificial trade barriers, and we monitor new and existing export opportunities and emerging trade patterns.

Rendered Products

NRA members create a variety of products that are critical to other industries, and they are developing new products, such as fuels and enzymes, to match changing demands worldwide. Rendered products include fats, animal protein meal, chemicals, fatty acids, tallow, grease and hides. Their high-quality fats and proteins improve the nutrition of farm animals and poultry. Renderers also contribute essential ingredients for industrial products, such as lubricants, plastics, printing inks and explosives, and the many items that consumers count on — including cosmetics, shaving cream, deodorant, perfumes, polishes, cleaners, paints, candles and caulking compounds.

Animal protein meals are excellent sources of calcium, phosphorus, protein and essential amino acids. When animal fats are added to feed rations, they provide needed energy and improve palatability. North American renderers process at optimum temperatures over a prescribed length of time and they use strict quality control measures, animal protein meals are consistently high quality, uniform, stable, affordable and nutritionally dense.

Contact

National Renderers Association, Inc.
801 North Fairfax Street
Suite 205
Alexandria, VA 22314
Tel: 1 703 683 0155
Fax: 1 703 683 2626
General E-mail: renderers@national-renderers.com

Latin America
NRA – Regional Office
Jaime Balmes 8-201
Col. Los Morales Polanco
11510 Mexico, DF
Mexico
Phone: 011 5255 5281 6080
Fax: 011 5255 5281 6085
E-mail: nramex@nralatinamerica.org
German Davalos, Regional Director
Lucy Cano, Administration Assistant

Asia
NRA – Regional Office
21/., Causeway Bay Comm. Bldg.,
1-5 Sugar Street,
Causeway Bay, Hong Kong
Tel: (852)2890 2529
Fax: (852)2576 8045
E-mail: nrakg@nrahongkong.com.hk
Peng Li, Regional Director
Teresa Hon, Administration Assistant

料（中国）集团

康地饲料（中国）集团是美国康地谷物公司（Continental Grain Company）在华全资建立的大型农工集团。主要业务包括生产及销售预混料、浓缩料、全价配合饲料、动物药品及保健品。是中国最大的饲料生产商之一。

美国康地谷物公司（Continental Grain Company）于1813年在比利时成立，1999年至2007年之间曾改名为“康地集团”（Conti-Group Companies,INC.）目前恢复原名。公司总部设在纽约，是一家在世界上占主导地位的农工集团，也是美国最大的私营公司之一，在多个国家设有分支机构，业务范围涵盖农工、肉品生产、能源产品等，年营业额达百亿美元。

康地饲料（中国）集团之附属企业包括：

康地饲料添加剂（北京）有限公司	康地饲料（银川）有限公司
康地华美饲料（武汉）有限公司	康地饲料（中国）有限公司
康地华美饲料（天门）有限公司	康地饲料（中国）有限公司成都分公司
康地饲料（天津）有限公司	康地饲料（中国）有限公司漳州分公司
康地饲料（长春）有限公司	上海康地昂磊生物技术有限公司

十家企业携手合作，竭诚为中国用户提供安全、环保、高品质的畜禽饲料及畜禽产品。以美国康地谷物公司200年的优质服务传统，与中国饲料工业共铸辉煌。

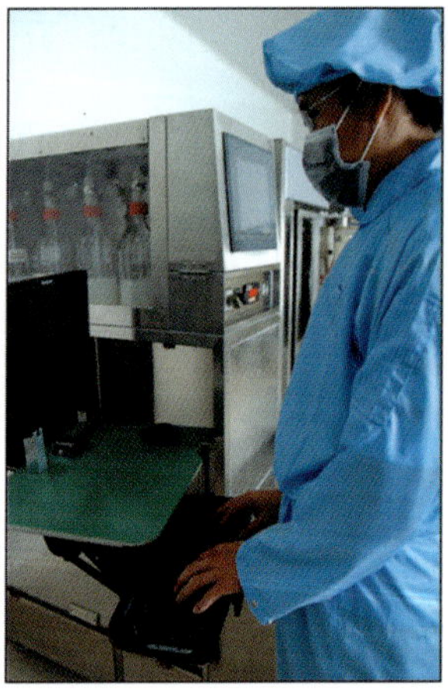

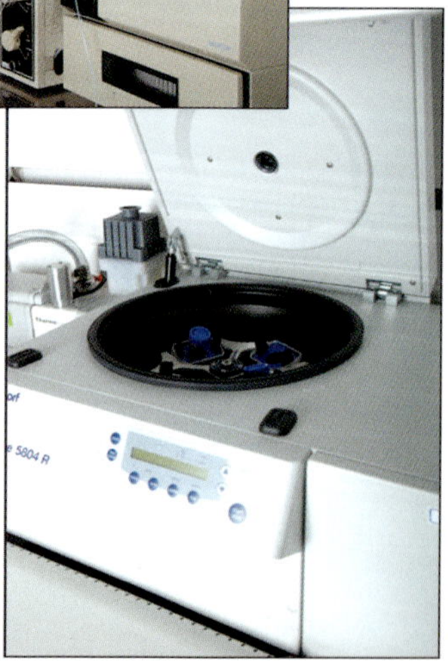

Shen Lian Biotechnology Co.,Ltd was established in 2001 with registered amount of 10.5 million USD. The company is a high-tech Sino-American joint venture mandated to promote development of vaccine technology. Shen Lian Biotechnology Co., Ltd owns the world-leading research team in development of the most advanced animal synthetic peptide vaccine, as well as high-level synthetic peptide vaccine equipment.

For now, Shen Lian Biotechnology Co.,Ltd has founded its synthetic peptide vaccine GMP producing district in the Zizhu Science and Technology District of Shanghai. In addition, the company has also set up its independent Foot-and-Mouth disease (FMD) vaccine quality control division and animal welfare departments in the Xinjiang province. The R&D taskforce comprises of national and international technical experts have reached extensive experiences and strong expertise. Professional experts of the company, with their in-depth knowledge and experiences in FMD control and prevention, are able to provide customers with effective technical support and comprehensive services.

The principles of "High-quality, Safety, Efficiency, and Health" have been the consistent guidance for progressive business development of Shen Lian Biotechnology Co., Ltd. With such guidance, the company has effectively combined innovative bio-technology with traditional animal bio-products, and is dedicated to the development of innovative vaccine product of enhanced safety and effectiveness. Undoubtedly, such products would surly contribute to the effective reduction and prevention of animal diseases, as well as promoting guardian of human health.

Certified qualifications:
Animal Medicine GMP Certification (Animal Medicine GMP Certificates No.60 (2007))
Production certificate of animal medicine（Animal medicine production certificate No. 09029（2007））

国兽药广审（文）2011020034

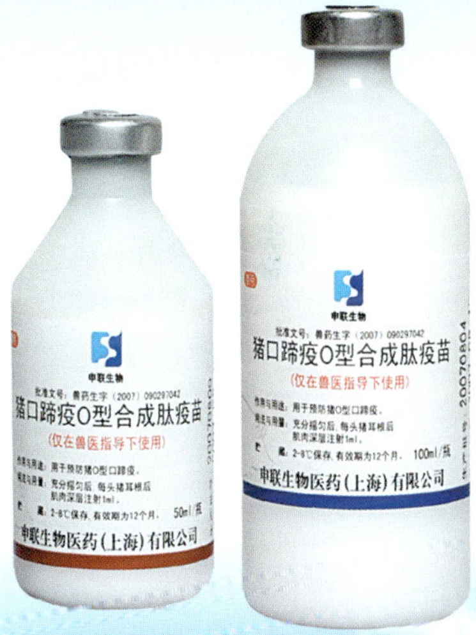

猪口蹄疫O型合成肽疫苗
（多肽2570+7309）
兽药生字（2009）090297056

Enterprise full name: United Biomedical (Shanghai) Co., Ltd
Address: No. 48 Jiangchuan East Road, Minghang District, Shanghai
Post code: 200241
Email: shubi@ubi.com.cn
Telephone: 021—61257979 61257988
Fax: 021—61257999
Sales hotline: 400-620-6808、800 819-6809

Care
Bridge to emotion
关怀，是情感的桥梁！

美国辉瑞动物保健品有限公司

——引领动物保健品行业

辉瑞公司是一家拥有160多年历史的以研发为导向的跨国制药公司，公司的创新产品行销全球150多个国家和地区。

1952年，即Charles Pfizer在纽约布鲁克林开创最初实验室的100多年后，辉瑞开始足动物保健品行业。辉瑞动保，由起初的一个部门，成长至今，已经跃然成为世界上最的动保公司之一，引领着全球动物保健品行业。现在，辉瑞动保总部位于纽约，业务遍全球60多个国家和地区。

为了让动物更长寿、更健康，为了有更安全、更高品质、更丰富的食物供应，辉瑞保在研发领域投入了丰富的资源。值得一提的是，相较于其他同行公司，辉瑞动保每年入更多资金和资源用于研究和开发，确保层出不穷的宠物和家畜创新产品，包括用于狗猫、马、肉牛、奶牛、猪、家禽和绵羊的产品。

过去的十几年中，辉瑞动保发展的脚步从未停歇。公司在1995年收购了SmithKline Beecham，在2003年收购了法玛西亚和CSL，公司2006年的销售额超过了23亿美元。2007年公司又收购了安博士公司——一家致力于家禽行业的国际性农业生物技术公司，此次收购表明了辉瑞动保投资于创新企业型业务的前瞻性意愿。2009年，辉瑞动保又收购了富道动物保健品有限公司，这无疑使辉瑞动保在动物保健品行业的地位更加举足轻重。

至今，辉瑞动保在中国已注册和上市了一系列动物保健品。尤其是今年9月上市的公猪异味控制疫苗异普克®使得该产品线大放异彩。

凭借雄厚的研发实力和优质丰富的产品线，以及辉瑞全球总部对中国市场的大力支持，我们相信，美国辉瑞动物保健品有限公司一定能够为中国广大用户提供优质高效的健方案、高品质的产品和全方位的服务，积极推动并促进中国畜牧业长足发展。

国兽药广审（文）2011020037

PFIZER ANIMAL HEALTH (U.S.): LEADER OF ANIMAL HEALTH BUSINESS

Pfizer is the world' s leading research-based multi-national pharmaceutical company. With history of more than 160 years, products of Pfizer have reached more than 150 countries and regions around the globe.

In 1952, over one hundred years after Charles Pfizer founded his laboratory in Brooklyn, New York, Pfizer company began to march into the field of animal health. Grown from a single department since its inception, Pfizer Animal Health has now become one of the world' s largest company dedicated to animal health protection, acting a leadership role in this field. Headquartered in New York, Pfizer Animal Health has established its business in more than 60 countries and regions across the world.

To enable longevity and health of animals supported with safer, better and diversified food supply, Pfizer has invested substantially in the field of animal health protection. It is worth noting that, compared to other peer enterprises, Pfizer Animal Health invests more each year in research and development, which has effectively guaranteed endless innovative products for pets and livestock health, including those for dog, cat, horse, meat cattle, cows, pig, poultry and sheep.

In the past decades, Pfizer has never stopped its pace of development. Through successful acquisition of Smithkline Beecharn in 1995, and that of Pharmaica and CSL in 2003, sales of Pfizer in 2006 reached USD 2.3 billion. In 2007, Pfizer also bought in Embrex, an international agro-biological technology company for poultry health. This purchase demonstrates vision of Pfizer in investing innovative enterprises and their business. In 2009, Pfizer purchased Fort Dodge Animal Health Co.,Ltd. Combined with previous purchase, this would undoubtedly strengthen the indispensible role of Pfizer in the field of animal health protection.

Until now, Pfizer Animal Health has registered and marketed in China a series of products for animal health protection. Particularly, the vaccine product Improvac® with its function of boar taint control has added the production line another piece of excellence.

Based on its strong R&D capacity and a diverse products of straight high quality, with supports from Pfizer Global Headquarters and strong underpin of the Chinese market, we firmly believe that Pfizer Animal Health would be surly able to provide the Chinese clients effective, high caliber health protection solution, as well as high-quality products and comprehensive services. Ultimately, such efforts of Pfizer would contribute to long-term development to of livestock farming in China.

大成食品（亚洲）有限公司

DaChan Food (Asia) Limited

大成集团1957年创立于中国台湾省，是知名的农畜集团和上市公司。目前集团已布局亚太地区，拥有40多家子公司，并一如既往专注在动物和人的食品供应链上，成为亚太地区具有重要影响力的农畜食品集团和饲料加工企业，并于2007年10月以大成食品（亚洲）有限公司在香港联交所成功上市。现集团营运项目包括五大事业群：基本农畜事业群、东亚事业群、面粉事业群、餐饮服务事业群和前瞻事业群。

自1990年陆续在蛇口、辽宁、印尼等地投资建厂以来，在中国大陆、越南、马来西亚各地拥有20多家子公司。其中，在中国大陆目前有15家饲料加工厂和9家屠宰厂，2009年饲料生产（折合为全价料）达400万吨，肉鸡屠宰达1.8亿只，鸡肉加工达43万吨。2010-2012年集团将再扩建10家饲料加工厂，扩大饲料加工和肉鸡屠宰量近一倍。目前，所属工厂均通过ISO2000和HACCP品质验证，并于2009年年初完成中国首家“安心”鸡肉可追溯查询系统的建立。严谨的检疫流程和缜密的品保作业，为员工负责、为社会负责之高标准的坚持是大成持续成长的关键。

针对中国生猪品种逐渐改良，大成集团不断提升“补克博士”品牌系列饲料品质外，秉承“快长、瘦肉、绿色安全”之理念，于2009年年底隆重推出“绿骑士”品牌饲料，旨在进一步帮助养殖户实现最佳瘦肉率及最佳性价比。依靠采用尖端“优补力生物技术”，“补克博士”和“大成安心鸡”的品牌已得到广大养殖朋友和社会的认可。此外，2009年大成集团与美国最大饲料公司Land O' Lakes（蓝雷公司）共同投资创建大蓝生物科技饲料有限公司，主要致力于成为最好的小猪和母猪营养科技公司，并引领中国养猪产业的快速发展。

以“诚信”精神经营梦想！以“谦和”态度迎接挑战！在“前瞻”的经营策略中，大成集团将沿袭过往丰沛经验，以坚定而持续的脚步，为您健康的生命努力！

大成优补力生物技术

大成“优补力生物技术”的核心理念——根据动物不同生长阶段的生理特点和免疫系统发育特征，除了考虑动物基本维持需要和生产需要，更着重考虑肠道微生物区系平衡和机体免疫系统的营养需求，从而实现免疫营养互作的最佳平衡，以强大动物的免疫保护伞尤其是特异性免疫保护力。

大成饲料采用尖端“优补力生物技术”，添加多种有效的免疫调节剂、免疫增强剂及其他生物制剂，大幅提升猪鸡的免疫力、抗病力和抗应激力，帮助动物减少疾病感染、缩短发病过程和加快机体康复，改善生产性能和胴体品质，提高存活率，从而帮助农户降低生产成本和获取更大养殖利润。

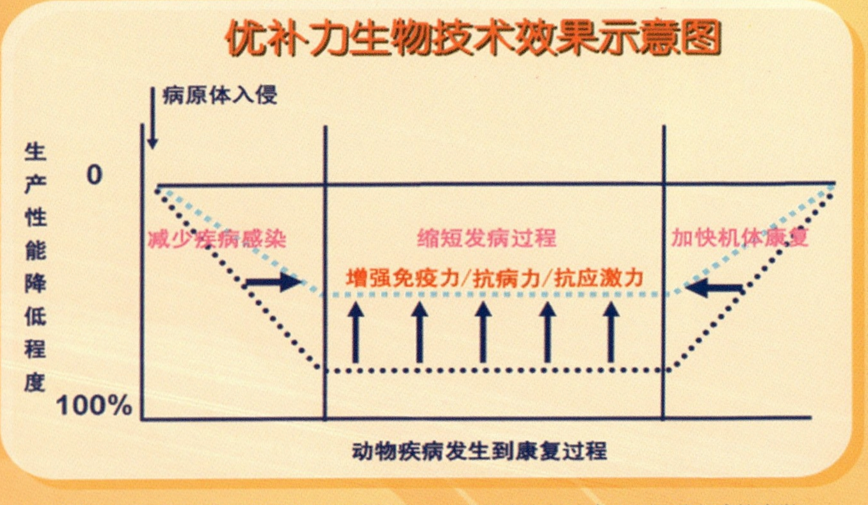

当今疾病复杂多变的养殖环境，造成农户极大的养殖困扰和难以弥补的经济损失。“优补力生物技术”，提升免疫抗应激，解决养殖烦与忧！大成安心鸡，健康选择！补克博士，冠军属我！

大成集团饲料与动物营养事业群天津总部地址：天津市西青区杨柳青镇北大成万达（天津）有限公司

电话：022-27922005　传真：022-27922015　网址：www.dfa3999.com

大成猪料——补克博士

30千克前小猪的发病和死亡率是造成养猪损失的重要因素。致力于“不但让小猪生下来，还要很好的活下
之使命，大成集团采用“优补力生物技术”，精心研制小猪营养饲料，真正成为“小猪免疫营养专家”！

Dr. NUPAK®

成重点猪料产品

口教槽料H111、H100：采食量最多、断奶体重最大。
奶过渡料T100S、T100：应激腹泻少、断奶失重最低。
育强化料H805：体型皮毛佳、生长速度最快。
长育肥料H810、H820：造肉成本低、瘦肉沉积最多。

大成禽料产品

雏　料：0211、0311 快速启动母源抗体，体格达标，成活率高。
蛋鸡料：0295、0296、0299、0288 产蛋率高，高峰期8个月以上。
肉鸡料：0302、0303 快速出栏，料肉比低，死淘率少。

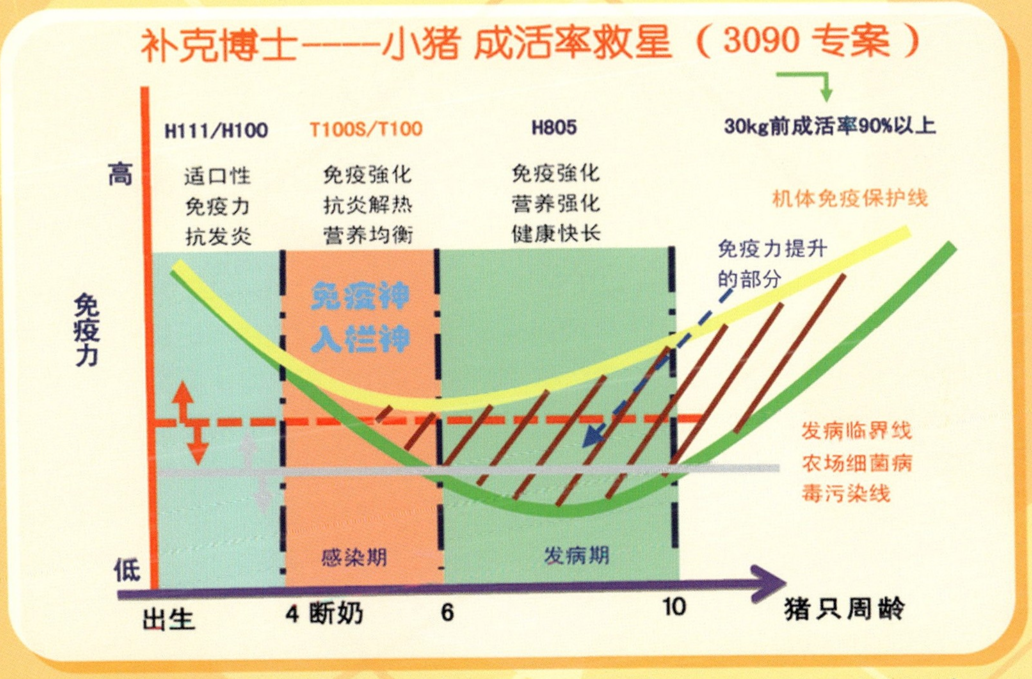

大成猪料——绿骑士

绿色安全、快长肉多，以提供养殖户最优品质瘦肉为使命，优选饲料原料，专利配方，配套专家服务提升猪
消化吸收，粪少环保，少病快长，实现最佳瘦肉率及最佳性价比。

Green Knight 绿骑士

大蓝 DaLOL

大蓝饲料——明日之星

美国蓝雷公司全力技术支持，独创的工艺和功能性产品，为您提供更加高效的营养产品和饲喂策略。

蓝优爱系列

开胃果冻D-007：独创性、多功能性、方便性，提供基本营养和水分，更快开食。
优爱-保D111s：MpD技术支持，适口性极佳，抵抗应激，增强消化吸收能力。
优爱-安D100s：MpD技术支持，适口性极佳，生长速度快，经济效益高。
优爱-鑫D100：MpD技术支持，适口性极佳，生长速度快，经济效益高。

Littermilk利多奶

富含免疫球蛋白IgG——具有初乳效果　代替母乳
含PRT99抗大肠杆菌因子——保护肠道健康　补充母乳
高乳脂乳蛋白——有益于消化吸收　增强采食
功能性寡糖——有益肠道益生菌生长　协助断奶
添加免疫多糖——增强免疫抗病力　饲料原料

大成集团饲料与动物营养事业群中国区分公司联系电话

阳：024-89367366　营口：0417-5901009　大连：0411-85238515　葫芦岛：0429-2621018　铁岭：024-89367518
图：0410-5039879　长春：0431-82617940　哈尔滨：0451-57351601　天津：022-27392156　山东：0532-83303875
南：0396-5593123　湖南：0731-82937999　四川：028-37670589　湖南大蓝：0731-82927857

中国现代肉牛产业技术体系

国家现代肉牛产业技术体系启动会议代表合影

2009.2.21 中国北京

中国现代肉牛产业技术体系（以下简称“肉牛技术体系”），纵向由 1 个国家肉牛技术研发中心、6 个功能研究室、26 个综合试验站构成，横向由 26 位来自全国的大学和农科院（所）的岗位专家及其团队和 26 位来自企业和地方研究院（所）的试验站站长及其团队构成，全体系共 567 人。52 位岗位专家和综合试验站站长平均年龄 46 岁，高级职称 42 人，中级职称 8 人，初级职称和其他各 1 人，是一支技术研发能力强、经营管理技术水平高、年富力强的从事肉牛技术研发与实战性技术示范的专门队伍。

体系的主要任务是，①研发、整合技术直接示范解决当前制约肉牛产业发展的主要技术问题。②预测今后肉牛产业的技术需求方向进行针对性技术研发和储备。③调查、跟踪、积累国内外肉牛研究、生产和经营领域各项基础数据和信息提供公益性服务。④发现、查证危害肉牛产业发展的内在、外在、潜在因素，提供应急性、缓释性技术解决方案和措施。⑤培育更高水平的肉牛专门技术与经营人才队伍。

国家肉牛产业技术体系任务规划核心内容：①重点任务：重点解决加速生产周转、提高单产、改善活牛和牛肉的品质、减少疾病、提高养殖与加工经济效益的技术问题。②基础性工作：主要建立肉牛产业发展的基础性、公益性技术平台，各功能研究室和综合实验站协作。③前瞻性研究：针对我国目前大农业与草地畜牧业面临的优良品种不足、饲草料资源短缺以及全球农业环境持续恶化等问题，开展肉牛产业发展的储备性、跟踪性和前沿性研究。④应急性任务：调研肉牛产业动态信息和突发性生产问题，提出切实可行的应急技术方案和措施。完成农业部和肉牛体系交办的临时性任务。

国家奶牛产业技术体系

国家奶牛产业技术体系（National Dairy Industry and Technology System，以下简称“体系”）是2007年10月经相关部门批准成立，建设依托单位为中国农业大学，下设首席科学家办公室、六个功能研究室（包括繁殖与育种研究室、营养与饲料研究室、疾病控制研究室、环境控制与乳品安全研究室、乳品加工研究室、产业经济研究室），包括涉及多个学科的25位科学家和24个综合试验站。

3年来，体系从重点任务、基础性工作、前瞻性研究、应急性工作、政府决策咨询、基层奶农培训工作等六方面着手，依托国家和地方大专院校、科研单位，奶牛养殖者、协会和农民合作组织的各种优势资源，以产业为主线、产品为单元，紧紧围绕制约我国奶业发展的重大技术瓶颈，以奶业生产急需的技术为突破口，开展了大量的工作。主要从以下几方面取得了突破性的进展：确定了奶牛磷需要量，经过近3年的研究，体系内四位科学家对奶牛磷需要量的研究得到了相似的结果，一致认为目前我国奶牛日粮中的磷水平普遍高于需要量0.2个百分点，通过科学合理的调整奶牛日粮配方，降低磷酸氢钙的使用量，仅此一项技术推广至全国就可以节约生产成本10亿元／年，减少磷排放量8万吨／年；奶牛疫病防控技术研究取得重大突破，通过疫病检测、免疫、监测等技术的创新性研究与集成，已经建立了与世界动物卫生组织（OIE）接轨的更加准确的布鲁氏菌病的大群跟踪和牛群鉴别技术，同时可以识别自然感染牛和疫苗免疫牛，为我国大规模净化牛群提供了科学的方法和手段；初步建立了我国奶业和国际发达奶业国家数据库：主要包括奶牛饲养标准数据库、奶牛重大普通病数据库、乳酸菌菌种资源数据库、全国100头以上规模养殖场（小区）信息库、全国奶业科研现状数据库、奶业发达国家数据库，这些数据库对于我国奶业科技工作者追踪奶业发达国家奶业发展足迹，了解这些国家奶业发展过程中政策和技术的作用，为我国奶业的发展提供可以借鉴的政策、模式、经验和技术，从而提升我国奶业的整体水平。特别需要提出的是乳品加工功能研究室岗位科学家张和平教授在体系的支持下，用3年的时间，建立了国内最大的益生菌菌种数据库和益生菌网站，并开展了大量的科学研究工作；科研、示范带动作用明显，2010年体系内岗位科学家都和综合试验站建立了密切的科研协作关系，据体系内统计数据，科学家在综合试验站开展的科学试验和研究达73次，实现了科研与生产的结合。体系内所有生产性的综合试验站生产水平比2009年都有较大提升，都实现了盈利，2010年北京三元综合试验站牛场的年头均单产达到10 181千克，个别牛场达到了12吨，处于世界领先水平；近3年体系首席专家办公室全国奶牛产业优势区域举办了20期“金钥匙”培训，共240场报告和讲座，累计50个培训日，培训基层工作人员5 350余人次。同时，近3年间，各功能研究室、岗位专家、综合试验站分别举办了10次培训班，培训总人数达到了1 800人次。体系在完成内部各功能研究室举办培训基础上，还协助全国畜牧总站完成7期全国奶牛标准化规模养殖培训班，主讲专家主要来自于奶牛体系专家，体系内多名科学家为师资培训班授课，培训总人数超过1 000人次。同时，体系专家还参加了全国政协的“奶业振兴态势分析会”等奶业相关培训、会议，由岗位专家或站长参加的培训会500次，培训人数超过12 000人次。体系先后参与了国家多次奶业调研，为相关部门发展奶牛养殖业提供了咨询建议；并协助国家相关部门起草了《乳制品工业产业政策》、《乳品质量安全监督管理条例》、《生鲜乳生产技术规程（试行）》、《生鲜乳收购站管理与操作技术规范》、《全国奶业发展规划》等政策法规。

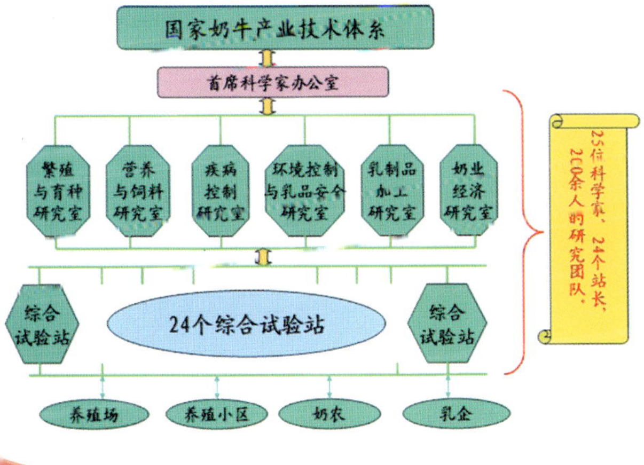

国家现代肉羊产业技术体系

首席科学家旭日干院士参加综合试验站会议

体系组织召开2009年度工作总结大会

首席科学家旭日干院士考察项目进展

国家现代肉羊产业技术体系于 2009 年初正式启动，是农业部 50 个农产品现代产业技术体系建设之一，我国著名家畜繁殖生物学与生物技术专家、中国工程院院士旭日干现任该体系首席科学家。目前，该体系设有一个以内蒙古大学为建设依托单位的产业技术研发中心，设置了遗传育种与繁殖、营养与饲料研究室、疫病防控和综合 4 个功能研究室以及 20 个综合试验站、74 个示范县；体系拥有 18 位岗位专家，均为我国肉羊繁育、饲料营养、疫病防控以及经济政策等相关领域的知名专家学者。

国家现代肉羊产业体系作为农业部 50 个农产品现代产业技术体系建设之一，旨在解决长期以来形成的农业科技条块分割、资源分散、低水平重复、分工不明、协作不力等问题，特别是解决在农业科技工作和产业经济发展之间缺乏有效链接机制的问题。该体系在成立之初，便按照农业部的统一要求，结合我国肉羊产业发展现状，制订了"国家现代肉羊产业技术体系建设任务书"。任务书仔细分析了我国当前肉羊产业存在的主要问题与技术需求，提出了体系 2009–2013 五年主要建设目标、任务和考核指标，并将相关目标、任务及考核指标分解到每个年度，落实到每个岗位专家和综合试验站。

2009 年，国家现代肉羊产业技术体系围绕任务书在重点任务、基础性工作、前瞻性研究和应急性任务等方面开展了一系列卓有成效的工作。为保障体系工作健康可持续发展，作为 2009 年重点工作任务之一，体系组织开展了针对我国肉羊产业发展现状的调研工作。一年来，共组织了近 50 批次的调研队伍，分别对全国肉羊主产区内蒙古、新疆、宁夏、甘肃、青海、河北、四川、山西、安徽、云南、吉林、北京、辽宁、山东等 14 个省、自治区、直辖市的近 60 个县（区、旗）的肉羊产业发展现状进行了专题调研，形成了 14 份，共计 15 万字的调研报告。在基础性工作方面，体系着重加强了团队建设，在运行中探索有效的管理模式。体系先后组建了体系办公室、执行专家组，并建立了较为完善的会议制度；体系还充分利用农业部体系工作动态管理平台加强交流和沟通，同时组织内部力量，建立了肉羊体系产业数据库和网络信息平台，进一步加强了内部管理和沟通。此外，体系还高度重视学术交流和培训工作，截止到 2009 年末，本体系共开展学术交流会议 129 次，培训高级岗位人员、基层农技人员、农牧民 5 200 人次。在前瞻性研究方面，各功能研究室分别开展了相关研究工作，全年共发表学术论文 91 篇，申请专利 6 项，出版专著（包括科普读物）5 部。2009 年，体系还积极组织力量开展了应对干旱、低温大雪、突发疫病以及国际金融危机等应急任务，较好的保护了农牧民的利益。另外，体系在国内外交流以及宣传报道等方面也作了大量工作。

2009 年底，在体系年度总结大会上，为推动体系工作再上一个新台阶，首席科学家提出了要在全面总结分析 2009 年工作的基础上，进一步明确 2010 年工作计划和工作思路，突出工作重点和亮点的要求。为此，体系各功能研究室、岗位专家和综合试验站结合实际需要，经过认真筛选、精心筹划，均制定了一两项有特色、有代表性、能解决肉羊生产实际问题的工作任务。目前，体系正本着务实、严谨的态度，按照任务明确、重点突出的工作原则，认真落实有关工作计划。

2010 年 9 月 20 日，体系召开全体人员大会，会上，首席科学家旭日干院士根据我国肉羊产业发展现状，结合体系一年多的运行情况，提出了要将加快肉羊养殖业发展方式转变作为本体系"十二五"中心工作任务的战略思考。"十二五"期间，肉羊体系将围绕工作中心，继续发挥集中力量办大事的作用，在"团结、创新、务实和严谨"的体系文化引领下，为我国肉羊产业又好又快发展和可持续发展做出新的贡献。

赤峰综合试验站育肥中的昭乌达肉羊

中国动物卫生与流行病学中心

CHINA ANIMAL HEALTH AND EPIDEMIOLOGY CENTER

中国动物卫生与流行病学中心隶属国家农业部，是农业部实施全国动物卫生监管的技术依托单位。中心前身为农业部动物检疫所，成立于1979年，2006年更名为中国动物卫生与流行病学中心，是承担重大动物疫病流行病学调查、诊断、监测，动物和动物产品兽医卫生评估，动物卫生法规标准和重大外来动物疫病防控技术措施研究等工作的国家级动物卫生机构，在我国动物卫生防疫体系中发挥着重要的技术支持作用。

重大动物疫病流行病学调查工作

按照农业部的总体部署，组织开展了湖北武汉A型口蹄疫疫情、甲型H1N1流感、牛支原体肺炎等突发疫情的专项调查，迅速及时的对疫情开展调查监测、信息收集、风险分析，及时提出控制措施及意见建议；系统开展了动物布病、结核病、禽流感、新城疫、猪链球菌病和猪群疫病定点流行病学调查；开展了口蹄疫、蓝耳病疫苗临床使用效果评价，全年检测各类样品共5.6万份，收集血清4万份，检测血清3万多份，提交调查报告18份、工作简报30份。

动物卫生评估和动物源性食品检测

组织完成海南免疫无口蹄疫区、广州亚运会无规定马属动物疫病区国家评估；指导山东德州无特定动物疫病生物安全隔离区试点建设，完成生物安全隔离区模式试点建设方案；承担起草了农业部关于加快推进动物疫病区域化管理的意见，组织起草了16个马属动物疫病无疫区行业标准、2个肉禽生物安全隔离区建设评估行业标准及7个无疫区建设国家标准，完成无规定动物疫病生物安全隔离区评估细则和现场评审指标体系；对美国低致病性禽流感疫情状况、进口生猪及其产品引入甲型H1N1流感、美国财政拨款法案有关我国禽肉输美条款等内容进行风险评估；完成药物残留例行监测、畜禽产品质量安全监督抽查等年度抽检任务，全年检测样品2 170批次，检测参数14 397个，出具检验报告74份。

中心发展战略研讨会

重大外来动物疫病防控及技术储备

开展牛海绵状脑病、痒病检测和无疫认证，完成牛海绵状脑病监测方案的修订工作，全年检测牛脑和羊脑样品10 247头份；开展边境地区小反刍兽疫等外来病监测工作，完成新疆、西藏采集样品和贵州、云南送检病原样品检测任务及内蒙古、广西、云南等地牛瘟、牛肺疫、小反刍兽疫抽样检测工作；完成13种重大外来病研究进展综述及8种重要外来病防治技术规范的起草，提出了外来病控制名录及防范机制和措施建议。

国际兽医事务

参加世界动物卫生组织(OIE)第77届国际大会和亚太地区委员会第26届会议，在OIE基本法涉台问题、贸易规则修订、流感监测决议及我方人员参选OIE职务等问题进行磋商；申请OIE国际无疫认证；加强与联合国粮农组织（FAO）、世界贸易组织（WTO）、世界银行（WB）等国际组织的交流合作，派出20余人次参加10余次国际性兽医专业会议，承担了世行援华禽流感防控能力建设项目有关咨询课题；持续开展中美、中澳、中加、中德等双边合作项目；完成OIE对20多个国家牛海绵状脑病状况报告评估意见的翻译，评议了欧盟等16个国家通报的动物卫生措施。

无规定动物疫区评估专家培训会

诊断试剂研究开发

“禽流感等重大动物疫病诊断试剂”科研成果作为唯一的兽医实物展品入选建国60周年成就展；血凝抗原的稳定性技术工艺、病毒核酸的提取工艺及分子生物学试剂的稳定性技术工艺研究取得重要进展；诊断试剂研究室取得国家标准品制备资格并被农业部定为诊断试剂比对验证计划实施单位；禽流感、新城疫、布氏杆菌病、蓝耳病等重大动物疫病诊断试剂在国内广泛使用，并被世界粮农组织采购。

动物防疫标准法规研究

组织审查国家和行业标准42项，通过37项；组织申报了2010年行业标准和国家标准；起草并提交了《兽医行政机构管理规范（草案）》等多部管理规范草案，完成了《动物福利良好操作规范》、《一、二、三类动物疫病释义》及110种动物疫病防治技术规范的起草任务；成功举办第一期全国官方兽医师资格培训，来自全国31个省、自治区、直辖市、新疆建设兵团以及计划单列市的兽医行政主管部门和动物卫生监督所的107位代表参加了培训；完成了《2009年全国执业兽医资格考试大纲》和《执业兽医资格考试应试指南》兽医法规部分的编写工作。

在各地开展动物流行病学调查

科研项目

成功申请国家公益性行业科研专项（农业）“非洲猪瘟等重大外来动物疫病综合防治技术研究”和“动物卫生风险分析技术及应用研究”，两项目经费共达3 888万元。

CAHEC

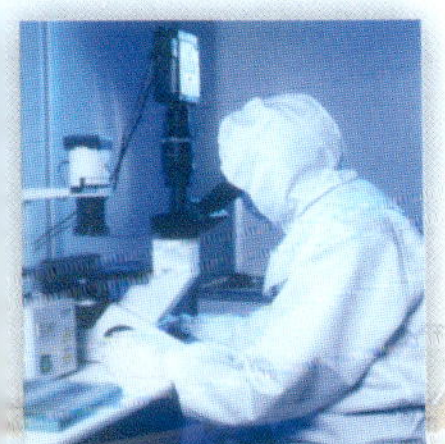

动物疫病诊断研究

动物卫生标准法规研究与评议

国外疫情监视

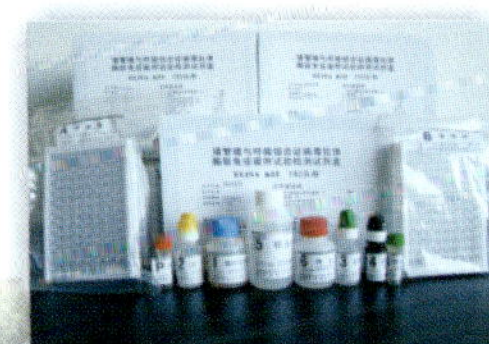

诊断试剂产品

地址：青岛市南京路369号　邮编：266032　电话：0532-5619614　传真：0532-5619614　http://www.epizoo.org

前进中的广西水产畜牧兽医事业

2009 年广西水产畜牧兽医部门按照根据自治区党委常委会深入学习实践科学发展观活动整改落实方案的工作要求，围绕今后三年实现“双千亿”目标，扎实开展“项目建设年”、“服务企业年”和“党组织服务年”活动，深入开展秋冬季助农增收大行动，采取积极措施应对国际金融危机的影响，贯彻落实扩大内需和强农惠农政策，狠抓生猪、家禽等主导畜产品和罗非鱼等优势水产品生产，高度重视项目建设和招商引资工作，使水产畜牧业生产继续保持平稳较快增长，完成了自治区党委提出的有关水产畜牧工作任务目标。据统计，2009 年水产品总产量 261.81 万吨，同比增长 4.7%。其中海洋捕捞 66.3 万吨；养殖产量 184.25 万吨（海养 82.25 万吨，淡养 102 万吨），增长 8.42%；内陆捕捞 11.26 万吨，增长 4.07%。肉类总产量 371 万吨，禽蛋产量 19.34 万吨，牛奶产量 8.07 万吨，同比分别增长 5.8%、7.8% 和 7.6%。水产畜牧业总产值在 2008 年达到 1078.63 亿元的基础上，仍然保持在 1 000 亿元以上。农民人事养殖业获得人均现金收入 935.20 元。累计完成固定资产投资 36.1 亿元，超额完成自治区下达的 35 亿元目标任务。

标准化种猪场

2009 年水产畜牧兽医部门调整优化产业结构，培育优势特色产业，发展壮大百亿元产业。主要从良种繁育建设、养殖优惠扶持、龙头企业带动、产品促销等各环节促进产业结构调整，加大培育优势特色产业力度，推进产业化经营，继续把水产畜牧业百亿元产业做大做强。（1）进一步加强水产良种工程建设。2009 年全区水产苗种工程建设共投入资金 495 万元，建设水产原、良种场、苗种繁育场和苗种越冬基地 20 个，为我区水产优势品种的养殖打下了良好基础。（2）狠抓强农惠农政策落实，促进水产畜牧业优势产业平稳较快发展。突出抓好生猪标准化规模养殖场（小区）建设项目、能繁母猪保险、生猪良种补贴、奶牛良种补贴、生猪调出大县奖励资金、罗非鱼补贴和渔用柴油补贴等政策落实。年内自治区人民政府出台了《关于进一步稳定生猪生产促进农民增收的意见》（桂政办发〔2009〕104 号），从自治区农业产业化重点龙头企业扶持资金中安排 1000 万元，对生猪产业化龙头企业和农民合作组织在生猪生产、收购、加工、流通等方面的贷款给予贴息。（3）大力扶持发展龙头企业和专业合作社，产业化经营水平不断提高。梧州神冠蛋白肠衣有限公司重组成立的神冠控股在香港联合交易所正式上市，广西皇氏甲天下乳业股份有限公司在深交所上市。投资 1 亿元的广西佳佳食品公司全面建成后，广西将拥有佳佳和鸿雁两大鹅肥肝生产企业，年产鹅肥肝超过 800 吨，拉动朗德鹅养殖 100 万只，形成一个新兴产业，使广西成为全国最大的鹅肥肝生产基地。2009 年新增自治区行业级以上重点龙头企业 70 家，比增 34%；新发展农民专业合作社 826 家，总数达到 1 358 家，同比增 155%，养殖业农民专业合作社占全区农民专业合作社总数的 64.7%。现在有国家级重点龙头企业 8 家，自治区级重点龙头企业 42 家，自治区行业级重点龙头企业 276 家。2009 年全区龙头企业、农民合作组织（协会）等带动农户总数达到 263.89 万户，比上年增长 11.6%。由于龙头企业和农民专业合作社带动，龟鳖、肉兔、山羊、肉鹅等特色养殖成为发展新亮点。（4）积极开展产品促销，进一步拓宽名优产品销售市场。2009 年在南宁举办了广西生猪名优产品推介品尝会，在陆川县举办了陆川猪文化节，在南宁举办了广西名优水产畜牧产品展销会和推介会，在上海举办了桂沪农产品企业产销对接会，参加了在长春举办的第八届中国国际农产品博览会。通过展会，许多企业与上海等地经销商达成了合作意向，广西的黄沙鳖、三黄鸡、海水产品走进了上海等城市，吉安特公司等还在上海开设了办事处。2009 年我局第一次组织 5 家企业参加第二十届香港美食博览会，签订合同 3 700 万元人民币，达成合作或代销协议 15 项 2 000 万元人民币，《南国早报》以 3 个版的篇幅专题给予报道。我局还组织了 7 家水产企业参加 2009 莫斯科国际食品展，接待近千客商，当场成交 142 万美元，达成成交意向 545 万美元。目前我区水产畜牧行业现有中国名牌农产品 4 个，广西名牌产品 60 个，广西优质产品 37 个。(5) 做好重大动物疫病防控工作，保障水产畜牧业发展环境。贯彻落实国务院和农业部、以及自治区人民政府关于重大动物疫病防控工作的一系列决策部署，坚持“加强领导、密切配合，依靠科学、依法防治，群防群控、果断处置”的 24 字方针，认真做好重大动物疫病防控工作，切实做到领导、机构、人员、经费、责任、制度“六落实”，确保了免疫密度和免疫质量，为全区畜牧业又好又快发展和公共卫生安全做出了积极贡献。

广西凤翔集团汇华食品有限责任公司屠宰车间

广西容县大华林下养鸡场

广西佳佳食品有限责任公司贵港种鹅基地

广西奶水牛核心群

黑龙江垦区现代畜牧业

“没有现代畜牧业作支撑的农业是不完整的现代化农业”，为此垦区必须做强现代化畜牧业，垦区围绕实施“放心奶”、“放心肉”工程，确立了集团化运作强化龙头、规模化经营壮大基地、科学化饲养提质增效，走龙头带基地、基地联农户的产业化发展道路。以“两牛一猪”为重点，全力推进股份制养殖场、家庭牧场和标准化养殖小区建设，促进畜牧业发展方式转变，建设了一批规模型畜产品生产基地，实现奶牛存栏 37.9 万头，占全省 1/6，规模化饲养率达 70% 以上；生猪饲养量 723 万头，人均出栏 2.9 头，高于全省和全国平均水平。在发展畜产品生产的同时，依托规模化畜牧养殖小区，开发利用沼气能源，成功探索出了北方高寒地区“农—畜—沼—肥”循环农业发展模式。并培育壮大了完达山乳业、北大荒肉业、北大荒牛业等国家重点农业产业化龙头企业。

垦区还大力推广全株玉米青贮饲料、奶牛肉牛冻配繁育、肉牛生猪经济杂交、畜禽全价日粮应用、疫病综合防治等五项实用技术。奶牛冻配率 100%。肉牛生猪推广了经济杂交模式，商品猪杂交率 80% 以上；三元杂交猪占出栏猪 70% 以上。推广的奶牛全株玉米青贮饲料和冻精配种等科技，使奶牛平均单产达 5.5 吨，比全国高出 700 千克；推广的肉牛品种改良和快速育肥技术，使肉牛 24 月龄出栏体重达到 500 千克，胴体率达到 53.5% 以上；推广的生猪三元杂交、全价配合料、直线育肥等技术，使生猪瘦肉率达 65% ～ 67%，180 天体重达 100 千克，出栏率 140%。一四级动物防疫体系网络化健全，形成了全方位覆盖的动物防检疫体系优势，建成总局、分局防疫机构 10 个，农场防疫站 113 个、管理区畜牧兽医站 464 个。

垦区发展建设现代畜牧业，有资源优势、有增产潜力、有技术支撑、有生态保障，发展优质畜产品生产潜力巨大。到 2012 年，将实现生猪饲养量 1 000 万头，肉牛饲养量 100 万头，奶牛存栏 50 万头，为确保国家肉奶等菜篮子产品生产稳定、价格稳定和市场稳定做出新的贡献。

山西省畜牧遗传育种中心

山西省畜牧遗传育种中心（原山西省家畜冷冻精液中心）隶属于省农业厅，成立于 1974 年。是山西省唯一一家集生产、科研、培训、技术服务于一体的以生产、推广牛冷冻精液、冷冻胚胎和胚胎生物技术研究及黄牛繁育体系建设为主要任务的全民所有制事业单位。我中心于 2007 年成立了奶牛生产性能测定实验室，是全国 14 个中心实验室之一，承担了全省奶牛生产性能测定推广任务。

中心共有职工 54 人，其中在职职工 38 人，研究员 1 人，高级职称 6 人，中级职称 8 人，助理职称 10 人。中心管理制度严谨，组织机构健全，技术力量雄厚，硬件设施先进;有严格的质量管理体系、质量保证体系和先进的质检系统。中心先后引进了 IMV 公司的精子密度检测仪、精液自动灌装印字一体机及全自动细管冷冻柜；在精子检测方面我们先后从日本引进了两台相差倒置显微录像系统及伟力彩色精子分析系统，硬件设施国内一流。冻精生产人员和质检员全部参加了国家质检中心的培训。在多年的冻精生产及质量保证方面具有丰富的经验，在农业部多次冻精抽检及换证验收中我中心生产的冻精质量完全达标。

30 多年来，在农业部和各级领导的支持下，我中心共生产推广牛冷冻精液约 1 500 余万份，改良输精母牛 700 余万头，繁殖成活改良牛 600 余万头，累计创社会效益 50 亿元。在省内已形成了具有一定规模和普及面的冻精繁育体系。30 多年来，我中心逐步形成了晋北以“古城”奶业集团为首的荷斯坦奶牛带，晋中“西门塔尔牛太行类群”为主的肉牛带以及晋南以国内五大良种之一——晋南大黄牛为主黄牛带。为我省黄牛改良工作和广大山区农民脱贫致富奔小康做出了巨大的贡献，被誉为“繁改之基石”、“良牛之源”。

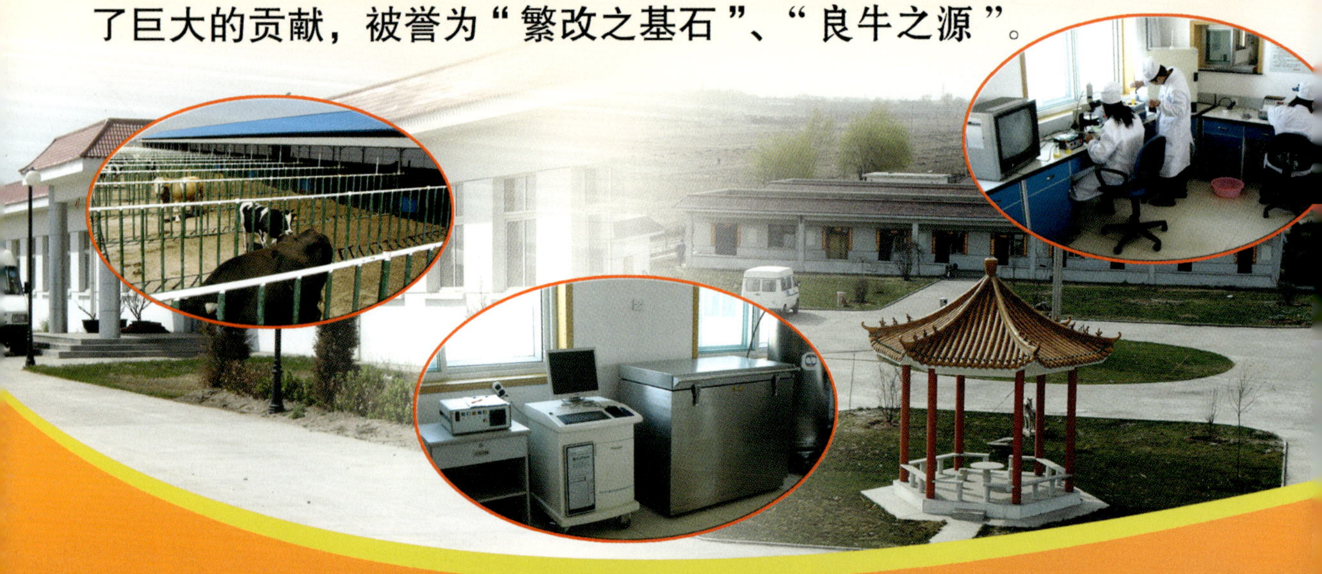

吉林省养蜂科学研究所

吉林省养蜂科学研究所（吉林省蜜蜂育种场）建于1983年，为省级科研事业单位，1989年被农业部确定为国家级重点种蜂场；2000年被农业部确定为蜜蜂品种资源场；2006年被中国养蜂学会命名为蜜蜂良种繁育基地。2008年7月被国家农业部确定为首批国家级蜜蜂基因库（农业部公告1058号）。现有职工53人，其中专业技术人员41人，享受政府特贴专家2人，第五届中国青年科技奖获得者1人，新世纪百千万人才工程国家级人选1人。先后取得了50多项科研成果，其中“黑环系蜜蜂选育研究”获国家科技进步二等奖；“松丹双交种蜜蜂”、“白山5号三交种蜜蜂”、“喀高喀意蜜蜂”等29项成果获省、部级科技奖励，出版专著17部。现保存14个原种，选育出8个良种蜜蜂，是全国最大的蜜蜂遗传资源库。截止到2009年，已向全国30个省市区推广良种蜂王11万多只（占全国同期推广蜂王总数的40%以上），改良蜜蜂900多万群，为全国养蜂生产的发展做出了重大贡献。

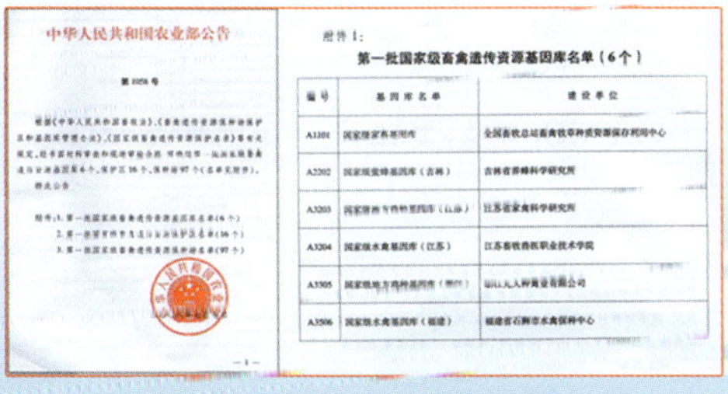
中华人民共和国农业部公告

第1058号

附件1：

第一批国家级畜禽遗传资源基因库名单（6个）

编号	基因库名称	建设单位
A1101	国家级家畜基因库	全国畜牧总站畜禽牧草种质资源保存利用中心
A2202	国家级蜜蜂基因库（吉林）	吉林省养蜂科学研究所
A3203	国家级地方鸡种基因库（江苏）	江苏省家禽科学研究所
A3204	国家级水禽基因库（江苏）	江苏畜牧兽医职业技术学院
A3305	国家级地方鸡种基因库（浙江）	浙江光大种禽业有限公司
A3506	国家级水禽基因库（福建）	福建省石狮市水禽保种中心

国家农业部确定第一批国家级基因库的1058号公告

新疆黑蜂

长白山中蜂

地址：吉林省吉林市丰满街园林路47号　邮码：132108　联系人：丰蜂　电话：0432-64690952（传真）
邮箱：asijl@sina.com　网址：www.cbgri.net.cn

黑龙江省畜牧研究所

黑龙江省畜牧研究所隶属于省畜牧兽医局，1959 年成立于肇东市，现址齐市龙沙区。以提高全省畜牧业科技贡献率和创新能力为宗旨，围绕畜禽品种资源、遗传育种、繁殖技术、牧草与饲料作物育种和生物技术重点学科，开展应用基础研究、应用技术研究和高新技术研究，着重解决全省牧业生产中带有普遍性、方向性、关键性和基础性的重大科学技术问题。承担着科技部、省科技厅、省畜牧兽医局、齐齐哈尔市科技局等部门下达的研究任务，以培育良种、发展节粮型畜牧业为目标，以研究生产综合技术为主攻方向，重点研究畜禽育种、繁殖、饲养饲料、草原和畜产品加工等课题，为畜牧业发展提供应用技术，开发新技术、新产品，加快科技成果转化、多层次全方位为畜牧生产服务，为实现质量效益型畜牧业、建设畜牧大省和畜牧强省服务。

皮宝安所长

黑龙江省畜牧研究所除设有常规职能科室外，还设有省动物胚胎工程重点实验室、养牛研究室等 13 个研究室。省级重点学科“草业科学学科”,齐齐哈尔市市级重点学科“家禽营养饲养学科”和“草业科学学科”，设有“黑龙江省动物胚胎工程重点实验室”、“黑龙江省鹅育种中心”及“黑龙江省畜牧科研中试基地”。齐齐哈尔市区办公科研楼建筑面积 4 260 平方米，富拉尔基区科研基地总占地面积 360 多公顷，其中耕地 130 公顷，办公楼建筑面积 7 500 平方米。现有编制 235 人，其中正高职 12 人，副高职 22 人；硕士 17 人，另有 19 人正在攻读农业推广硕士学位。

黑龙江省草业首席专家李红研究员

自 1959 年建所以来共获得全国科学大会优秀成果奖、省政府优秀成果一等奖、省长特别奖等各级科技成果奖项 237 项，其中获得国家各部委奖 29 项。培育东北细毛羊、东北半细毛羊、哈尔滨白猪和黑龙江马 4 个家畜新品种，参与培育了中国黑白花奶牛品种。培育龙牧 1 号、龙牧 3 号、龙牧 5 号饲用玉米和龙优 1 号饲用玉米 4 个饲料玉米新品种。培育东北羊草、肇东苜蓿、龙牧 2 号沙打旺、龙牧苦荬菜、龙牧 18 号饲用南瓜和龙牧 801、龙牧 803、龙牧 806 共 8 个饲草新品种。在国内外重要学术刊物上发表具有较高学术价值的科研论文 856 篇。制定畜牧业地方标准和技术规程 23 项。目前在研在建课题项目共计 39 项，其中“十一五”国家科技部科技支撑计划项目 4 项，科技部“国家科技基础条件平台”项目 1 项，科技部国家自然科学基金项目 1 项；国家现代农业技术体系项目 2 项；农业部良种工程项目 1 项；承担省级项目 27 项，市级项目 3 项。

莱茵鹅群

多年来，与加拿大、美国、日本、澳大利亚、法国、新西兰等国家的大学和研究机构建立并保持着良好的协作关系，来所考察和技术交流的国外专家达 50 余人次，出国研修及考察的专业技术人员达 60 余人次，国际间的科技交流不断发展和扩大。

龙牧806良种繁育田

籽鹅群

西藏自治区动物疫病预防控制中心

2009 年，西藏自治区动物疫病预防控制中心在自治区农牧厅党组的领导下，认真贯彻落实科学发展观，团结带领广大干部职工，认真履行职责，狠抓措施落实，扎实有效地开展各项工作，较好地完成了各项工作任务，取得了明显成效。

一、动物疫病监测

1.A 型口蹄疫。除墨脱县外，于 3 月和 4 月份，分别对全区送检的羊、猪血清样品，严格按照规定程序进行 A 型口蹄疫抗体检测并上报检测结果。

2. 组织开展高致病性禽流感、口蹄疫、小反刍兽疫、猪瘟、鸡新城疫、布鲁氏菌病、高致病性猪蓝耳病、牛结核病、狂犬病等 9 种重大动 物疫病的全区流行病学调查及样品采集、实验室检测工作。

3. 全力防控甲型 H1N1 流感。

4. 开展疯牛病、羊痒病、牛瘟、牛肺疫流行病学调查。

5. 活禽市场周检。

二、动物疫病诊断

年内先后对自治区内多地畜禽疫病进行准确诊断，为及时有效扑灭或排除疫情提供了科学决策依据。

三、动物疫情信息收集整理和上传

四、春秋两季动物疫病防控检查

五、全区兽医工作督查

3 月 30 日至 4 月 15 日赴山南、拉萨、那曲三地市的 14 个县、28 个乡镇开展督查。

六、配合农业部专家组对小反刍兽疫进行风险评估

9 月 14—20 日派出专业技术人员陪同农业部小反刍兽疫风险评估专家组赴那曲地区进行小反刍兽疫风险评估工作。

七、扎实开展 7 种动物疫病（布鲁氏菌病、结核病、狂犬病、炭疽、猪链球菌病、马鼻疽、马传贫）防控工作，确保年内全区畜间无疫情，保持了疫情平稳。

八、实施边境地区动物疫病防控技术研究项目

按照部署，自 2008 年 11 月开始，组织三个工作组先后多次深入 19 个县的部分乡、村开展口蹄疫、布鲁氏菌病、结核病、棘球蚴病、野生偶蹄动物口蹄疫、小反刍兽疫、蓝舌病、羊痘和候鸟、留鸟高致病性禽流感、新城疫等流行病学调查及血清学检测。

九、全面开展多层次专业技术培训

1. 先后派出 30 多人次赴中国动物疫控中心、哈尔滨禽流感参考实验室，中国动物卫生与流行病学中心、兰州兽医研究所及新疆、广西、云南兽研所等进行业务培训，重点为口蹄疫、高致病性禽流感、猪蓝耳病、蓝舌病、甲型 H1N1 流感、棘球蚴、小反刍兽疫等动物疫病实验室诊断与监测技术。

2.10 月 10—13 日在拉萨举办了全区村级动物防疫员师资培训班。

3.10 月 14—18 日举办了全区首期动物标识及疫病可追溯体系建设培训班。

十、多渠道解决基层培训资料

1. 年初向自治区科技厅申报《兽医手册》藏文编译项目获准立项，经严格的译、审、校等过程，全部完成 3500 套（7000 册）《兽医手册》藏文本的编印工作并已全区发放。

2.《西藏自治区农牧区基层突发重大动物疫情应急处理能力培训教材》1500 册已印发各地。

十一、实验室资质认证

自治区动物疫控中心兽医诊断实验室顺利通过西藏自治区技术监督局评审组对实验室检测环境、检测设备、技术人员专业知识和实际操作技能等方面的考核，于 2009 年 1 月取得实验室资质认定（计量认证）证书。

9 月份，受西藏自治区质量技术监督局委托，拉萨市质量技术监督局再次对我中心 2009 年度资质认定获证实验室进行专项监督检查，认定各方面均符合要求，顺利通过检查。

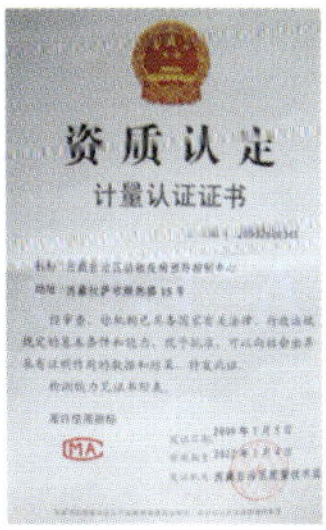

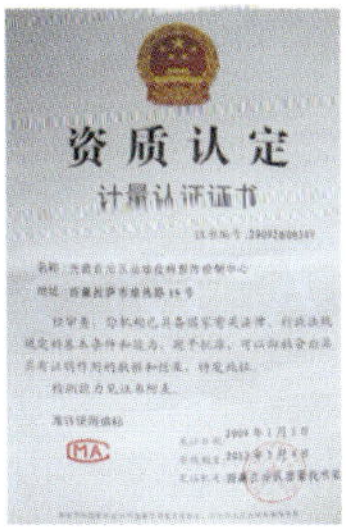

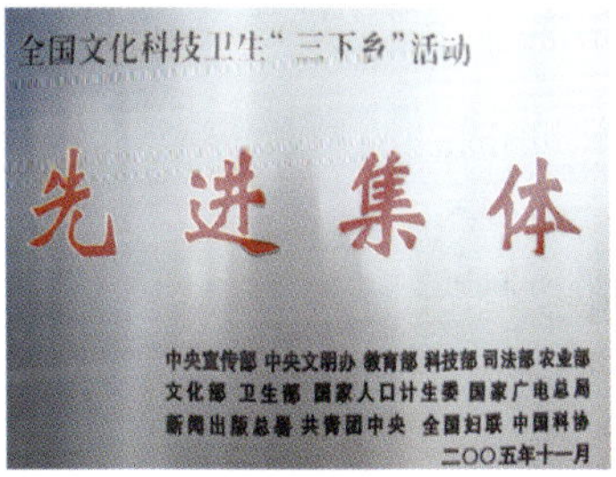

突飞猛进的南乐畜牧业

党组书记，局长吕海生

南乐县位于冀鲁豫三省交界处，该县辖9乡3镇，总人口48万人，其中农业人口45万人，土地面积624平方千米，耕地面积近4万公顷，是一个典型的平原农业县，该县土地肥沃，气候适宜，适合多种农作物生长及畜禽生长发育。农作物以小麦、玉米为主，饲草饲料资源丰富，畜牧业以肉牛、肉鸡、生猪和蛋鸡为主。肉牛、肉鸡、生猪已成为该县畜牧业经济的三大支柱产业。南乐县委县政府立足本地优势，把发展畜牧业纳入重要议事日程，于1996年成立了畜牧业专门机构——南乐县畜牧技术服务中心，2001年将畜牧中心改为畜牧局，成为县政府行政管理部门，畜牧局内设办公室、畜牧股、防检股、畜产品质量安全管理股、医政药政股等6个行政股室，下设动物卫生监督所、动物疫病防控中心、畜产品质量安全监测检验中心、畜牧站、饲草饲料站、改良站和城关、韩张、元村三个防疫检疫中心所等9个事业机构，总编制94名。以服务畜牧业为宗旨，以提高畜牧科技含量和养殖业综合实力为目标，以发展现代畜牧业、促进农民增收、农业增效为宗旨，以提升畜牧业科技含量为突破口，全方位开展畜牧业管理服务活动，促进了全县畜牧业快速发展。畜牧业产值占农林牧渔业总产值比重由1996年的24.6%上升到2009年的51%，畜牧业已成为该县农村经济的主导产业。近两年，局领导班子带领全体干部职工以发展规模养殖为重点，全面促进畜牧业提档升级。至2009年底，全县共建成千头以上规模牛场22家、千头以上猪场65家（其中万头规模猪场1家）、万只蛋鸡场37 家，饲料加工企业16家、畜产品加工企业14家，畜牧业已步入产业化发展轨道。该县先后被农业部评为“全国秸秆养畜十佳示范县”，被河南省政府命名为全省“畜牧强县”，确定为“河南省畜牧业发展重点县”。

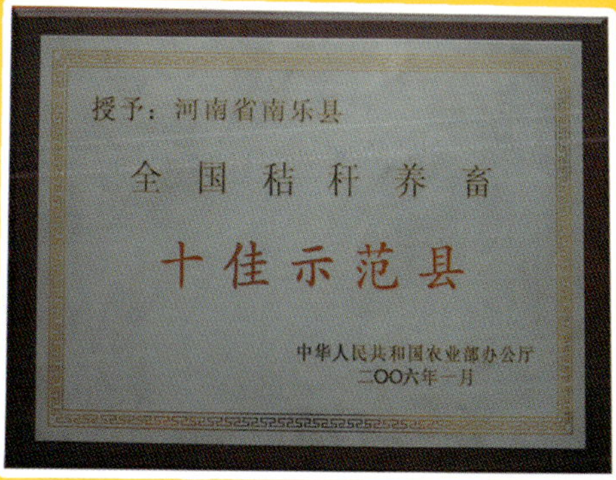

领导班子制定畜牧业规划

蓬勃发展的辉县市畜牧业

河南省辉县市地处豫西北太行山南麓，是一座历史悠久、文化灿烂、物产丰饶、风景优美的历史文化名城。辖 22 个乡镇，533 个行政村，80 万人，近 6 万公顷耕地，总面积 2 007 平方千米。境内山区、丘陵、平原兼有，一年四季分明，适宜发展多种畜禽养殖，是传统的畜牧业生产大市（县）。1988 年，辉县市被农业部、财政部确定为全国首批商品瘦肉型猪生产基地县（市），2006 年被河南省人民政府确定为全省 40 个畜牧业发展重点县（市）之一，2007 年被确定为首批国家生猪外调大县（市）。

近年来，辉县市委、市政府十分重视畜牧业发展，把畜牧业作为农村经济的支柱产业，放在优先发展的战略地位，积极鼓励支持发展畜牧业生产，辉县市现代畜牧业呈现旺盛的发展态势：

一是畜牧业产值及畜产品产量大幅度增长。2009 年，该市生猪存栏 82.3 万头，出栏 120 万头；外调生猪 80 万头；家禽存栏 827.64 万只；奶牛存栏 6 051 头；肉类总产 9.8 万吨，蛋类总产 7.85 万吨，奶类总产 2.7 万吨；畜牧业产值达 21.72 亿元，占农林牧渔业生产总值的比重为 53.27%。

二是规模养殖快速发展。2009 年底，该市规模养殖户达到 7 950 个，其中养猪场 5 481 个，养禽场 1 200 个，养牛场 722 个，养羊场 460 个，养兔场 87 个。全市万只以上鸡场 52 个，最大存栏 10 万只；年出栏 3 000 头以上猪场 19 个，最大规模 3 万头；建成标准化奶牛养殖场 8 个，最大设计规模存栏奶牛 1 000 头。全市规模养殖比重达到 75% 以上。在发展标准化规模养殖方面，该市以无公害畜产品产地认定和产品认证为抓手，先后有 102 家畜禽养殖企业通过了无公害畜产品产地认定或一体化认证，位居河南省各县（市）区之首。

三是生猪“产－加－销”产业链条正在形成。2008 年 11 月，辉县市政府与江苏雨润集团合作的年屠宰 200 万头生猪加工冷鲜肉项目落户该市，2009 年 7 月 30 日开工建设，预计 2010 年 10 月 1 日投产。该项目建成后，可以有效带动该市畜牧业及相关产业的发展，对促进农民增收和社会经济发展具有重大意义。

四是生猪发展年活动进展顺利。辉县市政府将 2010-2011 年确定为生猪发展年，计划到 2010 年底，全市生猪存栏达到 100 万头，出栏 140 万头，猪肉产量达到 10 万吨，新建 2 ~ 3 个年出栏 1 万头以上的养猪场，新建或改造 30 个以上标准化规模养殖场（小区）；2011 年底，生猪存栏达到 110 万头，出栏 160 万头，猪肉产量达到 12 万吨，新建 3 ~ 5 个年出栏 1 万头以上的养猪场，新建或改造 50 个以上标准化规模养猪场（小区）。目前，已有辉县市德丰养殖有限公司、辉县市西顺牧业有限公司、张村乡大王庄万头猪场、辉县市地逢春养殖场等 10 余个年出栏 5 000 头或万头以上的养猪场正在兴建中。

辉县市市委书记崔学勇到兴发奶牛养殖场视察

发展现代畜牧　再创辉煌业绩

——遂平县2009年畜牧业发展概况

近年来，畜牧局以“畜牧强县”建设为目标，抢抓机遇，强化措施，锐意进取，大力发展现代畜牧业，实施项目带动，发展规模养殖，推进畜牧产业化经营，实现了全县畜牧业数量、质量和效益的同步发展。2009 年，全县肉类总产量 10.6 万吨、禽蛋产量 6.5 万吨、牛奶产量 3 900 吨，同比增长 9.2%、6.9%、25.6%；实现畜牧业产值 18.8 亿元，占农林牧渔业总产值的比重达 57.8%；农民人均畜牧业收入 1 590 元，占农民人均收入的 40%。2009 年，全县共新建规模养殖场区 55 个，规模养殖场区总数已达到 198 个，养殖专业村 40 个，养殖专业户 9 760 户，猪、牛、羊、禽良种覆盖率分别为 98%、65%、75%、95%。全县人均畜牧业产值、人均肉蛋奶产量等主要生产指标综合评定一直稳居全省前列、全市第一位，畜牧业产值占农业总产值的比重均在 50% 以上，先后被命名为全国秸秆养畜示范县、全国生猪调出大县，河南省畜牧强县、畜牧业发展重点县、无公害生猪生产示范县、畜牧产业化先进单位，为遂平顺利跨入“全国食品工业强县”、“全国食品十大发展特色县”做出了卓越贡献。

招商引资项目建设连创佳绩，先后引资兴建了投资 8 500 万元的河南万东牧业遂平第一种猪厂、投资 6 000 万元的英联饲料驻马店厂、投资 3.6 亿元年产 10 万吨冷鲜肉的驻马店众品食业有限公司、投资 4.99 亿元的广西贵港扬翔饲料和 30 万头种猪生产项目、投资 5.4 亿元年加工鲜蛋 1 万吨的徐福记集团；2009 年新增招商引资项目众品食业冷链物流、郑州华罗有限公司蛋鸡种鸡厂、英联饲料二期工程相继开工建设，新增投资 1.5 亿元。万东牧业、众品食业、英联饲料、扬翔饲料、华罗种鸡厂等畜牧龙头带动效应凸现。近三年，累计争取中央、省、市畜牧业项目扶持资金 6 000 多万元，项目拉动作用逐步显现，走出了以项目求发展的现代畜牧业发展之路；畜牧业生产方式不断得到改变，2009 年，全县共新建规模养殖场区 55 个，规模养殖场区总数已达到 198 个，养殖专业村 40 个，养殖专业户 9 760 户，猪、牛、羊、禽的规模养殖比例分别达到 80%、50%、45%、92% 以上。全县规模饲养量达 65%以上；畜禽标准化生产稳步推进，积极实施畜产品无公害产地认证和产品认证工作，加强兽药、饲料市场的监管和动物、动物产品的检疫，确保畜产品安全，目前全县已有 13 家养殖企业通过省级畜产品无公害产地认证，跨入了全省无公害生猪生产示范县行列；重大动物疫病防控工作成效显著，健全完善了县、乡、村三级动物防疫网络，预防措施更加规范，监测预警更加科学，检疫监管更加有力，应免畜禽免疫密度均达到 100%，保持了全县清净无疫的良好局面，保护了畜牧业的健康持续发展，2009 年 5 月农业部部长孙政才及省市领导来我县视察防疫体系建设、重大动物疫病防控工作，给予高度赞誉，被评为 2009 年全市重大动物疫病防控第一名，受到市委市政府的表彰与嘉奖。

目前，遂平畜牧龙头异军突起，标准化养殖迅速发展，综合生产实力不断壮大，形成了饲料生产、规模养殖、种猪生产、畜产品加工的畜牧产业化经营格局。

底图为年出栏种猪2万头、商品猪3万头的河南万东牧业遂平第一种猪场

全力推进荣昌示范核心区建设

着力打造畜牧第一品牌

2009 年 1 月，农业部批准荣昌县为重庆国家现代畜牧业示范区核心区，并予以重点支持。这是荣昌近 20 年来持续打造畜牧品牌，加速推进现代畜牧业的又一重大举措。荣昌县以此为契机，牢固树立畜牧业第一品牌理念，按照重庆国家现代畜牧业示范区提出的"建设一批基地（畜产品生产基地）、建成一大中心（信息物流中心），打造三大高地（以种猪为主的良种供种高地、畜牧科技创新与人才培养高地、畜产品质量安全高地）、探索破解五大难题（畜牧业生产方式和增长方式落后的难题；畜产品质量安全水平低的难题；各环节利益联结不紧密的难题；破解畜牧产业发展融资难的难题；畜产品商品化率低和市场波动大的难题）"的"1135"总体目标和重庆市委、市政府关于力争示范核心区早出成果、早见成效的建设要求，以建设三大体系（生猪良繁体系、动防及技术保障体系、市场体系）、三大基地（生猪标准化规模养殖示范基地、畜产品深加工基地、科教人才培养基地）为重点，以为全国提供可资借鉴的成功经验和发展模式为目标，举全县之力，在完善机构、科学编制规划的基础上，全面启动和推进核心区建设。经过一年的努力，核心区建设迈出了坚实的第一步，取得初步成效，形成了一批新的看点和亮点。

开展广泛合作，共建互赢机制初步形成。先后与全国 38 所畜牧科研院所、九三学社重庆市委、重庆农垦集团、四川新希望集团、重庆市农行等签订了示范核心区建设战略合作框架协议，与加拿大签订了动物健康推广服务项目国际合作协议，与西藏、青海、云南等 9 个省（自治区）的有关县市签订"荣昌猪资源共享"战略合作协议，达成了共同推进核心区建设的共识，初步建立了"政府、高校、科研单位、企业、金融机构、民主党派"合作共建机制，达到了充分借助外力共同推进建设的目的。

全力组织实施核心区重大项目建设，成效明显，亮点纷呈。以六大方面（三大体系、三大基地）建设内容为重点，实施项目带动战略，引入市场资本 6 亿元，策划和组织实施了中国（荣昌）畜牧产品交易市场、生猪原种场、镇级畜牧兽医站、良种生猪扩繁基地、生猪标准化养殖示范基地等多个具有全国领先水平的建设项目。新建成 2 个重庆领先、全国一流的场均存栏种猪 600 头以上的现代化原种猪场——重庆市原种猪场和渝荣 I 号猪配套系原种猪场，成功打造了昌州良种生猪扩繁基地及"畜牧文化广场"，新建成存栏 200 头以上母猪的扩繁场 5 个，生猪良繁体系进一步完善，制种供种能力大幅提升。按全国一流、形象突出、功能完善的标准，启动了全县 21 个镇街畜牧兽医站建设，并建成峰高、安富、广顺等 10 个镇街畜牧兽医站和标准化猪免费人工授精站，动物防控条件得到有效改善。引进和扶持雨润集团完成了年屠宰加工生猪 300 万头（其中乳猪 200 万头，商品肉猪 100 万头）的生产线建设，并投入使用，畜禽加工能力得到切实增强。引进业主，启动了全国规模最大、档次最高、信息最灵，集现代物流配送、电子商务及信息服务于一体的中国（荣昌）畜牧产品交易市场建设，畜产品交易平台和手段更加丰富，全国畜产品信息物流中心逐渐形成。依托良种生猪扩繁基地，启动了具有南方农区特色的生猪标准化养殖示范基地建设，积极进行各种养殖模式及各种机制体制的探索、创新、归纳、提炼与示范，猪—沼—莱（林）、猪—沼—能源等各类循环养殖模式取得成果，农区养殖模式探索见成效。策划启动了中国重庆畜牧科技城科技孵化基地、重庆市畜牧职业学院、西南大学荣昌校区国家现代牧渔业科教基地、现代畜牧业科技创新中心等项目建设，推进顺利，畜牧科技研发平台进一步完善。

成功举办中国畜牧科技论坛，强化对外宣传，示范核心区影响力日益扩大。于 2009 年 10 月 23-25 日成功举办了以"畜产安全与人类健康"为活动主题的第四届中国畜牧科技论坛暨第六届中国畜牧科技新项目新产品新技术博览会，并以此为平台和载体，对示范核心区进行了全方位的宣传，组织了现场参观，举办了建设汇报会。示范核心区建设理念、思路、目的、内容及建设成效得到了参会的国家部委领导，国内外大学、畜牧科研院所专家、学者及畜牧企业代表的高度肯定和赞扬。荣昌畜牧知名度进一步提高，示范核心区品牌影响力进一步扩大。

乐家环球（北京）咨询有限公司

马来西亚驻华大使亲为六味酸做宣传

公司简介

乐家环球(北京)咨询有限公司(Regal Plus)是一家成立于 2007 年全外资企业。公司与众多国际、国内重点大学、科研机构建立合作关系(马来西亚农业大学等)。公司主要从事以食品、饲料原料以及饲料添加剂进出口业务。公司总部位于首都北京，业务范围覆盖全国，客户范围包含全国多个著名的食品以及畜牧行业相关龙头企业。

公司有专业的食品部和饲料产品部，并且有相关专业人员配备，以专业的技术支服务广大消费者。公司本着绿色、健康、安全的理念，我们致力于推广健康的食品；并不断推广先进的养殖技术和绿色养殖观念；以先进的科学技术服务畜牧生产，以绿色养殖观念改善人类生活品质。新产品以及先进科学技术的不断引进，让我们不断壮大；稳定的产品质量和供货渠道使我们可以一步一个脚印的前进。

产品简介

饲料添加剂是饲料行业的核心，但是其中种类繁多、生产工艺各不相同、技术含量和产品质量高低不一，市场竞争激烈。在这样激烈的市场环境下，每个公司都要有自己的核心产品。而且，这些核心产品所能够创造的不仅仅是经济效益，更能产生一定的环境效益和社会效益，为消费者创造安全健康的消费环境。同样，我公司推出的六味酸产品也是我们的核心产品。六味酸产品是由甲酸、乳酸、苹果酸、酒石酸、柠檬酸、正磷酸组成的综合酸化制菌剂；各原料成分均采用天然原料，非工业用酸，无抗生素成分。该产品主要应用于家禽(鸡、鸭等)以及家畜(猪)，用于改善动物生产性能、提高饲料利用率、改善养殖环境。我公司在六味酸研发上做了大量的工作，关于六味酸科研报告有 17 篇，其中 10 篇分别发表于国外各个著名杂志，7 篇正在审稿过程中。此外，公司于 2008 年在布里斯本，澳洲世界家禽大会发表了两份关于六味酸产品的科研报告。

六味酸的主要功能

1. 有效杀灭饲料及消化道有害菌，促进有益菌增殖(乳酸菌属)，改善消化道菌群环境；
2. 降低消化道 pH，活化各种消化酶，提高饲料利用率，增加肉料比和产蛋率；
3. 降低破蛋率，延长产蛋高峰，提高产蛋率；
4. 提高母猪的生产表现(乳蛋白含量增加、断乳后失重降低)，使小猪更加健康、生长速度加快；
5. 减少氨气等有害气体排放，粪便干燥，优化养殖环境。

六味酸增值效益

1. 降低鸡蛋以及肉产品中的胆固醇含量；
2. 非抗生素，无停药期；
3. 低剂量。

美国谷物协会

美国谷物协会是一家私立的、非盈利性机构。自1960年成立以来， 长期致力于为美国玉米、高粱、大麦及其相关产品开发出口市场。协会认为，这些出口对于全球经济的发展和美国农业的效益，都是非常重要的。

协会总部位于华盛顿，目前设有10个国际办事处，在80多个国家执行各种项目。它独特的会员制包括对开发出口市场有着共同兴趣的生产者组织和农业综合企业。

中国经济的成功和人均收入的增长，不断推高肉类的消费，同时也为畜禽业的发展提供了越来越多的机遇。美国谷物协会北京办事处自1984年成立以来，一直是中国畜牧和饲料行业的生产管理新技术、粮食贸易新信息的主要提供者。我们的技术项目培训畜禽生产者如何有效地使用饲料谷物及管理农场。我们的贸易服务项目帮助潜在客户和现有的客户了解美国的营销模式，包括融资、政府项目、美国饲料谷物的质量和价格等等。

先进的农作技术和完备的基础设施，保证美国可以稳定地为中国畜禽生产，提供玉米、玉米酒精粕DDGS、大麦和高粱等饲料原料。

关于协会及其项目的详情请见中文网址:

http://www.grains.org.cn

美国谷物协会北京办事处

北京市朝阳区建外大街1号国贸写字楼1座1010

邮编：100004

电话：8610 65051314

传真：8610 65050236

电子邮件：grainsbj@grains.org.cn

U.S. Grains Council

The U.S. Grains Council is a private, non profit corporation. Founded in 1960, the Council develops export markets for U.S. barley, corn, grain sorghum and related products. The Council believes exports are vital to global economic development and to U.S. agriculture's profitability.

The Council operates 10 international offices and programs in more than 80 countries, as well as its headquarters in Washington, DC. Its unique membership includes producer organizations and agribusinesses with a common interest in developing export markets.

China's economic success and the growth of per 6 ever higher level, which provide livestock industry more opportunities. USGC has been a major information source of the latest production technology and feed grain trade to the livestock industry since it was established in China in 1984. Our technical programs teach livestock and poultry producers how to use feed grains effectively and manage their operations efficiently. Our trade servicing efforts educate potential and current customers about the U.S. marketing system, including financing, government programs, U.S. feed grains quality and prices.

Advanced agronomy technology and sophisticated infrastructure assure the U.S. a reliable supplier of feed ingredients including barley, corn, DDGS, and sorghum for Chinese livestock producers.

Detailed information about the Council and its programs is contained throughout http://www.grains.org

U.S. Grains Council, China Office

Room 1010C, China World Office, Tower 1

No. 1, Jianguomenwai Avenue,

Beijing 100004, PRC

Phone: +86 10 6505 1314

Fax: +86 10 6505 0236

E-mail: grainsbj@grains.org.cn

石家庄市联实机械有限公司

石家庄市联实机械有限公司，是研制乳品设备的专业生产厂家，凭着多年的丰富经验和高新技术，精密的加工设备，严格的质量管理体系，引进高素质人才，完善的售后服务，灵活的经营机制参与市场竞争，提高了市场占有率和产品知名度，赢得了广大客户的高度赞扬和支持。经济效益大大提高，现已成为养殖户和乳业公司的首选产品。

石家庄市联实机械有限公司，秉承“用户就是上帝，质量就是生命”的经营理念，积极吸取国内外先进的生产加工技术，对产品不断的研制创新，研制的“鱼骨式、中置式、平面式”等挤奶设备，可满足各个层次养殖户的需要。我公司还可以为养殖户提供土建及奶厅的设计，并且配备配套的牛奶冷却罐和运输罐，同时还为现有的设备进行改造更新，使您的设备以最小的投资去获取最大的经济利益；青贮取料机、TMR 饲料混合搅拌机均可享受国家补贴，针对客户价格优惠。

我公司被中国中轻产品质量保障中心评为“全省质量（稳定）达标合格企业”。

我公司还被河北省农业厅、财政厅列入国家支持推广目录和农业购置补贴单位。总之，重质量、守信誉、用户至上、周到及时的售后服务，是我厂的宗旨。我们将一如既往地为新老客户服务，并以合理的价格、优良的品质热情的服务与您以诚相待，以信相交、共谋乳业发展的光辉未来，为奶业的发展贡献出我们的力量。

地址：行唐县西外环（行唐二中东临）
电话：0311-82996929 13930132308
http:www.sjzlsjx.com

沈阳正成原种猪场

沈阳正成与加拿大育种公司合作

沈阳正成原种猪场召开育种方案研讨会

沈阳正成原种猪场隶属于沈阳正成牧业集团。集团拥有沈阳正成牧业有限公司、辽宁农牧科技股份有限公司、哈尔滨正成牧业有限公司、福源牧业有限公司、鑫庞大牧业有限公司5家饲料企业，沈阳正成原种猪场一场（马三家）和沈阳正成原种猪场二场（新民）2家原种猪场。

猪场于2008年12月由加拿大成功引入优质长白、大白、杜洛克三品种原种猪524头，并与加拿大吉博克育种公司达成技术输送与交流的协议。首批种猪引进后，经过扩繁、选育，2010年出栏达5万头，其中提供优质种猪2.2万头。猪场引入世界最先进的种猪自动化测定设备，采用最佳线性无偏预测法育种。作为辽宁省核心育种场，本场还添置相关设备，建成猪人工授精室、化验室、疫病监测室等，并计划与省内一些畜牧技术推广站合作建立多家种猪测定场、猪人工授精站等，加快生猪遗传改良和良种繁育工作。

沈阳正成原种猪场始终致力于优良种猪的选育、推广和普及，十几年来做了大量的工作并积累了宝贵的经验。为推动东北养猪事业发展，调整农村产业化、拉动地方经济增长起到了积极的作用。

新加系原种猪群

沈阳正成原种猪场二场

猪圆环病毒2型灭活疫苗（LG株）
Porcine Circovirus Type 2 Vaccine, Inactivated (Strain Lg)
隆重上市
猪圆环病毒2型灭活疫苗
Porcine Circovirus Type 2 Vaccine, Inactivated
【作用与用途】用于预防猪圆环病毒2型感染所引
【用法与用量】颈部肌肉注射。详见说明书。
【贮藏与有效期】2～8℃避光保存，有效期为18个
批准文号:兽药生字（2010）0800110
哈尔滨维科生物技术开发公
猪圆环病毒2型灭活疫苗（LG株）
兽药生字（2010）080011071
维护动物健康
科技彰显实力
发明专利证书
获国家发明专利证书
（ZL200610086918.8）
国兽药广审（文）2011020036
维科生物
哈兽研
WEIKE BIOTECHNOLOGY
国兽药广审（文）2010030038
哈尔滨维科生物技术开发公司
地址：黑龙江省哈尔滨市香坊区哈平路680号
邮编：150069
网址：www.hvriwk.com
销售热线：0451-51661116 51661115
销售传真：0451-51661114
服务热线：0451-51661188

大庆市银螺乳业有限公司种公牛站

大庆市银螺乳业有限公司组建于 2001 年 6 月，是集奶牛养殖、鲜奶加工、荷斯坦冷冻精液、性控精液、胚胎生产为一体的产业化国家级龙头企业，被评为“奶牛养殖新星”等荣誉称号。现有奶牛存栏 18 000 头，加拿大奶牛核心群 3 200 头。

大庆市银螺乳业有限公司种公牛站成立于 2006 年 8 月，现有纯种的加拿大荷斯坦种公牛 220 头，经过农业部验收外貌评定为特级的有 90 头，一级的 28 头，特级率占 76%，年产优质荷斯坦冷冻精液 200 万剂。2007—2009 年先后有 80 多头牛入围国家良种补贴的项目中。我站现有 XY 精液性控分选仪两台，年产优质性控冻精 7 万剂、性控胚胎 2 万枚，性控产母犊率达到 95% 以上。

我公司于 2003 年从加拿大进口纯种加拿大荷斯坦种母牛、种公牛 880 头，种级加拿大胚胎 2 000 枚，加拿大高产奶牛冻精 2 万剂。我站种公牛具有体型外貌好、身体健壮、遗传性能稳定、后代产奶量高的特点。我站现有专业技术人员 16 人，其中具有高级职称的 3 人，中级职称的 6 人，技术管理人员 4 人，采精员 5 人，所有技术人员都具有大专以上学历，多次到北京、南京等地的学习班学习，具有丰富的从业经验。生产上使用日本富士平、法国卡苏公司生产的机器设备，完全实现机械自动化生产，精液自动灌装、封口、印字，精液程序化自动冻冻，充分保障了精液的质量。

一流的种牛，一流的设备，一流的技术，一流的质量，铸就银螺公司一流的服务。

上海市浦东新区动物卫生监督所

上海市浦东新区动物卫生监督所成立于 2006 年 6 月 26 日，核定编制 20 名，在岗人员 17 人；其中，行政执法人员 12 人。主要承担新区范围内的动物检疫、动物及动物产品检疫监管、动物防疫条件审核、宠物诊疗监管、生物安全监管、重大动物疫病防疫监管及应急处置、动物检疫证章标志管理、兽药饲料监管等法律授权或行政委托的工作职能。

在各级领导的关心和支持下，浦东新区动物卫生监督所按照“内抓管理、外树形象、依法行政、规范许可”的管理目标，通过“深化教育抓素质，精细管理促发展，严格制度求落实”，不断强化内部管理，打造了一支业精技强的动物卫生监督执法队伍。在连续三年的市动物卫生监督工作评比中，分获第一名、第二名、第一名的好成绩，选送的行政执法案卷被评为优秀案卷。

浦东新区动物卫生监督所以“保障动物源性食品安全”为工作目标，以“重大动物疫病防控监管”和“兽药、饲料等畜禽投入品监管”为主要工作内容，以严格的程序性监督执法和规范的技术性监督执法相结合的工作思路，依托专业技术和相关法律法规，将监督执法融入有效的管理中。以监管对象和受控产品为抓手，始终把准确掌握畜禽养殖动态和兽药饲料生产、经营、使用全过程等情况记录作为监督执法的基础，全面掌握监管对象的基本信息、产品信息及其生产经营信息，规范生产经营行为，扎实深入推进全区动物卫生监督工作。

严格畜禽养殖动态管理，为动物卫生监督执法等各项工作打下扎实基础

推行奶牛身份档案管理，有效防控重大动物疫病

完善基础设施建设，不断深化细化病死畜禽无害化处理

着力构建完整的动物卫生监管的可追溯体系

不断探索兽药监督管理的有效途径

三年多来，全区的各类监管对象对新区动物卫生监督所“监督就是服务”的理念给予认可，送来的一面面锦旗就是最好的见证。相信在上级各部门的关心和指导下，在所班子的带领下，在“围绕工作目标讲贡献，围绕工作方法讲能力，围绕工作措施讲成效，围绕工作落实讲勤政”的良好工作氛围下，新区的动物卫生监督工作一定会再上新台阶。

上海市肉牛育种中心

上海市肉牛育种中心（上海金晖家畜遗传开发有限公司）是由著名企业家邱维廉先生投资兴办的从事澳大利亚南德文肉牛纯种繁育和推广的高科技企业，是我国首家在种牛繁育领域中的高科技生物遗传公司，唯一一家经过专家论证研究，被评定为中国扶贫基金会推广项目的种牛基地，唯一一家具有公母群体配套引进，具有优良遗传基因的种牛繁育基地。南德文牛毛色紫红、不怕牛虻、体型大、体躯丰满、早熟、生长快、屠宰率高、净肉率达59.5%、肌肉纤维细、脂肪囤积适中、肉质鲜嫩呈明显大理石纹状，是生产高档牛肉的三大品种之一。本品种抗寒、耐热，适应性强，能适应中国南北各地气候。2010年公司现有种牛198头，公牛104头、母牛94头，其中获国家农业部评定的特级种公牛44头，一级种公牛22头，并为此在全国种质资源中获得最高评分。特级牛占全群比例的66%，在全国处于顶尖水平。

公司以南德文牛纯种繁育和生产冷冻精液为主，在种、产、加、销、店的经营模式上取得了长足发展，目前已在甘肃投资建立了千头规模育肥示范场，肉牛产业链整合初具规模。

我公司已在规划建立南德文品牌连锁烧烤牛排馆与牛肉专卖店，把绿色优质的南德文牛肉直接推向餐桌，形成完整的“种、产、加、销、店”创新产业模式，使南德文品牌牛肉通过“连锁加盟烧烤牛排馆”这一创新模式，将在上海乃至全国发扬光大。

公司被上海西格玛企业信用征信有限公司评为3A级5星信用等级企业。同时，南德文品牌也被国家质监总局评为国内外知名品牌。

Shanghai Cattle Breeding Centre (Shanghai Jinhui Livestock Genetic Development Co., Ltd.) is invested by well-known entrepreneur —Mr. Weilian Qiu, Which is a high-tech enterprise of pursuing south Devon beef cattle breeding of Australia and promotion. It is the first high-tech bio-genetic company in the field of kinds of cattle breeding, the only one was discussed by experts. It has been assessed to the promotion of China Foundation for Poverty Alleviation project cattle base, the only one cattle breeding center which is with male and female groups, supporting the introduction of genetically superior species. South Devon cattle coat color has purple paper, not afraid of gadfly, size large, body fullness, early maturity, fast growth, slaughter rate and net meat rate of 59.5%, muscle fiber thinness; moderate accumulation of fat, meat tenderness was apparent marbling, which is one of the three varieties in the high-grade beef production. This variety has the advantages of resistance of cold and heat and well-adapted, which can adapt the climate of the south and north of China. In 2010, the company has had 198 breeding cattle, 104 Bulls, 94 cows, which is 44 super breeding bulls assessed by the ministry of agriculture, 22 general breeding bulls, for this reason it gets the highest score in the national breeding resources. The proportion of super breeding beef accounted for 66%, which is at the top level in the whole country.

Our company is mainly on pure-bred breeding of South Devon cattle and frozen semen production, it has made considerable progress in the species, production, processing, marketing, business model shop, at present, it has invested in 1000 demonstration farm fattening in Gansu, the chain of the beef cattle industrial begun to take shape.

Our company has been planning the text to establish South Devon brand chain stores and beef harbecue steak house, take the green high-quality beef of South Devon into the table directly, form a complete model of industrial innovation include "seed, production, processing, marketing, shop", though the "barbecue steak house franchise" This innovative model of brand of beef of South Devon will be carried forward in Shanghai and even throughout the country.

Our company has selected class 3A 5 star rated credit rating companies by Sigma Enterprise Credit Co., Ltd. Meanwhile, the South Devon brand is also selected famous brand of the domestic and foreign countries by the State General Administration of Quality Supervision.

Naseco
上海牧冠企业发展有限公司
SHANGHAI NASECO PRODUCTS COMPANY
电话：021-64865499 传真：021-64867466
网址：http://www.naseco.com.cn
Natural and alive for living thing
您的选择
自然 安全
CALPIS 可尔必思株式会社的益生菌健肠剂--可速必宁
Amlan INTERNATIONAL 美国安然公司的霉菌毒素吸附剂--加利百灵系列
抗敌霉200HPC加强型产品
DANISCO 丹尼斯克畜禽水产用--系列酶制剂
Herbonis 瑞士赫伯尼斯Herbonis--超维力
目前市面上唯一具有直接生物活性的维生素D3
agolin 瑞士亚各灵公司--亚各灵系列
植物精油，显著提高饲料的利用率及产出

诺伟司公司简介

诺伟司国际公司

- 诺伟司国际公司在动物保健和动物营养方面是全球的领导者。
- 诺伟司以科学为本，设计开发了多种动物健康与营养解决方案。
- 在为养禽业、养猪业、肉牛业、奶牛业、水产业和宠物业等行业开发动物健康与营养项目方面，诺伟司始终走在行业前列。

美国总部

诺伟司中国工厂

- 2008年初，诺伟司饲料添加剂（上海）有限公司在上海成立
- 设计生能力约为4 000吨/年
- 2009年9月，公司成功通过了ISO9001/ISO22000 /FAMI-QS三项认证
- 2009年10月，诺伟司中国工厂顺利通过了ISO14001环境管理体系和OHSAS18001职业健康与安全体系两项认证

诺伟司设在上海的工厂

诺伟司中国研发中心

- 2007年初，诺伟司中国研发中心在北京成立
- 诺伟司研发中心是一个集动物营养学、酶学、生物学、组织学、化学、兽医学及其他学科专家的大家庭
- 拥有专业研发人员十多名，其中85%以上具有博士学位

2010年7月，山道喹®和艾维酸®DA被评为“上海市饲料行业协会名优产品”

NOVUS®
诺伟司

www.novusint.com

诺伟司国际贸易(上海)有限公司
地址：上海市黄浦区九江路399号
华盛商务大厦2401室
邮编：200001
电话：021-6080 9288
传真：021-5046 2725 / 68889375

诺伟司中国研发中心
地址：北京海淀区上地三街9号
嘉华大厦A902B室
邮编：100085
电话：010 - 8278 2620
传真：010 - 8278 3292

诺伟司饲料添加剂(上海)有限公司
地址：上海市嘉定区马陆镇博学路88号
邮编：201801
电话：021-6080 9288
传真：021- 6915 0752

ZCME 正昌机械工程 ZhengChang Machinery Engineering

高档乳猪教槽料生产持续盈利之道

金新农、新希望、唐人神、双汇……纷纷选用正昌独创乳猪料工艺

正昌乳猪教槽料工程之福建金新农

选择有去石功能的粉碎机工艺，更有效去除原料沙石杂质；
膨胀工艺100%消除玉米、豆粕等谷物类的抗营养因子、尿素酶，乳猪食用后不拉稀；
膨胀工艺能保全原料中维生素等热敏性物质和有益菌的活性，减少了营养成分的损失；
中高温膨胀低温制粒，熟化度高，饲料香熟可口，提高饲料营养吸收转化率，乳猪生长快；
仔猪、乳猪适口性更佳。全面提升猪料品质和饲养效果，为用户创造极高的经济效益；
加工效率高，是一般原料膨化机产量的5~6倍。

正昌乳猪教槽料工程之彭山新希望

乳猪教槽料核心设备——膨胀器

高档乳猪教槽料专用设备——正昌膨胀器

正昌膨胀制粒工艺生产的乳猪料既能达到有效的熟化杀菌效果，而又保留各种活性物质，营养全面，相当于“婴儿期的全营养米粉”。而膨化饲料虽然达到了熟化效果，但营养物质却全面损失，相当于“爆米花”，乳猪吃了容易上火。所以膨化机不适于生产乳猪料。

通过先膨胀工艺，保持原料香熟，有活性，又有效提高饲料的熟化度和杀菌效果，再经低温制粒，生产出的颗粒营养全面，松软，不发硬，乳清粉不黏结，乳猪特别喜欢采食。

饲料的配方选择范围大，原料资源丰富，并提高饲料转化率6%~10%，提高了饲料的报酬率，因为经膨胀后低温制粒，每吨料损耗降低147元。

正昌SPZL250乳猪料膨胀器

江苏正昌粮机股份有限公司
JIANGSU ZHENGCHANG CEREAL AND FEED MACHINERY CO.,LTD

电话：+86-519-87309988 87308899
传真：+86-519-87309800
http: //www.zcme.com
地址：江苏省溧阳市昆仑经济开发区正昌路28号
邮编：213300
E-mail: webmaster@zcme.com

现代牧业（集团）有限公司

今天，中国处在高速增长阶段，人均可支配收入一级城市化进程，都在以空前的速度增长。同时，中国消费者对于健康的关注，也在不断加强。进一步带动中国乳制品市场的高速增长。在中国，原奶的主要供应仍来自于成千上万的散户奶农和小规模牧场。在原奶的供应链上，存在着诸多复杂的中间环节，牛奶收集站、代理商的介入，导致了牛奶的安全危机。牛奶的质量安全成为政府以及消费者持续关注的焦点。按奶牛存栏量的统计，现代牧业是中国最大的奶牛养殖企业之一。目前，现代牧业在全国拥有11个大型规模化牧场，奶牛存栏多达9万头。产品安全看环节，牛奶品质看成指标。现代牧业致力于生产世界最优质的牛奶。我们生产的每毫升原奶中，微生物少于5万个，体细胞少于30万个。原奶质量指标优于欧盟标准。

基于公司多年的实践及经验，我们建立了一个标准化和工业化的业务模式。统一的牧场布局具有高度的可复制性，为公司全国扩张提供有力支持。每个牧场均设有牛舍、饲料仓库、牛粪处理设施和检疫区。科学化的布局最大程度地提高了运营效率。例如，奶牛按犊牛、产奶牛及干乳牛，被分在独立的牛舍内饲养，这样可以优化不同奶牛种群的饲养配方。我们的牧场采用先进的饲养设备。例如，牧场备有自动气候调节系统调节最佳的温度和湿度，来适应不同地区气候的不同。

我们从澳大利亚和新西兰，进口第一代荷斯坦奶牛，有效地保证了最佳的奶牛基因。利用质量最高的美加系公牛冻精对牛群进行人工授精，一代一代地进行牛群的基因改良。牧场采用发情监控技术，牛群管理软件，最大程度地提高受孕率，并缩短干奶期。我们拥有一支专门的饲料管理团队，研发并优化饲料配方，从而提高单产。有效控制饲料成本，采用了饲料管理软件，对配方进行实时监控，优化并提高营养含量。我们和当地农户和农场实施订单农作，也和国内国外战略合作供应商获得长期高质量的饲料供应。公司拥有自动化的饲料混合设备，由饲喂车直接运送到牛舍进行自动饲喂，从而大大提高了运营效率。

我们生产链的各个环节，实施最严格的安全标准和质量监控，包括奶牛购买、饲料及饲喂，挤奶程序、储存与运输。我们采用高度自动化的挤奶系统，进行系统化间隔检查。挤奶前为奶头与设备进行消毒，生产的原奶于当天直接送到生产商，一站式的供应链条做到零环节，减低原奶污染风险提高了安全标准。我们的每个牧场，实行了严格且规范的疫病防疫措施，所有的员工以及车辆，在进入牧场前都必须进行消毒。同时也会对员工的生活区、挤奶及各种设施进行常规的消毒，我们定期给牛群注射疫苗，病牛会被单独隔离，并由牧场的兽医进行检查诊断。

我们投资兴建了粪污处理系统，牛舍内粪便通过自动采集，用于产生沼气、有机肥和奶牛卧床垫料。沼气用来发电供牧场使用。有效地降低经营成本。

公司应用行业先进的运营管理，提供中国最值得信赖的安全奶源，同时实现业内较高的奶牛单产水准，具有更高的经济效益。我们本着诚信为本的原则，肩负中国奶业的社会责任。已质量安全作为使命，为中国的消费者提供最值得信赖的安全奶源。

安徽丰润生态农业开发有限公司

安徽丰润生态农业开发有限公司是一个集种猪培育、肉猪养殖、绩溪黑猪保种研发、饲料生产、水产养殖、农技服务和林业综合开发为一体的综合性龙头企业，公司法定代表人吴仕安，注册资金 1 000 万元，现有员工 256 人，下辖兽药饲料经营部、饲料厂、绩溪黑猪原种场、良种扩繁场、育肥场、生态有机猪放养场、木竹生产基地等多个分支机构。公司现为安徽省猪业协会常务理事单位、宣城市养猪协会副会长单位、绩溪县生猪发展专业合作社理事长单位，安徽省人工授精定点供精单位，并已迈入安徽省民营科技企业、安徽省林业产业化省级龙头企业、宣城市农业产业化市级龙头企业行列。

公司绩溪县富林山生猪标准化养殖基地和广德县山北村养殖基地，规划总面积 400 公顷，建筑面积 85 600 平方米，年出栏纯种绩溪黑猪种猪 1 500 余头、二元母猪 4 000 头，商品猪 69 000 余头（其中有机绩溪黑猪 3 000 头）；公司木竹生产基地占地面积近 1 500 公顷，其中营造松、杉、毛竹等用材林基地 1 000 公顷，山核桃、油茶等经济林基地 260 余公顷，特色种苗培育基地近 50 公顷。

公司采取“公司 + 基地 + 合作社 + 农户”的经营模式，以公司为龙头，以合作社为纽带，带领广大农民发展标准化、规模化、特色化生猪养殖和高效林业生产，使每个加盟农户年均增收万元以上，为山区广大农民脱贫致富奔小康，做出了积极贡献。

诸城外贸
ZHU CHENG WAI MAO

诸城外贸有限责任公司
祖代种鸡场

诸城外贸有限责任公司祖代种鸡场，始建于1988年。本场引进美国爱拔益加公司的AA祖代种鸡，饲养能力9万套，常年存养7.5万套。父母代种鸡畅销全国。

雄厚的技术力量，严格的育种管理，不断引进国内外最新技术和先进设备，使本场的育种水平不断提高，产品质量受到广大用户的好评。一九九二年，本公司AA肉鸡良种繁育技术荣获国家经贸部科技成果奖。党和国家主要领导人先后来公司视察，都对本公司的肉鸡生产体系给予了充分肯定。

本场重合同、守信誉，愿以优质的产品、周到的服务，与国内外同仁竭诚合作，共同发展养禽大业。

地址：山东省诸城市相州镇
邮编：262212
电话：(0536)6491138 6491130
传真：(0536)6491589

中国畜牧业年鉴

编辑说明

一、《中国畜牧业年鉴》是全面反映我国畜牧、兽医、饲料、草业等行业基本情况的资料性工具书，每年出版一卷，基本上不重复前卷内容。

二、年鉴撰稿人主要是各有关部门或单位的工作人员，统计资料由国家统计局及相关部门提供或由他们核实订正，交由本年鉴首次发表。

三、各省、自治区、直辖市及计划单列市按行政区划顺序排列。

四、本年鉴所载资料的截止时间为2010年底。

五、各部类的资料数据，仅限于内地31个省、自治区、直辖市及部分计划单列市和新疆生产建设兵团的材料，不包括台湾省以及香港和澳门特别行政区。各项总产值，未加说明者均为当年价格，比上年增长速度均按可比价格计算。

六、本年鉴的内容在遵守四项基本原则的前提下，实行文责自负。

目录

各地畜牧业

统计资料

政策法规

领导论坛

2009 年大事记

附　　录

索　　引

发 展 概 况

畜牧业发展综述

2009年，畜牧业经受了国际金融危机、甲型流感、自然灾害等各种严峻考验，主要畜产品供给充足，生猪生产稳定发展，奶业生产恢复超出预期，饲料和生鲜乳质量安全稳步提升，草原保护建设深入推进。据国家统计局统计，全年肉类总产量为7 649.7万吨，同比增长5.1%；禽蛋2 742.5万吨，增长1.5%；奶业生产逐步恢复，奶类产量3 732.6万吨，基本恢复至上年水平。全年畜牧业养殖总体保持赢利水平，畜牧业产值19 468.4亿元，占农林牧渔业总产值的32.3%，为国民经济回升向好作出了重要贡献。

【发展成就】

1. 生猪供应稳定增加。在上年生猪和猪肉市场持续高价和国家扶持生猪发展政策的拉动下，克服了国际金融危机和4月份甲型流感等不利因素的影响，2009年生猪生产得到快速恢复，生猪存栏量总体呈增长态势，猪肉产品市场供应充裕，生猪价格回落，生猪价格全年呈现两头高中间低的趋势，但全年趋于平稳，波动较小。据国家统计局统计，2009年年末生猪存栏46 996万头，比上年增长1.5%；全年生猪出栏64 538.6万头，比上年增长5.8%。农业部定点监测表明，综合各种不同的养殖模式，2009年出栏一头100千克重的肥猪纯收入平均为148元。生猪生产的波动幅度较为缓和，全年仔猪价格相对波动幅度为14.3%，远低于2006年的25.2%、2007年的36.8%和2008年的32.6%。价格稳定保障了生产的有序发展。

2. 家禽生产继续保持稳定增长。2009年年末家禽存栏53.3亿只，同比增长0.9%，全年家禽出栏106.1亿只，同比增长3.8%。根据农业部监测，全年蛋鸡养殖行情较好，平均只鸡月赢利0.97元，较上年同期增长54%。肉鸡生产整体运行较为平稳，养殖环节全年处于低位赢利水平，出栏一只肉鸡平均赢利1.07元。根据农业部对22家蛋种鸡生产企业监测，全年父母代种鸡平均存栏474.44万套，同比增长12.7%，商品代雏鸡全年销量30 502万套，同比增长4.2%，种禽生产发展较快。此外，具有自主知识产权的京红1号和京粉1号蛋鸡配套系新品种培育成功，通过了国家畜禽遗传资源委员会的审定并成功推广，打破了蛋鸡品种长期受制于外的局面。

3. 奶牛养殖恢复。2009年奶业逐渐摆脱婴幼儿奶粉事件的影响，市场逐步恢复，奶牛养殖效益触底反弹。年初，乳品市场持续低迷，前4个月奶牛养殖纯收入持续下降。各地认真贯彻国务院《奶业整顿与振兴规划纲要》，规范奶牛生产和收购秩序，鼓励引导奶牛标准化规模养殖。在此项措施的推动下，5、6月份养殖效益开始回升，奶牛生产得到较好恢复。据国家统计局数据，2009年末奶牛存栏1 260万头，比上年增长2.1%；全年奶类产量3 733万吨，比上年下降1.3%，其中牛奶产量3 518.8万吨，恢复至上年产量水平的99%。

4. 畜牧业养殖方式进一步转变。2009年畜牧业标准化、规模化养殖水平继续提高，生猪、蛋鸡和奶牛规模养殖比例分别为61%、79%、42%，分别比上年提高5个、2个和6个百分点。畜牧养殖专业合作社超过6万个。生态养殖模式快速发展，“猪—沼—菜”、“猪—沼—果”等生态养殖模式和“零排放”发酵床养猪技术在吉林、山东、福建、湖南、广西等地快速推广。奶牛标准化规模养殖加快推进，内蒙古100头以上规模牧场由上年的7%提高到10%，河北由42%上升至74%。生鲜乳生产收购秩序明显好转，机械化挤奶站占全国奶站总数81.8%。

5. 饲料产业稳定增长。2009年，饲料工业克服不利因素影响，进一步整合提升，饲料产品供应稳定，产品结构继续调整和优化，质量稳步提升，实现总产值和总产量双增长。据行业统计，全年实现饲料工业总产值4 713.2亿元，同比增长11.7%。其中，工业饲料总产值4 266.4亿元，同比增长13.1%。全年工业饲料总产量达到1.48亿吨，同比增幅超过8%。其中，配合饲料、浓缩饲料和添加剂预混合饲料产量分别为11 534.5万吨、2 686万吨和592万吨，同比分别增长8.9%、6.2%和8.5%。从产品结构看，配合饲料、浓缩饲料和添加剂预混合饲料占饲料总产量的比重分别为77.9%、18.1%和4.0%，与上年相比，配合饲料产量比重提高了0.6个百分点，浓缩饲料比重下降0.4个百分点，添加剂预混合饲料保持稳定。2009年是近年来饲料企业整合力度最大的一年，全国饲料企业数量减少近2 000家；排名前30家饲料企业的总产量占全国总产量的43%，同比提高3个百分点。广东、山东、河南、辽宁等4个省份饲料产量均突破千万吨大关。

6. 草原保护建设取得新成绩。2009年全国草原鲜草产量9.4亿吨，重点天然草原牲畜超载率连续4年下降。全国草原围栏6 200万公顷，禁牧休牧轮牧面积1.02亿公顷，累计种草保留面积2 866.7万公顷；全年草原火灾同比减少59起，处于历史低位水平；鼠虫害防治面积1 200万公顷，同比增长4.5%。草原保护建设项目区生态明显好转，退牧还草工程区产草量比非工程区提高68%，京津风沙源工程区严重沙化草原面积缩减20%以上，岩溶地区石漠化治理工程区岩石裸露率降低19个百分点。

7. 饲料和生鲜乳质量安全水平有新提高。饲料执法年行动成效显著，全年饲料产品质量抽检合格率90.9%，同比提高2.3个百分点；饲料中"瘦肉精"已连续5年未检出，养殖环节"瘦肉精"检出率不到0.05%；饲料中三聚氰胺检测合格率99.3%，同比提高3.3个百分点；生鲜乳三聚氰胺抽检合格率100%。根据农业部对15家重点规模牛场生鲜乳月度监测，2009年生鲜乳的乳蛋白含量和乳脂率分别达到3.2%和3.8%，每毫升生鲜乳体细胞数和菌落总数分别控制在35万个和10万个以下。生鲜乳质量安全状况良好。

【工作进展】

1. 强化对畜牧业的政策扶持。2009年初出台的中央1号文件第六次锁定"三农"，提出28项措施促进农业稳定发展，在继续加大对畜禽养殖的补贴支持基础上，扩大了补贴范围。生猪良种补贴项目县由原来的200个增加到400个，能繁母猪补贴规模由900万头增加到1 625万头，项目资金由上年的3.6亿元增加到6.5亿元。奶牛良种补贴资金从上年的2.4亿元增加到2.6亿元，增加了补贴品种，并首次将补贴的畜种范围扩大到肉牛、绵羊。为促进畜牧业稳定发展，中央安排30亿元建设投资，支持生猪和奶牛标准化养殖小区建设，各级政府特别是主产区都加大了对畜牧业的扶持力度，积极出台支持政策，投入资金促进畜牧业规模化、标准化生产。国家对奶牛养殖农户购置牧业机械和挤奶机械给予补贴，并将该项政策纳入农户购置农机具补贴范围。

2. 积极调控稳定生猪生产。经国务院批准，2009年初，国家发展和改革委员会、财政部、农业部、商务部、国家工商行政管理总局和国家质量监督检验检疫总局等六部门联合发布了《防止生猪价格过度下跌调控预案(暂行)》(以下简称《预案》)。《预案》坚持市场调节和政府调控相结合的原则，主要依据猪粮比价、仔猪价格等指标的变动情况，通过发布预警信息、增加猪肉储备、调整政府补贴、加强进出口调节等措施，调节市场供应，促进生猪生产稳定发展，当年的调控实践收到了明显成效。受上年生猪生产快速恢复、产能相对过剩和国际金融危机冲击影响，2009年上半年生猪市场价格持续下跌，加上甲型流感疫情冲击，4月底至6月中旬，猪粮比价连续7周低于6∶1的盈亏平衡点，全国生猪养殖户亏损面一度达45.8%。面对严峻形势，农业部和地方各级畜牧兽医部门加强生猪生产和市场信息监测预警，及时向社会发布动态信息，引导养猪户适度淘汰低产母猪，调整优化猪群结构。国务院各有关部门各司其职，积极采取相应调控措施，6月13日启动中央冻猪肉储备政策，两周时间就逆转了生猪价格持续下滑的势头，稳定了养殖场户积极性，避免了卖猪难和非正常宰杀母猪等情况的发生，有力保障了全年生猪生产供应。

3. 开展饲料质量安全专项整治。2009年初，国务院决定在全国开展为期2年的食品安全整顿工作，农业部牵头组织在全国深入开展饲料质量安全执法年行动，以严厉打击"瘦肉精"、三聚氰胺等违禁添加物为重点，抓法制、抓基础、抓监管、抓源头，全面强化饲料质量安全监管，规范饲料生产、经营和使用行为。修改完善了《饲料和饲料添加剂管理条例》，制定发布饲料中三聚氰胺限量值和73种饲料添加剂的安全使用规范，禁止缩二脲作为饲料添加剂使用。在饲料专项整治活动中，全年累计出动监督执法人员52万人次，取缔非法饲料生产企业297家，查处"三无"饲料产品1 836个，注销生产许可证264个，立案调查违法企业和养殖场户814个；协调有关部门全面禁止莱克多巴胺生产和进出口，从源头上杜绝"瘦肉精"问题。通过深入推进饲料质量安全专项整治，饲料生产经营秩序明显规范，质量安全水平显著提高。

4. 加快奶业整顿和振兴步伐。2009年，各级农业和畜牧兽医主管部门按照中央的统一部署和要求，深入推进生鲜乳质量安全专项整治行动。一季度，婴幼儿奶粉事件后续影响逐渐显现，乳品消费市场低迷，奶价大幅下降，奶牛养殖经历了近十年快速发展后最困难的时期，养殖户亏损面达到50%，个别地区出现了批量宰杀奶牛现象。同时，国外低价奶粉的大量进口，国内奶粉大力积压，对我国奶业发展造成了严重冲击。针对这些突出问题，各级畜牧兽医部门坚决落实《奶业整顿和振兴规划纲要》和《乳品质量安全监督管理条例》，一手抓生鲜乳质量安全监管，规范经营主体，增强消费信心；一手抓产业振兴，帮助企业和养殖户渡过难关。在质量安全监管方面，深入开展奶站清理整顿，制定实施《生鲜乳收购站标准化管理技术规范》，开展生鲜乳质量安全监督监测行动,严厉打击各种违法行为。截止到年底,全国共有生鲜乳收购站 13 722 个,比清理整顿前减少 6 671 个。全国核发生鲜乳收购许可证 9 371 个,占收购站总数的 68.3%。全年累计检测生鲜乳样品 13 129 批次,三聚氰胺监测全部合格。为减轻乳品企业的库存压力,缓解奶农卖奶难现象,中央分两批收储 10 万吨国产奶粉,将生鲜乳收购贷款财政贴息政策的实施期限延长至 2009 年 12 月底。

5. 全面推进草原保护建设。各级草原监管部门综合利用法律、政策和技术手段,加快实施国务院批准的《全国草原保护建设利用总体规划》,继续实施退牧还草、京津风沙源治理等重大工程。中央安排 2 亿元资金在西藏 5 个县开展草原生态保护奖励试点;启动实施游牧民定居工程,中央投入 20 亿元资金,安排 8 万户游牧民实现定居。组织开展草原承包经营规范化试点和基本草原划定工作。有序推进草原执法,全年共查处破坏草原的违法案件 2 万余起。草原鼠虫害防治取得新的进展,全年防治鼠虫害 1 100 多万公顷,新建草原无鼠害示范县 29 个,草原虫害生物防治示范县 26 个。全年扑灭草原火灾 192 起,草原火灾次数较上年减少 59 起,受害面积减少 40%。

6. 进一步提高行业调控和服务水平。畜牧业生产和市场监测预警体系建设水平进一步完善,农业部在继续实施"百场(厂)千村万户"畜禽生产信息监测基础上,加强了生猪生产的分析和走势判断,启动实施了蛋鸡和肉鸡生产全代次监测计划。统计监测预警工作为生猪调控以及中央出台畜牧业扶持政策提供了基本依据,对养殖户和养殖企业调整优化生产结构起到了积极的引导作用。同时,应急救灾工作得力、有序、有效。2009 年底新疆和内蒙古等地发生寒潮冰雪灾害,各级畜牧兽医部门及时调查相关灾情,积极抗灾救灾,调运饲草饲料,加强入户技术指导和服务,强化疫病防控,稳定了灾区畜牧业生产。

(农业部畜牧业司)

发展政策

【生猪生产扶持政策】 2009 年,中央继续实施一系列稳定生猪生产发展的扶持政策,全面提升生猪产业的综合生产能力。

1. 生猪良种补贴项目。2009 年,中央继续实施生猪良种补贴项目,项目县增加到 400 个。中央财政投入补贴资金 6.5 亿元,对 1 625 万头能繁母猪实施人工授精予以补贴,一头母猪补贴 4 份精液,每份精液 10 元。

生猪良种补贴政策得到了广大养殖场(户)的普遍欢迎,一方面通过技术进步提高养殖效益、促进增收,使广大母猪养殖场(户)真正感受到品种改良带来的经济实惠,另一方面也可以有效提高母猪养殖户的生产积极性,防止生猪生产波动,保障供应。

2. 生猪调出大县奖励政策。2009 年中央财政继续安排资金 21 亿元,用于生猪调出大县的奖励,大县数量增加至 352 个。该项政策的落实,对于调动地方政府发展生猪生产积极性,改变"穷县养猪、养猪县穷"的局面,同时夯实生猪产业基础,保障猪肉市场有效供给发挥了重要作用。据测算,全国 352 个生猪调出大县生猪出栏已占全国总量的 46 %左右。

3. 生猪标准化规模养殖场(小区)建设项目。为提高生猪标准化规模养殖水平,促进生猪生产稳定发展,保障市场供应,2009 年,中央继续安排资金 25 亿元,支持 8 374 个生猪标准化规模养殖场(小区)改扩建。项目资金主要用于粪污处理设施建设、猪舍标准化改造以及水、电、路、防疫等配套设施建设。2009 年,全国生猪规模养殖比重达到 61%,比上年提高 5 个百分点。项目的实施有力推动了生猪标准化规模养殖的发展,提升了产业抗市场风险能力和质量安全水平,增强了综合生产能力。

4. 能繁母猪保险政策。2009 年,国家继续实施能繁母猪保险政策,共承保能繁母猪 4 286.7 万头,中央财政补贴保费 9.5 亿元。其中,共赔付能繁母猪376.4 万头,赔付金额 25.7 亿元。能繁母猪保险政策的实施,增强了母猪养殖场(户)的抗风险能力,提高了养殖积极性,对于稳定基础母猪数量,防止猪价大起大落发挥了重要作用。

(农业部畜牧业司)

【奶牛标准化规模养殖】 2009 年,国家加大奶业生产扶持力度,在 2008 年投入建设资金 2 亿元的基础上继续投资 5 亿元,按照奶牛存栏 200 ~ 499 头的养殖小区(场)补助 50 万元,存栏 500 ~ 999 头的养殖小区(场)补助 100 万元,存栏 1 000 头以上的养殖小区(场)补助 150 万元的标准,实施奶牛标准化规模养殖小区(场)改扩建项目,加强奶牛养殖小区(场)水电路、粪污处理、卫生防疫、饲喂、挤奶设施等基础条件建设,提高标准化规模养殖水平。项目覆盖河北、内蒙古、黑龙江、山东、河南、山西、陕西、宁夏等 26 个省(自治区、直辖市)807 个奶牛养殖小区(场)。

项目实施加快了我国奶牛标准化规模养殖进程,对提高奶业综合生产能力,保障生鲜乳质量安全,促进奶业生产方式转变,优化奶业产业结构起到了积极作用。截止到 2009 年底,全国 100 头以上奶牛规模化养殖比例达到 23.1%,比上年提高 3.3 个百分点;机械化挤奶率达到 85%,比上年提高 34 个百分点;抽检的 13 129 批次生鲜乳样品中三聚氰胺含量全部符合临时管理限量规定,养殖和收购环节质量安全状况总体良好。

（农业部畜牧业司）

【绵羊良种补贴】 2009 年，畜牧良种补贴项目增加了绵羊良种补贴项目的实施内容，在内蒙古、新疆、青海、河北、甘肃、黑龙江、吉林、宁夏、西藏等 9 个绵羊主产省（自治区），以及新疆生产建设兵团组织实施。绵羊良种补贴试点项目，对农户购买的 7.5 万只种公羊实施补贴。各项目省（自治区）制定了绵羊良种补贴项目实施方案，确定了项目县、补贴品种和补贴数量。共确定项目县 197 个，补贴品种 34 个，其中：进口肉羊品种 5 个、引进和培育的细毛羊品种 8 个、培育的半细毛羊品种 1 个、地方资源品种 19 个、培育的肉羊品种 1 个。

绵羊良种补贴首次采取活畜补贴方式，各省畜牧行政和技术推广部门及时制定工作方案和各类标准，包括种羊鉴定和种羊场准入标准，严格按照种羊场的审核、公示，种公羊的鉴定、公示、招标、采购、发放等程序实施。

（全国畜牧总站牧业发展处）

【秸秆养畜】 2009 年，中央财政投入秸秆养畜项目资金增加到 8 260 万元，立项建设秸秆养畜项目 85 个，计划建设青贮氨化池 84.6 万立方米，购置秸秆处理机械和小型饲料加工设备 2 338 台（套）。项目示范作用更加明显，青贮、氨化和微贮等实用技术推广应用面不断扩大。

进一步推进秸秆养畜工作，还亟待解决一些关键问题。一是覆盖面小、设施和装备不足。示范县数量仅占全国总县数的 21%，且多面临设施老化、技术升级等问题。二是商品化利用发展不足。秸秆专业化青贮、工业化加工等商品化利用方式还处于起步阶段，资源市场化程度不高，秸秆资源过剩和短缺并存。三是产业延伸发展不足。以秸秆养畜为中间环节，上游的青贮玉米种植与秸秆收集、下游粪便等废弃物的综合利用发展滞后，三个环节的整合集成推进不够。四是技术集成配套不足。各个处理环节单项技术相对成熟，但集成创新不够。在饲用环节上对秸秆饲料与其他饲料的组合效应研究不足，以秸秆为单一粗饲料的低水平养殖方式十分普遍。

（农业部畜牧业司）

草原保护与建设

2009 年，党中央、国务院进一步高度重视草原保护建设工作。中央 1 号文件从扩大退牧还草工程实施范围、加强人工饲草地和灌溉草场建设、启动生态效益补偿试点、加强草原防火预警体系和基础设施建设、加快落实完善草原承包经营制度等方面明确了政策支持。各地大力加强草原保护建设和科学利用，全国草原保护制度建设和草原畜牧业生产方式转变取得显著成效。

【草原保护建设政策研究力度加大】 农业部会同国家发展和改革委员会、财政部等有关部委完成了上报国务院的《关于进一步完善退牧还草工程政策的请示》，提出了加大投入力度，扩大实施范围，增加建设内容，延长补助年限等政策建议。根据京津风沙源治理工程即将进入第二阶段的需要，开始启动完善京津风沙源草原治理工程政策措施的研究工作。为推进探索建立草原生态补偿机制工作，2009 年 8 月，农业部配合财政部召开了西藏草原生态保护奖励机制试点方案评审会，指导和帮助西藏自治区制定了草原生态保护奖励机制试点政策措施，投入中央财政资金 2 亿元，从以草定畜奖励、薪柴替代补贴、电子耳标佩戴和监测制度建立等方面入手，在那曲、日喀则和阿里地区的 5 个县正式启动了草原生态补偿试点工作，涉及草原面积近 1 333.3 万公顷。农业部分别在内蒙古、四川、甘肃和辽宁、青海、山东、宁夏等省（自治区）选择了 8 个县开展基本草原划定和规范草原承包经营的试点工作，并取得初步成效，进一步加强了对草原确权承包工作的政策指导和监督管理。

【配套法规建设与执法监督加强】 根据新修订的《草原防火条例》，农业部组织修改完善了《草原火灾应急预案》和《草原防火物资储备库管理办法》。会同财政部、国家发展和改革委员会开展了长期细致的研究，推进了草原植被恢复费收费制度建设工作。配合全国人大开展自然保护区立法工作，以法律形式确立在各类保护区内的草原监理执法和草原资源监测管理的职责和权力。制定并发布了《草种检验员考核办法》。主要草原省（自治区）已初步形成了较为完善的省、地、县三级草原监理体系，全国县级以上草原监理机构 798 个，草原执法人员近 8 000 人。不断创新草原执法方式，积极推行草原执法督察制、大案要案曝光制及信访案件督办制；与纪检、监察、公安及国土、林业等有关部门联合开展执法行动，形成草原执法的联动机制。2009 年，全国共查处草原违法案件 27 612 起，其中已结案 26 780 起，移送司法机关处理的 139 起，有力打击了草原违法行为。

【草原保护制度进一步落实】 截止到 2009 年底，全国草原承包面积 2.21 亿公顷，占草原总面积的 55.2%，占可利用草原面积的 66.6%。全国禁牧休牧轮牧草原面积达 1.02 亿公顷，其中宁夏、陕西、黑龙江、河北、辽宁等地已实施全省（自治区）禁牧。基本草原划定试点工作取得新成效，仅内蒙古自治区已划定基本草原 5 600 万公顷，占全区草原面积的 63.6%。

此外，内蒙古有近 4 666.7 万公顷草原基本实现了草畜平衡，占全区草原面积的 53%。

【草原保护建设工程成效显著】 2009 年，中央财政用于草原保护建设方面的投入总计 42.31 亿元，比上年增加 20.55 亿元。截止到年底，退牧还草工程累计投入中央资金 179 亿元，共安排围栏建设任务 4 513.3 万公顷，退化草原补播改良 933.3 万公顷。在国家重大工程带动下，各地积极开展草原保护建设，累计完成草原围栏近 6 666.67 万公顷，当年新增人工种草面积完成近 600 万公顷，累计保留面积 2 133.3 万公顷。2009 年全面启动了游牧民定居工程，计划安排中央投资 20 亿元，在西藏、内蒙古、新疆、四川、青海、甘肃、云南等省（自治区）建设游牧民定居房屋及配套的牲畜棚圈、贮草棚及饮水设施。截至年底，已累计安排 13 万户游牧民定居，占全国游牧民总户数的 26%。通过中央和地方共同努力，实施草原重大生态建设工程，集中治理生态脆弱和严重退化草原，有效遏制了全国草原生态环境加速恶化的势头，部分地区生态环境明显改善。

【草原防灾减灾能力增强】 2009 年，全国共发生草原火灾 192 起，其中草原火警 175 起，一般草原火灾 14 起，重大草原火灾 1 起，特大草原火灾 2 起，牲畜损失 372 只，无人员伤亡。火灾受害草原面积 24 795.28 公顷。与上年相比，草原火灾次数减少 59 起；与前 7 年的平均水平相比，火灾发生次数减少 51%，受害草原面积减少 42%。2009 年，全国累计防治草原虫害 516.86万公顷，其中防治草原蝗虫 406.66 余万公顷；防治鼠害 698.66 万公顷（含鹰墩鹰架等设施控制面积），其中利用生物技术防治 320 万公顷。据测定，各地鼠虫害防治效果一般均达 90% 以上，挽回经济损失约 10.4 亿元。

（农业部畜牧业司草原处　罗　健）

兽医事业发展概况

2009 年，是新世纪以来我国经济发展最为困难的一年，也是“三农”工作攻坚克难、砥砺奋进的一年，兽医工作大事多、急事多、难事多。为迎接新中国成立六十年大庆，保障受阅部队动物产品安全，农业部和有关省份兽医部门组织开展了整治活禽经营市场和打击经营病死动物及其产品专项行动，加大动物疫病防控和动物产品安全监管力度，确保不发生重大动物疫病暴发流行，不发生重大畜产品质量安全事件。兽医工作的扎实有效开展，减少了动物疫病造成的养殖业经济损失，促进了动物产品出口，保障了动物产品质量安全，提升了养殖者和消费者信心，对保障畜牧业生产总体平稳发展发挥了重要作用，增加养殖行业人员就业，为应对国际金融危机、稳定农业农村经济做出了积极贡献。

当前，我国兽医事业发展面临难得的历史机遇，兽医工作正处于全面发展的关键时期。各级兽医部门深入贯彻落实科学发展观，对兽医工作的规律性认识不断深化，兽医工作经验不断丰富，推动兽医事业科学发展的内外部环境和体制机制已在形成。

一是重大动物疫病防控对农产品有效供给的保障作用更加突出。坚持以保障养殖业持续健康发展作为防控工作的重要目标，努力控制动物疫病发病强度，减少疫病损失，维护生猪、家禽等主要畜禽市场价格稳定，促进养殖业发展和农牧民增收，维护好广大农牧民和消费者切身利益。

二是重大动物疫病防控的公共卫生意义已得到广泛认可。坚持对禽流感等重大动物疫情的暴发流行做到早应对、早处置，防患于未然，坚决防止向人的传播。在人畜共患传染病防控领域，立足于主动防控，对公共卫生安全的保障能力不断提高。

三是兽医工作体系和政策机制不断完善。启动研究制定并实施国家综合性防控战略和计划，把防控工作纳入法制化管理轨道。兽医机构和队伍能力建设不断加强，兽医行政管理、执法监督和技术支撑体系不断健全，基层防疫队伍建设稳步推进，进一步夯实了兽医工作基础。兽医工作公共财政保障机制初步建立，各级兽医行政管理和动物卫生监督机构工作经费、人员经费已基本纳入财政预算保障。社会公众防疫意识和防疫能力不断增强，群防群控良好氛围已经形成。

四是重大动物疫病防控水平和科技支撑能力不断提高。按照动物疫病防控能力必须与养殖业发展相适应、必须与公共卫生安全需要相适应的要求，认真贯彻落实中央“加强领导、密切配合，依靠科学、依法防治，群防群控、果断处置”24 字防控方针，实施免疫与扑杀相结合的综合防控措施，不断加强兽医系统能力建设，大力推进科技进步与创新，为兽医事业健康发展提供了坚强保障。

五是兽医国际交流合作机制更加完善。坚持“走出去”发展战略，不断加强兽医领域国际交流合作，已与大多数国家和地区兽医主管部门建立了稳定的交流合作关系。与美国、欧盟等建立了专门的沟通机制，加强了与越南、蒙古、朝鲜等国家在禽流感流行病学调查、实验室检测等领域的技术交流，推进跨境重大动物疫病联防联控机制的完善，我国在 OIE 内话语权明显增强，在全球动物卫生领域的影响明显扩大。

【重大动物疫病防控成效显著】 认真贯彻落实中央确定的 24 字方针，坚持预防为主，落实免疫与扑杀相结合的综合防控策略，扎实开展免疫、监测、流调、扑杀等各项防控工作，有效控制重大动物疫情发生。禽流感、高致病性猪蓝耳病、口蹄疫和猪瘟等4种重大动物疫病免疫密度均达到90%以上,抗体合格率达到国家规定要求。全年共监测禽流感样品576万份,口蹄疫样品262万份。全国重大动物疫情继续保持总体稳定,流行强度明显减弱,发病频次大幅降低,损失明显减少。高致病性禽流感疫情基本稳定,全国仅发生2起家禽禽流感疫情和1起候鸟禽流感疫情;及时控制和扑灭了新发A型口蹄疫,有序防控动物甲型H1N1流感。重大动物疫情发生频次,动物发病率、死亡率创新低。

【动物卫生监管水平明显提升】 加大产地检疫和屠宰检疫力度,加强活禽经营市场专项监管,严厉打击经营病死动物及其产品等违法活动;对病死动物及其产品严格执行"四不准一处理"措施,防止流通环节传播疫情,保障了动物产品安全。年内,全国各级动物卫生监督机构共查处各类违法案件近2万件,处理不合格畜禽400多万头(只),动物产品5 000多吨,有效地保障了动物产品安全,维护了消费者合法权益。继续推进动物标识及疫病可追溯体系建设。截止到2009年底,全国已累计发放牲畜耳标18.49亿枚,耳标佩戴率接近70%,购置移动智能识读器14万多台,各地通过识读器向中央数据库上传业务信息1 743.51万次,涵盖牲畜数量达2.5亿头(只)。

【无规定动物疫病区建设成效显著】 推动无规定动物疫病区建设与评估。制定下发16个无规定动物疫病区规范,进一步完善无疫区相关技术规范和标准。经全国动物卫生风险评估专家委员会审查评估,历经近十年建设,海南省免疫无口蹄疫区顺利通过国家评估,无规定动物疫病区建设取得重大突破。生物安全隔离区建设和种禽场净化工作取得积极进展。

【新型兽医制度建设稳步推进】 在吉林、河南、广西、重庆、宁夏5省(自治区、直辖市)开展全国首次执业兽医资格考试试点。兽医管理体制改革取得新进展,全国95.8%的地市、88.7%的县(区)和81.6%的乡镇完成改革,同比分别增长7.3%、16.2%和17%。组织培训村级防疫员10万名。制定官方兽医培训规划,全面启动官方兽医师资培训。组建中国兽医协会。首次执业兽医资格考试和成立中国兽医协会,标志着我国新型兽医制度建设向国际通行做法接轨迈出了坚实的一步,我国兽医行业管理初步形成政府监管与行业自律相结合的良好局面。

【兽药质量和保障能力明显提升】 深入开展兽药专项整治、质量监督抽检和兽药残留监控,强化兽药全程监管。2009年兽药抽检合格率84.9%,同比提高3.2个百分点;动物产品兽药残留检测合格率99.72%。抓好重大动物疫病疫苗质量监管和供应工作,及时组织研制新型疫苗,确保新发病有苗可用、常规苗供应充足。严格实施兽药生产质量管理规范(GMP),提升兽药行业素质。

【科技支撑能力不断加强】 制定《兽医科技规划框架(2009—2015年)》,组织执行"十一五"科技支撑计划、948计划等科研项目。增加布鲁氏菌病、牛结核病、血吸虫病、包虫病、弓形虫病和附红细胞体病等重要人畜共患病以及非洲猪瘟等重要外来动物疫病综合防控技术研究项目,组织流感联合攻关,成功研制出动物甲型H1N1流感诊断试剂、禽流感DNA疫苗和高致病性猪蓝耳病弱毒疫苗等产品。同时,强化动物病原微生物生物安全监管,建立制度,落实责任,动物病原微生物实验室生物安全水平进一步提高。

(农业部兽医局)

兽药生产

随着畜牧业发展方式的逐步转变以及兽药行业监管力度的不断加大,我国兽药产业在不断发展和优化,产业素质得到明显提升。据统计,截止到2009年底,全国共有1 626家兽药生产企业,以中小型企业为主,主要集中在山东、河南、河北、江苏、四川等畜牧大省,占全国兽药生产企业总数量的50%左右。兽药生产企业中,兽用生物制品生产企业有75家,化学药品等其他兽药生产企业有1 551家。兽药产业产值约200亿元,其中兽用生物制品产值约50亿元。兽药生产企业从业人员约10万人,其中兽用生物制品企业从业人员1万多人。

从产品种类看,兽用生物制品以猪用疫苗和禽用疫苗为主;兽用化学药品以抗微生物药、抗寄生虫药、消毒药和解热镇痛抗炎药为主。从产品剂型看,兽用疫苗以细胞毒灭活疫苗、组织毒灭活疫苗和组织毒活疫苗为主。兽用化学药品以粉剂、预混剂、注射液、注射用无菌粉针剂和消毒药(固体)为主。

(农业部兽医局)

兽医国际合作与交流

【推进与OIE交流合作】

1.成功承办OIE亚太区委员会第26届会议。经国务院批准,2009年11月16—20日,农业部在上海承办了世界动物卫生组织(OIE)亚洲、远东及大洋洲(以下简称亚太区)委员会第26届会议。亚太区28个国家和地区成员,OIE总部、亚太区委员会和地区代表处、相关国际组织和区域组织,以及国内有关部门的

200 多名代表参加了会议。全国人大常委会副委员长乌云其木格出席会议开幕式并致辞。我国通过承办会议，彰显了负责任大国的形象，体现了支持国际兽医事业发展的积极态度，实现了促进与 OIE 及其亚太区成员交流合作、扩大在世界动物卫生领域影响、宣传我国兽医事业及经济社会发展成就的预期目的，取得圆满成功。

2. 完善与 OIE 合作机制。一是我驻 OIE 代表张仲秋成功连任 OIE 亚太区委员会副主席，国家禽流感参考实验室主任陈化兰、中国水产科学研究院黄海水产研究所实验室主任黄倢分别当选 OIE 生物制品标准委员会和 OIE 水生动物标准委员会委员。二是向 OIE 捐款。2008 年 5 月 30 日，OIE 国际委员会通过 11 号决议，决定购买办公用房，交易总额为 1 100 万欧元。为展示我负责任大国形象，扩大我动物卫生领域国际影响，农业部积极协调外交部、财政部并请示国务院，决定向 OIE 捐赠 20 万欧元。三是积极参与 OIE 东南亚口蹄疫控制行动（SEAFMD）。我将于 2010 年正式加入 SEAFMD，参加了 OIE 东南亚口蹄疫委员会第 15 次会议。四是稳步推进"兽医服务绩效"（PVS）评估工作。2009 年 4 月 15—17 日，参加了 OIE 举办的"国家兽医体系运作水平差距分析（PVS GAP ANALYSIS）"培训班。

【深化与联合国粮农组织技术合作】 一是农业部与联合国粮农组织（FAO）北京代表处联合召开 2009 年 FAO 对华禽流感技术援助项目启动会，制定 2009 年 FAO 技术援助项目工作计划，明确各项目参与单位职责、分工，确定跨境动物疫病防控、流行病学培训和风险分析等重点合作领域。二是组织完成"鄱阳湖及其周边地区家禽和野生鸟类疫病生态学调查研究项目"第一阶段工作。经周密部署，顺利完成 2 000 份呼吸道/泄殖腔棉拭子样品、500 份血清样品采集以及禽流感、新城疫、日本脑炎和西尼罗河热病毒检测工作，结果理想，较好地宣传了我高致病性禽流感防控等兽医工作成效。三是完成湖南、云南、广西家禽产业链禽流感风险研究。先后邀请 FAO 总部、法国农业研究中心、英国皇家兽医学院等机构专家赴云南、广西，为项目执行提供技术指导。四是组织在广西南宁举办兽医流行病学调查—GIS 应用技术培训班，为广西各级动物疫病预防控制机构、动物卫生监督机构培训 30 余人。五是组织在青岛举办动物疫病风险评估培训班，为北京、天津、上海、重庆、吉林、辽宁、海南、山东、湖南、广西、云南省（自治区、直辖市）动物疫病预防控制机构、动物卫生监督机构培训 47 人。六是协调召开中蒙俄跨境动物疫病防控研讨会，通过加强与 FAO 和周边国家合作，加快建立跨境动物疫病防控合作机制，为我有效防堵境外疫情创造更好条件。

【组织执行世界银行禽流感信托基金项目】 一是开展 5 项高致病性禽流感防控国家策略改进和基层禽流感培训教材开发研究，预计将于 2010 年年初全部完成。二是开展中央和基层兽医人员培训。截止到 2009 年底，共培训辽宁和安徽两省省、县、乡级兽医人员和村级疫情报告员 3.17 万人次，培训取得了良好效果。三是为基层项目区配备 300 余套宣传教育设备，用于村级培训。四是编制项目二期建议书，拟利用世界银行禽/人流感信托基金赠款 350 万美元，通过改进国家政策、加强监测、早期预警和快速反应能力，进一步提高国家，特别是辽宁和安徽两省高致病性禽流感防控和人流感大流行预防能力。

【为亚运会马术比赛顺利举办创造有利条件】 2010 年 11 月，第 16 届亚运会马术比赛将在广州举行。各参赛方普遍关注我国马属动物疫病状况，将是否能够保证无疫作为其马匹参赛的先决条件。2009 年 10 月，农业部按照法定程序对广州市从化市无规定马属动物疫病区（以下简称"无马病区"）进行了评估，认为其可以为参赛马匹提供可靠的卫生条件保障，宣布通过验收。广州无马病区得到国际社会认可，为加快双边马属动物检疫协定签署进程、保证亚运会马术比赛顺利举办创造了有利条件。

【加强双边交流合作】 一是与欧盟加强务实合作，在国际食品法典委员会（CAC）第 32 届大会统一立场，成功阻止 CAC 通过莱克多巴胺残留限量标准，为我国猪肉贸易谈判创造有利条件。二是促成欧盟解禁我国无疫区熟制禽肉产品。三是迫使美纠正针对我国禽肉输美不合理法案。利用中美商贸联委会，中美战略与经济对话以及双边会谈等，反映我方关注，美方表示将尽快启动相关程序。四是与澳大利亚加强技术合作，商定动物疫病技术合作项目框架内容。

【积极开展甲型 H1N1 流感疫情防堵工作】 为防止甲型 H1N1 流感疫情传入，保护我国畜牧业安全和人体健康，农业部会同国家质量监督检验检疫总局分别于 4 月 29 日、5 月 1 日和 3 日联合发布 2009 第 31 号、36 号和 38 号等 3 个公告，禁止从墨西哥全国、美国发生人感染甲型 H1N1 流感疫情的州、加拿大艾伯塔省输入猪类及其产品。根据 WHO/OIE/FAO 最新科学证据，积极组织开展对有关国家甲型 H1N1 流感疫情风险评估工作，联合国家质检总局发布公告，先后解禁经热加工的猪肉产品，包括途经疫区的非疫区猪肉产品，盐渍猪肠衣和食用猪源明胶等低风险产品，以及猪肉产品的进口限制。

【及时发布动物及动物产品进口禁令及解禁令】 针

对菲律宾、荷兰、比利时等国发生的雷斯顿埃博拉病、禽流感、新城疫等动物疫病，及时发布禁令及解禁令17个。

【对外通报重大疫病防控和疫情】 发布《中国动物卫生状况报告(2008年度)》，向OIE通报中国动物卫生状况年报、半年报，编辑出版《兽医公报》12期，向有关国际组织、有关国家驻华使(领)馆有关方面通报发生的动物疫情。

(农业部兽医局)

畜牧业科技推广

【机构队伍状况】

1. 机构情况。截止到2009年底，全国(除西藏外)共有各级畜牧业技术推广机构39 865个，其中基层机构39 194个，占机构总数98%；按业务类分，县级畜牧兽医站4 135个，品种改良站1 146个，草原站1 062个，乡镇畜牧兽医站32 851个。

2. 队伍情况。各级畜牧业技术推广机构职工总数310 887人，其中在编职工总数239 545人。在编职工中，省级机构3 199人，占在编职工总数1.3 %；地(市)级机构9 257人，占在编职工总数3.9%；县级机构76 558人，占在编职工总数31.9%；乡镇级机构150 531人，占在编职工总数62.9%。职工中共有技术人员203 205人，占在编职工总数84.2%，其中具有高级职称10 874人，占技术人员总数的5.4%；具有中级职称58 502人，占技术人员总数28.8%；具有初级职称96 394人，占技术人员总数的47.4%；技术员37 435人，占技术人员总数的18.4%。

【改革建设和机制创新】 截止到2009年底，全国95.8%的地(市)级、88.7%的县(市)级和81.6%的乡(镇)级畜牧技术支撑机构完成了改革，14个省(自治区、直辖市)各级畜牧技术支撑机构改革任务已全面完成。乡镇畜牧兽医站的改革进展尤为突出，改革后的机构设置趋于合理，人员编制和经费得到初步落实。广西等14个省(自治区、直辖市)机构改革任务已全面完成。

在推进体制改革的同时，各级畜牧技术支撑机构以创新推广服务机制为重点，积极进行探索实践。第三批基层农业技术推广运行机制创新试点江苏省如东县(执行年度为2007—2008年)在江苏省推广“挂县强农富民”、“挂村强农富民”工程，动员和组织广大基层畜牧科技人员进村入户，深入开展畜牧科技推广服务工作。第四批基层农业技术推广运行机制创新试点辽宁省抚顺县(执行年度为2008—2009年)探索构建了完善基层畜牧技术支撑机构的“五大工作机制”，即乡镇站统一领导和分类指导的管理机制、村级技术员双重管理和绩效结合的管理机制、乡镇站公开招聘用人管理机制、基层区域化监督管理的工作机制、乡镇站与乡级政府间良性沟通协作配合的工作机制。

【技术推广和成效】

1. 猪人工授精技术。2009年，农业部、财政部下发了《关于印发2009年畜牧良种补贴项目实施指导意见的通知》，在天津、内蒙古、重庆、大连等28个省(自治区、直辖市、计划单列市)以及黑龙江农垦和广东农垦的400个县(区、农场)实施生猪良种补贴项目。补贴对象是项目县(区、农场)内使用良种猪精液开展人工授精的母猪养殖场(户)。补贴规模1 625万头能繁母猪，按照每头能繁母猪每年使用4份精液，每份精液补贴10元的标准，项目总资金6.5亿元。

生猪良种化水平、养殖效益不断提升。一是提升了良种化水平。良种补贴项目的实施，增强了农民的良种意识，有效提升了生产水平和生产效率，良种化水平明显提升。项目区种公猪利用率提高10倍以上，改良商品猪出栏日龄提前5 ~10天，全国生猪人工授精率提高8 ~10个百分点。二是促进了农民稳定增收。项目区减少饲养种公猪57万头，为养殖户节约资金约17亿元。通过选用优质精液配种提高了畜禽的生产水平，通过技术培训提高了养殖场户的饲养管理水平，生产效率的提高增加了畜禽的养殖效益。三是完善了生猪良种繁育体系。生猪良种补贴项目的实施，带动项目区建成3 400多个种公猪站点，进一步健全了生猪人工授精服务网络。良种补贴项目的实施还减少了生猪疫病传播的概率，推进了基层畜牧技术支撑队伍建设。

2. 草原鼠虫害生物防治技术。针对各地草原鼠虫害特点，重点推广了生物农药、招引椋鸟、牧鸡牧鸭、野化狐狸和招鹰控鼠等，具有不污染环境、安全、防治作用持久、易于同其他植保措施配套使用的草原鼠虫害生物防治技术，辅以布设弓箭和人工捕捉，逐步实现对草原鼠虫害的可持续治理。

草原鼠虫害生物防治效果显著，全年共防治草原鼠害698.67万公顷、防治草原虫害516.86万公顷，其中利用生物技术(含生态、物理等措施)防治草原鼠害320万公顷、利用生物农药和天敌控制措施防治草原虫害186.67万公顷。一是牧鸡牧鸭治蝗实现致富增收。牧鸡、牧鸭治蝗效果好、防治成本低，可避免化学药剂对草场造成的污染，延长了生态食物链，增加鸡鸭肉、蛋和羽绒等绿色产品的供应，促进农牧民增收。2009年利用牧鸡牧鸭防治草原虫害49.07万公顷。二是天敌控制灾害作用日益突出。利用架设鹰架鹰墩、人工建设椋鸟巢和野化狐狸等方法控制鼠虫害作用明显，实现了诱集天敌的人为定向转移，具有不禁牧、无污染等特点,有效保护了草原生态系统生物多样性。2009 年利用招鹰控制鼠害 180 余万公顷,利用野化狐狸控制鼠害 10 余万公顷,招引椋鸟防治蝗虫 31.33万公顷。三是生物制剂防治效果显著。生物制剂对人、畜、禽和害虫害鼠天敌等其他生物安全无害,先后在内蒙古、青海、新疆、甘肃等地不同类型草地上进行了大面积的研究推广示范。目前,利用 C/D 型肉毒素防治草原鼠害、利用绿僵菌防治草原蝗虫已成为主要防治手段,2009 年利用肉毒素防治鼠害 213.33 余万公顷,利用绿僵菌防治草原蝗虫 32.67 余万公顷,利用核型多角体病毒、类产碱等制剂防治草原害虫 38 万公顷,利用印楝素、苦参碱等植物源制剂防治草原害虫 36 万公顷。

3. 牧草良种及高产栽培技术。各级草原技术支撑机构依托牧草种质资源保存利用项目和国家草品种区域试验项目,开展了牧草良种与高产栽培技术的引进示范和推广应用工作,加大了优良牧草品种收集、评价和展示力度,大力推广了紫花苜蓿、多花黑麦草、小黑麦、鸭茅、高粱—苏丹草杂交种等优良牧草,提升了种草效益和草业竞争力。

2009 年牧草良种及高产栽培技术推广取得明显成效。一是优良牧草品种展示 1 045 个,包括紫花苜蓿、多花黑麦草、小黑麦、鸭茅、高粱—苏丹草杂交种等 15 种优良牧草,其中集中展示紫花苜蓿和多花黑麦草优良高产品种 145 个,并深入研究了高产栽培配套技术,为优良品种及高产栽培技术推广工作奠定了基础。二是全国草原技术推广单位示范推广了 30 多个优良牧草品种,其中种植面积较大的有紫花苜蓿、多花黑麦草、冬牧 70 黑麦、饲用玉米、饲用高粱、高粱—苏丹草杂交种、鸭茅等,新增优良品种推广种植面积约233.33 万公顷。

4. 奶牛生产性能测定。2009 年,在北京、天津、河北、山西、内蒙古、辽宁、黑龙江、上海、江苏、山东、河南、广东、陕西、宁夏和新疆等 15 个省(自治区、直辖市)以及黑龙江农垦总局和新疆生产建设兵团的 17 个项目区,选择荷斯坦成年母牛存栏在 100 头以上的规模养殖场(户)和小区开展奶牛生产性能测定补贴工作,全年共完成 26 万头奶牛测定工作,安排项目资金 2 000 万元。

奶牛生产性能测定稳步推进。截止到 2009 年 12 月,全国累计收集涉及 1 024 个奶牛养殖场的 52.8 万头奶牛系谱数据,621.8 万条测定记录。其中,2009 年全国项目区 751 个奶牛养殖场的近 34 万头奶牛参加奶牛生产性能测定,测定记录达 214.56 万条。与上年相比,参测牛场增加 160 个,增长 27.07%,参测奶牛增加 5.7 万头,增长 24.85%,测定记录增加了 15.4 万头次,增长 12.87%。2009 年项目区参测奶牛测定日平均产奶量达到 22.46 千克、平均乳脂肪率 3.66%、平均蛋白率 3.24%、平均每毫升体细胞数为 62.61 万个。

5. 奶牛标准化规模养殖技术。为加快推动奶牛养殖规模化、标准化发展水平,在内蒙古、北京、黑龙江、新疆等地对全国奶牛优势区域的 313 个奶牛大县的管理、技术人员分 4 期进行培训。培训重点是奶牛标准化规模养殖技术、标准规范和奶业管理法规政策,受培训的师资力量再对各地奶牛养殖场(小区)及重点饲养户的管理人员、技术人员和饲养人员进行全覆盖培训。

通过培训使畜牧技术推广人员和养殖户了解国家有关奶业发展和乳品质量监管的法规政策,提高对生鲜乳卫生质量安全的认识,熟悉《奶牛场卫生规范(GB 16568)》和《生鲜乳生产技术规程(试行)》等技术规范,熟练掌握奶牛规范化饲养技术要领,保障生鲜乳质量安全。

(全国畜牧总站体系建设与推广处　李蕾蕾)

(本栏目主编　石有龙　张利宇)

行 业 管 理

法制建设

【畜牧法制建设】

1. 开展《中华人民共和国畜牧法》实施情况检查，促进畜牧业持续健康发展。为促进《畜牧法》的贯彻实施，5—8月，全国人大常委会执法检查组赴河北、河南，内蒙古、吉林，陕西、四川等6个省(自治区)对《畜牧法》实施情况进行了检查，并要求其他省(自治区、直辖市)进行了自查。2009年8月25—27日，十一届全国人大常委会第十次会议听取和审议了《全国人民代表大会常务委员会执法检查组关于检查〈中华人民共和国畜牧法〉实施情况的报告》，报告对《畜牧法》的贯彻成效进行了总结，分析了当前畜牧业发展的制约因素，对进一步贯彻落实《畜牧法》、促进畜牧业持续健康发展提出了意见建议。

2. 积极推动《饲料和饲料添加剂管理条例》修改，加大饲料监管执法力度。组织各地饲料管理部门和相关领域的专家，对《饲料和饲料添加剂管理条例》进行修改。经反复修改论证，在征求卫生部、工业和信息化部、国家质量监督检验检疫总局等10个部委和各地饲料畜牧管理部门意见的基础上，形成《饲料和饲料添加剂管理条例修订草案》(送审稿)报送国务院。制定发布《饲料添加剂安全使用规范》，并通过举办培训班、媒体宣传等多种方式开展宣传贯彻工作。全力组织实施饲料执法年行动，召开了全国饲料质量安全工作会议暨饲料执法年启动仪式，部署工作任务。组织6个督导组，分赴12个省(自治区、直辖市)开展了饲料执法年督导检查工作，针对检查中发现的问题，及时向有关省份发出了整改通知；组织9个督导组分赴11省(自治区、直辖市)，对100家主要蛋白原料的重点生产企业进行监督检查，对检查情况和发现的问题进行了通报。

3. 制定完善草原保护建设相关配套法规规章，推进草原法律体系建设。根据新修订的《草原防火条例》，组织修改完善了《草原火灾应急预案》和《草原防火物资储备库管理办法》。稳步推进草原植被恢复费收费制度建设，配合国家发展和改革委员会、财政部撰写了制度初稿。完成并发布了《草种检验员考核办法》。起草了《草种进(出)口税收优惠政策实施细则》(草案)，强化草种进口审批管理，促进良种引进推广。

4. 制定印发《生鲜乳收购站标准化管理技术规范》，严格生鲜乳收购站准入。制定印发《生鲜乳收购站标准化管理技术规范》，指导各地按照规定的“五有一符合”原则，严格生鲜乳收购站准入，进一步加强生鲜乳收购站的标准化管理，保障了生鲜乳质量。

(农业部畜牧业司)

【兽医法制建设】

1. 健全完善兽医工作法律法规制度。深入贯彻实施《动物防疫法》，组织起草《动物防疫条件审核管理办法》，提高养殖、屠宰加工、隔离和无害化处理等场所动物防疫条件水平；组织起草《动物检疫管理办法》，加强动物检疫管理，规范动物检疫行为。组织起草《动物疫情管理办法》，规范动物疫情监测、流行病学调查、报告、诊断、认定、通报、公布等工作。加强兽药和兽用生物制品管理，制定出台《兽药经营质量管理规范》，组织制定《兽用生物制品批签发管理办法》。研究兽药处方药和非处方药名录，制定分类管理原则和办法。启动《乡村兽医用药指南》制定工作。制定出台《兽医系统实验室考核管理办法》，加强兽医系统实验室管理，提高兽医实验室技术水平和工作能力。

2. 加大动物防疫法律法规的宣传培训力度。法制宣传教育是兽医法律体系建设的基础工作。农业部在现有工作基础上，按照全国“六五普法规划”，制定动物防疫法律法规宣传工作方案，采取各种措施、通过多种形式，切实加大动物防疫法律法规宣传力度，提高全社会对动物防疫法律法规的认知度，增强各级兽医执法人员依法行政意识，强化管理相对人的守法意识。同时，各地也深入开展《动物防疫法》宣传培训，迅速制定出台相应的地方配套法规，进一步增强防控工作的针对性和可操作性。

(农业部兽医局)

【草原法制建设】

1. 加强草原法律法规宣传。农业部草原监理中心

4月在全国组织开展了草原普法宣传月活动。中心编印了《草原法律法规知识百问》、草原法宣传挂图等材料发放各地配合宣传,并与四川省畜牧食品局、四川省草原监理站共同在甘孜藏族自治州丹巴县举办草原普法宣传现场活动。宣传月活动期间,各地集中力量查处一批草原违法案件,取得了良好的警示宣传效果。

2. 进一步完善地方性法规和规章。2009年3月2日,辽宁省人民政府颁布了《辽宁省草原管理实施办法》,自2009年5月10日起施行。2009年7月24日,陕西省人民政府颁布了《陕西省实施〈中华人民共和国草原法〉办法》,自2009年10月1日起施行。

(农业部草原监理中心)

行业管理体制改革

【兽医管理体制改革】

一是加强兽医管理体制改革督导。赴广西、宁夏等地进行兽医管理体制改革调研,特别是调研地方行政体制改革对兽医管理体制改革的影响,提出合理建议。两次下发《关于报送兽医管理体制改革进展情况的通知》,及时了解和掌握各地兽医体制改革进展情况。印发《农业部办公厅关于加快推进兽医管理体制改革意见的函》,督促尚未完成兽医体制改革的省份加快改革进度。

二是推进乡镇畜牧兽医站改革。针对乡镇畜牧兽医站改革过程中存在的问题,农业部下发《关于深化乡镇畜牧兽医站改革的意见》,对乡镇畜牧兽医站机构设置、职能配置、管理体制、经费保障、人员培训、考核评价、组织领导等方面工作再次做出部署。

三是强化村级防疫员队伍建设。农业部会同财政部制定《2009年基层动物防疫工作补助经费实施方案》,起草《基层动物防疫工作补助经费管理办法》,继续落实中央财政补助经费6.5亿元,用于基层动物防疫人员承担的为畜禽实施强制免疫等基层动物防疫工作经费补助。

四是推进兽医工作机构规范建设。农业部组织起草兽医行政管理机构、动物卫生监督机构、动物疫病预防控制机构和乡镇畜牧兽医站等兽医工作机构规范化建设管理意见,明确各级各类兽医机构职责和建设标准,建立兽医工作机构考核评价指标体系,推动兽医工作机构规范化、标准化建设,全面提升兽医工作能力。积极推进兽医改革工作,兽医管理体制改革取得新进展。全国95.8%的地市、88.7%的县区和81.6%的乡镇完成兽医管理体制改革,同比分别增长7.3%、16.2%和17%。乡镇畜牧兽医站设置更加合理,村级防疫员队伍建设得到进一步加强,执业兽医从业能力和水平明显提升。

五是推进新型兽医制度建设。农业部组织起草《2010—2014年全国官方兽医培训规划》和官方兽医培训大纲,举办全国官方兽医师资培训班,建立健全官方兽医培训网络体系,全面提高官方兽医队伍综合素质。在河南、吉林、广西、重庆、宁夏等5省(自治区、直辖市)开展执业兽医资格考试试点工作,取得显著成效。筹备成立中国兽医协会,实行执业兽医行业自律,规范执业兽医从业行为。

(农业部兽医局)

行业监管

【动物卫生监督执法】

1. 机构及人员。截止到2009年底,全国共设有省级动物卫生监督所31个,地级动物卫生监督所365个,县级动物卫生监督所3 259个,县级派出机构25 385个。全国各级动物卫生监督机构总人数158 361人。省、地、县三级及县级派出机构分别为1 321人、7 552人、46 464人、103 024人。全国各级动物卫生监督机构有执法人员154 592人,其中从事检疫(含聘用人员)127 887人、专职从事动物卫生监督工作的为26 705人。

2. 产地检疫和屠宰检疫。2009年,全国生猪、牛、羊、禽类和其他动物检疫村级开展面分别达到96.56%、93.60%、92.71%、93.72%、76.97%。共对5.71亿头(只)家畜、87.73亿只家禽进行了产地检疫,检出不合格动物367万头(只)。全国畜禽屠宰场(点)58 497个、由动物卫生监督机构实施检疫的为57 666个,受检率为98.58%。共对39.87亿头(只)畜禽进行了屠宰检疫,检出染疫畜禽382.06万头(只),染疫畜禽总检出率为0.10%。其中,检疫生猪、牛羊、禽类及其他动物分别为3.45亿头、0.57亿头(只)、35.70亿只、0.14亿头(只)。

3. 交易市场环节监督管理。2009年,全国各种动物和动物产品交易相关场所14.49万个,由动物卫生监督机构实施监督的有13.76万个,占总数的94.96%。其中,交易市场8.40万个,由动物卫生监督机构实施监督的有8.04万个,占95.71%;仓储场所2.17万个,由动物卫生监督机构实施监督的有2.08万个,占95.85%;加工场所3.91万个、由动物卫生监督机构实施监督的有3.64万个,占93.09%。

4. 运输环节监督管理。2009年,全国公路、铁路、航空、码头动物卫生监督检查站共检查运输动物、动物产品车(船)322.84万辆(艘),检查运输动物11.64亿头(只)、动物产品938.90万吨、动物副产品82.87万吨。发现各类违反动物防疫法规的车(船)13.82万辆(艘)、动物7 084.33万头(只)、动物产品5.33万吨、动物副产品5.97万吨。

5. 动物及动物产品无害化处理。2009年,全国共无害化处理染疫动物765.42万头(只),包括猪92.65万头、牛4.81万头、羊5.90万只、禽类653.01万只,马属动物1.04万头及其他动物8.01万头(只);对7 014.94吨肉类产品、0.57万张生皮、4.52万枚蛋、2 215.52吨其他动物产品进行了无害化处理。

6.动物卫生监督证章标志管理。2009年,全国定购各类动物及动物产品检疫合格证明共计3 866 172本、发放3 742 133本。其中,定购动物产地检疫合格证明1 309 838本、发放1 304 003本;定购动物产品检疫合格证明2 096 250本、发放2 013 706本;定购出县境动物检疫合格证明211 747本、发放193 279本;定购出县境动物产品检疫合格证明248 337本、发放231 145本;定购动物及动物产品运载工具消毒证明317 960本、发放304 005本;定购动物防疫合格证203 786张、发放203 458张;定购动物及产品检疫验讫标志876 239 494枚、发放837 787 476枚。

7.违法案件查处。2009年,全国动物卫生监督执法工作中查处各类违反《动物防疫法》案件共计38 196件,包括现场处罚21 805件、立案处罚16 391件,其中行政复议22件、行政诉讼8件、申请法院强制执行的331件。

8.动物卫生监督执法各项工作稳步推进。

(1)继续做好《动物防疫法》配套规章制(修)订工作。根据《动物防疫法》配套规章制(修)订工作计划,组织修订《动物检疫管理办法》、《动物防疫条件审查办法》,以及相关证章标志及检疫范围、检疫对象管理办法;组织起草了《动物产地检疫规程》和《屠宰检疫规程》。

(2)全面深入推进动物检疫工作。一是在辽宁黑山、河北石家庄分别召开全国动物产地检疫现场会和全国屠宰检疫现场会,推广两地成功经验,指导各地探索产地检疫和屠宰检疫新模式。各地也先后组织了各种形式现场会和技术培训,通过现场观摩和技术交流,提升检疫员检疫技术水平,有力保障动物检疫工作顺利实施。二是顺利完成新中国成立60周年大庆期间动物产品卫生安全保障工作。指导各地紧紧围绕国务院确定的“保安全、保供给、保民生、保稳定”的总体工作目标,切实落实畜产品卫生监管和甲型H1N1流感监控等措施。积极协助解放军总后勤部,加强对供受阅部队动物产品的卫生监管,保障节日期间全国畜产品安全,特别是受阅部队全体官兵的动物性食品卫生安全。三是召开全国动物卫生监督工作会议。12月17—19日,在海南省海口市召开全国动物卫生监督工作会议,农业部副部长高鸿宾出席会议并做重要讲话,对2009年全国动物卫生监督工作进行总结,对2010年工作进行部署。上海、海南、湖北、四川、新疆等省、自治区、直辖市代表进行大会交流发言,其他省份提供了书面交流材料。

(3)进一步强化动物卫生监督工作。一是会同有关部门开展动物及动物产品安全专项整治行动。4月份,派出5个督察组赴山东、河南、上海等10省、直辖市检查整治活禽经营市场和打击经营病死动物及其产品专项行动开展情况,7月份,和商务部组成联合督察组赴辽宁、吉林督察打击私屠滥宰和病死猪病害猪肉非法交易专项整治开展情况。二是加强人员培训,全面提高队伍业务素质和执法水平。继续开展人员培训工作,全年举办全国动物卫生监督网新软件应用培训班、全国动物卫生监督执法培训班、全国动物卫生监督执法师资培训班等多期,直接培训845人次。三是加强部门合作,建立联防机制。与工商、卫生等部门进一步完善了活禽市场禽流感防控与联合监管机制,与商务部门进一步强化了屠宰检疫监督和屠宰管理的合作机制;指导各地进一步强化省际间动物及动物产品流通监管协作,目前华东、华南、华北、东北等区域动物卫生监督工作联防例会制度均已建立。

(4)加强信息化建设,提升执法水平。中国动物卫生监督网进一步完善,已覆盖至31个省级单位、362个市级单位、3 100个县级单位和1 038个公路检查站,全国动物卫生监督信息化管理体系已基本形成。

(农业部兽医局)

【草原执法监督】 2009年,全国各级草原监理机构认真履行职责,积极创新执法方式,不断加大对草原违法行为的打击力度。据农业部草原监理中心公布的《2009年全国草原违法案件统计分析报告》显示,2009年全国共发生各类草原违法案件28 623起,比上年增长41.7%。立案率和结案率分别为94.9%和98.6%,较上年提高1.1和2.1个百分点。查处的开垦草原、非法临时占用草原、非法征收征用使用草原三类案件共破坏草原面积1.365万公顷。买卖或者非法流转涉及草原面积8 606.67公顷。

各类草原违法案件中,违反禁牧休牧和草畜平衡规定案件数量最多,增幅也最大。开垦草原仍是破坏草原最为严重的案件类型。非法征收征用使用草原案件和非法临时占用草原案件数量较上年均有较大幅度下降,但案件查处的困难和阻力较大,立案率和结案率较低。非法采集草原野生植物案件数量较上年大幅减少,立案率显著提高。买卖或者非法流转草原案件数量较上年也明显减少,但涉及草原面积大幅增加。违反草原防火法规规章案件查处情况较好。

(农业部草原监理中心)

【草原行政许可】 2009年各级草原行政主管部门审核审批征占用草原申请134批次,征占用草原面积2 903.12公顷,其中,新疆、甘肃、内蒙古、黑龙江、吉林、青海审核审批132次,面积2 634.69公顷,农业部审核审批大庆萨尔图民用机场建设项目和新疆独山子国家石油储备基地项目，征用草原面积268.43公顷。

被征占用的草原用于油田建设的为463.87公顷，矿藏开采的794.96公顷，道路建设的565.45公顷，水电建设的396.5公顷，农牧业生产设施的183.1公顷，其他用途的499.24公顷。

2009年，农业部共受理审批草种进口申请329单，涉及紫苜蓿、三叶草、羊茅、草地早熟禾、黑麦草、鹳股颖、狗牙根等10多个草品种，数量11 224.8吨，外汇金额2 599.7万美元。其中紫花苜蓿进口审批数量为194.7吨、三叶草394.8吨、羊茅3 445.4吨、草地早熟禾1 322.6吨、黑麦草3 988.6吨、其他1 878.7吨。

（农业部草原监理中心）

【畜禽种质资源保护】 根据我国畜禽遗传资源状况，2009年，农业部在北京、内蒙古、江苏等28个省（自治区、直辖市）实施了79个畜禽种质资源保护项目，投入资金总额3 195.11万元，一是原产地活体保种工作扎实推进。对蒙古马等濒危品种实施了抢救性保护，保存了北京油鸡、绍兴鸭、五指山猪、延边牛、内蒙古白绒山羊、中蜂等57个地方品种种质资源，生产性能有了较大提高。二是基因库保种工作取得新进展。家畜和家禽基因库全年制作完成了8个羊品种、1个牛品种的13 900剂冷冻精液、872枚冷冻胚胎，收集保存了汶上芦花鸡、大围山微型鸡、溆浦鹅、四川白鹅等40个品种的种质资源。三是资源志出版工作全面推进。《中国畜禽遗传资源志》编审工作基本完成，初步确定志书收录畜禽品种数量。四是畜禽种质特性评价工作开展顺利。完成了76个绵羊山羊品种6 600份样品的22个微卫星座位检测和数据分析工作，完成了地方羊品种线粒体高变区的测序工作。

（农业部畜牧业司）

【全国畜禽遗传资源保护与管理培训班暨首批国家级畜禽保种场保护区和基因库授牌仪式在京举行】 农业部制定并公布138个国家级畜禽保护品种、确定第一批119个国家级畜禽保种场、保护区和基因库后，为进一步加强管理与技术指导，2009年11月21—22日，农业部畜牧业司和全国畜牧总站在北京举办了全国畜禽遗传资源保护和管理培训班暨首批国家级畜禽保种场、保护区和基因库授牌仪式。农业部副部长高鸿宾、畜牧业司司长王智才、巡视员陈伟生、财务司副司长冀名峰以及全国畜牧总站站长谷继承、书记何新天、副站长郑友民出席了培训和授牌仪式。来自全国31个省（自治区、直辖市）畜牧兽医主管部门和技术支撑机构的相关负责人、国家畜禽遗传资源委员会委员、国家级畜禽保种场、保护区和基因库的代表共计230人参加了培训。

培训班邀请了联合国粮农组织（FAO）专家、中国工程院李宁院士、中国农业大学张沅教授等国内外著名专家现场授课。本次培训是农业部组织开展的第一次全面系统的畜禽遗传资源保护与管理技术培训，内容丰富，信息量大，针对性强，受到代表的一致好评。

（全国畜牧总站牧业发展处）

【畜禽审定鉴定工作成效显著】 根据《畜禽新品种配套系审定和畜禽遗传资源鉴定办法》的规定，2009年，国家畜禽遗传资源委员会审定、鉴定通过了4个畜禽新品种、12个配套系和34个新资源（见附录）。这些畜禽新品种、配套系和遗传资源丰富了我国畜禽遗传资源，在生产中得到广泛应用，加快了资源优势向经济优势转变步伐。

（全国畜牧总站牧业发展处）

【畜禽品种配套系和畜禽遗传资源清理】 为深入贯彻落实《中华人民共和国畜牧法》，推进《中国畜禽遗传资源志》的编纂工作，2009年2月，农业部在全国范围内组织开展了畜禽品种、配套系和遗传资源清理工作。清理对象主要包括未经国家审定、鉴定的畜禽品种、配套系和遗传资源。国家畜禽遗传资源委员会办公室负责具体组织实施，完成了畜禽品种、配套系和遗传资源清理工作。

1. 积极指导各地开展畜禽清理工作。委员会办公室积极与各地沟通协调，指导各地开展畜禽品种、配套系和遗传资源清理工作。各地高度重视，积极行动，组织有关单位开展畜禽审定、鉴定和备案的申请工作。截止到2009年底，收到北京、江苏、重庆等29个省（自治区、直辖市）共计299份申请材料，其中包括《中国畜禽遗传资源状况》已收录的畜禽品种、配套系和遗传资源50个，省级审定通过的畜禽品种、品系、配套系和遗传资源249个。

2. 开展畜禽审定鉴定和备案工作。委员会办公室制定详细的工作方案，采取有效的措施，积极推进畜禽审定、鉴定和备案工作。组织有关专家773人次，分赴24个省（自治区）156县（市）开展畜禽品种、配套系审定和遗传资源鉴定工作，完成了畜禽清理任务，核实了资源调查可疑数据，补拍了部分不合格照片，推进了志书编写工作。

3. 畜禽品种、配套系和遗传资源清理结果。除个别报告已收录的50个品种和申请备案的5个品种外，在244份申请材料中，经办公室审核、各专业委员会初审和委员会表决，未通过审定、鉴定的申请材料有111份（占申请总数的45.5%），通过审定、鉴定的申请材料有133份（占申请总数的54.5%），其中通过审定的畜禽品种11个、通过鉴定的遗传资源有100个、考察通过的畜禽品种22个。

（全国畜牧总站牧业发展处）

【种公牛站建设】 2009年，全国共有44个种公牛站取得了农业部核发的《种畜禽生产经营许可证》并从事正常生产经营活动，其中有36个站完成了改制工作。

1. 人员构成。44个种公牛站共有从业人员1 672人，其中技术人员964人，占总人数的57.7%，其中具有大专以上学历的技术人员823人，占总人数的49.2%。技术人员中具有高级职称的225人，中级职称的329人，初级职称的311人，分别占技术人员总数的23.3%，34.1%和32.3%。执业兽医99人，占技术人员总数的10.3%。

2. 种公牛情况。44个种公牛站共存栏种公牛3 687头，涉及23个品种。

(1)采精公牛共2 538头。其中荷斯坦牛1 250头，占采精公牛总数的49.3%；肉用西门塔尔牛479头，占18.9%；夏洛来牛161头，占6.3%；乳用西门塔尔牛139头，占5.5%；水牛121头，占4.8%；南德温牛68头，占2.7%；褐牛67头，占2.6%；利木赞牛61头，占2.4%；其他各品种存栏采精公牛192头，占7.6%。

(2)后备公牛共1 149头。其中荷斯坦牛487头，占42.4%；肉用西门塔尔牛151头，占13.1%；水牛60头，占5.2%；乳用西门塔尔牛51头，占4.4%；夏洛来牛49头，占4.3%；南德温牛33头，占2.9%；褐牛30头，占2.6%；其他品种后备公牛存栏288头，占25.1%。

3. 冻精生产与推广。2009年生产冻精4 630.7万剂，头均生产冻精1.82万剂。其中荷斯坦牛生产冻精2 749.7万剂，占59.4%，头均年产冻精2.2万剂；肉用西门塔尔牛880.6万剂，占19 %；夏洛来牛380.9万剂，占8.2%；乳用西门塔尔牛234.7万剂，占5.1%；利木赞牛107万剂，占2.3%；水牛45.3万剂，占0.98%；褐牛27.2万剂，占0.6%；其他品种牛生产冻精205.3万剂，占4.4 %。

推广销售冻精3 463.4万剂，占生产总量的74.8%。其中推广销售荷斯坦牛冻精1 857.4万剂，占销售总量的53.6%；肉用西门塔尔牛799万剂，占23.1%；夏洛来牛273.9万剂，占7.9%；乳用西门塔尔牛157.5万剂，占4.6%；利木赞牛82.8万剂，占2.4%；褐牛40.9万剂，占1.1%；水牛39.3万剂，占1.1%；其他品种牛销售冻精212.5万剂，占6.1%。

4. 改制接近尾声。截止到年底，全国44个种公牛站中，已经完成改制的有36个，占种公牛站总数的81.8%，有3个种公牛站正在做改制前期准备工作。改制后的种公牛站种公牛培育力度明显加大，综合实力明显增强，冻精生产和销售量较上年度均有大幅度提高。2009年全国种公牛站固定资产总额达9.23亿元，年销售收入3.5亿元，实现利润6 700万元。

5. 质量管理水平进一步提高。北京、上海、河北、辽宁、山东、江苏等10余个种公牛站通过开展ISO9001、GAP等认证工作，有效地提升了质量管理水平。在冷冻精液生产过程上，许多种公牛站采用信息化管理手段，极大地提高了生产效率。农业部质检中心对24个种公牛站生产的582个牛冻精样品进行检测，567个牛冻精样品合格，合格率为97.4%，较上年提高了1个百分点。

6. 自主培育公牛积极性明显增强。2009年，全国后备种公牛数量达到985头，占存栏公牛总数的28%，比上年增加了5个百分点。各站继续加大荷斯坦种公牛后裔测定工作力度，全年新增参加测定的荷斯坦种公牛143头，较上年增加了25头。通过后裔测定选入奶牛良种补贴项目的荷斯坦种公牛数量达232头，较上年增加了132头；占荷斯坦种公牛总数的26.7%。肉用种公牛生产性能测定工作也逐步展开。2009年国家开始在部分肉牛主产区实施200万头肉牛良种补贴试点工作，调动了种公牛站和育种场开展肉用种公牛生产性能测定的积极性。

7. 服务水平进一步提升。种公牛站加强服务能力建设，提高服务质量，2009年，各站参加全国技术培训500余人次，站内组织培训1 000余人次。各站积极组织技术人员深入养殖场、养殖户开展技术培训和售后服务工作，2009年各种公牛站无偿开展技术培训活动200多场，培训奶牛、肉牛养殖场(户)人员近4万人，为用户提供各类技术服务3 100余人次。

8. 问题与改进措施。

一是继续加强种公牛站管理。一些种公牛站还存在制度不完善、体制机制不灵活、仪器设备老化、技术人才流失等现象，个别站由于设备维护和更新不及时，人员队伍不稳定等原因，导致无法正常生产。各站应进一步加强内部管理，通过开展ISO9001、GAP等认证工作，及时发现和解决自身存在的问题，提高种公牛站管理水平。

二是继续提高种公牛质量。部分种公牛站因缺乏种子母牛群、后备牛补充不及时等原因，导致采精种公牛数量和质量下降。各站应根据本地实际需要，加大对种公牛尤其是肉用种公牛的培育和选择力度，加强生产性能测定工作，培育优秀的种公牛。

三是继续推进改制工作。目前全国还有8个种公牛站没有完成改制，尚无法受惠于一些支持畜牧业发展的政策和资金，生存和发展面临困难，各站应按照国务院和农业部的要求，尽快完成改制工作。

（全国畜牧总站奶业与畜产品加工处）

【饲料质量安全监管】 2009年，各级畜牧饲料管理部门深入开展饲料质量安全执法年行动，着力强化日常监管，妥善处置突发事件，饲料质量安全水平稳步提升，养殖环节违禁添加行为得到有效遏制。一是饲料产品质量合格率进一步提高。全国饲料质量安全监测计划共安排抽检 6 937 批次饲料产品，合格率为 90.9%，时隔 3 年后再次回升到 90% 以上，比上年提高2.3个百分点，实现了执法年的预定目标。二是饲料中违禁药物检出率明显降低。共抽检养殖环节饲料样品 3 062 批次，进行盐酸克伦特罗、莱克多巴胺、沙丁胺醇、苏丹红、地西泮等违禁药物检测，饲料中盐酸克伦特罗已连续 5 年未检出。养殖环节违禁添加"瘦肉精"的行为得到有效遏制，对江西、浙江、河南、湖南、内蒙古等 5 省（自治区）养殖场进行拉网式检测，盐酸克伦特罗、莱克多巴胺检出率均为 0。在广东、湖南、河南三省监测生猪尿液样品 54.6 万批次，"瘦肉精"检出率不到 0.05%。三是违禁添加三聚氰胺现象大幅减少。共抽检蛋白饲料原料、奶牛饲料及其他饲料产品 4 230 批次，三聚氰胺检测合格率 99.3%，比上年提高 3.3 个百分点，基本消除了违禁添加三聚氰胺的现象。

1. 强化责任落实，基层管理部门的工作力度明显加强。在 2009 年的饲料质量安全执法年行动中，各省（自治区、直辖市）制定了详细的实施方案，成立了以主要领导为组长的领导小组，召开专题会议进行动员部署，多次派出督导组检查任务落实和工作开展情况。各省因地制宜，全国累计出动监督执法人员 52 万人次，检查饲料企业 10.4 万个次、养殖场户 41 万个次。

2. 强化基础工作，饲料质量安全监管的规范标准更加健全。组织各方面专家进行动物安全评价试验，确定了饲料中三聚氰胺限量值并发布。制定发布了 73 种饲料添加剂品种的安全使用规范，填补了饲料管理制度的空白。公告禁止缩二脲作为饲料添加剂使用。《饲料和饲料添加剂管理条例》、饲料卫生标准和饲料标签标准的修订工作都进入了最后阶段。

3. 强化行政执法，对各种违禁添加行为的查处力度明显加大。2009 年全国共取缔非法饲料企业 297 个，查处"三无"饲料产品 1 836 个，注销生产许可证 264 个，查处违法饲料产品 1.7 万吨，立案调查违法企业和养殖场户 814 个。湖南省查处 10 多个"瘦肉精"经销窝点，移交公安机关 42 起，刑事拘留 33 人。河南省查处生猪"瘦肉精"案件 34 起，30 名监管人员受到处理。辽宁省及时查处两起肉牛养殖环节违法使用"瘦肉精"案件，而且主动在新闻媒体曝光。江苏、江西等地积极推进畜牧兽医综合执法，湖南、浙江等地试点开展检验检疫联动。

4. 强化监督检查，对获证饲料生产企业的事后监管得到加强。农业部组织 9 个督导组对 11 省（自治区、直辖市）100 家蛋白原料重点生产企业进行了监督检查，对天津、河北等 10 个省（自治区、直辖市）的 100 家获证企业开展了跨省监督检查。四川、河南等地对辖区内各类获证饲料生产企业开展了现场监督检查，广西将巡查工作制度化。通过开展形式多样的监督检查，获证企业生产经营行为明显规范。

5. 强化应急处置，突发事件负面影响及时得到控制。2009 年各级畜牧饲料管理部门果断处置了一系列突发事件，最大限度地避免了对畜牧产业的不利影响。2 月份和 12 月份广州和黑龙江发生的两起"瘦肉精"事件，各级畜牧饲料管理部门都迅速及时采取有效措施，妥善解决了问题。

6. 强化宣传培训，饲料质量安全意识和执法能力明显增强。饲料执法年活动开展以来，各地通过广播电台播放饲料宣传材料 2 000 多篇，电视专题报道1 000多次，发送饲料和养殖安全宣传册近 200 万册，许多省市还与饲料和养殖企业签订了质量安全承诺书。农业部通过《农民日报》等媒体组织饲料安全知识竞赛，得到各地积极响应，共收到有效答卷21 000余份。中国饲料工业协会、中国农业科学院饲料研究所、国家饲料质检中心等单位组织了 10 多次全国性培训活动，各省、市、县也开展了大量培训活动，吉林省级培训规模超过 2 000 人次。培训对象包括监督执法人员和主要饲料企业及部分养殖场的技术和管理人员。

（农业部畜牧业司）

【兽医实验室生物安全管理】

1. 积极部署兽医实验室生物安全监管工作。农业部多次印发做好兽医实验室生物安全管理工作的通知，要求各地加强兽医实验室生物安全管理，明确工作任务，落实目标责任，确保兽医实验室生物安全。

2. 强化兽医实验室生物安全监管。农业部受理广东大华农动物保健品公司生物安全三级实验室、华中农业大学生物安全三级实验室高致病性动物病原微生物实验室资格和中国动物卫生与流行病学中心、华中农业大学、中国农业大学等单位开展兽医实验活动申请，组织专家进行评审、评估，及时提出评审意见。组织检查组赴湖北、浙江地开展兽医实验室生物安全状况抽查，加强兽医实验室生物安全监督检查。特别是为保证新中国成立 60 周年大庆期间兽医实验室生物安全，组织派出 18 个督查组共计 51 人次，赴有关省开展兽医实验室生物安全监督检查，通过检查进一步推动实验室生物安全各项监管措施落实。

3. 开展实验室生物安全知识培训。农业部组织举办高致病性禽流感实验活动生物安全三级实验室知识培训班；结合欧盟资助项目，举办兽医实验室生物安全知识培训班。通过组织开展兽医实验室生物安全培训,进一步提高了实验人员对实验室生物安全工作重要性的认识,提升了实验人员的实验室生物安全理论水平和实际操作能力,培训取得良好效果,达到预期目标。

4. 创新兽医实验室管理机制。一是进一步利用各方面兽医技术资源,发挥有关实验室在禽流感检测诊断和科学研究方面的作用,农业部批准同意中国农业科学院哈尔滨兽医研究所 ABSL - 3 实验室、中国动物卫生与流行病学中心国家外来动物疫病诊断中心、扬州大学农业部畜禽传染病学重点开放实验室、华南农业大学农业部养禽与禽病防治重点开放实验室等四个实验室从事高致病性禽流感实验活动。同时,明确国家禽流感参考实验室与专业实验室的分工。二是组织起草《兽医实验室考核管理办法》,明确兽医系统实验室建设标准和工作要求,组织有关单位开展分级考核,提高实验室建设水平和检测诊断能力。三是组织起草《高致病性动物病原微生物实验室资格审批实施细则》和《高致病性动物病原微生物实验活动审批实施细则》,积极筹建动物病原微生物实验室生物安全委员会专家库。

(农业部兽医局)

【兽药质量与兽药残留监督管理】

1. 强化兽药市场专项整治工作,兽药质量抽检合格率稳步提高。农业部及各地兽医行政管理部门高度重视兽药市场专项整治工作,制定专项整治工作方案,建立健全案件举报、查办督办机制,对兽药生产企业实施动态监管。加大兽药质量监督抽检工作力度和监管力度,建立监督抽检与行政执法联动制度,加大违法行为处罚力度,提高抽检效能,有效遏制了非法制售假劣兽药违法活动,兽药产品质量合格率稳步提高。据统计,2009 年共完成兽药质量监督抽样 14 511 批次,检验兽药 12 197 批,合格 10 357 批,总合格率为 84.9%,实现了"十一五"期间连续 4 年兽药抽检合格率逐年提高的目标。

2. 强化兽药使用环节监管,加强兽药残留监控。2009 年,农业部加大兽药使用监管力度,组织开展兽药使用专项整治,监督指导养殖企业和农户建立用药记录制度,完善兽药使用档案,严格执行休药期规定。加大兽药法律法规和科普知识宣传力度,普及安全用药知识。下发了《动物及动物产品兽药残留监控计划》和《国庆期间动物产品兽药残留检测计划》。各地按照部署,切实加强兽药残留监控工作,加大检测力度,圆满完成兽药残留监控计划、国庆期间兽药残留监控计划,兽药残留超标率连续 4 年保持在较低水平,并出色完成欧盟兽药残留考察迎检工作,为保证动物产品质量和动物产品出口创造了条件。

(农业部兽医局)

发展方式转变及产业结构调整

【畜禽标准化规模养殖】 2009 年,农业部在江苏召开畜禽标准化规模养殖现场会,总结推广各地推进畜禽规模养殖的成功经验和有效做法,浙江、山东、河北等多个省份相继出台加快畜禽标准化规模养殖的指导性文件,采用不同的生产组织模式,推动畜禽标准化规模养殖的发展。同时,国家继续投入 30 亿元资金扶持建设了 8 000 多个生猪标准化规模养殖场(小区)和 800 多个奶牛标准化规模养殖场(小区)。在中央和地方扶持政策的推动和市场的带动下,畜禽标准化规模养殖建设取得快速发展。

一是畜禽规模化养殖比重明显提高。2009 年,生猪规模化养殖比重达 61%,比上年提高 5 个百分点;蛋鸡 79.3%,比上年提高 2.4 个百分点;存栏 5 头以上的奶牛规模养殖比重达 71.89%,比上年提高 4.3 个百分点;肉鸡规模化养殖比重达 84.62%,比上年提高 3 个百分点;肉牛 41.40%,比上年提高 3.4 个百分点;羊 48.42%,比上年提高 3.8 个百分点。畜禽养殖小区突破 8 万个,畜禽养殖业产业化组织占全国农业产业化组织的 50% 以上。

二是畜禽标准化规模养殖模式明显增多。在标准化规模养殖推广过程中,各地不断探索出适合本地实际的畜禽养殖模式。湖北省推出了"标准化 150 养猪模式"、"蛋鸡 153 养殖模式"等多种畜禽饲养模式;山东、吉林、湖南等地积极探索和推广自然养猪法。这些养殖模式的探索和推广应用,进一步丰富了畜禽标准化规模养殖的内涵,促进了畜牧业与环境的协调发展。

三是优势产区建设明显加快。围绕 2009 年发布的肉牛、肉羊、奶牛、生猪等主要畜禽品种的优势区域布局规划,中央和优势产区各级政府相继出台一系列扶持政策措施,加大扶持力度,积极推进规划实施,发挥区域比较优势和资源优势,优势区域相关产业得到较快发展,优势区域建设取得明显效果。2009 年,生猪、蛋鸡、奶牛、肉牛、肉羊优势省(自治区)猪肉、禽蛋、牛奶、牛肉、羊肉产量分别占全国总量的 92.1%、67.7%、88.3%、85.6%、92.2%。

四是标准化生产水平明显提升。大力发展无公害、绿色和有机畜产品生产,着力培育优势产业带,加快推进畜产品出口基地建设,精心打造特色品牌。截止到 2009 年,全国共认证无公害畜产品产地 10 439 个,比 2007 年增加 3 485 个;共认证无公害畜产品 6 761个,增加 3 892 个;全国共有 894 个畜产品通过绿色产品认证,占产品认证总数的 10.8%;共发布畜牧业农业行业标准 254 项。在加快发展畜禽规模养殖的同时，进一步提升标准化生产水平。

（农业部畜牧业司）

畜产品质量安全

【畜牧业标准化】 2009年，全国畜牧业标准化技术委员会围绕畜牧业生产方式转变、畜产品质量安全，加强标准化工作，增强了服务畜牧业标准化生产的能力。

1. 加强畜牧业标准体系战略研究。围绕肉产品、禽蛋产品、乳业、毛绒皮产品、蜂业和草业六大领域，组织相关专家完成了畜牧业标准体系战略研究，初步构建了较为完整的、与现代畜牧业发展相适应的畜牧业标准体系框架，并配合农业部畜牧业司制定了《畜牧业标准体系规划（2010—2015年），为大力推进畜牧业标准制（修）订工作夯实了基础。

2. 进一步加快标准制（修）订步伐。全年组织申报国家和行业标准55项、组织审定标准30项、报批标准30项，发布标准21项（见下表），标准化完成率达85%以上；启动快速通道，颁布实施了《种猪常温精液》国家标准，为生猪良种补贴项目提供了技术依据。

3. 加大标准化工作的宣传贯彻力度。针对西藏自治区从事畜牧业工作技术人员和全国标准起草专家，分别举办了两期畜牧业标准化知识培训班，共培训了140人次，进一步提高了标准编制水平。对现行有效的畜牧业标准目录进行了整理并在中国畜牧兽医信息网和中国饲料工业信息网开辟专栏进行公布，创新了标准化工作为行业和企业服务的方式方法。

4. 成立奶业和畜禽环境工作组。全国畜牧业标准化技术委员会成立了奶业和畜禽环境两个工作组，其中奶业工作组由24名委员组成、畜禽环境工作组由14名委员组成。进一步补充完善了畜牧业标准化技术委员会的组织机构，同时增强了专业技术力量和能力。

（全国畜牧总站　赵小丽）

【饲料工业标准化】 2009年，全国饲料工业标准化技术委员会以饲料安全为核心，围绕着生态饲料，以安全、优质、环保、高效为目标开展饲料工业标准化工作，在标准制（修）订、标准化分支机构建设、标准项目管理和标准专项研究等方面取得了较好成绩。截止到年底，我国颁布实施的现行有效饲料工业国家标准、行业标准共465项，其中国家标准237项，行业标准228项。我国正在制（修）订的饲料工业标准项目近100项。各地制定颁布了大量地方标准，全国10 000多家饲料和饲料添加剂生产企业都制定了企业标准。基本形成了以国家标准、行业标准为主导，以地方标准、企业标准为基础的饲料工业标准体系。

1. 认真做好饲料工业标准的制（修）订工作。2009年累计组织召开标准项目论证会7次。年初，组

2009发布的畜牧业国家和行业标准

序号	标准号	标准名称	公告号
1	GB 23238－2009	种猪常温精液	国家标准批准发布公告2009年第2号（总第143号）
2	GB/T 24697－2009	湘西黑猪	国家标准批准发布公告2009年第14号（总第154号）
3	GB/T 24698－2009	攸县麻鸭	国家标准批准发布公告2009年第14号（总第154号）
4	GB/T 24699－2009	四川白鹅	国家标准批准发布公告2009年第14号（总第154号）
5	GB/T 24701－2009	百色马	国家标准批准发布公告2009年第14号（总第154号）
6	GB/T 24702－2009	藏鸡	国家标准批准发布公告2009年第14号（总第154号）
7	GB/T 24703－2009	岔口驿马	国家标准批准发布公告2009年第14号（总第154号）
8	GB/T 24704－2009	金定鸭	国家标准批准发布公告2009年第14号（总第154号）
9	GB/T 24705－2009	狼山鸡	国家标准批准发布公告2009年第14号（总第154号）
10	GB/T 24706－2009	连城白鸭	国家标准批准发布公告2009年第14号（总第154号）
11	GB/T 24707－2009	邵伯鸡（配套系）	国家标准批准发布公告2009年第14号（总第154号）
12	NY/T 1755－2009	畜禽舍通风系统技术规程	农业部第1194号公告
13	NY/T 1758－2009	鲜蛋等级规格	农业部第1194号公告
14	NY/T 1759－2009	猪肉等级规格	农业部第1194号公告
15	NY/T 1760－2009	鸭肉等级规格	农业部第1194号公告
16	NY/T 1780－2009	苜蓿种子生产技术规程	农业部公告第1298号
17	NY/T 1814－2009	绵羊剪毛技术规程	农业部公告第1298号
18	NY/T 1815－2009	细羊毛分级技术条件及打包技术规程	农业部公告第1298号
19	NY/T 1816－2009	阿勒泰羊	农业部公告第1298号
20	NY/T 1817－2009	羊毛密度测试方法 毛丛法	农业部公告第1298号
21	NY/T 1818－2009	山羊抓绒技术规程	农业部公告第1298号

织召开了2次标准申报项目评审会,对申报的95项国家标准和35项农业行业标准进行了立项审查,最终39项饲料检测方法及产品标准获立项,其中国家标准19项、农业行业标准20项。2009年组织召开了4次

2009年颁布实施的饲料工业国家标准和行业标准

序号	标准号	标准名称	替代的标准编号
1	GB/T 23491-2009	饲料企业生产工艺及设备验收指南	
2	GB/T 23385-2009	饲料中氨苄青霉素的测定　高效液相色谱法	
3	GB/T 23386-2009	饲料添加剂　维生素A棕榈酸酯粉	
4	GB/T 23388-2009	水产饲料安全性评价　残留和蓄积试验规程	
5	GB/T 23389-2009	水产饲料安全性评价　繁殖试验规程	
6	GB/T 23390-2009	水产配合饲料环境安全性评价规程	
7	GB/T 7294-2009	饲料添加剂　亚硫酸氢钠甲萘醌(维生素K_3)	GB/T 7294-2006
8	GB/T 23186-2009	水产饲料安全性评价　慢性毒性试验规程	
9	GB/T 23735-2009	饲料添加剂　乳酸锌	
10	GB/T 23736-2009	饲料用菜籽粕	
11	GB/T 23737-2009	饲料中游离刀豆氨酸的测定　离子交换色谱法	
12	GB/T 23741-2009	饲料中4种巴比妥类药物的测定	
13	GB/T 23742-2009	饲料中盐酸不溶灰分的测定	
14	GB/T 23743-2009	饲料中凝固酶阳性葡萄球菌的微生物学检验 Baird-parker琼脂培养基计数法	
15	GB/T 23744-2009	饲料中36种农药多残留测定　气相色谱-质谱法	
16	GB/T 23745-2009	饲料添加剂　10%虾青素	
17	GB/T 23746-2009	饲料级糖精钠	
18	GB/T 23747-2009	饲料添加剂　低聚木糖	
19	GB/T 8381.7-2009	饲料中喹乙醇的测定　高效液相色谱法	GB/T 8381.7-2005
20	GB/Z 23738-2009	GB/T 22000-2006在饲料加工企业的应用指南	
21	GB/T 17777-2009	饲料中钼的测定　分光光度法	GB/T 17777-1999
22	GB/T 17810-2009	饲料级DL-蛋氨酸	GB/T 17810-1999
23	GB/T 23873-2009	饲料中马杜霉素铵的测定	
24	GB/T 23874-2009	饲料添加剂木聚糖酶活力的测定　分光光度法	
25	GB/T 23875-2009	饲料用喷雾干燥血球粉	
26	GB/T 23876-2009	饲料添加剂L-肉碱盐酸盐	
27	GB/T 23877-2009	饲料酸化剂中柠檬酸、富马酸和乳酸的测定　高效液相色谱法	
28	GB/T 23878-2009	饲料添加剂　大豆磷脂	
29	GB/T 23879-2009	饲料添加剂　肌醇	
30	GB/T 23880-2009	饲料添加剂　氯化钠	
31	GB/T 23882-2009	饲料中L-抗坏血酸-2-磷酸酯的测定　高效液相色谱法	
32	GB/T 23883-2009	饲料中蓖麻碱的测定　高效液相色谱法	
33	GB/T 23884-2009	动物源性饲料中生物胺的测定　高效液相色谱法	
34	GB/T 9455-2009	饲料添加剂 维生素AD_3微粒	GB/T 9455-1988
35	GB/T 23710-2009	饲料中甜菜碱的测定　离子色谱法	
36	GB/T 24318-2009	杜马斯燃烧法测定饲料原料中总氮含量及粗蛋白质的计算	
37	GB/T 24352-2009	饲料加工设备图形符号	
38	GB/T 22005-2009	饲料和食品链的可追溯性体系设计与实施的通用原则和基本要求	
39	GB/T 24832-2009	饲料添加剂　半胱胺盐酸盐β环糊精微粒	
40	NY/T 1756-2009	饲料中孔雀石绿的测定	
41	NY/T 1757-2009	饲料中苯骈二氮杂类药物的测定　液相色谱-串联质谱法	

饲料标准审查会，组织审查了《饲料中单核细胞增生李斯特氏菌的微生物学检验》等26项标准；审查报批了《饲料中牛羊源性成分的检测　实时荧光聚合酶链反应（PCR）法》等16项标准；国家有关部门颁布实施饲料标准41项，其中，国家标准39项，农业行业标准2项。推荐遴选国家标准《饲料中总砷的测定》获得2009年度“中国标准创新贡献奖”三等奖，累计共有6项饲料工业标准获得该项奖。

2. 重点做好《饲料标签》、《饲料卫生标准》两项强制性标准的修订工作。2009年是饲料质量安全执法年，农业部对《饲料与饲料添加剂管理条例》及其配套饲料法律法规进行了修订，为保持标准与法律法规的一致性，标委会重点修订了《饲料标签》和《饲料卫生标准》两项强制性标准。标委会先后组织召开了3次《饲料标签》标准修订工作研讨会及4次《饲料卫生标准》（草案）研讨会，广泛征求社会各界的意见，以确保其实用性和科学性。目前，标委会已完成了《饲料标签》标准送审稿及《饲料卫生标准》征求意见稿。

3. 强化饲料工业标准项目的管理工作。标委会秘书处对2006、2007年度立项的129项国家标准制（修）订计划项目进行全面清理。对2005年以前16项未完成的饲料工业国家标准项目进行清理，并提出了保留或废止的建议。其中，提出保留项目10项，废止项目6项，并督促保留项目的起草单位限期完成标准任务。标委会对标准的协调性、科学性、可行性及标准格式进行严格审查，指导和督促标准项目的完成。

4. 加强饲料工业标准化的宣传培训工作。4月初，标委会组织举办了一期饲料工业标准编制培训班，对80多名饲料标准起草专家及部分委员进行了技术培训，推进了标准制（修）订工作，有效提高了标准编写质量、技术审查水平。标委会在中国饲料工业信息网开设“标准”专栏，及时报道饲料工业标准化工作动态。在中国饲料工业信息网公布现行有效的460多项饲料工业国家标准、行业标准的目录，并根据标准颁布实施情况，汇入新颁布的标准，先后5次对目录进行更新，实施了标准目录的动态管理。通过网络、报刊等媒体，及时发布饲料工业标准化工作进展情况和重大活动，有效推动了标准化工作进程。

5. 组织筹建饲料添加剂微生物及酶制剂工作组。为促进饲料添加剂微生物及酶制剂产品标准的制定工作，2009年，标委会组织筹建了全国饲料标准化技术委员会饲料添加剂微生物及酶制剂工作组。工作组的成立，标志着我国饲料添加剂微生物及酶制剂标准化工作发展步入了一个新的阶段。

6. 组织召开了2009年饲料标委会年会。8月，全国饲料工业标准化技术委员会年会在海拉尔召开。农业部畜牧业司、全国畜牧总站有关领导和国家标准化管理委员会委员、标准起草专家共90多人参加了会议。农业部畜牧业司副司长王宗礼到会并做了重要讲话，标委会主任委员沙玉圣在会上做了工作报告。会议分2组审议了9项饲料工业标准。

7. 积极参与“国家标准化体系建设工程”项目研究。2009年，标委会秘书处承担了国家标准化管理委员会组织的“国家标准化体系建设工程”研究项目农业投入品中饲料的研究任务。完成了标准体系框架、标委会体系框架、标准体系表的编制。

（全国畜牧总站　粟胜兰）

动物卫生

【重大动物疫病防控】

2009年，农业部和各级畜牧兽医部门认真贯彻落实中央确定的24字防控方针，按照《动物防疫法》、《重大动物疫情应急条例》有关要求，坚持依法防控、科学防控、群防群控，强化组织领导，正确分析疫情形势，采取综合防控措施，指导各地不断加大防控工作力度，有效应对突发重大动物疫情，防控工作取得明显成效，有力保障了畜牧业持续稳定健康发展，维护了国家公共卫生安全。

1. 疫情概况。2009年，全国重大动物疫情形势总体保持平稳，疫情控制在近年来最低水平。重大动物疫病流行强度明显减弱，发病频次大幅降低，经济损失明显减少，实现了连续3年疫情大幅度下降。全年共发生2起家禽禽流感疫情、1起候鸟禽流感疫情、8起亚洲Ⅰ型口蹄疫疫情、7起A型口蹄疫疫情，有效控制了高致病性猪蓝耳病疫情，及时防堵了周边国家疫情传入。所有疫情均得到有效控制和扑灭，没有造成扩散蔓延。

（1）高致病性禽流感疫情。2009年，全国仅新疆、西藏发生2起家禽疫情，发病禽2 830只，死亡2 019只，扑杀1.5万只，与上年相比，疫情起数减少4起，家禽发病数、死亡数分别下降68%、67%。青海省海南藏族自治州更尕海地区发生1起候鸟疫情，死亡候鸟273只，扑杀受威胁区散养家禽23 693只，候鸟疫情迅速得到控制和扑灭，没有感染到家禽和人。

（2）亚洲Ⅰ型口蹄疫疫情。2009年，内蒙古、湖南、广西、四川、贵州、陕西、新疆等7个省（自治区）发生8起亚洲Ⅰ型口蹄疫疫情，发病牛217头，死亡12头，扑杀牲畜918头。亚洲Ⅰ型口蹄疫疫情大多为牲畜长途调运引发疫情。

（3）新发A型口蹄疫疫情。2009年，上海、湖北、江苏、广西、贵州、山东、新疆等7个省（自治区、直辖市）发生7起新发A型口蹄疫疫情，发病牲畜572头，扑杀12 847头（只）。导致上述疫情的病毒与东南亚国家流行病毒高度同源。在没有进行大规模免疫、家畜高度易感的情况下，农业部及时指导各地采取果断有力措施,迅速控制了新发疫情。

(4)高致病性猪蓝耳病疫情。2009年,山西、湖北、湖南、西藏、江西、甘肃、广东等7个省(自治区)发生高致病性猪蓝耳病疫情,疫情县13个,疫点14个,发病猪8 779头,死亡3 459头,扑杀9 248头。与上年相比,疫情县数、疫点数、扑杀数分别下降63%、75%、10%。通过采取免疫、监测、扑杀、检疫监管等各项综合防控措施,全国疫情得到有效控制。

2009年,我国在重大动物疫病防控实践中,遵循科学规律,从国情出发,采取了一系列综合措施,进一步完善了防控机制,为做好今后的防控工作奠定了坚实基础。重大动物疫病防控工作呈现出以下特点:一是防控政策更加完善。继续完善和落实重大动物疫病强制免疫和扑杀相关政策,重大动物疫病防控水平进一步提高。二是防控体系更加健全。兽医管理体制改革取得重要突破,基层动物防疫体系初步建成。2009年,中央财政继续安排6.5亿元基层动物防疫工作补助经费,基层防疫人员积极性进一步提高,防控基础更加牢靠。三是防控措施更加到位。活禽市场监管措施全面推行,中小规模养殖场综合防疫管理得到加强,生物安全水平不断提高。定时定点持续监测和风险评估制度,确保了防控工作实际效果。四是应急管理更加科学。专门制定春节、"两会"、国庆节等节假日和重大活动防控应急预案和实施方案,在四川举办全国突发重大动物疫情应急演练,不断强化应急准备,提高应急处置能力。在应对新发A型口蹄疫和甲型H1N1流感防控中,应急防控机制经受了严峻考验,发挥了重要作用。五是科技支撑更加有力。进一步加大科技攻关力度,密切跟踪病毒变异情况,成功研制出禽流感DNA疫苗、高致病性猪蓝耳病活疫苗等新型疫苗,推进新技术在防控实践中的应用,提高了防控技术水平。

2. 防控措施。

(1)及时部署防控工作。1月初,农业部及时制定下发了2009年重大动物疫病免疫方案、国家动物疫病监测计划和流行病学调查方案,指导各地科学开展防控工作。两次组织召开全国重大动物疫病防控工作视频会议,系统部署春秋两季集中防控工作。针对口蹄疫、生猪疫病、甲型H1N1流感等重点疫病防控和新中国成立60周年大庆、全运会等重大活动,多次组织召开会议,进行专题部署。各地迅速采取有效措施,进一步部署防控工作,切实落实各项综合防控措施。由于部署及时、组织周密,各项工作有序开展。

(2)加大免疫力度。在重点抓好全国春秋两季集中免疫的基础上,不断强化日常免疫,确保免疫密度和质量。2009年,全国共使用禽流感疫苗146.1亿羽份、口蹄疫疫苗26.7亿毫升、高致病性猪蓝耳病疫苗16.9亿毫升、猪瘟疫苗11.7亿头份。各地按时完成了春秋两季集中免疫,并定期开展补免。经实地检查和实验室检测,4种强制免疫疫病免疫密度均保持在95%以上,免疫抗体合格率超过80%。

(3)抓好疫情监测报告。各地各有关单位按照农业部制定的工作方案要求,开展定时定点监测和流行病学调查工作,及时掌握疫情动态。2009年,全国共监测禽流感样品576万份,口蹄疫样品262万份,对病原学阳性畜禽按规定及时处置。进一步加大专项监测力度。2—4月,各地有关单位集中开展A型口蹄疫监测。国家禽流感参考实验室先后4次在重点省份开展活禽市场禽流感抽检。完善动物疫情报告网络,加强疫情举报核查工作,力争不漏掉一起疫情。2009年农业部共核查动物疫情75起。

(4)加强检疫监管。联合有关部门开展活禽经营市场专项整治行动、病死动物及动物产品专项整治行动。组织开展全国动物卫生监督执法培训,提高执法人员素质。推进动物标识及疫病可追溯体系建设,提高动物及动物产品安全监管水平。各地进一步规范动物产地检疫和屠宰检疫,公路动物卫生监督检查站严格查证验物,加强对饲养、屠宰、经营、加工、运输、储藏动物及动物产品的监督管理,对病死动物及产品严格执行"四不准一处理"制度,防止流通环节传播疫情。

(5)完善应急防控机制。2009年,农业部对重大动物疫病防控定点联系制度再次进行调整充实,对农业部突发重大动物疫情应急指挥中心进行调整。充分发挥定点联系工作组的作用,经常性地开展巡查、专项检查和疫情处置督导。2009年,农业部共派出125个督查组430人次,指导各地防控工作。对发生的每一起重大动物疫情,农业部及各地工作组都在第一时间赶赴现场,指导疫情处置,开展紧急流行病学调查,追踪疫源等各项防控工作,所有疫情均得到有效控制,没有扩散蔓延。农业部先后组织制定了春节、"两会"、国庆节应急预案,指导各地科学开展防控工作。加强应急培训和演练,强化应急防控机制。2009年9月,农业部在四川德阳举行国家突发重大动物疫情应急演练,不断提高实战能力。加强应急值守,坚持24小时值班和领导带班制度,确保一旦发生疫情,快速反应、及时应对。

(6)切实抓好人畜共患病防控工作。农业部及时组织有关单位强化人畜共患病防控工作。加强基础调研,对动物布鲁氏菌病、结核病、血吸虫病、狂犬病等人畜共患病防治情况进行专题调研,进一步摸清流行情况;先后组织召开10余次专题研讨会,分析形势、研究对策;着手开展血吸虫病、布病、结核病和狂犬病防控计划研究。加强协调沟通、形成工作合力,进一步完善工作机制,建立与卫生部的疫情定期通报机制。以血吸虫病、布病、狂犬病、马鼻疽等为重点,强化人畜共患病防控。参与组织开展血吸虫病防治春查工作,与卫生部共同完成对云南省达标考核验收,与卫生、水利、林业等六部局联合起草了《血吸虫病综合治理重点项目规划2009—2015》；与卫生部联合发布了《中国布鲁氏菌病防治现状》白皮书；研讨起草2009—2015年狂犬病防控计划，与卫生部、公安部、国家食品药品监督管理局联合发布了《中国狂犬病防治现状》。

（7）强化疫苗生产和质量监管。针对新发A型口蹄疫疫情，积极组织有关科研单位评价筛选疫苗，加快生产进度，及时满足各地防控工作需要。抓好高致病性猪蓝耳病新型疫苗研制生产，在南方六省及时投入使用。督促各疫苗生产定点企业做好高致病性禽流感、口蹄疫等重大动物疫病疫苗生产和供应，确保免疫工作需要。积极实施驻厂监督、飞行检查、批签发和粘贴防伪标签等措施，切实加强疫苗质量监管，确保疫苗质量和有效供应。开展免疫效力评价，加大抽检力度，严格疫苗生产原材料及生产过程质量控制，从源头控制疫苗质量。

（8）加强与港澳有关方面交流。一是完善与香港官员重大动物卫生事件的沟通机制，启用电话等快捷方式及时沟通内地与香港的重要动物卫生信息，为部署内地重大动物疫情防控、保障内地对香港动物及动物产品供应等提供技术支持。二是帮助香港完善禽流感防控政策。应香港渔农署要求，推荐国家禽流感参考实验室主任陈化兰为香港禽流感疫苗研究小组专家，参加香港渔农署有关工作，并提出针对性意见。三是组织有关单位为澳门民政总署有关人员提供兽医技术培训。

（9）加强边境地区防控。各边境省份及时建立免疫隔离带，做好疫情监测和流行病学调查，提高监测频次，扩大监测范围。与质检、海关、边防等部门密切配合，加强口岸、非口岸通道管理，强化边境地区联防联控。加强边境地区畜禽及其产品的流通、贸易监管，严禁边贸市场活禽及其产品交易，禁止边民走亲访友时携带畜禽入境；加强对进出境人员、车辆和物品的检验消毒等。同时，密切注意全球特别是周边国家疫情情况，积极做好疫情传入的应对准备。

（10）积极做好甲型H1N1流感防控工作。全球暴发甲型H1N1流感疫情后，农业部立即组织有关单位密切跟踪，科学研判疫情形势，及时提出防控建议。组织召开全国畜牧兽医系统防控甲型H1N1流感工作视频会议，下发多个通知，紧急部署防控工作。先后制定下发了有关应急预案和农业部公告，明确各项应急处置措施。加大科技攻关力度，紧急研制出猪感染甲型H1N1流感病毒RT－PCR检测试剂盒，筛选6种猪H1N1流感疫苗。会同质检总局加强对有关国家生猪及其产品进口检疫监管。组织各地开展两轮生猪监测和流行病学调查工作，夏秋季全国临床观察生猪7亿头次，检测生猪样品6 750份；秋冬季临床观察生猪2亿头次，检测生猪样品71 598份。加强防控知识宣传，科学引导群众消费猪肉产品。我国内地生猪没有从养殖环节中检出甲型H1N1流感病毒，有力确保了猪肉产品消费安全。

（农业部兽医局）

【动物标识及疫病可追溯体系建设】 2009年，在完成前期技术准备和北京、上海、重庆、四川四省市试点的基础上，继续推进动物标识及疫病可追溯体系建设。

一是组织召开农业部动物标识及疫病可追溯体系建设领导小组会议。总结追溯体系建设工作取得的进展，明确追溯体系建设职能分工，要求各相关部门深入研究，制定追溯体系建设实施意见，加快推进追溯体系建设。

二是加大牲畜二维码耳标质量检测力度。各省（自治区、直辖市）已招标确定耳标生产企业47家，安装二维码耳标生产线310条。31个省（自治区、直辖市）及新疆生产建设兵团通过溯源网络申请订购牲畜耳标19.8亿枚，完成生产18.9亿枚。2009年6月、11月，农业部先后两次组织开展耳标质量检测工作，并及时向社会公布检测结果，不断加大对中标企业耳标质量监管力度。

三是推进识读设备配发及信息采集传输工作。截止到2009年底，各地购置移动智能识读器14万多台，配发SIM卡7.1万张，智能IC卡274 318张。在动物标识及疫病可追溯体系网站注册的移动智能识读器56 777台，向中央数据库传输信息1 743.51万次，含各类信息1.09亿条，涉及牲畜2.5亿头（只）。

四是继续开展人员培训和宣传工作。2009年，农业部和有关省（自治区、直辖市）兽医部门组织召开追溯体系师资人员培训、系统管理员培训、信息员培训等各类培训班20余期，培训师资3 000余人。各省（自治区、直辖市）通过广播、电视、报纸和网络媒体等形式开展宣传近300次，组织开展各级追溯体系培训300余次，培训人员近6万人。组织编印了《动物标识及疫病可追溯体系建设工作手册》、《动物标识及疫病可追溯体系建设使用手册》等宣传培训资料，累计下发7 000余册。

五是完善相关标准规范制度。农业部开展了《牲畜耳标生产技术规范和管理规范》修订工作，组织制定《牲畜耳标钳技术规范》、《追溯设备管理办法》、《中央数据库和省级数据库建设规范》和《数据库应用规范》等相关规范和管理制度，为推进追溯体系建设工作提供制度保障。

（农业部兽医局）

【无规定动物疫病区建设】

1.建设情况。我国大部分省市实施动物疫病区域化管理的疫病主要是口蹄疫、猪瘟、鸡新城疫、禽流感等重大动物疫病，以及布鲁氏菌病、奶牛结核病等重点人畜共患疫病。

2009年5月，农业部对全国各地动物疫病防控区域化管理的有关问题进行了问卷调查。截止到8月底，共有27个省（自治区、直辖市）和4个计划单列市提交了调研答卷。根据答卷，96.77%的调研省市期望在本省实施动物疫病区域化管理，其中有10个省已经实施了动物疫病区域化管理，占调研省份的37.03%（10/27）。除无规定动物疫病区和示范区外，部分省市还自筹资金进行了无疫区建设。如山东省正在规划建设的黄河三角洲无疫区、济宁无疫区、济南无疫区以及德州市德城六和生物安全隔离区；安徽省正在试点建设的阜阳无疫区和合肥无疫区；黑龙江省建设红兴隆宝泉岭肉类出口基地无疫区；江苏自筹资金3亿元建设的苏东无疫区，南京市人民政府自筹资金建设的北京奥运遗产项目——南京无马属动物疫病区，以及广东省建设的广州亚运无马属动物疫病区等。

2009年，为进一步完善无规定动物疫病区有关法规标准体系，农业部发布了《无马流感区标准》等16个无规定马属动物疫病区规范；制定了《肉禽无规定动物疫病生物安全隔离区建设通用规范（试行）》；制定了《全国动物卫生风险评估专家委员会章程》；同时，启动了《无规定动物疫病区管理规范（试行）》的修订工作。无规定动物疫病区评估管理制度和相关标准的制定发布，对于推动动物疫病区域化管理，规范无规定动物疫病区建设具有重要意义。

2. 评估与验收。

（1）广州亚运会无规定马属动物疫病区通过评估验收。2009年10月，经全国动物卫生风险评估专家委员会组织评估，广州亚运无规定马属动物疫病区达到马流行性感冒和日本脑炎等2种马病免疫无疫区，以及非洲马瘟、马传染性贫血、马鼻疽、马脑脊髓炎（东方和西方）、马梨浆虫病、马病毒性动脉炎、马媾疫、水泡性口炎、尼帕病、西尼罗河热、伊氏锥虫病、亨德拉病等12种马病非免疫无疫区标准。2009年11月23日，农业部宣布广州亚运无规定马属动物疫病区通过国家评估。这标志着我国第一个无规定马属动物疫病区已正式建成，对于保障亚运会马术比赛顺利举行具有重要意义。

（2）海南省免疫无口蹄疫区通过评估验收。2009年11月，经全国动物卫生风险评估专家委员会组织评估，认为海南省免疫无口蹄疫区建设符合国家《无规定动物疫病区管理技术规范（试行）》要求，达到国家无疫区评估验收标准。2009年12月14日，农业部宣布海南省免疫无口蹄疫区正式建成。在10年无规定动物疫病区建设过程中，海南实现了从生猪调入省向生猪调出省的历史性转变，创立了海南黑猪等许多本地品牌，提升了畜牧产业的规模化、集约化、产业化水平，促进了畜牧业跨越式发展。海南省无规定动物疫病区建设为推动海南畜牧业健康快速发展、农民增收和全省经济发展做出了突出贡献。海南省免疫无口蹄疫区建设成功，标志着我国无规定动物疫病区建设和动物疫病区域化管理进入了新阶段。

3. 德州市德城六和生物安全隔离区建设试点。2008年10月，山东省德州市德城区根据畜牧业发展实际，与山东六和集团共同合作开展生物安全隔离区建设试点。省、市、区三级畜牧兽医部门在中国动物卫生与流行病学中心指导下，对建设生物安全隔离区进行了积极调研，参照国际有关经验做法，形成试点方案，计划以德城区六和集团种鸡场、孵化场、饲料厂、标准化养殖场、屠宰加工厂等肉鸡产业链为核心，用3年左右时间，按照农业部制定发布的《肉禽无规定动物疫病生物安全隔离区建设通用规范（试行）》和《肉禽无禽流感生物安全隔离区标准（试行）》要求，开展国家生物安全隔离区建设试点，加强企业生物安全基础设施建设，完善生物安全管理体系，建成无高致病性禽流感企业，达到农业部无规定动物疫病企业标准。到2009年底，山东六和集团在德州德城区已先后投入3.2亿元，基本建成了肉鸡产业链，国家生物安全隔离区试点建设有序进行。

（农业部兽医局）

【兽医科技发展概况】

国家高度重视兽医科技在动物防疫工作中的支撑作用，不断加强兽医科技支撑体系建设。

1. 兽医科研投入进一步加大。2009年，开始实施《重大动物疫病病原及相关制品标准物质研究》、《畜禽重要细菌性传染病流行病学调查》和《农产品、兽药等领域急需高端标准物质的研制》等科技基础性工作专项，启动《布鲁氏菌病、牛结核病防控技术研究》、《日本血吸虫病、包虫病、弓形虫病和附红细胞体病等重要人畜共患寄生虫病的防控技术研究》、《非洲猪瘟等重要外来动物疫病综合防控技术研究》和《动物卫生风险分析关键技术与应用研究》等公益性行业科技项目，国家总投入超过1亿元。

2. 科技支撑能力进一步提高。2009年，兽医科技成果丰硕，为重大动物疫病防控工作提供了有力技术支撑。

一是禽流感疫苗研究取得新突破。2009年，农业部组织研制成功了H5亚型禽流感DNA疫苗。与灭活疫苗相比，DNA疫苗具有生产不需要鸡胚，不需要油佐剂，动物免疫后无应激反应，对禽类肉质和生产性能无不良影响等优点。与活病毒载体疫苗相比，该DNA疫苗不受母源抗体干扰，适用于不同年龄鸡的免疫需求。该疫苗将为我国禽流感防控工作提供更安全、有效的技术手段。

二是甲型 H1N1 流感病毒诊断技术及时应用于一线。2009 年 4 月,人发生甲型 H1N1 流感疫情。农业部立即组织相关科技研究,及时建立了普通 H1 亚型猪流感病毒及甲型 H1N1 病毒的鉴别诊断方法,开发了诊断试剂盒,并组织及时应用于全国猪群中甲型 H1N1 流感监测,为保护生猪产业发展和公共卫生安全提供了强有力支撑。

三是高致病性猪蓝耳病活疫苗(JXA1 – R 株)研究与使用取得重要进展。自 2006 年我国发生高致病性猪蓝耳病疫情以来,农业部组织联合攻关,在成功研制高致病性猪蓝耳病灭活疫苗基础上,2009 年又成功研制出高致病性猪蓝耳病活疫苗(JXA1 – R 株),并在湖北、湖南、安徽、广东、江苏、江西等 6 省进行了试用,还在秋防期间免疫生猪 3 400 多万头。大量试验数据表明,该疫苗具有安全性好、副反应低,免疫原性好,抗体持续时间长,试验猪群抗感染能力较强,易于保存运输等诸多优点,适合大范围免疫接种。

3. 科技信息交流进一步加强。2009 年 8 月,农业部在青岛举办第二届兽医科技高层论坛。农业部副部长高鸿宾出席会议并发表重要讲话。国家首席兽医师于康震、国家发改委农经司副司长方言,中国工程院院士夏咸柱、陈焕春、刘秀梵,以及兽医科技界的知名专家学者,省级兽医主管部门或技术支持机构负责人共 110 多人参加了会议。出席兽医科技高层论坛的各位院士、专家、省级单位负责人围绕论坛主题"新发动物传染病预防与控制",交流了最新研究成果,提出了很多好的意见和建议。

4. 兽医科技国际交流合作进一步深化。我国兽医专家和科研机构国际影响日益加深。一是 2009 年世界动物卫生组织(OIE)第 77 届国际会议上,国家禽流感参考实验室主任陈化兰、中国水产科学研究院黄海水产研究所实验室主任黄倢分别当选 OIE 生物制品标准委员会和 OIE 水生动物标准委员会委员,我参与国际标准制修订能力进一步加强。二是中国农业科学院哈尔滨兽医研究所先后与埃及开罗大学兽医学院、美国兽医发展公司、意大利农业生物技术研究中心、加拿大爱德华王子岛大学等教学与研究机构签署了合作谅解备忘录,将在动物源性食品安全风险评估、高致病性禽流感抗性基因的筛选与抗性鸡群的建立、外来病监控、马传贫弱毒疫苗及诊断试剂的市场化等方面加强合作。三是中国农科院长春兽医研究所(简称长春所)与英国国家兽医实验室机构(VLA)联合申请的世界动物卫生组织(OIE)姊妹实验室项目正式开始实施。该项目为期三年,长春所将在 VLA 帮助下,按照 OIE 参考实验室的要求和标准加强实验室能力建设,为申请 OIE 国际参考实验室奠定基础。

(农业部兽医局)

生态建设与监督管理

【草种质资源保护】

1. 项目执行情况。2009 年收集种质材料 3 906 份,其中栽培种 1 077 份,野生种 1 677 份,国外引进 1 152份。农艺评价上交入库 2 788 份,抗性鉴定评价 1 123份,建种质资源评价圃 18. 3 公顷,无性及特殊材料田间保存 1 683 份,种子生活力监测 3 379 份,提纯扩繁 815 份,复检入库 3 184 份;抽检牧草种子 100 个批次。

2. 主要成效。

(1)保护生物多样性,维护生态安全。通过牧草种质资源保护项目的实施,抢救性地保护了古老的第三纪孑遗植物沙冬青;国家重点保护植物蒙古扁桃、黄芪、梭梭、刚果甘草、胀果甘草、甘草、沙芦草、短芒披碱草、无芒披碱草、野大豆、任豆;中国饲用植物特有种黑紫披碱草、圆柱披碱草、中华羊茅、冷地早熟禾、丝颖针茅、海刀豆、塔落岩黄芪、牛枝子、博洛塔绢蒿等重要植物资源;收集保存华南地区特有野生牧草种质资源 30 多份。

(2)加快科技创新,发挥种质资源效益。通过加大牧草种质资源的收集力度,开发具有特殊生态价值的草种质资源,为培育改良天然草地提供优良种质资源。2009 年向国内 12 个相关科研单位及教学单位提供利用材料共 15 次 886 份。主要用于国家级科研项目、国际合作项目和国家自然基金项目及高等院校、科研单位的研究。从燕麦资源中筛选出 4 个新品系,从苜蓿资源中筛选出 6 个新品系,从小冠花资源中筛选出 1 个新品系,从百脉根资源中筛选出 1 个新品系,经过区域试验后即可申报品种。保存苜蓿雄性不育材料 13 份,构建 RAPD、AFLP 分子图谱,配制杂交组合 32 个。分离克隆出与抗苜蓿根腐病相关的几丁质酶基因 2 个,从山羊豆材料中克隆出 3 个与抗逆相关的基因,进行了相关信息学和功能验证分析研究,并已在 Genebank 注册登记。

(3)完善制度,强化监管。为保证基因库保存的种质材料科学、合理、有效、安全利用,组织起草、论证印发《国家草种质资源中期库种质分发利用管理规定(试行)》。组织修改、论证《送交入库材料评价指标及采集信息规范》。各地区结合项目实施情况,制定了《青藏高原牧草种质资源采集规范》、《裸燕麦栽培技术规程》、《同德小花碱茅》、《同德小花碱茅栽培技术规程》、《提高同德小花碱茅种子出苗率的技术规程》等 5 项地方标准。

(4)加强队伍建设,培养后备人才。举办牧草种质资源收集保护技术及项目管理培训班,培训专业技术人员约 200 多人次,培养研究生 15 人。组织召开草种质资源调查、收集、保护研讨会,总结近10年草种质资源保护工作,提出今后工作的总体思路、工作重点和发展方向。

(全国畜牧总站 李晓芳)

【国家草品种区域试验】 草品种区域试验工作是新草品种审定和良种评价的基础性工作,是国家草原管理工作的重要组成部分。2009年,中央财政安排北京、天津、山西、内蒙古、吉林、黑龙江、江苏、安徽、江西、山东、河南、湖北、湖南、广东、重庆、四川、贵州、云南、陕西、甘肃、青海、新疆等22个省(自治区、直辖市)的38个试验点开展草品种区试工作。通过各级部门和相关单位的共同努力,国家草品种区域试验工作整体运转正常,取得了阶段性的成果。

一是完成了62份试验材料测定试验和110个优良品种评价展示任务。二是实施了草种抗性评价,筛选针对不同草种的抗旱性鉴定方法和指标,完成了11份材料的抗旱性测试,并编写《牧草与草坪草抗旱耐盐鉴定技术规程(初稿)》。三是研究了紫花苜蓿标准对照品种与评价体系及秋眠性生态区划,初步提出紫花苜蓿品种特性鉴定标准10个,研究了紫花苜蓿秋季再生高度与日照时间、太阳有效辐射和平均温度的关系。四是完成了参试草种质量检测和牧草样品营养成分分析。五是组织了2009年草种检验员考核,编写并出版了《草种检验员培训教程》。

中央资金对国家草品种区域试验项目的投入由上年的500万元增加到了2009年的600万元,项目管理得到进一步规范,相关技术措施得到进一步完善,技术人员能力、素质得到进一步提高。

【新草品种审定】 全国草品种审定委员会对2009年申报审定的86个品种材料进行了审定。通过审定的品种46个(见附录),其中育成品种17个、引进品种16个、野生栽培品种10个、地方品种3个。截止到年底,全国已审定登记草品种434个。

(全国畜牧总站 齐 晓)

【草种生产与管理】

1.草种生产。2009年,全国草种子田总面积22.48万公顷,草种子田产量为14.56万吨,分别较上年提高0.9%和1.5%,分别为2001年的1.4倍和1.2倍,年均递增率分别为4.6%和2.3%。其中紫花苜蓿种子田面积为9.86万公顷,占种子田总面积的43.8%,为2001年的1.2倍,年均递增率为2.3%。甘肃、内蒙古、青海、吉林、四川、新疆、陕西等省(自治区)为牧草种子主要生产地区,草种子田面积分别为全国的38.5%、20.7%、9.8%、8.3%、7.9%、3.4%和3.7%。

2.草种管理。

(1)严格草种经营许可证发放。依据《草种管理办法》,农业部于2008年制定并发布了《草种经营许可证审批(进出口)办事指南》。2009年,批准发放了草种经营许可证(进出口)2个。

(2)规范草种检验员考核。农业部发布了《草种检验员考核办法》,依据要求,对当年申请草种检验员资格的19人进行了考核,其中17人通过考核。截止到年底,共有70人通过部级考核,获得草种检验员资格。

(3)加强草种质量监督抽查检验。2009年,农业部全国草业产品质量监督检验测试中心抽取并检验了100个草种样品,其中合格样品60个,不合格样品40个,样品合格率60.0%。在合格样品中,一级种子有31个批次,占总样品数的31.0%。其他植物种子数超标和发芽率不合格是草种质量不合格的主要原因,分别占总样品数的17.0%和26.0%。本次抽查的样品中,紫花苜蓿种子有36个批次,合格样品18个批次,合格率为50.0%。在抽查的30家企业中,抽检样品全部合格的企业11家,占总抽检企业数的36.7%。

(全国畜牧总站 李晓芳)

【飞播种草】

1.执行情况。2009年中央财政下发飞播种草补助经费900万元,共安排内蒙古、新疆、四川、甘肃、陕西、河北、山西、河南、吉林、云南等10个省(自治区)的11个县(旗)飞播种草1.33万公顷。实际完成任务1.499万公顷(含2008年湖南南山牧场0.13万公顷任务),完成任务的112%。各级财政共筹集飞播种草经费1 443.8万元,其中,中央补助900万元,地方财政配套182.6万元,群众自筹361.2万元。主要用于租赁飞机184.5万元,购草种415.63万元,拌种处理89.5万元,地面处理344.31万元,围栏补播320.2万元,其他89.64万元。共投入飞机273架次,飞行时间253.47小时,播种草籽169.81吨,动用机械240台(辆)。

2.主要成效。

(1)提供大量优质饲草,促进畜牧业的发展。2009年完成飞播种草任务1.499万公顷,年平均增加干草生产能力3 450千克/公顷,每年新增优质干草近51.704万吨,按每千克干草0.4元计算,飞播草场平均利用8年,项目区直接经济效益约1.65亿元,每年增加农牧民收入约2 068万元,可新增69万个羊单位,获间接效益2亿元。甘肃省白沙蒿播区的产草量由播前1 042.5千克/公顷提高到了1 584千克/公顷,苜蓿播区达到7 050千克/公顷。

(2)有效改善草原生态环境。通过飞播种草,项目区草地植被的平均覆盖度由播前的28%提高到66%,泥土冲刷量平均减少53%,洪水径流平均减少

40%。甘肃省飞播区的植被盖度由播前的15%提高到了40%~100%，地面风速下降28.3%，输沙率下降62.7%，土壤有机质含量提高了1.5~3.0倍，全养分含量提高1~2.0倍，速效养分提高0.5~1.0倍。

(3)促进草原畜牧业稳定发展。一是飞播种草的实施进一步明确了草原权属和管护利用责任，有效缓解了草畜矛盾，减少了草地纠纷，提高了示范区畜牧业抗灾救灾能力。二是畜牧业经营方式发生了变化，由粗放经营变为集约化经营，由散养向圈养转变，规模养殖和舍饲养殖得到发展，牲畜出栏率和商品率提高，经济效益明显。三是促进了畜产品加工等其他相关产业的发展，使飞播区的产业结构向多元化的方向调整，增加了就业机会，减少社会剩余劳动力。

（全国畜牧总站　李晓芳）

【草原鼠害发生与防治】

1.草原鼠害发生情况。2009草原鼠害累计危害面积4 066.67万公顷，主要发生在青海、内蒙古、新疆等13个省(自治区)和新疆生产建设兵团。青海大部、西藏、四川西北部、甘肃甘南等地鼠兔危害维持大范围、高强度发生水平，危害面积接近1 600万公顷；新疆北部、内蒙古西部、甘肃北部的大沙鼠危害形势严峻，危害面积超过340万公顷；布氏田鼠在内蒙古东部地区呈现暴发态势，危害面积接近153.3万公顷，新疆塔城、阿勒泰地区黄兔尾鼠危害程度有所下降，但危害面积仍达到73.3万多公顷。

2.主要防治措施。农业部高度重视草原鼠害防治工作，各级草原部门精心组织并及早做好监测预警和防治准备工作，有力地保障了防治工作顺利完成。具体措施如下：一是加强监测预警。3月份，农业部组织重点省(自治区)和鼠害预测预报专家召开了全国草原鼠虫害发生趋势分析会，编发了《2009年草原鼠虫害发生趋势分析报告》，为防治决策提供依据。组织各地积极开展害鼠种群数量和繁殖情况的监测，运用3S技术和地面调查相结合，对草原害鼠种群动态进行准确的监测和预报。会同相关专家划分出高原鼠兔等7种(类)主要草原害鼠的宜生区，明确了重点监测区域，密切关注鼠情动态，制定了切实可行的防治方案。二是及早动员部署。在2008年召开的全国鼠虫害防治工作座谈会上就对2009年的防治工作进行了初步安排。2009年4月底，印发了《农业部关于切实做好2009年草原鼠虫害防治工作的通知》，对做好全年的鼠害防治工作提出了总体要求和部署。三是加强技术培训。5月份，举办了全国草原鼠害监测技术培训班，培训草原鼠害监测预警和害鼠解剖技术。各省(自治区)草原站(治蝗办)按照农业部的要求，继续积极做好技术培训工作，组织专家和技术人员到现场培训农牧民识别害鼠、实地调查、毒饵投放、安全用药等基本技术。四是提高防灾减灾意识。2009年初，农业部向全国村级草原植保员免费印发了1万册草原鼠虫害防治知识台历，普及防控知识。

3.防治成效。一是防治面积增加。2009年，各地共投入劳动力61万余人(次)、技术人员4万人(次)、各种车辆4万辆(次)，防治器械15万台(套)，组织应急防治鼠害378.67万公顷，利用招鹰控鼠、野化狐狸等措施持续控制320万公顷，较上年增长8%。防治区植被覆盖度、牧草产量和优良牧草比例均明显提高，地上生物量明显增加，鼠害发生的强度与频度降低，降低了传染性鼠传疫病的发生概率。二是绿色防控比例提高。各地结合天然草原保护项目，采取有效措施，持续控制鼠害发生，保护草原生态环境。防治过程中大力推广生物农药、架设鹰墩鹰架、放养狐狸和物理防治等措施。全年利用生物、生态、物理等措施防治比例超过70%。有效保护了鼠类天敌，维护了草原生物多样性和生态系统的良性循环。三是统防统治机制完善。各省(自治区)实行统一采购、统一供药、统一加工毒饵、统一管理使用，确保草原鼠害防治农药、机械等物资的安全到位。省(自治区)组织跨地(州、盟)县(旗、市)联合防治，毗邻地(县)实行统筹规划，统一方法、统一时间开展防治，交界地区进行交叉防治，避免出现漏防地块，提高了防治效果。四是示范作用更加明显。在草原无鼠害示范区的基础上，2009年在全国建设“草原无鼠害示范县”29个。按照“控制数量，提高质量，合理布局，稳定区域，加强监测，发挥防治与监测双重示范作用”的建设思路通过防治综合技术示范，结合定点监测，设置永久观测样地，进一步提高鼠害监测与防治水平，推广示范县经验、成果，推动草原鼠害监测与防治科技进步。

（全国畜牧总站　杜桂林）

【草原虫害发生与防治】

1.草原虫害发生情况。2009年全国累计草原虫害为害面积2 066.67万公顷，其中，草原蝗虫1 333.33万公顷，草原毛虫220万公顷，草地螟180万公顷，其他害虫333.33万公顷。严重为害区域主要集中在内蒙古、新疆、青海等13个省(自治区)和新疆生产建设兵团。

2.主要防治措施。在2008年9月份组织召开的全国草原鼠虫害防治工作座谈会上对2009年防治工作进行了初步安排。2009年年初，编发了《2009年全国草原鼠虫害监测预警报告》，为制定全年防治计划提供依据。针对草原虫害重发情况，农业部蝗灾防治指挥部两次召开专题会议，研究部署草原虫害防治工作，并印发了《农业部关于切实做好2009年草原鼠虫害防治工作的通知》和《农业部办公厅关于进一步做好当前草原蝗虫防治工作的紧急通知》。5月份举办全国草原虫害监测与防治技术培训班，提高防治科技水平。防治关键时期，农业部与各级防治机构实行了24小时值班和报告制度，并派出督查组深入一线督查防治工作。具体措施如下：一是强化联合防控。为做好西藏飞蝗和北方农牧区蝗虫、草地螟联防工作，保障藏区稳定和首都生态安全，农业部组织召开了西藏飞蝗联防工作会议和北方农牧区蝗虫、草地螟联防工作会，并制定了相应的防控工作方案。二是确保虫情传递畅通。针对草原虫害发生期提前，全国各级草原虫灾防治机构由6月1日起实行24小时值班，较往年提前10天。期间，农业部蝗灾防治指挥部办公室草原虫灾防治值班室每周印发《草原虫情周报》，及时发布灾情。全面推广使用农业部自主开发的草原生物灾害监测与治理信息统计分析系统，形成了农业部、省（自治区）、地、县四级信息传递通道，为指挥体系的正常运转提供了信息保障。三是做好物资储备。2009年春季气温偏高，各地提前制订防控方案，确保物资准备到位。内蒙古、新疆等地在年初就准备飞防工作，努力加大飞机防治力度。川、青、藏三省（自治区）根据农业部印发的《2009年西藏飞蝗防控工作方案》，结合本地实际，及时调拨和购置防治物资，强化联合防控。其他省（自治区）根据实际情况增购或租赁大型喷雾机具，保障防治工作适时开展。四是加大督查力度。在防治关键时期，农业部先后派出6个督查工作组深入到西藏、内蒙古、新疆、四川、黑龙江和吉林等地，对重灾区防治工作进行督查，确保防治措施落实到位。相关省（自治区）也多次派出督查组开展督查指导。五是强化示范作用。2009年结合各地草原虫害特点，启动了草原虫害生物防治示范县创建工作。在13个省（自治区）和新疆生产建设兵团，设立了26个草原虫害生物防治示范县，在示范县内主要采用生物生态控制措施，同时在示范县内设置固定监测站点，发挥监测与防治双重示范作用。

3. 防治成效。2009年，草原虫害防治取得了明显成效。一是加大蝗虫防治力度。全国累计投入劳动力48万人（次），大型喷雾器5 600余台（套），中、小型喷雾器17.1万台（套），飞机作业1 906架（次），喷洒农药2 000余吨，完成防治草原虫害516.87万公顷，与上年持平，其中防治草原蝗虫406.67万公顷，较上年增加6%，有效遏制了草原害虫蔓延的趋势，防治区内草原植被得到恢复，生态环境得到明显改善。二是提高应急反应能力。各地利用中央财政补助资金购买大中型喷雾机，积极协调飞机防治，提高应急防治能力。内蒙古自治区克服航油短缺，首次利用“小蜜蜂”飞机开展应急防治，先后调用10架飞机，飞行作业1 800多架（次），防治草原虫害53.33万公顷，并组建了10个大型机械防治队同步进行地面防治。新疆维吾尔自治区配备了13台大型自走式静电喷雾车，30余台大型喷雾机械，确保24小时内可抵达虫害发生区，在草原虫灾应急防治中发挥了关键作用。三是推进西藏飞蝗联防。四川、青海、西藏3省（自治区）农牧部门全年共防治西藏飞蝗33.33万公顷（次），为历年之最，超额完成了《2009年西藏飞蝗防控工作方案》的计划防治任务，实现西藏飞蝗“不起飞、不扩散、不成灾”的目标。四是提高生物防治比例。各地在开展化学应急防治的同时，按照“突出生物防治技术，维护生态平衡”要求，结合生物防治示范县建设，大力推广生物防治技术，逐步实现对草原虫害的可持续治理。2009年，全国利用生物技术防治草原虫害186.67万公顷，生物防治比例达到36%，较上年提高了7个百分点。

（全国畜牧总站　杜桂林）

【草原防火】 2009年，全国共发生草原火灾192起，其中草原火警175起，一般草原火灾14起，重大草原火灾1起，特大草原火灾2起，牲畜损失372只，火灾受害草原面积24 795.28公顷。草原防火实现了火灾次数历史最低和首次连续两年无人员伤亡的佳绩。与前7年的平均水平相比，火灾发生次数下降51%，受害草原面积减少42%。

2009年草原火灾发生显示如下特点：一是时间。2009年草原火灾主要发生在2、3、4月和11月，共发生草原火灾137起，占全国草原火灾发生次数的71%，受害草原面积23 969.81公顷，占全国受害草原面积的96.6%。二是区域。火灾较为严重的是内蒙古、吉林、四川和甘肃4个省（自治区），共发生草原火灾123起，占全国草原火灾发生次数的64%，受害草原面积24 022.03公顷，占全国受害草原面积的96.8%。其中内蒙古火灾损失最重。六大牧区共发生草原火灾114起，占全国草原火灾发生次数的59.3%，受害草原面积22 450.58公顷，占全国受害草原面积的90.5%。三是起火原因。烧荒引起草原火灾的比例最高，其次为上坟烧纸、吸烟、取暖做饭和玩火，分别占草原火灾次数的27%、14.5%、13%、10%和8%。其他起火原因次数占草原火灾次数的11.5%，未查明起火原因次数占草原火灾次数的16%。2009年各地区草原火灾发生情况与数据见附录。

1. 周密部署。一是在春秋草原防火期前农业部两次下发文件对草原火灾防控工作进行部署。二是分别在3月中旬和9月中旬，召开了全国草原防火工作暨《草原防火条例》宣传会议和秋季草原防火工作部署会，农业部副部长高鸿宾两次出席会议并分别作了重要讲话。

2. 完善各项配套制度。各地根据《草原防火条例》，结合实际，相继在火源管理、火情报告、火灾应急反应等方面制定了一系列规章制度，并根据草原火灾发生规律变化情况及时修订本级草原火灾应急预案。

新修改完善应急预案372件。农业部根据新修订的《草原防火条例》,对《农业部草原火灾应急预案》和《草原防火物资储备库管理规范》进行了修订,制订了《草原火灾级别划分规定》、《中央草原防火物资储备库管理办法》等规章制度。

3.加强防火督查和火灾监测预警应急工作。农业部组成5个督查组赴河北、内蒙古等重点省(自治区)进行了草原防火专项督查。与中国气象局等有关单位联合开展草原火灾气象监测预警工作,共监测火点9 255处(次),传送火情监测信息报告列表214次,处理草原火情监测图像110余幅,制作全国草原火险气象等级预报共155期,并通过中央电视台"天气预报"栏目发布10期火险天气预报。在防火期执行24小时值班制度和值班日报告制度,确保值班信息畅通。切实落实农业部草原火灾应急预案,及时启动草原防火Ⅱ级应急响应1次、Ⅲ级应急响应4次,向国务院总值班室报送草原火灾情况专报共17期。指导地方及时扑灭特大草原火灾2起,成功堵截进外火灾入境6次。

4.加大宣传和培训力度。农业部在农民日报、中国草原网对全国草原防火工作暨《草原防火条例》宣传会议和各省草原防火工作情况进行了宣传报道;在黑龙江省全省范围内开展了草原防火知识竞赛活动;在四川省召开了《草原防火条例》宣传贯彻座谈会;在四川省甘孜藏族自治州丹巴县举办了2009年全国草原普法宣传月启动仪式。对全国草原防火重点省(自治区)和52个Ⅰ、Ⅱ级地(市、州、盟)草原防火办公室主要负责人及农业部草原防火全体值班员等100余人进行了培训。全国共举办草原防火培训924次,培训人员4.49万人;开展宣传活动1 752次,发放宣传材料335万册,普及草原防火安全知识达1 313.6万人次。

5.组织实施草原防火科研项目。农业部组织有关单位,实施了"十一五"国家科技支撑计划"草地灾害评估与治理关键技术研究"课题,启动了农业公益性行业科研专项经费项目"草原火灾应急管理技术研究",成立了包含监测预警、气象服务、工程技术、灾害评估、扑火指导和综合应急的草原防火专家组。

6.草原防火装备水平和应急能力进一步提高。一是草原防火基础设施和装备建设得到加强,全国共完成草原防火中央投资7 000万元,建设草原防火指挥中心3个、防火物资库3个、防火站21个,建设边境草原防火隔离带2 944.65千米。截止到2009年底,共建设草原防火指挥中心21个,防火物资储备库(站)116个。2009年新增风力灭火机4 680台、野外生存装备1 210套、防火服7 000套、防火车75辆等物资装备。二是草原防扑火演练和火源管理力度进一步加大。各地共组织应急演练1 089次,参演人员达89 144人。共出动火灾隐患排查人员15 613人(次),排除火灾隐患1 209起。通过应急演练和督查治理,进一步提高了草原防火应急反应能力。

7.存在的问题。一是投入不足,基础设施薄弱。防扑火装备水平仍然较低,部分老化的装备得不到及时更新,草原火灾综合预防和扑救能力不足。重点草原防火区的财政拮据,对草原防火方面的投入甚微。二是基层专业扑火队伍缺乏,防控重、特大火灾的能力低。目前仅内蒙古锡林郭勒盟、呼伦贝尔市有武警森林部队和防火站的专职防扑火队伍,新疆塔城地区和塔城裕民县各有一支专业消防队,河北承德市和张家口市建有专职扑火队。其他省(自治区)草原防火专业扑火队还十分缺乏,各地以非专业的群众队伍预防和扑救为主。三是项目建设进度慢,配套资金不落实。2006—2008年下达投资计划的49个基本建设项目,已完工的项目28个,占项目总数的57%;已完工的28个项目中8个通过了省级验收,占项目完工数量的29%;地方配套资金到位率只有57%。

(农业部草原监理中心　黄明亮)

(本栏目主编　贠旭疆)

各地畜牧业

北京市畜牧业

【概况】 2009年,围绕建设都市型现代农业目标,本着立足当前,谋划长远原则,根据社会主义新农村建设的总体要求,积极引导发展规模养殖,狠抓良繁体系建设,大力推进产业化经营,克服畜产品价格下降和饲料原料价格上升的不利因素,全市畜牧业实现了平稳发展。2009年,肉类总产量达到47.2万吨,产值达到136.1亿元,占农林牧渔业总产值的43.2%。全年生猪、牛、羊、家禽存栏量分别为186.57、22.06、67.36、2 835.42万头(只),生猪、牛、羊、家禽出栏量分别为314.04、11.69、86.73、12 355.01万头(只)。生猪出栏占全市生猪屠宰量的35%;出栏肉禽占全市屠宰量的77%;生产鲜蛋15.08万吨,鸡蛋自产率为65%;存栏奶牛15.8万头,生产鲜奶67.38万吨,牛奶自产率为68%。

主要畜禽品种数量

区域		出栏生猪(万头)	出栏肉禽(万只)	存栏蛋鸡(万只)	存栏奶牛(头)
全市		314.04	12 355.01	1 358.82	158 113
生态涵养保护区	平谷区	33.58	680.24	250.89	1 207
	怀柔区	9.31	1 361.86	58.50	12 039
	密云县	21.97	3 161.19	224.54	18 594
	延庆县	8.81	1 254.54	275.07	25 906
	门头沟区	0.69	367.26	10.38	516
	合计	74.36	6 825.09	819.38	58 262
城市发展新区	顺义区	94.94	1 222.55	123.11	15 301
	房山区	35.74	1 775.84	130.00	10 038
	通州区	33.19	768.95	49.35	18 292
	大兴区	59.16	1 453.56	140.83	37 287
	昌平区	12.65	228.28	74.80	11 005
	合计	235.68	5 449.18	518.09	91 923
城市功能拓展区	朝阳区				3 841
	丰台区	1.46	6.75	13.15	1 147
	海淀区	2.55	73.99	8.20	2 940
	合计	4.01	80.74	21.35	7 928

【规模养殖再上台阶】 积极推广标准化规模养殖的成功模式,支持各区(县)发展适合本地区实际的公司+农户+协会的生产方式,使规模化和标准化饲养比重越来越大。到2009年底,全市有畜禽规模养殖场(小区)2 312个,其中猪场538个,出栏生猪3 000头以上的大型猪场150个,占全市出栏生猪的61.5%,自产生猪占屠宰生猪的35%,对应对极端天气变化及其他应急情况下保障市场猪肉供应起到了重要作用。奶牛场351个,存栏500头以上的大型牛场86个,牛奶产量占全市总产量的82%;完成了4.15万头散养奶牛入场(区)规模养殖任务,使奶牛规模养殖比重由74%提高到95%,生鲜乳自给率达到68%。以农民家庭牧场或养殖小区模式建设的标准化生态肉禽舍3 073个,增加肉禽出栏7 682万只,使肉禽规模养殖比重达到95%,肉禽自给率69.1%,肉鸡场529个,肉鸭场280个,出栏家禽占全市的90%。蛋鸡场560个,存栏5万只以上的大型鸡场58个,最大商品蛋鸡场饲养产蛋鸡200万只,鸡蛋产量占全市的80%。全市形成了以标准化规模养殖为主的生产格局,增强了畜牧业综合生产能力。

【良种畜禽得到发展】 培育出了京红、京粉两个具有自主知识产权的蛋种鸡品种,占国内(祖代蛋种鸡中70%为国外品种)祖代蛋种鸡市场的25%。到2009年底,全市种畜禽场数量由上年的157个增加到187个。种猪年供种能力由40万头提高到50万头,种鸡年供种能力增长15%,养殖收益有了明显提高。

【龙头企业发展壮大,增强了畜禽产品控制力】 顺鑫鹏程股份有限公司、北京二商集团大红门等生猪屠宰加工企业生产规模不断扩大,屠宰加工企业以合同协议方式与本市和外埠养殖场、生猪营销经纪人建立稳定产销关系，积极开发产品和中高档市场，全年13家企业屠宰生猪超过900万头，提高了猪肉市场控制能力。

随着本市三元奶业成功收购三鹿集团以及国内知名乳品企业伊利、蒙牛、光明等在本市建厂，本市乳品生产能力和质量安全水平稳步提高。全市加工乳品85万吨，市场控制能力达到80%。

大发正大和华都肉鸡公司企业向外埠扩展，产业发展模式辐射到承德、张家口和保定一带，肉鸡屠宰能力增加6 000万只。天鸿顺、三江宏利和金星鸭业等企业不断开发产品，依靠品牌效应开拓中高档市场。肉禽市场控制能力达65%。

【继续实施粪污治理工程，生态循环农业发展良好】 2009年，继续对163家规模化养殖场进行治理，其中治理规模猪场81家，其他养殖场82家，安排治理资金4 088万元。重点治理北运河流域。以大兴为重点推广发酵床生态养猪5万平方米，粪污零排放，取得了较好的经济效益和生态效益。在肉禽养殖密集区域，由协会、养殖小区和企业筹资建立5个禽粪加工厂，为沼气工程提供原料。

【强化管理，保障畜禽产品质量安全】 通过对行政管理和执法监督工作程序的认真梳理，形成了畜牧行政管理机构负责管理协调和行政审批，检测机构负责质量安全监测，执法机构负责执法监督和处罚，技术机构负责技术支撑的工作机制。各单位各司其职依法行政，有效保障畜禽产品质量安全。

全面实行养殖场登记备案。依据《畜牧法》的有关规定，经市政府批准，对全市的规模养殖场实行养殖备案、颁发养殖代码和建立养殖档案登记制度，市农业局下发了《北京市畜禽养殖场养殖小区规模标准及其备案程序的通知》。《通知》规定，凡在本市行政区域内兴办畜禽养殖场、养殖小区的单位和个人，设计养殖存栏规模超过以下标准者（生猪500头，肉鸡和肉鸭5 000只，蛋鸡3 000只，奶牛和肉牛200头，羊200只），应向当地畜牧兽医行政主管部门备案。截止到年底，全市备案的养殖场、养殖小区达2 312个，其中规模猪场528个，牛场351个，肉鸡场529个、鸭场280个，蛋鸡场560个。这些养殖场和养殖小区生产相对集中或封闭；饲养畜（禽）品种统一，具有畜牧兽医技术服务、环保等配套设施；规划科学、布局合理、建设规范、管理严格，为保障畜禽产品质量安全、促进畜牧业持续健康发展奠定了坚实的物质基础。

开展畜牧业生产预警预测。在顺义区、大兴区等5个区（县）启动了《北京市生猪等畜禽产品信息监测统计项目》和《蛋鸡、肉鸡和生鲜乳收购站监测项目》。通过对66个监测点的生产和效益情况的月度监测，获取了大量的基础数据，掌握了翔实的第一手资料，做到了底数清、情况明，为各级政府科学分析形势，准确把握趋势，进行宏观调控，保证生活必需品供应，提供可靠依据。

开展生鲜乳收购站专项整治。一是规范养殖行为，生产优质生鲜乳。对单纯生产生鲜乳，不具有生鲜乳收购行为的奶牛养殖企业，凭养殖备案后取得的养殖代码、生鲜乳准运车证和生鲜乳交接单，向乳品加工企业交售生鲜乳。二是规范生鲜乳收购行为，做到质量安全可追溯。单纯从事生鲜乳收购的奶牛合作社和收购站，凭生鲜乳收购许可证、生鲜乳准运车证和生鲜乳交接单，向乳品加工企业交售生鲜乳。三是开展生鲜乳质量安全执法监督检测。对于奶牛养殖场、生鲜乳收购站、乳品加工企业门前的交售运奶车进行全面覆盖。共抽取628批次的生鲜乳样品，检测结果100%合格。四是开展执法监督。取缔不合格生鲜乳收购站14个，出动动物卫生监督执法人员3 745人次，检查奶畜养殖场1 312个次，生鲜乳收购站487个次，下发监督意见书435份，责令改正违规行为24次。

开展饲料质量安全专项整治。一是严格饲料生产行政许可。审核饲料添加剂和添加剂预混合饲料生产许可企业32家、审查饲料企业25家，审批饲料添加剂和添加剂预混合饲料产品批准文号950批次。二是开展饲料产品监测。抽查333家企业的饲料及饲料原料样品2 504批次，抽查生猪尿液199批次，检测5 362项次，样品合格率为98.2%。三是开展执法监督。出动执法人员检查饲料生产企业、自配料养殖场5 109个次，下发监督意见书1 121份，销毁不合格饲料43.8吨，立案查处违法饲料生产企业10起，取缔无证饲料窝点6家，建议农业部注销企业7家。

规范种畜禽生产经营管理。一是依据本市畜禽良种产业发展需求，重新修订了北京市种畜禽生产经营许可标准和现场验收审核程序。二是开展种畜禽质量监测试点，对19个种猪场饲养的纯种猪进行了性能测定，对奶牛和生猪精液质量进行了检测，开展了4.2万头奶牛DHI生产性能测定。三是制订从国外引种计划，依据计划审核良种引进。四是严把种畜禽的引进和调出关，实行种畜禽生产经营许可证、种畜禽合格证和检疫合格证明制度。五是强化行政审批准入门槛和执法监督，全年审核发放30个种畜禽生产经营许可证，审核通过19批次从境外引进种畜禽遗传资源。

牛羊禽定点屠宰管理。一是开展行政许可工作。2009年共办理定点许可证22家，其中21家换证企业，1家新办企业。同时根据市监察局的要求，对审批的定点屠宰场开展行政审批网上公示，做到了"五公开"，即办事依据公开、程序公开、办事时限公开、办理结果公开及重大管理政策调整和信息公开。二是规范企业环保措施。在强调屠宰企业生产工艺、产品质量的同时，着重提高企业的环保意识，要求企业在无害化处理和污水处理方面增加设施设备，同时必须得到环保部门的认可方可进行生产。三是开展对屠宰企业监管和监测工作。在日常管理的同时，针对热点、焦点问题给予特别关注。12月，组织开展了针对牛、羊产品“瘦肉精”问题的专项检测行动。监测对象涵盖了全市4家大型肉牛（羊）屠宰厂和6个大型经营性冷库，共采集样品50份，产品来源包括黑龙江、辽宁、吉林、河北、山东等五省。检测结果均为“瘦肉精”零检出，全部合格。

此外，通过联合检查、集中检查、突击检查，飞行检查以及监测检测，日常执法和监督，规范养殖、运输、收购、加工等环节，从源头上确保畜产品质量安全。到年底，全市有37个畜禽产品获无公害及绿色食品认证，有42家兽药生产企业通过GMP认证，有40家饲料生产企业通过HACCP认证。连续12次畜产品和饲料违禁添加剂检出率为零，叫响了三元、华都、双大、鲲鹏、资源、千喜鹤、德清源、百年栗园等一大批知名品牌，引导了首都安全畜产品的消费方向。

【制定规划，谋划未来】 2009年，《北京市畜牧业发展规划（2010—2015）》编制完成。

发展目标：重点发展畜禽良种产业和食品加工业，建成主要畜禽品种研发、选育和繁育基地，高端畜禽产品研发和加工基地，创知名品牌和开拓国际市场；用现代技术和装备提升畜牧业，实现标准化规模养殖，提高单产水平，适度规模减栏增量，利用有限空间资源，创造最大产能；发展种养联动模式，实现达标排放或零排放和可持续发展。到2015年，全市畜牧业产值达到210亿元。

产业区域布局：都市型现代畜牧业将构建“两心三区四带五网络”的区域布局。“两心”即畜牧业发展的知识转化创新中心以及都市型现代畜牧业技术和推广服务中心；“三区”即禁养区、限制养殖区和可持续发展区；“四带”即生猪产业带、奶牛产业带、肉禽产业带和蛋禽产业带；“五网络”即生猪产销网络、奶制品产销网络、肉禽产销网络、牛羊产品产销网络和畜禽良种产销网络。

实施五大产业发展工程，即畜禽良种体系强化提升工程、规模养殖基地建设提升工程、生态健康养殖模式推广工程、质量安全监管体系建设工程、畜禽产品品牌培育与服务联盟建设工程，包涵20个建设项目。

【切实落实国家和本市产业发展政策】 2009年，全市对25万头能繁母猪进行政策性补贴，补贴资金2 500万元。补贴优质后备母牛6万头，补贴资金3 000万元。通过公开招标采购良种猪精液50万剂，对本市的生猪50%实施人工授精，良种覆盖面增长10%。补贴奶牛良种精液24.8万剂，推广良种奶牛养殖，提高生产水平。

5月20日，市农口召开由区（县）行政主管部门、生猪屠宰企业和生猪养殖者参加的生猪生产形势及对策通报会。同时出台四项措施，一是引导养猪生产者调整结构，规避市场风险；二是抓紧落实已制定的扶持政策；三是切实抓好生猪疫病防治工作；四是适时启动《防止生猪价格过度下跌调控预案》，保持畜牧业平稳发展。

（北京市农业局畜牧处 张保延）

【生鲜乳收购站监测】 《乳制品管理条例》出台后，全市共完成了2009年生鲜乳质量安全监测300批次，2009年度动物性产品中兽药残留监控100批次，国庆节前生鲜乳质量安全飞行抽检120批次，2009年农产品质量安全统一监督抽检100批次的监测任务，合计监测样品628批次。样品合格率100%，其中三聚氰胺检测含量全部低于临时管理限量值（2.5毫克/千克）。抽样范围包括：奶牛养殖场、生鲜乳收购站、乳品加工企业。检测项目包括：三聚氰胺、温度、β－内酰胺酶、动物水解蛋白、抗生素（青霉素、链霉素、庆大霉素）、磺胺类药物等。

（北京市兽药饲料监察所 张连彦）

【良种繁育及推广】 2009年，全市首次集中开展了种猪活体质量监测，并事先研究制定了《北京市种猪活体质量监测方案（试行）》和年度监测计划。共对全市17个种猪场3个品种145头种猪的达100千克体重日龄与活体背膘厚、30～100千克平均日增重、饲料利用率（料重比）、Haln基因和体型外貌以及猪瘟病原、口蹄疫病原、伪狂犬病病原、布鲁氏菌病病原等指标进行了集中测定。

首次在本市开展猪精液质量检测。对全市3家公猪站的356头生产种公猪开展质量检测工作，共检测712份精液，检测样品全部合格。

种猪遗传评估工作取得新进展。全年对6个新建种猪场进行现场技术指导，组织遗传评估培训班2期，培训70多人。与北京浩邦猪人工授精服务中心合作举办了第三届猪人工授精技术研讨会，来自全国各地养猪企业负责人、技术人员、各科研院所专家共300余人参加。与黑龙江、辽宁同行进行了种猪遗传评估技术的深入交流和研讨。

种猪良种登记信息平台初步建立。组织开发了北京市猪品种登记系统软件，完成猪只离线登记和GBS系统集成和猪品种信息平台建设。

奶牛DHI测定初见成效。制定2009年奶牛性能测定工作实施方案，组织技术培训，建立9个示范点，对1 805头奶牛进行DHI测定，出具报告3 440份。初步建立市—区县—养殖场三级工作反馈机制，指导养殖户饲养。

开展家畜繁殖员职业技能鉴定工作。在大兴、房山、怀柔和延庆4个区（县）对生猪和奶牛配种人员开展了职业技能鉴定工作。举办家畜繁殖员培训班6期，培训298人；举办理论知识与实际操作考核6次，参加考核的238人中169人考核合格，合格率为71%，其中初级工106人合格，中级工47人合格，高级工16人合格。

（北京市畜牧兽医总站 赵 有）

【饲料业生产】 2009年北京市饲料管理形成了由市农业局为主管部门，市监督所为执法机构，市饲料监察所为检测机构，市总站为技术支持机构的完善体系，为保障饲料工作顺利开展奠定了基础。

2009年专门组成了以大学、研究所等单位的专家、教授组成的饲料企业现场审查专家库。评审时，随机抽取3～5位专家，到申请获证的饲料企业进行现场审查，严把饲料企业的准入门槛，提高了全市饲料企业的整体水平。

2009年全市饲料产品生产结构进一步优化，大中型企业产量占主导地位。12月底，共有生产经营企业354家。其中饲料添加剂企业56家，预混料生产企业250余家，配合、浓缩饲料生产企业178余家，宠物饲料生产企业10家。2009年全市饲料总产量303.9万吨。其中，配合饲料171.6万吨，浓缩饲料43.77万吨，添加剂及预混料88.6万吨。

（北京市兽药饲料监察所 张连彦）

【兽医事业发展概况】 2009年，继续实施免疫、监测、净化、检疫和监督等措施，开展实验室生物安全管理和动物产品质量安全专项整治活动，推进动物防疫基础设施与装备条件建设，维护了首都公共卫生安全、畜牧产业安全和动物源性食品安全。

强化动物及动物产品检疫监督。公路、铁路、航空检疫监督站消毒车辆50.07万辆，检疫监督动物3 971.16万头（只）、肉类产品48.59万吨、副产品3.04万吨；查出各类不符规定的动物5.31万头（只）、动物产品4 931.37吨，全部按照规定进行了处理。共查处各类违法违规行为988起，查办各类案件754件，其中简易程序案件170件，一般程序案件584件，涉案金额758.13万元，罚没款92.53万元。

强化动物疫病检疫净化。2009年，累计检测牛、羊及其他偶蹄动物布鲁氏病7.08万头（只）次；检测奶牛结核病14.56万头次；检测马鼻疽0.63万匹次、马传染性贫血0.58万匹次；检测鸡（种鸡）白痢9.57万羽次；检测鸡（种鸡）白血病0.74万羽次。抽测马鼻疽370匹，全部为阴性。对所有检出的阳性动物均按规定进行了无害化处理。

实施甲型H1N1流感防控防控。一是对全市生猪养殖情况进行摸底，迅速开展流行病学调查和疫情排查。二是主动出击，开展猪流感感染抗体监测4 594份次，平均抗体阳性率为23.14%，病原学监测1 419份次，均为阴性。三是编写甲型H1N1流感技术材料，并积极开展科普宣传。四是加强养殖场户消毒灭源工作。

狂犬病的防治。全年共验收备案定点单位15个，累计达363个。集中办发免疫定点标识铜牌73块。制发了《北京市犬狂犬病免疫注射提示牌》。全年共免疫狂犬病66.21万条次。监测狂犬病2 066份次，抗体阳性率为98.40%。发放宣传册20万套，粘贴画3万张，宣传袋8万个，宣传记事本3万本，宣传展板20套。

中央扩大内需项目建设。按照农业部、国家发展和改革委员会要求，1—2月份保质保量完成了乡镇兽医站项目建设内容，为11个区（县）72个乡镇兽医站配置动物防疫仪器设备1 512台（套）。县级兽医站项目于7月开始启动，并于年底完成建设内容，为8个区县动物疫病预防控制中心建设拼装式冷库8套，购置车辆8台，其他仪器设备248台（套）。

建设动物标识及疫病可追溯体系。累计申请耳标数量164.65万枚，签收数量156.81万枚。北京市动物防疫溯源省级数据中心建设项目已经顺利完成，配备了服务器、路由器、防火墙、交换机、磁盘阵列、磁带机等设备，能满足现阶段动物标识及疫病溯源的需要；组织全市溯源管理员及业务骨干开展两次大规模集中培训，培训师资人员100余人；全市共上传溯源业务数据4.2万余条，在千喜鹤、鹏程、资源和大红门4家大型生猪定点屠宰企业开展激光灼刻检疫印章的试点工作。

12月份，北京市电子政务专网启动。该项目构建了涵盖市动物卫生监督所、18个区县监督所、46个官方兽医室、31个边境站点、545个移动机位，覆盖11.4万个点位的动物卫生数字化监管平台。年底，软件开发已进入后期内部调试阶段，硬件和软件100%已到货。14个区县政务外网联通工作已完成；地理信息系统（GIS）共完成7 000个点位测量；项目整体运行状况良好。

（北京市农业局 张佳艳 张保延）

【兽药生产】 强化兽药行政审批。2009年共受理兽药行政许可491件，其中新兽药临床试验审批9件、生产企业审核6件、产品批准文号审核288件、经营企业审批12件、广告审查8件、进口兽药通关单核发168件。

强化兽药生产、经营企业的监管。继续做好全市兽药生产企业GMP技术指导工作，共集中指导30余次,日常检查50余次。年内又有2家新建企业和4家复验企业顺利通过农业部兽药GMP认证。

稳步推进兽药执法。2009年共检查兽药生产、经营、使用单位4 875个次,出动执法人员11 187人次,查处违法行为96起,立案20起,5万元以上大案1起,查获假劣兽药2 263千克,货值及罚没金额总计19.71万元。

(北京市农业局兽医处 张佳艳)

【兽医国际合作与交流】 举办"动物健康养殖与福利对食品行业的影响"和"动物福利与健康养殖及国际贸易"研讨会。特邀世界农场动物福利协会、美国人道协会、英国防止虐待动物协会及世界保护动物协会等多个非政府组织的专家、学者作了专题演讲和座谈,促进了相关企业和部门对全球动物福利发展趋势的全面了解,推动了健康养殖理念和方式的普及。

(北京市畜牧兽医总站 赵 有)

【畜牧业科技推广】 加快畜牧兽医技术推广体系基础设施建设。"北京市动物疫病预防控制中心项目"开工建设。项目占地面积3.88万平方米,建筑面积1.87万平方米,总投资1.99亿元。

加强畜牧兽医队伍建设。开展区(县)动物疫控部门技术人员培训工作。编写并发放了《北京市动物疫病预防与控制工作手册》、《奶牛养殖场生物安全管理指南》和《奶站与生鲜乳品防疫管理》等书籍。组织举办了5期动物疫病防控技术培训班,共培训人员1 000余人次。

组织开展北京市执业宠物医师继续教育工作。邀请相关行业的国际知名学者、国内权威教授以及从事多年宠物诊疗工作的学科带头人,开展北京市执业宠物医师继续教育讲座16期,培训2 600余人次。

"种猪氟烷基因检测"项目。对全市持有《种畜禽生产经营许可证》的3个场、2个公猪站和1个测定站的650头种猪进行了氟烷基因检测,选择大白猪和长白猪184头HalNN个体建立基础群,组建抗应激品系。

"敲除猪肌肉生长抑制素基因的克隆胚胎移植"项目。此为国内外首次实施。已成功构建大白猪肌肉生长抑制素基因打靶载体,获得了敲除肌肉生长抑制素基因成纤维细胞克隆,利用体细胞核移植技术制备转基因胚胎,进行了胚胎移植。

"北京市特色养殖(柴蛋鸡、肉鸽)关键技术试验示范与推广"项目。采用储能电暖气网上集中育雏技术较一般农户的火炕集中育雏方式提高雏鸡存活率达16%,同时还避免了因烧煤而可能引发的煤气中毒,均匀度提高5个百分点,平均体重提高15克。通过肉鸽新城疫、衣原体病调查,推广程序化免疫技术,使肉鸽成活率从60%多提高到90%以上。成功研发肉鸽人工哺喂机并申报国家专利。项目实施使每只鸽子收益9元。大兴泰丰肉鸽合作社饲养26 300对,年纯利润近百万元,辐射带动113户,户均年纯利润1.4万元。

"生态环保养猪模式试验示范"项目。开展发酵床温度、湿度、酸度、氨气浓度、碳氮比变化规律研究,以及发酵床对生猪生产性能的影响效果试验。结果表明,发酵床猪舍空气中氨气明显降低。通过该技术,可以明显改善商品猪饲养环境,节约用水85%以上。

"顶级种公猪克隆快速扩繁技术集成与示范"项目。集成了种公猪体细胞克隆、种猪饲养、人工授精和遗传评估等技术,成功克隆种公猪,提升了本市种猪生产性能,有效解决了顶级种公猪生产能力有限的问题,在国内仅北京和广东应用于生产实践,处于领先地位。

实施畜牧兽医科技入户工程,促进科研成果转化。生猪安全生产技术示范推广,选定通州等10个郊区县作为科技入户示范区,确定100个示范场,每个示范场辐射带动周边20个生猪养殖户。重点推广猪人工授精、猪场环境消毒、育肥猪兽药残留控制技术。

肉鸡安全生产技术示范推广。选取怀柔等8个区(县)100户作为示范户,每个示范户(场)辐射带动周边10个肉鸡养殖户,主推废弃物的无害化处理、常见疾病防治、饮用水消毒和环境消毒技术。据统计,仅门头沟、怀柔、密云3个区(县)就建设47个鸡粪堆放池,发放宣传材料2 500余份,组织培训指导员70人次,示范户人员986人次,向示范场发放物化补贴36万元。

奶牛安全生产技术示范推广。在大兴等7个奶牛主要养殖区县遴选100个有一定代表性的场作为示范场,进行奶牛乳房炎防治、蹄病综合防治、寄生虫防治技术的推广。据统计,录制并发放录像拷贝240份;编写奶牛养殖场生物安全要求等培训教材;发放《奶牛安全生产实用技术手册》及技术资料5 000余份;培训24次,累计培训1 000余人次;发放修蹄架7台,乳房炎诊断液等补贴物资20余万元。

加大田间学校及科普宣传培训力度。初步建立了辅导员专职化队伍、例会制度和考核制度及教学需求现场调研工作模式。2009年全市共建有畜牧农民田间学校201所,同比增长38.1%。其中:新建93所,续建108所,分布在11个区(县),举办初级辅导员培训3期,每期12天,培训了99人。

同时以区(县)动物疫病预防控制中心等单位为依托,以乡镇畜牧兽医站、养殖合作社、田间学校、规模化养殖场为载体,成立了农村村级技术员(或辅导员、推广员)、村级动物防疫员和科技示范户3支队伍,其中村级推广员(技术员)590人,村级防疫员3 158人,科技示范户300户。采用流动学校宣传培训、入户指导、检验检测、互联网络、电话热线、短信平台、技术咨询服务等方式,重点对201个畜牧农民田间学校、

5 000名学员开展宣传、咨询与服务，带动2万个以上养殖户有效使用畜牧兽医实用技术和提高畜牧安全生产、健康养殖认识。

（北京市畜牧兽医总站　赵　有）

（北京市农业局畜牧处　张保延）

【法制建设】 一是规范法制管理。梳理行政执法职责，规范动物卫生监督执法行为，修订并启用了新版动物卫生监督笔录、监督意见书。二是推进培训工作。组织了第六届北京市动物卫生监督系统高级研修班，全市动物卫生执法监督师资培训班，畜牧、饲料、乳品法规培训班，医政药政师资培训班和公路检疫监督等专项培训。采取“权威专家讲座 + 经验交流 + 拓展训练”的培训形式，提升培训效果。2009 年，全市举办培训班 146 个次，培训 5 000 余人次，提升了人员素质。三是加大普法宣传力度。通过建立法律法规宣传专栏、行政审批程序介绍、曝光栏等网络平台，印发动物防疫法宣传册、兽药使用须知、饲料及饲料添加剂管理条例宣传单、宾馆饭店使用动物产品须知等宣传材料，针对不同监管对象，利用多种途径推进普法工作。2009 年发放法制宣传明白纸、宣传册 75 000 余张（份），环保购物宣传袋 5 000 个，设置展板 100 余块，现场接待解答群众咨询 3 200 余人次。

（北京市动物卫生监督所　张　琴）

【动物卫生监督执法】 加大动物卫生监督执法工作力度。实施了“迎国庆，动物产品安全、畜牧生产投入品综合整治绿剑行动 I”和“绿剑行动 II”。全市共组织执法检查 1.9 万次，与相关部门联合执法 1 231 次，查处各类违法违规行为 988 起，查办各类案件 754 件，同比增长 18. 89%；涉案金额 758. 13 万元，罚没款 92. 54万元，同比增长 13. 22%。查获假劣兽药 2 296 千克，查封不合格饲料 43. 8 吨，查获不合格饲料标签 3 万余枚，取缔无证饲料黑窝点 6 家。

推进“风险分级、量化监督、档案管理”监管模式。以风险评估理论为依据，从动物卫生、公共卫生、食品安全、动物福利四个方面，分析风险构成因子，设定风险系数、测算风险类别；对全市 9 类 27 种 19. 9 万个监管对象，按照 2008 年动物卫生监督检查的情况、动物产品安全检测、疫病检测的结果，综合评定监管对象状况，分别调整市、区（县）级 A、B、C 三类风险管理对象；完善两级三类监管对象量化监督方案，确定重点监督内容和标准，实行责任到人、工作到岗；建立包括饲养场类、养殖户类、屠宰类、市场类、餐饮类、诊疗类、兽医实验室类、兽药饲料类、冷库类的标准档案卡制度，做到一个监管对象一张档案卡（包括电子档案卡和纸质档案卡）。截止到 12 月底，全市共建立档案卡 82 269 份，其中，饲养场 6 150 份，养殖户 23 400 份，屠宰场 245 份，市场 4 330 份，餐饮 45 100 份，诊疗 640 份，兽医实验室 270 份，兽药饲料 1 850 份，冷库 284 份。

提出了现代官方兽医制度建设方案。制定了官方兽医制度规范，包括《动物检疫工作制度》、《签约兽医管理办法》、《官方兽医设置规范》等 11 项工作制度。确立了官方兽医工作重点、程序和途径，使产地检疫和屠宰检疫工作与国际惯例接轨。制定官方兽医室设置规范，全市建成区域官方兽医室 46 个，驻厂官方兽医室 60 个，推动首都官方兽医工作向现代化迈进。

构建动物及动物产品无疫安全技术保障信息化平台。“进京动物及动物产品卫生监督网络信息管理系统”在全市 27 个动物防疫监督检查站、3 个铁路动物防疫监督检查站、1 个航空动物防疫监督检查站以及市动物卫生监督所之间建立起集“数字—视频—语音”三位一体的动物卫生监督网络系统，实现了进京动物及动物产品无疫安全监管数据信息的即时统计、即时汇总、即时分析，为领导的决策提供可靠的第一手基础数据，发挥了无疫安全监管平台的作用。

（北京市动物卫生监督所　张　琴）

【饲料安全监管】 查清底数。组织全市畜牧饲料监督执法人员对辖区内饲料生产企业、自配料养殖场、生鲜乳收购站和种畜禽场开展了全面摸底工作。掌握了企业的生产规模、产品种类、产品配方、饲料原料来源、饲料产品去向等基础信息。开展奶站清理整顿工作，跟踪全市生鲜乳收购站发证进展。重新梳理全市 175 家种畜禽场，逐一核对畜禽种类、规模和代次等基础信息，做到底数清、情况明。

开展“瘦肉精”专项检查行动，重点检查饲料生产企业和自配料养殖场的原料库、小料库，共检查 100 余家，未发现非法添加、使用“瘦肉精”等违禁药物的行为。2009 年共出动畜牧饲料监督执法人员 15 760 人次，检查饲料生产企业、自配料养殖场、生鲜乳收购站、奶畜养殖场 8 774 个次，下发监督意见书 1 213 份，查封不合格饲料 43 790 千克，查获不合格饲料标签 3 万余枚，立案查处饲料违法案件 10 起，取缔无证饲料黑窝点 6 家。对 23 家不合格企业责令其限期整改。

（北京市动物卫生监督所　张　琴）

2009 年对本市 13 个区（县）350 家饲料生产企业，87 家鸡场、99 家猪场、25 家渔场、144 家牛羊场、9 家宠物医院进行了饲料产品质量安全监督检测，累计检测样品 8 077 批次、53 622 项次。检测项目包括：蛋白质、脂肪、锌等营养指标，铅、砷、氟、沙门氏菌等卫生指标，盐酸克伦特罗、莱克多巴胺、沙丁胺醇、苏丹红、己烯雌酚、三聚氰胺等违禁添加物，样品合格率为 98.3%。

此外还积极开展饲料执法年活动，组织市、区（县）动物卫生监督管理局的饲料管理人员和监督所的执法人员认真学习饲料法规、执法程序，实施考试合格持证上岗制度，全面提升管理一线人员依法治饲水平。

（北京市兽药饲料监察所　张连彦）

【兽医实验室生物安全监管】 更新兽医实验室基础信息。组织全市兽医实验室设立单位通过“全国兽医实验室管理系统”更新上报实验活动信息，并对1 400余条信息进行了核对、分类、统计和分析，为推进兽医实验室“风险分级、量化监督、档案管理”监管模式提供了科学依据。据统计。全市28个单位共设有49个实验室，从事动物病原微生物实验活动面积约2.2万平方米，保存、使用动物病原微生物达117种。

采取五项“适度从严”措施。全面推行按照“一类停、二类严、重点控”原则开展动物病原微生物实验活动；建立动物病原微生物丢失、被盗每日“零报告”制度，对菌（毒）种保藏场所实行全天候值守；采取进出人员“示证登记”限制措施；签署国庆实验室生物安全责任书和承诺书。为提高生物安全意识，实验室设立单位开展不少于2次的生物安全知识培训，对相关负责人进行专题讲解。在“3·15”和监督检查过程中向各单位发放《病原微生物实验室生物安全管理条例》、《动物病原微生物菌（毒）种保藏管理办法》等法律法规400余份。

2009年全市共组织检查活动137个次，出动执法人员502人次，制作《监督笔录》268份、《监督意见书》67份，提出限期整改意见135条；签订责任书94份、签署承诺书48份。

（北京市动物卫生监督所　张　琴）

【兽药质量与兽药残留监督管理】 2009年底，完成了农业部和市农业局兽药监控计划任务998批次，检测项目2 994项次。兽药抽检平均合格率为91.2%。分别完成了农业部动物性产品兽药残留监控计划、北京市兽药及畜禽产品兽药残留监测工作、北京市农业投入品安全检测工作、国庆阅兵村动物产品质量安全专项监测工作。全年共计监测样品4 987个，20 800项次，总体合格率为99.9%，同比提高0.3个百分点。

在18个区（县）组织了近160次监督抽样工作，涉及206家养殖企业、加工企业、屠宰企业、超市、批发市场等单位，国庆阅兵期间重点针对北京大发正大有限公司、北京御香苑畜牧有限公司等供应基地进行了动物性产品的抽检，确保了阅兵期间的畜产品质量安全。

（北京市兽药饲料监察所　张连彦）

【行业标准建设】 根据《关于批准筹建全国食品分析与抽样标准化技术委员会等190个全国专业标准化技术委员会的通知》和《关于标准制定工作组组建和管理有关事项的通知》，2009年正式成立全国畜牧业标准化技术委员会畜牧环境工作组，主要承担养殖环境质量控制与监测、废弃物的处理和畜禽场建设设计等业务范围内的标准化工作。秘书处挂靠在北京市畜牧业环境监测站。

2009年，市畜牧业环境监测站主持行业标准NY/T388《畜禽场环境质量标准》的修订工作。同时完成《生物发酵床养猪环境控制技术规范》、《生物发酵床养猪猪舍设计要求》、《畜禽场环境卫生消毒技术规范》3个地方标准的申报立项。

【畜产品质量安全认证】 2009年，全市共受理44家养殖企业的认证申请，通过材料审查、现场检查及产地、产品检测，不合格企业2家，通过认证企业42家。另外，完成21家获证企业的换证工作。

为贯彻落实《关于加强无公害农产品产地认定产品认证审核工作的通知》要求，提高无公害畜产品产地认定与产品认证工作的质量和效率，建立一支既懂业务申报、生产技术，又懂安全管理的检查员、内审员队伍，2009年市环监站组织无公害畜产品认证检查员、内检员培训班1期，170人次参加了培训。

【畜牧业生产环境治理】 2009年开展了全市规模化畜禽场环境质量现状调研，完成13个区（县），124个乡镇，322个村372家畜禽场舍区、场区、缓冲区的空气环境、畜禽场舍区生态环境、畜禽饮用水水质、畜禽场缓冲区土壤等五大方面27项指标的现场监测及取样工作，累计采集样本18 600余个。监测结果显示畜禽场粪污治理任务依然艰巨。

2009年北京市农业局启动了北运河流域水系农业面源污染治理工程项目，该项目包括对流域水系内规模化养殖场粪污治理。主要采用干清粪饲养工艺、工程设施、生态养殖及农田对接等治理方式，实现畜禽粪便的无害化、资源化与减量化，节约用水60%以上，全年累计治理80个规模化畜禽养殖场，消纳COD 3 500吨。

为增强畜禽养殖业管理人员及相关人员的环保意识并协助畜禽场预防和控制畜禽养殖场污染，2009年在对全市60家规模化畜禽场产地环境质量（畜禽舍空气环境质量、畜禽舍生态环境质量、畜禽饮用水水质、畜禽场排放污水等方面共计29项指标）进行了田间督导监测工作，累计抽检各类样本840个，已检样本760个。检测结果显示：生态类样本合格率89.2%，空气类样本合格率100%，饮用水样本合格率100%。

（北京市畜牧环境监测站　吴迪梅）

为进一步加强行业管理，市畜牧环境质量监督检验测试中心建设工程已经市发展和改革委批复并已签订土地购置协议，建设工程前期准备也已开始。

（北京市农业局兽医处　张佳艳）

天津市畜牧业

【政策扶持】

1. 畜牧生产平稳发展。一是认真落实国家和本市畜牧业发展扶持政策。包括14万头母猪和11万头奶牛的良种精液补贴政策;41座蛋鸡、39座生猪和10座奶牛规模养殖场的标准化改造补贴政策;2万头奶牛生产性能测定补贴政策;蓟县、宝坻、宁河3个生猪养殖大县奖励政策。全年共落实惠农资金7 000多万元,受益农户达4万多户。二是加强生产监测和政策调控。针对主要畜产品价格出现较大波动和甲型H1N1流感对畜牧生产的影响,市畜牧兽医局密切关注产销形势变化,开展畜牧生产调研监测,及时发布预警信息,研究提出针对性措施,与市有关部门共同制定并落实了《天津防止生猪价格过度下跌调控预案实施细则》。通过落实各项扶持政策和调控引导,全市畜牧生产保持整体稳定。

2. 产业素质明显提升。一是推进现代畜牧业示范园区建设。通过引进和集成国内外先进粪污处理工艺和设备,新建高标准示范园区20个,使全市示范园区总数达到40个。示范园区生产指标高于全市平均水平10%,整体效益平均提高5%~10%,生产设施化率已达80%,社会效益和经济效益显著。二是推进畜牧产业化建设。引进和支持中粮集团、广东温氏、河南众品、南京雨润、天津宝迪新型龙头企业;提出了奶牛产业进行"牧场化"改造的发展思路。

3. 畜产品质量安全水平稳中有升。一是开展畜产品质量安全专项整治。完成"瘦肉精"检测28 394批次,合格率达99%以上;开展莱克多巴胺、磺胺类、氟喹诺酮类等兽药残留检测1 800批次,监测合格率100%。对生猪、肉牛重点养殖场户及经纪人进行登记监管,签订质量安全承诺书6 000余份。二是认真贯彻落实《天津市畜牧条例》。严把"质量安全检测、生产和销售台账建立、市场监督、外埠产品进津检查"四个关口,强化畜产品质量安全监管。三是完善监管制度。制定了《天津市畜禽和畜禽产品质量安全检测证明管理规定》、《天津市畜禽产品包装和标识管理办法》、《天津市不安全畜禽产品召回管理办法》等,规范了畜产品质量安全管理。四是实施猪肉质量安全数字化追溯项目建设。在全市9家养殖场、5家屠宰厂、3家大型超市和7家专卖店进行测试和示范。由于各项制度落实到位,违法添加非食用物质得到有效遏制,全市畜产品质量安全水平稳中有升。

4. 畜牧科技水平不断提高。一是继续实施科技入户示范工程。在武清区奶牛养殖场主推了十大技术,突出了数字化、信息化技术的应用,全区奶牛养殖信息化平台建设处于全国前列,得到农业部充分肯定。二是组织实施科技项目。全年组织实施"现代化畜禽养殖园区综合配套技术示范工程"、"节约型、生态型养猪生产关键技术集成示范与推广"等24项重大科技攻关、转化与推广项目。将良种繁育、健康养殖、粪污综合处理和信息化、智能化等关键技术进行集成与示范,取得较好效果。三是实施草业良种工程建设。推广优质高产全株青贮玉米、苜蓿等优良牧草3 000多公顷,项目区奶牛优质饲草使用率达到45%。四是开展技术培训。举办各类技术培训班、专家讲座、实用技术现场交流会近40次,培训人员达3 000人次。

5. 依法行政能力明显增强。一是规范行政处罚自由裁量权。对66项有处罚幅度的行政处罚职权进行了细化和量化,并制定了相关配套制度。二是压缩行政审批事项。落实市政府行政审批大提速要求,将局系统行政审批事项由21项减至12项,减少申请材料8件,平均审批办结时限由7天压缩到4天。三是开展《天津市畜牧条例》宣传贯彻。完成《条例》立法相关工作,制定出台了5个配套制度,开展系列宣传培训工作,培训960人次。

6. 重大动物疫情保持稳定。通过强化强制免疫、疫情监测等措施,完善各项制度,严格责任追究,全市实现连续5年保持无重大动物疫情发生的良好局面。同时经多年努力,年内本市还消灭了马传染性贫血,这是继消灭牛瘟、牛肺疫、马鼻疽后消灭的又一个动物疫病。

7. 动物卫生监管水平稳步提升。在强化检疫工作的同时,加强监督执法。做好养殖场、屠宰厂、市场超市、宾馆饭店、动物产品冷库等环节的监管,严厉查处违法经营活禽行为,严格落实外埠畜禽及产品通道管理制度,全年累计查处违法案件702起。

8. 疫病防控能力明显提高。一是加强市级防控能力建设。向农业部申报了市疫控中心实验室和市兽药残留检测基础设施建设项目,总投资4 448万元,已获农业部批复。二是积极推进基层站建设。按照市政府现场推动会确定的建设思路,全年共投入1 792万元,提升改造90个基层站,占拟建设总数的69%。经过提升改造,基层站站容站貌、设施设备水平明显提高,基层队伍和防控工作得到加强,本市基层站建设的做法也得到了农业部充分肯定。

(卢万强)

【行业监管】

1. 违禁投入品治理。市畜牧兽医局制定了《天津市2009年畜产品专项整治行动实施方案》,加强对"瘦肉精"等违禁品专项治理,全年畜产品中"瘦肉精"监测合格率为99.8%,莱克多巴胺监测合格率为100%。一是加强宣传,提升守法生产经营意识。制定《禁止生产、销售、使用"瘦肉精"等违禁品告知书》,由区(县)畜牧兽医部门结合日常防疫、检疫工作,发放给辖区内的生猪、肉牛养殖场(户)和经营者,明确告知“瘦肉精”等国家明令禁用的药物以及相关的法律责任等。全年发放《告知书》6 000 多份。二是加强生猪、肉牛养殖场户及经纪人监管,实行质量安全承诺制度。组织各区(县)对生猪、肉牛经纪人全面调查摸底,并与之签订《畜产品质量安全承诺书》,要求养殖场户承诺不使用违禁药物,要求经纪人承诺不收购、不销售含违禁药物的动物。全年共签订“承诺书”6 000 多份。三是开展监督检测,严格产地准出。在养殖环节,蓟县等重点区(县)继续开展生猪出栏“瘦肉精”报检工作,防止不合格生猪出栏,全年完成“瘦肉精”快速检测 2 万批次,确保了约 70 万头生猪质量安全。在屠宰环节,集中开展了 5 次“瘦肉精”专项抽检工作,对全市 36 家生猪定点屠宰场和 3 家肉牛屠宰场的猪牛肉产品开展“瘦肉精”快速检测 7 500 批次,防止了不合格生猪、肉牛产品流入市场。四是推行企业自检制度,落实“畜产品生产经营者是第一责任人”的责任机制。依据《天津市畜牧条例》,指导企业开展质量安全自检工作,组织屠宰企业检测人员培训,规范企业出具检测合格证明行为。要求养殖者严格按照有关规定使用兽药、饲料等,规范建立养殖档案或养殖记录,记载畜禽来源、投入品使用、疫病防治等情况,并对出栏畜禽进行质量安全状况自检,畜禽出售时出具《畜禽质量安全检测合格证明》;要求畜禽产品生产单位,建立生产记录,记载畜禽来源、标识编码、养殖代码、销售去向等内容,对进厂畜禽索要《畜禽质量安全检测合格证明》,并在产品出厂时对质量安全状况进行自检,出具该批次《畜禽产品质量安全检测合格证明》;加强外埠进津畜禽和畜禽产品的监督检查,凡入津销售的供屠宰的畜禽和供食用的畜禽产品,没有畜产品质量安全检测合格证明的,禁止入市销售。五是在市场环节加强监测,进一步查找安全隐患。全年抽检猪肉、猪肝 894 批次,重点监测了“瘦肉精”及其类似物(莱克多巴胺、沙丁胺醇等)等违禁品。

2. 兽药残留监管。一是印发宣传材料,指导养殖者科学、合理使用兽药,严格执行兽药休药期规定。全年发放无公害畜产品生产技术宣传资料 5 000 多份。二是开展监督检查,督促企业自查自纠。组织各区(县)对辖区内畜禽养殖企业进行监督检查,督促企业开展产品质量控制措施自查自纠,全市 3 000 多家生产单位被纳入整治范围,其中 121 家单位对存在的养殖生产记录不规范、记录保存不完整等问题进行了纠正。三是加强监测,掌握畜禽产品兽药残留状况。全年完成磺胺类残留检测 780 批,氯羟吡啶残留检测 240 批,氟喹诺酮类残留检测 780 批,未发现残留超标现象。

【畜产品质量安全】 一是开展企业内检员培训,对每个无公害畜产品获证企业培训了 1 名产品质量安全检查员,提高了企业对产品质量安全的自控能力,全年共培训内检员 76 名。二是集中开展专项检查。全市共出动检查人员 580 人次,出动车辆 206 车次,抽查了 500 多个无公害畜产品产地,未发现产地环境被污染、违法使用投入品现象;检查了所有无公害畜产品获证企业,企业均能按照无公害标准进行生产。三是开展无公害产品抽检。全年抽检样品 630 批次,检测结果全部合格。四是对申报的产地、产品严格把关。对新申报的产地、产品严格按照程序进行审查,从材料审查、现场检查、环境检测、专家评审、产品检测等各环节严格审核,确保获证产品质量。2009 年完成产地复查换证 212 个,新认定产地 23 个,新认证产品 6 个。全市累计已有无公害畜产品产地 956 个,认证无公害畜产品 106 个。

【制度建设】 监管制度日趋完善,监管措施得到有效落实。2009 年《天津市畜牧条例》出台,对畜禽产品质量安全风险监测、畜禽产品产地准出质量检测、畜禽产品包装和标识管理以及不安全畜禽产品召回等有了明确规定。《条例》出台后,市局制定了《天津市畜禽和畜禽产品质量安全检测证明管理规定》、《天津市畜禽产品包装和标识管理办法》、《天津市不安全畜禽产品召回管理办法》等配套措施,对企业开展自检、出具检测合格证明、实施畜禽产品包装、标识等行为进行规范,使畜产品质量安全监管制度日趋完善。

(马连旺)

【科技推广】

1. 继续实施奶牛科技入户示范工程。一是主推 10 项技术,建立奶牛科技示范户 1 000 户,辐射带动 800 余户,技术推广入户率达 95% 以上。示范户奶牛年平均产奶量达到 7 500 千克,同比增加 310 千克,3.2 万头成母牛共增加效益 1 600 余万元。二是实施“四良”配套关键技术,示范区奶牛 100% 采取人工授精技术,参配奶牛优质冻精改良率达到 100%,3 000 多头奶牛应用性控冻精技术,5 000 头奶牛参加 DHI 测定,12 000 头奶牛饲喂全株玉米,2.6 万头奶牛应用 TMR 饲喂,新生犊牛成活率达到 98% 以上。三是推进标准化建设。11 000 头奶牛使用风扇喷淋设施设备,近 3 万头奶牛用上保温水槽。四是示范推广“三改两分再利用”粪污处理技术和沼气发电能源循环经济利用技术,逐步引导奶牛场向能源—生态型模式发展,52 个奶牛小区(场)全部安装奶牛生产智能化管理系统,实现牛群全程动态管理。五是举办专题讲座和技术培训班,与美国、加拿大、英国知名奶牛专家开展技术交流,全年举办培训班 25 期,参培人员 2 800 人次。

2. 产学研相结合,增强自主创新能力。充分发挥产学研相结合的优势,重视知识产权对畜牧业发展的重要作用,加快各类农业科技成果转化应用,通过自主开发和引进消化创新,开发具有自有知识产权、实用性强的科技成果。2009年实施科技合作项目3项,累计申请著作权6件、授权5件;申请发明专利1件。

3. 实施主体培训,提高科技素质。结合项目实施和科技周活动,组织开展畜牧兽医科普活动。2009年,共举办各类技术培训班28次,培训1 609人次;举办专家讲座10次,培训200人次;举办实用技术现场交流会8次,培训195人次;市、区(县)采取科技下乡、科技入户、科技赶集等形式,开展科普知识宣传与技术推广,300多名科技人员深入场户62次,发放科普资料39种、近7万份。

【科技项目进展与成果】 2009年,组织实施各类科技项目21项,其中地方标准制(修)订计划8项。

1. 重大项目实施。一是"猪肉质量安全数字化监控和可追溯技术"通过了天津市科委组织的成果鉴定。该项目率先在国内将现代信息技术和通讯技术应用于猪肉质量安全监管全过程,实现了猪肉产品的数字化监管和可追溯。项目开发了养殖环节、屠宰环节和超市销售环节的数据记录系统和面向政府监管和消费者查询的公共网络平台,基本实现了对天津市主要规模化养猪场和农民散养户的生猪生产及屠宰加工环节的跟踪与溯源,获得和申请专利5项,软件著作权登记8项,发表论文16篇,出版专著1部。二是"现代化畜禽养殖园区综合配套技术示范工程"已完成8个项目示范场的环境控制技术改造,示范推广饲养管理技术,生猪示范高效饲料配制技术,实施全进全出;奶牛示范三阶段饲养工艺和全混合日粮TMR饲喂技术;肉鸡饲喂全价配合饲料技术,采用网上饲养,实施全进全出。共举办技术培训班3期、技术交流2次以及咨询和服务活动,培训445人次。三是"节约型生态型养猪关键技术集成示范推广"项目技术已辐射30多个场户,在8个示范点开展饲养管理关键技术示范。示范全价安全饲料配制技术,应用GM助长乐安全饲料添加剂和CHE生物饲料添加剂。示范区出栏60万头,生猪死亡率降低1.2%,料重比下降0.2,技术培训1 316人次。

2. 验收结题项目。一是由天津市动物疫病预防控制中心和中国农业科学院哈尔滨兽医研究所共同承担的"主要猪病综合防控技术的开发与应用"项目于2009年4月完成验收。二是"GM助长乐中试扩大实验"2009年6月完成结题验收工作。

3. 成果奖励。"猪繁殖障碍性疾病综合防治技术示范推广"和"主要猪病综合防控技术的开发与应用"获2009年度天津市科技进步三等奖。

(张盛南)

【扶持生猪生产】

1. 能繁母猪政策性保险。2009年,全市共承保能繁母猪21万头,承保比例占全市能繁母猪存栏量的86%,同比提高了11个百分点。另外,承保生猪约5.9万头,承保比例占全市出栏量约1%。通过养殖保险,有力降低了养殖风险,调动了农民养殖积极性。

2. 标准化规模养殖。2009年,国家发改委、农业部批复本市生猪标准化规模养殖场(小区)建设项目25家,其中,年出栏1 000～1 999头的10家、2 000～2 999头的13家、3 000头以上的2家,共落实国家补贴资金1 110万元。

3. 良种繁育体系建设。2009年,国家生猪良种补贴项目除在蓟县、宝坻、武清3个区(县)继续实施外,又扩大到宁河县和静海县。5个区(县)改良母猪22万头,落实国家补贴资金880万元。

4. 养殖大县奖励。2009年,国家生猪调出大县奖励政策继续在蓟县、宝坻、宁河3个区(县)实施,共落实国家奖励资金1 267万元。国家奖励资金重点用在加强基地建设、扶持龙头企业、完善良繁体系、推广标准化生产、加强防疫等方面。

【扶持奶业生产】

1. 奶牛保险。协助有关部门推进奶牛保险补贴工作,2009年全市承保奶牛2.2万头,承保比例占全市奶牛存栏量的13%。

2. 扶持标准化养殖。2009年在全市筛选出10个存栏500头以上的奶牛养殖场(小区)作为国家奶牛标准化规模养殖场(小区)建设项目实施单位,在牛舍标准化改造、粪污治理、水、电、路、防疫、挤奶等配套设施方面进行重点建设,落实国家补贴资金1 000万元。

3. 生鲜乳收购站监管。2009年,完成了对全市奶站的清理整顿,对157个奶站和184辆运奶车分别核发了《收购许可证》和《准运证》,全市奶站均实施了生鲜乳收购记录、检测记录和销售记录,使"一单、两证、三记录"制度逐渐落到实处;集中开展了严厉打击在生鲜乳中违法添加解抗剂、皮革水解蛋白、防腐剂等物质的专项行动,完成了对全市所有奶站厅和部分运输车辆的例行检测和突击检测,检测覆盖率达到100%,对检出的问题奶站进行了严肃处理。由于各项制度落实到位,生鲜乳收购站管理逐步规范,违法添加非食用物质行为得到有效遏制,经农业部例行检查和飞行检测均合格。

4. 良种补贴。2009年国家奶牛良种补贴项目继续在全市农业区(县)实施,纳入改良奶牛共计11.2万头,落实国家补贴资金336万元。

(冯四清)

【兽医管理体制改革】 市、区(县)、乡镇三级兽医管理体制改革完成率100%，机构均为全额预算单位。全市区（县）级行政机构编制311人，行政执法机构编制240人，技术支撑机构255人，乡镇级机构人员编制585人。全市3 821个村共聘用村级动物防疫员1 194名，实行专职化管理，人员补助经费由市、区（县）两级财政承担。市、区（县）、乡镇、村四级动物疫病防控体系健全完善，防控能力显著提高。

【重大动物疫病防控】

1. 扎实开展强制免疫。实行按程序免疫与免疫日补针相结合的方式落实强制免疫，并根据动物疫情趋势，先后在3、7、9、11月份开展了4次集中强化免疫，确保了口蹄疫等疫病的免疫密度始终保持在100%。全市累计禽流感免疫家禽6 481.7万羽，高致病性猪蓝耳病免疫359.1万头，猪瘟免疫359.2万头，口蹄疫（O型及亚Ⅰ型）免疫牲畜558万头（只），A型口蹄疫免疫奶牛15.49万头，鸡新城疫免疫4 645.8万羽。

2. 严密实施疫病监测和流行病学调查。在每月监测基础上，针对疫情形势重点开展了禽流感、A型口蹄疫、猪流感和猪甲型H1N1流感专项紧急监测。全市累计监测血清学样品63 633份，免疫抗体总体合格率为88.7%。病原学监测9 454份，未发现阳性样品。配合国家流行病学中心开展了春秋两次定点流行病学调查；开展了奶牛A型口蹄疫疫情排查并监测样品2 000份，未发现阳性；按期完成了疯牛病、痒病等流调采样任务。

3. 全面落实综合防控措施。对全市规模饲养场、养殖小区，实施了封闭管理为主的综合防控措施。5月和11月份，开展了消毒灭源专项行动。加强了对生猪饲养的防疫监督，开展了防控猪甲型H1N1流感宣传，加大对猪禽混养的查纠力度。

4. 切实加强应急准备。制定了《天津市A型口蹄疫应急工作程序》等4个专项应急预案，调整了市重大动物疫情应急专家组和预备队。出台了《天津市重大动物疫情应急物资储备管理办法》。市级储备应急物资已达22种、4 995件，价值25万余元；区（县）储备应急物资已达12种、2 990件，价值64万元。

5. 认真做好人畜共患病防控。上、下半年组织实施两次奶牛结核病检疫净化，检疫奶牛30万头次，检出并处理阳性牛35头。制定了《天津市奶牛健康检测实施办法》，启动实施了奶牛健康检测工作。

【动物检疫监督】

1. 规范加强产地检疫和屠宰检疫。重点规范了检疫报检、现场检疫和同步检疫，加强了屠宰检疫的活畜禽进场查验、待宰检查、同步检疫、复验出证和无害化处理的“把五关”工作，强化防检结合、以检促防、以监保检的工作机制。全市产地检疫开展面达到100%，屠宰检疫率达到100%，上市动物产品检疫持证率达到100%。截止到11月份，全市产地检疫畜禽5 165余万头（只、羽），屠宰检疫畜禽3 436余万头（只、羽），检疫出病害畜禽15.66万头（只）。

2. 不断强化各环节防疫监管。严格落实动物养殖每两周检查一次、市场每周检查一次、宾馆饭店每月定期检查的巡回检查制度，对大型动物产品冷库派员驻场监管，严厉查处市场经营活禽等违法行为。严格落实外埠畜禽及畜禽产品经指定通道入津管理制度，强化消毒和查证验物。在国庆、全国“两会”等重大公共活动期间先后开展了4次动物卫生监督执法专项检查活动。全年累计查处违法案件553起，其中现场处罚479起、立案处罚74起。

3. 推进动物标识及疫病可追溯体系建设。落实二维码耳标购置经费182万元，订购和发放各类耳标502.4万套（实际生产499万套），新采购耳标识读器和打印设备171台套，对生猪、牛、羊全部加施了二维码耳标。将追溯体系建设试点扩大到4个近郊区（县），为在全市推广积累了经验。

（张　健）

【兽药管理】 2009年，全市共有33家兽药生产企业，主要从事粉剂、散剂、预混剂、消毒剂、最终灭菌小容量注射剂、口服溶液剂、片剂、杀虫剂、最终灭菌大容量注射剂、颗粒剂、浇泼剂等剂型兽药产品的生产，年产值达4亿元。

为确保兽药质量，促进行业健康稳定发展，全市不断加大监管力度。通过加强兽药GMP后续监管，对兽药生产企业实施不少于3次的GMP飞行检查，使兽药质量合格率明显提升，达到91%。通过不断加大兽药经营环节监管力度和兽药质量抽检力度，全市兽药备案率达到了100%，全面完成539批次的兽药质量抽检工作，合格率达到85%。组织多次兽药市场专项整治活动，重点对兽用生物制品、精神药品、蜂用兽药等进行专项整治，查处假劣兽药案件64起、无证经营5起。

为保证动物性产品质量安全，共完成动物性产品中兽药残留监测任务300批次，对鸡肝中氟喹诺酮类、猪肉中四环素以及牛奶中青霉素和氨基糖苷类药物进行了检测，结果全部合格。

（王建悦）

【兽医实验室生物安全监管】 市畜牧兽医局与全市16个实验室签订了实验室生物安全监管承诺书或责任书，明确职责任务，落实了监管责任。为强化监督执法，专门委托市动物卫生监督所实施日常监管，并将兽医实验室生物安全监管纳入日常执法范围，每季度进行一次例行检查，重大节日和重大公共活动期间实施专项检查。此外，还开展了动物病原微生物实验室生物安全管理培训。本市全年未发生实验室生物安全事件。

（冯照钧）

【动物防疫体系建设】

1. 全力推进基层兽医站提升改造。启动了基层站提升改造工程，确定了“四四五五”的建设思路和“三个统一”的建设标准，用两年时间，对全市130个基层兽医站进行全面提升改造。截止到年底，已完成90个站提升改造，完成总计划任务的69%。

2. 认真组织实施农业部批准建设项目。一是2008年度乡镇畜牧兽医站基础设施建设项目，总投资513万元，于3月份完成，为57个基层兽医站配置设备3 377台（套），设备到位率100%。二是10个区（县）动物疫病预防控制中心实验室基础设施建设项目，总投资600万元，已完成全部510台套设备招标购买，设备到位率80%。在项目建设中，严格按照农业部有关要求，建立了项目建设法人责任制，组成了项目建设领导小组，严格实行设备招标，强化资金管理，实现了配套资金到位率100%，设备招标率100%，确保了建设任务如期完成。

3. 积极申报动物防疫体系建设新项目。一是市兽药残留检测基础设施建设项目，总投资828万元，农业部已批准项目建设可行性研究报告。二是市动物疫病预防控制中心Ⅱ级实验室建设项目，总投资3 620万元，农业部已批准项目建议书，10月份本市已向部呈报了项目建设可行性研究报告。三是市和区（县）动物卫生监督所执法设备建设项目，投资估算180万元，已向农业部呈报可行性研究报告。四是乡镇兽医站基础设施扩建项目，投资估算657万元，计划为73乡镇兽医站购置仪器设备3 529台套，已向农业部上报可行性研究报告。五是市病死动物无害化处理场建设项目，投资估算2 200万元，已由天津市发改委批准立项。

（张　健）

【政策法规】

1.《天津市畜牧条例》已于5月27日经天津市第十五届人民代表大会常务委员会第十次会议通过，自2009年9月1日起施行，市局配合市人大召开了实施《条例》新闻发布会；编制了《条例及相关法律法规汇编》和《条例问答手册》，共发放宣传材料6 000余册；制定了《天津市畜禽和畜禽产品质量安全检测证明管理规定》和《天津市畜禽产品包装和标识管理办法》两个配套规范性文件并向市政府法制办备案。

2. 按照市人大常委会的安排，对《天津市动物防疫条例》提出了修改意见。

3. 制定了《天津市病死畜禽无害化处理管理规定》立法调研方案。

4. 制定了《天津市畜牧兽医行政处罚自由裁量权适用办法》和《天津市畜牧兽医行政处罚自由裁量权参照执行标准》，将畜牧兽医法律、法规、规章涉及的66项行政处罚职权进行了自由裁量界定。

5. 组织全市960名畜牧兽医执法人员进行了法律知识集中培训。

（冯照钧）

河北省畜牧业

【概况】　2009年，河北省各级畜牧兽医部门深入贯彻省委、省政府和农业部方针政策，紧紧围绕促进畜牧业健康发展和增加农民收入两大目标，着力化解畜牧兽医事业发展面临的新情况、新问题，完善运行机制，改进工作方法，突出关键环节，强化各项措施，全省畜牧业稳步健康发展。全省生猪存栏1 968万头、出栏3 332.9万头，同比分别增长－2.33%和3.16%；肉羊存栏1 565万只，出栏2 059万只，同比分别增长－3.22%和5.81%；肉牛存栏152.7万头、出栏344.3万头，同比基本持平；禽类存栏3.5亿只、出栏5.2亿只，同比分别下降7.9%和3.7%。全年肉类产量426.6万吨，奶类产量461万吨，同比分别增长1.33%和－10.48%，禽蛋产量353.2万吨，同比下降14%。

【奶业整顿成效显著】　各地认真贯彻《乳品质量安全监督管理条例》、《奶业整顿和振兴规划纲要》等文件精神，加大奶业整顿力度，取得显著成效，为此农业部在河北省召开生鲜乳收购站建设与管理现场会，推广其经验。科学调整奶业发展布局，及时落实补贴资金，散养奶牛入区步伐加快。全省存栏50头以上的奶牛养殖场（区）发展到2 374个，存栏奶牛143.7万头，规模饲养比例达到83.6%，超出年度任务目标3.6个百分点。大力整治现有奶站，严格规范新建奶站，全年累计取缔奶站936个，新建奶站623个，保留的1 893个奶站全部达到“五有一符合”标准，发放了生鲜乳收购许可证，并全部实现了管道式挤奶，由乳品加工企业经营管理（乳品企业托管1 771个、自建66个、入股52个、租赁4个）。蒙牛、伊利两大乳品企业经营管理奶站1 212个，占全省企业经营管理奶站总数的64%。加强生鲜乳生产、收购和运输等环节监管，认真开展生鲜乳专项整治，全省共出动执法人员5 300多人次，对生鲜乳收购站全部进行了排查，未发现奶站在牛奶中添加三聚氰胺、β－内酰胺酶等有毒有害物质的违法现象，确保了生鲜乳质量。大力整顿奶业市场秩序，积极开展生鲜乳收购秩序集中整治行动，严厉打击收购散奶、抢奶和无合同收奶行为，坚决取缔流动奶贩和流动奶站，全省生鲜乳收购秩序明显好转。

【畜产品质量安全监管不断加强】 突出源头治理，强化监督检查，畜产品质量安全水平稳步提高，全年未发生畜产品质量安全责任事故。积极开展农产品质量安全整治暨农产品质量安全执法年活动，扎实开展农资打假和畜产品违法添加非食用物质整治专项行动，全省共出动执法人员6.98万人次，检查饲料、兽药生产经营企业和养殖场8.1万个次，有力打击了各类不法行为，净化了市场，保障了畜产品安全。按照农业部统一部署，认真实施饲料工作暨饲料质量安全执法年活动，加大饲料专项整治力度，相继开展了植物蛋白单一饲料整治、动物源性饲料整治、氯化胆碱整治、“瘦肉精”等违禁药品整治等四项集中整治专项行动，共出动饲料执法人员6.1万人次，检查饲料生产经营企业和规模养殖场(区)6万个次，取缔非法饲料生产经营企业22家，查处违法饲料产品164吨，涉案金额91万元，严厉打击了违法添加“瘦肉精”、“蛋白精”和苏丹红等非食用物质及滥用食品添加剂的不法行为。加强饲料生产企业日常监管，实施质量安全监管员制度，落实县级饲料质量安全监管员565名，涉及160多个县，936家饲料和饲料添加剂生产企业。加强兽药市场专项整治，认真开展兽药及兽药残留专项整治行动，严厉打击假劣和违禁兽药、疫苗的经营使用，共查处兽药生产经营违规案件39起，货值37万元，取缔无证兽药经营单位47个，吊销生产经营许可证24个，进一步净化了兽药市场。加强畜产品质量检验监测，强化例行监测和监督抽检，省、市、县三级共完成饲料产品质量检测3 362批次、兽药残留检测596批次、畜产品质量安全检测14 277批次，合格率分别达到99.7%、99.8%和99.7%，同比分别提高0.8、0.2和0.5个百分点。对检测出的有问题投入品和畜产品均进行了严格查处，并严格责任追究，有力推动了畜产品质量安全监管工作的开展。认真开展无公害畜产品产地认定和产品认证工作，完成无公害畜产品产地认定203个，产品认证102个，全省有效期内的产地认定单位达到1 580个，认证产品达到230个，位居全国前列。加强畜产品质量检测机构及能力建设，狠抓督导检查，强化人员培训，全省7个市级畜产品检测中心通过计量认证，49个县级质检站已有20个开展了检测工作，24个开展了部分工作，覆盖全省的检测体系已初步建立。

【重大动物疫病防控卓有成效】 全面实施畜禽场(区)动物疫病科学防控与依法监管工程，深入开展科学防控、动物防疫监督、兽药监管和科技支持四大行动，建立健全疫病防控责任体系，狠抓综合防控措施落实，防控工作逐步实现动态化、规范化和科学化，全年未发生重大动物疫情。组建了1.5万个动物防疫专业队(组)，认真开展春秋两季集中免疫，全省口蹄疫、高致病性禽流感、高致病性猪蓝耳病、猪瘟、鸡新城疫应免畜禽免疫密度均达100%，免疫抗体合格率达87%，超过国家规定标准，农业部重大动物疫病防控工作检查组予以充分肯定。扎实开展生猪甲型H1N1流感防控工作，成立专门组织，出台工作方案，健全工作机制，有效防止了甲型H1N1流感向畜间传播。科学制定消毒方案，狠抓关键措施和关键环节，积极组织5月和8月全省消毒月活动，全省参与消毒活动的防疫人员达15.9万人次，畜禽养殖场所消毒面积达到6.5亿平方米，有力促进了重大动物疫病防控工作的开展。充分发挥疫情测报站和兽医实验室作用，对重点地区、重点部位加大检测力度，全省共检测免疫抗体101万份，病原学检测1.2万份，为提高免疫质量，及时掌握疫情动态，提供了有力技术支持。完善应急指挥系统，强化应急队伍建设，做好应急物资保障，争取国家和省应急物资储备资金232.9万元，及时招标采购应急物资，满足防控工作需要。加强动物卫生监督执法，强化产地检疫、屠宰检疫和流通环节监督检查，认真开展打击经营病死动物及其产品专项行动，全省出动执法人员5.6万人次，检查各类场所1.5万个次，完成产地检疫1.66亿头(只)，屠宰检疫1.1亿头(只)，检出病死畜禽26.3万头(只)，全部进行了无害化处理，有效提高了动物及动物产品检疫监督水平，维护了正常的动物卫生秩序。全面推进兽用生物制品经营单位GSP和兽药生产企业GMP建设，全省兽用生物制品经营单位基础设施得到很大改善，131家兽药生产企业通过农业部兽药GMP认证，位居全国第三位。省、设区市和县动物疫病预防控制中心的兽用生物制品经营单位GSP建设任务全部完成，兽用生物制品经营秩序进一步规范。圆满完成欧盟食品兽药办公室(FVO)对河北省动物及动物源性食品残留物质监控工作，考察组对本省动物源性食品兽药残留监控工作给予高度评价。

【畜禽良繁体系建设稳步推进】 坚持引进与培育相结合的方针，以实施良种工程为载体，加快良种繁育推广步伐，全省畜禽良种覆盖面不断扩大，养殖效益明显提高。加强优良品种繁育推广，全年推广奶牛冻精280万支、生猪精液420万份，全省猪、鸡、牛良种覆盖率分别达到95.3%、95.6%和88.1%，达到国内先进水平。积极组织开展品种引进工作，优化畜禽品种结构，全年办理种畜禽进口审批手续21批，引进国外优质祖代蛋、肉种鸡21.24万套、荷斯坦奶牛6 960头，荷斯坦冻精3.8万支、胚胎500枚，进一步加快了种畜禽品种改良步伐。制定具体测定规划，学习外地先进经验，种猪生产性能测定工作顺利启动。编制《河北省2009—2015年畜禽良种工程规划》，为加快建立完善的畜禽良种繁育体系奠定坚实基础。通过在全省33

个县(市、区)的46个单位执行奶牛胚胎移植项目,全省准胎受体牛达到3 333头。高产奶牛扩群步伐进一步加快。严格鉴定验收程序,强化管理服务,全年共核发种畜禽生产许可证270个,获得种畜禽生产经营许可证的种畜禽企业全部实行网上公布和查询,为养殖场户引种提供了便捷服务。规范程序,明确职责,依法加强种畜禽市场监管,严厉打击非法引种行为,通过对某企业及时的行政处罚,有效规范了种畜禽场秩序。按照农业部统一部署,对全省畜禽遗传资源开展实地调查,摸清了底数,健全了档案,出版了《河北省畜禽遗传资源志》,为选育提高地方优良品种奠定了基础。

【草原生态建设与保护步伐加快】 大力实施京津风沙源治理工程,强化人工种草、飞播牧草、草地改良等综合配套措施,全面落实和完善草原家庭承包责任制,积极推行基本草原保护、草畜平衡和严格的禁牧制度,全省草地承包面积达到197万公顷,禁牧休牧轮牧面积达到197.2万公顷。京津风沙源治理工程完成人工种草1 400公顷,围栏封育3.1万公顷,建设基本草场1.14万公顷,禁牧舍饲圈舍45万平方米,草地植被明显恢复和改善,草地沙化、退化得到有效遏制,明沙区域显著减少。加强草原法律法规宣传,加大执法力度,规范执法程序,严厉打击破坏草原的各类违法行为,草原违法开垦和占用现象进一步减少。草原监测手段和技术不断提升,引进3S技术,完成110个样地528个草本和灌木样方监测,获取数据1 136份,超额完成农业部下达的监测任务。狠抓草原鼠、虫害防治,全省完成鼠、虫害防治面积53.22万公顷,平均防效达到87.1%,超额完成防治目标。严格落实草原防火措施,加大督查力度,在全省普遍干燥少雨,张家口、承德遭受历史罕见严重旱灾的严峻形势下,实现了未发生等级以上草原火灾目标。

【饲料产业进一步发展壮大】 积极实施"大原料、大企业、大安全、大市场"战略,狠抓企业整合,培育大型企业,产业集中度进一步提高。全省饲料企业达到1 485家,2家企业生产能力达到40万吨以上。饲料产量910万吨,产值236亿元,同比分别增长7.9%和7.8%,为畜牧业发展提供了可靠保障。切实加强饲料生产管理,积极开发新型饲料资源和饲料品种,科技含量和附加值高的浓缩料、添加剂预混料所占比重分别达到17.6%和1.5%,同比分别提高0.1和0.2个百分点,产品结构趋于合理,产业体系进一步完善。加强饲料企业规范化管理,积极推广先进适用技术,对已建企业强化督导检查,积极推行ISO系列标准认证体系和HAPPC质量管理体系认证,严厉打击无证生产经营行为,饲料产品质量进一步提高,产品质量合格率稳定在95%以上。对新建饲料和饲料添加剂企业,严格审核审批条件,确保了新上企业硬件合格、软件可靠,管理到位、运行规范。以黑龙港流域和牛羊优势产区为重点,调整种植结构,大力发展饲草饲料作物,全省青贮玉米、紫花苜蓿种植面积分别达到47万公顷和26万公顷,同比分别增长9%和1.5%。积极推广青贮、微贮技术,加快秸秆综合开发利用,全省完成秸秆青贮1 753.6万吨(鲜重)、氨化微贮251万吨,秸秆处理利用率达到27.8%,同比提高1.3个百分点。

【品牌建设取得新进展】 按照大力培育知名品牌,提高畜产品市场竞争力,增加养殖场户收入的思路,全力实施品牌战略,品牌建设步伐明显加快。品牌鸡蛋进省会和京津高端市场活动成功启动,"五谷"、"新星火"、"兴莲"等品牌鸡蛋陆续进入石家庄各大超市,月销售额近500万元。万稚园与北京"易初莲花"、"家乐福"及天津"华润万家"、"易买得"等大型超市签订长期供货协议,月销售额近300万元。品牌鸡蛋进省会社区活动进展顺利,"天凯"、"五谷"牌鸡蛋与石家庄150个社区600多个居民点建立了长期稳定的购销关系。积极帮助企业申报国家和省名牌产品,"华牧"、"五谷"、"新星火"荣获省级知名品牌,华牧和邯郸金凤市场申报了国家驰名商标和国家名牌产品。河北远征药业公司的远征牌商标成为目前全国1 500多个兽药生产企业中,唯一一个通过国家工商行政管理总局认定的"中国驰名商标"。省畜牧兽医局荣获全国首届"畜牧业品牌发展大会"颁发的"中国畜牧业品牌建设政府贡献奖"。

【科研工作取得丰硕成果】 认真实施科技兴牧战略,紧紧围绕畜禽生产、品种改良、疫病防控和饲料兽药开发等课题,加大科研工作力度,开展了"高产奶牛良种繁育体系建立与示范"、"卵泡抑制素提高肉羊繁殖率技术应用与示范"、"兔出血免疫程序研究"、"应用药物和光照调控母猪白天分娩研究"等一系列科研活动,取得丰硕成果。以推广奶牛和瘦肉型猪生产配套技术为重点,认真实施"科技入户示范工程",广大养殖户的饲养管理水平明显提高。"优质高端食品——蛋鸡生产技术研究与应用"、"高致病性禽流感综合防控研究"分获省科技进步二、三等奖,"北方土石山区县域百万生态养鸡规范化技术开发与推广"获省山区创业三等奖。

(河北省畜牧兽医局　单守林　吕家兴)

山西省畜牧业

【概况】

1.畜产品产量稳步增长。2009年,全省畜禽存出栏均保持增长态势。全省生猪存出栏分别达到498.8

万头、663.4 万头，同比分别增长 10.3%、13.5%；家禽存出栏分别达到 6 217 万只、5 664 万只，同比分别下降 19.26%、3.1%；肉牛存出栏分别达到 32.8 万头、34.6 万头，同比分别增长 23.3%、14.6%；奶牛存栏 27.4 万头，同比下降 12.7%；羊存出栏分别达到 747.7 万只、404.4 万只，同比分别增长 0.5%、10.4%。肉、蛋、奶的总产量分别达到 69.8 万吨、75.3 万吨、74.1 万吨，分别比上年同期增长 10.3%、22.2%和 5.9%。

2. 政策扶持力度加大。2009 年，全省落实中央能繁母猪补贴资金 5 500 万元，对 55 万头能繁母猪进行了补贴；落实奶牛良种补贴资金 630 万元，共采购 42 万支优良冻精；落实蛋鸡以奖代补资金 1 685 万元，对 158 个企业给予了补贴；落实国家畜禽种质资源保护资金 300 万元，对右玉边鸡、临猗县晋南牛场等进行了投资建设；落实国家 2008 年和 2009 年度扩大内需项目资金 7 564 万元，共改造和配套建设乡镇畜牧兽医基层站 610 个；安排落实国家基层动物防疫工作经费补助 1 200 万元。落实省级财政对全省 11 个生猪生产大县每县扶持 100 万元，共 1 100 万元，省级财政对 395 个生鲜乳收购站每站补助 10 万元，共补贴 3 950 万元。

3. 强化畜产品质量安全监管。认真履行对动物及动物产品安全监管职责，从投入品使用、养殖环节、市场检疫等方面，全面加强了畜产品质量安全监管工作。生鲜乳和饲料专项整治行动取得明显成效。一是饲料专项整治以规范和整顿饲料生产企业为重点，规范审核程序，提高行业整体素质。对全省饲料和饲料添加剂企业进行重新备案审查，进一步规范获证企业的生产经营行为。对蛋白饲料生产企业推行先检验后使用制度，对自配饲料的养殖企业从健全生产记录等方面加强了管理。各级共检查饲料企业 1 246 家、养殖场 4 383个，查处违法饲料产品 57.46 吨，有害化学物质 42.46 吨，查处违规产品 175 个，立案调查 15 起。二是生鲜乳质量专项整治以奶站质量监管为重点，边整顿、边规范，加快合法经营主体转换。继续坚持“人盯人、人盯站、人盯车”的办法，对全省生鲜乳收购站进行了全面监管，确保了奶站的规范运行和乳品质量安全。按照建设一批、提高一批、淘汰一批的要求，发放生鲜乳收购站经营许可证 613 个，占主体合格奶站总数的 100%。

【规模健康养殖工程有序推进】 山西省利用国家京津风沙源棚圈建设、汾河流域草地生态治理修复与保护、巩固退耕还林成果后续产业、雁门关生态畜牧经济区建设、优势畜产品生产基地等方面的资金近 2 亿多元，在全省扶持建设各类畜禽标准化养殖小区和规模养殖场共 430 个。其中，京津风沙源棚圈建设资金 4 200万元，建设畜禽棚圈 29 万平方米；汾河流域草地生态治理修复与保护资金 3 300 万元，建设标准化养殖小区 13 万平方米；巩固退耕还林成果后续产业资金 2 700 万元，建设棚圈 14 万平方米；雁门关生态畜牧经济区和现代农业建设资金 7 000 万元，扶持建设了 157 个标准化畜禽养殖小区和规模养殖场；优势畜产品生产基地建设资金 2 540 万元，扶持 15 个县建设 50 个标准化畜禽养殖小区和规模养殖场。

【抗击暴雪灾害】 自 11 月 11 日，山西省省遭受较大范围的暴雪灾害，对畜牧业生产造成了较大影响，畜禽棚圈倒塌、部分畜禽因灾死亡，养殖户损失较重。截止到 11 月 30 日畜牧部门统计，雪灾共造成全省倒塌畜舍面积 4 461 375 平方米，死亡畜禽 5 439 085 头(只)，其中奶牛 2 775 头，肉牛 6 726 头，羊 143 702 只，鸡 4 640 677只，猪 172 633 头，鸭 289 955 只，鹅 36 699 只，兔 145 918 只。雪灾发生后，畜牧部门紧急响应省政府灾害应急措施，立即建立了 24 小时值班制度，要求各地每天上报灾情和救灾措施。迅速动员全系统职工深入灾区核实灾情。省畜牧兽医局下发了《关于应对雪灾对畜牧业生产影响的紧急通知》，要求各地畜牧部门高度重视，有条不紊地开展抗灾救灾工作，加强畜禽饲养管理，严格死亡畜禽检疫监管，密切关注动物疫情动态，切实保障畜禽饲草料供应。各地政府部门对抗灾救灾工作高度重视，制定救灾方案，领导带队深入灾区一线，调查了解灾情，指导养殖户抗灾救灾。抓紧畜禽棚圈维修，确保畜禽安全过冬。各地迅速采取有力措施，组织广大养殖户开展灾后重建工作。为了迅速恢复畜牧业生产，减少养殖户的经济损失，省政府决定对因灾死亡畜禽给予补助。省财政共安排补助资金 11 241.85 万元，市县财政配套 8 913 万元。

【重大动物疫病得到有效控制】 一是防疫措施扎实有效。春秋两次集中防疫工作按照分类指导的原则，规模养殖场在乡镇兽医站的监督指导下自行免疫，散养畜禽由村级动物防疫员组织免疫。秋防中全省牲畜口蹄疫猪免疫 547 万头、牛免疫 140 万头、羊免疫 900 万只，家禽高致病性禽流感、高致病性猪蓝耳病、猪瘟、新城疫分别免疫 7 703 万羽、538 万头、566 万头、7 428 万羽，免密度均达到了 100%。疫情监测进一步加强，明确省市县三级分工，仅秋防期间全省监测重大动物疫病畜禽样本 4 万余份，合格率均高于国家标准。此外还重点开展了省界地区、畜禽调入频繁等高风险地区的病原学监测，发现抗体水平不达标的畜禽及时补免，及时排除疫情隐患。全省共完成高致病性禽流感血清学样本 61 816 份，合格率 91%，病原学监测 5 964 份，阳性率 0%。O 型口蹄疫血清样本 27 416 份，合格率 86%。亚洲 I 型口蹄疫血清学样本 8 041 份，合格率 86%，病原学监测 4 258 份，阳性率 0%。猪瘟血清样本 1 263 份,合格率 90.58%,病原学检测 6 058 份,阳性率 0%;高致病性猪蓝耳病病原学监测 7 312 份,阳性率 0%;新城疫血清学样本 32 834 份,合格率 95%,病原学监测 5 311 份,阳性率 0%。二是强化责任制落实。各级加强对重大动物疫病防控工作的领导,明确责任。为切实做好国庆六十周年期间动物卫生安全工作,起草并下发了《迎国庆 60 周年山西省动物及动物产品安全监管工作方案》,建立了"省市定点联系、县村分片包干责任制",由省畜牧兽医局、动物卫生监督所、动物疫病预防控制中心主要领导和技术人员每人定点联系一个防控重点县,县级畜牧兽医技术人员每人负责承包一个乡镇,并将全省定点联系和包干人员名单装订成册,在养殖场户挂牌公示。

通过落实各项综合防控措施,全省动物重大疫病防控工作取得明显成效。一是动物疫情形势稳定,全省已连续三年保持没有高致病性禽流感、牲畜口蹄疫疫情发生,疫情降到 2004 年以来的最低水平。二是防疫密度提高,连续几年重大动物疫病强制免疫病种基本做到了应免尽免,免疫效果大大高于往年。三是防控工作规范,乡、村级防疫档案逐步规范,冷链体系逐步健全,基层兽医人员和养殖场防控水平大大提高。

【动物卫生监督执法】 2009 年,山西省产地检疫、屠宰检疫全面加强,设立了动物报检点 3 323 个,产地检疫率明显提高。截止到年底,全省猪产地检疫 760.39 万头,检出病畜 1 687 头;牛检疫 40.40 万头,检出病畜 44 头;羊检疫 167.01 万只,检出病畜 957 只;禽类检疫 4 239.1 万只,检出 7.53 万只。猪屠宰检疫 224.06 万头,检出病畜 1.30 万头;牛羊屠宰检疫 69.06 万头(只),检出病畜 149 头(只);禽类屠宰检疫数 1 670.95 万只,检出病禽 9 961 只。对检疫的病死动物及其产品全部进行无害化处理。

同时,为进一步规范监督执法,全省统一制作了《当场处罚决定书》等 30 种动物卫生监督执法文书以及相关监督工作记录表,全面开展案卷的归档和规范化管理工作,努力实现标准化、科学化、规范化、程序化。此外,还制定、出台了多项办法和制度,健全完善各项规章制度,保证动物卫生监督执法工作的顺利开展。

【兽医体制改革】 全省 11 个市级畜牧兽医机构中,朔州市、吕梁市为行政局,晋中市、临汾市为事业单位参照公务员管理,运城、长治、晋城市为事业局,忻州市、太原市的畜牧兽医局为农业局内设副处级局,大同市、阳泉市为农业局内设的畜牧兽医科。11 个市中除忻州市动物卫生监督、动物疫病预防控制机构仍为市兽医防疫检疫站外,其余各市动物卫生监督、动物疫病预防控制机构已分别设立。全省 115 个县(市、区)中,96 个县(市、区)成立了畜牧兽医局、动物疫病预防控制中心和动物卫生监督所。《农业部办公厅关于加快推进兽医管理体制改革意见的函》所附 19 个未完成改革的市县中,原平市已于 6 月份完成兽医管理体制改革,其余 18 个县尚未全部完成。全省共落实重大动物疫病防控工作经费 1.5 亿元。全省在编的动物卫生监督执法人员 1 109 人,其中全额的人数为 1 016 人,差额的人数为 72 人,自收自支的人数为 21 人。全省各级动物疫病预防控制中心实有人员 1 204 人。全省已建成乡镇畜牧兽医站 1 193 个,设有村级防疫员 22 243人,乡村兽医 5 631 人,动物防疫网络进一步健全。

【重大动物疫病防控专项整治】 为依法加强重大动物疫病防控工作,切实解决一些地方防控工作中存在的措施不到位、体系不健全、制度不完善等突出问题,3—9 月份,在全省范围开展了以查防控措施落实情况,强化制度和机制建设;查基层防疫人员工资和经费落实情况,强化动物防疫体系建设;查政府和部门履行职责情况,强化责任制和责任追究制度建设"三查三强化"为重点的专项整治行动。在专项整治中,各级对制约防疫工作开展的问题逐一进行了梳理,集中力量加以解决,整治工作取得了明显成效。

一是防控制度和机制进一步加强。通过开展专项整治,全省防控力度不断加大,乡、村两级免疫档案更加健全,制度愈加完善。监测网络覆盖到重点规模场和乡村。检疫监督、无害化处理制度,畜禽调入申报、隔离制度,动物检疫和调运监管进一步加强。各级完善重大动物疫病应急预案和应急物资储备,调整充实应急队伍,积极开展培训和演练,应急准备更加充分。全省 11 个市和 115 个县全部设立防控指挥机构、预备队和应急专家组,11 个市应急物资储备均达到了 30 万元的标准。102 个县应急物资达到 10 万元储备标准,94 个县进行了应急队伍培训或演练。

二是基层动物防疫体系进一步完善。专项整治期间,有 86 个县解决了 337 个乡镇畜牧兽医站的办公场所问题,10 个县全额解决了乡镇兽医人员工资;3 个县增加了兽医人员工资。31 个县按要求落实了村级防疫员补贴。全省具有办公场所的乡镇兽医站达到 1 133个,占全省乡镇畜牧兽医站总数的 95%。全省全额解决乡镇兽医人员工资的县达到 93 个,比专项整治前增加 10 个。全省 115 个县设立村级防疫员 22 243 人,落实村级防疫员补贴的县达到了 109 个。

三是政府和部门防控责任更加明确。这次整治行动中进一步明确各级政府和畜牧部门防控责任,各级政府对重大动物疫病防控工作更加重视,对防控工作支持力度明显加强,各级畜牧部门防控措施更加到位,广大养殖场户防疫意识进一步增强,初步形成了良好的工作局面。

【乡镇兽医站建设】 一是第一批扩大内需项目366个乡镇兽医站基础设施建设项目全部完成建设任务，进入验收阶段。二是第三批扩大内需项目244个乡镇兽医站防疫基础设施建设项目完成前期准备，仪器设备进入招标阶段。三是省级动物疫病控制中心项目完成了实验室布局的论证工作，完成部分急需采购的大型仪器设备的招标工作。四是382个乡镇兽医站建设项目完成统一采购的招标工作，对项目单位进行了全面的督察和管理工作。五是2007年8县动物防疫基础设施建设项目完成项目统一采购的招标工作，对项目单位实验室改造工作进行了指导和督察。六是2008年168个乡镇兽医站建设项目进行了项目实施前的准备工作。

【兽药监督管理】 一是全面开展兽药市场专项整治。对辖区内兽药生产企业、经营企业和兽药使用单位进行了全面的专项检查，对兽药生产和经营地集中的太原、运城等地进行了全面排查。二是强化兽药生产企业的监管。4—6月份组织3个组，对全省76个兽药生产企业实施兽药GMP情况进行了全面检查，及时提出了整改要求。三是严厉打击制售假劣兽药的违法行为。开展了春季兽药打假活动，全省共出动执法人员7 326人次，发放宣传资料6万余份，检查兽药生产企业、经营企业、医疗机构及养殖场数量3 339个、整顿重点区域120个，取缔无证经营单位53个，查获假劣兽药产品4 848支(瓶)/1 470千克，货值33.5万元，罚没金额3.14万元。四是加强兽药监督抽检和兽药残留监控。全年完成兽药抽检406批，抽检合格率达89.2%。其中生产企业87批，合格率达97%；抽检合格率较上年提高了4.2个百分点。根据农业部2009年兽药残留监控计划，山西省本年度应承担350批兽药残留监控任务，本辖区残留监控70批。全年实际完成兽药残留监控检测431批，其中农业部监控分4个季度监测358批(包括鸡肉磺胺71批，鸡肉硝基呋喃类代谢物51批，鸡肝地美硝唑/甲硝唑83批，猪肉磺胺类100批，猪肉四环素类53批)，无超标样品检出，结果均符合规定，合格率为100%，完成任务总数的102.3%。五是积极配合农业部兽药企业的GMP认证工作。全省有3个企业通过了认证验收，有10个企业通过了GPM复认证评审。有3个生物制品经营企业，参照有关省GSP标准，通过了省级验收。六是落实了11个市级兽药管理部门工作责任制。建立过错追究制度；建立全省兽药案件举报受理制度和案件督办通报制度，省、市、县三级兽药执法部门向社会公布了举报电话和咨询电话，逐步建立兽药管理的长效机制。此外还开展了广播现场咨询活动，专家现场为农民答疑解难。

【兽医实验室生物安全监管】 一是省级成立了动物病原微生物安全监管工作领导组，省疫控中心成立了安全应急处置小组，专门负责动物病原微生物安全监管工作。二是出台安全监管工作方案，明确安全监管责任。省局下发了《关于进一步加强我省兽医实验室生物安全管理工作的通知》，各市兽医主管部门按照属地管理的原则，与属地各类兽医实验室签署责任书，落实生物安全监管责任。三是组织各市、县及相关单位开展了动物病原微生物菌(毒)种保藏管理自查。四是健全安全监管网络，完成了130个兽医实验室信息管理系统网上填报工作。五是进一步健全完善兽医实验室生物安全事件应急处置预案，做到及时发现安全隐患、及时报告安全事件、及时处置安全事件。

【积极推进追溯体系建设】 2009年，山西省各级动物卫生监督机构积极推进移动智能识读器、SIM卡及票据打印机的配备和发放工作，及时将防疫、检疫、监督等环节相关数据进行录入，并上传到中央数据库，为农业部正确决策提供了科学的依据。省动物卫生监督所督促各县按照农业部的要求，按时保质完成规模养猪场生产防疫信息动态监测点数据上报工作。同时积极指导各级动物卫生监督机构按照农业部的要求完成了二维码动物标识的申请、采购、发放、佩戴工作。各省界公路动物防疫监督检查站和动物屠宰厂驻场检疫监督人员加强了对未佩戴二维码标识动物的执法监管，确保进入流通环节牲畜二维码标识佩戴率达到100%。

【畜产品质量安全监测】 2009年，全省重点加强11个市畜产品例行监测，并制定了详细计划和技术操作要点，完善各项工作规范与制度等。全年共开展监测4次，实际完成抽检畜产品1 378批，超年度计划70批，超额5.4%完成了例行监测任务，涵盖了肉、蛋、奶等主要畜产品。具体为抽检猪肝盐酸克伦特罗628批、鸡肉磺胺类309批、牛奶三聚氰胺441批，检测总体合格率为99.9%。

根据农业部《关于开展2009年农产品质量安全例行监测工作的通知》，太原市、晋中市、阳泉市被列入监测范围，配合农业部畜产品检测中心(青岛)分三次从太原市、晋中市、阳泉市抽检畜产品405批，除第二次检出猪肉1批呋喃唑酮代谢物超标外，第一、三次全部合格，总体合格率为99.8%。国家和省的例行监测结果显示山西省畜产品总体合格率达到99.9%，超过全国平均水平。

为不断提升监测能力和水平，根据农产品质量安全检测的要求，年内先后派出21人次参加中监所、国家饲料中心、农业部畜产品质检中心、国家认监委等举办的检测培训班。全年参加农业部组织的实验室比对试验3次，均取得较好成绩。

根据国家技术监督局实验室资质认定要求，山西省在原有《质量手册》、《程序性文件》、《作业指导书》、《质量纪录》等工作制度基础上进行转版和升级，对26项管理制度、40项程序文件、150项检查测定方法、211项检验纪录进行全面修订更新和完善。8月7日，申报的2 337个产品296个参数通过了省技术监督局计量认证和审查认可。

【加强畜牧投入品监管】

1. 根据2009年饲料质量安全监测计划，山西省超额完成全年饲料质量检测任务，共完成饲料产品抽检947批次，合格率为97.4%，比年初目标提高1.4个百分点。其中，饲料普遍性质量安全抽查180批次，合格率91.1%；饲料中违禁添加物监测175批次，合格率100%；饲料和蛋白饲料原料中三聚氰胺监测209批次，合格率98.6%；反刍动物饲料中牛羊源性成分例行监测163批次，合格率100%。饲料中兽药监测220批次，合格率100%。

2. 兽用生物制品共完成56个批次、近200万瓶的批签发。进一步规范了兽用生物制品管理。

【生鲜乳专项整治】 根据农业部《2009生鲜乳专项整治工作方案》，山西省争取资金，购置了离子色谱仪等仪器设备，派出多名技术人员进行业务培训，在技术和设备上保证了监测工作的正常进行。农业部下达山西省全年监测任务为450批，分三阶段完成。本年度实际完成抽检生鲜乳499批，超额11%完成监测任务。其中，监测生鲜乳收购站346批，为全年计划的115%。生鲜乳运输环节153批，为全年计划的102%。检测项目为三聚氰胺共检499批，合格率100%；硫氰酸钠50批，合格率90%；水解蛋白50批，合格率100%；温度499批，合格率99%。

【草原建设与保护】

1. 草地建设。截止到2009年底，山西省累计种草保留面积达到34万公顷。当年完成草地建设11万公顷，其中人工种草8.13万公顷，改良草地2.87万公顷(围栏封育2.13万公顷)。秸秆加工利用总量达632万吨，其中青贮量305万吨、氨化量达到76万吨、微贮量为66万吨、黄贮量为185万吨。青贮玉米种植面积3.87万公顷。累计落实草原承包面积139.7万公顷，其中：承包到户70.2万公顷、承包到联户69.5万公顷。累计禁牧、轮牧、休牧总面积31.67万公顷，其中：禁牧27.67万公顷、轮牧2万公顷、休牧2万公顷。累计草原围栏面积11万公顷，当年新增1.47万公顷。新增草种田面积430多公顷，草种产量136.5吨。

2. 草地保护。2009年，全省共发生各类草地火灾4起(均为一般〔Ⅳ〕火灾)，受害草地面积259.8公顷，烧毁饲草1 434吨，经济损失约52万元。草地虫害危害面积达40.9万公顷，严重危害面积11.7万公顷，防治7.76万公顷，占严重危害面积的66.4%。草原鼠害危害面积47.4万公顷，其中严重危害面积16万公顷，防治9.73万公顷，占危害总面积的21%、严重危害面积的61%。

3. 草原监测。2009年，农业部下达山西省草地监测任务为100个样地，200个入户调查。全省共完成9市、22县(区)、112个样地、193个样方及2市、2县、6组京津风沙源治理工程生态效益的地面调查，拍摄照片800余张。同时，在全省11市通过访问调查等方式获取草食家畜饲料结构状况，完成了23县及220户补饲情况及草食牲畜数量的统计调查和23县草原生态环境状况调查。

4. 工程项目进展。

一是汾河流域生态修复草地建设工程。根据汾河流域草地生态治理项目总体建设方案，2009年工程项目顺利实施。草地围栏治理项目8个县建设8 667公顷围栏任务基本竣工。草地鼠害防治项目2.87万公顷防治任务，实施地址全部落实，防治方案编制完毕，已开始统一招标采购防治药品。禁牧舍饲标准化养殖小区建设项目13.25万平方米建设任务，已经建设完成2.875万平方米，已开工建设10万平方米，工程建设总体进展顺利。

二是京津风沙源草地治理工程。2009年，完成国家下达山西草地治理任务8 000公顷，其中人工种草933公顷，基本草场567公顷，草种基地500公顷，围栏封育6 000公顷。禁牧舍饲项目中棚舍建设28.62万平方米，饲草机械6 200台(套)。

三是巩固退耕还林成果后续产业工程(畜牧部分)。退耕还林工程建设期从2008年开始至2015年结束，涉及全省76个县，畜牧项目总投资近3.5亿元，主要用于建设牛羊棚圈174万多平方米，每平方米补助标准为200元，项目实施范围包括11个地市的76个退耕还林县(市、区)。其中，2009年按规划批复该项目计划投资2 707.5万元，建设棚圈135 375平方米，共涉及29个县。

四是蓝天碧水助推工程。蓝天碧水助推工程(草地生态建设)是改善山西省生态环境，促进全省经济社会的全面协调可持续发展和农民增收的工程。1—4月份，有关部门对全省的陆地生态表土流失情况、陆地生态表层损害情况(主要为煤矿生产区植被情况)、陆地生态表面植被生长情况及农业面源污染情况进行了实地考察。5月份编写了蓝天碧水助推工程草地生态建设方案，并提交省政府。

【雁门关生态畜牧经济区建设】

1. 畜禽标准化养殖小区建设取得突破性发展。2009年，雁门关区狠抓了以"资源节约、环境友好、质量安全、生态文明、持续高效"为特点的标准化养殖小区建设，使之成为加快畜牧业现代化进程的重要实现形式。2009年雁门关区共建设标准化养殖小区156个，其中，按畜种划分，奶牛养殖小区70个，肉牛养殖小区10个，肉羊养殖小区34个，绒山羊养殖小区15个，生猪养殖小区18个，其他畜种养殖小区9个；按市县分布，大同市养殖小区49个，朔州市养殖小区63个，忻州市养殖小区36个，吕梁市养殖小区8个。共1 600个散养户40万只(头)畜禽入住了小区，实现圈养和规模化、集约化生产，其中96%的养殖小区畜禽存栏和入住养殖户数量达标，生产运行正常；75%的养殖小区已经产生了很好的效益，据测算，入住小区的养殖户比未入住小区的养殖户，每年户均多增收1.5万元。这些养殖小区中有75%分布在新农村，推动了新农村建设步伐，有效改善了人居环境。大量牛羊的舍饲养殖，稳步推进了封山禁牧工程，生态环境明显改善，林草覆盖率明显提高，雁门关区建设进入了一个全新的阶段。

2. 中央财政资金项目建设取得突破性成就。从2008年开始，中央财政给山西省安排现代农业生产发展专项资金1亿元，重点支持玉米优势丰产建设和奶牛标准化养殖小区建设。其中，奶牛标准化养殖小区建设资金4 000万元，全部投入到雁门关生态畜牧经济区，重点建设70个高标准奶牛养殖小区。小区建成运行后，入区奶牛的奶价比散养奶牛奶价每千克提高0.4～0.6元，奶牛单产达到5 230千克，比原来提高23%，基本上达到了奶牛标准化养殖小区建设"三高"的目标，即：高标准起步，高质量建设，高效益运转，基本摆脱了行业危机事件造成的不良影响。

3. 区域综合效益实现新提高。雁门关生态畜牧经济区建设总体上呈现出生态环境明显改善、农民收入持续增长、农村经济快速发展的态势。雁门关生态畜牧经济区23个扶贫开发工作重点实现稳定脱贫，基本达到了小康，2009年区内农民畜牧业纯收入达到1 020元，突破千元大关，比年初制定的目标增加了110元，增收20%，农民收入持续增长。

4. 小区建设催生新标准。2009年，山西省通过对全省特别是雁门关区畜禽存栏量、重点养殖区域分布、养殖小区建设模式和使用现状以及主要技术需求等方面的调查，起草了"畜禽标准化养殖小区建设和管理规程"标准，并最终制定了《山西绒山羊》、《奶牛标准化养殖小区建设管理规程》等8项标准。经山西省质量技术监督局组织相关专家评审后指出：这8项标准具有科学性、适用性、协调性和前瞻性等，其中肉牛、肉羊、绒山羊、生猪、蛋鸡、肉鸡标准化养殖小区建设规程填补了国内空白。标准公告于10月1日起发布并执行，均为推荐性标准。

【畜禽良种繁育】 2009年，山西省以实施生猪、奶牛、蛋鸡良种补贴项目、规模健康养殖项目和扩大内需项目为重点，进一步完善了基层畜禽改良服务体系，强化了畜禽良种工程建设和技术推广力度，全省种畜禽生产能力、质量水平和良种覆盖率进一步提高。全年改良绵羊205.1万只、绒山羊160.5万只，推广三元杂优猪396.2万头，实施标准化安全养鸡110万只；猪、鸡、牛、羊良种覆盖率分别达到84%、96%、48%、45%。

1. 畜禽良种工程建设。一是实施了生猪生产大县奖励项目及国家生猪良种补贴项目，完善生猪良种繁育体系。抓住11个生猪大县的奖励扶持和国家生猪良种补贴项目，设立了一个省级良种猪繁育中心、2个地方猪种资源保护场、9个省级原种猪场和45个重点扩繁场。累计投资1 400余万元，更新良种猪3 000头，且完善了种猪场内的育种测定和人工授精等配套设施。二是推进全省生猪生产规模化发展。利用国家生猪规模养殖场(小区)标准化建设资金，对全省70个规模猪场进行了标准化改造，共投入资金2 400万元，使之基本达到了种猪场的要求，也提高了种猪质量和供种能力。三是对6个种羊场和3个种鸡场进行改扩建。已完成9个种畜禽场的项目选址、建设规划和实施方案的制定工作。

2. 畜禽良种繁育技术推广与培训。一是在平定县召开了全省生猪良种繁育体系建设及新技术推广现场会，推广了平定县在生猪人工授精技术方面先进、实用的成功模式，用典型的示范作用推进全省生猪人工授精技术的推广和普及。二是狠抓了项目培训工作。为落实好生猪调出大县奖励项目及国家畜牧良种补贴项目，组织项目县及项目单位的负责人和技术员150余人进行了培训，为项目的顺利完成打下了良好的基础。三是扩展了畜禽良繁技术培训平台。利用"协会搭台、企业唱戏"的成功模式，创新扩展畜禽良繁技术平台，采用省市结合、市县结合、企业和农户结合、专家和企业结合等多元合作互动机制，先后在太原、吕梁、长治等市举办了健康养猪、养鸡、养牛等系列标准化的畜产品安全生产技术培训班，累计培训各种技术骨干1 200余人次。

3. 地方畜禽遗传资源保护。一是加强了对列入国家级保护名录的晋南牛、马身猪、广灵驴和右玉边鸡4个畜禽品种的保护力度，通过争取国家和省财政资金扶持，使4个国家级保种场核心群数量大幅度提高，分别由上年的50头、40头、150头和1 000只增加到80头、60头、180头和2 000只。其中马身猪保种场和广灵驴保种场被农业部正式挂牌设为国家级资源保种场。二是在历时3年遗传资源调查的基础上，正式出台了《山西省畜禽遗传资源保护名录》，将 20 个地方优质畜禽遗传资源纳入了重点保护范围。三是通过畜禽品种及配套系清理工作。基本摸清了山西黑猪等 9 个鉴定的畜禽品种和配套系情况，并报全国畜禽遗传资源委员会办公室。

4. 种畜禽场管理。一是结合山西实际制定出台了《山西省种畜禽生产经营许可证管理办法》和《山西省农业厅畜禽养殖场、养殖小区规模标准和备案管理办法》两个规范性文件，于 6 月 16 日以文件形式正式印发各市执行，并报省政府法制局备案。二是按照农业部的统一部署，从 3 月 10 日到 5 月 10 日，在全省开展了种畜禽生产经营执法专项检查活动，对已经领取了种畜禽生产经营许可证的单位或个人从 5 个方面进行了规范整顿，吊销取缔了 11 个单位的种畜禽生产经营许可证资质，并对 4 家存在问题的单位给予了限期整改的处理。

（山西省畜牧兽医局　郑晓静）

内蒙古自治区畜牧业

【概况】 2009 年，内蒙古畜牧业始终坚持“绿色、特色、生态、安全、高效”的发展理念，生态效益型畜牧业稳步发展。全区畜牧业产值达到 721.44 亿元，占第一产业产值的比重达到 45.9%。牧业年度全区牲畜养殖总量达到 10 858.5 万头（只），连续 5 年稳定在 1 亿头（只）以上。大小畜良种及改良种牲畜总头数 10 285.4 万头（只），比重为 94.7%。全年肉类、奶类、禽蛋总产量分别达到 234 万吨、903.1 万吨、48.9 万吨，同比分别增长 7.34%、-1.96%、7.47%。内蒙古的传统畜牧业已向生态效益型畜牧业快速转变，并成为我国绿色畜产品生产和加工基地以及北方重要生态屏障。畜牧业综合生产能力位居全国五大牧区之首，已具备了年产 230 万吨肉、45 万吨禽蛋、900 万吨鲜奶、11 万吨毛绒和年稳定总增 5 000 万头（只）牲畜、存栏规模稳定在 1 亿头（只）以上的综合生产能力。牛奶、羊肉、细羊毛、山羊绒等特色畜产品产量继续保持全国第一位。

【扶持生猪生产】 2009 年全区生猪总头数达到 1 261.7万头，比上年增长 7.8%。猪肉产量 68.6 万吨，同比增长 6.06%。为了进一步推进生猪产业的发展，国家和自治区进一步加大对生猪标准化养殖场（小区）建设力度，2009 年投资 3 400 万元，对 136 个年出栏 500 ~ 999 头生猪标准化养殖场（小区）进行扩建。为通辽市科尔沁区、开鲁县和科尔沁左翼中旗生猪调出大旗（县、区）争取国家奖励资金 2 142 万元；同时，自治区财政拿出 500 万元奖励扎赉特旗等 6 个养猪大旗（县）。积极推进能繁母猪保险，全区承保能繁母猪 42.13 万头。通过政策、资金和技术扶持，全区形成了一批上规模、上档次的生猪养殖基地。其中扎赉特旗 2009 年新建 1 000 平方米生猪养殖小区 84 个，5 000平米以上的种猪场 8 个，200 平米以上的规模养猪户 420 处，总投资达 4 亿元。全旗生猪饲养量达 230 万头，排全区第一位，出栏 130 万头，实现销售收入 11.7 亿元，其中纯收入达 1.95 亿元。

【扶持奶牛生产】 按照自治区政府《奶牛标准化规模养殖场建设规划纲要》的要求，进一步加大了对奶牛标准化规模养殖场投入力度，2009 年落实国家奶牛养殖小区建设资金 7 500 万元，改扩建标准化规模养殖场 150 个。2009 年全区奶牛年存栏 100 头以上的规模养殖场为 1 362 个，同比增加 514 个，存栏增加 21.9 万头。全区 100 头以上标准化规模养殖小区（场）奶牛存栏比重为 15.5%，同比提高 7.7 个百分点。全年共承保奶牛 21.47 万头。

【乳产业】 内蒙古乳产业以优化产业结构、全面提高产业素质和竞争力为重点，积极推进标准化、集约化、规模化养殖，奶牛存栏基数稳定扩大，良种化程度不断提高，乳品加工能力不断提升，乳产业在调整中保持稳定发展。2009 年，全区奶牛存栏达到 227.3 万头，同比下降 7.4%，牛奶产量达到 903.1 万吨，同比下降 1.96%。全区共有百万元以上乳品加工企业 110 家，实现销售收入 556.3 亿元，同比增长 18.4%。实现增加值 156.9 亿元，较上年增长 18.2%，实现利润总额16.9 亿元，同比下降 27.2%。伊利集团实现销售收入 243 亿元，较上年增长 13%。蒙牛集团实现销售收入 257 亿元，较上年增长 8%。内蒙古基本形成以呼和浩特市、包头市、呼伦贝尔市三市为优势主产区，全区共同发展的乳业化格局；三市实现销售收入占全区乳产业全部销售收入的 88.8%。

【奶站专项整顿整治工作】 经过一年多的清理整顿，生鲜乳收购站管理步入了常态化、制度化管理。2009 年底全区有生鲜乳收购站 2 684 个，比清理整顿前减少 1 432 个。生鲜乳收购站主体合法化改造进一步加快。截止到年底，生鲜乳收购站发证率达 80%，运输车辆发证 75%。在抓好清理整顿的同时，自治区在出台《内蒙古生鲜乳收购管理办法》的基础上，制定了《内蒙古自治区生鲜乳收购站管理标准》、《内蒙古自治区生鲜乳收购站硬件建设标准》、《内蒙古自治区生鲜乳收购站挤奶操作标准》等三个规范性文件。开通了全国第一家《内蒙古生鲜乳收购站管理信息网》，建立了省级第三方检测机构。生鲜乳收购站监管能力和服务能力有了很大的提升，为规范内蒙古生鲜乳收购秩序、提高生鲜乳质量，恢复消费者信心起到了良好的推动作用。乳业已经基本摆脱“三聚氰胺”的影响，出现全面恢复的好形势。

【肉类产业】 2009 年内蒙古肉产业平稳快速发展。截止到年底，全区销售收入百万元以上肉类加工企业 495 家，实现销售收入 450 亿元，实现增加值 113 亿元。全区肉类加工企业设计加工能力达到 142 万吨。内蒙古肉类加工企业中有上市公司 1 家，国家驰名商标 5 家，国家级龙头企业 8 家，自治区级龙头企业 25 家。肉类企业基本覆盖全区牛、羊、猪、禽生产的优势产业带，对调整农牧业生产结构、转变畜牧业生产方式、增加就业、提升内蒙古肉类的精深加工水平，提升畜产品的科技含量和附加值，增加农牧民的经济收入作出了较大贡献。

【绒毛产业】 2009 年牧业年度，全区山羊饲养量达到 1 752.9 万只，全年生产羊绒 7 375 吨，羊毛 10.2 万吨，分别比上年增长 -3.5% 和 5.9%。2009 年全区绒毛（皮革）产业销售收入百万元以上加工企业 289 家，实现销售收入 327 亿元，同比增长 15.3%。其中，规模以上加工企业 249 家，占企业总数的 86%，实现销售收入 326.3 亿元，占整个产业销售收入的 99.6%。百万元以上企业中羊绒加工企业 214 家，比上年增加了 15 家，实现销售收入 296 亿元，占产业销售收入的 91%，出口创汇 3.3 亿美元。

【种畜禽管理】 内蒙古继先后建立西部奶牛和东部肉牛两个良种繁育中心之后，注重发挥苏尼特、乌珠穆沁等地方良种和澳大利亚细毛羊、多赛特、莎福克、德国美利奴等引进品种的优势，加快原种场和扩繁场建设，生产优质种羊，提高制种能力。到 2009 年底，全区重点种畜场已经发展到 657 个，已具备年稳定生产种公牛 2 000 头，种公羊 16 000 只，牛冷冻精液 200 万粒（支）的制种能力。在提高供种能力的同时，加大人工授精站点建设，全区各地将牛冷配和羊人工授精工作作为提高牲畜质量、改良家畜品种的重要措施予以高度重视，许多地方推广无公牛冷配示范乡、示范旗（县）。全区牛的冷配在 250 万头以上。细毛羊和肉羊主产区实行冬、春羔两季配种等措施，提高了优秀种公羊的利用率，羊人工授精达 1 000 万只以上。牧业年度统计，大小畜良种及改良种畜存栏达 9 112.5 万头（只），良改率达到 94.95%，种公畜基本实现了良种化。

【草原生态保护和建设】 2009 年，在全区普遍遭受严重干旱的情况下，草原建设仍取得了较好成绩。人工种草 160.91 万公顷，草地改良 41.28 万公顷，飞播牧草 9.4 万公顷，草地围栏 187.21 万公顷，青贮总量达到 2 858.5 万吨。为保护草原生态、促进畜牧业发展奠定了良好基础。禁牧休牧轮牧制度稳步推进。经过 10 年的艰苦努力，禁牧休牧已成为各地保护草原生态的自觉行动。全区实行禁牧休牧轮牧规模达到了 5 206.7万公顷，其中：禁牧 1 886.7 万公顷，休牧 2 713.3万公顷，划区轮牧 606 万公顷。草原鼠虫害防治取得明显成效。2009 年草原鼠虫害严重暴发，全区草原鼠害危害面积 808 万公顷，严重危害面积 371.54 万公顷；草原虫害危害面积 887.8 万公顷，严重危害面积 465.65 万公顷。针对严重的草原鼠虫害危害，各地采取有效措施，开展防治工作。共防治鼠害 142.52 万公顷，虫害 200.7 万公顷。防治效果达到 90% 以上。草原法规配套建设取得新进展。在自治区人大、政府的大力支持下，依据《中华人民共和国草原法》、《内蒙古自治区草原管理条例》的规定，制定了《内蒙古自治区草原野生植物采集收购管理办法》、《内蒙古自治区重点保护草原野生植物名录》、《内蒙古自治区征占用草原审核审批程序》、《内蒙古自治区草原野生植物采集收购申请和审核审批程序》等规章和规范性文件，并下发到全区执行。此外，还起草了《内蒙古自治区草原植被恢复费征收管理办法》。草原违法案件查处力度进一步加大。2009 年全区草原违法案件发案总数 20 849 起；立案 20 126 起，立案率为 96.5%；结案 19 853起，结案率为 98.6%，其中构成犯罪移送司法机关处理的案件 38 起；被提起行政诉讼或行政复议的案件 13 起，破坏草原面积 1 万多公顷。基本草原划定工作取得了突破性进展。在全面总结基本草原划定试点经验的基础上，基本草原划定工作在全区全面推开，2009 年对 22 个旗县的基本草原划定工作进行了验收，划定基本草原 3 100 多万公顷。截止到 2009 年底，全区累计已有 5 600 万公顷草原依法划定为基本草原，占全区草原总面积的 63.6%，占划定基本草原旗（县）草原面积的 84.3%，全区基本草原保护“红线”得到依法确立。草原普查工作取得阶段性成果。为摸清全区草原资源家底，准确掌握不同草地牧草种类、盖度、产量动态规律及草地退化沙化程度，按照自治区政府的统一安排部署，对全区草原开展了普查工作。共做调查样地 7 500 余个，描述测产样方 11 400 余个，频度样方 41 120 余个，采集标本 23 000 余份。除赤峰市北部阿鲁科尔沁旗、巴林左旗、巴林右旗、林西县等 4 个旗（县）因旱灾严重，无法正常进行样地样方的描述测产等调查工作外，其余 97 个旗（县）已全部完成外业普查任务。

【草原生态监测工作】 在全区各级草原监测技术人员的共同努力下，结合 MODIS 遥感数据和气象资料编制完成了 5 月和 7 月两期草情监测报告，适时发布了 33 个牧业旗（县）天然草原冷季饲草储量及适宜载畜量的监测通报，并通过媒体向社会公开发布。监测结果显示，天然草原冷季牧草产量与近5年平均数相比，持平的占60.30%，提高的占12.20%，降低的占21.50%。

【饲料质量安全】 为确保饲料安全，2009年初内蒙古及时下发了《关于认真开展饲料行业清理整顿工作的通知》，制定了《内蒙古自治区2009年饲料专项整治行动实施方案》，并两次派督查组对全区12个盟市和重点旗（县）的饲料安全工作进行了全面督查。各地也加大了饲料质量安全督查力度，检查饲料企业4 629个次，检查养殖场户3 157个次，取缔非法企业数121个，查处无证、无号、无标签产品60个，查处违法饲料产品64吨，立案调查违法企业、养殖场户数14个，涉案金额20万多元。进一步加大了饲料安全检测力度，全年共安排检测任务3 170批次，同比增长30%，检测合格率为95%，同比提高3个百分点。对饲料监督检测中4个卫生指标不合格的产品，自治区农牧业厅立即组织有关部门认真进行督办，有效遏制了违规行为。进一步落实了年度备案制度。截止到年底，全区651家饲料和饲料添加剂生产企业，已备案的企业413家，未备案企业199家，要求在年底前完成整改。此外，注销饲料生产企业审查合格证126个，饲料添加剂和添加剂预混合饲料生产企业生产许可证7个。

【兽医体制改革及基层防疫队伍建设】 2009年继续加大对各地兽医管理体制改革的督促检查力度，有力促进了各地改革进程。截止到年底，全区12个盟市和95个旗（县、市、区）完成了本级兽医管理体制改革，成立了兽医局、动物卫生监督所和动物疫病预防控制中心，自治区、盟市和旗（县）三级基本形成了兽医行政管理、监督执法和技术支撑三大工作体系。全区76%的苏木（乡镇）站（通辽市、锡林郭勒盟已全部完成）完成了改革，基层动物防疫机构建设和管理得到了明显加强。动物防疫队伍日趋稳定。2009年，在稳定基层防疫队伍、加强防疫员管理，为保障基层动物防疫员工资待遇等方面做了大量工作，促成了自治区人民政府对基层防疫员工作补助政策的出台。对基层防疫员工作补助的落实，极大地调动了基层防疫人员工作积极性，基层防疫队伍日趋稳定。

【动物卫生监督执法】 严格执行国家和自治区的有关规定，着力加强各项防控和监管措施的落实。一是狠抓活畜特别是奶牛调运的监管。对于猪牛羊等动物，调运前进行口蹄疫等重大动物疫病监测，确保调运动物病原检测阴性，免疫抗体合格。动物到达目的地后，严格实施隔离检疫措施。二是加大了产地、屠宰检疫力度，对于调运、屠宰动物，执法人员在出具检疫证时，认真核实免疫情况、监测情况和日常防疫情况。三是进一步加强监督检查站的建设和管理，加大执法力度，充分发挥消毒和防堵疫情传入传出的作用，防止疫病跨区域传播。四是针对重大节日期间畜禽及其产品大范围流通、消费量增加的特点，进一步加强市场监管，严厉查处违法案件，坚决防止动物疫情通过流通跨区域传播。五是按照《全区推进动物标识及疫病可追溯体系建设实施方案》要求，稳步有序推进动物标识及疫病可追溯体系建设工作。同时，组织开展了全区动物卫生监督执法大检查，对饲养场所、养殖小区、交易市场、屠宰场点、运载工具等重点部位和关键环节进行了全面检查，及时消除了安全隐患。全区产地检疫牛7.6万头、猪19.46万头、羊484.4万只、禽类116万只、其他动物1.53万头（只），检出病害畜禽0.1万头（只）；屠宰检疫猪28.2万头、牛羊30.2万头（只）、禽类72.9万只、其他动物0.33万头（只），检出病害畜禽0.05万头（只）。检出病害畜禽及其产品全部进行了无害化处理。切实维护了公共卫生安全，全年未发生畜产品质量安全事件。

【动物疫病防控】 结合内蒙古实际，制订实施了科学有效的《主要动物疫病免疫方案》，实行散养畜禽春、秋集中免疫与月月补免相结合，规模养殖场常年按程序免疫的做法，扎实有效开展了免疫工作。截止到年底，全区免疫牲畜口蹄疫13 506万头（只）、禽流感11 583.33万羽、高致病性猪蓝耳病1 475.83万头、猪瘟1 418.21万头、A型口蹄疫免疫奶牛371.62万头、肉牛338.45万头，应免密度均达到了100%，免疫记录、补免记录、免疫档案等做到进一步健全和规范，重大动物疫病始终处于稳定控制状态。

【动物疫情监测】 按照《监测方案》要求，及时组织开展定时定点监测和流行病学调查，对检测抗体水平低的畜禽及时补免，对发现的疫情隐患及时消除。重点对A型口蹄疫、种（禽）禽场和活禽市场以及候鸟活动频繁地区高致病性禽流感、养猪集中地区的高致病性猪蓝耳病等重大动物疫情监测，做到科学指导防控工作。全区累计完成重大动物疫病病原学监测43 578头羽份、血清学监测265 340头羽份。还开展了以奶牛、种用牛为主，黄牛、育肥牛为辅的A型口蹄疫监测，共采集血清样品4 092头（只）份，其中奶牛2 998头份，黄牛1 042头份，羊52只份，已全部完成实验室监测工作。

【兽药市场整顿和规范】 加大兽药监管和残留监控力度。以查处非法制售兽药为突破口，依法取缔兽药非法生产、经营窝点，维护兽药生产经营秩序；以严查严办假劣兽药大案要案为关键点，严厉打击制售假劣兽药活动，净化兽药市场，提高兽药合格率；以清查使用假劣兽药和禁用兽药为重点，从源头控制畜产品兽药残留问题。为使全区兽药监督、生产、经营管理人员准确理解、全面掌握、正确运用《兽药管理条例》及其配套规章，建立健全兽药监管的长效机制，提升全区兽药监管的水平和队伍素质，举办了全区兽药执法培训暨兽药监管工作研讨会，对各盟市、计划单列市兽医局分管局长、兽药监督管理机构负责人及兽药监管业务骨干进行了《兽药管理条例》以及相关法律法规、行政处罚、畜产品质量安全和兽药监督管理软件等方面的培训。对包头、呼和浩特、集宁等三个市10个规模化奶站的原料奶进行了抽检，检测三聚氰胺、β－内酰胺酶10个批次，检测结果均为合格；完成兽药抽检任务1 197批次，合格率为85.6%。同时完成兽药报批检验产品165批次，兽药地标升国标检验76批次；完成兽药残留监督检测1 245批次，其中完成农业部下达的对银川例行检测405批次。

（内蒙古自治区农牧业厅　黄　伟　郑凤忠）

辽宁省畜牧业

【概况】 2009年，辽宁省以实施《现代畜牧业推进计划》为主线，稳定发展猪鸡生产，大力发展草食畜禽，以实施好秸秆养畜、畜禽标准化养殖小区建设、畜产品加工企业建设和辽西北沙化草原治理工程为重点，协调发展畜牧业一、二、三产业，全面加强重大动物疫病防控和畜产品质量安全监管工作，确保畜牧业生产安全、畜产品消费安全和草原生态安全，保障畜产品有效供给，畜牧业经济又好又快发展。全省肉、蛋、牛奶产量分别为389.2万吨、263.1万吨、115.6万吨，同比分别增长4.26%、3.5%、7.7%；畜牧业产值1 171.4亿元，增加值473.8亿元。

【畜禽养殖与生产】

1.猪。生猪价格波动明显，养殖效益跌宕起伏。在国家和省生猪扶持政策的有效调控下，除5、6月份生猪养殖处于亏损外，其余月份均赢利，生猪生产继续保持增长势头。全年生猪存栏1 606.2万头，其中可繁母猪存栏218.7万头，同比分别增长1.4%、－1.4%；生猪出栏2 597万头，同比增长4.2%。

2.牛。奶牛生产经历恢复性调整后，进入快速发展轨道，存栏量和牛奶产量稳步增加。以沈阳辉山乳业有限公司为代表的乳制品加工企业，兴建了一大批存栏万头以上的大型养殖基地，对推动全省奶牛生产发展发挥了重要作用。全年奶牛存栏28.9万头，同比增长11.7%。肉牛市场需求有增无减，养殖效益持续高水平运行，全省肉牛生产继续呈现增长势头。全省肉牛存栏232.4万头，出栏270万头，同比分别增长24.4%、6.3%。

3.羊。羊肉市场需求量大，价格持续走高，农户养肉羊积极性高。全省肉羊出栏721万只，同比增长6.6%。尽管羊绒价格一度偏低，但比较效益仍然较高，绒山羊生产基本稳定，全省绒山羊存栏420万只。

4.家禽。在畜禽标准化养殖小区和畜产品加工龙头企业建设扶持政策引导下，全省家禽养殖小区实现了突破性发展，以龙头建基地为主的家禽生产实现了快速发展。截止到年末，全省已建成家禽养殖小区5 300多个。全省家禽存栏3.8亿只，其中蛋鸡存栏2.26亿只，同比分别增长3%、7.6%；家禽出栏6.8亿只，同比增长3.6%。

5.特种养殖。受市场需求拉动，特种养殖生产稳步增长。2009年，貂饲养量183.7万只，狐饲养量173万只，同比分别增长4.4%、10.9%；貉饲养量231.6万只，同比降低5.4%。

【扶持生猪生产】

1.母猪保险。全省参保能繁母猪140万头，理赔死亡能繁母猪31 793头，理赔金额3 179.3万元。初步实现了“降低生猪养殖风险，建立生猪生产健康稳定发展的长效机制，提高抵御灾害能力及农民灾后自救能力”的总体目标。

2.标准化规模养殖。统筹国家发改委生猪标准化养殖小区建设资金、生猪调出大县奖励资金和省畜禽标准化养殖小区建设资金近4亿元，积极推进生猪标准化养殖小区建设。2009年全省新建生猪标准化养殖小区1 868个，生猪标准化养殖小区总数达到5 588个，标准化规模养殖比重达到58%。

3.良种繁育体系建设。国家下达生猪良种补贴资金2 000万元，原有的5个项目县和当年新增的台安、黑山、义县、凌海、北镇、朝阳、北票等7个项目县，共推广人工授精母猪数量达50万头；省财政投入200万元，扶持铁岭顺华原种猪场从丹麦引进种猪149头；省财政投入91万元，为10个种猪场购入种猪405头。“原种场—扩繁场—二元猪场”层次清晰的三级种猪繁育体系不断完善。

4.养殖大县奖励。落实国家生猪调出大县奖励资金11 651万元，对普兰店市等共17个生猪调出大县给予奖励。奖励资金和奖励范围均比上年有所增加，其中北票市为当年新增生猪调出大县。项目资金下达后，全省各级畜牧兽医部门认真按照《辽宁省生猪调出大县奖励资金管理办法》规定，通过加强组织领导，强化项目管理，加强技术推广和生产监测等措施，加强项目资金监管。

【扶持奶牛生产】

1.扶持标准化养殖。统筹国家扶持奶牛标准化规模养殖建设资金和省扶持标准化规模养殖建设资金15 240万元，加快推进奶牛标准化养殖小区建设。2009年全省新建奶牛标准化养殖小区662个，奶牛标准化规模养殖比重达到64%。

2. 生鲜乳收购站监管。省畜牧兽医局先后下发了《辽宁省生鲜乳收购站建设规划》、《生鲜乳收购许可证行政审批办事指南》、《关于进一步规范生鲜乳收购许可证管理工作的通知》和《关于进一步加强生鲜乳收购站建设与管理的通知》等文件，组织开展生鲜乳收购站清理整顿，实施规范化监管。截止到年末，累计取缔不合格生鲜乳收购站点261个，并对合格的364个生鲜乳收购站全部核发了生鲜乳收购许可证。配合有关部门积极落实机械设备购置补贴，共购置设备41台，享受国家补贴资金141万元，惠及生鲜乳收购站15个。经农业部和省局多次对生鲜乳收购站的样品进行三聚氰胺等违禁物质监测，合格率均为100%。

【养殖小区建设】 自2008年省政府在3年内扶持新建畜禽标准化养殖小区7 500个的决定作出后，2009年，全省新建畜禽标准化养殖小区5 370个，使两年总和达到7 583个，提前一年完成了省政府确定的建设任务。全省畜禽标准化养殖小区总数已达到16 027个，标准化规模养殖比重同比提高了8个百分点，达到53%，在全国处于领先水平。

【畜禽良种工程】 辽宁省承担国家第四批扩大内需畜禽良种工程项目5个，中央投入850万元。截止到年末，5个项目已共计完成投资150多万元，完成土建2 540平方米，购置仪器设备30多台(套)。省财政安排良种工程专项资金970万元，支持引种、选育、改良、保种等工作，共计从国外引进种牛11头，引进杜泊肉羊种羊120只；测定种猪4 800多头；向东部山区投放绒山羊种羊384只，冻精29 500剂，改良绒山羊9.2万只；荷包猪、大骨鸡、复州牛、辽宁绒山羊等10个地方畜禽品种得到有效保护。

【良种繁育及推广】 全省存栏种猪10万头，同比增长16%。全年调出种猪2.0万头，同比增长11%。存栏能繁母牛170万头，同比增长9.7%，牛冻精省外销量达26万剂，同比增长5%。存栏祖代蛋鸡5万套，同比增长4.2%，年调出父母代蛋鸡100万套。肉鸡商品代雏自给率达85%，同比提高5个百分点。绒山羊种羊存栏达55万只，同比增长7.3%，年调出绒山羊种羊10万只。

【秸秆养畜】 2009年，全省国家级秸秆养畜示范项目县(市、区)已达28个。省发改委安排专项资金2 500万元，在辽西北地区实施秸秆青(黄)贮壕建设示范工程，择优扶持辽西北三市新建青(黄)贮壕100万立方米。辽西北三市实际新建青(黄)贮壕139.6万立方米，青(黄)贮壕累计保有量达到364.3万立方米，秸秆贮制量197万吨，秸秆饲料化利用总量370万吨，利用率达到45.3%，同比提高14.2个百分点。秸秆饲料化开发利用有效带动了辽西北农区畜牧业的快速发展。2009年辽西北地区牛、羊存栏量分别为180.6万头和290.9万只，同比增长17.4%和27%，牛、羊肉产量分别为24.5万吨和5.4万吨，同比增长17.7%和39.8%。畜牧业产值323亿元，畜牧业增加值138亿元，同比增长25.1%和26.1%。

【饲料业生产】 据统计，2009年全省饲料生产年双班设计能力2 100万吨，饲料产品总产量1 038.3万吨，同比增长15.7%，其中：配合饲料647.1万吨，同比增长18.77%；浓缩饲料369.1万吨，同比增长7.81%；添加剂预混合饲料22.1万吨，同比增加1.2倍。全年实现饲料工业总产值261.1亿元，比上年增长33.1%。饲料行业整体上继续呈上升发展态势：猪饲料、肉禽饲料和反刍饲料市场良好；肉禽配合饲料产量增幅较大，浓缩饲料产量呈平稳发展趋势；受禽蛋价格下降的影响，蛋禽饲料产量下降。配合饲料增幅首次超过浓缩饲料增幅。猪配合饲料99.7万吨，同比增长63.2%；水产配合饲料40.1万吨，同比增长46.4%；反刍动物精料补充料18万吨，同比增长51.3%。蛋禽配合饲料和浓缩饲料产量分别为286.9万吨、108.6万吨，同比分别下降4.4%、6.7%。肉禽配合饲料和浓缩饲料产量分别为187.1万吨、99.9万吨，增长幅度分别为51.5%和13.3%。在配合饲料中，猪料占15.4%，蛋禽料占44.3%，肉禽料占28.9%，水产料占6.2%，反刍动物饲料占2.8%，其他配合饲料占2.4%。在浓缩饲料中，猪料占37.7%，蛋禽料占29.4%，肉禽料占27.1%，反刍动物饲料占3.0%，其他占浓缩饲料的2.8%。

【草原保护与建设】 全省建设人工草地2.5万公顷，累计存草面积为10.66万公顷；种植各类饲料作物27万公顷，同比减少11.2%；改良草地10.39万公顷，同比增长62.8%；新建围栏7万公顷，同比增长440.9%。全省共禁牧72.87万公顷，同比增长6.4%；划区轮牧2.29万公顷，同比减少24.2%。全省完成草原确权合格发证面积33.13万公顷，同比提高30.8%。组织14个市、县站，选取温性草原、温性草甸草原、暖性灌草丛、暖性草丛类、低地草甸草原等5个主要草原类型，完成了137个样地、341个样方的监测任务，开展了228户入户调查，并在彰武、建平2县各建立1个定点监测样地，形成了《2009年辽宁省草原监测报告》。

【兽药生产】 2009年全省新建兽药生产企业2家，截止到年底，全省累计有54家兽药生产企业，全部通过GMP认证，其中生物制品企业1家，化药企业53家；主要产品剂型有冻干粉针、粉针、水针、口服液、粉剂/散剂/预混剂和消毒剂等。兽药生产企业主要集中在沈阳、丹东、大连和锦州等四市，共有43家兽药生产企业，企业数量占全省的79.6%。2009年全省兽药生产总值为4.6亿元。

【兽医国际合作与交流】 2009年，继续实施世界银行高致病性禽流感及人流感大流行防控能力建设项目，辽宁省兽医组参加了项目督导活动和二期项目建议书的编写和修改。对县级以上兽医人员培训3次，培训乡镇级兽医人员2 500人，村级人员16 000人。

【畜牧业科技推广】 据统计，2009年省本级组织实施各级各类科学研究计划项目25个，其中国家级项目4个、省级项目21个，制定地方标准13个，科技经费支出3 088万元；推广畜牧业实用技术9项，取得经济效益10余亿元；举办各类技术培训43期，累计受训人员达6万人；开展各类学术、科普活动，培植技术市场，送科技下乡等活动10余场，现场答疑、指导10万人次，发放技术资料10万余册；取得畜牧业科研推广成果16项，其中两项成果获省政府科技进步二等奖；畜牧业科技贡献率达到了62%。

全省科技推广工作成果明显。一是基础性研究有了新进展。辽育白牛新品种选育通过专家鉴定，成为我国自主选育的第三个肉牛新品种；新丹育黑猪新品系选育进入了中试阶段。二是重大科技项目和关键技术研究取得了新成效。国家"十一五"科技支撑计划项目——"常年长绒型辽宁绒山羊新品系选育扩繁与产业化示范"取得了阶段性成果；辽宁省防控高致病性禽流感等重大动物疫病长效机制建设研究、禽类重大疫病监测技术研究及免疫效果评估等制约产业发展、作用突出的关键共性技术研究取得了显著成效。三是新技术推广实现了新突破。围绕省委、省政府实施的畜禽标准化规模养殖小区建设、畜产品加工业建设、辽西北草原沙化治理工程建设、辽西北地区实施秸秆青（黄）贮壕建设示范工程和无规定动物疫病区建设，大力推广标准化畜禽舍、畜禽标准化养殖综合配套技术、草原生态保护建设、秸秆资源饲料化利用、畜产品安全生产和动物疫病防控等一大批实用技术，并制定了相应技术规范，有力地保障了工程建设项目实施，取得了重大经济社会效益，对推动经济社会发展发挥了一定作用。

【畜产品市场】

1.畜产品价格。一是生猪产品价格。1月份生猪收购价达到13.16元/千克，环比上涨了17.3%。此后，辽宁省生猪价格同全国一样，受甲型H1N1流感等因素影响，持续走低，5月份生猪价格降至9.21元/千克，跌至谷底。6月份以后，生猪价格触底反弹，9月份回升至下半年最高点，达到12.12元/千克，但比年初低7.9%。第四季度以后，生猪价格基本维持稳定，12月份生猪价格达到12.37元/千克，较年初时下降6%，同比持平。二是鸡蛋价格。1—3月份，鸡蛋价格持续下降，3月份降至5.74元/千克，较上年9月份最高价下降20.7%。4月份以后，蛋价结束连续7个月的下跌走势，触底反弹，并呈振荡攀升走势。9月份升至最高点，达到7.38元/千克，为近两年来的最高价。进入10月份，特别是"十一"长假后，市场消费下降，蛋价呈小幅下跌走势，11月份跌至第四季度最低点，达到6.47元/千克，但仍高于3月份价格。12月份，消费增加，蛋价小幅回升，达到6.54元/千克。三是生鲜乳价格。1月份，牛奶收购价达到2.6元/千克。进入3月份，牛奶收购价开始小幅回落，降至2.3～2.4元/千克。生鲜乳收购实行的是优质优价原则，标准化饲养管理水平较高的规模养殖小区（场）生鲜乳收购价较高，最高可达到3.0元/千克，而饲养管理水平较低的散养户生鲜乳收购价较低，一般在2.3～2.4元/千克。

2.畜产品国际贸易。2009年，全省向国外调出牛肉3 000吨，禽肉14.5万吨，禽蛋4万吨，出口创汇额2.3亿美元，同比基本持平。

【畜牧法制建设】 全年省级发放种畜禽生产经营许可证180个，市、县发放1 100余个，全省种畜禽场发证率达到95%以上。全年共开展专项检查110余次，出动执法人员500余人次，检查种畜禽场500余家，对存在问题的种畜禽场下达整改通知81个。通过种畜禽管理执法，规范了种畜禽生产经营活动，维护了广大养殖户的合法权益，为种畜禽业健康发展提供了保障。

【草原法制建设】 4月份组织开展了"草原普法宣传月活动"，各地通过创新宣传形式，丰富宣传内容，增强了广大农牧民懂法和守法意识。2009年各地共上报草原违法案件17起，其中70%为开垦草原案件，30%为破坏草原设施和草原防火案件，立案14起，结案14起；凡是破坏草原设施的，除进行罚款外，还对当事人进行了拘留，有力地打击和震慑了破坏草原的违法行为。

【畜产品安全法制建设】 省政府办公厅下发了《关于进一步加强辽宁省畜产品质量安全监管工作意见的通知》、省畜牧兽医局下发了《关于印发2009—2011年辽宁省市级畜产品质量安全监测体系建设实施意见的通知》等一系列加强畜产品质量安全监管方面文件，就健全组织体系,加强监督执法、抽样监测能力建设提出了具体目标和明确要求。各级畜牧兽医部门大力开展《食品安全法》、《农产品质量安全法》、《乳品质量安全监督管理条例》等法律法规及畜产品安全知识宣传培训,举办各类培训班500多次,培训人员35 000余人,利用媒体宣传报道670多次,发放宣传资料30万余份,在全省营造依法监管、守法经营的浓厚氛围,全省畜产品质量安全法制建设稳步推进。

【兽医管理体制改革】 经过积极争取,在新一轮省、市政府机构改革中,省级畜牧兽医机构得到加强,14个市级畜牧兽医行政机构基本稳定。全省共有乡镇动物卫生监督所682个,其中的653个已经按照"四到位"要求完成建设任务,占全部建设任务的96%;全省聘用村级动物防疫员13 889名,其补贴均在每人每年3 000元以上。对69个县级动物疫病预防控制中心实验室、409个乡镇所和5个省际动物防疫监督检查站实施了改扩建,改造了业务用房,完善了仪器设备、消毒设备等,使基层动物防疫基础设施得到进一步完善。经省教委、省财政厅同意,省畜牧局同辽宁医学院成人教育学院合作,计划用三年时间使全省所有在编在岗的乡镇所工作人员达到大专以上学历。2009年已有600多人参加全国统一的成人考试,录取521名学员入校学习。各地高度重视动物卫生执法队伍的行风建设工作,查处内部监督执法人员违纪违规行为12起,对群众举报或上访反映出的苗头性问题及时调查处理,全年无重大行风事件发生。

【动物卫生执法监督】 2009年,全省1 160个屠宰加工厂(点)已全部派驻了检疫员,实施同步检疫,检疫规范到位,实现了定点管理,责任到人。全省共建立检疫申报点11 937个,产地检疫生猪867.2万头、牛60.0万头、羊142.8万只、禽3.39亿只,产地检疫率有较大提高。屠宰检疫生猪764.6万头、牛羊68.9万头(只)、禽4.0亿只,检出病害及不合格动物、动物产品1.2万头(只)、禽44.2万只,全部进行了无害化处理。7月1—3日,国家疫控中心在黑山县召开全国动物产地检疫工作现场会,推广辽宁省动物产地检疫工作的做法和经验。以常态化、预防性监督和典型案件查处为重点,以打击私屠滥宰和病死猪病害猪肉非法交易和活禽经营市场专项整治行动为载体,加强了规模饲养场、屠宰场、农贸市场等场所的监管。实施各类检查16 164次,出动监督执法人员5.6万人(次),执法车辆7 162台(次)。全省共查处违法案件3 736起,罚款259.2万元,查处违法案件数同比增长13.8%。各省际检查站坚持24小时值班,对过往车辆严格查证验物和消毒。全省共审批外引动物666批次,1 232.57万头(只),查处非法引入动物93起。各检查站共查验、消毒车辆35 999车次,大中动物123.18万头(只),禽类3 987.93万只,动物产品5.17万吨。

【草原执法监督与行政许可】 全省有市级草原监理站(所)13个,其中2个为独立机构,其余为合署办公;县(市)级草原监理站(所)增加到46个,其中13个县级站(所)为独立办公机构,其余为合署办公。各地乡镇动物卫生区域所均明确草原监理工作职能,为全面开展草原监理和执法工作提供了组织保障。

全省草原行政审核审批职能共5项,各项审核审批办事指南和需申报的表证单书已在省政府网站颁布。截止到2009年末,共核发牧草种子经营许可证5个,牧草子生产许可证2个。

【畜禽资源保护】 建立了辽宁绒山羊、复州牛和沿江牛保种基因库,较好地完成了荷包猪、辽宁黑猪等10个地方品种的年度保种任务,部分品种保种数量还有不同程度增长。中华蜜蜂保种核心群已经达到500群,同比增长25%;东北半细毛羊核心群达到500只,同比增长150%。农业部对省豁鹅品种资源保护场、省中华蜜蜂品种资源保护场分别投资150万元和130万元,项目承担单位按批复要求进行了扩建。

【饲料安全监管】 一是健全组织机构。成立了省畜产品安全检测站,为省财政全额拨款事业单位,定编32人,具体负责全省饲料质量安全的监管、案件查处工作。有16个县成立了兽药饲料监察所或执法大队,其余涉农县区饲料监管工作由动物卫生监督所负责。实施了市级检测实验室能力建设项目,为鞍山市、抚顺市、丹东市、锦州市、阜新市、铁岭市、朝阳市7个市每市配备了100万元的检测设备。二是按照饲料执法年各项行动部署,开展专项整治行动,全面推行常态监督与专项监督相结合的巡回检查制度,严厉查处饲料的违法行为。全省共出动执法人员1.2万人次,检查饲料生产企业2 300多家次,检查饲料经营单位1.1万家次,检查养殖场2 320家次,查处案件118件,罚款37.55万元,罚没物品货值69.03万元。三是完善制度建设。出台了《辽宁省畜产品质量安全及投入品检测实验室管理规范(试行)》和《辽宁省畜产品质量安全及投入品检测实验室考核管理办法》,对全省市级检测实验室开展认证工作。经考核,大连市药监所实验室以总分935分位居全省前列,获得A级实验室合格证书;沈阳、抚顺和朝阳获得B级实验室合格证书;其余市获得C级实验室合格证书。四是严格执法检查。在饲料产品质量监控中,全省饲料产品监督抽检共计3 608批次,合格3 357批次,合格率93.04%,省本级监督抽检867批次,合格851批次,合格率98.15%。五是强化培训。制定了年度培训计划,采取定期培训和临时性培训相结合的方法，实施从业人员的定期和不定期培训，全面提高从业人员的整体素质。省、市、县三级共开展培训95场次，培训人员9 600余人次。六是规范行政审批。全省饲料企业的审查工作进一步规范。对1 072家饲料生产企业和116家动物源性饲料生产企业实施年度备案检查，有1 002家饲料生产企业和94家动物源性饲料生产企业符合年度备案条件，有46家饲料生产企业和22动物源性饲料生产企业不符合备案条件，按规定取消其生产合格证。

【兽药质量与药物残留监督管理】 以兽药执法年活动为载体，全面落实各项监管措施，兽药质量安全水平有了较大程度提升。坚持属地管理、分级负责，兽药企业是第一责任人的管理责任制和责任追究制，强化企业安全和责任意识。实施了《辽宁省新兽药临床试验审查委员会章程》、《辽宁省兽药生产企业飞行监督检查程序》，推动和解决新兽药研制临床试验管理问题，促进全省新兽药研制工作深入开展。检打联动，对兽药生产企业开展随机现场检查，从源头上加强对兽药质量的监管，严厉查处各类违法行为。组织实施《兽药质量监督抽检计划》，实行对重点品种抽检、监测抽检和跟踪抽检制度，全年抽检兽药3 437批次，合格率为67.1%。查处兽药案件623件，罚款102万元，罚没物品货值61万元。全省畜产品药物残留监测样品40 304批次，合格40 231批次，合格率99.82%。全年未发生一起畜产品质量安全事件，农业部组织的3次农产品质量安全例行监测结果显示，辽宁受检畜产品样品监测合格率达100%。"瘦肉精"等违禁药物集中监测样品1 000批次，结果亦全部合格。

【发展方式转变及产业结构调整】

1.转变畜牧业增长方式行动计划。2009年全省各级财政用于畜牧业生产的投入高达15亿元，吸引社会投入畜禽标准化养殖小区建设资金80多亿元，新建畜禽标准化养殖小区5 370个。扶持固定资产投资5 000万元以上畜产品加工龙头企业42个。畜牧业合作经济组织发展到3 249个，农民社员有154万余人，带动农民500万余人，社员人均牧业收入14 000元。

2.畜牧行业产业结构布局优化。一是构建省级优势区。按照资源条件好、生产规模大、市场区位优、产业基础强、环境质量佳的原则，通过不断完善产业政策，稳定猪鸡生产，大力发展牛羊鹅等草食畜禽，逐步形成了环渤海生猪优势区、沈大高速公路沿线养鸡优势区、辽宁省界沿线优质肉牛优势区、辽西北优质肉羊优势区、辽宁中部优质奶牛优势区、辽东优质绒山羊优势区和辽北肉鹅优势区七大优势区。2009年，生猪优势区出栏生猪2 302万头，占全省的88.6%；养鸡优势区蛋鸡存栏1.5亿只，占全省的66.2%；肉鸡出栏4.7亿只，占全省的65%；肉牛优势区出栏肉牛265万头，占全省的89.2%；肉羊优势区出栏肉羊740万只，占全省的97.6%；奶牛优势区奶牛存栏28.8万头，占全省的71.9%；绒山羊优势区绒山羊存栏347万只，占全省的82.8%；肉鹅优势区出栏鹅3 600万只，占全省的94.6%。其规模饲养比重不断提高，基地作用突显，畜牧业产业结构布局进一步优化。二是纳入国家畜产品优势区。2009年，农业部公布的《全国优势农产品区域布局规划(2008—2015年)》中，普兰店市等18个县(市、区)被纳入全国生猪优势区域优势县；沈北新区等16个县(市、区)被纳入奶牛优势区域优势县；本溪县等15个县(市)被纳入肉牛优势区域优势县；朝阳县等5个县(市)被纳入肉羊优势区域优势县。全省畜牧业生产区域布局进一步得到优化。三是实施"一县一业"优势主导畜牧产业县建设工程。2009年，，以县为单位，大力发展具有比较优势和发展潜力的畜牧业区域特色主导产业，进一步加快推进畜牧业生产布局区域化的重点县建设工程启动，先期建成重点县29个。其中瓦房店市、苏家屯区、庄河市、北票市、开原市、北镇市和凤城市等7个区(市)为全省肉鸡产业重点县；黑山县、海城市和新民市等3个县(市)为蛋鸡产业重点县；沈北新区、铁岭县和义县等3个县(区)为奶牛产业重点县；昌图县、凌源市、黑山县、法库县和新宾县等5个县(市)为肉牛产业重点县；昌图县、阜新蒙古族自治县、凌海县和绥中县等4个县为生猪产业重点县；盖州市、岫岩县和本溪县等3个县(市)为绒山羊产业重点县；建平县、阜新蒙古族自治县和朝阳县等3个县为肉羊产业重点县；大洼县和台安县等2个县为肉鸭产业重点县；康平县和彰武县等2个县为肉鹅产业重点县。

【畜产品质量安全】

1.行业标准建设。省畜牧兽医局印发了《辽宁省生鲜乳收购站建设规划》，认真执行农业部《生鲜乳收购站标准化管理技术规范》，从建筑布局、基础设施、人员条件等方面规范生鲜乳收购站审批与管理。制定了《辽宁省2009年"瘦肉精"专项整治行动方案》、《辽宁省使用"瘦肉精"等违禁药物违法行为记录管理暂行办法》、《辽宁省畜产品质量安全和动物防疫有奖举报管理暂行办法》，创新思路、多措并举，规范方法和手段。发布实施了《生鲜肉中三聚氰胺的测定》、《生鲜蛋中三聚氰胺的测定》和《生鲜肉、生鲜蛋中三聚氰胺的限量》等3个地方标准。

2.畜产品质量安全认证(有机、绿色、无公害)。省畜牧兽医局相继下发多个文件，统一和规范无公害畜产品认证申报材料、审批程序，认真落实认证与财政补贴项目相结合政策，加大证后监管，加强问题的跟踪督办，全省无公害畜产品认证工作扎实推进。截止到2009年末,共认定无公害畜产品产地468个,产品77个。

【重大动物疫病防控】

1.确保免疫质量。根据农业部《关于做好2009年重大动物疫病免疫工作的通知》要求和全国重大动物疫病防控工作会议精神,辽宁省制定下发了主要动物疫病免疫实施方案和春防、秋防工作通知。对重大动物疫病春、秋季集中免疫工作进行周密部署,坚持"政府保密度,业务部门保质量"的原则,做到应免尽免,不留空当,建立了有效免疫屏障,防止了因免疫不到位引发疫情。坚持规模饲养场严格按免疫规程实施免疫,散养畜禽春、秋两季集中免疫,每月开展补免。全省全面建立了固定补免日制度,以县为单位,每月按期进行补免,按监测计划进行免疫效果评估,有力保证了免疫密度和免疫效果。全省禽流感免疫禽4.9亿只(鸡4.6亿只、鸭2 309万只、鹅1 044万只、其他禽419万只),口蹄疫、猪瘟、蓝耳病免疫猪2 069万头,口蹄疫免疫牛360万头、羊975万只,应免疫动物免疫率达到100%,免疫抗体合格率超过国家规定水平。

2.加强疫情监测。根据国家统一部署,本省制定了动物疫病监测实施方案和流行病学调查实施方案,坚持定点、定时、定量原则开展监测工作,对全省14个市28个流行病学调查点开展定点流行病学调查。2009年全省对70%的监测点进行了调整轮换,对270个目标区域、402个目标饲养场开展定点监测,对76个县进行日常监测。在完成国家监测任务的基础上,省内大幅度增加监测样品数量和监测范围、监测频次。省疫控中心增加了直接采样监测的样品数量,保证了监测工作的科学性,提高了监测结果的可靠性。2009年还针对某些疫情,及时开展了专项应急监测工作,分别监测禽流感和口蹄疫样品16 000份、6 300份,及时对免疫抗体偏低的地区发出预警信息,消除了疫情隐患。全年共监测口蹄疫免疫抗体8.1万份,平均合格率84%;禽流感免疫抗体29.2万份,平均合格率88%;新城疫免疫抗体监测10.7万份,平均合格率93%;猪瘟免疫抗体监测3.8万份,平均合格率85%。病原学监测猪亚洲I型口蹄疫感染抗体3 215份,牛羊FMD3ABC感染抗体监测15 739份,猪口蹄疫病原学监测(PCR)974份,禽流感病原学监测19 267份,鸡新城疫病原学监测7 230份,猪瘟病原学监测3 294份,高致病性猪蓝耳病监测7 324份,按国家规定及时报告监测结果。全年发布9期高致病性禽流感等重大动物疫情预警预报信息,对指导全省防控重大动物疫病工作发挥了重要作用。

3.完善应急机制。不断完善应急预案和相关实施方案,2009年制定了辽宁省防控猪感染甲型H1N1流感实施方案和辽宁省2009年国庆期间重大动物疫病防控应急预案。加强了应急物资储备,组织了对全省各市应急物资储备的督察,各市按照应急预案规定的储备品种和数量进行储备。根据防控工作需要,及时调整应急预备队和专家组,加强应急培训和演练,全省14个市均已经完成了应急演练。10月23日,与省卫生厅在黑山联合举办了全省高致病性禽流感应急演练,来自农业部外经中心、国家动物疫病预防控制中心、世界银行、安徽省以及省内各市共188名代表观摩了演练。省本级直接培训人员400多人。为做好防控猪群感染甲型H1N1流感工作,成立了畜牧兽医系统防控甲型H1N1流感工作领导小组,组建了专家组和预备队,完善了应急工作方案,举办了两期培训班共培训145人,落实了24小时专人值班和领导带班制度。全省加强了动物防疫条件审核,指导养殖场(户)建立健全了防疫制度,采取综合防控措施,定期进行彻底消毒。从4月30日开始在全省开展猪群流感监测和流行病学调查工作,并按农业部要求,从5月1日开始实行日报告制度。为保证国庆期间重大动物疫情稳定,全省在8月份开展了重大动物疫病防控月活动,6月20日至9月30日开展了高致病性猪蓝耳病防控百日会战活动,积极开展疫情监测、排查和强化免疫工作,共强化免疫猪600多万头,有效消除了疫情隐患。

4.强化人畜共患病防控。为继续推进布鲁氏菌病防控工作,在锦州市北镇启动了以推行佩戴乳胶手套给牛羊接产或助产,同时通过科普宣传、科技咨询、科技示范等形式大力宣传普及布病防治知识为核心的2009年布病防控"手套工程"推进仪式,进一步提高全民的布病防控意识和防控技术,保证畜牧业健康发展,保护人民群众身体健康。

【动物标识及疫病可追溯体系建设】 各级动物卫生监督机构认真落实畜禽标识申领、发放和使用政策,积极开展畜禽标识保存和使用监管,充分利用动物疫病追溯网络和设备,报备动物疫病追溯信息,保证了各项动物疫病可追溯建设要求落实到位。全年全省共申领畜禽标识2 828.66万套,报送信息11.18万条。

【无规定动物疫病区建设】 通过不断建设,辽东半岛无规定动物疫病区示范区已具备了检验、诊断各种动物疫病,包括新发病和外来疫病的能力,以及对动物疫情迅速反应、有效扑灭的能力;具备了对动物及其产品生产、加工、储藏、销售、运输等环节实施动物卫生全程、全方位、快速、有效监控的能力,以及对病害动物及其产品及时有效进行无害化处理的能力;具备了对口蹄疫、禽流感、猪瘟、新城疫4种拟消灭疫病及其他主要疫病的疫情监测、分析能力,具备了疫情快报、月报和年报的手段;具备了有效控制疫病传入传出的能力。12月25日,省政府组织召开全省无规定动物疫病区评估认证动员电视电话会议，副省长陈海波和王世伟副秘书长对全省无疫区评估认证工作做出了周密部署。省政府已将无规定动物疫病区评估认证准备工作列入了省政府对市政府的考核内容。

【兽医科技发展概况】 2009年，省畜牧兽医局组织实施动物疫病防控关键技术攻关及新技术推广共20余项，投入科技经费近100万元。集中实施了"高致病性猪蓝耳病防控技术集成示范"、"禽白血病净化关键技术研究"、"辽宁地区鸡新城疫病毒（NDV）流行株的分子流行病学及现代综合防控配套技术的研究"、"禽类重大传染病综合防控技术研究与示范"等项目的技术攻关，重点推广了"猪标准化饲养小区猪瘟净化关键技术示范"、"鸡标准化饲养小区新城疫、大肠杆菌病防控关键技术示范推广"、"高致病性禽流感综合防控新技术示范"、"规模化养猪高致病性猪蓝耳病防控技术集成示范"、"大中型奶牛场布鲁氏菌病及结核病综合防控技术集成推广"等项目，制订了猪瘟野毒株与疫苗株鉴别、辽宁省禽白血病、禽网状内皮细胞增生症、鸡传染性法氏囊病、鸡传染性支气管炎、鸡马立克氏病等6项诊断技术规范的地方标准。开展了农业部生鲜乳生产技术规程全省宣传贯彻、2009辽宁省世界银行禽流感项目培训会、2009全省禽病学术研讨会，举行学术研讨会4场次，常规技术培训20余期。累计受训人员近2万人，发放技术资料2万余册，赠送价值3万余元的注射器、消毒器等物品。科技部下达的国家重点科技攻关计划禽流感第四批专项项目——"高致病性禽流感综合防控新技术研究与示范推广"项目获得省政府科技进步二等奖。

【生态建设与监督管理】

1.牧草种质资源保护。2009年在彰武、义县、昌图、宽甸等4县组织开展了52个优良牧草品种引种观察与评价试验，其中豆科23个，禾本科23个，其他科牧草品种6个。在义县和昌图，选择10个豆科品种和10个禾本科牧草品种进行评价试验；在彰武县围绕草原沙化治理，引入抗逆性强、固沙性能好的18个品种进行观察试验；在宽甸县围绕林下种草养畜，引入耐荫性好、竞争力强的15个牧草品种进行观察试验。试验结果表明，在义县和昌图表现较好的豆科牧草有飞马、阿尔冈金和皇后等苜蓿品种。在宽甸表现较好的牧草品种有胡枝子、黑麦草和杂三叶等。彰武则因旱灾影响而失败。

2.草原鼠害防治。全省共完成草原鼠害防治面积11.75万公顷，其中无鼠害示范区项目区开展C型肉毒素防治面积8.17万公顷，平均防治效果达91%以上。鼠害防控工作为全省挽回牧草损失5.2万吨以上，折合减少经济损失1 000多万元。在取得经济效益的同时，有效遏制了草原沙化、退化，对维护草原生态安全发挥了重要作用。

3.草原虫害防治。全省全年草原鼠虫害发生面积58.67万公顷，其中严重危害面积28.67万公顷，组织各地开展鼠虫害防治面积36.4万公顷，占发生面积的50.44%，超额完成了国家下达的26.67万公顷防治任务。采购C型肉毒杀鼠素20万毫升、生物杀虫药剂27.4吨，4月末前及时拨付到位，全省鼠虫害生物防治面积达到40%，实现了草原鼠虫害的可持续性、生态化控制。

4.草原防火。全年核查处理了国家卫星监测的17批次121个火点信息，全省实发草原火警9起，过火面积115公顷。由于各地防范措施得力，年内没有大的草原火灾。以"草原普法宣传月"为契机，专门制作了《草原防火条例》广播录音，组织各地开展宣传活动70余次，出动宣传车300多台次，发放《草原防火条例》1 000册，宣传单5万多份，为实现群防群控营造了良好地社会环境。修订出台了《辽宁省草原防火应急预案》，规范建立了草原火灾综合应急管理体系，制定了《草原火灾值班报告制度》、《草原火灾信息发布制度》等五项管理制度，实现了草原防火各项工作的制度化管理。在草原防火期内实行24小时严密监控。各地在"两会"、"清明"、"五一"、"十一"等重要时段，加强监测预警，严格控制野外用火，开展联防联控，消除火灾隐患。

5.畜牧业生产环境治理。2009年省财政投入1 000万元，在抚顺、本溪和辽阳三市水源地周边，继续开展畜牧业清洁生产示范项目。同时，结合畜禽标准化养殖小区建设工程，积极推进畜禽清洁化健康养殖，在所有畜禽标准化养殖小区中推广"四改两分再利用"粪污治理模式。中央财政扶持规模养殖项目资金也重点用于清洁化健康养殖。截止到年末，全省畜禽标准化养殖小区都配套建设了堆粪场、贮粪池、化粪池等粪污处理设施，基本实现了清洁化生产。

（辽宁省畜牧兽医局）

吉林省畜牧业

【概况】 2009年，在各项强牧惠牧政策和三年攻坚战略的强力推动下，吉林省畜牧业经济克服了国际金融危机、甲型H1N1流感疫情和畜产品出口受阻等不利因素影响，实现持续健康快速发展。据畜牧行业统计，全省肉蛋奶总产量分别达到226.2万吨、98.6万吨和44.5万吨，比上年增长4.34%、13.2%和11.98%。蜜蜂饲养量31.21万群，比上年增长17.8%。林蛙出栏13.23亿只，比上年增长15%。全省畜禽养殖业产值实现825.5亿元，农民人均牧业纯收入达到1 633.5元，比上年增长10%。

【畜禽养殖效益】 按全年平均价格计算，出栏1头育肥猪可赢利170元，出栏1头育肥牛可赢利540元，出栏1只育肥羊可赢利114元，出栏1只肉鸡可赢利2.1元，出售1千克鸡蛋可赢利0.58元，1只蛋鸡1个养殖周期可赢利10元左右。饲养1头年产4.5吨牛奶的奶牛可赢利3 000元左右。

【牧业产业园区建设】 围绕省政府确定的生猪、肉牛、奶牛和家禽等15大产业园区，在组织产业调研和专家论证的基础上，研究制定了《省级牧业产业园区建设规划》，并经省政府正式批复实施。生猪产业重点围绕华正、金锣、四海等龙头企业，建设长春市千万头生猪产业园区；围绕德利斯、宏润等龙头企业，建设吉林市500万头生猪产业园区；围绕红嘴、高金等龙头企业，建设四平市千万头生猪产业园区；围绕百佳、万家福等龙头企业，建设白山市、通化市500万头生猪产业园区；围绕高金、联润等龙头企业，建设松原市500万头生猪产业园区。肉牛产业重点围绕皓月公司，建设长春市百万头优质肉牛产业园区；围绕天福公司，建设白城市以草原红牛和乳肉兼用型牛为主的肉牛产业园区；围绕犇福公司，建设以延黄牛为主的延边肉牛产业园区。奶牛产业重点围绕广泽公司，建设长春市45万吨乳品产业园区；围绕娃哈哈、隆迪和敦化美丽健等龙头企业，建设吉林市、延边自治州35万吨乳品产业园区；围绕新源牧业，建设松原市20万吨乳品产业园区；围绕龙丹、飞鹤等龙头企业，建设白城市35万吨乳品产业园区。家禽产业重点围绕德大、鸿大、曙光、德莱鹅业、舒兰福润、龙潭九江潮等龙头企业，建设长春市、吉林市3亿只肉鸡、肉鹅产业园区；围绕金翼、鹏翔、大志、成达、昌源等龙头企业，建设辽源市、四平市1.5亿只肉鸡、蛋鸡产业园区；围绕卓越、正方、康华等龙头企业，建设通化市2亿只肉鸡、鹅鸭产业园区。国家投入吉林省生猪、奶牛标准化规模养殖专项资金6 200万元，有近5 000万元安排在省级牧业产业园区。省里投入的1亿元标准化规模养殖扶持资金，有90%用于省级牧业产业园区建设。各地在抓好省级15大牧业产业园区建设的基础上，结合区域牧业经济发展实际，配套建设子园区27个，鹿兔蜂等特色产业园区7个。如长春市规划以农安康大为中心，建设1 000万只肉兔产业园区。延边州规划以汪氏蜜蜂园、敦化宝利祥蜂业为中心，建设万吨有机蜂产品产业园区。

【规模化标准化饲养】 省政府明确，从2009年起，每年投入1亿元资金，连续投入4年，每年扶持建设1 000个省级标准化规模养殖小区。长春市明确每年安排4 000万元专项资金，连续投入4年，每年支持400个健康畜禽养殖小区建设。洮南市决定每年投入500万元资金，支持规模化标准化建设。扶余县明确，每新建1个标准化牧业小区，补贴10万元。通榆县把扶贫资金、农业产业化资金、退耕还林生态建设资金进行整合，每年投入1 000万元专项资金，重点支持规模化标准化建设。全省累计投入规模化标准化建设资金25.5亿元，其中国家和省级投入1.52亿元，市县政府投入7 000万元，社会资本投入23.28亿元，全年建设标准化规模养殖场（小区）3 050个，其中新建2 050个，改扩建1 000个。全省标准化规模畜禽养殖场（小区）发展到5 652个，规模化饲养比重达到65%，比上年提高7个百分点。

【畜牧业融资机制创新】 中国农业银行决定把吉林省作为金融服务"三农"试点省，4月14日，在吉林组建了全国首家畜牧业贷款中心。省政府与中国农业银行签署了金融服务战略合作协议，农总行承诺5年内支持牧业发展的信贷规模不低于400亿元。贷款中心成立后，省农行组建了独立的组织机构，在市州分行和县域支行设立了畜牧业客户部，标志着吉林省诞生了为畜牧业发展提供专项金融服务的新型金融部门和金融产品。省农行畜牧业贷款中心全年向畜牧业放贷18.2亿元，比上年增加14.12亿元。省政府投入1 000万元资金，支持精气神等3家企业组建畜牧业专业担保公司试点工作，进展顺利。梨树红嘴、辉南卓越、永吉精气神、吉林信诚、梅河口嘉信、白城天福、东辽天翼、乾安博金、吉林兴园、梨树富邦、延边林合、九台中小企业和吉林荣桦等13家畜牧业担保公司正式成立，初步形成了"贷款中心＋担保公司＋合作经济组织＋养殖场户"的良性资金循环链条，为三年攻坚战的深入实施，提供了强有力的资金保障。全省累计投入畜牧业贷款资金88.2亿元，比上年增长10%。

【畜禽良种繁育体系建设】 全省累计投入畜禽良种繁育体系建设资金近6亿元，比上年增加7 000万元。其中省财政投入3 000万元，争取国家资金2 905万元，地方配套、企业和养殖户自筹资金5.4亿元。从国外引进祖代肉种鸡4.76万套、SPF种蛋1.23万枚、伊拉种兔3 456只。长春新牧科技有限公司、延边家畜繁育改良工作站和四平市种牛冷冻精液站3家单位，首次入选全国肉牛良种补贴项目。经农业部组织专家综合评选，省内93头种公牛被评为外貌等级特级，占全国种公牛总数的16.5%。全年新建种畜禽场53个，累计发展到270个。全省生猪、肉牛、奶牛、肉羊、肉鸡和蛋鸡良种覆盖率分别达到93%、92%、68%、73%、96%和92%。

【畜产品加工业发展】 省、市、县三级畜牧部门分别建立了畜产品加工龙头企业联系人制度，切实加强对企业的指导、协调和服务。通过招商引资，全年引进牧业产业化项目27个,计划总投资67.8亿元,实际完成投资15亿元。全省规模以上畜产品加工企业发展到128个,设计屠宰加工能力9亿头(只)。皓月公司屠宰加工肉牛45万头,实现销售收入60亿元,比上年增长43%;华正公司屠宰加工生猪75万头,实现销售收入12亿元,比上年增长35%;广泽乳业公司加工鲜奶10万吨,实现销售收入5亿元,比上年增长30%;金翼公司加工鲜蛋2.5万吨,实现销售收入5 000万元,比上年增长100%。全省新建成投产规模以上畜产品加工企业14家,其中生猪企业3家,即扶余联润、蛟河得利斯和磐石宏润,新增加工能力520万头。肉鸡企业4家,即德惠辽丰、宝源丰、佳腾和延边众达禽业,新增加工能力1.15亿只。鸭鹅企业1家,即四平光明禽业,新增加工能力600万只。乳制品企业3家,即镇赉飞鹤、敦化美丽健和吉林娃哈哈,新增加工能力16万吨。禽蛋制品企业1家,即吉林市农家庄园,新增加工能力1 500吨。肉兔企业2家,即农安康大和梅河口东林,新增加工能力1 100万只。全省畜产品加工企业发展到633个,设计屠宰加工能力达到9.4亿头(只),比上年增长30.6%;实际屠宰加工3.14亿头(只),比上年增长1.29%;实现销售收入650亿元,比上年增长6.6%。

【牧业合作经济组织建设】 组织省内大型种猪场、规模养殖场(户)、省内外生猪经纪人、屠宰加工企业和有关专家,组建了横跨全省的吉林省吉发生猪产销专业合作社。合作社先后与北京、浙江两省市达成生猪产销合作意向。农交会期间,省政府分别与北京市和浙江省政府签订了生猪及生猪和玉米产销战略合作备忘录,明确3年内每年供应北京、浙江生猪200万头。全省各类牧业合作经济组织发展到2 196个,同比增长22%,辐射带动10万多个入社养殖户发展规模养殖业。弓棚镇生猪运输合作社闻名全国,每天外运生猪3 000多头,产品远销香港特区、漠河等地。四平红嘴集团在国内率先建立"公司+合作社+农户"的发展模式,采取集团出资、合作经营、利益共享的合作机制,入社会员享受"统一购入仔猪、统一饲料、统一防疫、统一科学管理、统一出售、统一保险"的优惠政策,增强了养殖户抵御市场风险的综合能力。全省生猪、肉牛、肉羊和肉鸡外销量分别达到974万头、179万头、147万头和1.5亿只,比上年增长9.42%、7.79%、5%和6.39%。

【草原保护建设】 争取并落实国家草原防火和鼠虫害防治资金1 040万元,重点加强基层基础设施和应急防控体系建设。累计建设边境草原防火隔离带160千米,有效阻隔了境外火情传入。建成草原防火应急物资储备库9个,其中省级1个,市州级4个,县级4个,草原防火应急物资基本储备到位,综合防控能力和水平得到明显提升。全年累计开展草原火灾隐患排查69次,排除火灾隐患55起。妥善处置了通榆、长岭、前郭、乾安四县交界处草原火灾1起,受到农业部、省政府和基层干部群众的一致好评。针对草地螟、草原蝗虫灾害多发的形势,组织开展牧鸡灭蝗0.67万公顷,生物技术防治8.3万公顷。全年开展草原鼠害防治面积35.6万公顷。全省草原植被综合覆盖度达到75%,比上年提高10个百分点。

【粗饲料开发】 前郭、洮南、九台、吉林船营区等4个县(区)被列为国家级秸秆养畜示范县。全省累计投入粗饲料开发专项资金2.3亿元,建成永久性青黄贮窖(壕)、氨化窖(池)18万个,购置加工机械8.34万台(套),累计保留容积781.3万立方米。全省秸秆饲料加工企业发展到100个,青贮专用玉米种植面积达到22.6万公顷,利用秸秆饲料养畜的规模饲养场达到2 700个,规模饲养户达到1.1万个,年生产加工秸秆饲料2 074.6万吨,秸秆饲料化利用率达到30%以上。

【饲料工业发展】 全年新上工业饲料生产企业26家,新增加工能力39万吨,全省累计发展到486家,设计加工能力达到620万吨。通过兼并、整合和重组,建成10万吨以上规模饲料生产企业15家。缘于发展环境和发展基础吸引,世界维生素之王的荷兰帝斯曼公司、四川新希望、通威集团、山东六和、辽宁禾丰等国内外大中型饲料加工企业,先后进入吉林省进行战略性布点,抢占发展新空间。长春大成公司年产氨基酸40多万吨,占世界总产量的70%,被评为全国50强饲料企业。全省工业饲料产量达到425.2万吨,实现产值107.3亿元,分别比上年增长7.8%和8.7%。

【畜产品质量安全】 一是饲料市场专项整治,全省共出动执法人员3 388人次,累计检查475个饲料生产企业、3 012个饲料经营门市部和1 158个规模养殖场(户),依法查处取缔6家违法企业,查封29吨违法饲料产品。二是兽药市场专项整治,全省共出动执法人员4 300人次,开展兽药市场整治200多次,累计检查兽药经营业户、动物诊疗机构及养殖场4 200多个,吊销兽药经营许可证17个,取缔无证生产、经营企业33个。全年开展饲料质量检测2 500批次,兽药质量检测772批次,开展无公害畜产品产地认定56个、无公害畜产品质量认证58个,较好地实施了源头防控,畜产品质量安全水平明显提升。

【标准化奶站建设】 按照国家有关要求,结合全省奶业经济发展实际,研究制定了《吉林省生鲜乳收购站建设暂行标准》。通过自查、督导检查和现场指导等方式，深入开展奶站专项清理整顿行动，全省共取缔非法生鲜乳收购站 38 个，自行关闭 124 个，主体合法化改造 197 个，全省生鲜乳收购机械化站发展到 302 个。全面开展了生鲜乳收购许可证、准运证和交接单核发工作，全省共核发生鲜乳收购许可证 302 个，核发率达到 100%。建立健全生鲜乳质量安全监管机制，对奶牛饲养、饲料加工、生鲜乳收购及运输等环节实施全程监管，累计组织开展生鲜乳质量抽检 274 批次，超额 4 批次完成国家抽检计划，合格率达到 100%。

【重大动物疫病防控】 在国内外动物疫情复杂多变的严峻形势下，全省各级动物防检疫部门分兵把口，全程布控，在建立健全长效防控机制和构建产业发展安全屏障上实现新突破。全省累计投入动物防疫资金 7 853.6万元，争取国家基层动物防疫工作补贴经费 1 800万元，较好地保障了动物防检疫工作的正常开展。春秋动物防疫工作扎实推进，禽流感、口蹄疫和高致病性猪蓝耳病等重大动物疫病免疫率达到 100%，畜禽产地检疫率和屠宰检疫率达到 100%。争取国家动物防疫体系建设资金，首次为 44 个县（市、区）动物卫生监督机构和 12 个动物疫情监测县配备了 130 台动物防疫专用车和相关仪器设备。以省政府文件下发了《关于进一步加强布鲁氏菌病防治工作的通知》，明确扑杀补贴标准按市场价格 80% 核算，取消了定额限价政策。首次落实 230 万元布鲁氏菌病、结核病监测经费，"两病"监测数量比上年增加 8.2 倍，扑杀阳性畜 705 头（只），比上年增长 55%。动物标识及疫病可追溯体系建设稳步推进，全省猪、牛、羊耳标佩戴率分别达到 88.9%、80.3% 和 87.1%，外调牲畜耳标佩戴率达到 100%。按照国家要求，上传牲畜耳标信息 310.4 万条，比上年增加 32 倍，位居全国前列。汇集院士、高校教授、科研专家和一线防控专家 65 人，在全国率先成立了"全省动物防疫专家委员会"，动物防疫科技支撑能力得到不断增强。圆满完成了执业兽医资格考试试点工作，全省应试考生 4 325 人，有 1 201 人获得执业兽医资格，1 名考生总成绩名列全国第一。经农业部考核，宣布吉林省消灭了马传贫。全省防疫形势保持稳定，连续 6 年无重大动物疫情发生。

【新闻宣传】 3 月 16 日，中央电视台新闻联播栏目第二条，以粮食大省——吉林打造畜牧业发展新名片为题，对吉林省启动实施三年攻坚战情况进行了专题宣传报道。4 月 15 日，中央电视台新闻联播栏目再次对吉林省组建全国首家畜牧业贷款中心进行专题报道。中央电视台第七频道，先后两次对精气神山黑猪和长白山黑牛发展情况进行专题报道。在《吉林日报》、《中国县域经济报》头版头条发表宣传文章 2 篇，在《人民日报》、《光明日报》、《农民日报》2 版头条发表宣传文章 3 篇。在吉林新闻联播、吉林广播电台发布专题报道 10 多条。在中央政府门户网站、中国之声和中央人民广播电台等 13 家新闻媒体发布相关专题报道 10 余条。通过宣传，在全省上下统一了思想，形成了共识，极大地提升了吉林牧业产业知名度。

【政行风建设】 在全系统深入开展了"强素质、增信心、作表率"和科学发展观"回头看"活动，研究制定了《转变部门作风服务攻坚战若干规定》，充分利用政行风热线、公开监督电话、信访举报等多种形式，畅通群众反映问题的渠道，对群众反映的突出问题进行重点督办。组织参加政行风热线直播节目 2 期，对群众反映的 15 个问题，做到件件有答复。通过网上公开审批项目及相关信息，增强审批透明度。在保证审批质量的前提下，坚持法定时限与实际情况相结合，不断缩短审批时限。省畜牧业管理局 9 项限时办结审批项目，有 7 项不同程度地缩短了审批时限，占此类项目的 77%。7 个项目共计缩短审批时限 36 天，平均每个项目缩短审批时限 5.1 天。全年受理各类审批项目 245 件，办结 208 件，提前办结率达到 100%，群众满意率达 100%。在民主评议软环境和政行风工作中，省局综合满意率达到 99.78%。

（吉林省畜牧业管理局　朱恒义）

黑龙江省畜牧业

【概况】 2009 年，黑龙江省畜牧业总体呈稳定发展态势，产业规模持续扩大，动物疫情保持稳定，畜产品质量与牧业产值稳步提升，产业优势地位更加坚固。全省肉、蛋、牛奶产量分别为 187.6 万吨、101.9 万吨和 528.7 万吨，同比分别增长 10.7%、8.8% 和 4%；畜牧业产值达到 870 亿元；规模以上畜产品加工业实现产值 224 亿元；饲料工业实现产值 175 亿元，同比增长 12%；畜牧业转化粮食 1 400 万吨，实现增值效益 70 亿元；转移农村富余劳动力 210 万人；农村居民人均牧业纯收入达到 910 元。

【畜禽养殖与生产】

1. 奶牛生产。上半年奶牛养殖效益大幅下滑，奶价在年中附近一度跌破 2 元大关。下半年，随着牛奶价格季节性变化以及政策扶持力度的不断加大，奶业下滑的总体趋势有所扭转，价格、效益稳步回升，饲养一头单产 5 吨的奶牛从亏损近千元恢复到赢利 1 000 元左右。全省奶牛存栏 197 万头，同比增长 40.6%。

2. 生猪生产。随着市场供求关系发生变化，生猪从 2008 年底开始一路下滑，但由于省政府及时出台一系列扶持政策，生猪价格从 2009 年 6 月底开始恢复。

12 月底猪粮比价从 6 月初的 6.1: 1 上升至目前的 8.3: 1,出栏一头 100 千克的肥猪平均赢利 200 元以上。全省生猪存栏 1 356.7 万头,同比增长 5.5%;出栏 1 512.6 万头,同比增长 12.5%。

3. 肉牛肉羊生产。牛羊肉市场行情比较稳。饲养一头肉牛育肥期 4 个月,平均利润为 500 元左右,饲养一只肉羊育肥期 8 个月,净利润为 120 元左右。全年肉牛、肉羊出栏分别达 237.9 万头和 702.4 万只,同比增长 12.9% 和 10.6%。

4. 家禽生产。蛋鸡效益波动起伏,在盈亏平衡点徘徊;肉鸡养殖效益较好,平均利润为 3.44 元/只左右。全省家禽存栏 1.3 亿只,同比增长 1.3%,出栏1.7 亿只,同比增长 5.9%。

【发展政策】

1. 扶持生猪生产。一是良种补贴项目。在 2008 年巴彦县等 5 个县的基础上,又增加了宁安市等 7 个县(市、区)。二是能繁母猪保险。全年能繁母猪承保 137.2 万头,总计保费 8 232.6 万元;承保能繁母猪死亡 7.8 万头,赔付 8 225 万元。三是标准化规模场项目。改扩建生猪标准化规模养殖场(小区)238 个。四是生猪调出大县奖励。对望奎、巴彦、肇东、讷河等 10 个调出大县奖励资金 5 366 万元。五是省繁育体系建设项目。向省内 82 个相关繁育站点发放项目专用车 82 辆、显微镜 82 台、液氮罐(30 升)246 个。

2. 扶持奶牛生产。一是良种补贴项目。全省 82 个项目县的荷斯坦奶牛冻精补贴,共计补贴能繁母牛 122.6 万头,使用优质冻精 245.2 万剂。二是奶牛保险项目。2009 年奶牛承保 6.5 万头,总计保费 1 994.4 万元。三是标准化规模场项目,经过专家评审最终确定改扩建 80 个标准化规模养殖小区(场),主要支持养殖场(小区)内的水、电、路、粪污处理,防疫、挤奶等配套设施购买及饲料基地建设。四是奶站补贴项目。购置挤奶机 678 套,补贴 52 685 个奶站,补贴额度 2 639.1万元,为全省标准化奶站建设奠定了基础。五是省级推进奶业发展项目。省财政投入 2 440 万元,补贴购置青贮机械 767 台,新建永久性青贮窖 81.75 万立方米;投入 489.6 万元补贴购置 TMR 饲料制备机 68 台(套)。六是利用世界银行贷款奶牛群体改良(DHI)项目。项目累计使用世行贷款 2 330 万元,参测奶牛已达 4.8 万头。

3. 其他政策。一是国家动物防疫体系建设。投入 2 648 万元用于 38 个县级动物防疫基础设施改建和 23 个新建乡镇兽医站项目。二是省级基层动物防疫体系项目。落实资金 2 077 万元,主要包括:防疫员培训 347 万元,畜禽交易市场防疫基础设施建设 500 万元,良种繁育体系 1 230 万元。三是绵羊良种补贴项目。黑龙江省是国家绵羊良种补贴项目 10 个试点省之一,有 8 个县纳入绵羊良种补贴项目县。

4. "两个千万"工程。即《黑龙江省千万吨奶战略工程规划》和《黑龙江省五千万头生猪规模化养殖战略工程规划》。2009 年省级财政投入资金 7 000 万元,用于"两个千万"工程规模场建设供贷款贴息。全省新建、改(扩)建 2 000 头以上生猪规模场 1 114 个,150 头以上奶牛规模场 403 个,奶牛和生猪专业户以上规模养殖比重已分别达到 74% 和 77%。在两个工程的推动下,"南猪北养"、"北猪南运"已成为生猪产业的发展趋势。

【饲料业生产】 全省饲料产量达到 630 万吨,同比增长 5%;饲料工业实现产值 175 亿元,同比增长 12%。从饲料产品类别看,配合饲料及精料补充料 315 万吨,同比增长 6.4%,浓缩饲料 290 万吨,同比下降 3.5%,添加剂及预混合饲料 25 万吨,同比基本持平;从饲料产品用途上看,猪料增长 10.7%,蛋禽料增长 7% 左右,肉禽料及反刍动物饲料下降 5% 左右。同时,产品结构也进一步得到优化,配合饲料、浓缩饲料、添加剂预混料比例由上年的 49: 47: 4 调整为 53: 44: 3。

【畜牧业技术推广】 一是积极推广生态养猪技术。先后选定 20 个试点,饲养生猪 2 万头,实现了排泄物无害化处理率和资源化利用率 100% 以及粪污"零排放"。二是选择 10 个存栏 300 头以上的规模化奶牛场,每场免费供应 100 吨甜菜粕进行饲喂试验,为大面积推广提供科学依据。三是创新服务模式。省畜牧兽医局开展"走村进户"活动,先后深入到 20 个县(市)近百个村屯开展技术服务活动,共培训 2 000 余人次,现场解决技术问题近千个,发放各类资料万余份、专家联系卡 5 000 余张;"畜牧通"专家全年共接电话 1 300 多个,服务近 2 000 分钟;多层次举办应用技术等各类培训班,大力推广先进实用技术。

【草原保护与建设】 全年共改良建设草原逾 16 万公顷,比上年增加 0.67 万公顷。其中人工种草逾 6 万公顷,浅翻轻耙、松土补播、振动深松改良草地 10 万公顷。防治草原虫害逾 13 万公顷,防治草原鼠害 12 万公顷,草原禁牧面积 190 万公顷;全年仅发生草原火警和一般草原火灾 7 次,过火面积 81.1 公顷,无重、特大草原火灾发生。禁牧区植被状况得到良好恢复,哈大高速公路两侧的"三化"草原碱斑面积减少 70% 以上,牧草产量平均提高 60 千克。

【良种繁育及推广】 家畜繁改工作继续推进,全年完成奶牛冻配改良 112 万头,肉牛冻配改良 120 万头,奶牛、生猪和蛋鸡的良种率基本达到 100%,肉牛也已达 65%。省胚胎移植技术开发中心全年完成 24 头次供体牛的超数排卵，采集胚胎 100 枚，移植胚胎 69 枚，受胎 35 头。中心牛存栏已达 310 头，种子母牛核心群也已初步建立。中心移植的一批德系西门塔尔（弗莱维赫）牛胚胎也于 4 月份陆续分娩，填补了黑龙江省兼用品种牛的空白。此外，全省猪联合育种体系初步建立。

【畜牧法制建设】 贯彻实施《中华人民共和国畜牧法》。6—8 月期间进行了全省《畜牧法》执法检查；在 9 月 2 日的省政府第 29 次常务会议上顺利通过了《黑龙江省种畜禽生产经营许可证管理办法》，并以省政府第 14 号令公布施行。全年共检查验收省级种畜禽场 35 个，其中合格审批发证种畜禽场 23 个。审核从国外进口种马 35 匹、种鸡 6 万套、种公牛 24 头、种奶牛 1.78 万头、奶牛冷冻精液 13.8 万剂。

贯彻实施《乳品质量安全监督管理条例》。对 240 个批次生鲜乳质量进行飞行检查，对 900 个批次生鲜乳分别进行质量监测和违禁添加物专项监测；奶站标准化建设和主体转换得到大力推进，到 2009 年末，奶站由上年末的 3 820 个减少到 2 896 个，持有生鲜乳收购许可证的奶站比例由 33% 提高到 61.4%。

【兽医管理体制改革】 全省 13 个市（地）中有 8 个市（地）完成了兽医行政管理机构、行政执法机构、技术支持体系、畜牧技术支撑体系的改革工作。63 个县（市）中有 35 个县（市）完成了兽医行政管理机构的改革工作；63 个县（市）中有 28 个县（市）的兽医行政执法机构、技术支持体系、畜牧技术支撑体系完成了改革任务。全省乡镇畜牧兽医站共计 903 个，已完成改革的有 490 个。

【行业监管】 2009 年，全省畜牧兽医行政管理与执法部门共出动执法人员 7 798 人次，查处动物防疫违法案件 371 起，罚款 73.07 万元，没收销毁病害动物产品 31 吨；检查兽药、饲料生产经营企业 8 420 个，立案查处饲料违法企业 37 个，提出整改饲料企业 58 个，没收非法饲料产品 61 吨；取缔违规兽药经营企业 11 家，查获假劣兽药 953 千克；取缔非法兽医诊所 9 家，限期整改 11 家，收缴假兽医资质证明 32 张。与此同时，各地普遍加强了草原执法工作，共查处违法案件 502 起，保护草原 6 000 多公顷，恢复草原植被 300 多公顷。

【发展方式转变】 一是合作组织发展迅速，各类专业合作组织 1 424 个，拥有会员近 14 万人，组织化程度进一步提升，产业链各环节利益失衡问题已初步得到解决。二是规模化养殖水平进一步提高，已发展各类专业户 45.9 万个，养殖场 5.4 万个，养殖小区 3 692 个，规模化经营比重已达 72%。三是标准化水平有所提高。由于大力普及各品种饲养、饲料标准，重点推广 TMR 全混日粮饲喂、青黄贮利用、生猪人工授精等先进适用技术，标准化养殖比例达到 65% 左右。四是产业化建设步伐加快。拥有各类规模以上畜产品加工企业 300 多家，产能超前，已成为驱动农业产业化、农村工业化的主导力量。

【奶牛优势产区建设】 黑龙江省是农业部确定的奶业优势区域之一，2009 年重点发展了奶牛大户、规范化养殖小区、适度规模的奶牛场，同时建设了一批高标准的现代化奶牛场，如甘南飞鹤万头奶牛养殖场。奶牛优势产区规模化、集约化程度不断提高，奶牛存栏在 2.5 万头以上的 17 个优势区域重点县奶牛存栏占全省存栏总数的 60.0%。同时，乳制品生产企业发展壮大，年设计加工鲜奶能力在 5 万吨以上的企业 34 个，日处理鲜奶能力已超过 2 万吨，其中双城雀巢、飞鹤乳业、完达山乳业年加工鲜奶能力分别达到 54 万吨、65 万吨和 110 万吨。2009 年 4 月，完达山乳业新上年产 3 万吨成品粉包装生产线和日产成品 800 吨液态奶项目。飞鹤乳业在甘南和龙江新上了日处理鲜奶 700 吨和 900 吨的生产线，已跻身全国乳品企业第一方阵。

【重大动物疫病防控】 2009 年，全省口蹄疫、禽流感等重大动物疫病免疫率均达到 100%。检疫净化工作扎实有效，扑杀“两病”牲畜 5 189 头（只）；有效防堵了奶牛 A 型口蹄疫的传入，防范了猪感染甲型 H1N1 流感病毒。动物卫生执法监督工作有序进行，全部乡镇和部分中心村设立了 5 012 处报检点，官方兽医姓名、报检电话、报检程序等事项已向社会公布；全省统一制作了《屠宰检疫待宰记录》等 5 种登记记录册；在牲畜交易市场、活禽经营市场、养殖环节动物防疫条件审核专项整治行动中，共查处违法案件 371 起。黑龙江省连续 6 年保持了牲畜口蹄疫疫情稳定，猪链球菌和高致病性猪蓝耳病无疫的好成绩。此外，经过 50 多年的努力，7 月份终于迎来了全省消灭马传染性贫血病的成果。

【动物标识及疫病可追溯体系建设】 省财政投入 1 350万元用于追溯体系建设，全面开展牲畜二维码标识佩戴工作，规范管理二维码标识的签收、发放、登记、销毁等一系列工作，印制《收货单位验收回执单》，对标识质量及售后服务情况进行跟踪调查，及时解决出现的问题。严格坚持把佩戴二维码标识作为产地检疫的前置条件，无标识、无免疫记录的牲畜不予检疫出证，取得了良好效果。省财政投入 1 200 万元，采购猪标识 2 055 万枚、牛标识 500 万枚、羊标识 700 万枚，全省奶牛、可繁母猪标识佩带率达到 100%，其他牲畜标识佩带率达到 70% 以上。

【生态建设与监督管理】

1. 草原防火。4月16日在齐齐哈尔市开展了草原扑火实战技术综合演练活动，以确保一旦发生火情，能够迅速出动，及时扑灭。全年草原火警、一般草原火灾发生次数、过火面积、经济损失均创历史最好水平。

2. 草原鼠虫害防治。西部地区齐齐哈尔市和大庆市所属的龙江、肇源、肇州3个县发生的历史罕见群居型亚洲飞蝗灾害，省畜牧兽医局采取了飞机撒药与大型喷药机械和机动弥雾机相结合的方法，打破村屯界限，农田、草原界限，实施大面积的统防联治，共灭治飞蝗2万公顷，把飞蝗消灭在了迁飞暴食期之前。

（黑龙江省畜牧兽医局　周志茹）

上海市畜牧业

【努力实现畜牧业生产稳定】 2009年，在上海市委、市政府和市农委的高度重视和正确领导下，本市畜牧兽医系统按照《国务院关于促进畜牧业持续健康稳定发展的意见》和《上海市人民政府贯彻国务院关于促进畜牧业持续健康发展意见的实施意见》的要求，在一系列扶持畜牧业生产的政策措施推动下，大力推进畜牧标准化生态养殖基地建设，积极探索和推行种养结合循环农业发展模式，强化重大动物疫病防控和畜牧投入品监管，保障畜产品有效供给和质量安全，促进农业增效和农民增收，取得了一定成效。郊区畜禽生产基本稳定，生猪生产出现恢复性增长，奶牛生产保持基本稳定，家禽生产和禽蛋产量降幅减少。虽然主要畜产品价格波动较大，饲料价格上涨，但是养殖效益总体趋好，全年实现畜牧业产值64.6亿元。

一是生猪生产稳中有升。据统计：12月末生猪存栏175.2万头，同比增加12.7万头，增长7.8%，其中生产母猪存栏17.3万头，同比增加0.8万头，增长4.8%，1—12月生猪累计出栏269.7万头，同比增长4.4%，其中规模场出栏179万头，同比增长2.8%。二是奶牛生产基本稳定。12月末奶牛存栏6.4万头，同比增长6.9%，其中成乳牛3万头，同比下降6.4%，1—12月累计鲜奶产量21.2万吨，同比下降8.9%，累计单产6 880千克，同比下降6%。三是禽蛋生产有升有降。12月末家禽存拦1 305万只，同比增长2.6%，蛋鸡存栏284万只，同比增长1.7%，蛋鸭存栏253万只，同比增长8.6%。家禽累计出栏4 098万只，同比下降8%，其中肉鸡出栏3 319万只，同比下降4.2%，鲜蛋累计产量8万吨，同比增长28.9%。

【全面推进标准化生态养殖基地建设】 2009年是上海畜牧标准化生态养殖基地建设项目最多、任务最重、跨年份工作最多的一年。截止到年底，2007年批准建设的26个项目已全部建成，市级验收过半；2008年67个项目已基本完成，区级验收已开始进行；2009年105个项目已全部批复，即将动工。据统计，2007年以来，本市建成或在建的畜牧标准化生态养殖基地达250余家，其中国家级的44家，累计投入建设资金约7.4亿元，其中市级财政投入约3.3亿元。通过畜牧标准化生态养殖基地建设，一方面提高了郊区农民的养殖积极性，全市畜牧业生产已连续三年呈现恢复性增长，确保了地产畜产品的有效供给；另一方面通过对动物防疫设施、环境保护设施和饲养新技术新设备的投入和建设，大大提升了郊区畜禽场的规模化、设施化、科技化和生态化水平，提高了大城市郊区畜牧业的可持续发展能力。

【大力抓好生鲜乳质量安全监管】 2009年上海以贯彻落实国务院《乳品质量安全监督管理条例》和《奶业整顿和振兴规划纲要》为主线，以确保生鲜乳质量安全和奶牛生产稳定为目标，以价格调控和许可监管为手段，不断探索和完善生鲜乳质量安全监管新机制，各项工作取得明显进步。一是继续实施公开、公平、公正的生鲜乳第三方检验检测制度，对包括三聚氰胺在内的8大安全指标和24项卫生质量指标实行严密监测；二是进一步完善原料奶价格形成机制，重新修订了《关于进一步完善本市原料奶收购价格形成机制的实施方案》，全年共4次对原料奶销售价格进行政府调控，全市原料奶平均价格始终维持在较高的合理价位（3.5元/千克以上）；三是贯彻《条例》和《纲要》，依法对生产、收购、运输三大环节实施监管，严格执行“两证一单”管理制度，生鲜乳收购许可证、生鲜乳准运证明和生鲜乳交接单发放和使用率均达到100%。上海加强奶业管理的经验和做法受到了农业部的充分肯定和表扬。

【出台和落实稳定畜牧业生产的政策措施】 按照国家发改委、农业部等6部委《关于完善农业生产资料流通体系的意见》，本市制订了《防止生猪价格过度下跌调控预案实施细则（试行）》，并制定了相应的配套措施。4—5月份，甲型H1N1流感疫情发生后，对本市猪肉价格产生较大影响，市畜牧兽医办与市发改委等多部门会商，密切关注猪粮比价变化情况，研究应对生猪价格过度下跌的相关措施。为降低猪肉价格大幅下跌造成的养殖效益减少，维护生猪养殖者积极性，稳定生猪生产，保障世博会期间地产猪肉供给，市农委和市发改委、市财政多次协商，积极争取了能繁母猪补贴政策，每头能繁母猪补贴100元。为维护郊区奶业生产稳定，上海决定2009年继续对优质后备奶牛实施财政补贴，每头后备奶牛补贴700元。同时，积极争取奶牛冻精补贴、奶业机械补贴、菜篮子电价补贴、畜牧业保险补贴等多项支农惠农政策，使郊区畜牧业生产得到稳定发展。

（曹海平）

【加强重大动物疫病防控工作】 2009年，全市共免疫口蹄疫596.1万头次，高致病性猪蓝耳病451万头次，猪瘟497万头次，禽流感5 291万羽次，4种重大动物疫病的强制免疫覆盖率达到100%，免疫抗体合格率均在85%以上，高于国家标准。

1. 做好甲型H1N1流感防控工作。全球暴发甲型H1N1流感后，市农委迅速成立了动物疫情监测工作组，积极组织开展了猪流感监测，组织对养殖场防疫管理督查。同时，在市政府的统一部署下，开展对重点人群的甲型H1N1流感免疫工作。农委负责的本系统共有1 854名重点接种对象按计划接种了甲型H1N1流感疫苗，做到了应免尽免，圆满完成了免疫任务，有力配合了甲型H1N1流感的防控工作。

2. 做好A型口蹄疫疫情处置工作。2009年2月3日，本市五四奶牛场发生疑似口蹄疫疫情。依据《动物防疫法》、《重大动物疫情应急条例》及市突发重大动物疫情专项应急预案，成立防控应急处置领导小组，按照“依法、科学，将损失减到最小”的原则，切实采取及时封锁、严格扑杀、加强消毒和无害化处理等措施，将疫情有效控制在疫点上，处置结果得到农业部专家组和领导的认可。

3. 开放活肉鸽、活鹌鹑市场交易工作。按照市政府副市长胡延照作出的“要控制总量，并加强监管”的重要批示精神，结合本市活肉鸽、活鹌鹑的消费现状，由市农委、市商务委联合提请市政府同意本市参照活鸡批发和零售点的标准设立交易点，划出独立区域，有条件地开放活肉鸽、活鹌鹑的市场交易，并自2010年1月1日起正式实施。

（许 峰 曹海平）

【深入开展畜产品质量安全专项整治】 根据农业部办公厅《2010年上海世博会动物卫生及动物产品安全监管工作方案》，按照“强化源头监管，完善产销对接，建立区域互动，保证全程监督”的要求，切实做好动物卫生及动物产品安全监管工作。全市累计出动执法人员1.6万多人次，共检查各类企业、批发市场和单位近7 000家次，取缔无证生产、经营企业5个，查处案件561起，涉案货值160多万元。道口检查车辆11.8万多辆，生猪产地检疫499万头，屠宰检疫185万头，无害化处理1 251吨。“瘦肉精”等违禁药物的产地监测56 000多批，飞行监测8 500多批，生鲜乳抽检18 700多批次；兽药监督抽检306批，兽药残留监控抽检765批，饲料质量安全监测1 888批次。开展动物防、检疫员、动物卫生执法人员、市场专管员及兽药、饲料企业、宠物诊所等各类培训64期，累计培训2 500多人次，发放各类宣传资料6 000多份。

1. 组织开展动物检疫专项整治。一是对养殖基地、屠宰加工企业实行登记管理；二是对外省市供世博会动物产品的屠宰加工企业实行备案管理；三是对登记、备案的养殖基地、屠宰加工企业派驻专人实施监管，确保产地检疫覆盖率达到100%，对病死动物100%实行无害化处理；四是建立联防联控机制，召开迎世博外省市供沪动物及其产品安全协调会议，研究长三角动物卫生及动物产品安全监管联防机制。

2. 加强畜牧投入品安全监管。一是兽药方面，研究制定世博会动物产品兽药残留监控计划，对禁用兽药、激素和兴奋剂类药物残留限量标准及休药期等作出明确规定。对兽药生产企业重点加强过程监管，加大GMP飞行检查力度，在农业部的历次兽药质量通报中，本市兽药产品合格率一直名列前三甲；对兽药经营企业在全国率先实施GSP管理，已有80%以上的企业达到GSP的基本要求，为在流通环节全面实行可追溯管理奠定基础；对使用环节重点查处非法产品、标签不规范产品和不规范使用的行为，并督促养殖场户做好使用记录，确保停药期后再上市。二是饲料方面，按照农业部和市农委的统一部署，积极推进饲料质量安全整治暨执法规范年活动，重点对蛋白饲料原料和饲料产品中三聚氰胺进行监测，对地产生猪开展“瘦肉精”等违禁药物的产地监测和飞行监测，坚决杜绝在饲料原料和产品中添加三聚氰胺等有毒有害化学物质的违法行为，确保饲料原料的安全性和可追溯性。2009年本市有2家单位和5个个人被农业部评为饲料质量安全执法规范年的先进集体和先进个人。

（曹海平）

江苏省畜牧业

【概况】 2009年，江苏省围绕“保供给、促增收、强基础、重民生”的总体要求，以“稳生猪保供给、抓防疫保安全、上规模增效益、调结构促发展”为重点，千方百计促进畜牧业平稳增长，生产形势持续好转，规模养殖水平不断提升，畜产品质量安全水平明显提高，全省畜牧业呈现健康稳定发展的良好态势。全省肉类总产量344.4万吨，同比增长6.4%；禽蛋产量185.2万吨，同比增长7.6%；牛奶产量55.4万吨，同比下降9.3%。

【畜牧主导产业发展】 组织制定了《江苏省优势农产品区域布局规划（2009—2015年）》，重点发展生猪、优质地方家禽、肉羊、奶牛等优势畜产品产业，明确发展的区域布局、主攻方向、工作内容和发展目标，采取有效措施加以推进，畜牧业主导产业稳步发展。

1. 生猪。组织实施生猪人工授精良种补贴项目和生猪标准化养殖场（小区）项目，继续实行生猪保险政策，在生猪生产出现严重亏损时实行猪肉收储等政策措施，扶持生猪生产稳定发展。2009 年末，全省生猪存栏 1 760. 2 万头，同比增长 2. 6%，累计出栏肉猪 2 748. 1万头，同比增长 5. 5%，其中三元猪比例 63%，同比增加 3 个百分点。

2. 优质地方家禽。利用地方家禽遗传资源，开展家禽新品种(配套系)的开发和利用，苏禽黄鸡 2 型、雪山鸡和京海黄鸡等 3 个品种(配套系)通过国家畜禽遗传资源委员会审定；如皋黄鸡、太湖鸡通过地方畜禽遗传资源鉴定。年末家禽存栏 32 160. 4 万只，同比增长 4. 3%，累计出栏家禽 72 665. 5 万只，同比增长6. 5%。

3. 奶业。继续实施奶牛良种补贴项目，开展奶牛生产性能测定，加大奶牛人工授精、选种选配等技术服务。整顿和规范生鲜乳收购秩序，实行生鲜乳收购许可证管理制度，对奶站进行标准化管理。加大牛奶消费的宣传，稳步推进学生饮用奶计划实施。年末存栏奶牛 18. 9 万头，同比增长 12. 5%。

4. 肉羊。继续对波尔山羊进行选育提高，大力推进肉羊杂交改良。年末羊存栏 426. 5 万只，同比增长 3. 8%，累计出栏羊 686. 9 万只，同比增长 5. 8%，其中波杂山羊比例 46%，同比提高 3 个百分点。

【扶持生猪生产】

1. 母猪保险。按照每头能繁母猪保费 60 元，农户承担 20%，其余由各级财政负担的原则，其中省级财政对苏南、苏中、苏北负担比例分别为 20%、30% 和 50%，全省共投保能繁母猪 237 万头，投保资金总额为 1. 42 亿元，其中省级下达补贴资金 5 938 万元。

2. 标准化规模养殖。组织 293 个年出栏 500 头以上的猪场实施国家生猪标准化规模养殖场(小区)建设项目，补贴资金 1 亿元。

3. 养殖大县奖励。14 个县获得国家生猪调出大县奖励，合计奖励资金 8 049 万元。

4. 良种补贴。中央财政安排 2 440 万元，省财政安排 1 400 万元用于 25 个县生猪良种精液补贴，共补贴能繁母猪 96 万头。

【扶持奶业生产】

1. 奶牛保险。按照每头奶牛保费 240 元，农户承担 40%，其余由各级财政负担的原则，其中省级财政对苏南、苏中、苏北负担比例分别为 20%、30% 和 50%，全省共投保奶牛 2. 1 万头，投保资金总额 504 万元，其中省级下达补贴资金 148 万元。

2. 标准化规模养殖。组织 13 个奶牛场实施国家奶牛标准化规模养殖场(小区)项目建设，补贴资金 1 300万元。

3. 挤奶机械补贴。全省补贴购买挤奶机械设备 79 套，中央财政补贴资金 474 万元。

【饲料业生产】 围绕“保供给、保安全、促发展”的工作目标，全面加强饲料质量安全监管，严格规范饲料生产行为，切实加强饲料经营市场检查，组织开展饲料质量安全监督执法检查，实施饲料产品质量安全监测，推进企业诚信体系建设，饲料产业继续保持稳定增长态势。2009 年，全省各类饲料企业 702 家，饲料工业总产量达 638. 43 万吨，比上年增长 2. 78%，其中配合饲料 580 万吨，同比增长 2. 93%；浓缩饲料 29. 52 万吨，同比下降 3. 55%；预混料 28. 8 万吨，同比增长 6. 7%；实现饲料工业总产值 248. 8 亿元，比上年增长 2. 8%。饲料产销呈现以下特点：一是产销前抑后扬。第一季度，饲料总产量同比下降 15%，第二季度猪、蛋禽、肉禽市场继续走低，第三季度总量全面回升，同比增长 6%，第四季度总量同比增长 9%。二是禽料产量减少，猪料和水产料产量增长。受上年疫情影响，上半年蛋价下跌，蛋鸡存栏明显减少，加上原料价格相对较低，自配料增加，蛋禽料产销量大幅下跌。全年蛋禽料产量 97. 64 万吨，同比下降 6. 32%，肉禽料前降后升，全年产量 202. 5 万吨，与上年持平。猪料产量随生猪市场价格波动呈前抑后扬，产量增加，全年 102. 36 万吨，同比增长 4. 1%。水产料继续保持二位数增长，全年产量 222. 3 万吨，同比增长 12%。

【兽药生产】 全省兽药行业努力克服国际金融危机、甲型流感疫情等各种不利影响，认真贯彻落实《兽药管理条例》，突出加强行业规范化管理，深入开展兽药饲料专项整治，不断强化畜产品质量监测监控，继续保持“查禁打非”高压态势，兽药产业在逆境中依然保持稳定健康发展。全省兽药 GMP 生产企业 114 家，居全国第四，销售总额 34. 6 亿元，利税 3. 1 亿元，同比分别增长 5. 8% 和 5. 2%。全省兽药经营企业 5 500 多家，年销售额 33 亿元，1 709 家兽药经营企业通过 GSP 试点验收，全省乡镇 GSP 试点覆盖面达 100%。积极加强对外交流协作，先后承办或协办了第二届中国兽药大会、全国兽药监管工作座谈会和中美兽药评审技术交流会等行业内具有积极影响的大型活动，顺利通过欧盟食品兽医办公室(FVO)的考察，部门行业形象不断提升。

【畜牧业科技推广】 2009 年，以畜禽新品种的引进、培育、推广和改良为突破口，大力推广各种畜牧生产先进适用技术，突出抓好三元杂交瘦肉型猪、畜禽品种改良、秸秆氨化青贮和科学饲养模式等科技项目的推广工作，结合生态健康养殖示范创建，有力地促进了全省畜牧业的健康、稳定、快速发展。一是引导与强化家禽新品种、地方品种自主培育。2009 年下半年，本省培育的雪山鸡、苏禽黄鸡2号2个配套系和太湖鸡、如皋黄鸡2个畜禽遗传资源已顺利通过国家畜禽遗传资源委员的审定和鉴定。二是加快畜禽生产新技术、新模式的推广应用,主要推广优质瘦肉型猪综合配套技术、猪人工授精技术、高产奶牛繁殖新技术、规模养羊设施工程技术等。三是组织开展“挂县富民强农”工程,集中培训科技示范户35期,发放科技资料3 000份,直接培训人数2 000人次,入户指导590人·日,带动农民增收成效明显。四是组织开展畜牧业科技入户工作。在全省42个县(市、区)实施畜牧业科技入户示范项目,成立了省级畜牧科技入户省级技术专家组和技术指导单位,在相关市、县选聘技术指导员,遴选科技示范户,通过会议动员、召开现场会等形式,深入宣传发动。

【兽医法制建设】 规范动物检疫和监督管理工作行为,建立健全动物卫生监督长效工作机制,制定下发了《全省动物卫生监督强基础抓规范促提高行动实施方案(2009—2011年)》,启动实施三年行动方案,突出抓好产地检疫报检点规范化建设、屠宰检疫规范化建设等十项重点工作。加强全省动物卫生监督管理制度化建设,制定下发了《江苏省动物产地检疫报检制度》、《江苏省动物卫生监督检查制度》、《江苏省动物卫生监督责任追究制度》、《江苏省动物卫生监督培训学习制度》、《屠宰动物进场查验制度》、《待宰动物巡查制度》、《屠宰动物同步检疫制度》、《病害动物、动物产品无害化处理制度》、《屠宰动物标识回收销毁制度》、《屠宰场化验室检验制度》、《屠宰场防疫消毒制度》、《屠宰场检疫证章管理制度》和《屠宰场驻场检疫人员工作制度》等制度。组织开展活禽经营市场专项整治行动和病死生猪无害化处理专项整治行动。

【兽医管理体制改革】 2009年,根据国家大部制改革要求,省政府办公厅下发《省政府办公厅关于印发江苏省农业委员会主要职责内设机构和人员编制规定的通知》,设立省农业委员会,为省政府组成部门,其中内设畜牧兽医局和重大动物疫病防控办公室两个正处级行政处室,省农委重大动物疫病防控办公室主要承担组织重大动物疫病防控、应急管理、兽医医政管理、省防指办日常工作等。4个正处级事业单位保持不变。全省13个省辖市均制定出台兽医管理体制改革方案,11个市完成改革,组建市级畜牧兽医行政、动物卫生监督机构与动物疫病预防控制机构。全省85个涉农县(市、区)按照省政府文件要求,出台兽医管理体制改革方案并基本实施到位,成立畜牧兽医行政管理、动物卫生监督机构、动物疫病预防控制三大工作机构。全省1 045个乡已有627个乡全面完成乡级畜牧兽医改革,完成率60%。全省共聘用村级防疫员13 666人。2009年省级以上财政下拨村级防疫员免疫注射劳务费4 000万元(其中中央财政安排1 000万元,省级财政安排3 000万元),用于经济薄弱地区村级防疫员免疫注射劳务补贴。

【动物卫生执法监督】 加强动物防疫条件管理,开展产地检疫和屠宰检疫规范化建设,着力规范动物卫生监督执法行为。2009年全省产地共检疫动物40 113.52万头(只),其中生猪1 437.45万头、牛9.27万头、羊100.34万只、家禽38 549.49万只,其他动物16.97万头(只),共检出病害动物7.13万头(只),病害动物总检出率为0.02%。共消毒运输动物的车辆67.22万辆。全省屠宰检疫共检动物5 243.47万头(只),检出病害动物11.04万头(只),病害动物总检出率为0.21%。其中,检疫生猪1 597.54万头、检出病猪4.06万头、检出率为0.25%;检疫牛羊12.82万头(只)、检出病牛羊1头(只)、检出率为0.000 8%;检疫禽类3 633.12万只、检出病禽6.98万只、检出率为0.19%。共检查动物养殖、屠宰加工企业、冷库等各类场所3 000多个,查处各类违章案件1 674件,无害化处理染疫或疑似染疫的动物23.69万头(只),动物产品310.11吨,有力地保障了全省动物及动物产品的质量安全。

【畜禽资源保护与开发利用】 一是依法加强畜禽遗传资源保护。成立了江苏省畜禽遗传资源委员会,确定并公布了《江苏省畜禽遗传资源保护名录》,共29个畜禽遗传资源列入保护名录;组织苏州市乡韵太湖鹅有限公司、东台市种畜场申报第二批国家级畜禽遗传资源保种场,其中苏州市乡韵太湖鹅有限公司已通过国家畜禽遗传资源委员会验收;组织如东县狼山鸡种鸡场等4家单位实施农业部2009年畜禽种质资源保护项目。二是积极开发利用畜禽遗传资源。对全省17个畜禽品种(配套系)和畜禽遗传资源进行了清理,京海黄鸡、雪山鸡和苏禽黄鸡2号等3个新品种(配套系),太湖鸡、如皋黄鸡等2个畜禽遗传资源分别通过国家畜禽遗传资源委员的审定和鉴定,其中京海黄鸡成为《畜牧法》施行以后我国第一个通过审定的鸡新品种。

【饲料安全监管】 一是扎实开展饲料专项整治。全省共出动农牧执法人员26 458人次,检查饲料生产、经营场所5 732个,立案查处各类违规案件66起,查获各类假劣饲料147.9吨,涉案货值45.28万元。二是建立常态巡查机制。下发了《关于加强饲料和饲料添加剂生产(经营)企业检查工作的通知》,要求各地每半年对辖区内所有饲料生产(经营)企业至少巡查一次。全省统一印制生产企业检查记录5 000份,经营企业检查记录15 000份,下发至各县(市、区)畜牧兽医管理部门。三是加强抽样检测。组织抽检猪尿3 514批,合格率99.3%;牛奶1 580 批,合格率100%;饲料质量安全监测抽检127批,合格率为86.6%;牛羊饲料和动物源性饲料中牛羊源性成分监测83批,合格率为98.8%;饲料中违禁添加物监测102批,合格率为97.1%。四是加强法律培训。2009年共举办三期全省饲料生产企业法人培训班,550家饲料生产企业负责人及各市饲料管理负责人共600多人参加了培训。五是严格行政许可管理。全年共有43家饲料添加剂和添加剂预混合饲料生产企业通过考核验收并获得了生产许可证;核发预混料和饲料添加剂产品批准文号493个;动物源性饲料安全卫生合格证7个;饲料生产企业审查合格证103个。

【兽药安全监管】 一是强化建章立制。制定并实施《江苏省兽药、饲料执法监督巡查制度(试行)》、《江苏省兽药、饲料问题产品召回暂行管理办法》和《江苏省兽药、饲料不良企业黑名单制度(试行)》,着力规范监管执法行为和行业自律行为。二是加强GMP企业监管。全年共对省内114家兽药生产企业实施现场督查180次,检查覆盖率达100%,并对被农业部兽药质量通报的企业予以重点检查。配合农业部对兽药GMP证书到期企业开展复验,对9家生产企业实施飞行检查。三是全面推进兽药GSP试点。继续全面推进乡镇一级兽药GSP试点,2009年全省近1 200家企业参加试点,有900多家企业通过验收。四是加强兽药使用环节监督指导。开展养殖场(户)的日常监管,加大对违禁药品以及人用药品的清缴力度。全面检查动物诊疗机构,严厉查处使用非法生物制品、违禁药物、人药兽用等行为。五是加强兽用生物制品监管。全年对5家兽用生物制品生产企业开展兽药GMP飞行检查,对6家企业1 000多批产品实施了批签发;完成8个品种、24批生物制品的监督抽样任务。六是开展蜂用兽药专项治理。强化蜂用兽药经营和使用环节监管,突出对重点区域、重点品种的清查,规范养蜂场(户)安全用药行为,确保了蜂产品质量安全。七是开展兽药及兽药残留监督抽检。完成兽药质量抽检630批,其中139批经确认为非标称企业生产,491批经检验合格率为84.1%。完成畜禽动物及其产品、牛奶兽药残留监控计划样品检测7 327批,合格率99.6%。

【兽医实验室生物安全监管】 一是健全生物安全责任制。按照属地管理原则,全面落实生物安全监管责任,层层签订生物安全责任状,确保将生物安全责任落实到部门、落实到单位、落实到人员。二是严格动物病原微生物实验活动管理。规范高致病性动物病原微生物实验活动审批,加强动物病料管理,强化动物疫病病原微生物菌(毒)种保藏和使用管理,严格执行菌(毒)种领取审批制度和使用登记制度。三是加强兽医实验室生物安全应急管理。建立生物安全应急预案,在春节、"两会"和新中国60周年国庆期间,建立24小时值班制度,确保一旦发生生物安全事件,迅速采取有效措施。四是加强兽医实验室生物安全检查。定期对保藏菌(毒)种的设施设备和安全保卫措施实施检查,对各类兽医实验室和兽用生物制品企业开展集中生物安全专项检查。五是加强实验室人员培训。举办3期培训班,提升兽医实验室人员的技术水平和生物安全防护知识;组织开展"全省市、县兽医实验室达标创优考核"活动,大大提升兽医实验室的检测能力和生物安全管理水平。

【畜牧规模养殖】 以扩规模、调结构为重点,坚持提升比重与优化结构并重,突出招商引资和南北对接,突出典型引导和示范推动,突出年度考核与评比表彰,努力扩大大中型养殖企业的规模增量与规模比重,提高建设质量,提升管理档次,规模养殖快速推进。截止到年底,全省2 000头以上猪场885个,5万只以上肉禽场2 846个,1万只以上蛋禽场2 264个,300头以上奶牛场132个;生猪、蛋禽、肉禽、奶牛规模养殖比重分别为61%、83%、89%和92%,同比分别提高9个、8个、13个和11个百分点,提前完成省政府"十一五"目标任务。规模养殖在畜牧生产中的主体地位已经确立,区域性规模养殖群体和特色优势逐步显现,畜牧业综合竞争能力得到较大提高。

【生态健康养殖】 继续开展畜牧生态健康养殖示范创建活动,按照生产标准化、产品优质化、生态优良化的要求,坚持农牧循环经营与养殖污染治理相结合,通过完善基础设施建设,规范畜禽饲养管理,加强粪污综合利用,提升示范创建档次,提高畜牧业质量安全水平。一是采用多种形式,加强宣传发动,营造示范创建活动氛围;二是分批组织召开生态健康养殖技术培训班,重点加强动物防疫、科学饲养、投入品管理、粪污无害化处理和综合利用等技术的培训学习,提高规模养殖基地的示范创建水平;三是总结推广生态健康养殖模式,积极推广生猪发酵床饲养,不断创新林牧结合、渔牧结合等养殖模式,发展种养循环经济。2009年,全省新增省级畜牧生态健康养殖示范基地557个,累计达793个,畜禽生产标准化水平得到有效提升,有力保障了畜产品质量安全。

【畜产品质检体系建设】 充分利用现有资源,发挥整合优势,积极开展工作,初步形成了以"省级质检中心为龙头、区域性质检中心为骨干、县级质检站为基础、基层(乡镇、市场、企业、基地)速测点为补充"、分工明确、定位清楚的农畜产品质量安全检验检测体系。

2009 年通过农业部农产品检验检测体系一期规划及国家扩内需项目，重点投资建设了东海县等 21 个县级畜(农)产品质检中心，并已初步建成 1 个省级畜产品质检中心、10 个区域性畜(农)产品质检中心、44 个县级质检站、400 多个基层检测站，形成了省级、区域性、县级和基层(市场、基地、企业)四级农畜产品质量安全检验检测网络。

【畜产品安全风险预警监测】 一是开展畜产品及畜牧投入品质量安全监测。2009 年加大抽检力度，提高抽检频次，开展全方位、多品种的质量抽检。全年组织开展生猪及产品质量例行监测 4 687 批，合格率为 99.4%，同比提高 0.1%；开展生鲜牛乳监测 1 872 批，检测结果全部合格；开展畜产品中兽药残留监控 768 批；开展无公害和绿色食品申报和抽检 167 批；开展饲料质量抽检 618 批，合格 588 批，合格率 95.15%，同比提高 0.85%。二是开展畜产品质量风险预警监测。全年共完成牛奶中硫氰酸根、动物水解蛋白、β－内酰胺酶风险监测 315 批，反刍动物尿液中“瘦肉精”50 批，饲料产品及饲料用油中孔雀石绿和隐情孔雀石绿等风险监测 40 批。三是加强技术培训和指导。组织了一次全省饲料企业质量检验技术技能竞赛活动，举办了一期全省畜产品质量检验技术培训班和一期兽药检验技术培训班。

【重大动物疫病防控】 2009 年，全省兽医工作以防控重大动物疫病和维护公共卫生安全为主题，以加快兽医管理体制改革为重点，以加强基层动物防疫队伍建设为抓手，着力规范村级动物防疫员队伍管理，狠抓重大动物疫病防控措施的落实，全省兽医工作成效明显。重大动物疫病免疫密度常年保持在 100%；平均免疫抗体合格率超过农业部规定标准 10 个百分点以上；全省重大动物疫情继续保持平稳，未发生高致病性禽流感、O 型和亚 I 型口蹄疫等重大动物疫情和重大畜产品质量安全事故；兽医管理体制改革工作市级完成率达 100%。一是扎实做好 A 型口蹄疫防控工作。针对年初外地突发 A 型口蹄疫的严峻形势，组织各地采取暂停调运、疫情监测和流行病学调查、封闭管理、一对一监管、监督检查等措施，全面开展奶牛 A 型口蹄疫免疫，实现了防控工作目标。10 月 27 日，在省进出境检验检疫局代表省农委向新加坡农业食品兽医局介绍了江苏省动物疫病防控情况，并顺利通过了相关调查。二是积极应对甲型 H1N1 流感疫情。根据省委、省政府和农业部的统一部署，及时下发关于加强“猪流感”A/H1N1 防控工作的紧急通知，部署防控生猪感染甲型 H1N1 流感病毒工作。制定了《江苏省生猪感染甲型 H1N1 流感应急预案》和《江苏省农业部门人感染甲型 H1N1 流感应急预案》，在防堵疫情阶段组织 24 小时应急值守，确保迅速、科学、准确应对。组织开展生猪甲型 H1N1 流感监测 330.71 万头次，未发现临床疑似病例。三是组织开展重大动物疫病防控工作。狠抓重大动物疫病免疫，在坚持常年免疫的基础上，分阶段组织实施了春季集中免疫、夏季集中补免和消毒、秋冬季集中免疫三大行动，制定行动方案，提出推进措施、工作要求和时序进度，并采取月月巡防、查漏补缺的办法加以推进。组织开展自查，确保免疫密度和免疫效果。推广高致病性猪蓝耳病弱毒活疫苗等新型疫苗使用，确保防控效果。加强防疫物资的采购供应和管理工作，有效保障防疫物资的供应和使用。认真抓好各种动物防疫信息管理，明确信息报送和管理要求，切实加强动物防疫疫情月报、重大动物疫情快报、突击防疫周报、疫情监测周报、旬报以及规模场防疫信息专报等专项防疫信息报送、分析和管理工作，为全省动物疫病防控科学决策及时提供了依据和参考。四是规范村级防疫员队伍的管理。重点加强建立村级防疫员管理制度、规范劳务补助资金使用的管理。组织开展全省村级防疫员管理及收入现状调查，建立健全村级防疫员电子档案并实行年审制度，规范村级防疫员劳务补助资金使用管理。农业部对这一作法给予了充分肯定，并以专题在系统内进行了介绍。

【动物防疫基础设施建设】 一是组织海安县等 16 个县(市、区)实施 2009 年县级动物防疫基础设施建设项目，计划投资 960 万元(其中中央投资 240 万元，地方配套 720 万元)，购置仪器设备 560 台(套)。二是组织阜宁等 35 个项目建设县(市、区)续建动物疫病预防控制中心(畜牧兽医站)，计划投资 2 100 万元(其中中央投资 525 万元，地方配套 1 575 万元)，主要添置仪器设备 1 225 台(套)。

【动物标识及疫病可追溯体系建设】 2009 年，安排苏北地区 5 市 24 县进行动物疫病可追溯体系建设，该项目计划总投资 3 205.81 万元，其中，省财政安排 2 564.63万元，市县财政配套 641.18 万元，主要购置移动智能识读器、票据打印机和屠宰识读转换设备等。

【草业发展】 2009 年全省共有草场面积 10.52 万公顷，海洋滩涂面积近 69 万公顷，位于全国第二位，其中滩涂草地 9.2 万公顷。另外，水库、塘堤池渠、埂坡及农林隙闲地约 40 多万公顷。草业发展实现 3 个突破，一是种草养畜跃上新台阶。养鹅种草面积快速增加，达 1.88 万公顷，占人工种草总面积的 31%；养奶牛的种草面积稳步增加，占全省种草总面积的 23%；种草养羊取得了较大突破，“处理秸秆＋精料＋青绿饲料(优质牧草)”的农区舍饲科学养羊模式，已为广大农民所接受。二是复合种草生态和经济效益显著提高。

针对本省农田林网、果园丰富的特点，发展在林间、果（桑）园隙地，池塘空闲期种草，以混合种养模式，提高土地产出率，实现资源节约型生产模式，其中稻—草轮作混合种养模式，成为农业部全国粮区高效多熟十大种植模式之一。三是草坪草产业化取得较大突破。全省草坪生产面积达4 000万平方米，产值近20亿元。从事草坪生产的企业1 500余家，从事草坪种子经营、草坪专用肥料和农药经营的企业2 300多家，约有2.6万户农户从事草坪生产。四是牧草示范园建设成绩斐然。句容光明草业公司等一批牧草科技示范园、示范园区，占地500多公顷，基本建立了"公司+基地+农户"的运作方式，建设了高标准、科技含量较高的草畜基本配套的畜禽养殖场。与周边农户建立牧草种植、技术培训与收购关系的示范园已有5个，带动农户300多户。五是牧草加工与种子生产有了突破。2009年全省有各类种子生产田超过1 400公顷，生产草种2 020吨。运用品系间杂交技术，育成宁杂4号美洲狼尾草新品种，取得农业部牧草新品种登记证书，并建成滨海繁育基地。大力推进草种国产化，加大本地品种选育，提纯复壮，建成盐城多花黑麦草种选育繁殖加工基地。每年生产多花黑麦草种子近1 600吨。2009年被农业部等批准立项建设多花黑麦草种繁育基地项目，投入财政资金280万元。

【畜禽粪便综合治理】 一是完善规模畜禽场粪污处理设施。在全省规模畜禽场推广使用"三改两分再利用"治理技术，改水冲清粪为干式清粪、改无限用水为控制用水、改明沟排污为暗道排污，建设固液分离、雨污分离设施，减少污水排放量和降低污水有机物含量。二是推行农牧结合种养模式。鼓励规模养殖场与农户按照环境容量标准签订有机肥还田合约，实行农牧结合，推广果园林间养殖等多种立体种养模式。三是加强废弃物综合利用。扶持大中型规模养殖企业建设沼气工程和有机肥加工，中小规模养殖场完善畜禽粪污综合治理设施，开展畜禽粪污综合利用。2009年全省扶持建设畜牧规模养殖企业沼气处理工程600处，扶持资金近1.1亿元。四是积极探索粪污综合利用及无害化处理新技术。在大力推动畜禽粪便沼气化利用的同时，积极探索试行猪发酵床养殖技术，通过生物降解的方法降低污染治理前期投入和后期使用成本，提高无害化处理效率和效果，降低对环境的污染。

（江苏省畜牧兽医局）

浙江省畜牧业

【概况】 2009年浙江省畜牧兽医工作，按照省政府大力发展生态畜牧业及农业"六大提升行动"、"十大增收举措"的决策部署，以"稳供给、保安全、增效益、护生态、减风险"为目标，突出畜牧产业转型升级、动物疫病科学防控、畜产品安全监管机制创新和加强体系设施支撑等重点工作，实现了全省畜牧产业持续健康发展、动物疫病有效防控和无重大畜产品安全事件发生，为保障畜产品有效供给，维护公共卫生安全，促进农业增效农民增收发挥了积极作用。

2009年，浙江畜牧产业在遭遇国际金融危机、甲型流感疫情、猪价剧烈震荡、三聚氰胺后续影响等前所未有的挑战下，畜牧业生产稳步发展，总体形势好于预期。2009年，生猪生产继续发展，价格振幅较大，全年实现赢利；家禽存栏增长，出栏减少，禽产品价格波动频繁，养殖普遍赢利；牛、兔生产下降，羊存栏增长，效益好转。2009年，全省畜牧业产值404.88亿元，占农林牧渔业总产值的21.61%。肉类总产量170.37万吨，同比增长0.17%（其中猪肉产量128.17万吨，增长1.0%；禽肉产量38.39万吨，下降2.01%；牛肉产量1.04万吨，增长5.86%；羊肉产量1.74万吨，下降5.66%）；禽蛋产量43.28万吨，增长4.54%；牛奶产量19.93万吨，下降11.46%。据统计，蜂存栏113.32万群，同比增长0.43%，蜂蜜产量8.8万吨，增长3.16%。

主要畜禽存、出栏增加。全省生猪饲养量3 119.8万头，比上年增长2.26%（其中存栏1 225.8万头，增长5.50%，出栏1 894万头，增长0.26%；能繁母猪存栏112.0万头，增长3.06%）；家禽存栏12 352.28万只，增长4.24%，出栏26 021.56万只，下降4.82%；牛存栏20.37万头，下降1.40%（其中奶牛存栏6.09万头，下降6.02%），出栏7.03万头，增长1.59%；羊存栏111.55万只，增长0.18%，出栏102.85万只，下降3.94%。

主要畜禽规模化水平进一步提升。据统计，全省生猪、肉鸡、奶牛规模养殖比例达80.06%、90.44%、95.44%，分别比上年提高1.65、1.92和0.71个百分点。蛋鸡规模养殖比例92.80%，比上年下降0.26个百分点。

畜牧业对农民增收作用显著。2009年全省农村居民家庭经营农业产业人均纯收入1 661.34元中，有365.42元来自于畜牧业，占22.0%，在农业产业纯收入中居第二位。养殖效益方面，全年外三元肉猪头均赢利129元，禽业效益平稳，奶业扭亏为盈，平均赢利1 300元/头。

【规模生态养殖场（区）建设】 2009年，浙江省共争取国家发改委立项建设113个生猪标准化规模养殖场，总投资18 425万元，其中中央投资6 310万元，项目建设将新增基础母猪1.66万头，年新增出栏商品猪29.95万头；立项建设5个奶牛标准化规模养殖场，总投资959万元，其中中央投资500万元。省财政继续投资1 000万元，在温州、台州、丽水三市扶持建设50个生态规模场，总投资3 948.2万元，项目建设将新增基础母猪3 009头，年新增出栏商品猪54 220头。至此，温台丽三市三年共新建生态规模猪场150个，成效显现，三市生猪生产能力增加52.4万头，猪肉自给率提高7.5个百分点。

【山区海岛发展特色畜牧业】 2009年，继续扶持山区海岛农户利用当地资源优势，发展以山羊、肉兔、牛、优质土鸡等为主的特色畜牧业，生产风味优良的特色“土畜产品”，促进山区海岛畜牧业转型升级和农民增收。该项措施已惠及全省34个欠发达山区海岛县(市、区)、210个乡镇的829个科技示范户和18 000多个农户，培训农户6万人次，科技示范户年均增收2.5万元，一般示范户年均增收3 000多元。通过扶持，建立200个兔、羊、禽等特色畜禽示范乡镇，培育畜产品营销、加工龙头企业30个，形成文成肉兔、常山土鸡、景宁山羊特色畜牧业示范区(带)、专业村。这种荒岛养羊，果园、茶园、竹园养鸡生态养殖模式，已成为全省重要的特色畜牧业和土畜产品生产的亮点之一。

【奶业整顿和奶站建设】 2009年，紧紧围绕国务院《乳品质量安全监督管理条例》和《奶业整顿和振兴发展纲要》的贯彻落实，开展奶业整顿、生鲜乳收购站建设和生鲜乳质量整治工作。一是建立监管责任制度，严格落实《浙江省生鲜牛奶质量安全监管行政问责暂行规定》，全省3 568个奶牛养殖场(户)全部落实了责任人，并与养殖场户签订了安全责任承诺书。二是制定下发了《浙江省生鲜乳收购许可证管理办法》和《浙江省生鲜乳收购站行政许可现场审验评分标准》，依法发证。三是加强宣传培训，使奶牛养殖场户和奶站提高自觉履行质量安全的意识，强化责任落实。四是出台扶持政策，改造奶站基础设施。省财政下拨补助资金300万元，对6月底前完成标准化改造、申领到生鲜乳收购许可证的87家奶站，分别给予3万元和5万元不等的以奖代补扶持。全省共取缔不符合条件的奶站10家，有132家单位取得生鲜乳收购许可证，完成率100%，其中奶牛专业合作社申办38家，奶畜养殖场申办37家，乳品加工企业申办57家。实现了生鲜乳收购站检查率、生鲜乳质量安全违规单位查处率、生鲜乳中三聚氰胺检测合格率三个100%的专项整治目标。

【规模化畜禽养殖场排泄物治理】 2009年是实施新“811”环境保护行动的第二年，也是浙江省推进小规模畜禽养殖场治理最为关键的一年。各地在总结完善前几年治理经验做法的基础上，进一步完善工作和保障机制，强化监督管理，不断拓展治理方式和途径，深入推进规模化畜禽养殖场排泄物治理“千万工程”。

1. 继续加大畜禽排泄物治理基础设施建设。2009年全省投入资金2.61亿元，其中省级以奖代补资金0.75亿元，地方配套0.44亿元，全面完成2 753家生猪存栏200头、牛20头以上规模化养殖场治理。全省新建厌氧池18.00万立方米，储粪棚5.59万平方米，雨污分离设施(包括改造沟渠)40.09万米。另外，嘉兴市投入资金0.36亿元，完成1 519家生猪年存栏50头以上规模场的治理，建设厌氧池2.4万立方米，雨污分离设施(包括改造的沟渠)6.8万米，新增项目紧密配套农田果园近310公顷，鱼塘210公顷。

2. 链接种养推进生态循环。突出强化农牧结合节本低耗的治理模式，在探索完善桐庐万强等四大治理模式的同时，进一步加大“猪—沼—牧草”等新型农牧结合模式推广应用，鼓励生物发酵舍“零排放”养殖模式试点，多模式因地制宜共同推进。2009年全省2 753家治理场中采用农牧结合型治理模式2 377家，占86%，新增项目紧密配套农田果园0.76万公顷，鱼塘440多公顷，基本实现畜禽排泄物就地就近的资源化利用，规模化畜禽养殖场排泄物资源化利用率超过85%。

3. 带动促进小规模场治理。继续在畜禽散养密集区域新建畜禽粪便收集处理中心25个，可收集处理8 000余散养户畜禽粪便。截止到年底，全省集中散养区共建有粪便收集中心125个，可收集处理250万头生猪粪便；已累计立项完成年存栏生猪200头、牛20头以上的7 894个养殖场治理，示范带动各地自行治理中小畜禽场7 889个，对改善农村生态环境起到了积极作用。

4. 节能减排效果显著。2009年省级立项治理的2 753个规模化养殖场，涉及存栏生猪71.14万头，奶牛0.42万头。据测算，经治理后，年可处理污水290万吨，处理粪便31万吨，尿48万吨，年可减排BOD(生物需氧量)1.93万吨、COD(化学需氧量)2.00万吨、氨氮0.16万吨、总磷0.13万吨、总氮0.35万吨，成效显著。

【种质资源调查、地方品种开发与保护】 一是全面完成畜禽品种资源调查，编撰《浙江省畜禽遗传资源志》。据调查，全省共有畜禽遗传资源56个，其中地方品种35个，培育品种9个，引进品种12个，列入国家级畜禽遗传资源保护名录的有8个。二是加强地方品种保护。制订《浙江省畜禽地方遗传资源保护规划》和实施方案，公布了27个省级保护名录。浙江光大种禽业有限公司、浙江省绍兴市绍鸭原种场、浙江加华种猪有限公司、浙江华丽牧业有限公司等4个种畜禽场被农业部列为国家级畜禽遗传资源保种场(基因库)。省里与每个承担资源保护项目的单位签订资源保护合同。2009 年省财政安排 190 万元用于永康灰鹅等地方品种的保护,中央财政安排 30 万元用于萧山鸡的保护。三是地方品种开发。在种质资源保护的基础上,绍兴鸭成功开发了白羽绍鸭青壳系、优质肉鸭配套系和早产绍鸭配套系。"浙江意蜂"通过国家畜禽品种审定委员会的认定,"浙系长毛兔"育成品种已通过审定,实现了浙江国家级畜禽育成品种的零突破。金华猪、嘉兴黑猪、湖羊、仙居鸡、白耳黄鸡等品种都得到了开发利用。

【省级畜禽遗传资源保护品种】 根据《畜牧法》第十二条规定,在全省畜禽遗传资源调查的基础上,2009 年 4 月省农业厅发布公告,确定金华猪等 27 个品种为省级畜禽遗传资源保护品种。具体包括金华猪、嵊县花猪、嘉兴黑猪,江山乌猪、碧湖猪、岔路猪、兰溪花猪、仙居鸡、白耳黄鸡、萧山鸡、江山乌骨鸡、丝羽乌骨鸡、绍兴鸭、缙云麻鸭、媒头鸭、浙东白鹅、永康灰鹅、太湖鹅、温州水牛、温岭高峰牛、天台黄牛、舟山黄牛、北沙牛、湖羊、长江三角洲白山羊(笔料毛型)、浙江长毛兔(镇海系、平阳系、嵊州系)以及浙江意蜂。

【奶牛良种补贴】 2009 年,继续实行奶牛良种补贴政策,覆盖奶牛 47 820 头,落实项目经费 223 万元,其中农业部安排 120 万元,省财政安排 103 万元。由浙江省政府采购中心公开招标采购冻精 14 万支,选定优质种公牛 42 头,受惠农户 2 852 户,已配奶牛 3.62 万头。通过项目的实施,完善了全省奶牛冻精供应体系,建立供精网点 62 个,培训配种员 52 人。

【生猪良种补贴项目】 2009 年,全省 34 个县(市、区)实施了国家(或省级)生猪良种补贴项目,补贴能繁母猪 70 万头,约占全省母猪数的 50%。其中国家项目县 9 个,补贴母猪数 38 万头,补贴资金 1 520 万元;省级项目县 25 个,补贴母猪数 32 万头,补贴资金 1 280 万元。补贴标准为每头母猪每年补助两胎、每胎 2 支,每支精液补助 10 元。2009 年,全省各地累计确定供精单位 422 家,供精种公猪 4 000 多头,培训人员 3 000 多人,核发上岗证 278 人,发放明白纸 8 万多张。生猪良种的普及,有效地提高了散养户生产水平,促进了农民增收。生猪良种补贴项目的实施使项目区种公猪利用率提高 10 倍以上,改良商品猪出栏日龄提前 5 ~ 10 天,平均受胎率达 95.7%,平均窝产仔数 10.8 头以上,比本配多 0.6 头,直接促进增收 1.5 亿元。

【出台《浙江省防止生猪价格过度下跌调控预案实施细则》】 2009 年 5 月,经省政府同意,浙江省农业、物价、财政、商务、工商和质监等六部门联合下发了《浙江省防止生猪价格过度下跌调控预案实施细则(暂行)》。《预案细则》明确了预警区域及相应的响应机制。根据猪粮比,将预警区域分为 5 种情况:即绿色区域(价格正常),猪粮比价在 9:1 ~ 6.5:1 之间;蓝色区域(价格轻度下跌),猪粮比价在 6.5:1 ~ 5.5:1 之间;黄色区域(价格中度下跌),猪粮比价在5.5:1 ~ 5.0:1 之间;红色区域(价格重度下跌),猪粮比价低于 5.0:1;生猪价格异常下跌的其他情况。同时,根据不同的预警区域,明确了启动不同响应(分三级响应)的具体措施,如增加猪肉储备、增加母猪补贴和优良公猪补贴等。

【生猪监测预警与调控】 为切实实施好生猪预警预测和调控工作,采取三方面措施:一是进一步完善价格与生产监测体系,建立了 13 个畜产品与饲料价格监测点周报、13 个生猪重点县生产月报制度,确定监测村 130 个、监测户 390 个,生猪预警体系监测指标达 46 个。二是加强分析预测与信息发布。2009 年,先后 4 次组织养猪重点产区、规模养殖场召开专题形势分析会,农业与物价、商务、统计等部门建立了定期会商机制,研讨生猪生产与价格走势,及时提出应对策略,发布产业预警信息。在浙江省政府网上开设"生猪价格信息平台"政务专题,在省物价网上每月发布生猪生产成本收益预警信息,在浙江省畜牧兽医信息网上发布主要畜产品及饲料价格信息。三是根据监测情况及时落实调控措施。2009 年 6 月,针对猪价跌入谷底的严峻形势,省政府启动三级响应,增加杭州、宁波、温州市及主销区市、县猪肉储备;及时落实能繁母猪补助和调出大县奖励等扶持政策,稳定生猪生产。

【探索新型产业体系建设】 在大量调查研究的基础上,着手开展以合作社为纽带、大型企业为龙头,推进畜牧业种苗、饲料、养殖、营销、加工一体化,利益共享、风险分担的新型产业体系建设,先后在南湖、海盐、义乌、萧山、金东等地开展生猪、家禽业试点,产业化推进进展良好。截止到年底,全省畜牧专业合作社约 1 970 家,比上年增加 441 家,增长 28.8%;合作社成员约9.7 万个,增加 2.4 万个,增长 32.9%,带动非社员养殖农民约 75 万户。

【衔接产销,外拓发展】 一是开展浙吉战略合作。为加强浙江、吉林两地生猪和玉米产销合作,进一步推动浙、吉两省间建立长期稳定的生猪和饲料粮产销战略合作关系,保障猪肉安全和饲料产业健康发展,9 月 8 日,浙江省副省长茅临生、吉林省人大常委会副主任车秀兰分别代表双方省政府在长春签订了《生猪和玉米产销战略合作备忘录》,决定在生猪产销、饲料原料、流通联防、科技协作等四方面加强合作。二是继续拓展上海市场。严格供沪基地管理,实施供沪屠宰企业自检制度和供沪专用标志管理，推荐供沪动物及其产品生产企业64家并备案公布，供沪产品质量和结构进一步优化，全年供沪生猪133万头（活猪17万头，白条肉116万头、占外省供沪产品总量的1/3），牛肉9 563吨，占外省供沪产品1/4，均位居首位。三是搭建玉米购销合作平台。充分利用中储粮浙江分公司在玉米收购、调运、仓储及补贴等方面的优势，引导饲料生产企业和畜禽规模养殖场与其开展互惠互利的购销和合作，保障饲料均衡供应，全年玉米交易量达到60万吨，占外省年调入量的1/5。

【能繁母猪保险协作机制】 2009年，省畜牧部门与人保浙江分公司联合开展能繁母猪及生猪保险协作，建立防疫与保险互促的合作模式及工作机制、风险防范机制。2009年全省能繁母猪（含宁波基数）11 198 846头，参保960 973头，参保率85.81%，共参保农户7 392户，保险金额达94 234.3万元；据省人保财险分公司提供，2009年共赔款5 244.72万元，简单赔付率达91.93%，极大地提高了畜牧业抵御风险能力。

【蜂业"阳光工程"试点】 2009年，省蜜蜂产业协会启动养蜂业"阳光工程"试点。针对蜂业野外作业的特点，"阳光工程"所研制的太阳能光伏电源设备和可拆卸标准化养蜂帐篷等生产生活设施，可有效帮助蜂农改善基础装备和劳动生产生活环境。首批试点确定为金华12家示范性合作社和养蜂示范村。

【主导品种和主推技术】

1. 主导品种（26个）。生猪：长白猪、大约克、杜洛克、金华猪、嘉兴黑猪等生猪纯种或杂交组合。家禽：梅岭土鸡、振宁土鸡、仙黄鸡、绍兴麻鸭、缙云麻鸭、樱桃谷鸭、浙东白鹅等。奶牛：高产奶牛良种冻精。肉羊：湖羊、南江黄羊、波尔山羊及杂交组合。兔子：镇海巨高长毛兔、嵊州白浪细毛兔、平阳粗高长毛兔、獭兔、新西兰肉兔。牧草：黑麦草、杂交狼尾草、高丹草、皇竹草、墨西哥玉米、饲用青玉米、苜蓿。

2. 主推技术（10项）。无公害畜禽标准化养殖技术、生猪人工授精技术、牧场机械装备技术、牧草高产栽培及贮藏加工技术、生态自然法养猪与畜禽排泄物利用技术、高致病性禽流感综合防控技术、猪蓝耳病综合防控技术，奶牛结核病、布鲁氏菌病控制与净化技术，环保节约型饲料生产与应用技术，. 山林、园地、冬闲田家禽放养技术。

【重大动物疫病防控】 2009年，浙江省以强化责任制度、基础设施和科技支撑为重点，大力推进重大动物疫病科学防控，严密构筑五道防线。

1. 有序推进集中免疫行动。在常规免疫基础上，先后组织开展了春季、高温季节和秋季三次重大动物疫病集中免疫行动，常年免疫密度保持在98%以上，应免畜禽的免疫密度基本达到100%。开展免疫技术培训，全省累计组织培训250多期，为规范免疫注射操作、确保免疫质量打下了扎实基础。

2. 强化疫情监测。进一步加大监测频率和覆盖面，全省采样检测禽流感等各类样品37.2万份次，其中高致病禽流感、口蹄疫、猪瘟、新城疫检测免疫合格率分别为90.00%、79.62%、82.20%、83.17%，全部达到和超过要求。

3. 组织开展专项防控。先后开展了防控禽流感变异株和奶牛A型口蹄疫阻击战、高致病性猪蓝耳病等重大动物疫病夏季防控专项行动，以及防范动物甲型H1N1疫情专项行动、"保平安、迎国庆"重大动物疫病防控专项行动等，开展紧急免疫，严格落实禁调措施，迅速开展疫情排查和监测，加强督促指导，全面落实综合防控措施，成功阻击了外来疫病传入。

4. 抓好奶牛"两病"等人畜共患病防治。组织开展全省奶牛结核病和布鲁氏菌病普查和病牛淘汰工作，抓好奶牛"动物防疫条件合格证管场、健康证管奶、户口簿管牛"的"二证一簿"制度落实；与卫生部门建立联防协作机制，切实做好狂犬病、血吸虫病、猪链球菌病的群防群控，阻断动物疫病向人间传播。

5. 进一步落实重大动物疫病防控责任制度。督促市（县）政府继续将重大动物疫病防控工作列入对乡镇政府年度综合目标管理（政绩）考核内容，深化防疫监管巡查制度。进一步完善乡镇动物防疫长效机制，全年创建省级动物防疫示范乡镇70个。加强村级防疫员队伍建设，扩大村防疫员培训试点。加强省级鉴定站建设，扎实开展职业技能鉴定工作，2009年共鉴定动物防疫员、检疫员、饲料化验员11期1 200多人次。

【防范动物甲型H1N1疫情专项行动】 制订了《浙江省应对猪感染甲型H1N1流感应急预案（试行）》和《农业部门应对人感染甲型H1N1流感应急预案（试行）》，成立省防治生猪甲型H1N1流感专家组和应急预备队，加强应急防疫物资储备，确保各项应急准备到位。加强应急值守，坚持实行疫情检测和防控工作日报告制度，全省累计检查养猪场户147.6万个次、交易市场22 018个次、屠宰场43 518个次，监测生猪5 221.3万头次，未发现临床异常生猪；全省动物卫生监督机构累计派出5.5万人次，发放消毒药86.2吨，督促指导畜禽交易市场、屠宰场或规模养殖场户开展消毒灭源工作。

【防控高致病性禽流感应急演习】 为提高重大动物疫情应急处置能力，省防治动物疫病指挥部于12月份在丽水市缙云县举办了防控高致病性禽流感应急演习。模拟某养鸡场发生高致病性禽流感四级疫情的场景,分视频和现场两个部分,详细演练了疫情发现、疫情调查和采样、疫情临时控制、疫情报告、确诊、应急预案启动、现场应急响应、人员防护、封锁、关闭市场、扑杀、消毒、无害化处理、紧急免疫、疫情监测、善后评估和应急响应终止等防控科目,达到了规范应急处置程序、熟练操作技能、有序落实防控措施的目的,同时也为各地开展应急演习提供了示范和教材。

【动物卫生监督制度建设】 根据《动物防疫法》的有关规定,2009 年度内制订了《浙江省动物检疫申报管理暂行规定》、《浙江省跨省引进乳用种用动物管理暂行规定》、《浙江省公路动物防疫监督检查站规范化建设方案》等动物卫生监督工作制度 10 多个,组织开展了地方法规的立法调研与准备工作,起草了《浙江省动物防疫条例》(草案),为规范动物卫生监督工作奠定了基础。

【动物检疫规范化建设】 一是开展动物检疫人员清理登记。在实施官方兽医制度的过渡时期,为便于分类管理,全省对在编在岗的检疫人员和编制外聘任的协检人员进行了清理登记,共核准动物检疫人员 3 961 名。二是开展动物检疫申报网络建设,加强检疫申报网点规范化管理,实行形象设计、工作制度、申报程序、工作记录、设施设备等"五统一",以及申报电话、受理人员、申报程序、收费标准"四公开"制度,全省建成动物检疫申报网点 1 232 个。三是严格规范检疫。全省产地检疫开展面达到 100%,屠宰检疫到位率达到 100%,生猪、家禽产地检疫到位率达到 85% 以上,检出的病死动物及产品无害化处理率达到 100%,全力保障上市动物及动物产品的安全。

【调入动物及动物产品流通防疫监管】 2009 年,统一研发并启用"浙江省调入动物及其产品流通监管系统",对调入动物和动物产品调入前备案、省际报验、目的地核查、风险管理实行信息化管理。同时,系统设置了企业备案端口,方便了经营者报备。全省调入动物和动物产品备案率、报验率显著提升,调入动物和动物产品安全秩序得到进一步规范。2009 年,19 个省际公路检查站检疫消毒运载动物车辆 6 万余辆,查验动物 8 225.18 万头(羽),产品车辆 8 886 辆,动物产品 12.1 万吨,依法对相关违法行为以及动物和动物产品进行了处置,有效地防止了重大动物疫病的传入和蔓延。

【病死动物无害化处理专项整治行动】 根据商务部、农业部等七部(局)《关于开展打击私屠滥宰和病死猪病害猪肉非法交易专项整治的通知》部署,浙江省精心组织部署,落实专项整治工作:一是落实病死动物无害化处理常态监管责任制。对规模饲养场,由各级动物卫生监督机构落实监管人员实施监管;对散养畜禽,由乡镇政府和村委会负责监管;对屠宰场,由商务部门负责监管,动物卫生监督机构依法监督。二是动物卫生监督机构严格依法监督做好检出的病死动物及动物产品的无害化处理工作。三是推动病死动物无害化处理设施建设。已建成宁波、绍兴两大集中处理中心,衢州、嘉兴等畜禽养殖主产区的规模饲养场、畜禽养殖乡镇,因地制宜,建设病死动物无害化处理窖 520 多座。四是严厉查处违法行为。全年先后查处了屠宰、加工、经营病死动物以及经营病死动物产品等违法行为 36 起。

【畜牧业三项整治】 2009 年,全省扎实开展了饲料、兽药及畜产品质量安全专项整治行动。共出动执法和督查人员 74 715 人次,检查饲料生产经营企业 4 238 家次,畜禽养殖场户 31 150 个;抽检监测养殖环节"瘦肉精"18.8 万批次,合格率 99.99%;抽检监测饲料样品 4 013 批次,卫生指标合格率 99.4%;建议农业部注销因停产、拆迁、兼并等的饲料添加剂和添加剂预混合饲料生产企业 24 家;检查兽药生产经营企业、宠物诊疗机构等单位 13 414 家次,查处兽药经营单位违法案件 111 起,查处"瘦肉精"等违禁药物案件 18 起。饲料、兽药生产经营秩序进一步规范,本省生产的饲料、兽药产品监测合格率平均提高 2 个百分点以上,全年未发生畜产品安全中毒事件。

【畜产品产地准出规范化管理示范试点】 为贯彻实施《农产品质量安全法》,进一步规范生产环节农产品质量安全监管,2009 年省农业厅启动实施农产品产地准出规范化管理示范试点,按照生产主体"有管理制度,有专门人员、有生产记录、有质量检测、有产品标识"(简称"五有")和开展质量安全追溯管理的要求,确定仙居、萧山、磐安、长兴、海盐、苍南、常山、开化县为整体推进产地准出管理示范县(市、区),确定 104 个生产单位为 2009 年第一批省级产地准出规范化管理示范单位,其中建德市樟村蛋鸡养殖小区、嘉兴市惠丰养猪专业合作社示范牧业园区等 42 家为省级生猪、家禽、蜂产品产地准出试点单位。

【信息化建设】 制定全省信息化工作方案,启动推进畜牧兽医信息化建设,初步建成了畜牧兽医行业数据库管理、省外调入动物风险评估、生猪产销风险预警等系统,以及省级视频会议系统和对省际检查站的监控系统,并在市(县)开展屠宰检疫、动物防疫、畜产品质量溯源等 8 个信息化管理试点,积极推进牲畜二维码标识系统和能繁母猪射频标识系统建设,为畜禽养殖、流通、加工全程监管和畜产品质量监测体系建设打好基础。

【"双十佳"评选】 2009 年 10 月,省畜牧兽医局在全省畜牧兽医系统开展首届基层满意站所和优秀畜牧兽医工作者(即"双十佳")评选活动,评选出 10 个勤政廉政好、依法办事严、服务质量优、长效机制全的畜牧兽医基层站所和 10 位思想政治素质佳、扎根基层时间长、全心全意服务的优秀畜牧兽医工作者,以弘扬先进典型,推动加强全省畜牧兽医系统行风政风建设。

经各县、市层层推荐及全省公开评议、投票,评选余杭区城区动物防疫检疫站、鄞州区五乡镇畜牧兽医站、鹿城区家畜家禽检疫站驻菜篮子集团屠宰场检疫分站、长兴县杭宁高速公路动物防疫监督检查站、桐乡市动物卫生监督所梧桐分所、诸暨市浣东街道动物卫生监督站、东阳市畜牧兽医局横店动物卫生监督管理站、龙游县小南海动物卫生监督分所、路桥区横街动物卫生监督分所、莲都区碧湖动物卫生监督站等 10 个单位荣获"全省畜牧兽医系统十佳群众满意基层站(所)"荣誉称号;王友杉、王增河、母安雄、刘斯龙、刘志锋、何克勤、张志康、陈淑芳、周谷乔、项雷生等 10 位同志荣获"全省十佳畜牧兽医工作者"荣誉称号。

【全省动物防(检)疫员技能大比武活动】 "万名动物防(检)疫员技能大比武"是全省畜牧兽医系统提升能力和服务"三农"的重要举措之一。9 月份以来,从乡(镇)开始经过层层比赛选拔,11 个市从近万名基层动物防(检)疫员参赛者中,选出 99 名进入最后的全省总决赛。经过理论笔试和疫苗注射、家禽采血实际操作等环节的比拼,最后评出团体一等奖 1 名,二等奖 2 名,三等奖 3 名,组织奖 2 名,各有 10 位选手分获"浙江省优秀乡镇兽医专管员"、"浙江省优秀乡村动物防疫员"、"浙江省优秀动物检疫员"称号。

【浙江省畜牧兽医标准化技术委员会成立】 10 月 19 日,省质量技术监督局正式批复同意成立浙江省畜牧兽医标准化技术委员会,该委员会是畜牧兽医专业领域内从事浙江省标准化工作的技术工作组织,浙江省农业厅负责业务指导,浙江省畜牧兽医局负责日常管理。12 月 3 日成立大会在杭州召开,审议通过了章程、秘书处工作细则,从来自全省产、学、研、推的 40 名标技委委员中,产生标技委主任委员 1 名、副主任委员 3 名、秘书长 1 名、副秘书长 2 名、普通委员 23 名和单位委员 10 名。主要职责:按照国家制定、修订标准的原则,负责组织制定浙江省畜牧兽医方面的标准。组织对浙江省畜牧兽医相关地方标准、企业标准送审稿的审查工作。定期复审浙江省畜牧兽医相关地方标准、企业标准,提出修订、补充、继续执行或废止的意见。受有关行政主管部门委托,可在产品质量监督检验、认证和评优等工作中,承担浙江省畜牧兽医标准化范围内相关标准审查评价工作。搜索、整理、传递畜牧兽医的标准化信息情报,开展咨询及技术服务工作。接受国家和地方的委托,承担国家标准、行业标准和地方标准的制定。办理与标准化工作有关的其他事宜。

【标准研究与制订】 2009 年,由浙江省饲料监察所为主修订的国家标准《饲料添加剂维生素 K3(亚硫酸氢钠甲萘醌)》(GB/T7294—2009)正式发布实施。浙江省饲料监察所会同国家饲料质检中心共同承担完成了行业标准《饲料中孔雀石绿的测定》(NY/T1756—2009)的编制,并成为全国饲料检测依据,由浙江省畜产品质量安全检测中心为主承担的省科技厅重点项目"畜产品中违禁药物多残留检测技术研究"分别荣获了浙江省科技进步三等奖和农业厅技术进步一等奖。

【饲料业生产】 2009 年度,受国际金融危机和畜禽养殖周期影响,全省饲料业经历了上半年肉类和禽蛋需求下降、养殖业下滑、局部地区畜禽疫情困扰以及下半年饲料原料价格大幅波动的严峻考验,工业饲料生产总体保持稳定发展态势,为养殖业恢复发展和农民增收提供了有力的物质保障。据统计,截止到年底,全省共有饲料和饲料添加剂生产企业 527 家,其中配合饲料生产企业 259 家,饲料添加剂和添加剂预混合饲料生产企业 179 家,饲料总产量 451.79 万吨,同比增长 3.08%。各类饲料产量均有不同幅度增加,其中配合饲料 427.00 万吨、添加剂预混合饲料 19.15 万吨、浓缩饲料 5.64 万吨,同比分别增长 2.78%、8.90% 和 11.90%;各类饲料添加剂产量 14.94 万吨,增长 3.18%。全省饲料工业总产值 218.85 亿元,同比增长 10.67%。

产量居所有饲料产品 90% 以上的配合饲料,随着规模养殖场(户)自配饲料使用比例的不断增加而增幅趋缓。其中,猪料 206.72 万吨,蛋禽料 59.15 万吨,肉禽料 79.36 万吨,水产料 75.37 万吨,同比分别增长 3.79%、11.02%、-3.18% 和 0.92%。同时,伴随原料价格的快速上涨,虽销量增加,而利润却下降。但生产豆粕等原料的企业,则量价齐升,效益可观。作为本省多年的优势产品——维生素类饲料添加剂,则凭借竞争优势努力克服价格下滑的不利影响,全年实现产值 80.63 亿元,同比增长 4.25%;实现出口额 60.36 亿元,同比增长 13.22%,继续保持全国维生素类饲料添加剂生产和出口大省地位。此外,2009 年鱼粉产量达到 15.16 万吨,同比增长 18.62%。

【落实扶持政策】 全年共落实和下达中央、省级政策性补助经费 26 644.99 万元。其中:对全省 2 944 户奶农、31 741 头后备母牛实施了补贴，共下达补贴经费 1 587.05万元，其中省财政补助 687.59 万元；开展了奶站的全面整顿，对 87 个取得生鲜乳收购许可证的奶站发放以奖代补资金 300 万元；实施奶业保护政策，对浙江省杭江牛奶公司乳品厂等 4 家乳品加工企业在 2008 年 9 月 15 日至 12 月 31 日期间收购的 9 052.64 吨鲜奶而加工的奶粉进行补助，共补助收购鲜奶加工补贴 724.22 万元，其中省财政补助 548.34 万元；实施了生猪调出大县奖励政策，拨付嘉善、衢江、江山、萧山、义乌 5 个国家生猪调出大县奖励资金 3 533 万元和 12 个省级生猪调出大县 600 万元；实施了生猪和奶牛良种推广补贴政策，共拨付良种补贴资金 3 023 万元，其中生猪良种补贴 2 800 万元、奶牛良种补贴 223 万元；开展种质资源品种保护工作，拨付农业部种质资源保护经费 81.7 万元；继续实施 811 治理工程，对完成治理任务的 2 498 家畜禽规模场下达以奖代补资金 7 494万元；下达了 17 个公路检查站补助经费 600 万元，动物疫病监测经费 480 万元，测报站等专项经费 119.5万元，2008 至 2009 年度奶牛"两病"专项经费 326.52万元、下达动物疫病防控目标考核经费 47 万元；实施了基层动物防疫工作经费补助政策，共下达欠发达地区基层动物防疫工作经费 2 000 万元；落实动物疫病强制免疫疫苗经费 5 082 万元，其中中央经费 1 467万元，省级经费 3 615 万元；落实中央奶牛"两病"防控专项经费 147 万元；启动了能繁母猪预警系统建设，落实专项资金 500 万元。

【项目建设】

1. 中央项目。2009 年共组织建设了畜禽良种工程项目、生猪标准化规模养殖场（小区）建设、奶牛标准化规模养殖场建设、国家农业综合开发项目等 4 个批次 124 个项目，其中：2009 年中央批准立项建设的项目有畜禽良种工程项目 4 个、生猪标准化养殖场建设项目 113 个、奶牛标准化规模养殖场建设项目 5 个，国家农业综合开发项目 2 个，项目总投资 21 575.63 万元，其中：中央投资 7 630 万元(4 个畜禽良种工程项目，总投资 1 090 万元，中央投资 600 万元，项目可年供生猪良种精液 12 万份、年新增出栏优质长毛种兔 1 万只、萧山鸡核心保种群稳定在 1 320 羽、意蜂优质种群达到 1 000群，年可培育种用蜂王和生产用蜂王 1 万只；113 个生猪标准化规模养殖场建设项目，总投资 18 425 万元，中央投资 6 310 万元，生猪年出栏能力增加29.95万头；5 个奶牛标准化规模养殖场建设项目，总投资 959 万元，中央投资 500 万元，存栏奶牛 4 495 头，年可供优质鲜奶 1.95 万吨；2 个国家综合开发项目，总投资 1 101.63万元，中央投资 220 万元，目标新增浙东白鹅种鹅 1 万只、年新增提供优质苗鹅 35 万只，目标年处理秸秆能力达到 6 000 吨以上，年新增鲜奶 2 000 吨)。

2. 省级项目。组织实施 2009 年现代畜牧业项目、山区海岛特色畜牧业、生态养殖场（小区）、畜禽种苗工程、动物防疫基础设施建设规划项目等省级项目计划建设，省内共下达各类项目补助经费 4 963.5 万元，其中：33 个省级现代畜牧业项目扶持经费 1 775 万元；50 个温台丽生猪规模化生态养殖场建设扶持经费 1 000万元、36 个山区海岛发展特色畜牧业项目补助经费 800 万元、12 个畜禽种苗工程和保护项目扶持经费 570 万元、31 个动物防疫基础设施规划项目补助经费 715 万元、富春江沿江乡村病死畜禽无害化处理池建设补助 103.5 万元。

（浙江省畜牧兽医局　丁巧丽）

安徽省畜牧业

【概况】 2009 年，安徽省畜牧业克服国际金融危机、甲型 H1N1 流感等重大动物疫病威胁、畜禽产品价格波动和局部地区严重自然灾害等不利影响，主要畜禽产品实现逆势增长，全省肉蛋奶总产量达到 500.8 万吨，同比增长 5.6%，其中肉类总产达到 362.5 万吨，同比增长 5.4%；禽蛋产量 118.2 万吨，同比增长 5.4%，牛奶产量 20.1 万吨，同比增长 11%。畜牧业产值 795.8 亿元，占农林牧渔业总产值比重达到 31%；规模养殖比重达到 50%，比上年提高 5 个百分点；饲料总产量 246 万吨，同比基本持平；全年动物疫情形势平稳，畜产品质量安全得到有效保障。

【畜禽养殖、生产与市场】 2009 年底，全省生猪存栏 1 482.56 万头，同比增长 3.5%；奶牛存栏 6.8 万头，同比增长 9.7%；家禽存栏 22 540.84 万只，同比增长 4.89%。全年主要畜产品价格走势好于预期。一是生猪价格出现一定波动。价格走势分为 3 个阶段：第一阶段，1 月份至 5 月上旬为下跌，但仍维持赢利；第二阶段，5 月中旬至 6 月中旬低位徘徊，基本维持在 9.2 元/千克左右。采取各项稳定生猪生产措施，生猪价格出现回升，养殖户只出现短时间轻微亏损，未对生猪生产造成冲击；第三阶段，6 月下旬至年底持续回升后保持稳定，养殖保持正常效益。二是家禽及其产品价格走势平稳。蛋禽、肉禽生产形势较好。鸡蛋价格全年走势总体比较平稳。三是牛奶价格呈现持续回升态势。受上年婴幼儿奶粉事件的滞后影响，上半年牛奶价格较为低迷，6 月份后，全国乳制品销售形势好转，鲜奶销售价呈现持续上涨态势，养殖效益回升。四是牛羊肉价格全年保持高位，价格行情最为稳定。

（安徽省畜牧兽医局畜牧处　程智中）

【扶持政策】

1. 生猪良种补贴项目。2009 年，全省的项目县增加到15个，项目任务由35万头能繁母猪增加到66万头，资金由原1 400万元增加到2 640万元。15个项目县分别是：定远、利辛、霍邱、灵璧、濉溪、临泉、长丰、太湖、阜南、太和、枞阳、五河、望江、凤台、绩溪县。

一是制定项目实施方案；二是制定新增项目县产生办法及标准，严格遴选新增项目县；三是制定项目供精单位入选要求，提高供精单位门槛，严格按程序考核招标供精单位；四是及时召开项目启动工作视频会议；五是承办全国项目管理与技术培训班；六是召开全省项目实施工作经验交流会；七是开展项目精液质量自查和抽查；八是强化检查督导，对供精单位进行现场考查审核，根据基础设施、仪器设备、种公猪数量质量品种来源、卫生防疫、档案记录管理、人工授精人员的业务能力、精液产品包装标识、保存运输条件等，确定公布了60个项目供精单位和2 183头种公猪。

各项目县配套投入大量资金，加强基础设施建设、购置仪器设备、引进种公猪，设立供精站点286个，配备人工授精员1 616名。15个县的能繁母猪存栏量占全省的45%，成为稳定生猪生产的中坚力量。

（安徽省畜禽遗传资源保护中心　杨秀娟）

2. 奶牛良种补贴项目。2009年，中央财政下达安徽省奶牛良种补贴资金217万元，补贴荷斯坦奶牛4.9万头，奶水牛1.0万头和乳肉兼用西门塔尔牛2.5万头。其中荷斯坦奶牛能繁母牛，基本实现全覆盖；定远、肥东、五河三县存栏的、有开展挤奶工作条件的1万头奶水牛能繁母牛实施补贴；谯城区、蒙城、利辛、临泉、颍上等5个县（区）存栏的、有开展挤奶工作条件的2.5万头乳肉兼用西门塔尔牛能繁母牛实施补贴。补贴范围的扩大，标志着全省畜牧良种的推广应用跨入了一个新的阶段。

为使项目顺利实施，专门制定了实施方案，省政府采购中心对项目冻精进行了公开招标，项目县按照项目实施方案要求及采购合同，积极做好项目冻精的验收、储存、分发、登记造册、建档立卡等工作。同时还在网站上开辟专栏，对项目补贴范围、补贴政策、补贴标准、补贴对象、资金结算以及项目实施方案、实施进度、招投标公告、对供应冻精的入围供应商及种公牛的详细信息进行了宣传和公示。项目县张榜公布到户，以"明白纸"的形式发送到户。截止到年底，项目冻精已全部配送到位，补贴资金拨付到位，项目进展顺利。

（安徽省畜禽遗传资源保护中心　王　恒）

【养殖小区建设】 2009年，全省新建、扩建奶牛场（小区）52个、肉禽规模养殖小区（场）182个、生猪标准化规模养殖场（小区）432个。到年底，全省建成各类不同标准的养殖小区（场）27 600多个，全省规模养殖比重达到50%。

（安徽省畜牧兽医局畜牧处　程智中）

【畜禽良种工程】 2009年，农业部下达了安徽省4个畜禽良种工程项目，分别是省DHI实验室建设项目、肥东县淮猪遗传资源保护场项目、宁国市皖南黑猪原种场项目、东至县东至水牛遗传资源保护场。同时，《安徽省畜禽良种工程建设规划（2009—2015年）》编制完成。规划实施期7年，投资项目874个，总投资9.68亿元。其中，请求中央投资8.04亿元，省级配套10 143万元，项目单位自筹6 257万元。建设内容包括新（扩）建种畜禽场、扩繁场；畜禽良种繁育体系、畜禽地方品种资源保护利用体系、种畜禽质量检测监测体系、畜禽良种和技术服务推广体系建设等。

（安徽省畜禽遗传资源保护中心　王　恒）

【秸秆养畜】 根据《关于下达2009年农业综合开发农业部专项项目计划的通知》，确定阜阳市颍泉区、颍州区，亳州市谯城区和淮北市为建设秸秆养牛示范区项目，每个示范区投资375万元，总投资1 500万元（其中财政投资600万元），用于项目建设。

【饲料业生产】 2009年，安徽省饲料行业克服了多种不利因素，实现了行业的稳步发展，并呈现出如下特点：一是产销波动不均。猪料生产呈前抑后扬、总体徘徊态势。禽料先是小幅波动，继之平稳，然后小幅上扬，总产量同比基本持平。水产料则为稳步上涨态势。反刍料基本平稳。二是大宗饲料原料价格大幅上扬。据市场监测，玉米在三季度末曾一度爆出高价，最高价达到2 100元/吨，一度使生产企业陷入困境。豆粕与鱼粉的价格走势也与玉米相似，致使原料商备货不足。三是地域发展差异显著。省内北方地区因养殖业较发达、需求旺盛而致饲料企业发展迅速；南方地区则以禽业养殖为主且大型养殖企业多自办饲料生产企业，除满足本场需要外也为周边养殖提供饲料。此外，大企业仍旧主导市场，中小企业萎缩，市场洗牌继续。四是产品质量明显提高。随着饲料执法年活动的不断深入，饲料生产企业的产品安全意识明显增强，全省饲料产品质量水平明显提高。

（安徽省畜牧兽医局畜牧处　杨　林）

【兽药生产】 2009年，继续以加强兽药生产企业GMP现场监管为主线，以提高兽药质量、确保安全有效为核心，兽药生产管理及专项整治工作取得明显成效。截止到年底，全省在册兽药GMP生产企业33家。

一是进一步加大兽药生产企业专项整治工作力度，兽药产品质量不断提高。根据《兽药管理条例》及《安徽省畜产品质量安全管理条例》等规定，把兽药生产企业专项整治作为农资市场整治的重点内容之一，将药品主要成分、违禁药物查处等列为整治工作的重中之重。各级主管部门统一部署，统一行动，大造声势，力求实效。据统计，全省参加兽药生产企业现场执法检查379人次，检查生产企业31家，把农业部通报的产品质量不稳定、产品抽检不合格的企业列为重点抽检对象，共在企业现场抽检126个批次，立案查处违规案件7起，没收假劣兽药货值2万多元，没收违法所得3万多元，罚款11万多元。2009年全省生产企业产品抽检平均合格率97.0%，高于全国平均水平。

二是加强培训，进一步提高企业政策法规知识水平。针对生产企业实际，及时组织开展兽药相关知识特别是最新政策法规等内容的培训3期，培训有关人员370多人次，进一步规范了兽药的内外包装、标签和说明书管理，清理整顿不符合规定的兽药包装标识、质量说明书等。同时，根据农业部《兽药标签说明书管理办法》等有关规定，重点加大对兽药标签和说明书的管理力度，把兽药标签说明书的审查管理纳入兽药生产报批审查内容和兽药执法主要内容之一，重点查处兽药标签和说明书印刷书写不规范、夸大药品疗效、扩大治疗范围宣传。2009年，共审查兽药生产企业申报的标签和说明书560多份，退回重审不规范标签说明书167份，查处标签说明书违规案件230多起，兽药标签、说明书不断规范。

（安徽省畜牧兽医局兽医处　乐其新）

【畜产品市场】 严格执行“百场千村万户”监测计划，开展生产统计信息监测点抽查，落实畜禽生产月报、半年报和畜牧专业年报工作，坚持每周发布畜产品价格信息，加强对畜禽产品产销情况监测预警，促进畜牧业稳定健康发展。通过报纸等媒体，加强信息发布，帮助广大养殖场户规避市场风险。2009年全省畜产品市场没有发生重大畜产品安全事故。畜产品兽药残留合格率99.9%；饲料产品质量合格率90.58%，同比上升1.34%；生鲜乳中三聚氰胺检测合格率100%。畜产品质量安全整体水平居于全国前列。

【畜牧法贯彻与实施】 《安徽省实施〈畜牧法〉办法》列入省人大立法计划。广泛收集兄弟省市制定起草《实施〈畜牧法〉办法》的经验教训，开展了有关调研工作，摸清当前畜牧业发展难点、热点，了解贯彻实施《畜牧法》以及执法过程中存在的问题，拟定了《安徽省实施〈畜牧法〉办法》起草工作总体安排方案。

（安徽省畜牧兽医局畜牧处　程智中）

【动物防疫法贯彻与实施】 落实“属地管理、政府负责”的原则，制定了《安徽省重大动物疫病防控工作考核办法》，将政府和有关部门的防控责任纳入省级统一考核，建立技术骨干定点联系一个市动物防疫工作，严格实行防控工作责任制。

有组织、有计划地对从事动物疫病预防与控制工作的人员进行培训，提高业务素质和依法防疫意识。举办了2009年全省春季以及秋冬季重大动物疫病防控技术培训班、猪病防控技术研讨会、部分地区夏季猪病防控工作研讨会等大型技术培训；组织全省9个国家级疫情测报站赴国家中心培训18人次；派员参加中国动物疫控中心、中国动卫中心、兰州兽医研究所等科研单位组织的免疫技术、生物安全、实验室诊断技术、标准化工作、人畜共患病、流行病学调查等各类培训28人次。

（安徽省动物疫病预防与控制中心　闫效祖）

【兽医管理体制改革】 全省兽医管理体制改革基本完成，适合现阶段安徽省畜牧业发展的畜牧兽医管理体制初步建立。通过改革，全省建立了畜牧兽医行政管理、兽医执法监督和技术支撑三大体系，稳定了畜牧技术推广体系，强化了畜产品质量安全监测体系。

1. 省级兽医机构。安徽省畜牧兽医局为省农业委员会管理的主管全省畜牧兽医工作的行政机构，内设畜牧处、兽医处和综合处等3个处，行政编制12名。还设立了安徽省动物卫生监督所、安徽省动物疫病预防与控制中心和安徽省畜禽遗传资源保护中心，并保留了安徽省畜牧技术推广总站和安徽省兽药饲料监察所共5个正处级全额拨款事业单位。

2. 市、县级兽医机构。市级设立市级畜牧兽医局、动物卫生监督所和动物疫病预防与控制中心。其中，不直接从事城区动物卫生监督执法工作的市动物卫生监督机构与市畜牧兽医行政管理部门合并设置，一个机构、两块牌子；动物疫病预防与控制中心同时加挂“畜牧兽医技术推广站”牌子。县(市、区)级设置畜牧兽医局、动物卫生监督所和动物疫病预防与控制中心(同时加挂“畜牧兽医技术推广站”牌子)。合肥市、阜阳市设立了正处级的政府职能机构——合肥市畜牧水产局、阜阳市畜牧兽医局。在国务院推进“大部制”改革中，阜阳市畜牧兽医局退出政府组阁序列，归口阜阳市农业委员会管理，仍保留设置独立党组，人、财、物“三权”独立。

3. 乡镇级兽医机构。乡镇设立畜牧兽医站，为财政全额拨款事业单位，人员、业务、经费等由县级畜牧兽医行政主管部门统一管理；对畜禽饲养量较少的地方一些县按区域设立畜牧兽医站。全省105个县(市、区)的1 368个乡镇的畜牧兽医站改革已基本完成。乡镇级机构数由1 594个减少为1 133个，实有人数由1 730人增加到2 188人。其中独立设站的有620个乡镇，按区域设站的有173个乡镇，在乡镇农业综合服务站增挂“畜牧兽医站”牌子有340个乡镇。

4. 村级动物防疫员队伍建设。2009年，全省村级动物防疫员共有14 188名。省级财政发放村级动物防疫员补贴经费共计1 706.7万元。村级动物防疫员与乡镇政府每年签订劳务合同,明确双方责任。县畜牧兽医部门每年对村级动物防疫员集中开展两次培训,并会同乡镇政府对其春秋两季重大动物防疫密度、防疫质量、耳标打挂、免疫证明发放等方面进行考核,并依此大多通过“一卡通”核发劳务补贴。

(安徽省畜牧兽医局　王　光)

【畜禽遗传资源保护】 2009 年,全省畜禽遗传资源调查和清理工作全面完成。调查表明,全省共有地方畜禽品种资源、畜禽新品种(配套系)44 个,其中地方原有品种 23 个,培育品种(配套系)15 个,新发现品种资源 6 个。黄山黑鸡、枞阳媒鸭、五华鸡、江淮水牛、枞阳黑猪、皖北黄牛 6 个新发现畜禽资源,于 4 月份通过省级鉴定。其中前 4 个新发现畜禽资源还顺利通过国家级鉴定,成为国家级新发现畜禽资源。根据《畜牧法》规定,在资源普查的基础上,省农委公布了安徽省畜禽遗传资源保护名录第一批 26 个。

同时,经省科技厅批准、省畜禽遗传资源保护中心与安徽农业大学联合共建了“安徽省地方畜禽品种资源保护与生物育种技术省级重点实验室”,为加强畜禽种质特性研究和遗传资源的保护利用提供了有力的技术支撑。

2009 年,“安徽省畜禽遗传资源保护利用工作取得重大进展”被评为全省农业十件大事之一。

(安徽省畜禽遗传资源保护中心　杨秀娟)

【饲料安全监管与无公害饲料认定】 全年共抽查企业 151 家,合格率 94.14%,同比上升 2.69%;抽检饲料产品质量监测 266 批次,合格率 90.58%,同比上升 1.34%;全年抽取饲料样品,其卫生指标全部合格;检测配合料和浓缩料 146 批,合格率 94.33%,同比上升 2.33%;检测预混合饲料 88 批,合格率 84.59%,同比上升 7.16%;监测动物源性产品 16 批,合格率 81.25%,监测植物源性产品 16 批,合格率 81.25%,同比上升 6.25%;监测植物性饲料 16 批,合格率100%;检测饲料添加剂 5 批,合格率 100%。三聚氰胺专项监测 116 批,合格率 100%;违禁药物专项监测 113 批,合格率 99.1%;饲料标签监测 266 个,合格率 97.46%。

(安徽省畜牧兽医局畜牧处　杨　林)

制定了畜禽水产养殖用饲料无公害认定规则,全年认定无公害饲料 158 批。对省级标准化畜禽养殖小区(场)进行了饲料产品和畜产品认证检测工作。

(安徽省兽药饲料监察所　凌玉云)

【兽药质量与药物残留监督管理】 2009 年,全省在册兽药 GMP 生产企业 33 家,年销售额 5.6 亿元,年产值 7.2 亿元;兽药经营单位 4 789 家,年经营额 13.7 亿元;辖区兽药生产企业产品质量抽检合格率与经营企业产品抽检合格率同比分别提高近 2 个和 4 个百分点。全省没有发生兽药质量安全重大事故和畜禽等动物产品质量安全重大事件。

加大对兽药 GMP 生产企业后续监管力度。省畜牧兽医局联合企业所在地的兽药主管部门,组成 10 个督查组对全省在册的 33 家兽药生产企业实行不定期 GMP 执行情况的执法检查,加强 GMP 后续监管,检查企业 12 家,依法查处违法违规企业 3 家。为了防止生产企业低水平重复建设,有效控制企业数量,对生产剂型单一、规模较小、缺少技术的 2 家新申报企业,不予批准立项,从源头上控制兽药生产企业数量。

突出重点,全面开展兽药市场专项整治。在各市按照全省统一行动、自查督查的基础上,省畜牧兽医局春秋两季分别成立 8 个兽药抽查执法联动督查工作小组,分别对农业部和省抽检不合格兽药的查处工作进行督导。对农业部通报及省内抽检的不合格产品,责令市级主管部门严格按照规定时间和要求限期办结;对非法生产企业及其产品实行曝光,并 5 次通报兽药重大案件查处结果。突出做好阜阳、合肥、宿州等重点兽药市场的打假工作,联合阜阳、合肥、宿州三市兽药行政管理部门对该区域市场实行了 6 次较大规模的现场执法检查,对不符合兽药经营条件的或 3 次以上违规经营的企业,依法强行取消从业资格、吊销兽药经营许可证。

加大兽药监督抽检力度。组织省兽药饲料监察所等单位对全省兽药市场实施监督,积极实施兽药监督抽检与行政执法查处联动制度,规范兽药抽检程序,加大抽检不合格产品查处力度,提高兽药查处工作的时效性。2009 年度国家兽药质量监督抽检计划下达安徽省 150 批,省内配套抽检 150 批,实际完成 302 批,其中:非法企业生产假药 17 批;经信息确认为合法 GMP 生产企业生产 265 批,检测合格率 95.6%,合格率同比上升明显。

加强兽药经营和使用环节监管及经营模式创新。利用科技下乡、项目扶持资金资格审查等形式,积极开展兽药安全、科学使用等普及宣传和技术指导,不断完善养殖用药记录和档案管理,查处违规违禁用药行为,提高养殖用药安全水平。积极推行兽药经营质量管理规范(GSP)管理,先后制订了《安徽省兽药 GSP 实施细则》、《安徽省兽药 GSP 现场检查验收工作程序》、《安徽省兽药 GSP 现场检查验收办法》和《安徽省兽药 GSP 现场检查验收评定标准》等讨论稿,在合肥、阜阳两市进行 GSP 试点管理,2009 年已有 26 家企业按照 GSP 试点标准开展经营活动;重点支持“申亚”、“龙士佳”等名牌企业开展兽药连锁经营,进一步规范市场经营行为,探索创新兽药连锁经营模式和机制。

加强兽药残留监控。组织实施动物性产品兽药残留监控计划,扩大药残监测品种、范围,完善残留超标追溯制度,查处不法用药行为。共完成检测样品 1 739 批,其中:部级计划抽检 263 批,合格率 99.6%;省级计划抽检 731 批,合格率 99.9%。

2009 年,省畜牧兽医局组织召开全省兽药监管专门工作会议 3 次,全省共发放宣传资料 12 万多份,利用报纸电台等媒体宣传 110 多次,开展培训 137 期,培训人员 19 876 人次,参加兽药市场专项整治监督检查 2 600 多人次,检查生产、经营、使用单位 3 089 家,市场抽查可疑兽药 1 492 个批次,抽检兽药及动物产品 1 179个批次,依法取缔非法兽药经营单位 133 家,吊销兽药经营许可资格企业 321 家,立案查处违法违规案件 376 起,没收假劣兽药货值 279 万元,没收违法所得 102 万元,处以罚款 261 万元。

(安徽省畜牧兽医局兽医处 乐其新)

【结构调整】 在生产布局方面,江淮和淮北生猪、江淮和沿江家禽、淮北肉牛、肉羊和城郊奶牛优势区域布局进一步形成,区位优势逐渐凸显,资源配置进一步优化。13 个国家级生猪调出大县生产规模和综合生产能力进一步提高,15 个肉禽产业示范县、2 个肉牛产业示范县建设取得积极进展。

加快推进畜禽标准化规模养殖,实现养殖方式转变。制定了《安徽省省级标准化畜禽养殖示范小区(场)认定及奖励办法》(试行)。全省存栏 500 头以上的肉牛养殖场达到 70 多个,出栏羊 500 只以上的养殖场户达 250 多个;存栏 5 万只以上的规模蛋鸡场达到 40 多个,存栏肉鸡 5 万只以上的 1 140 多个。100 头以上奶牛规模饲养量占全省总存栏量的 74.4%,年出栏 2 000 只以上的规模肉鸡户达到 23 992 户,规模养殖比例达 85%以上。健全良繁体系,推广优良品种,实现优质化生产。2009 年继续实施畜禽良种工程项目,先后改扩建了一批原良种场、资源场。全省年供应种畜禽能力,约为二元母猪 120 万头、父母代以上种禽 1 000万套、肉牛精液 20 万支、奶牛精液 100 万支等。全省畜禽良种普及率达 90%,年约推广出栏良种猪 2 300万头、肉牛 110 万头、肉羊 900 万只、家禽 6 亿只。加快构建科技创新与应用体系,提高科技贡献率。先后成立了家禽、肉牛、猪产业技术创新战略联盟,加大畜禽新品种、新技术、新材料的推广力度,提高科技贡献率。通过送科技下乡等形式继续推广先进的猪、家禽、牛尤其是奶牛的高效、优质、安全集成技术;开展技术培训,提高人员素质;加快成果转化,提高科技含量,促进牧业增效和农民增收。积极推进畜产品精深加工业发展,提高产业化经营水平。全省各类龙头企业不断涌现和发展壮大,现有国家级畜牧产业化龙头企业 9 家,省级农业产业化龙头企业 105 家,农村畜牧专业合作经济组织 1 000 多家。畜产品加工业产值与畜牧业产值之比达到 0.5∶1。奶业企业年加工鲜奶能力接近 100 万吨。

(安徽省畜牧兽医局畜牧处 程智中)

【行业标准建设】 由 7 个单位承担的 23 个畜牧类地方标准列入省级地方标准制(修)订计划,其中《圩猪》和《淮北麻鸡》属于修订项目。17 个地方标准经过审定已公布,进一步健全了畜牧养殖技术、品种保护、疫病防控和畜产品质量安全等标准体系。组织了 6 次饲料标准化审定会,共审订 99 家企业 142 项企业标准,其中配合饲料标准 68 项、浓缩饲料标准 42 项、预混料标准 26 项、特殊标准 6 项。制定了《饲料产品营养指标标示指南》,已经通过国标审查。此外还举办了《饲料添加剂安全使用规范》培训班和标准制作培训班。

【畜产品质量安全认证】 全省有 27 个畜禽养殖企业开展了无公害农产品产地认证,认证畜禽养殖总头数 3 257.9 万头(只、羽)。12 个市 34 家畜牧业养殖加工企业或农民专业合作社申请无公害畜产品质量认证,共认证产品 76 682 吨。其中畜类 21 721 吨,禽类 42 541吨,蛋类 12 420 吨。22 个企业 50 个产品获得绿色食品认证。13 个企业 18 个产品通过有机认证。

(安徽省畜牧兽医局综合处 郑久坤)

【畜产品质量安全监测】

1. 生鲜乳监测。按照农业部《关于开展 2009 年生鲜乳质量安全监测工作的通知》要求,全省承担检测任务 150 批,分 3 批完成,监测项目涉及生鲜乳中三聚氰胺、温度以及奶站收购许可证、运输环节准运证。实际分 3 次对已有 41 个奶站共计完成 180 批监测,超额完成 20%,结果合格 139 批,总合格率 77.2%。不合格产品均为奶站无收购许可证或运输环节无准运证。另外共检出三聚氰胺 9 批,检出率 5.0%,均未超过国家规定的限量范围,合格率 100.0%。通过监测和综合整治,省畜牧兽医局结合生鲜乳监测工作,严格了对奶站的发证和管理,这些奶站均已持证营业;对不符合要求的奶站进行了规范和整治,全年监测结果显示,第三批检测已全部达到国家规定的要求和标准。

2. 畜产品例行监测。安徽省畜产品质量安全例行监测计划由安徽省农委下达,17 个市,每市 48 批,共计 816 批。其中猪肉中磺胺类药物 12 批,猪肝中盐酸克伦特罗 12 批,猪尿中盐酸克伦特罗 12 批,鸡肉中己烯雌酚 12 批。全年分 3 次完成,由各个市负责抽样后送达省兽药饲料监察所检测。实际收到样品 730 批,其中猪肉中磺胺类药物 184 批,猪肝中盐酸克伦特罗 182 批,猪尿中盐酸克伦特罗 184 批,鸡肉中己烯雌酚 180 批。结果除鸡肉中己烯雌酚检出阳性样品 1 批、合格率 99.4%外,其余检测合格率均为 100.0%;总体合格率99.9%。

（安徽省兽药饲料监察所 凌玉云）

【重大动物疫病防控】

1. 确保免疫质量。出台并实施了《安徽省2009年主要动物疫病免疫方案》，确立了高致病性禽流感、口蹄疫、猪瘟、高致病性猪蓝耳病等4种重大动物疫病为主要防控对象，以免疫密度、免疫抗体合格率、免疫证明发放率、免疫档案建档率、家畜二维码耳标佩带率5个100%为工作目标，制订了《重大动物疫病和常规动物疫病免疫程序指导意见》、《消毒灭源指导意见》，指导规模畜禽场（户）实行程序免疫，散场畜禽实行春、秋两次集中免疫加月月补防的免疫程序，真正做到"应免尽免，不留空当"，保证存栏畜禽常年处于有效免疫保护状态。

按照省兽医体制改革总体要求，省、17个市、105个县（市、区）均成立了动物疫控机构，其中专业技术人员占到近80%，动物疫病防控队伍明显加强；为充实村级动物防疫员的基础队伍，各地通过资格准入制、竞争上岗制、目标考核制，共选聘持证上岗的村级动物防疫员1.4万多名，确保了免疫政策和制度落到实处。

出台了《安徽省动物疫病免疫操作规程》、《安徽省畜禽规模场/散养户防疫档案》等一系列规范，统一全省动物防疫工作的免疫程序、免疫档案、疫情报告、疫情处置、疫苗保管、标识配戴等工作。

2009年，全省共发放免疫证明600万张、动物防疫合格证1 200万张。

2. 加强疫病监测。制定下发了《安徽省2009年国家动物疫病监测方案》、《关于开展祖代种禽场高致性禽流感监测工作采样的通知》、《关于做好2009年疯牛病监测采样工作的通知》等文件，全面安排2009年重大动物疫病采样和监测工作。全年共集中开展了高致病性禽流感、新城疫、猪瘟、口蹄疫、高致病性猪蓝耳病、猪伪狂犬病等主要动物疫病的检测工作，采样范围涵盖全省17个市，共检测血清学样品27 697份、病原学样品13 455份。按照农业部有关要求，配合中国动物卫生与流行病学中心、国家禽流感参考实验室等单位开展禽类采样和流调工作7次，共送检样品3 189份。

全省强化口蹄疫监测工作，共监测17个市218个养殖场（户），检测血清样品3 714份。甲型H1N1流感疫情发生后，为做好疫情防控工作，下发《关于做好猪流感监测采样工作的通知》，进行选点采样检测。9月份，下发《关于开展秋冬季猪H1N1流感监测和流行病学调查工作的通知》，安排各地做好区内养猪场（户）、屠宰场（点）和交易市场的临床监测、巡回监测、疫情周报等工作。全省共临床监测规模场227个、散养户261个、屠宰场（点）135个、交易市场74个，累计临床监测生猪26.8万头、采集样品2 770份，未发现生猪临床异常症状，未监测到生猪感染甲型H1N1流感病毒。

3. 完善应急机制。结合实际，进一步完善重大动物疫病应急预案，组建了省级应急专家队，组织完善了市县应急预备队，规范应急处置程序。

为提高全省高致病性禽流感等突发重大动物疫病应急处置能力，12月份，在宁国市举行了2009年安徽省突发高致病性禽流感疫情应急处置演练，演练采取场景模拟和实况录像相结合的办法，提高各级疫控机构突发重大动物疫病应急处置能力。

4. 强化人畜共患病防控。2009年，采取病原学诊断及血清学诊断方法，全省共对47 055头家畜进行了血吸虫病检测。国家级东至县东流镇动物血吸虫病流行病学观测点按照农业部制定的工作方案完成全年疫情监测任务。

全年完成水改旱2 828公顷、挖鱼池329公顷、沟渠硬化191.4千米、家畜圈养38 722头、以机代牛4 112头、建沼气池11 974口。完成望江、无为和贵池区3县（区）实施的28个重疫区村农业综合治理项目，并通过了国家疫控中心验收。

组织制定了《安徽省血吸虫病农业综合治理重点项目规划（2009—2015年）》，并参加农业部组织的《血吸虫病农业综合治理重点项目建设规划（2009—2015年）》、《国家中长期动物疫病防控战略计划》子课题《血吸虫病防控计划研究》的起草工作。

【动物标识及疫病可追溯体系建设】 逐步建立追溯体系建设规程，健全了追溯体系工作制度，严格按照国家规定协助做好牲畜耳标招标，2009年省财政共追加资金620万元购置牲畜二维码耳标，2次招标共采购猪、牛、羊耳标3 791万套、373.3万套、981.4万套；配备耳标钳、针17 151把、257 259枚。加强牲畜耳标发放管理，2009年各地共签收、发放3 563.6万、1 862.6万套。指导各地建立了牲畜耳标发放台账，做到有据可查。同时，采取抽样检测和监督检查等方式跟踪检查耳标使用情况，确保招标牲畜耳标质量，提高牲畜耳标佩戴率。坚持做好规模养猪场生产防疫信息报送工作。

（安徽省动物疫病预防与控制中心 闫效祖）

【畜牧业生产环境治理】 2009年大力扶持规模养殖场（区）建设，对符合建设规范验收合格的规模养殖场（区），省、市、县分级给予奖补。起草了《安徽省畜禽规模养殖标准和备案办法》、《安徽省畜禽规模养殖场（小区）养殖档案管理办法》。

突出抓好重点项目建设，积极推动传统养殖场（区）进行标准化改造。认真抓好生猪标准化养殖小区建设、现代农业发展资金、蛋鸡标准化规模养殖场改造等项目的实施,在项目设计上,把沼气池等环保设施作为最主要的建设内容,优先安排。认真组织实施能源环境工程项目,形成畜禽养殖与废弃物综合利用的互促互动机制。

制定了《生态发酵床养殖技术规程》,大力推广生态循环养殖模式。全省建设生态发酵床养猪场200多家,累计建设发酵床养猪圈舍30多万平方米,年提供优质肉猪40多万头。

(安徽省畜牧兽医局畜牧处 程智中)

福建省畜牧业

【概况】 2009年,福建省畜牧业生产稳定发展,实现畜牧业产值366.9亿元,占农林牧渔业总产值的18.3%。肉蛋奶总产量219.50万吨,同比增长1.0%。其中肉类产量175.19万吨,同比增长3.4%;禽蛋产量28.75万吨,同比减少12.9%;奶类产量15.56万吨,同比增长4.6%。全年生猪存栏1 315.79万头,同比减少0.6%,出栏1 922.93万头,同比增长4.5%;家禽存栏8 422.16万只,同比减少9.8%,出栏19 419.71万只,同比减少2.5%;羊存栏103.39万头,同比增长7%,出栏127.55万头,同比增长5.8%;牛存栏70.28万头,同比减少0.7%,出栏21.56万头,同比增长1.3%。

全省配合饲料、浓缩饲料、添加剂预混料总产量427.0万吨,同比增长20.0%,总产值127.2亿元,同比增长6.7%。饲料添加剂产量4.5万吨,同比增长32.8%,产值7.5亿元,同比增长69.9%;动物源性饲料产量7.6万吨,同比增长36.9%。全省兽药总产值80 451.6万元,销售66 652.7万元,其中生物制品产值8 500万元;兽用原料药产品远销海外,销售额达5 658万美元。

【政策扶持】 一是实施生猪良种补贴。为推广猪人工授精技术,提高生猪良种化水平。对福清市、新罗区、延平区、龙海市、上杭县、武平县、南安县、仙游县、涵江区、蕉城区和沙县等实施生猪良种补贴,共补贴41万头能繁母猪,补贴金额为1 640万元。二是实施奶牛良种补贴。为加速奶牛品种改良,改善牛群质量、提高奶牛养殖效益。对全省荷斯坦奶牛改良3.6万头,补贴资金108万元,奶水牛改良1万头,补贴资金20万元,合计补贴资金128万元。三是实施生猪调出大县奖励。2009年中央财政对福建省8个调出大县奖励资金5 211万元,其中新罗区1 142万元、福清市850万元、延平区699万元、上杭县682万元、永定县559万元、武平县520万元、长汀县456万元、南安市303万元。四是实施能繁母猪保险。为进一步增强养殖户抵御重大病害、灾害等风险能力,加快建立健全生猪产业健康发展的长效机制,2009年,省农业厅与省财政厅联合下发《关于做好2009年水稻和能繁母猪保险工作的通知》,在全省范围开展能繁母猪保险。全省承保能繁母猪数共计75.07万头。每头能繁母猪保险金额统一定为1 000元,保费为60元,其中省级财政承担36元、市县财政承担12元、养殖户承担12元。

【畜禽遗传资源保护】 槐猪、莆田黑猪、连城白鸭、河田鸡、福建兔(黄毛系)、晋江马等品种保种场以及晋江马保护区、福建省石狮水禽保种中心分别被认定为国家级保种场、保种区和基因库;组织编制《农业部畜禽遗传资源保护项目任务书》,实施河田鸡、福建黄兔、长乐鹅等品种保种场,石狮国家水禽基因库,晋江马保护区等国家畜禽遗传资源保护项目;争取省财政遗传资源保护和良种繁育专项扶持资金200万元,组织各地市实施2009年畜禽良种保护及品种改良与推广项目,使福安水牛、莆田黑猪、白绒乌骨鸡、晋江马、闽北花猪、闽北白鹅、戴云山羊得到有效保护,促进了山麻鸭、金定鸭、福清山羊等品种的开发利用;在全国新一轮畜禽遗传资源调查中新发现的闽东山羊、闽清毛脚鸡、象洞鸡和《畜牧法》颁布前由省级遗传资源鉴定的金湖乌凤鸡、德化黑鸡经国家畜禽遗传资源委员会鉴定,成为国家认可的新遗传资源,全省地方畜禽遗传资源数累计达到27个。

【畜牧标准化建设】 一是畜牧技术推广。大力推广生猪生态健康养殖模式,提出了因地制宜地示范推广猪—沼—果(草、林、菜、茶等)生态型和达标排放、漏缝地面—免冲洗—减速排放等环保型养猪模式,试点应用生物发酵垫料床零排放模式等四种生态养殖模式。制定《福建省2009年畜牧五新示范与推广实施方案》,实施10个畜牧"五新"推广项目,其中德化黑鸡新品种推广:建立1个示范场,新增专业户48户,新增饲养11万羽,增销8.5万羽;高粱属牧草——大力士新品种推广:建立1个示范场,种植逾13公顷,推广逾350公顷,超额完成17公顷;猪"小单元"全进全出综合配套技术推广:建立1个示范场,出栏生猪7 500多头;生猪生态养殖与无公害猪肉生产综合配套技术推广:建立3个示范场,配套种植狼尾草近17公顷,消纳污水近9万吨,出栏无公害生猪2.86万头;本地水牛杂交改良综合配套技术推广:建立1个示范场,水牛存栏由年初的25头增加到60头,种植牧草3公顷;蛋鸭旱养喷淋技术推广:建立2个示范场,改造产蛋间3 500多平方米,硬化运动场地10多万平方米,采用旱养喷淋技术养鸭4 500多羽。组织首席专家和骨干力量下乡加强对项目的技术指导和培训,畜牧"五新"示范县(区)共举办相应培训班9期,培训近300人次。

二是生猪、奶牛标准化场建设项目。为提高生猪、奶牛标准化规模饲养水平，转变畜牧业增长方式，促进畜牧业持续健康发展，实施项目带动战略，促进生猪、奶牛标准化规模养殖。2009 年对全省 129 个生猪标准化规模养殖场（小区）建设项目补助 7 000 万元，其中：年出栏 1 000 ~ 1 999 头的养殖场（小区）补助 40 万元，年出栏 2 000 ~ 2 999 头的养殖场（小区）补助 60 万元，年出栏 3 000 头以上的养殖场（小区）补助 80 万元。对 6 个奶牛标准化规模养殖场（小区）建设项目补助 500 万元。三是建设 20 个畜牧标准化示范区。根据《2009 年畜牧标准化示范区项目指南》，确定 20 个市（县、区）为畜牧业标准化示范区项目县，每个项目县补助 10 万元。各项目县广泛、深入开展对畜牧标准化法规宣传工作，开展有关畜牧产业化、标准化、规范化养殖技术的培训，举办培训班共 26 期，计 2 294 人次参加，印发相关资料 25 000 多册。以核心示范场带动周边养殖场向规模化、标准化方向发展，提升畜牧业养殖水平。

【重大动物疫病防控】 全省动物疫病稳中有降，没有发生高致病性禽流感等重大动物疫情。一是狠抓强制集中免疫，不断创新防疫工作机制，全面推行以乡镇为基础，以村级动物防疫员为主体，组建动物防疫专业队（组），开展拉网式集中免疫和实行月免疫日制度相结合的工作机制，全年累计开展高致病性禽流感等强制免疫 5.49 亿头（羽），免疫密度和免疫质量均达到国家规定要求，构筑有效的免疫保护屏障。二是强化动物疫病监测。全省共开展主要动物疫病监测 30.03 万头（羽）份，抽检活禽市场禽流感病原学样品 1 745 份，在全国动物疫情检测（诊断）工作考核中，福建省列全国第三位。三是强化动物疫病流行病学调查。在 9 个设区市 22 个县（市、区）开展动物流行病学调查，形成流行病学调查报告。四是强化应急各项工作，进一步完善重大动物疫病防控的责任机制，调整充实了应急指挥机构，坚持 24 小时值班制度、健全和完善省、市、县、乡、村疫情报告网络，强化疫情报告和核查制度，确保做到早发现，早报告，快反应，严处置。五是强化夏季消毒灭源。部署并组织实施消毒灭源活动，编印和分发《科学消毒实用手册》2 000 册，全省共投入经费 432.28 万元，消毒药品 186.11 吨（其中省级 60.7 吨），消毒面积达 7 324.07 万平方米。

【动物卫生监督】 全省县级动物卫生监督体制改革基本完成，县级动物卫生监督机构设置明确，有独立机构，独立法人和独立编制，实施检疫监督项目建设，每个县配备监督执法车、取证设备等监督执法装备，通过加强动物卫生监督执法检查，加强动物卫生监督执法队伍培训等综合手段，不断提高动物卫生监督执法能力建设和素质建设，促进动物防疫监督工作深入全面开展。进一步规范了产地检疫操作，严禁患病动物、未经强制免疫动物和未佩戴法定动物标识动物出场调运，同时重点加大了对年出栏 3 000 头以上规模生猪养殖场产地检疫申报管理工作。以饲料质量安全专项整治暨执法年活动为契机，加大饲料专项整治行动，把检测抽样工作和监督执法紧密结合起来，严厉打击违法行为，确保动物产品安全。2009 年，在规模养殖场和屠宰场共抽检了生猪尿样 70 713 批次，检出盐酸克伦特罗阳性 7 批次，阳性率 0.01%。福建省动物卫生监督所获得农业部“2009 年饲料质量安全整治暨执法年行动先进集体”的称号。

（福建省畜牧兽医局）

江西省畜牧业

【概况】 2009 年，江西省围绕“两保一提高”（保增长，保安全，提升畜牧业综合生产能力）的要求，以项目建设为抓手，不断完善畜牧业基础设施，加快畜牧业标准化建设，进一步推进产业化经营，狠抓动物疫病防控和畜产品质量安全监管，积极应对国际国内市场变化，全力抵御国际金融危机带来的影响，全省畜牧业继续保持健康快速发展。全年肉类总产量 276 万吨，同比增长 6%。禽蛋、奶类产量分别为 41.4 万吨和 11.2 万吨，同比分别增长 3.5% 和基本持平。主要畜禽继续保持增长，生猪、家禽、肉牛出栏分别达到 2 714.2 万头、3.76 亿羽和 121.4 万头，同比分别增长 7%、3.9% 和1.2%。其他畜禽平稳发展，羊出栏 73.4 万只、兔出笼 296.1 万只、蜂 36.2 万箱、蜂蜜产量 1.12 万吨，同比分别增长 -2.7%、7.5%、13.5% 和 10.5%。

【发展特点】

1. 畜产品加工业产值突破 200 亿元。2009 年，全省畜产品加工业产值达到 210 亿元，同比增长 27%。煌上煌集团 3 000 万羽肉鸭屠宰加工线、九江博莱集团 60 万头生猪屠宰线、泰和和泰公司 15 万头肉牛屠宰加工线相继建成投产，新余润合 100 万头生猪屠宰加工线已在调试、试产，正邦集团百万头生猪屠宰加工线、洪门集团万吨禽肉加工线、和泰公司 20 万头生猪屠宰加工线正在加紧建设，全省畜产品加工能力大幅提升。

2. 饲料兽药工业产值突破 300 亿元。2009 年，饲料兽药工业产值达到 302 亿元。饲料企业生产总量达到 889.3 万吨，同比增长 17.3%。产值、产量两项指标均创历史新高。饲料企业不断壮大，集团化程度明显提高。江西正邦科技股份有限公司、双胞胎（集团）股份有限公司、江西加大集团 3 家企业荣获 2009 年全国五十强饲料企业。全省有兽药生产企业 52 家，其中 8

家于年内通过了GMP认证。

3. 畜禽良种供给紧缺的矛盾得到解决。通过2008、2009两年的努力，良种供给紧缺的矛盾得到有效解决，提前1年达到3年基本实现畜禽良种自给的目标。全省新增种猪场40余家、种禽场15家，种猪场达到382家、种禽场83家，基础种猪存栏11.7万头，基础种禽存栏140万羽，有效地满足了畜牧业生产对良种的需要。

4. 规模化、标准化养殖水平显著提高。全省规模养殖场(户)达到21.5万个，猪、禽规模养殖比重分别达到75%和68%，分别比上年提高5个百分点和3个百分点。出栏500头以上规模的养猪场出栏数已占到全省出栏数的60%。“爱我美好家园畜禽清洁生产行动”的实施，进一步推进了全省畜禽养殖场标准化改造工作。全省60%的大中型养猪场和重点区域规模养殖场已完成或正在进行标准化改造。已建成126个标准化养殖示范基地，50个畜禽标准化规模养殖示范区。

5. 产业化经营水平显著提高。2009年，全省94家省级以上畜牧业龙头企业销售收入达350亿元，增长25.4%。农民专业合作社加快发展，组织化程度提高。新增畜牧业专业合作社550个，总数达到1 500个。合作社的运作行为逐步规范，管理制度和经营机制不断完善。

6. 重大动物疫病防控水平显著提高。全省未发生高致病性禽流感疫情和口蹄疫疫情，自2005年以来连续4年保持零疫情。

7. 畜产品质量安全水平显著提高。全省畜产品质量安全水平进一步提升，外调生猪“瘦肉精”检出率为零，饲料中违禁药品检测合格率为99%，兽药合格率85%，生鲜乳中三聚氰胺检测合格率100%，未发生饲料及畜产品安全重大事件，在农业部农产品安全例行监测中，江西省畜产品合格率排名全国第一。

【畜牧业项目建设】 2009年，全省认真组织实施新增乡镇兽医站、标准化养殖场、种畜禽场建设和县级动物防疫基础设施等项目的建设。全年畜牧业投资6.6亿元，其中中央基本建设项目5类683个，投资额达到2.1亿元，省级以上财政投入4.5亿元。全省300个新增乡镇兽医站项目已全面开工，已有267个乡镇完成项目建设；2009年第3批扩大内需项目中，新增的414个乡镇站已全部开工建设；2008年生猪标准化养殖场建设项目和生猪、肉鸡良种场扩建项目完成率达到80%；采取以奖代补的方式扶持67个蛋鸡场进行标准化改造。同时，成立了江西省畜牧业项目管理督查工作小组，负责对全省各个项目建设计划执行情况、资金使用和管理及建设任务完成情况、项目管理情况进行督查。

【畜禽粪污治理】 按照循环经济、低碳经济理念，以生猪规模养殖场标准化改造和畜禽养殖场大中型沼气工程建设为切入点，率先启动了千场万户畜禽清洁生产行动。完成了年出栏500头以上规模的生猪养殖场户登记工作，公布了第一年度需达标的425家养殖场名单。通过实施建立组织领导和技术保障机制，掌握了畜禽规模养殖场分布情况，签订了425份污染治理达标责任书，已有173家实现了粪污减量化、无害化、资源化，有210家养殖场已改造建设。

【重大动物疫病防控】 2009年，江西省把重大动物疫病防控作为“保安全”的首要任务，狠抓各项防控措施落实，全省共落实防控经费2.69亿元，其中省级投入近1.1亿元。

1. 确保免疫密度和质量。坚持“免疫与消毒并重，防疫和灭源并举”的原则，全面落实强制免疫制度，强化免疫消毒工作监管。扎实有效地组织开展春、秋两季集中防疫行动，并通过强化免疫申请验收、分类免疫管理、每月补免周、飞行检查等4项制度的实施，切实提高免疫密度和质量。2009年全省共免疫生猪4 600多万头、牛550多万头、羊210万头、家禽6.3亿羽，高致病性禽流感、口蹄疫、猪瘟、高致病性猪蓝耳病免疫密度达到100%。在秋防结束后还组织了一次集中补免行动。

2. 加强疫情监测。2009年进一步加强了国家级和省级动物疫情测报站管理以及省、市、县、乡4级监测网络建设，强化了疫情监测准确性和时效性。全年共完成55万份样品监测，其中病原学监测3.46万份，血清学监测51.54万份。同时还积极配合FAO专家组和国家禽流感参考实验室多次赴鄱阳湖地区开展采样监测。

3. 率先开展动物疫病净化工作。2009年正式启动种畜禽动物疫病净化工作，在15个种猪场、8个奶业生产重点县实施重点疫病净化工作，使重大动物疫病防控由被动转为主动。

【动物卫生执法监督】

1. 强化报检和驻场检疫管理制度落实，规范产地和屠宰检疫行为。根据新《动物防疫法》规定，结合实际，切实规范产地检疫报检行为，产地检疫开展面达100%。屠宰检疫继续以完善屠宰场驻场检疫监管制度为重点，严把“入场、待宰、同步检疫、宰后处理”四关，规范建立屠宰检疫档案，屠宰检疫开展面达100%。

2. 强化标识管理办法和信息上报制度落实，规范可追溯体系建设。通过加强耳标的申请、发放、领用和追溯设备供应、使用管理，做到耳标网上申请率达到100%，网上签收率达到100%，设备配发率100%，设备持有人培训率100%。在奶牛生产重点县全面实施奶牛动物标识及疫病可追溯体系建设工作,督促指导年出栏1 000头以上规模养猪场按时准确上报有关信息,大力推进追溯体系建设。全省流通环节的牲畜耳标佩带率和屠宰环节的佩带率均已达100%。

3. 强化部门联动机制,规范流通领域动物卫生监管。农业、工商、卫生等多部门联动,大力整顿、规范活禽经营市场和开展打击经营病死动物及其产品专项检查行动,严格按照"四不一处理"要求,加大对病死畜禽无害化处理监督指导力度。全省31个省际动物卫生监督检查站与各市、县动物卫生监督所联动,有力地促进了省内产地检疫工作,外源性疫情明显减少。2009年各省际动物卫生监督检查站共检查运输动物及其产品车辆14.68万辆,检查家畜524.59万头,家禽6 183.7万羽,动物产品3.6万吨;查处并依法处理违法运输的车辆3 682辆,家畜7.77万头,家禽227.56万羽,动物产品0.99万吨,无耳标的猪牛羊0.39万头(只)。

4. 强化执法责任制和公示制,规范动物卫生监督执法行为。贯彻执行农业部《公路动物防疫监督检查站管理办法》和《江西省公路省际动物防疫监督检查站工作规范》,推行执法责任制和执法公示制,专门下发了《关于落实推进道路阳光执法服务群众的通知》,提出了"四快四不"(即:受理快、查证验物快、消毒快、处理问题快,不推诿、不拖拉、不施压、不延误)等5项便民措施,省际动物卫生监督检查站没有发生公路"三乱"。执法行为做到执法依据公开、收费和处罚标准公开,同时完善监督机制,公布举报电话,切实做到规范、文明、阳光执法。在2008年试点的基础上,2009年全面推进畜牧业综合执法,提高了执法力度和效率,加大了畜牧兽医饲料大案要案的查处力度,共查处违法案件1 282起,查处违法违规企业150个,罚款没收金额268.3万元。

【畜产品质量安全监管】 2009年,坚持以畜产品市场为监控重点,以投入品安全使用和生产销售为重点环节,以畜产品生产基地、规模养殖场(小区)和投入品生产企业为重点单位,集中打击生产销售禁用兽药、饲料添加剂和化学物质行为,严肃查处违法案件,加强对违禁药品的监测,进一步规范生产、经营行为。

1. 组织开展奶业专项整治。对生鲜乳收购站进行清理整顿,全省取缔1个生鲜乳收购站和3个收奶点,对符合建设规划条件的10个生鲜乳收购站,全部核发生鲜乳收购许可证和准运证明。强化生鲜乳质量监测,抽检样品526批次,均合格。切实抓好奶牛养殖登记备案和档案建立工作,全省共计登记备案2 486个奶牛养殖场(户),规模场户和小区全部建立了养殖档案。

2. 组织开展饲料违禁药品专项整治。对生猪养殖环节使用违禁药物的情况进行了拉网式检查,加大对生猪屠宰场、外调生猪的检查力度,全省共抽查饲料企业500个次,检查养殖场户5 000个次。农业部对全省"一县四村"开展了集中拉网检查,抽检了500个生猪尿样,均未检出"瘦肉精"和"莱克多巴胺"。

3. 加强了兽药市场监管。建立了企业巡查机制,组织开展兽药市场专项整治行动,先后出动2 236人次,重点对3 335个兽药生产企业、经营企业、动物诊疗机构及养殖场(户)进行了监督检查,其中抽检猪尿样品484批、禽肉样品350批、猪肉样品182批,指标全部合格。全省共查处案件79起,涉及假劣兽药货值33.84万元,罚款没收金额74.8万元,取缔无证经营企业36个。

【兽医实验室生物安全监管】 切实推进《病原微生物实验室生物安全管理条例》的贯彻实施,制定了《江西省动物病原微生物实验室生物安全监管实施方案》,建立部门间协调机制,省、市、县3级层层签订监管责任书,及时启用"全国兽医实验室信息管理系统",督促全省各级各类动物病原微生物实验室加强生物安全监督管理,全省未发生实验室生物安全事件。

【畜禽良种繁育体系建设】 2009年,全省新增原种及一级种畜禽场18家,二级种畜禽场150余家。截止到年底,全省组织实施了55个畜禽良种工程项目,其中当年新增5个,全年共完成投资3 790万元,完成栏舍建设38 190平方米,粪污处理设施5 700立方米,仪器设备1 425台(套),引种2 375头,当年形成实际供种能力增加1.9万头。通过开展畜禽遗传资源保护工作,滨湖黑猪、安义瓦灰鸡、吉安红毛鸭3个地方畜禽遗传资源通过了国家畜禽遗传资源委员会的鉴定。泰和县泰和鸡原种场、广丰白耳鸡原种场、玉山黑猪原种场、兴国灰鹅原种场作为第一批国家级畜禽保种场,获得了农业部的首批授牌。2009年中央和省财政共投入种质资源保护经费223万元,对全省18个畜禽遗传资源进行了补贴,加大了保护力度。

【畜牧业扶持政策落实】 2009年,把优化畜牧业发展环境、加大扶持力度作为推动畜牧业经济发展和克服国际金融危机影响的有效举措,着力提高农民畜禽养殖积极性和信心。

1. 扎实推进生猪和奶牛良种补贴。全省第一批7个县(市、区)生猪良种补贴工作已经完成,共发放项目精液122.71万瓶,配种母猪30万头,占补贴任务数的100%。全省62个县(市、区)共计2.5万头荷斯坦奶牛享受了冻精补贴,共发放优质项目冻精5万支。认真部署并实施14个县(市、区)共计56.5万头生猪良种补贴以及3.7万头奶牛良种补贴工作。

2. 认真实施生猪调出大县奖励项目。2008年,中央财政安排全省生猪调出大县奖励资金6 459万元,对南昌、高安等12个生猪调出大县实施奖励。

3. 全力推进能繁母猪和奶牛保险。2009年,全省累计参保母猪达到145万头,占全省能繁母猪的80%,共计理赔8.5万头,获得赔款金额6 562万元。奶牛保险工作顺利开展,已有4个市的3 368头奶牛参保,共计理赔857头,赔款397.9万元。

4. 积极开展畜牧业机械补贴。2009年,全省共购置挤奶机33台,储奶罐1台,享受中央补贴8.8万元,惠及奶站(农)34户。

【科技推广】 2009年,全省把畜牧技术推广作为提高畜禽养殖效益的关键措施,各级畜牧技术机构认真履行职责,切实抓好技术推广、信息服务等各项工作,取得了明显成效。

1. 积极推广畜禽养殖新技术。结合畜牧业发展实际,针对影响畜牧业发展的突出问题,大力推广畜禽标准化生产技术、生态养殖技术、畜禽繁育新技术、疫病综合防治技术、粪污无害化处理技术等。同时,以促进农民养殖创业,增加农民收入为目的,认真研究和出台了适合全省农民养殖发展的家庭适度规模养殖增收模式,制定了切实可行的实施方案,并进行了试点工作。

2. 加强对养殖人员的科技培训。通过邀请国内外科研单位、高等院校的知名专家开展集中综合培训、实地分类创业培训、选派科技人员送科技下乡等形式,不断加大科技培训力度。举办各类养殖技术及疫病防治技术培训班800期(次),培训技术骨干和农民5万人(次)以上,有效地促进了农民养殖创业和增收。

3. 大力推广畜禽(牧草)良种。通过生猪良种补贴,有效地促进了人工授精技术的推广,生猪人工授精率达到40%。全年完成人工种草面积13万公顷,共推广牧草良种35万千克和牛冻精46万剂,其中推广奶牛冻精18万剂,推广肉牛冻精28万剂,冷配母牛28.7万头次。

【畜牧兽医队伍建设】 按照省委、省政府和省农业厅关于开展机关效能年活动实施方案的要求,结合畜牧兽医系统实际,着力提升畜牧兽医队伍素质和能力。

1. 加快畜牧兽医体制改革进程。抓住新一轮的机构改革的有利时机,加快市、县两级畜牧兽医体制改革步伐。全省11个设区市、36个县(市、区)成立了独立的畜牧兽医(畜牧水产)局,11个设区市、35个县(市、区)成立了动物卫生监督所。基层动物防疫体系建设取得新突破,全省共建有1 490个乡镇畜牧兽医站,聘用村级防疫员17 149名。

2. 开展全省动物监督和检疫执法大比武。2009年,积极筹划部署江西省首届动物检疫和监督执法大比武活动,有效地促进了广大干部职工对《动物防疫法》等法律法规和兽医专业知识的了解和掌握,进一步提高了执法队伍综合执法的能力。

3. 加大基层畜牧兽医人员的培训力度。为提高基层兽医队伍能力水平,按照《江西省2009年阳光工程实施方案》的要求,对全省5 000名村级动物防疫员进行业务能力、法律法规等方面的培训。发放《2008年中国南方突发重大动物疫情应急演练》录像光盘3 000套,供各县(市、区)、乡镇观摩学习,各地针对性地开展了50多期规模不等的应急预备队培训和应急演练,强化应急处置能力。

4. 组织开展动物卫生监督"双十佳"宣传活动。在全本省范围内组织开展向本省首届十佳动物卫生监督所和十佳动物检疫员学习宣传活动,组织力量编写了"双十佳"先进事迹材料,利用网站、杂志、报纸等媒介,加大对"双十佳"先进事迹的宣传,提升动物卫生监督执法队伍的良好形象和社会地位。

5. 全面开展乡村兽医登记管理工作。按照《乡村兽医管理办法》,对乡村兽医从业人员,实行登记管理,规范乡村动物诊疗行为,逐步改变乡村兽医管理缺失的现状。

6. 逐步规范基层动物防疫工作。根据《江西省乡镇畜牧兽医站管理规范》的要求,各地强化对乡镇畜牧兽医站规范化建设,除了改善站容站貌外,重点抓好基层畜牧兽医站长和防检人员工作职责、动物检疫和防疫证章标志管理制度以及检疫员和防疫员学习、考勤、考评和管理办法等制度建设。强化对动物防检人员管理。完善监督机制,实行检疫收费标准公开、检疫收费法律法规依据公开,切实提高动物检疫员和防疫员服务意识,确保动物检疫员做到文明执法。

(江西省畜牧兽医局 刘 翔)

山东省畜牧业

【概况】 2009年,山东省肉类总产684万吨,奶类258万吨,禽蛋377万吨,同比分别增长3.6%、1.1%和3.3%。畜牧业产值1 683.8亿元,占农林牧渔业总产值的28%。饲料加工企业1 460家,工业饲料产量1 690万吨,产值575亿元。兽药生产企业255家,产值44亿元。

1. 认真落实畜牧业扶持政策。2009年,全省共落实各项畜牧兽医资金10.8亿元,其中,补贴能繁母猪426万头,承保能繁母猪190.25万头,对452个生猪养殖场(小区)进行标准化改扩建;安排4 600万元补贴优质后备母牛,落实补贴资金2 762万元用于奶站购置设备补贴;对15个县给予良种猪精液补贴,对15个弗莱维赫牛推广县的细管冻精给予补助,在23个县实施生猪良种补贴,在5个县实施肉牛良种补贴,在全省范围内实施奶牛良种补贴;统筹国家和省级现代农业生产发展资金9 650万元,支持20个县推进奶业生产发展。这些项目的实施,调动了农户和社会各方面力量投资畜牧业的积极性,促进了畜牧业发展。

2. 推动畜禽饲养稳定发展。发挥政策扶持引导作用,大力推进生猪标准化规模饲养,大力推广自然养猪法,深入开展生猪产销协调活动,促进生猪业稳定发展;以规范奶站运营和保障生鲜乳质量为重点,加快推进奶业整顿与振兴,全省奶站数量由1 240个减少到847个。加快推广奶牛科学饲养技术,推广奶牛数字化管理,推动奶业加快恢复;肉禽生产全年基本平稳,禽肉出口逆势上扬,输欧禽肉出口企业增加到10家。蛋鸡生产相对稳定;加快推广优良品种、牛羊冷配技术,全省牛羊冷配改良站点达1 000多处,肉牛和肉羊改良率达到60%以上。

3. 强化重大动物疫病防控。加强春、秋两季集中免疫,严格落实各项防控措施,强化防疫基础设施建设,加强重大动物疫病防控。加强活禽市场监管,严格活畜禽调运管理,强化动物及动物产品安全监管。开展检疫监管配套制度规范试点,推进检疫监管工作规范化、程序化、制度化。开展质量安全执法年活动,确保了供给"十一运"畜产品的安全。实行新建企业论证制度,积极推进兽药GSP工作,加强兽药质量监管。

4. 加强饲草饲料工作。严格企业资格审查,严厉打击非法添加使用"瘦肉精"行为,强化饲料质量安全例行监测抽检,严肃查处违规企业和产品,进一步规范生产经营行为。积极推动社会多种力量参与秸秆青贮,推广合作社青贮、青贮队运作模式,加快秸秆开发利用,推进秸秆青贮,保障畜牧业饲料安全。全省种植牧草和饲料作物33万公顷,青贮秸秆2 000万吨。

5. 大力开拓国内外市场。国内市场方面,进一步加强与上海、杭州、北京等市动物卫生监督机构的联系,加强联手监管,在保证畜产品质量的同时保障外销畅通。加强畜产品"进京入沪"工作,全省进沪备案企业已达405家,进京禽类企业231家。国际市场方面,面对国际金融危机的冲击,积极引导出口企业采用合作社、直属饲养场等形式,加强畜产品原料基地建设,增加花色品种和加工深度。各级畜牧兽医部门切实加强畜产品质量监管,积极做好对外迎检工作,帮助出口企业克服困难,全省畜产品出口呈现回暖现象。全年畜产品出口创汇11亿美元,同比增长4%。

6. 积极发展畜牧合作社。围绕奶业整顿与振兴、牛猪产销协调,加快组织建立奶业和生猪专业合作社。全省新成立奶业合作社150多个。注重发挥农村党员干部、特别是村两委干部,农民中积极分子带头创办合作社的作用。编辑了《百村党员干部领办合作社典型材料》,省委有关领导做了专门批示。全省工商登记的畜牧业合作社8 000多家,占农民专业合作社登记数量的1/3。加强合作社财务管理等方面的培训。2009年,举办了两期合作社财务管理培训班,培训重点合作社管理人员120多名。指导合作社建立会计账目、配备会计人员、进行会计核算,讲解国家和省对合作社的扶持政策,调动了发展合作社的积极性,推动了合作社健康发展。

【饲料生产】

一是饲料总产量再上新台阶。全省饲料企业1 460家,饲料总产达到1 677万吨,同比增长5.5%,产值516亿元。

二是饲料产品结构发生较大变化。配合饲料比重继续上升,产量达1 520万吨,同比增长6.3%,所占比重达90.6%。浓缩饲料、预混合饲料比重稳中有降,产量分别为109万吨、47万吨,同比分别下降5.2%和增长7.3%。按畜禽品种来分,猪料增幅较大,产量200万吨,同比增长25.8%;肉禽料比重首次出现下降,产量1 129万吨,同比增长9.4%,所占比重下降到74%左右,比上年减少3个百分点。

三是饲料生产集中度进一步提高。2009年大中型饲料企业继续保持扩张态势,产量稳定增长。六和集团现有饲料加工厂120多家,全年饲料产量1 010多万吨,其中猪料近200万吨。中慧集团有饲料加工厂26家,全年产量达到150万吨,其中猪料50万吨。排名前10位的企业产量占全省饲料产量2/3以上。四是企业赢利空间减小。2009年,由于维生素、氨基酸、豆粕、鱼粉、玉米等原材料价格上涨,企业的赢利空间很小。猪料和水产料效益较好,肉禽料、蛋鸡料基本持平,平均每吨禽料赢利10元左右。饲料企业赢利困难,不少企业勉强维持运行,约20%的企业处于亏损边缘。

【饲料安全监管】

1. 严把生产准入关。认真贯彻落实农业部有关规定,严格企业生产条件审查。针对有些产品的特殊情况,邀请中国科学院、山东农业大学等部分专家教授和省内部分企业的技术人员一起,多次研究探索发酵豆粕、发酵棉粕、酵母蛋白等产品的生产必备条件和产品控制措施与技术指标,力争做到评审工作既客观公正,又防止留下安全隐患。截止到2009年底,全省共有854家饲料企业获得了《饲料生产企业审查合格证》;有215家饲料企业获得《动物源性饲料产品安全卫生合格证》。年内,117家饲料添加剂及饲料添加剂预混料生产企业审核合格并上报农业部,已取得农业部颁发的生产许可证95个;审核352份企业产品备案标准,审核发放产品批准文号577个。通过全省上下的共同努力,淘汰了部分作坊式的小企业,提升了全省饲料生产企业的整体水平,饲料生产企业秩序进一步规范。

2. 加强饲料质量安全监管。一是严厉打击非法添加使用"瘦肉精"行为。3月份,省局两次下发文件,组织对非法生产销售和使用"瘦肉精"的行为进行严厉打击。上半年两次组织对饲料和猪尿中"瘦肉精"残留进行监督检测,在牛羊主产区开展牛羊尿样"瘦肉精"残留紧急抽样检测。为保障全运会动物源性食品安全,9月底和10月初又分别组织了两次"瘦肉精"专项抽查。12月,根据农业部的统一安排,再次组织对部分牛羊和生猪重点地区进行抽样检查。在抽样检测中,对经检测含有"瘦肉精"的样品,责令有关地市开展认真查处,追查源头,下大力气从源头治理,有效地打击了添加使用"瘦肉精"的违法行为。二是开展蛋白饲料生产企业检查。4月份,省局发文组织对全省蛋白饲料生产企业进行检查。在各市检查的基础上,配合农业部对部分重点企业进行了抽查,对发现的问题,立即移交有关市进行监督整改,对个别问题严重的企业,暂时收回《饲料生产企业审查合格证》并停产整顿,直至整改合格后经验收审核,才允许生产。三是组织饲料质量安全例行监测抽检。2009年下达1 200个产品的抽检计划,检测参数4 000个。其中包括三聚氰胺、"瘦肉精"等违禁添加物、反刍动物饲料中牛羊源性成分、猪尿、饲料质量安全指标五个方面。并根据饲料质量安全形势,组织了饲料安全预警监测,为今后制定监督抽查计划奠定了基础。

3. 认真开展饲料质量安全执法年活动。根据农业部的要求,结合本省实际,在全省开展了饲料专项整治和饲料质量安全执法年活动。围绕"三个重点"(重点产品、重点区域、重点单位)、"四项任务"(即严厉查处在饲料原料和产品中添加三聚氰胺等有毒、有害化学物质的行为;严厉打击养殖过程中添加"瘦肉精"等违禁物品、苏丹红等非法添加物的违法行为;加大饲料及饲料添加剂的抽检范围,加大对饲料和饲料添加剂生产企业的检查和监督力度;严厉打击违法违规饲料企业,坚决取缔无生产许可证、无产品批准文号、无产品标签的"三无"饲料生产企业),紧张有序有效地开展专项整治工作。并及时将半月报、月报、季报以及重大情况上报农业部。6月底,省局抽调相关人员,组织了全省执法年活动联合督导检查,促进了各市的工作,查处了一批违规企业和产品。全年全省共出动检查人员3.2万人次,检查生产经营5 100余家,全省检测样品3 750个,合格率99.5%,取得了较好效果。

【行业管理体制改革】

1. 省级机构改革情况。2009年山东全省启动新一轮地方政府机构改革,省级畜牧兽医行政管理机构在本轮地方政府机构改革中进一步得到加强,部分市级机构被并入新农委(农业局),县级机构变化不大。

根据《关于山东省人民政府机构改革的实施意见》,省畜牧兽医局由省农业厅的内设机构调整为部门管理机构,同时省委决定,撤销"中共山东省畜牧兽医局分党组",设立"中共山东省畜牧兽医局党组",省级畜牧兽医行政管理机构在本轮地方政府机构改革中进一步得到加强。

9月4日,省政府批准印发了《山东省畜牧兽医局主要职责内设机构和人员编制规定》。在职责调整上,取消已由国务院和省政府公布取消的行政审批事项,承接农业部下放的饲料生产企业设立条件审查和动物源性饲料安全卫生审查职责,增加负责畜产品质量安全、奶畜饲养以及生鲜乳生产环节、收购环节的监督管理职责。在机关内设机构上设办公室(挂规划财务处牌子)、人事处(挂离退休干部处牌子)、畜牧科技处、动物卫生防疫处、医政药政处、饲料处、畜产品质量安全监管处(挂省奶业管理办公室牌子)7个职能处室和机关党委,比改革前增设了畜产品质量安全监管处(挂省奶业管理办公室牌子)。核定行政编制52名,比改革前增加了5名行政编制。

2. 市级机构改革情况。全省17个市兽医行政管理机构、动物卫生监督机构、动物疫病预防与控制机构已基本到位,市级兽医管理体制改革已全部完成。全省17个市均设有畜牧兽医局,其中青岛、烟台2市畜牧兽医局为行政机构使用行政编制,其他15个市畜牧兽医局均为参照公务员法管理的事业单位。17个市均设有动物卫生监督监督机构,除德州和莱芜市动物卫生监督机构为差额事业单位外,其余15个市均为全额事业单位。17个市中,除威海、菏泽2市动物疫病预防与控制机构和动物卫生监督机构合设外,其他15个市都单独设置了动物疫病预防与控制机构。15个地级市中,济宁、泰安2个市的动物卫生监督所为副县级,其他市为正科级;烟台、日照、聊城3个市的动物疫病预防与控制机构为副县级,其他市为正科级。全省市级动物卫生监督机构人员编制共有192人,动物疫病预防与控制机构人员编制共有242人,合计434人。

在本次地方政府机构改革中,市级畜牧兽医行政管理机构受到的影响较大。如泰安、济宁、枣庄、临沂、聊城等地在这次改革中将市畜牧兽医局的行政管理职责整合划入农委或农业局,由原直属市政府改为农委(农业局)的内设机构管理。

3. 县乡机构改革情况。全省140个县(市、区)中已有83个县(市、区)基本完成县乡兽医管理体制改革工作,占全部县(市、区)的60%。

山东省县级兽医行政管理和动物卫生监督机构基础较好,行政管理机构多为直属县(市、区)政府的事业单位,参照公务员管理,少数为行政机构;动物卫生监督机构多为全额事业单位,少数为差额。动物疫病预防控制机构差别较大，名称不规范，经费管理形式多样。在全省140个县（市、区）中，单设畜牧兽医局的有121个，其中隶属县级政府管理的107个，隶属农业局（农委）管理的13个。还有部分县（市、区）为农业局（农委）加挂畜牧兽医局牌子。尚未完成改革的县主要集中在畜牧业比重偏低的城区和新建区。全省乡镇畜牧兽医站改革相对滞后，因涉及乡镇畜牧兽医站“三权”归县和人员编制、债权债务等复杂问题，全省有一半以上的乡镇畜牧兽医站尚未完成改革任务。

【动物及动物产品安全监管】 为切实促进全省动物检疫监管工作规范开展，2009年省动物卫生监督所先后召开两次全省动物卫生监督所长会议，交流经验，逐级签订责任书，部署动物检疫监管工作。2008年12月至2009年5月，为进一步贯彻落实商务部等四部三局《关于开展打击私屠滥宰和病死猪病害猪肉非法交易专项整治的通知》、《生猪屠宰管理条例》、《国务院关于加强食品等产品安全监督管理的特别规定》等法律法规，在全省开展了打击私屠滥宰和病死猪病害猪肉非法交易专项整治行动，严厉打击了私屠滥宰和病死猪病害猪肉非法交易的违法犯罪行为，维护了猪肉市场秩序。为保障新中国成立60周年国庆及第十一届全运会期间山东省动物及动物产品安全，先后起草下发了2个文件，各地按照法律法规和文件要求严格实施现场检疫，并切实做好饲养、加工、经营、运输、储藏等环节的监管，强化区域间联防联控，逐级签订检疫监管责任书，健全和完善了责任追究体系，各地在国庆节前开展了动物检疫监管专项检查活动，对发现的问题及时进行整改。国庆节和全运会期间山东省没有发生重大动物疫情和畜产品安全事件，为确保上市动物及动物产品的动物卫生安全做出了积极贡献。

【动物卫生监督检查站建设与管理】 2009年，按照《山东省人民政府关于增设和调整动物卫生监督检查站并延长设置期限的批复》的要求，根据道路交通情况变化，对原有的部分检查站进行了调整，同时增设了10处检查站，全省公路动物卫生监督检查站达到63处。延长了检查站调整期限，由原来1年一调整改为3年一调整。同时，积极争取财政支持，扶持检查站的基础设施建设，2009年，省财政投资120万元加强12个省界边境检查站建设，进一步完善了检查站基础设施建设，改善了工作条件，配备了检疫、消毒等必要的仪器设备，为检查站工作的有序开展打下了坚实基础。

山东省63处公路动物卫生监督检查站严格按照《公路动物防疫监督检查站管理办法》和《山东省公路动物防疫监督检查站管理试行规定》，全面落实24小时值班制度，严格履行动物卫生监督法定职责，规范执法程序和执法行为，对运载动物、动物产品的过往车辆，依法进行监督检查，严格实施查证、验物，并详实填写《公路动物防疫监督检查站业务报表》。为加强动物卫生监督检查站的管理，2009年，省动物卫生监督所多次组织人员到部分检查站进行检查指导，对发现的问题及时进行纠正处理，并积极与省公安、交通、林业等部门协调配合，每季度召开一次例会，分析解决存在的问题，研究探讨检查站监督检查和治理公路“三乱”工作办法和措施，全面规范了监督检查执法行为，提高了监督执法水平，促进了检查站的工作有效开展，连续4年实现公路“三乱”零举报，得到省纠风办的肯定。2009年，共检查运载动物及动物产品的车辆9.75万车次，检查动物12 994.57万头（只），检查动物产品666.24万吨，检出违法违规承运0.53万车次，检出证物不符、伪证、无标识、逃检等违规动物115.76万头（只），动物产品0.22万吨，全部依法进行了补检等处理，检查出患病动物3 254头（只），并进行了无害化处理，为防止动物疫病传播发挥了重要作用。

【兽药监管】 2009年，全省兽药生产企业达到255家，兽药产值43亿元，同比增长6%；兽药经营企业6 900余家，比上年减少1 100家，全省经营企业年经营额20亿元；兽药行业从业人员3.7万人。

1. 狠抓生产源头监管，实行生产企业有进有出。

一是限制入口，制定出台了新建兽药生产企业论证制度。在原有的山东省兽药GMP专家委员会和山东省新兽药审评委员会基础上，聘请20多名有关科研院所专家、部分药政管理人员、兽药检验人员、知名兽药生产、经营和使用企业负责人，组成山东省兽药专家委员会，在新建兽药生产企业审核工作中，实施前期论证指导。全年先后两次对25家拟新上的兽药生产企业可行性进行了集中论证，有5家企业论证不合格，促使企业自动放弃了建厂意向。

二是主动出击，对中小企业进行普遍性飞行检查。在配合农业部对重点监控企业进行飞行检查的同时，山东省加大了对年产值低于1 000万元的小型兽药生产企业的飞行检查力度和频率。先后对90多个生产企业进行了例行检查，其中对80多个年产值低于1 000万元的中型企业、低于500万元的小型兽药生产企业进行了重点飞行检查，发现了一些违法企业和长期停产、改变生产车间、仓库位置的企业，对违法企业在全省通报曝光，对违法违规企业进行了处罚，暂扣了5家企业的GMP证书和生产许可证，督促企业守法生产。

三是放开出口，对严重违法企业、屡次违法企业严厉处罚。对被农业部通报的8家重点监控企业在实行停产整顿后，实行了3个月的批签发制度。对长期停产、对外承担代加工业务、不在GMP车间生产和2次以上故意制假等有严重违法行为的企业，报请农业部吊销兽药生产许可证。2009年,共报请农业部吊销4家企业的生产许可证。

2.依托GSP,对兽药经营企业实施检查监管。5月份,省局下发了《关于加快推进兽药经营企业实施GSP工作的通知》,确定2011年全面完成经营企业实施GSP工作。11月份,在日照对GSP验收组长进行强化培训,规范验收标准和程序。截止到年底,全省已有15个市的347家企业通过了兽药GSP验收并取得了兽药GSP合格证书,还有100多家企业申报GSP验收。通过实施兽药GSP,兽药经营企业建立了兽药产品质量档案,固定代理厂家,经营销售合格兽药,全省兽药经营逐步走上规范化经营的轨道。

3.落实兽药使用环节监管。把提高监管人员的素质作为兽药监管的关键措施来抓。3月下旬,省局对17个市畜牧兽医局分管局长、药政药监负责人及全省200余家生产企业负责人进行培训,强化了法制观念和行业自律意识;各市、县(市、区)也组织辖区内兽药管理人员、检验人员及经营企业、养殖企业负责人进行了培训,共计发放法规、政策宣传资料52多万份,树立了兽药监管法律意识,提高了从业人员素质。同时,在山东畜牧网、《齐鲁牧业报》等宣传媒体开辟了兽药专栏,向社会广泛宣传兽药法律、法规,及时报道兽药专项整治活动。组织专家深入企业、养殖场,开展了"安全用药、安全养殖"咨询活动,提高了从业人员识假辨假水平。

4.深入开展兽药专项整治活动。为配合农业部开展的"2009年农产品质量安全整治暨农产品质量安全执法年活动",山东省分14个组,在6月份、12月份两次开展了全省性的兽药、饲料联合检查。全省普遍开展了兽药专项整治活动,全年累计培训兽药从业人员1.4万人次,发放法规、政策宣传资料52多万份;省、市、县三级出动兽药执法人员4.97万人次,对300多家(次)兽药生产企业、1.8万余家(次)兽药经营企业、3.5万家(次)养殖场进行了检查,共查处案件84起,查获违法兽药产品货值43万元,罚款62.5万元,取缔无证经营企业20多个。全省兽药合格率得到了大幅度提高,山东省兽药质量检验所全年抽检产品497批,合格率74.2%,比上年提高6个百分点,其中生产环节合格率达到95.5%。

(山东省畜牧兽医局)

河南省畜牧业

【概况】 2009年,河南省畜牧系统认真贯彻落实中央和省委、省政府关于"保增长、保民生、保稳定"的一系列重大决策部署,坚持发展与保护、监管与服务并重,着力推进发展方式转变,畜牧业持续平稳较快发展。

1.畜产品产量持续增长。据统计,2009年全省肉类产量615万吨、禽蛋产量382.9万吨、奶类产量301.3万吨,同比分别增长5.2%、3.0%和0.9%。猪牛羊禽四大产业稳定发展,全省生猪出栏5 143.6万头、存栏4 528.9万头,分别增长6%和1.5%;肉牛出栏559.8万头、存栏1 044.7万头,均基本持平;羊出栏2 175.6万只、存栏1 997.2万只,分别下降2.0%;家禽出栏8.05亿只、存栏6.13亿只,分别增长7.3%和0.5%。

2.规模养殖快速发展。全年新建养殖小区510个,总数达到5 645个;改造标准化规模养殖场1 380个,全省年出栏千头以上的猪场9 738个,其中万头以上的猪场370个,出栏10万只以上的肉鸡场454个,存栏万只以上的蛋鸡场5 679个,存栏200头以上的奶牛场区604个。全省生猪、肉鸡、蛋鸡、奶牛规模饲养比重分别达到60%、96%、70%和80%。

3.加工能力不断提高。全年新增畜产品加工企业68家,总数达到711家,众品公司在遂平、汤阴、偃师、永城投资的4条屠宰线已全部建成投产,年加工能力达到600万头,成为河南本土最大的生猪加工企业;周口大用1亿只的肉鸡产业化项目已正常运营;永达公司的年加工20万吨的肉鸡熟食项目部分已经投产;南京雨润在封丘、辉县、周口、息县等地大规模投资建厂;南阳科尔沁牛业公司已建成投产,全省畜产品加工业呈现出竞相发展的强劲势头。

4.养殖效益基本稳定。全年生猪价格呈"V"形态势,从年初的13.5元/千克下滑至5月份的8.7元/千克。进入6月份,随着国家启动防止生猪价格过度下跌预案三级应急响应和市场消费的回暖,价格持续回升。据12月9日基点调查,活猪价格达到12.40元/千克,猪粮比价为7.09:1,养猪生产总体处于微利阶段。鸡蛋价格6.46元/千克,同比上涨7.65%,一个产蛋周期赢利10元左右。其他畜产品价格基本保持稳定。

(王 鹏)

【奶业生产管理】 2009年,河南省加大了对奶业生产的管理和扶持力度。一是启动奶业生产规范年活动,在全省大力倡导奶业标准化生产。二是进一步加强对生鲜乳收购站的规范管理。继续实行"一员两书"制度,严格按《乳品质量安全监督管理条例》要求,对生鲜乳收购站的建设和管理进行规范。加强监督,公布了省辖市和扩权县生鲜乳质量安全举报受理电话和电子邮箱。对全省生鲜乳收购站的依法规范和办证情况以及机械购置补贴进展情况实行了月报制。配合农业部生鲜乳专项整治督察组,对全省生鲜乳专项整治情况进行了督察。全省现有生鲜乳收购站共计438个,已发放生鲜乳收购许可证438个,发证率达100%;发放生鲜乳运输车辆准运证明306个。三是进一步加大扶持力度。充分利用国家下达河南的1 135万元奶牛良种补贴资金和3 000万元奶牛标准化规模养殖小区（场）补贴资金，对全省38.5万头能繁荷斯坦奶牛和2万头奶水牛实施良种冻精补贴、对全省51个新建（改建）奶牛标准化规模养殖小区（场）给予补贴。

（刘　祥）

【畜牧业生产方式转变】 2009年，加快了畜牧业生产方式转变。一是充分利用生猪调出大县、肉牛发展大县等扶持规模养殖政策，积极整合各种涉牧资金，争取信贷资金投入，重点围绕龙头企业建立优质货源基地。龙头企业也加大了对基地建设的投资力度。双汇集团投资近10亿元在叶县建设20万头的优质生猪基地，在济源建设50万头的优质生猪基地；众品公司通过实施产业联盟，全面推动500万头优质生猪基地建设；雏鹰公司投资3.9亿元在尉氏建设年出栏20万头的父母代种猪场；内乡牧原年出栏生猪达到50万头，全省呈现出养殖小区快速发展、规模养殖企业迅速扩张的良好态势。二是以开展“企业服务年”活动为载体，扶强扶壮龙头企业。深入企业开展调查研究，广泛征求企业的意见建议，指导帮助企业制订发展规划，争取资金投入，支持企业上新项目、大项目，加强跟踪服务，优化企业发展环境。龙头企业也都抓住机遇，加大融资力度，扩张生产规模，加快新品种研发，加强品牌培育，加大市场营销力度，实现了快速发展。双汇集团年加工生猪1 500多万头；众品集团前三季度实现销售收入48.2亿元，同比增长35%；华英集团销售收入达到27亿元；大用公司销售收入达到11.8亿元。同时，加大招商引资力度，实施内引外联，为外来企业加快发展积极创造条件。泰国正大集团、山东六和集团、皓月集团、科尔沁公司等一批国内外知名企业纷纷落户河南。三是大力推广应用畜禽养殖干清粪工艺、沼气工程等畜牧业清洁生产技术，积极发展健康养殖。利用沼气工程重点支持62个规模养殖加工企业配套建设大中型沼气池，加强畜禽规模养殖粪污等废弃物综合利用，着力推动生产发展与环境保护的和谐统一。同时，加快生态环保养猪法的推广步伐，全省生态环保养猪场达1 419个。

（王　鹏）

【饲料工业】 2009年，河南省饲料工业紧紧围绕“保安全、促发展”的目标，以规范饲料企业生产经营、大力整治违禁物品为重点，以抓法制、抓监管、抓源头、抓基础为手段，着力强化饲料质量安全日常监管，保障了饲料市场的稳定发展和产品质量的稳步提升。全年全省商品饲料生产总产量达到1 046.8万吨，稳居全国第三位，工业总产值达到245亿元，同比分别增了11.48%和17.2%。饲料产品质量稳步提高，其中配合饲料质量合格率高于全国平均水平，达到了94%，生猪产品及尿液“瘦肉精”抽检合格率达到99.73%。

1. 严格饲料审批，加强证号管理。全面执行农业部审核标准，对新申报企业从生产、检验化验、人员、设立等方面进行逐条核实，严把入门关，不符合条件的企业坚决不予通过。全年全省共受理217家企业申请，获得许可214家。其中获得《饲料生产企业审查合格证》的154家、获得饲料添加剂或添加剂预混合饲料生产许可证的29家、获得动物源性饲料产品安全卫生合格证的5家，全年全省获得许可的各类企业共计869家，发放饲料添加剂和添加剂预混合饲料产品批准文号348个，饲料生产企业年度备案率达到100%。

2. 加强培训，不断提高饲料行业整体水平。全年共举办饲料行业执法培训2期，培训省、市、县三级饲料管理人员300多人。组织举办了饲料生产企业特有工种培训班4期，共培训特有工种人员963人，其中饲料检验化验员431人、饲料厂中央控制室操作工336人、饲料机械维修工186人、饲料制粒工10人。

3. 开展市场检查，加强后续管理。一是印制发放饲料生产企业检查表和饲料经营门市检查表2万余册；二是积极开展饲料市场检查。全省在饲料市场执法检查中，共出动执法人员63 170人次，抽检饲料样品8 148批次，检查饲料生产、经营企业6 381个次，检查养殖场户87 309个次，取缔非法企业24个，查处无证、无号、无标签产品581个，查处违法饲料产品979吨，涉案金额197万元，各类媒体专题报道177次，编写各类宣传材料22万册。三是开展获证企业后续监督。全年共组织3次获证企业的后续管理检查，共检查添加剂预混合饲料生产企业195个、饲料添加剂生产企业51家、饲料企业审查合格证生产企业718家，获证企业检查率达到98%，共处罚违规企业5个，对3家企业提出了整改意见，对2家企业的生产范围进行了变更。

4. 深入开展违禁物品专项整治活动。重点开展了针对“瘦肉精”和“三聚氰胺”等违禁物品专项整治活动。在“瘦肉精”专项整治活动中，全省共对4 084个（次）养殖场（户）和393个（次）屠宰场进行生猪尿样抽检，抽取生猪尿样43 904批次，检测合格43 893批次。在三聚氰胺专项整治活动中，分别对郑州、濮阳、安阳、焦作等7市饲料生产企业的产品进行三聚氰胺含量检测，通过调查，共处罚违规企业5个，查封、销毁不合格的饲料产品和原料172吨。同时对蛋白饲料原料和饲料产品进行了抽检，共检查饲料生产企业68家，抽查蛋白饲料原料253批次、饲料样品178个，对检查中查封的1 221吨无证、假证问题蛋白饲料原料进行了无害化处理。

【“瘦肉精”监管】 2009年河南省将“瘦肉精”监管工作放到了突出位置来抓，不断强化措施，加大监管力度。全年共召开了5次全省专题会议,集中开展了"瘦肉精"春季专项整治和"瘦肉精"深化专项整治活动。一是突出重点,全面展开监测检验工作。重点加大了对供沪、供京等外调生猪养殖场和加工企业的监测,全省共投入监测经费400多万元,监测供沪、供京养猪场(户)1 133个,加工企业51个,监测省级龙头肉类(猪肉)加工企业21个,监测省辖市和扩权县城市屠宰场191个,监测中小型养猪场(户)2 930个,累计共抽取生猪尿样75 203批次,合格率99.88%。同时省畜牧局又组织了5次省辖市城市屠宰场例行检测和2次重点地区拉网式检测,共监测屠宰场76个,养猪场户143个,抽检猪尿样2 579批次,合格率98.81%。二是联合执法,加大对"瘦肉精案件"的查处。在省政府的组织协调下,省畜牧局、省公安厅、省商务厅、省工商行政管理局和省食品药品监督管理局共同下发了《关于强化"瘦肉精"监管,保障猪肉质量安全的通知》,进一步明确各部门的职责,确定了"瘦肉精"监管联合机制。在各部门的配合下,全年全省共依法查处了34起生猪"瘦肉精"阳性检出案件。共收缴"瘦肉精"产品6.25千克,逮捕贩卖"瘦肉精"的生猪经纪人2人并已判刑,处罚44万元,无害化处理"瘦肉精"污染猪肉产品40头份。处罚监管人员30人,其中被判刑6人。三是创新方法,建立健全"瘦肉精"监管长效机制。实行动物检疫防疫员"一岗双责"制,将监管触角深入到村、户。加强日常监管,对养殖场户实行"分片包场"监管,对供沪供京养猪场和加工企业实行"一对一"的驻场监管。强化了对生猪经纪人的管理,对生猪经纪人实行登记备案。设立举报电话,发挥民众监督,并出台了《河南省畜牧局关于"瘦肉精"案件举报奖励办法》。加大宣传教育,建立不使用"瘦肉精"承诺制,全省共发放告知书30余万份,与养猪场户、经纪人签订不使用"瘦肉精"承诺书15万余份。

(李凌平)

【兽药工业】 2009年,全省兽药生产企业达207家,其中兽用生物制品生产企业3家,化学药品、中兽药产品生产企业204家,年产值达30多亿元。一是加大对兽药市场的整顿力度。对重点环节、重点部位、重点产品进了全面检查。全年全省各级兽药管理部门共组织兽药市场专项检查54次;出动执法人员4 800人次;印发宣传资料近36 000份;检查兽药生产企业186家,检查兽药经营企业4 800家(次),检查兽药使用单位2 100多家,抽取兽药残留检测样品900多批;查处无证经营单位31家,共查处兽药违法案件230起;没收假劣兽药420件,货值300多万元;罚款45万元;吊销兽药经营许可证9个,捣毁制假售假窝点8个;挽回经济损失2 300多万元。二是加大兽药质量和药物残留检测力度。全年共完成抽检任务902批,其中上报假兽药173批;检验583批,合格479批,合格率为82.2%。全年全省完成药物残留检测任务800批,合格780批,合格率为97.5%。对于残留不合格的畜产品,省畜牧局分别责成所在地的市畜牧局进行了查处,对非法产品进行了销毁,对违规行为进行了处罚。

【畜牧兽医管理体制改革】 2009年,河南省按照国务院关于兽医体制改革文件精神,全面完成畜牧兽医管理体制改革。一是省级改革迅速到位。省编委正式下文明确省畜牧局领导指数及规格、内设机构、职能设置等。增设了医政药政处和畜产品质量安全管理处,内设机构达到8个;增加了13个行政编制,行政编制达52个;处级干部指数增加到32个。同时整合力量组建了省动物卫生监督所和省动物疫病预防控制中心,均为正处级全供事业单位,人员编制分别为17名和24名。二是市级改革成效显著。18个省辖市全部设立畜牧局,其中17个省辖市畜牧局被批准为正处级行政管理局(济源市为副处级),郑州市为正处级事业局(比照公务员执行),已批行政编制350名,增加行政编制293名。18个省辖市动物卫生监督所和动物疫病防控中心全部被批准为全供事业单位,共批全供事业编制544名和410名,全供事业编制分别增加了210名和200名。三是县级机构得到强化。122个县(市、区)中除巩义市为副科级事业局外,其余全部为独立的正科级行政局,已批行政编制1 239名,行政编制增加了1 038名。改革后122个县(市、区)均成立了动物卫生监督所和疫控中心,共批全供事业编制3 672名和2 708名,全供事业编制分别增加2 003名和1 148名。四是乡级改革稳步推进。按照2~3个乡镇设立一个区域中心站的原则,全省1 895个乡镇已设立1 123个乡级防检区域中心站。另外,为加强基层防疫工作,各地还通过培训考试考核、公开竞争、择优录用等方式,选聘了7 925名乡级防疫员,31 281名村级防疫员。

(蔡文军)

【畜禽良种繁育体系建设】 2009年,河南省不断加大畜禽良种繁育体系建设力度,取得显著成效。一是畜禽供种能力进一步增强。截止到年底,全省共有各类种畜禽场638个。其中种猪场377个,种禽场234个,种牛场8个,种羊场5个,种兔场11个,供种的鸵鸟场、蜂场、驴场各1个。每年可向社会提供优良种畜禽5 000万头(只、套)。全省有国家级种公牛站4个,存栏采精公牛185头,年可生产供应优质冻精385万剂。全省现有家畜人工授精站点3 800个,其中新建或改建3 000多个示范性的标准化人工授精站点,家畜人工授精配种达600万头只以上,其中牛年冻配改良220万头,猪人工授精450万胎次。二是地方畜禽品种资源得到有效保护和开发利用。加强农业部批准实施的畜禽遗传资源保护项目管理工作，制定了郏县红牛、信阳水牛地方种质资源保护项目实施方案。加强对在建淮南麻鸭和卢氏鸡等2个农业部资源保护项目的监管，成立了省家禽工程中心卢氏分中心。组织召开了豫南黑猪新品种新闻发布会议，制定颁布了省级品种标准和生产技术规范。同时进一步深入开展地方畜禽品种资源调查申报工作，经过国家畜禽遗传资源委员会现场审定，确山黑猪、尧山白山羊、长垣驴在农业部第1278号、淅川乌骨鸡在农业部第1325号公告中进行了发布，豫丰黄兔和西平长毛兔被认可为具备列入国家志书的资格。截止到2009年底，省地方畜禽品种及自主培育品种已有28个列入国家畜禽遗传资源名录。三是种猪联合育种和种猪性能测定进一步加强。全省通过对2008年推荐基因交换种猪后代进行跟踪测定观察，选出50头作为2009年度联合育种推荐种公猪。组织召开全省种猪联合育种年度工作会，15家种猪场的场长及技术人员共计30余人参加会议，公布了2009年联合育种推荐优秀公猪，为培育优秀种猪的育种单位颁发了铜牌。建立启动了河南省种猪性能测定中心，对全省2批次共209头种猪进行了性能测定，受测猪只测定期最高日增重达到1 000克以上，测定期最高饲料转化率达到1.8。成功举办了两次种猪展销会，河南各地及周边地区的60家种猪场及上百家公猪站500多名业界人士与会。邀请知名专家进行技术培训，并对测定合格的种公猪进行了竞价销售，取得了良好的效果，全年种猪测定、评估9 000多头。

（李　莉）

【畜产品质量安全管理】 2009年，河南省围绕确保畜产品质量安全的总目标，狠抓各项措施落实，不断加强畜产品质量安全管理。一是深入开展畜产品质量安全专项整治暨执法年活动。按照活动的总体要求，2009年省畜牧局积极开展了饲料、兽药、生鲜乳、无公害畜产品、“瘦肉精”、病害肉、畜牧业生产资料等专项整治，各地共出动执法人员21.24万人次，检查生产经营企业14.6万个次，抽取样品6.27万个，查处问题1 741起。二是积极推行畜产品质量安全市场准入制。2009年2月，省畜牧局在南阳召开了全省畜产品质量安全管理暨推进市场准入工作现场会，对全省畜产品质量安全市场准入工作进行了全面的安排部署。各省辖市认真贯彻全省会议精神，结合实际采取有效措施，积极推进畜产品质量安全市场准入制。截止到年底，南阳、平顶山、鹤壁等12个省辖市政府已先后印发了畜产品质量安全市场准入的相关文件，南阳、平顶山、济源、洛阳等多个地市召开了启动仪式，全省195个大中型超市已实施畜产品质量安全市场准入。三是继续开展无公害畜产品产地认定和产品认证。截止到2009年底，全省累计获证产地2 039个，认定畜禽总规模达26 002.91万头（只），认定产地数量、规模同比分别增长22.83%和29.27%；全省累计获证产品达215个，认证规模490 717.8吨，获证产品数量、规模同比分别增长49.30%和16.84%。同时，积极开展无公害畜产品标准化生产示范县项目建设。按照项目评审程序和原则的要求，组织专家对项目申报主体进行了严格的筛选，汤阴、获嘉、商城等10个县（市、区）被评为2009年度无公害畜产品标准化生产示范县，示范带动全省无公害畜产品标准化生产。四是积极开展畜牧业标准制订工作。编制完成了《豫南黑猪》、《豫南黑猪饲养管理技术操作规程》两个地方标准，通过了省技术监督局组织的专家审定并已颁布实施。编制的《生猪饲养操作规程》、《肉鸡饲养操作规程》、《蛋鸡饲养操作规程》地方标准提纲，已在省技术监督局立项。省畜牧局与漯河市畜牧局联合编制的《河南省生猪饲养标准体系》，通过省技术监督局组织的专家审定并颁布。

（陈洪科）

【动物疫病预警预报和监测】 2009年，河南省不断加强全省重大动物疫病预警预报体系建设，加大对动物疫病的监测力度。一是确立了疫情监测预警的技术路线。按照“研究监测模型，建立监测网络，筛选监测方法，采集监测样本，实施监测检验，汇总监测数据，分析监测结果，发布监测预警”的技术路线，全省各级疫控机构根据职责和分工，对13种动物疫病实行定点、定时、定量和跟踪监测。二是建立完善了监测网络。全省按照“合理分工、科学布局、分级管理、强化监测”的原则，不断加大监测网络建设力度，完善了原有网点，新增了牛、羊、活禽市场、牲畜交易市场等监测网点。全省共设立三级监测网点1.4万个，并统一挂牌明示。三是推行了“河南省动物疫病监测检验技能资格证”制度。分期分批为各级监测机构和大型养殖场培训检验技术人员，全省各级监测机构实验室技术人员实行统一考试，合格者执证上岗。四是推广应用了现代信息技术。各地积极推广应用“河南省重大动物疫病防控监测预警”和“禽流感防控工作自动化管理系统”软件，加快信息技术在监测领域的运用，使数据的录入、传递、汇总、分析实现了自动化。五是充分发挥专家团作用。充分发挥动物疫情风险评估专家团的作用，每月开展一次动物疫情风险预警评估与分析，省辖市和省本级疫控机构为当地政府或主管部门提供评估报告209份，防控工作的科学性、针对性、时效性不断提高。六是开展流行病学调查。2009年省、18个省辖市疫控中心及20个国家级测报站对猪、马、牛、羊、鸡、鸭等动物进行了1月1次的流行病学调查，共调查规模场203 212个、19 009.22万头（只），散养户1 946 307

户、2 980.5万头(只)。七是开展实验室监测。全省共对禽流感、口蹄疫、猪瘟、新城疫、猪蓝耳病、狂犬病、伪狂犬、布病、结核、马传贫、马鼻疽、鸡白痢、猪流感等13种疫病进行实验室监测,共监测样品1 461 498份(其中免疫效果监测1 108 811份,疫情监测352 687份)。

【动物防控新技术开发推广】

1. 积极开展新诊断方法和产品的研发工作。一是开展了新诊断方法的研发。共有15个省辖市在日常检测中全面推广应用了动物疫病病原学PCR诊断方法,使得地市实验室监测诊断水平具全国同级同行业之首。二是开展了猪圆环病毒2型核酸疫苗动物试验。研究成果已鉴定为河南省科技成果。

2. 积极开展科研申报及成果转化工作。积极申报国家及省部级科研项目,共完成4项省部级以上科研项目申报工作。二是积极申报科技奖励,共完成科技奖励申报项目2项。三是积极申报国家发明专利,完成了"猪α干扰素/白细胞介素2嵌合基因、其构建及其蛋白纯化方法"国家发明专利申报工作。四是积极完成国家和省部级科研项目,完成了"十一五"国家科技支撑计划课题"口蹄疫综合防控技术集成与示范"子课题,相关研究成果已鉴定为河南省科技成果;完成了"十一五"国家科技支撑计划重大项目"河南省鸡新城疫等禽病的流行病学调查及疫苗免疫效果评价"菌毒株分离和流行病学调查工作。共分离和鉴定鸡新城疫流行毒株10株,鸡传染性支气管炎流行毒株10株,鸡传染性法氏囊病毒毒株10株,鸭传染性浆膜炎菌株5株;分离疑似禽网状内皮组织增生症毒株5株;完成了省科技攻关重点项目"鸡基因工程复合抗病毒制剂的研究"的论文撰写发表、动物试验、田间试验等相关工作;完成了河南省基础与前沿技术研究项目"抗猪源隐孢子虫单克隆抗体的研制和初步应用"的研究工作,共分离3株猪源隐孢子虫单克隆抗体,并对其进行纯化和鉴定;建立了猪源隐孢子虫间接免疫荧光诊断技术和间接ELISA诊断方法,并已进行猪源隐孢子虫胶体金试纸条的研究。五是积极制定国家、行业和地方标准。分别完成了国家标准"鉴别猪繁殖与呼吸综合征病毒高致病性与经典毒株复合RT-PCR方法"和行业标准"猪附红细胞体病诊断技术"的制定工作,通过了全国动物防疫标准化技术委员会秘书处组织的标准评审并形成报批稿报送国家标准化委员会,待发布;分别制定了"规模牛场口蹄疫环境控制技术"、"规模牛场口蹄疫监测技术"、"规模牛场口蹄疫免疫技术"和"规模性畜场口蹄疫风险评估技术"等4个地方标准送审稿和"猪弓形虫PCR检测方法"等6个地方标准的征求意见稿。六是积极开展科技成果鉴定。共完成2项科技成果鉴定工作,分别是"重组猪圆环病毒2型/白介素2嵌合表达质粒构建及活性研究与应用"与"规模性畜场口蹄疫风险评估模型的研究与应用"。

(梁松林　方先珍　刘光辉)

【动物卫生监督】 2009年,河南省以开展全省动物卫生监督队伍建设年活动为载体,认真贯彻落实《动物防疫法》,不断加大动物卫生监督力度。一是加强检疫监督。全省共检疫活畜禽50 724.78万头(只),产地检疫开展面达到100%;对全省2 262个定点屠宰厂全部实施了驻厂同步检疫,全省屠宰检疫活畜禽17 477.29万头(只)。加大执法力度,全省共办案4 939起,结案率为98%,查获病害肉338 988千克,均依法进行了处置。二是加强公路动物防疫监督检查站的管理。依据《动物防疫法》的规定,经河南省人民政府批准,在省际边境、交通要道和高速公路设立公路动物防疫监督检查站,已建成沿国道105、106、107、207、209、310、311、312及京珠、连霍、沪陕、南洛出入河南省境高速路口在内的45个检查站,形成横连纵合覆盖全省的防疫监督网络。2009年,各公路动物防疫监督检查站严格查证验物、消毒、检疫监督,坚持24小时值班制度,全省共检查消毒载畜车辆14.1万辆,检疫消毒活畜禽10 331.8万头(只),畜禽产品10.4万吨。三是深入开展动物卫生监督队伍建设年活动。在全省开展了动物卫生监督队伍建设主题年活动,共举办法律法规、执法办案、专业知识等各类培训班303期,培训人员27 556人次。重新审核、登记执法人员8 621人,统一考试新录用了1 315名检疫员。完成了《河南省动物卫生监督执法文书制作规范》、《河南省动物卫生监督量化管理办法》等规范性文件制订;对《动物防疫法》、《重大动物疫情应急条例》及《执业兽医管理办法》等6部法律法规规章的行政处罚条款进行了梳理,制定出了21项107个行政处罚自由裁量阶次,并在政府法制网上公布。

【畜产品产销联建】 2009年,河南省按照市场准入城市的要求,以畜产品标准化生产水平为准则,不断提高畜产品质量安全水平,加大与主销区城市的沟通衔接力度,主要畜产品外调数量继续稳步增长。全省供沪定点备案企业达到775家,其中,生猪定点企业680家,畜禽加工企业81家,活牛企业14家,实现了活牛供沪的新突破。供沪生猪2 759 363头、牛1 983头、猪肉20 228.78吨、牛肉930.6吨,鸡肉8 261.44吨,其他禽肉4 288.87吨。

(骆双庆　金喜新)

【畜产品质量监测检验体系建设】 2009年,河南省承担建设了农业部肉牛羊质量安全监督检验中心(中原)项目,并被省委、省政府列为年内为民办好的十大实事之一,中央、地方两级财政共投资1 835万元对实验室进行了升级建设。2009年9月,省畜产品质检中心首次通过国家实验室认可,申请承检的兽药、饲料、畜产品及畜禽养殖环境检测等五大检验类别共计327个参数获得认可,实现了检测数据的国际双边和多边的互认,检验检测能力达到了国际认可准则的要求。洛阳、新乡、周口3个省辖市畜产品质检中心首次通过计量认证,全省通过计量认证的省辖市畜产品质检中心达到15个。省市两级省辖市畜产品质检中心实验室面积达到16 858平方米;拥有仪器设备1 100多台套,价值6 300多万元;拥有从业人员287人。省市两级畜产品质量监测体系初步形成。开封、新乡、焦作、驻马店、南阳等省辖市开始启动县级畜产品质检中心建设工作。全年省市两级畜产品质检中心共检测兽药、饲料、畜产品等样品92 075份,同比增长38.7%。

(班付国)

【饲草资源开发】 2009年,河南省以种草养畜和秸秆青贮氨化技术推广为重点,不断加大饲草资源开发力度。一是积极发展种草养畜。2009年,全省完成草地建设4.7万公顷,其中人工种草3.34万公顷,改良草地1.3万公顷,飞播牧草666.7公顷;累计种草保留面积27.3万公顷。全省形成33.3公顷以上规模种草66块、总面积3 500公顷,66.7公顷以上规模种草40块,面积6 546.7公顷。全省黄河滩区和浅山丘陵区以规模种草为主、农区以草田间作套种为主的种草区域布局进一步优化。草畜及种养结合能力进一步增强,畜牧业可持续发展能力日益彰显。如洛阳巨尔、周口金丝猴、偃师旺民等奶牛养殖企业创立了“秸秆+苜蓿”和全株青贮玉米饲喂模式;新乡市以规模场和牛羊小区为重点,探索出“基地模式”、“养殖场+种植户模式”和“郊区模式”等3种以全株玉米青贮和优质牧草为基础日粮的养殖模式,成效明显。二是积极推广秸秆青贮氨化技术。2009年,全省秸秆总产量约7 300万吨,饲喂牛羊消耗秸秆2 500万吨,以青贮氨化微贮等形式处理1 830万吨,其中全株玉米青贮302万吨,秸秆青贮氨化量占秸秆总量的25.1%。与“十五”末相比,秸秆青贮、全株青贮、微贮氨化分别增长15.2%、179.6%和15.3%。秸秆青贮损失率由“十五”末的20%降低到目前的5%。全省共有秸草加工企业13家,年生产能力已达70万吨,同比提高7.7%,草捆、草块、草颗粒、草粉等草产品加工进一步完善成熟,有些远销日本、韩国。

【饲草饲料项目建设】 一是秸秆养畜项目建设。截止到2009年底,全省先后建设3个秸秆养畜示范区、76个示范县(含续建)。项目累计总投资达3.51亿元,其中中央财政安排10 170万元,占中央资金总量的10.8%。在建秸秆养畜示范县项目10个。2009年完成投资855.92万元,占计划投资的61.14%,累计完成总投资计划的97.83%;建设青贮氨化池共5.4万立方米,购置秸秆处理机械94台。原阳县、唐河县、淮滨县、睢县、内乡县、中牟县等6个2009年度秸秆养畜示范项目,本年完成投资382.4万元,占计划投资的16.88%。建设青贮氨化池共0.68万立方米,示范场(户)14个。10县共氨化微贮秸秆28.5万吨,青贮秸秆162.3万吨,出栏肉牛22.89万头,出栏肉羊175.51万只。二是飞播种草项目建设。全省飞播种草面积累计达5.04万公顷。在嵩县飞播种草0.067万公顷,每平方米平均出苗78株,有苗面积率达到94%。三是草品种区域试验项目建设。主要培育沪禾、午夜、午夜2号,冀饲1号、中饲1048、中饲828,1S-1085、塞迪10、塞迪7、维多利亚等10个牧草品种,是河南省首次承担国家草品种区域试验项目。四是牧草良种繁育基地项目建设。2009年延津县实施的牧草良种繁育基地项目已全部完工,新增草种生产基地66.67公顷,新增草种生产能力40吨,新增草种加工能力80吨,新增草种储备能力40吨。河南合博草业有限公司实施的育草基金项目和草种繁育基地项目后续效益显著,2009年生产冬牧-70黑麦原种1吨、中饲237饲用小黑麦1吨、多花黑麦草500千克、优质苜蓿青干草700吨。

【草地监理监测】 2009年,全省草原监测工作涉及三门峡、洛阳、信阳、南阳和济源等5市及罗山、宜阳等9县,共计野外调查样地100个,测产样方300个,家畜补饲入户调查250户,各类样地样方照片950份,为全面准确把握全省草地状况提供了科学依据。完成了河南省《中华人民共和国草原法》、《草原防火条例》、《甘草、麻黄草采集管理办法》的行政处罚裁量标准制定工作。

(高永革　王彦华)

【重大动物疫病控制】 一是精心组织春、秋两季集中免疫大会战。按照“预防为主,防控结合”的方针和“应免尽免、不留空当”的总体要求,坚持集中免疫与日常免疫相结合,加强常年补免补防,免疫工作的制度化和规范化。全年共订购使用禽流感疫苗8.9亿羽份、口蹄疫高效疫苗2.26亿毫升、高致病性猪蓝耳病疫苗1.6亿毫升、猪瘟疫苗8 221万头份,集中免疫期间应免畜禽的免疫密度达到100%,日常免疫密度保持在98%以上。二是积极实施国家下达的防控检疫基础设施建设项目。省动物疫病预防控制中心实验楼建设工程项目正按计划加快建设,中央投资建设的1 521个乡镇兽医站项目已全面完成,52个县级动物防疫站、639个乡镇兽医站项目的主要仪器设备招标工作已全面启动,动物疫病防控技术手段不断得到完善。

三是加强综合防控措施落实。利用省、市、县三级1.44万个监测网点，对禽流感、口蹄疫等17种动物疫病进行了重点监测。全省共开展动物疫病免疫抗体监测和病原学监测85.1万份，其中免疫效果监测78.7万份，免疫抗体合格率都在87%以上，超过了国家规定标准。同时强化检疫监管和消毒灭源，全面推行申报检疫制度，初步建立了"分类建档、风险分级、量化管理"的监管模式，动物标识和疫病可追溯体系建设步伐加快，重点地区、敏感部位、关键环节的监管措施得到有效落实。四是精心组织执业兽医考试。作为5个试点省份之一，组织开展了由7 060名基层兽医参加的执业兽医资格考试。本省的报考人数最多，设置考点最多，参考率最高。

【畜牧业招商引资】 2009年，全省畜牧系统切实按照省政府提出的"大招商，招大商"的要求和"政府引导、政策支持、市场运作、互利多赢"的原则，广泛动员各方力量，积极开展"大招商，招大商"活动。一是精心组织畜牧业银企合作招商引资对接活动。共组织申报畜牧业贷款项目3 000多个，及时向金融机构推介重点项目1 000个，16家金融机构与400家企业、419个项目达成了贷款合同和贷款协议，合计金额110.5亿元。二是积极引进畜牧业投资项目。全年外省来豫投资1 000万以上的畜牧项目共计45个，项目总投资75亿元。三是积极搭建畜牧业交流合作平台。利用第21届河南家禽交易洽谈会积极进行展销展示，开展对外经济技术合作，共吸引国内外企业近1 000家，展销品种上万个，交易额近100亿元，河南家禽交易洽谈会已成为全省十佳展会，成为全国畜牧行业最大的A级交易会。

（王　鹏）

湖北省畜牧业

【概况】 2009年，全省畜牧兽医部门按照"发展现代畜牧业、促进畜牧业又好又快发展"的目标要求，大力发展适度规模化、标准化健康养殖，狠抓重大动物疫病防控和畜产品质量安全，积极应对各种不利因素和挑战，促进了畜牧业的持续、健康、稳定发展。

据省统计局、调查总队统计，2009年全省生猪出栏3 735.5万头，同比增长6.8%；牛出栏118.9万头，同比增长5.8%；羊出栏494万只，同比增长7.1%；家禽出笼43 551.1万只，同比增长10.1%；肉类总产量367万吨，同比增长7.9%；禽蛋产量128.9万吨，同比增长3.9%。全省实现畜牧业产值881.8亿元，占农林牧渔业总产值的比重达29.5%。

2009年，湖北畜牧业发展呈现以下特点：一是价格行情好于预期。上半年受国际金融危机的影响，猪肉消费不旺，猪价一路走低，最低时6月份活猪均价只有9.09元/千克，养猪出现亏损。下半年随着经济回暖，生猪价格止跌回升，养猪效益恢复正常，出栏1头肉猪平均赢利100～150元；禽蛋价格一直较好，蛋鸡每只赢利13～15元，蛋鸭每只赢利35～45元；肉禽效益稍差，处于保本略亏的状态；牛羊肉价格坚挺，养殖效益持续稳定。农民养殖一头肉牛平均毛利润450元，肉羊养殖只均毛利润为146元。奶业生产已渡过"三聚氰胺"危机，并有效克服A型口蹄疫的不良影响，牛奶价格已达到3.2元/千克，奶农有微薄利润。二是农民增收好于预期。在上半年养殖比较效益下降、人均减收28元的情况下，全年畜牧业靠增量增收197 271万元，为农民人均增收52.76元。

【积极应对金融危机】 2009年，国际金融危机持续蔓延，给畜牧业生产带来了很大影响，甲型H1N1流感疫情更是使生猪产业雪上加霜。面对困难，全省畜牧兽医部门齐心协力、积极应对，在充分调研的基础上，客观地提出了"猪价低迷是受宏观经济影响而导致消费不旺所致"的论断，并始终坚持大力发展生产，要求各地"不管市场风险有多高，不要对养猪失去信心；不管疫情有多复杂，不要对养猪说放弃；不管环保压力有多大，不要把养猪当包袱"。同时，一方面针对低迷的市场行情，因势利导，提前谋划，淘汰生产性能低下的老母猪，优化猪群结构，降低生产成本，规避风险；另一方面逆向操作，率先提出"充分利用钢筋、水泥降价的有利时机，低成本发展养猪生产"。在省发改委、财政厅等部门的支持下，既不折不扣地落实了中央的各项扶持政策，又继续实施"新建万头猪场建设"、"标准化养殖"等项目，使全省生猪生产迅速摆脱了上半年市场低迷的阴影影响，并取得较快发展。

【畜牧业扶持项目建设】 2009年，全省畜牧业发展共争取落实各类专项资金55 252万元（中央专项资金25 126万元、省级专项资金30 126万元），其中动物疫苗及标识经费25 374万元；重大动物疫病扑杀补助资金4 519万元；基层动物防疫人员补助工作经费2 700万元；中央血防补助经费105万元；畜牧良种补贴、良繁资金等7 264万元；农业综合开发和现代农业板块资金3 290万元；省级生猪标准化万头猪场"以奖代补"资金1亿元；生猪养殖小额贷款贴息2 000万元。这些专项资金和支农惠农资金的投入，有力地保障了全省畜牧兽医事业的发展。

为保障项目建设，进一步强化验收与监管。完成了动物防疫体系建设项目的招标采购；对第二批省级万头养猪小区建设项目进行了验收；对2008年下达的蛋鸡标准化规模化养殖场改造项目、2007年生猪标准化规模化养殖场项目、2004—2008年实施的动物防疫体系建设项目进行了检查验收；对2009年预申报的动物防疫、畜禽良种、农业面防综合治理等进行了审查和申报。

【标准化养殖模式推广】 省财政连续两年拨出1亿元专项资金，对新建并通过验收的万头猪场进行奖励。在“以奖代补”政策的激励下，全省万头猪场发展迅猛，总数已达427个。同时，全省主推了“生猪150”、“肉羊1235”、“养牛165”、“蛋鸡165”等一批适度规模的标准化养殖模式。这些标准化养殖模式理念先进、技术含量高，规模、投资适中，搭建了一个由农户散养迈向标准化养殖的桥梁，很好地解决了农民“干得起、干得好、干得了”的难题，深受农民的欢迎和各级党政干部的推崇。特别是生猪150模式，在短短的两三年时间里，已发展到11 067栋，在全省产生了巨大的影响。2009年，又适时地推出了蛋鸡165模式，并以现场会的形式在全省推广；在试点的基础上，通过召开现场会、培训班、制作专题片等多种形式大力推广生物发酵床养殖技术。

【草地畜牧业】

1. 牛羊生产。围绕牛羊大县大乡大场建设，着力推广实用技术和标准化生产模式。年内新建标准化“肉羊1235”示范户1 200户，新建标准化“养牛165”示范户500户。

2. 奶站清理整顿及奶业发展。2009年，对全省奶站布局进行了合理调整，累计关闭或取缔不合格奶站37个，新建奶站11个。在此基础上，认真贯彻《国务院关于促进奶业持续健康发展的意见》和《奶业整顿和振兴规划纲要》，结合本省实际，制定了《湖北省奶业发展纲要实施办法》，编制了《湖北省奶牛标准化养殖生产技术》，着力推进奶牛规模养殖，加强对奶水牛开发试点工作的技术指导。还成立了湖北省奶牛性能测定（DHI）站，首次启动了奶牛生产性能测定工作。加大奶牛良种补贴项目实施力度和良种冻精使用范围，全省奶牛良补冻精8.2万支，其中荷斯坦奶牛4.2万支，奶水牛2万支，冻配改良牛4.1万头，有力地提高了奶牛良种覆盖率。

3. 草地资源的保护建设与利用。全省累计种草保留面积33.4万公顷，比上年增长32%；当年新增种草面积8.13万公顷，同比增长27%；草种田面积0.13万公顷，同比增长8%；“三化”草地治理面积5.5万公顷，同比增长22%。年内，草地确权工作也取得重大突破，神农架林区政府先后将三块连片的1.39万公顷草地确定为基本草原，并发放了草地权属证，为全面推进草地确权工作开了一个好头。

【畜牧产业化经营】 2009年，省委、省政府、省农业厅作出重大决策，把推进农业产业化经营作为推动现代农业建设的重要抓手，创新体制机制，在全省实施“四个一批”工程，加快培育壮大新型市场主体。省委常委张昌尔亲自到省畜牧兽医局调研，研究部署畜牧业产业化发展问题。按照省委、省政府和省农业厅的要求，主要抓了“汉口精武”亿只鸭工程、同星亿只鸡工程、神丹10亿枚蛋等三项工程，取得了显著成效。一年来，与中粮、精武的战略合作深入推进，与孝感市政府、安陆市政府合作共建的安陆市畜牧产业化百亿元示范园区进展顺利。各地畜牧部门也进一步加大了畜禽加工龙头企业的招商引资力度。汉口精武与英国樱桃谷农场合资建设的3.3万套祖代种、父母代鸭场均建成投产；省畜牧兽医局与温氏公司签订年出栏200万头肉猪战略合作协议，汉川市、监利县率先实施了第一批60万头基地建设。中粮集团已经与大冶市、阳新县签订了生猪健康养殖协议，计划在两年内投资8亿元建设形成年出栏50万头生猪养殖规模项目，形成6~8个年出栏6万头以上规模的生猪养殖单元，进而带动当地农民发展1 000个生猪“600”标准化养殖模式，全年增收1亿元，其中农户直接增收5 000万元以上。

【动物疫病防控】

1. 迅速扑灭奶牛A型口蹄疫疫情。2009年春节期间，武汉市发生了奶牛A型口蹄疫疫情。农业部和省委、省政府的高度重视。农业部先后三次派专家组到湖北指导疫情处置工作；部长孙政才、副部长高鸿宾还亲赴疫区现场指导；省委书记罗清泉就疫情处置作出了十条批示，省长李鸿忠、省委常委张昌尔、常务副省长李宪生多次主持召开会议部署疫情防控工作；汤涛副省长、柏槐副主席、祖恩副秘书长亲自坐镇指挥部办公室指挥，省政府首次启动了二级应急预案。在农业部和省委、省政府的坚强领导下，全省上下联动、各有关部门通力协作，历经40余天艰苦卓绝的奋斗，彻底拔除了疫点，稳定了疫区，有效控制了疫情的蔓延与流行。

2. 重大疫病强制免疫。积极落实防疫资金，及时招标采购疫苗、免疫标识等相关物资，精心组织部署春秋两季集中免疫注射和查漏补免工作。建立了重点部位重大动物疫病防疫责任制，在试点的基础上，开展了高致病性猪蓝耳病弱毒疫苗推广应用，弱毒苗免疫效果好，副反应少，得到了基层防疫人员的拥护和支持。全年春秋两季6种重大动物疫病免疫密度均达到99.5%以上。

3. 疫病监测、诊断。春秋集中免疫期间，全省采取了期中全程检查督导和期末交叉检查评比的方式，确保各项防控措施到位。全年共5次组织36多个督查组，采取“六查六看”的方式，对各地重大动物疫病防控工作情况进行了专项检查督办；加大了动物疫病监测范围和频次，及时、快速诊断疫情，全省监（检）测样品182 543份。

4. 应急管理。一是重新修订了《湖北省突发重大动物疫情应急预案》，完善了应急预案体系建设，强化了应急物资储备；二是建立了重大动物疫情风险评估及预警机制。组建了以陈焕春院士为主任的湖北省重大动物疫情风险评估专家委员会，每季度对重大动物疫情流行趋势进行一次评估分析，确定预警等级，发出预警通报，提出有针对性的防控措施。

5. 冷链体系建设。2009年，基本实现了"市县有恒（低）温冷库、乡有低温冰柜、防疫员有保温箱"和"苗不离冰，冰不离苗"的建设目标。

6. 血吸虫病防治。以控制动物性传染源为重点，同步开展了耕牛查治、洲滩禁牧、建安全牧场、家畜圈养和替代养殖等工作。全省普查耕牛21.1万头，治化疗25.1万头，圈养耕牛24 984头，发展替代养殖小区76个。在省政府组织的年度评估考核工作中，耕牛感染率全部低于3%的控制目标。

7. 甲型H1N1流感防控。2009年，省畜牧兽医局加强了与省卫生厅的工作配合，制定了防控应急专项预案，狠抓了养猪场生物安全管理，坚持了对猪甲型H1N1的抗体监测。湖北未发生猪感染甲型H1N1流感病例。

【畜牧兽医立法】 2009年，《湖北省实施〈中华人民共和国动物防疫法〉办法》（草案）经过多次修改完善，通过了省政府法制办的审查，立法草案已呈报省政府常务会议审议；向省人大报送了2010年《〈动物防疫法〉实施办法》、《湖北省畜牧条例》立法项目的可行性论证报告；制定了"细化量化行政处罚权标准"，对涉及到畜牧兽医行业的83项自由裁量权进行了认真梳理，制定了《畜牧兽医法律法规和行政规章的处罚权量化标准（草案）》，报省政府法制办印发统一执行。

【畜牧兽医综合执法】 2009年，制定下发了《湖北省畜牧兽医局关于全面推进畜牧兽医综合执法的意见》和《2009年畜牧兽医执法工作方案》，举办了全省综合执法经验交流现场会，全省基本建立了以省动物卫生监督所为龙头，市（州）为纽带，县（市）动物卫生监督所（畜牧兽医执法大队）为责任主体的畜牧兽医行政执法体系。大多数县（市）已开展综合执法，执法能力显著提高。与此同时，省政府办公厅下发了《湖北省畜牧兽医管理体制改革进展情况的通报》，全省畜牧兽医体制改革稳步推进，2009年又有荆州市和武穴等22个县（市、区）完成兽医体制改革任务。

【畜产品质量安全监管】

1. 畜产品质量安全违法案件查处。2009年，省畜牧兽医局除对两起"瘦肉精"违法事件进行了严厉查处外，共查处兽药案件123起。同时加大了抽检监测力度。全年完成农业例行抽检任务4次、无公害复查抽检1次、省内日常监管检查7次，共检验检测兽药440批、兽药残留446批、饲料650批、畜禽产品1 481批、生鲜乳141批。

2. 动物检疫监管。2009年，进一步巩固2008年动物卫生监督执法年活动成果，切实加强了动物卫生监督制度建设，狠抓了人员素质提高，强化了动物及动物产品重点部位的监管。全省动物检疫工作实现了由重屠宰向产地、屠宰检疫并重，由被动受理向主动申报检疫的两个转变，确保了上市肉类的卫生安全，保证了人民群众吃肉放心。23个公路动物检疫监督点实现了全年上路查证验物，充分发挥了防疫堵疫的屏障功能，杜绝了公路"三乱"现象。

3. 无公害畜产品认证认定。全年共组织开展了"省农业标准化示范基地建设项目"，举办了三期无公害畜产品认证企业内查员培训班。全年完成畜产品产地认定86个，产品认证80个。

【科技推广与资源保护】 狠抓了畜牧专业合作社的发展，打造技术推广平台；制订了蛋鸡、生猪、肉鸡、蛋鸭、肉鸭、肉羊等6个畜禽养殖技术规程；组织了多次送科技下乡活动；扎实推进了与丹江口市土台村"城乡互联、结对共建"活动；认真做好职业技能鉴定工作，顺利通过了"238"鉴定站质量管理体系认证。

9月份，国家畜禽遗传资源委员会专家完成了对麻城黑山羊、麻城绿壳蛋鸡、建始景阳鸡、阳新番鸭等4个遗传资源的现场鉴定工作，麻城黑山羊、建始景阳鸡通过鉴定并被列入全国畜禽遗传资源目录。

（湖北省畜牧兽医局 汪明阳 王海朋）

湖南省畜牧业

【概况】 2009年，湖南畜牧业发展形势明显好于预期，主要特点体现为"五个持续"：一是养殖产量与效益持续增长。全省肉、蛋产量分别为476.3万吨、89万吨，较上年分别增长6.7%、1.7%。畜牧业产值1 100.4亿元，出栏1头商品肥猪的平均净利润在100元以上，农民养殖收入稳定增长。二是畜牧业结构调整持续推进。从区域结构看，优势产区的养殖产量占全省养殖总产量的55%以上，生猪调出大县增加到45个。从品种结构看，牛、羊、禽肉产量占肉类总产量的比重提高到16.6%。从规模结构看，全省规模养殖户达到73万户，其中年出栏生猪500头以上的规模养殖户1.9万户。生猪规模养殖比重占53.2%，较上年提高5.4个百分点。三是畜牧业综合生产能力持续提高。全省累计支持1.5万个畜禽规模养殖场进行了标准化改造，设立了34个监测县、40个价格监测点，逐步健全了养殖生产预警预报体系。良种繁育体系不断健全，全省种畜禽场达到336个，年供优质种猪59万头。动物防疫体系建设持续推进，县级防疫检疫冷链体系基本健全，大部分乡镇动物防疫站得到改造。四是养殖生态环境持续好转。大力发展种养结合、沼气配套、有机肥生产等养殖模式，畜禽粪污得到有效治理，特别是沼气处理粪污能力达到畜禽粪污排泄量的20%以上。草山草坡改良力度不断加大，完成人工种草面积14.4万公顷，改良草地面积15.8万公顷。五是养殖加工一体化持续发展。全省饲料工业产量达到849万吨，产值251亿元，分别增长7.7%、10%。肉类加工企业迅速发展，全省大中型现代化生猪屠宰企业达到10余家。一些饲料、肉类加工龙头企业利用资金、技术优势，延伸产业链条，发展壮大成为集养殖、加工于一体的产业集团。2009年，主要是加大了4个方面的工作力度：

1. 推进标准化规模养殖有新力度。一是把标准化规模养殖作为政府工作重点。2009年省委1号文件明确提出"实施千区万户健康养殖示范工程"，各地认真贯彻落实省委、省政府文件精神，加快推进标准化规模养殖。衡阳市实施了"双万工程"(万户每户出栏百头猪、万户每户出笼万羽禽)，益阳市成立了以市委书记为组长的生猪产业化发展领导小组，怀化市出台了《关于加快生猪和肉牛养殖小区建设的决定》。二是把标准化规模养殖作为了财政支持重点。2009年全省共争取养殖业发展财政资金13.5亿元，其中中央资金9.1亿元。重点支持了822个生猪规模场、45个生猪调出大县的规模养殖基础设施建设。各市、县加大了地方财政投入，长沙市投入2 000万元支持畜禽粪污无害化处理，湘潭市投入300万元推广生物发酵床养猪技术。衡阳、怀化、株洲、郴州、湘西土家族苗族自治州等地都安排了标准化规模养殖设立专项资金。三是把标准化规模养殖作为了规范养殖行为的工作重点。全省先后制定了110项养殖地方标准，发布了《生猪养殖小区技术规范》和《养殖小区动物防疫工作指导意见》，对养殖生产环境、品种质量、质量检验检测等进行了规范。株洲、郴州等地出台了规模养殖场和养殖小区建设管理办法，规范了养殖行为，推进了标准化养殖。

2. 重大动物疫病综合防控有新力度。各地强化"四个机制"，促进动物疫病防控工作程序化、制度化。一是强化了以绩效考核为重点的管理机制。省政府把重大动物疫病防控纳入各级政府绩效评估的重要内容，对重点病免疫密度、经费投入、疫情控制指标和基础设施建设等实行目标考核，强化了各级政府的动物防疫工作责任。二是强化了以明察暗防为重点的督导机制。建立健全明察暗访制度，对防控工作薄弱地区进行通报，并挂牌督办，限期整改。湘潭、娄底、邵阳等地对督查结果实行排类排位，有力促进了防控措施的落实。三是强化了以免疫结合扑杀为重点的综合防控机制。强化重大动物疫病免费强制免疫，应免畜禽免疫密度达到99%，抗体合格率达到国家规定水平，有效防止了畜禽感染疫病。浏阳市、长沙县率先建立动物防疫信息平台，推进了动物防疫信息化管理。四是强化了以提高素质为重点的队伍管理机制。市、县兽医管理体制改革稳步推进，全省聘用村级动物防疫员3.6万人，安排劳务补贴7 612万元，基本做到了人员到位、经费到位。与此同时，各地加强人员培训，累计培训动物防疫员3万人次，推行动物防疫检疫承诺制，规范防疫检疫行为。

3. 畜禽产品质量安全监管有新力度。以开展农产品质量专项整治暨执法年活动为契机，加大监管力度，严厉打击违法行为，确保了畜、禽、水产品质量安全。一是加大了违禁物品的监管力度。对上市出售的生猪在出栏前开展检疫与"瘦肉精"同步检测，对定点屠宰场按不低于5%的比例抽检，对含违禁物品的生猪和肉品进行无害化处理。2009年，全省累计排查生猪规模养殖场4万个，抽检生猪尿样36.7万个，合格率为99.96%。对每个生鲜乳收购站派驻质量安全监管员，规范了企业生产行为。生鲜乳中三聚氰胺检测合格率达到100%。在农业部组织的例行监测中，全省畜禽产品中药物残留检测合格率为100%。二是加大了饲料、兽药监管力度。对所有饲料企业进行"三证"审查，对所有重点监控兽药企业组织开展GMP飞行检查。加大假冒伪劣兽药、饲料查处和打击力度，共检查饲料、兽药生产经营企业5.1万个(次)，销毁假劣兽药13.1万支、假劣饲料178吨，取缔无证经营户34家，吊销经营许可证30个。全省饲料、兽药质量抽检合格率均高于全国平均水平。三是加大了与公安部门的联合执法力度。对制售、使用"瘦肉精"的违法案件全部移送公安机关，进行挂牌督办，有力保障了畜禽产品质量安全。

4. 推进养殖科技进步有新力度。积极推进科研攻关，加快科技成果推广应用，做到了"三个明显加强"。一是科研、生产联建力度有明显加强。积极推进科研机构与养殖基地对接、科研与生产对接，利用大型养殖企业的平台，建立科技创新基地，在地方良种开发利用、畜禽良种选育、生猪规模化健康养殖、养殖生态环境保护等方面取得突破性进展，一批先进实用技术得到推广应用。二是畜禽品种改良力度有明显加强。全省完成生猪人工授精460万胎次，同比增长37.5%，三元杂交猪比例达到56%。实行奶牛良种补贴，支持新建乡镇草食动物品改站256个，推广冻精85.5万支，增长15.5%。完成了地方畜禽品种资源调查，东安鸡、雪峰乌骨鸡、道州灰鹅通过了国家新品种鉴定，宁乡猪、湘西黑猪、攸县麻鸭、酃县白鹅的4个资源场被列为国家级保种场。三是养殖科技培训力度有明显加强。全省大力推广先进实用技术，特别是生猪发酵床养殖技术推广较快，建成生物发酵床80万平方米，取得了较好的粪污治理效果。各地加大畜禽品种改良员、动物防疫员、专业饲养员的培训力度，累计举办养殖技术培训班1 654期(次)，培训人员15万人次，发放技术资料20万份，有效提高了养殖科技水平。

2009年，湖南畜牧业发展取得了较好成绩，但仍面临着一些困难。一是保持畜禽产品合理价格水平的难度较大，二是有效防范质量安全事件的难度较大，三是保持动物疫情形势稳定的难度较大，四是畜禽粪污治理难度较大。

(武深树　徐飞良　何　平)

【生猪良种补贴】 2009年，湖南在原来17个生猪良种补贴项目县的基础上，新增了生猪人工授精推广基础较好的衡山、衡阳、耒阳、隆回、鼎城、桃源、赫山、南县、双峰、蓝山、江永、嘉禾、桑植、溆浦、新晃、凤凰等16个县(市、区)，作为实施生猪良种补贴项目县。33个项目县共发放生猪良种补贴资金3 621.03万元，受补贴农户395 140户。推广人工授精配授母猪194.7万次，使用良种公猪精液396.35万剂，受胎率93.1%。通过项目实施，项目县生猪人工授精覆盖面、生猪良种率、农民养猪收入得到明显提高。

(易宏辉)

【千区万户健康养殖示范工程】 2009年，湖南省政府将实施生猪“千区万户健康养殖示范工程”列入对各级政府绩效评估的主要考核指标，加快了生猪标准化规模养殖场和小区发展速度。项目共争取各级财政投入资金6.08亿元，吸引社会资金21.51亿元，建成标准化生猪养殖小区499个，完成绩效评估指标任务的125%；建成标准化规模养殖场4 113个，完成绩效评估指标任务的103%；标准化规模养殖场(小区)出栏生猪983万头，完成绩效评估指标任务的164%。全省生猪规模养殖比重达到53.2%，比上年提高了5.4个百分点。

(雷　勇)

【畜禽遗传资源】 2009年，国家畜禽遗传资源委员会确定湖南省宁乡猪、湘西黑猪、攸县麻鸭和酃县白鹅资源场列入国家级保种场，湖南省宁乡县流沙河镇列入了国家级宁乡猪保护区，并正式授牌。

(易宏辉)

【生猪价格调控预案】 为建立保障生猪生产稳定发展长效机制，防止生猪价格过度下跌，维护生猪养殖户利益，2009年，湖南省物价局、财政厅、农业厅、商务厅、工商局、质监局、出入境检验检疫局等7部门制定并发布了《湖南省防止生猪价格过度下跌调控预案(暂行)实施细则》。通过加强对生猪等畜禽产品价格监测，采取综合调控措施，促使猪粮比价、仔猪价格、生猪存栏、能繁母猪存栏等指标保持在合理范围内。《细则》明确，当猪粮比价高于9∶1，即猪价过度上涨时，将适时投放政府冻肉储备，必要时将向城乡低保对象、家庭经济困难的大中专院校学生发放临时补贴；当猪粮比价低于9∶1时，特别是在低于5∶1，即猪价出现过度下跌时较大幅度增加省、市级政府冻肉储备和大型企业商业储备规模。同时对国家确定的生猪调出大县的养殖户(场)，按照每头能繁母猪100元的标准一次性发放临时饲养补贴；对国家确定的优良种猪场的养殖户(场)，按每头公种猪100元的标准一次性发放临时饲养补贴。

(徐飞良　何　平)

【草食动物品种改良】 一是冷配覆盖面及冻精推广数量进一步扩大。2009年全省品种改良技术已推广到79个县，推广冷冻精液85.51万支，同比增长15.6%。53个县冻精推广超过1万剂，其中平江、汨罗、岳阳、慈利、桑植、宜章、隆回、绥宁、新宁、城步、石门、涟源、新化、桃江、浏阳等15个县市推广冻精数量在2万剂以上。二是品改服务体系建设进一步加强。省畜牧水产局制订了全省草食动物品改工作方案，加强了品改工作的指导和规范管理。2009年全省新建并验收合格县级品改中心11个、新建乡镇基层品改点256个、推广安格斯种公牛60头。三是品改队伍进一步壮大。2009年，省级组织举办了4期高级品改员技术培训班，培训高级品改员275名。四是组织专家教授到基层开展技术培训。全省各县市区培训养殖大户、基层品改员3万人次，极大提高了品改员的技术水平，全省牛平均冷配受胎率从上年的79%提高到81%。

【牛羊地方良种保护】 湖南省加强草食动物地方良种保种工作，积极落实保种技术措施，扩大优良群体，提高牛羊保种群体的生产性能，扩大保种工作县的良种覆盖率，地方良种保种工作取得了显著成效。2009年，湖南省11个牛羊地方良种保种县共建成保种小区63个，完成保种牛8 734头，保种羊15 000只；发展牛保种户4 994户，羊保种户386户；保护特级公牛147头、一级公牛484头、特级母牛793头、一级母牛2 420头、二级母牛4 890头，保护特级公羊117只、一级公羊570只、特级母羊350只、一级母羊6 192只、二级母羊7 771只。

(张新平)

【饲料工业】 2009年湖南省生产各类商品饲料856.04万吨，产值251.46亿元，与上年同比分别增长8.50%和9.90%。其中配合饲料696.57万吨，同比增长10.7%；浓缩料110.84万吨，同比减少1%；预混料48.63万吨，同比增长0.4%。湖南正虹科技发展股份有限公司、唐人神集团股份有限公司、岳阳岳泰集团有限公司、湖南九鼎科技（集团）有限公司等4家饲料生产企业跻身全国饲料50强。棉菜粕、米糠、石粉等单一饲料产品纳入了核发饲料生产企业审查合格证管理范畴。23家企业未通过备案审查被注销，其中注销生产许可证14个，注销审查合格证6个，注销安全卫生合格证3个。

（杨建武）

【动物防疫体系项目建设】 2008年12月和2009年5月，中央分两次下达湖南两批新增动物防疫体系投资项目，总投资15 458万元，其中中央投资10 309万元，地方配套5 149万元，用于完善1 190个乡镇动物防疫站和14个县级兽医实验室基础设施。全省上下高度重视，采取一系列优化措施，较好地完成了建设任务。

（谭运华）

【动物防疫工作责任制】 2009年，湖南省委、省政府将重大动物疫病防控首次纳入对市（州）政府和省农业厅绩效评估。省、市、县、乡四级政府逐级签订了动物防疫工作责任状。省防治重大动物疫病指挥部制定了《湖南省2009年度重大动物疫病防控工作目标管理考核评分办法》，组织开展年度考核评比。各地针对重点防疫区域明确了监管的行政责任人和技术责任人，定期巡查，加强监管，发现问题，及时整改到位。全省各级完善了督察制度，在春、秋季集中免疫和重大动物疫病应急防控期间，由政府和相关部门组成督查组，开展防控工作明察暗访，有效促进了免疫、检疫等各项措施的落实，确保年内全省重大动物疫情稳定。

（郭永祥）

【动物防疫体系信息化管理】 2009年，湖南浏阳市率先开发了动物防疫检疫远程管理系统，将乡镇动物防疫站网络终端与长沙市动物防疫监督站网络中心进行专线连接。该系统拥有专用域名和基础数据库，具备动物防疫检疫远程办公能力，对动物防疫检疫工作实行动态管理，做到随时了解动物防疫检疫工作，即时查询与统计相关信息。系统的开发和投入使用，大幅度提升了动物防疫工作管理水平。

（龙　燕）

【强化产地检疫申报与省际边境动物防疫监督】 2009年，湖南省全面推进产地检疫申报制度建设。制定了地方标准《动物产地检疫申报点建设与管理规范》，明确申报点的建设、检疫申报与受理、检疫与处理及监督管理等要求，规范了动物产地检疫工作程序，强化了申报点的监督管理，促进了湖南省动物产地检疫工作的法制化和规范化管理。

同时，省政府2009年再次批准全省省际边境动物防疫监督临时检查站延长工作期限至2015年5月，并对全省边境检查站进行了重新布局，同意江华县河路口等8个检查站改址。

（林家全）

【动物标识移动智能识读器试点工作】 2009年，湖南省在53个县开展动物标识移动智能识读器试点工作，采购并下发了430台识读器，开通了溯源SIM卡，与省移动公司协作完成了溯源系统运行软件改造和SIM卡试用检测，成功将动物标识移动智能识读器等设备运用到防疫、检疫、监督3个工作环节。至2009年底，移动智能为识读器业务操作次数50 254次，识读器传输牲畜信息头数363 935头，基本达到了试点目的。

（石　敏）

【畜产品质量安全整治】 2009年，湖南省畜牧水产局按照农业部《2009年农产品质量安全整治暨执法年活动实施方案》统一安排和部署，组织开展了六大专项整治活动，取得显著成效。一是开展“瘦肉精”等违禁物品专项整治行动。省政府下发了《关于进一步加强“瘦肉精”等违禁物品整治工作的通知》，要求各级政府和省直有关单位全面开展“瘦肉精”等违禁物品整治行动，组织对生猪养殖场（户）进行地毯式排查，全省生猪质量总体安全。省畜牧水产局与省公安厅联合下发了《关于进一步加大“瘦肉精”等违禁物品查处工作力度的通知》，进一步加强部门协调配合，违法案件移送公安机关并列为挂牌督办案件。二是开展兽药及兽药残留专项整治。全省加强兽药生产企业GMP管理，组织清查销毁“强生肽”，查处假劣兽药，严格兽药质量管理。共出动执法人员35 005人次，检查兽药生产经营企业27 248家（次）、养殖场（户）15 478家，立案查处案件253起，涉及金额192.36万元。完成国家和辖区兽药产品质量监督检测样品418个、畜产品兽药残留检测样品335个，兽药残留检测合格率为100%。三是开展饲料及饲料添加剂专项整治。全省共出动执法人员37 938人次、督查人员5 476人次，检查饲料生产经营企业2.47万个（次）、养殖场（户）14.9万个（次），查处违法违规案件153起。饲料安全专项监测的总体合格率为100%。四是开展生鲜乳专项整治。全省共出动执法人员2 712人，检查奶牛养殖场户526个，检查奶站38个（次），责令整改8起。完成生鲜乳三聚氰胺抽检50批次，合格率100%。全省12个奶站及所有运输车辆均实行了持证经营。奶牛养殖场(户)建档立卡达到100%,生鲜乳收购站检查率和达标发证率达到100%,生鲜乳中三聚氰胺检测合格率达到100%,生鲜乳质量安全违规单位查处率达到100%。五是开展"三品"专项整治。全省共出动4 354人次对1 330家"三品"生产经营企业进行了检查,查处问题28起。对18家指定无公害(绿色、有机)畜禽水产品生产企业进行了证期检查。现场检查了10家认证企业,对5家认证企业进行了养殖水质抽样检测,对3个认证产品进行抽样检测,检测结果全部达标。六是开展农资打假专项整治。集中整治了饲料、兽药市场、种畜禽市场,全省共出动执法人员74 687人次,查处各类案件535起,涉案人员482人。检查各类农资企业37 252家(次),整顿生产资料市场1 605个,捣毁制假窝点100多个,挽回经济损失2 347万元,有效维护了广大养殖生产者的合法权益。

(吴微波 徐飞良 何 平)

广东省畜牧业

【概况】 2009年,广东省各级农牧部门沉着应对国际金融危机、甲型H1N1流感、畜产品质量安全、突发自然灾害等多种因素的严峻考验,认真贯彻落实扶持畜牧业发展和加强动物疫病防控的各项政策措施,推动了全省畜牧兽医事业平稳健康发展。2009年,全省实现畜牧业产值917.14亿元,占农林牧渔业总产值的27.48%;出栏生猪3 601万头,增长3.8%,年末生猪存栏2 392万头,增长0.5%,能繁母猪存栏267万头,增长0.6%;出栏家禽11.4亿只,增长4.6%,年末家禽存栏3.7亿只,增长2.8%;肉类总产量427万吨,比上年增长3.6%,其中猪肉262万吨,增长3.2%,禽肉153万吨,增长4.3%;禽蛋34万吨,增长4.9%,奶类14万吨,增长5.3%。

2009年,全省畜牧业生产的主要特点为:生猪价格基本稳定,有一定的赢利空间;家禽产品价格普遍下行,养殖效益下降,生产压力较大;奶品价格较理想,奶业生产呈现良好发展势头。

【扶持生猪生产】

1. 能繁母猪保险。2009年,按照广东省政策性能繁母猪保险实施方案,积极开展能繁母猪保险业务,全省累计承保能繁母猪140.5万头,累计赔付能繁母猪91 027头,累计支付赔款9 102.7万元。

2. 标准化规模养殖。2009年,全省共有298个养殖场纳入国家标准化规模养殖场(小区)建设项目,项目总资金13 200万元。生猪标准化规模养殖建设项目的实施,进一步加快了生猪养殖方式由散养向规模化、标准化、集约化转变,淘汰了部分落后的生猪产能,增加了整体饲养量和出栏量,提高了养猪环保设备水平,处理粪污能力进一步加强,促进了生猪生产的长期稳定发展。

3. 调出大县奖励。2009年,高州等16个县(市、区)被确定为国家生猪调出大县,共落实奖励资金9 807万元,用于养殖大县进行猪舍改造、良种引进、粪污处理、动物防疫、贷款贴息以及保险保费补助等。通过项目实施,全方位提高了调出大县的生猪饲养水平,缓解了地方财政压力,有效保护了项目县发展养猪生产的积极性。

4. 生猪良种补贴。2009年,惠州市博罗县等19个县(市、区)被列为生猪良种补贴项目县,比上年增加10个,核定补贴母猪75.5万头,项目补贴金额3 020万元。

【扶持奶业生产】

1. 奶牛良种补贴。2009年中央下达广东省奶牛良种补贴任务3.7万头,其中荷斯坦奶牛2.7万头,奶水牛1万头,共落实中央补贴资金101万元。为保证项目开展,制定了《2009年广东省奶牛良种补贴项目实施方案》,并对项目县的管理人员和养殖大户进行了技术培训。

2. 标准化规模养殖。2009年共有9个养殖场被纳入国家奶牛标准化规模养殖场(小区)建设项目,落实项目资金700万元。

3. 生鲜乳收购站监管。为全面贯彻落实《乳品质量安全监督管理条例》、《奶业整顿和振兴规划纲要》、《生鲜乳生产收购管理办法》,认真开展生鲜乳收购站建设与监管工作,推行签订《广东省生鲜乳收购站监管工作责任书》,明确各县(市、区)农业(畜牧兽医)局是辖区内生鲜乳收购站监管的第一责任人;对生鲜乳收购站进行清理整顿,严格《生鲜乳收购许可证》和《生鲜乳运输证明》的审核和发放。全省生鲜乳收购站已全部办理生鲜乳收购许可证,实现百分百持证收购。

【畜禽良种工程】 2009年,金钱麻鸡配套系和岭南黄鸡3号配套系通过了国家畜禽遗传资源委员的审定,被农业部确定新的鸡配套系,另有4个鸡配套系处于培育阶段。同时,通过实施国家良种工程项目、省级畜禽品种改良专项、省农机化预案等项目,加强种公猪站建设,加大良种推广力度,良种繁育体系进一步合理。据统计,目前全省生猪良种覆盖率已达到95%,家禽良种覆盖率达到86%。

【饲料业生产】 2009年,全省饲料业发展总体趋稳,有饲料和饲料添加剂生产企业967家,其中从业职工总人数3.7万人,饲料工业总产量达1 753万吨,饲料工业总产值459亿元，连续7年饲料工业总产量位居全国第一位。从产品结构看，配合饲料产量1 671万吨，同比增长5.87%；浓缩饲料产量30.67万吨，同比增长10.22%；添加剂预混合饲料产量51万吨，同比增长29.7%。从产品种类看，猪料产量554.4万吨，同比增长26.22%；蛋禽饲料产量133万吨，同比下降7.55%；肉禽饲料产量747.5万吨，同比增长6.6%；水产饲料产量305.4万吨，同比增长8.87%。

【兽药生产】 截止到2009年底，广东省通过农业部GMP认证并获得生产许可证的兽药生产企业有95家，其中生物制品生产取得较大发展，共有大华农、永顺、正典等6家生物制品企业，既有3家重大动物疫病疫苗定点生产企业，也有全国首家水产疫苗和球虫疫苗企业。生产企业主要集中在珠三角地区，生产剂型主要有散剂、粉剂、预混剂、小剂量注射剂、大剂量注射剂、消毒剂、粉针、口服溶液剂、片剂、丸剂、胶囊剂等。全省兽药生产企业年产值约16亿元。全省兽药经营企业或门店约为1万家左右，年销售额约21亿元。

【动物卫生执法监督】 2009年，全省各级动物卫生监督机构，认真按照省委、省政府和农业部的工作部署，切实贯彻动物防疫法律法规，紧紧围绕重大动物疫病防控这一中心工作，狠抓检疫监督，有效保证了动物及动物产品卫生安全。

建立健全检疫申报制度，大力开展检疫申报点标准化建设，积极探索信息化检疫管理手段，开发检疫证明管理系统和机打检疫证明软件，认真落实检疫工作责任制，严格责任追究，推动检疫工作有效开展。严格实施到场到点检疫的产地检疫制度和同步屠宰检疫制度，严格按照操作规程实施检疫，对检疫不合格的动物及动物产品，一律不出具检疫合格证明并按有关规定处理，保证病害动物及动物产品不出场、不出厂。2009年，全省产地检疫开展面、规模场产地检疫率、定点屠宰检疫率、检疫出证率均达100%，产地检疫牲畜3 491.38万头、家禽8.79亿只，屠宰检疫牲畜3 276.37万头、家禽1.38亿只，对检出的7.45万头病畜、42.72万只病禽、313.01吨病害肉，均进行了无害化处理。

实行包片到人、责任到人的定向定期动物卫生监督执法巡查制度，加大对动物及动物产品饲养、屠宰、经营、贮藏等场所的监管力度，督促指导有关场所落实动物防疫条件，做好强制免疫、消毒灭源、无害化处理、检疫申报等工作，及时堵塞防疫漏洞，消除重大动物疫情和动物产品卫生安全隐患。制定防疫消毒和无害化处理管理规定，加强对屠宰场、动物批发市场的防疫管理。投入500万元标准化建设全省18个公路动物防疫监督检查站，提升监督检查能力，规范管理，加大监督检查力度，有效防止动物疫病跨地区传播。积极探索区域间联防、联控、联管的动物防疫监督机制，组织珠三角地区建立监督协作联席会议，组织4个片区开展区域联合巡查，充分发挥各区域的动物防疫监督工作合力。坚持日常检查与突击检查并重，组织开展打击收购病死动物、伪造检疫证明等专项行动，严厉打击违法行为，2009年全省共查处案件456起，未经检疫案件303起，不符合动物防疫条件案件40起，不按规定处理病害动物及其产品案件29起，违反标识管理有关规定案件40起，经营、加工染疫动物及动物产品8起，伪造检疫证章标志案件3起。

【动物标识及疫病可追溯体系建设】 2009年，全省各级兽医行政主管部门认真按照农业部的工作部署，大力推进动物标识及疫病可追溯体系建设，可追溯体系建设工作取得重大突破。积极争取省财政支持，落实建设资金1 800万元，用于采购牲畜耳标、识读器和人员培训。通过春秋防集中佩戴、督促指导养殖场佩戴、加强监督执法等形式，大力开展牲畜耳标工作，2009年，全省共使用二维码耳标2 920万套，牲畜佩戴率近90%，其中流通环节牲畜耳标佩戴带率接近100%。在各县选取2～3个乡镇开展示范的基础上，全面铺开牲畜防疫信息上网传输工作，全省共传输233万头牲畜数据信息829万头条，其中免疫信息587万条，牲畜数据信息传输工作走在全国前列。

【饲料和畜产品安全监管】 全省各级饲料管理部门紧紧围绕"稳生产、调结构、保安全"的目标，坚持提高与发展并重，产量与质量并举，以严厉打击"瘦肉精"、三聚氰胺等违禁添加物为重点，抓法制、抓基础、抓监管、抓源头，狠抓饲料和畜产品质量安全监管。据统计，2009年全省累计出动执法人员21 443人次，监督检查饲料企业700多家，检查养殖场(户)14 402个次。监督抽检各类饲料样品5 429批次，合格率达99.78%；生猪尿液样品72万批次，合格率达99.79%；肉牛尿液样品68批次，合格率达99.79%。立案调查违法企业、养殖场(户)33个，查处无证、无号、无标签产品39个，查处违法饲料产品288.82吨，涉案金额23.29万元。通过广播、电视、报纸、网络等新闻媒体播报饲料和畜产品质量安全宣传材料279篇。饲料生产、流通环节和畜禽养殖环节非法添加三聚氰胺、"瘦肉精"等违禁添加物的行为得到有效遏制，饲料和畜产品质量安全水平稳步提高。

【兽药质量和药物残留质量管理】 2009年国家下达广东省兽药抽检任务200批，辖区配套200批，实际完成辖区内兽药生产、经营、使用环节的兽药监督抽检412批次，超额12批次。经企业确认的产品合格率为

90.8%,比上年提高近8个百分点。按产品类别统计,兽用中药产品65批,检测合格65批,合格率为100%;兽用化药产品186批,检测合格163批,合格率为87.6%;兽用抗生素产品58批,合格52批,合格率为89.7%;按流通环节统计,其中生产环节抽检32批,检测合格32批,合格率为100.0%;经营环节抽检253批,检测合格228批,合格率为90.1%;使用环节抽检24批,检测合格20批,合格率为83.3%。

全省共抽检兽药残留样品563批,按检测项目统计,其中检测猪尿中盐酸克伦特罗238批,猪肉中喹乙醇代谢物66批,猪肉中氟喹诺酮117批,鸡肉中磺胺142批,合格率均为100%;按样品来源性质统计,养殖场抽样152批,屠宰场抽样191批,市场抽样25批,养殖户抽样195批;样品检测均合格,合格率为100%。

【畜牧业产业结构布局优化及规模化生产】 为贯彻落实《国务院关于促进生猪生产发展稳定市场供应的意见》和《广东省生猪生产发展总体规划和区域布局》,经省政府同意,2009年3月,省农业厅评选出首批100家广东省重点生猪养殖场并挂牌,给予重点支持和保护,对于促进生猪产品的有效供给和质量安全,推动全省生猪生产向标准化、规模化和现代化方向发展发挥了重要作用。

【兽医实验室生物安全监管】 全省各级兽医主管部门认真执行《广东省兽医实验室生物安全监督管理工作方案》和生物安全管理制度,逐级签订了实验室生物安全责任书;加强对辖区内兽医实验室进行监督和管理,强化了实验室工作人员的安全意识,确保生物安全管理措施的严格执行,监管责任的认真落实。一是各级兽医实验室设立单位加强了内设实验室日常活动的管理,健全生物安全管理制度和责任追究制度,明确职责,责任到人,并采取有效措施督促相关人员切实履行职责。生物安全三级实验室和省动物疫病预防控制中心成立了生物安全领导小组和生物安全委员会,建立了有效的生物安全管理体系,编制了生物安全手册等体系文件,保证了实验室现有检测工作的生物安全性并满足生物安全目标。二是各级兽医实验室开展了自查整改活动,对本单位实验室人防、物防、技防等防护措施和生物安全管理制度的落实情况进行了检查。三是加强菌(毒)种和样本保藏管理,要求设专柜或专库保藏,实行双人双锁,实验活动结束后按照规定及时将菌(毒)种和样本就地销毁或者送交保藏机构保管,做好领取、使用、销毁等情况记录。四是严格落实实验室生物安全防护措施。要求实验室的生物安全防护级别与其拟从事的实验活动相适应,实验室的设施设备、人员防护用品佩戴、实验工作行为、实验室的管理制度要符合《实验室生物安全通用要求》和《兽医实验室生物安全管理规范》等相关规定。五是加大实验室工作人员的培训和管理力度。积极派人参加农业部举办的实验室生物安全培训班学习,并在举办的实验室检测技术培训班中设立实验室生物安全管理内容,加强生物安全知识宣传教育。六是加强实验污染物的处理。检测完毕立即进行高压消毒,然后集中交由医疗废弃物处理中心处理。七是规范实验活动记录。要求实验室严格规范记录菌毒种、样品的进出和储存,实验室使用和安全监督情况,实验室清洁消毒、污染物和废弃物处理、实验人员生物安全培训等情况。八是省、市、县畜牧兽医主管部门对各级兽医实验室进行定期检查,督促其对自查过程中发现的问题进行整改。

2009年,广东省畜牧兽医局集中开展了5次专项监督检查,有力消除了生物安全隐患,全省未发生生物安全事故。

(广东省畜牧兽医局)

广西壮族自治区畜牧业

【概况】 2009年,广西畜牧业生产继续保持平稳较快增长。在生猪价格大幅下降的形势下,第一产业总产值仍然保持在1 000亿元以上。2009年肉类总产量371万吨,禽蛋产量19.34万吨,牛奶产量8.07万吨,同比分别增长5.8%、7.8%和7.5%。畜牧业产值812.5亿元。全区农民从事养殖业获得的人均现金收入达935.20元。

【生猪生产】 2009年广西生猪出栏量3 119.9万头,年末存栏量2 332.4万头,分别比上年增长6.3%和1.1%;猪肉产量232.2万吨,增长6.3%。国家投入生猪标准化规模养殖扶持资金达到1.20亿元,较上年增长17.65%;全区推广生猪发酵床(零排放)养猪面积超过10万平方米,开工建设的标准化规模养殖场321个,改扩建猪舍面积38.36万平方米,建设沼气池3.31万立方米,建设化粪池4.16万立方米。

【草食畜禽养殖】 2009年广西肉牛出栏143万头,年末存栏448万头,分别比上年增长6.98%和6.21%;牛肉产量13.36万吨,增长7.3%。肉羊出栏205万只,年末存栏190万只,分别比上年增长7.4%和7.69%;羊肉产量3.16万吨,增长8.2%。家禽出栏7.28亿羽,年末存栏2.82亿羽,分别比上年增长4.5%和2.5%;禽肉产量118.36万吨,增长4.1%。牛羊兔鹅产值增加了近6亿元。其中山羊圈养项目年内建设示范户241户,存栏母羊1.41万只,推广应用浓缩料38吨和营养舔砖23吨,引进种公羊375只,种植牧草76.34公顷,利用秸秆1 835吨、建羊舍32 286.5平方米、运动场81 720平方米、建青贮池2 894立方米,购切草机131台。

【生猪良种补贴】 2009年度继续实施生猪良种补贴项目。项目县从11个增加到18个，生猪良种补贴任务从45万头增加到71万头，补贴资金2 840万元。年内为确保项目良种猪精液质量，出台了《广西生猪良种补贴项目良种猪精生产供应管理暂行办法》，严把供精单位和种公猪质量关。

【牛品种改良】 年内全自治区累计杂交配种母牛53.07万头，其中，人工授精配种45.28万头，优良种公牛本交配种7.79万头。年内推进《奶水牛XY性控精液分离项目》实施，全年生产X性控冷冻精液4.02万支，Y性控冷冻精液3.1万支，在灵山县文利镇等地进行性控冻精中试3 000多头。

【奶牛良种补贴】 2009年度继续实施奶牛良种补贴项目。奶水牛和荷斯坦奶牛良种补贴头数分别由上年的14万头和1万头增加到25万头和1.5万头，补贴金额分别由280万元和30万元增加到500万元和45万元，补贴项目县分别由14个和11个增加到69个和35个。

【奶业开发】 2009年全区奶牛存栏59 406头，比上年增长11.37%，其中能繁母牛存栏40 011头，增长19.55%。奶水牛存栏为43 856头，其中能繁母牛26 660头，同比增长17.90%和31.56%。奶产量达80 720吨，增长7.57%，其中水牛奶22 031吨，比上年增加2 417吨，增长12.32%。2009年全区共有乳品加工企业22个，其中实际日加工能力1～20吨的有17个、20～50吨的有3个、50吨以上的有2个。各个乳品企业的生产均有不同幅度的增长。如广西灵山百强水牛奶乳业有限公司，乳制品产量达1.6万吨，同比增长20.0%。广西奶业发展逐步形成两大优势区域。一是以南宁、柳州、来宾、防城港四市为中心的荷斯坦奶牛产区，荷斯坦奶牛存栏数占全区总数的77.84%；二是以钦州、北海、南宁和来宾为主体的奶水牛产区，存栏奶水牛3.63万头，占全区总数的88.02%。奶牛养殖规模化程度不断提高。全区奶牛规模养殖场(户)(存栏40头以上)有80个，同比增加10个；存栏奶牛3.5万头，增长4.3%，占全区奶牛存栏总数的61.40%。年内广西皇氏乳业有限责任公司成功运作上市，灵山百强奶水牛乳业公司奶酪生产线建成投产。

【畜牧业科技推广】 2009年广西组织申报并获准立项的畜牧科研项目(课题)共89项。年内广西水牛科技产业孵化中心实验楼落成，良种水牛胚胎体外生产工程正式启动，标志着水牛奶业科技创新平台建设和服务能力跃上新台阶；广西良种水牛种牛场扩建项目(三期)通过验收，种牛饲养规模可达1 000～1 200头，基本实现了种牛场的“饲养机械化、生产规模化、环境生态化”，生产技术达到国际先进水平；广西畜牧所实验中心大楼开始动工，建成后将大大改善该所科研条件。

年内一批关键技术取得重大突破，为行业发展提供了科技支撑。一是水牛研发工作又上新台阶。国内首次系统地研究泌乳水牛能量需要量及日粮能量的利用率，对青年母水牛在不同精粗比、不同干物质进食量及添加不同尿素水平日粮下的瘤胃微生物蛋白质合成量等进行了系统地研究，为水牛能量、蛋白质营养的基础研究、饲料资源开发利用和水牛饲养标准制订以及饲粮配方的配制积累了基础数据并提供理论参考；率先在国内研究开发了3种水牛乳干酪，产品填补了国内相同类型水牛乳干酪的空白。二是草食动物科技攻关取得新进展。国内首创应用胚胎移植技术快速繁育娟姗牛；在国内率先提出以木薯和稻谷代替玉米的肉鹅日粮配方，为养鹅业合理利用青粗饲料提供科学依据；引进了18个豆科牧草品种，筛选出适合广西种植的优良牧草品种以及适宜广西种植冬季不休眠的紫花苜蓿品种，填补了广西冬春缺乏高蛋白豆科牧草的空白，探索出2个优质豆科牧草种植、利用及配套养畜的配套技术，为生产应用提供了技术支撑。三是疫病防控技术有了新突破。猪细小病毒N株的生物学和免疫学特性研究取得重大进展，国际上首次从初产母猪所产死胎脏器分离到猪细小病毒N株，接种后强毒攻击保护率达100%，研究成果被《动物病毒学》杂志引用，具有较高的学术价值。国内首次发现奶牛血液中瘦素、谷胱甘肽过氧化物酶、鸟氨酸氨基甲酰移换酶等指标对奶牛乳房炎、子宫内膜炎、生产瘫痪等产后疾病具有临床应用价值，为奶牛产后多种疾病的诊断、预测和监控提供了重要科学依据。

年内继续组织开展科技入户示范项目。在6个县、区组织实施科技入户项目，推广应用5个主导品种和9项主推技术，共建设科技示范户3 500个，辐射带动农户7万个，举办各种培训班208期，培训技术员和农民1.86万人次。科技示范户对主导品种的应用率达到98%，先进实用技术的入户率达到97%。

年内组织实施优势畜禽品种重大技术推广项目。推广了牛杂交改良、粗饲料加工利用、牛病综合防治等一批先进适用技术，辐射带动农户6.6万户，示范养牛6.2万头，社会和经济效益显著；推广优良牧草16吨，推广种猪8 912头，推广利用牛胚胎移植技术生产犊牛525头，推广岩溶地区生态恢复技术示范面积达4 000多万公顷，取得了显著的经济、社会和生态效益。

年内共有31项科技成果通过鉴定和成果登记，其中有19项科技成果申报科技进步奖，8项获2009年广西科技进步奖(二等奖2项、三等奖6项)。

【生鲜乳收购站监管】 年内继续贯彻实施《奶业整顿和振兴规划纲要》。一是组织抓好生鲜乳收购站清理整顿工作,严格生鲜乳收购许可制度,全区28个生鲜乳收购站均已取得《生鲜乳收购许可证》;二是加强管理,所有鲜奶收购站都建立健全了生鲜乳购销台账制度、收奶记录制度、防疫消毒制度、生鲜乳质量检验制度,有效保证了生鲜乳质量安全;三是加强生鲜乳运输监督管理,严格核发《生鲜乳准运证明》和生鲜乳交接单;四是加强检查指导,全区累计派出执法人员4 221人次,检查指导奶牛场(户)2 106家次,核发《生鲜乳准运证明》的运输车辆29辆;五是加强生鲜乳质量安全监测,全年抽样生鲜乳310批,检测的样品中均未检出三聚氰胺,合格率100%。

【种畜禽管理】 一是加强畜禽遗传资源保护工作。组织重新修订了《广西畜禽遗传资源保护名录》,对陆川猪、环江香猪、巴马香猪等18个畜禽遗传资源实施重点保护。二是组织开展畜禽遗传资源清理和资源申报工作。全年组织13个畜禽遗传资源申报国家畜禽遗传资源鉴定、5个配套系申报配套系审定工作,其中广西麻鸡、广西乌鸡、天峨六画山鸡、融水香鸭、龙胜凤鸡、龙胜翠鸭、德保矮马、西林矮脚犬等8个畜禽遗传资源通过国家鉴定;金陵黄鸡、金陵麻鸡等2个配套系通过国家审定。德保矮马等稀有品种保护开发工作引起国务院和自治区的高度重视。三是组织自治区畜牧总站和德保县水产畜牧兽医局全面配合全国畜牧总站认真落实国务院、农业部和自治区领导对德保矮马保护开发的指示。四是继续组织全区重点种猪场种禽场动物疫病控制和净化工作。五是组织推动草地资源保护和山羊舍饲圈养。自治区草业开发中心在全区30个县(市、区)监测热性灌草丛样地111个,在310个农户开展补饲调查,拍摄数码照片500张,填写各类样地表格240份,指导制订山羊良种补贴、精料补贴实施方案,并监督实施。

【饲料行业管理】 一是组织开展全区饲料产品质量安全督查,抽检饲料样品2 946批次,2 763批样品合格,合格率93.8%。二是组织打击在饲料生产及养殖过程中添加"蛋白精"等违禁添加物的违法行为,共抽检231批饲料检测三聚氰胺,抽检372批饲料检测违禁药物,均未检出违禁药物。三是组织开展重点养殖、屠宰场户违禁药物专项监测,采取拉网式抽检和不定期针对性抽检、实验室检测与现场检测相结合、打检联动的方式对全区生长育肥猪及牛的排泄物进行监测,共监测养殖企业502家次,监测屠宰环节146场次,抽检猪尿样5 562批、牛尿样39批、生猪尿样中违禁药物检出率0.09%,牛尿样中违禁药物未检出。四是深入开展广西饲料质量安全执法年行动,通过采取大力宣传法律法规、严格生产企业现场评审、加强获证企业的日常监管和年度备案、开展饲料执法交叉监督检查、对违法违规行为保持高压严打态势等措施,进一步规范饲料生产经营行为。全年共组织完成对20家饲料添加剂或添加剂预混合饲料企业生产许可证现场考核和申请书上报工作,其中有14家企业获证;共有112家生产许可证获证企业通过年度备案,建议农业部注销7家不合格企业(8张证);通报饲料执法交叉监督检查结果,组织各市对38家不合格饲料生产、经营企业及养殖企业下达整改通知书并督促企业限时整改;组织调查处理个别企业涉嫌经营假冒豆粕等4个案件。

【兽医管理体制改革】 全区97.5%的动物卫生监督机构、96.6%的动物疫病预防控制机构、95.1%的乡镇水产畜牧兽医站实行了财政全额预算管理,人员入编率超过90%。市、县两级动物卫生监督机构已有106个实行参公管理,占总数的88.3%。全区有104个市、县(区)办理了委托动物卫生监督机构行使兽药、动物产品质量安全、兽医实验室生物安全监管等行政执法职能的相关手续。官方兽医师资队伍培训工及乡村兽医登记试点工作已经开展。

【执业兽医资格考试试点】 按照农业部的统一部署和要求,作为2009年全国执业兽医资格考试试点省区,广西设置了109个报名点,接受了4 093名考生报名,4 037名考生符合报考条件;设立了7个考点、138个考场。这次考试,全区共有172人获得了执业兽医师资格,762人获得了执业助理兽医师资格。广西把此项工作作为2009年兽医工作的重点。一是在工作目标上,务必实现"两个确保",即确保全区考试工作安全保密、万无一失;确保良好的考纪考风,杜绝考试违纪违规事件的发生;在工作措施上,务必严格做到"从严布考、从严监考、从严治考";在工作推进上,强调务必仔细、落实。二是拟定了执业兽医资格考试试点工作方案、宣传方案、考务安排、考试运行流程及考试偶发事件处置、突发事件应对等一系列工作方案以及考务管理有关制度;会同自治区保密、公安、卫生、信息产业、通信管理部门出台了考试突发事件应急预案;会同自治区保密部门出台了考试保密工作管理办法。这些方案、制度,全面规范了试点各环节的工作,为完成试点任务提供了保障。三是利用电视、报纸、广播、网络、会议、培训、辅导、印发材料等多种形式,开展了积极主动、形式多样、点面结合、深入到位的宣传活动,提高了社会各界对执业兽医管理制度和考试的关注度,发动广大兽医人员踊跃报名参加考试,为试点工作开展营造了良好的社会氛围。四是举办了3期考务管理培训班,培训考务人员近300人次。组织14个市举办了近30期考务人员培训班,培训人员超过2 000人队。在抓好培训的同时，组织7个考点开展了考试模拟及突发事件应急演练。五是组织做好考试报名和考生资格审查、信息汇总上报、准考证印发、考试安排等考务工作，严把报考质量关；与保密部门配合，做好试卷接收、保管、运送、回收、销毁等环节的工作，严防泄密事件发生；从严组织监考，严肃考风考纪；强化督查指导，先后组织开展了6次大的督查行动，及时派出督导组、巡考员进驻各考点，分片包干，督促、检查、指导考点做好考务工作。

【草地监理监测】 年内制订了《2009年广西草地资源与生态监测实施方案》，与30个监测县签订了《草地监测任务书》，并落实了监测工作经费、车辆和人员。开展了草地监测的野外调查工作，调查了分布在30个县(市)区的热性灌草丛样地111个，完成计划任务的111%，开展了310户入户补饲调查，完成计划任务的155%，拍摄数码照片500张，填写各类样地表格240份，圆满地完成了2009年草地监测各项工作任务。通过对111个草地样地表格、数百张数码照片及310个农户补饲情况进行计算、整理、汇总，将之一并录入了农业部定制的《草原监测地面数据管理系统》。在龙胜县开展草地划定确权工作，完成草地划定确权1 700多公顷，发放草地承包证3本。

【动物卫生执法监督】 一是狠抓产地检疫。通过进一步深化检疫申报点的设置，开展报检制度落实情况专项检查等方式，完善检疫申报机制。采取强化产地动物的挂标、查标、验标等综合举措，着力突破产地检疫工作难点。全区产地检疫县开展面100%，产地应检动物平均受检率86.6%，动物产地检疫合格率98.3%。二是规范屠宰检疫。通过采取制定完善屠宰检疫规章制度，严格实行屠宰准入制度，抓好检疫员业务培训，规范操作行为，开展屠宰环节监督检查，严格责任追究制度等措施，屠宰检疫工作取得了动物屠宰检疫率、上市动物产品合格率和病畜禽无害化处理率3个100%的良好成效。三是开展动物疫情处置督查和案件督办工作，确保疫情处置和违法案件查处科学、规范、严格。全年全区共查处各种动物卫生违法案件838件。四是抓好证章标志的供应和管理，严肃查处违法出具、买卖、转让和伪造证章标志等行为。五是加强动物诊疗管理，规范诊疗秩序。组织开展全区动物诊疗机构登记工作，提出了进一步加强动物诊疗机构规范化管理的对策；对全区动物诊疗行业进行全面清理，取缔无证诊疗、非法从医，规范了动物诊疗秩序；根据农业部《动物诊疗机构管理办法》，修改完善了本区动物诊疗许可发证程序和规范，指导各地严格动物诊疗许可。

【兽医实验室生物安全监管】 进一步健全实验室生物安全监管各项制度，落实监管责任。按照"属地管理"的原则，进一步明确实验室生物安全监管第一责任人、分管责任人、直接责任人，把实验室生物安全管理任务层层落实到人；开展兽医实验室生物安全管理"三项行动"和"安全生产月"活动。组织自治区动物卫生监督所、各市水产畜牧兽医局执法人员对辖区兽医实验室进行了五次专项检查、督查，清理实验室保存的菌(毒)种、病料；建立兽医实验室管理专家库，着手开展市、县级兽医实验室考核认证工作；组织编写了《兽医实验室生物安全管理知识手册》发放各地、各兽医实验室组织学习，提高实验室人员的生物安全水平。

【兽药市场整治】 根据农业部农产品质量安全整治方案、兽药市场专项整治方案，制定了本区兽药及兽药残留专项整治、蜂用蚕用兽药治理等方案，组织开展整治工作。一是加强兽药生产企业监管。建立健全兽药生产监督巡查、产品质量通报及企业"黑名单"、不合格产品召回等管理制度，摸索兽药生产企业监管的有效办法和途径，建立技术监测与日常监管相结合、抽检与打假联动的监管机制。加强兽药GMP的后续监管，建立定期巡查制度，加强对兽药生产企业的日常监管。组织查处了4家兽药生产企业违反兽药GMP规定、生产假劣兽药案，对8种质量不合格产品进行了回收、清缴、销毁，整顿了兽药生产秩序。二是大力整治非法兽药和非法厂家，严厉打击制售假兽药黑窝点。对涉嫌生产非法兽药的某企业进行执法检查，组织各地追踪、排查、封存其非法生产的"扑瘟春"。对农业部兽药抽检通报和查处假兽药通知中标称生产地在广西的非法企业，组织人员及时排查、追踪，捣毁造假窝点，打击制假售假的嚣张气焰。三是加强兽药经营整治。组织开展了4次大规模的清查行动，组织各地对兽药经营、使用环节进行全面排查，清缴、销毁假劣兽药，组织查处了一批经营假兽药案件。组织南宁市开展兽药经营专项整治月活动，集中检查兽药经营企业860多家，责令停业整顿36家，没收假劣兽药1 072千克。2009年全区累计共出动兽药执法人员42 731人(次)，印发资料18万份，共检查生产企业49个、诊疗机构134个(次)、经营企业14 452个(次)、使用单位30 159个(次)，整治兽药市场350个；捣毁制假窝点3个，挽回经济损失8.3万元；查处案件361起，查获各种假劣兽药58 079支(瓶)、20 519千克，货值金额41.41万元，罚没金额25.36万元。

【畜产品质量安全监管】 年内组织制定了《2009年广西水产畜牧产品质量安全整治暨水产畜牧产品质量安全执法年活动实施方案》和《2009年广西水产畜牧产品例行监测工作方案》。组织开展检查督查工作，特别是在新中国成立60周年国庆、第六届中国—东盟博览会等重大节日和重要活动期间,先后3次每次组织7个工作小组前往14个市进行检查督查。累计出动执法人员3.1万多人次,检查指导养殖场及投入品生产企业2.4万多家次,指导培训养殖户3.8万多人次,发放资料19.4万多份,查处违法行为176起、价值26.83万元。年内实施广西水产畜牧产品质量安全例行监测计划,共抽检水产畜牧产品样品10 053批次,合格率99.6%。其中畜牧产品检测9 195批次,检测合格率99.7%。年内组织实施县级农产品质检机构建设,协调指导武鸣县、临桂县实施国家下达的县级农产品质检站建设项目,目前两个项目共完成检测实验室装修改造820平方米,采购检测仪器设备119台套,并安装调试和验收,完成国家投资640万元。

【畜牧业标准化建设】 2009年广西制(修)订水产畜牧业地方标准20项。组织认定畜牧业无公害产地153家(4 914万头、只),申报获得无公害产品认证109项(15 6937吨)。同时,组织申报农产品地理标志产品备案3项。年内在全区20个县(区)组织实施标准化技术示范项目,共举办标准化技术培训班242期,培训管理人员、技术人员和农民2.1万人次;举办广西水产畜牧无公害产品内检员培训班3期,培训内检员563人;举办水产畜牧产品检测技术培训班1期,培训检测技术人员90人。

【重大动物疫病防控】 一是精心组织春秋两防,确保免疫密度和质量,并全面实施二次免疫,做好免疫效果评估。对监测和检查验收过程中发现的问题限期整改,对免疫抗体水平达不到规定要求的畜禽及时进行强化免疫,确保免疫质量和效果。全年平均免疫密度,禽流感98.23%、口蹄疫96.10%、高致病性猪蓝耳病87.92%、猪瘟97.24%、新城疫96.99%。二是扎实开展监测报告,及时预警预报疫情。进一步健全自治区、市、县、乡、村五级动物疫情测报网络;对屠宰场、活禽经营市场、中小规模场、养殖密集地区、老疫区以及边境一线等重点地区的畜禽实行定点、定时监测制度;对全区种畜禽场开展重点疫病控制与净化,确保种源安全;实行严格的疫情核查和报告制度。年内全区免疫抗体合格率:高致病性禽流感79.5%,口蹄疫73.2%,猪瘟75.0%,鸡新城疫81.7%。三是全力防堵境外疫情,确保境内防疫安全。继续采取内防与外堵相结合的防堵方针,建立"政府统一领导、部门密切配合、群众积极参与"的防堵工作机制。加强免疫隔离带建设,确保边境一线重大动物疫病免疫密度达到100%,免疫抗体合格率达到70%以上;组织全区9个边境动物疫情监测站加强边境一线疫情监测,密切关注境外疫情动态,及时预警预报疫情,及早消除隐患;加强非口岸通道管理,进一步完善和强化"五户联防"、"民兵巡逻"等措施,实行群防群控;严厉打击境外动物及其产品走私行为,做好走私入境动物及其产品的无害化处理。四是加强应急管理,果断处置突发疫情。加强应急队伍建设,调整、充实自治区突发重大动物疫情应急预备队和专家组,并在梧州等地开展突发疫情应急管理培训,在柳州市组织开展全区突发疫情应急演练,提高自治区、市、县、乡四级对突发疫情的应急反应和协调联动能力。组织做好疫苗、防护服、消毒剂等应急物资储备,确保应急所需。积极应对疫情,通过采取流行病学调查、监测、扑杀、无害化处理、紧急免疫、消毒等措施,果断处置,防止疫情扩散、蔓延。

【村级防疫员管理】 一是配置村级防疫员,健全防疫网络。1 126个乡(镇)、15 094个行政村,按照1村1名防疫员(大的行政村2名)的原则,共配备村级防疫员17 668人。二是落实经费,确保队伍稳定。2009年,在中央财政补助基层动物防疫经费2 900万元的基础上,自治区本级落实2 000万元用于村级防疫员强制免疫注射工作补助,并纳入自治区本级财政年度预算。各市、县也都积极筹措资金,结合实际落实补助经费。三是出台《村级防疫员管理办法》等规章制度,规范防疫员培训、录用、考试、考核、辞退和补助经费管理等工作。四是开展免疫注射操作、疫情测报等技术培训和动物疫病防治员职业技能鉴定。全区所有在岗的17 668名村级防疫员中,持有国家动物疫病防治员职业资格证书的有15 485人,持证率为87.6%。五是实行与绩效挂钩的酬劳机制。对村级防疫员的劳动报酬,实行基础补助和绩效补助相结合、以绩效补助为主的酬劳制度,充分调动其工作积极性。具体做法是,每人每月固定补助80~100元,绩效补助按实际免疫数量发放,标准是每头猪(羊)每针0.80~1.00元,每头牛每针1.00~2.00元,每只家禽每针0.03~0.10元。

【畜牧兽医职业技能鉴定】 召开了全区畜牧兽医职业技能鉴定工作会议,表彰了7个鉴定先进单位和35名先进工作者。2009年畜牧兽医职业技能鉴定工作的主要任务是确保从事强制免疫的村级防疫员经过技术培训获得国家职业技能资格证书,凭职业技能资格证书聘用上岗。年内在全区13个市40个点开展"动物检疫检验员"、"动物疫病防治员"2个工种的职业技能培训和职业技能鉴定,参加鉴定考评人数为4 744人次,其中"动物检疫检验员"43人,"动物疫病防治员"4 701人。

(曾辉材)

海南省畜牧业

【概况】 2009年,海南省突出发展规模生产的总体思路,进一步加快畜牧业结构调整和规模化、专业化和产业化建设步伐,大力提升畜产品质量安全水平,加强动物疫病防治、畜禽良种繁育、畜禽标准化生产和社会化服务,实现了生产发展,农民增收。全年牧业产值142.8亿元,其中生猪产值87.45亿元,增长6.89 %,禽类产值46.21亿元,增长7.29 %. 全省肉类产量达到66万吨,同比增长7.93 %,禽蛋产量3.2万吨,同比增长2.9%。畜牧业已成为农民增收的支柱产业。

【畜禽养殖生产】

1. 生猪生产快速发展。2009年全省生猪存栏411.5万头,同比下降1.15%;能繁母猪存栏61.5万头,增长0.8%。生猪出栏482.45万头,增长8.35%;猪肉产量39.66万吨,增长7.5%。前三季度,受多种因素的影响,猪价一路下滑,4月底5月初跌到最低的9.6元/千克。国家启动调控预案后,6月中旬开始生猪价格止跌回升。11月份,活猪价格为12.4元/千克,环比上升6.3%,猪肉价格17.06元/千克,环比上涨3.2%。随着生猪出岛量的日益增加,猪肉消费逐步回升,养殖者信心进一步增强,生产效益得以改善。在此基础上,全省标准化畜禽养殖小区现场会适时召开,共建成各类养殖小区237个,带动2万多农户走向规模养殖。

2. 牛羊养殖效益明显。每千克36元和40元的价格,刺激着牛羊生产继续保持较快增长势头。全年牛存栏92.7万头,羊存栏71.8万只,同比分别增长6.9%和1.4%;牛出栏25.3万头,羊出栏83.3万只,分别增长4.5%和6.5%;牛肉产量2.3万吨,羊肉产量1.1万吨,分别增长5%和5.8%。

3. 家禽生产积极性不断提高。受市场需求拉动,第三季度,全省活鸡平均价格为19.14/千克,同比提高1.18元,有力推动了家禽生产。全年家禽出栏12 295.3万羽,同比增长9.26%;存栏4 444.4万羽,下降0.3%;禽肉和禽蛋产量分别达25.27万吨和3.2万吨,分别增长25.16%和2.9%,达近年峰值。

此外,全省牛奶产量1 600吨,增长23.08%,增幅较大。

4. 发展亮点。全省继续保持了上年养殖效益稳定,生猪生产势头看好;规模养殖快速发展,生产方式逐步转变;区域化布局日趋合理,优势产业带逐步形成以及海南养殖业前景光明,吸引国内知名饲料企业投资建厂的良好态势。同时还凸显了两大亮点。一是生猪出岛数量大幅增长。每天约有4 000～4 400头生猪销往岛外,截止到年底,全省出岛生猪152万头,出岛量大幅提升。海南罗牛牧业公司与香港签订7 000头活猪销售合同。罗牛山冰鲜猪肉已进入广州、深圳、珠海沃尔玛超市,深圳市农业和渔业局已与省内畜牧部门及有关企业洽谈海南生猪年供深圳30万头合作协议。无疫区的品牌效应和良好的养殖环境,提高了生猪出岛出口的市场竞争力,出岛生猪价格每千克普遍高于岛内销售价格0.2～0.4元,仅此一项就为养殖户多创收300万元。二是“海南和牛”品牌树立,优质肉牛产业初见成效。截止到年底,已培育出纯种日本和牛种公牛11头,年可生产供应和牛冷冻精液20万～30万枚,为“海南和牛”示范推广工作提供了保证。与此同时,还在海口、澄迈、定安、文昌等市(县)和农垦系统建立起35个“海南和牛”标准化规模养殖示范户,积极开展牛的冻精人工配种工作,累计配种母牛2 000胎次,已产下杂交一代“海南和牛”犊牛130头,另有500～600头人工配种母牛待产。

【政策扶持】 2009年,认真贯彻落实能繁母猪饲养补贴、能繁母猪保险保费补助以及生猪生产调出大县奖励政策。截止到年底,全省能繁母猪存栏量61.5万头,同比增长0.8%。据统计,上半年全省存栏能繁母猪74.49万头,共计补贴资金7 448.67万元。积极推进畜牧业标准化、规模化项目的实施,包括生猪良种繁育体系、生猪良种补贴和畜禽标准化规模养殖场(小区)建设等项目,共计投入1.58亿元。各扶持项目均落实到位,推动了畜牧业标准化、规模化进一步发展,有效提高了产业整体素质和效益,推动了现代养殖业的发展。同时,引导企业改变投资策略,打基础,上规模,扩容量,转向投资生猪标准化养殖场(小区)建设. 全年新建24个万头养殖场与130个标准化规模养殖场(小区)。

【奶业监管】 2009年,大力整治奶业市场和规范生鲜乳收购,成立了奶业质量专项整治小组,对艾森、新海等几家奶牛饲养与乳产品加工生产基地,加强督导整改,建立健全制度,规范生产技术操作规程,建立完善奶牛养殖档案管理,加强乳品生产质量安全监测,确保奶业生产安全。

【饲料生产】 2009年全省饲料产量达159.9万吨,总产值40.45亿元,同比分别增长10.4%和3.4%。从饲料分类看,配合饲料152万吨,同比增长10.5%;浓缩饲料1.76万吨,同期比增长7.3%;添加剂预混合饲料6.14万吨,同比增长8.8%;饲料添加剂和动物源性饲料产量同比持平。从品种结构看,全年猪饲料54.06万吨,同比增长14.3%;蛋禽饲料14.58万吨,同比增长5.4%;肉禽饲料60.6万吨,同比增长7%;水产饲料29.31万吨,同比增长13.4%。饲料总量保持稳定增长。

【兽药生产与管理】 2009年,全省共有兽药GMP生产企业8家,主要生产消毒剂、中药散剂、粉剂、颗粒类剂产品。兽药产业产值约4 350万元。

为保证兽药质量,加大兽药质量抽检和监测力度,并开展兽药质量安全专项整治行动,全年累计检查兽药生产企业52家(次)、经营单位1 250家(次)。兽药监测范围除生产企业外,还覆盖全省700家兽药经营企业,监测率达100%。全省抽检兽药150批次,抽样范围覆盖18个市(县),合格98批次,合格率为65.4%,同比上升2.5个百分点。

【饲料安全监管】 2009年,组织全省开展以"保障饲料安全,推进健康养殖"为主题的饲料执法年行动。严格市场准入,加强饲料生产环节监管,检查饲料和饲料添加剂生产企业52家,占应检企业的100%,依法查封3家违法加工鱼粉和预混合饲料生产企业;加强蛋白原料监管,突击检查饲料蛋白原料仓库25个,依法收缴假劣饲料和饲料添加剂44.5吨,罚款10万元;加强饲料经营环节监管,组织开展饲料监测,共检查饲料经营企业749家,占应检企业的100%,抽检各类饲料样品650批次,检测项目为盐酸克伦特罗、三聚氰胺等违禁药物和卫生指标等,饲料总体合格率达95.5%,同比提高1.2个百分点。

【畜产品质量安全】 2009年,加强畜产品质量监管,保障畜产品安全供给。加强养殖环节监管,共检查奶牛养殖场及牛奶加工企业4家,占应检企业的100%;检查910个重点规模养猪场饲料及药品库房,占应检养猪场的100%,依法收缴一批伪劣饲料和兽药;加强对畜产品交易市场和生猪屠宰市场的监管,完成全省兽药残留抽检140批次,其中鸡肝样品98个,检测项目为磺胺类药物,猪肉样品42个,检验项目为硝基咪唑类药物,样品检测合格率100%,与上年持平。开展"瘦肉精"专项整治活动,全省共抽取150多个饲料、猪肉及猪尿样品进行专项监测,依据ELISA快速检测法,检测结果显示被检样品均呈阴性。

(海南省畜牧兽医局)

【重大动物疫病防控】

1.强制免疫与免疫质量。制定了《2009年海南省重大动物疫病免疫方案》、《监测方案》、《流行病学调查方案》、《免疫效果评估方案》等,组织由主要技术骨干组成的督导检查组,深入全省所有市(县)进行督导,并按照《免疫效果评估方案》进行了全面考核,有效提高了全省的免疫技术水平。2009年全年免疫率达到较高水平,平均免疫率超过85%,其中春防共畜禽5 005.60万头(只),秋防疫畜禽5 097.52万头(只)。

2.抗体监测与流行病学调查。及时印发《海南省农业厅关于印发〈海南省动物疫情监测及分析评估管理规范(试行)〉等五个规范的通知》等并组织实施病原学监测和抗体监测。采用PCR、胶体金及ELISA等方法共监测主要畜禽疫病病原17 039份、抗体21 295份,并严格按照程序及时上报中国动物疫病预防控制中心。同时结合农业部布置的各类动物疫病流行病学调查任务,积极组织市(县)开展A型口蹄疫、甲型流感及狂犬病的流行病学调查。共发放调查问卷240份,采集犬唾液122份,犬血清132份;对9个市(县)的重点地区开展高致病性猪蓝耳病流行病学调查,现场采集猪血清478份,未发现高致病性猪蓝耳病病毒。此外还印发并执行了《海南省农业厅关于印发〈海南省引入省外动物和动物产品管理办法〉的通知》,全面开展口岸检测工作。

【动物标识及疫病可追溯体系建设】 认真做好溯源设备的发放和管理工作。2009年共向各市(县)发放移动智能识读器443台、便携式打印机143台、IC卡143张,15个市(县)购置了SIM卡并投入正常使用。到年底,省级溯源网站上注册的规模猪场报送的各种生产防疫信息已达655条次。

【应急机制与应急演练】 省农业厅党组高度重视重大动物疫病防控工作,针对重大动物疫病的防控形势,先后在海口市、儋州市组织了二次以突发高致病性禽流感和牲畜口蹄疫为假设前提的大型重大动物疫情应急处置演练。通过演练,进一步增强了动物防疫部门和养殖户的重大动物疫病防控意识和应对突发疫情的能力,检验和锻炼了重大动物疫情应急队伍,建立和完善了应急工作的长效机制,同时也为市(县)和其他省份进行应急处置工作提供了良好的示范。

【无规定动物疫病区建设】 11月25日,海南省无规定动物疫病区通过农业部无疫区评估验收专家的现场评估,12月17日农业部在海口举行仪式公布宣布海南无疫区建成,副省长陈成在仪式上指出,海南无疫区建成,是海南农业发展的历史性突破,是海南生态文明、生态省建设的重要里程碑,增加了海南乃至中国在动物卫生组织中的话语权。

【动物防疫技术支撑体系建设】 省、市(县)、乡镇三级动物疫病监测、诊断、冷链等基础设施建设得到进一步完善。全省兽医实验室面积达2万多平方米,市(县)兽医实验室面积达200平方米以上,省级兽医实验室建立了带负压的实验室。省、市(县)兽医实验室功能布局合理,仪器设备齐全。省级兽医实验室、三亚市兽医实验室和儋州市兽医实验室分别通过了省级计量认证,市县兽医实验室达到二级生物安全标准。

2009年,省级兽医实验室具备了口蹄疫等35种动物疫病56个参数的检测能力;三亚市兽医实验室具备了口蹄疫等9种动物疫病13个参数的检测能力;儋州市兽医实验室具备了口蹄疫等16种动物疫病24个参数的检测能力;其他市(县)兽医实验室具备了口蹄疫等9种动物疫病13个参数的检测能力。其中海口、琼海、三亚、儋州四市(县)兽医实验室作为省疫控中心的区域分中心,不仅承担了本地动物疫情监测和流行病学调查工作,还协助其周边区域的几个市(县)开展动物疫情监测和流行病学调查工作,成为全省动物疫情预警预报的枢纽。

【大力推行强制免疫“五保”机制】 “五保”机制,即市(县)政府保投入、兽医部门保质量、乡镇政府保密度、村委会保到户、层层监督保效果。“五保”机制明确了各级政府的主要责任就是保证人力、物力、财力投入及部署、监督防控工作措施的落实,各级兽医部门要进一步加强疫苗的供应和质量管理,乡镇政府要全力做好本乡镇春秋季动物防疫工作的组织和发动,各村委会在乡镇政府的统一领导下,充分调动村级防疫员的力量,全面实施口蹄疫等重大动物疫病强制免疫工作,做到强制免疫“四不漏”,即“乡不漏村、村不漏户、户不漏畜、畜不漏针”。为了确保春秋动物防疫工作的落实,省、市县成立督导组,强化工作督导。

通过推行“五保”机制,实现了动物疫病防控工作的“五化”目标,即重大动物疫病防控工作“法制化、程序化、规范化、责任化和公开化”。在抓好口蹄疫、高致病性禽流感、猪瘟、新城疫、高致病性猪蓝耳病等重大动物疫病防控的同时,还把狂犬病列入强制免疫的范畴,确保重大动物疫病零发生。

【兽医实验室生物安全监管】 2009年,针对全省兽医实验室生物安全管理现状,省农业厅下发了有关紧急通知和信息调查表,进一步调查了解各实验室的相关信息。在此基础上,进一步规范重大动物疫病病原监测工作,按照省级动物疫病预防控制中心(包括三亚、海口、儋州、琼海4个分中心)、市(县)级兽医实验室的职能与条件,分别确定其工作范围与内容,还对系统外的的相关兽医实验室的实验活动进行了规范。此外,还为市(县)级兽医实验室配备了洗眼器、生物安全柜、高压灭菌器、应急灯等生物安全防护设备及物品,规定了有关实验机构废弃物的处理级别与程序。同时,各级兽医实验室按照《病原微生物实验室生物安全管理条例》的有关要求,建立健全了实验室生物安全管理制度,落实责任制,使全省生物安全水平得到很大提高。

【动物卫生监督执法】 2009年,海南省动物卫生监督管理实行了三个基本制度。一是产地检疫责任制度。将全省2 701个村庄分别分片包村,落实到825名检疫人员,实行产地检疫责任管理,使产地检疫的开展面达到了100%。二是屠宰检疫岗位责任制度。全省共在275个定点屠宰场,派驻动物检疫人员825人,每个屠宰检疫岗位实行责任管理,确保屠宰全流程同步检疫,实现屠宰动物受检率、检疫证明耳标回收率、上市肉品持证率和病害动物产品无害化处理率达到100%。三是动物卫生监督责任管理制度。全省将需要监管的对象分别划分成若干片区,每个片区又划分为若干的单元,分别指定监督人员实行片区监管和单元协管,同时确保片区和单元之间的密切沟通,实现动物卫生监督管理不留死角,覆盖面达到100%。

为实现全程监控管理,专门设计制作了“三点连通一线”示意图。一点是省动物卫生监督所,主要负责受理引入动物的检疫申报、材料审查与报批及答复;二点是口岸检查站,主要负责对引入动物及动物产品的查物验证、检疫检测、消毒、登记及电话告知流向地动物卫生监督所;三点是市(县)动物卫生监督所,在接到口岸检查站电话通知后,立即启动跟踪监管程序并及时反馈、上报相关信息。据统计,2009年全省共查处违法案件150起,罚款41.8万元,有效维护了兽医工作的正常秩序。此外,还与工商部门联合组织各市(县)自查和省检查组的抽查,确保整治工作收到实效。

(海南省畜牧兽医局兽医处　冯　飞)

重庆市畜牧业

【概况】 2009年,面对国际金融危机、养殖成本大幅上涨、生猪价格高台跳水、甲型流感全球肆虐等多重挑战,重庆市畜牧兽医系统认真贯彻落实市委、市政府决策部署,开拓创新,务实工作,奋力拼搏,全面完成了市政府下达的各项目标任务,推动畜牧业持续稳定发展,取得了令人瞩目的成绩。

全市年末生猪存栏1 604万头、出栏2 003万头,同比分别增长2.4%、5.5%;肉牛存栏119.4万头、出栏46.9万头,同比分别增长15.3%、14.3%;奶牛存栏1.7万头,同比下降10.5%;羊存栏142.3万只、出栏166.6万只,同比分别增长9.9%、11.4%;家禽存栏10 813万只、出栏17 918万只,同比分别增长8.5%、9.5%;兔存栏1 055万只、出栏2 560万只,同比分别增长16%、17.9%;蜜蜂存栏44.8万群,同比增长15.5%。肉、蛋、奶、蜜产量分别为187.7万吨、36万吨、7.9万吨、1.1万吨,同比分别增长5.8%、-12.8%、1.5%、6.9%;工业饲料产量165万吨,同比增长3.1%;实现畜牧业产值319.4亿元,占农林牧渔业总产值的比重达到35%。

【示范区建设】 经过一年的建设,示范区畜禽良种供种高地基础基本奠定、畜牧科技创新与人才培养高地加紧构建、全国畜产品质量安全高地全力打造、全国畜产品信息物流中心逐渐形成。

1. 国家支持。国务院《关于推进重庆市统筹城乡改革和发展的若干意见》明确支持重庆市现代畜牧业示范区建设,农业部也下发文件给予大力支持。

2. 荣昌核心区建设。共投入4 800万元资金支持核心区重点项目建设,启动了原种猪场、祖代猪场、兽药饲料和畜产品交易市场、养殖示范基地、雨润畜产品加工、标准化乡镇畜牧兽医站等重点项目建设。

3. 拓展区养殖示范基地建设。全年落实了中央现代农业生猪专项资金12 395万元用于拓展区现代生猪养殖示范基地建设,整合安排了3 200万元资金扶持拓展区草食畜牧业示范基地建设,打造南方肉牛之乡和肉兔加工出口基地。

4. 各项畜牧业扶持政策。落实了2009年扶持政策项目资金9 911万元,其中11个区(县)生猪良种补贴1 760万元;生猪规模养殖小区改扩建资金8 100万元;中央奶牛良种补贴资金51万元。同时,继续开展了能繁母猪保险,共承保132.2万头;在合川、渝北、黔江、忠县、涪陵、荣昌6个区(县)继续开展了商品猪保险试点,承保生猪72.2万头。重庆农畜产品交易所挂牌,目前生猪期货日交易额达到1 000万元;本市成功举办了第四届中国畜牧科技论坛暨第六届中国畜牧科技新项目新技术新产品博览会。

【畜禽标准化规模养殖】 据畜牧生产统计,年出栏生猪50头以上的场户39 366个(其中年出栏万头以上的场户28个),年存栏奶牛5头以上的场户1 090个(其中年存栏千头以上的场户2个),年出栏肉牛10头以上的场户3 163个(其中年出栏千头以上的场户2个),年出栏肉羊30只以上的场户13 319个(其中年出栏千头以上的场户6个),年存栏蛋鸡500只以上的场户4 672个(其中年存栏10万只以上的场户4个),年出栏肉鸡2 000只以上的场户4 415个(其中年出栏50万只以上的场户2个)。生猪、奶牛、肉牛、肉羊、蛋鸡、肉鸡规模化率分别达到43%、77%、22%、31%、71%和76%,标准化规模养殖程度进一步提高,生产方式加快转变。

【良繁体系建设】 市级管理的畜禽良种繁育场有128个,畜禽良种场数量是1997年的2倍,畜禽良种生产和供应能力比1997年提高了5倍,基本形成了较为完善的畜禽良种繁育体系。全市生猪、奶牛、山羊、肉牛、肉兔、家禽的良种覆盖率分别达到96%、95%、63%、38%、91%和90%。

【产业化经营水平稳步提升】 畜牧业产、加、销一体化步伐加快,产业链快速延长。目前有市级以上畜牧龙头企业103家(国家级7家),较上年增加46家,畜产品加工企业800余家,实现加工产值100亿元以上。引进雨润、双汇集团落户本市,市内的农垦集团、南方集团、德佳集团等企业也加大了投入力度,全市共协议引进资金逾38亿元,城市资本下乡步伐加快。探索产销联动发展、互利多赢的产业化发展模式,畜牧业产业化经营水平快速提升。

【奶业生产】 全市着力规范生鲜乳收购站标准化建设。

1. 企业自建,自主经营。奶源基地建设和收奶站建设紧密结合,企业为奶源基地的奶农提供购牛贴息、奶牛技术服务,结合农机补贴无偿提供机械化挤奶设备等,奶源基地建设完成(一般是存栏牛300头以上)后,企业全额投资修建收奶站,奶农直接将原料奶通过收奶站交给乳品企业,对原料奶质量的控制起到了决定性的作用。

2. 设立制度,规范管理。为了加强生鲜乳收购站的监督管理,保障牛奶质量安全,参照《生鲜乳收购站标准化管理技术规范》拟定了《重庆市生鲜乳收购站管理办法(试行)》,生鲜乳收购站实行登记备案制度,对规范生鲜乳收奶站的标准化建设和收购行为起到了积极作用。

【草地建设保护与利用】 一是积极开展草原生态监测。在丰都等5个区(县)实施草原生态监测,完成了重庆不同草原类型100个样地监测和100个牧户家畜补饲调查工作。二是实施草品种区域试验项目。在巫溪、渝北对红三叶等20个优良品种进行评价与展示试验,探索出三峡库区不同生态环境条件下牧草种子的生产及其加工综合配套技术。三是大力推广种草养畜。结合推进节粮型畜牧业发展,在改良天然草地的同时,大力发展种草养畜(禽)。丰都种草养牛并将种植饲用玉米和高粱纳入粮食综合直补、巫溪种草养羊的"1331"模式、梁平冬闲田种草养鹅、荣昌桑园养鸡、江津果园养鸡,种草养畜势头猛、效益好,全市种草保留面积达8.67万公顷。

【畜牧业科技推广】 2009年,畜牧技术支撑体系在促进行业发展中起到了积极作用,组织申报、储备有关项目43类(项),全年共承担畜牧项目22类(项)。31个区(县)与市有关部门合作,进行了8个涉牧专题调研工作,完成9篇调研报告和分析材料。协助上级部门和区(县)起草了11个涉牧产业的发展规划;开展市级各类技术培训11次,培训人员达2 500人次,开展区(县)畜牧业实用技术培训82次,参训的区(县)畜牧技术骨干、基层畜牧工作者和规模养殖户(场)达11 000余人次,发放技术资料3万余份。与40余家企业和单位签订了技术服务(支撑)协议。

【畜牧行业产业结构布局优化】 针对本市畜牧业结构不合理的现状,积极调整畜牧业结构,在对节粮型畜牧业发展情况专题调研的基础上,整合资金3 200万元重点支持丰都、云阳、巫溪、酉阳、开县、石柱、渝北、璧山等区(县)和天友、光大发展草食牲畜,加快节粮型畜牧业发展。同时优化产业布局,根据每个区(县)的畜牧业发展特点,引导畜禽养殖向优势区域集中,逐步形成"一县一品"特色,合川、荣昌、黔江等区(县)的生猪,江北、渝北的奶牛,铜梁、梁平的水禽,酉阳、云阳的山羊,开县璧山的肉兔,丰都的肉牛,长寿的蛋鸡,璧山的肉鸡均初具规模。

【兽医管理体制改革】 2009年按照国家有关行政机构改革要求,部分区(县)的农业和畜牧兽医管理机构进行了整合。28个区(县)成立县级畜牧兽医局,其中独立设置的20个,南岸区、北碚区、双桥区、江津区、长寿区、南川区、城口县、秀山县8个为农业行政管理机构内设畜牧兽医局。28个县级畜牧兽医局中行政性质的有11个,事业性质的有17个,核定人员编制共679名,均为财政全额拨款。

全市现有乡镇畜牧兽医机构979个,其中由县级兽医行政主管部门直接管理的有28个区(县)687个站(派出机构),由县、乡双重管理的有11个区(县)的292个乡镇站;全市乡镇畜牧兽医人员在岗总人数7 474人,完成改革解聘分流共3 246人。

【兽药质量与药物残留监督管理】 2009年,全市加大了兽药专项整治力度。累计出动执法人员14 386人次,组织宣传活动83场,发放宣传资料16.8万份,举办培训班62期,参训学员17 469人次,以科技下乡和动物疫病春季防疫为契机进户宣传、现场咨询、发放宣传资料,发放和张贴《食品动物禁用的兽药及其他化合物清单》、《怎样识别假兽药》等宣传单18 000多份,发放《兽药法规汇编》3 000多册。对全市4 000多个兽药经营企业和8 000多家规模养殖场进行了拉网式检查,对兽药市场进行了5次专项整治活动。同时,将40个区(县)分片包干到各个责任片区,与全市的防疫检疫工作一起分为14个工作组,与农产品质量安全整治一起分为7个组,分别对不同区(县)和重点区域进行了20多次检查。全年共抽检畜产品1 250个(含牛奶抽样),抽查屠宰场和市场114个。共抽检兽药产品400批,出动抽检人员150人次,查处违法违规行为105起(件),没收假兽药12 351千克,取缔无证经营兽药企业8家,吊销2个兽药经营企业的经营许可证。

【畜产品质量安全监管】 全市畜产品均未检出抗生素、生长素、色素、"瘦肉精"、蛋白精等违禁物质,磺胺等药物残留均未超标,全年未发生畜产品质量安全事故。

1.强化标准制定和推广工作。2009年制定标准和规程8个,本市畜牧业地方标准达到16个,加快了国家标准、行业标准与地方标准配套的建设步伐。

2.实施了畜产品无公害行动计划。对全市规模养殖场实行备案管理,抽检各类畜产品600批次,对15个区(县)的48个超市、39个农贸市场、25个屠宰场和56个养殖场的猪肉、禽肉进行抽检,全部合格。

3.开展生鲜乳质量安全专项整治行动。共抽检了179批次生鲜牛奶样本,均未检出三聚氰胺;督导检查了11个区(县)的24个收奶站点,涉及5 813个奶牛养殖场户,生鲜乳质量均合格。在农业部两次飞行检查中,本市生鲜乳所有指标全部合格,得到农业部的好评,有3位同志获农业部表彰。

4.切实抓好饲料执法年活动。全市饲料监管部门共抽查饲料经营企业(户)3 650个,检查养殖场(户)1 287个,对饲料的生产、经营和使用环节加大了监督抽检力度。监督抽检饲料样品731批次,合格715批次,合格率97.81%。对176批次饲料样品进行质量安全监测,合格167批次,合格率94.89%;对190批次进行违禁添加物专项监测,检测结果全部合格;对161批次进行反刍动物饲料牛羊源成分例行监测,检测结果全部合格;饲料产品监督检验314批次,合格307批次,合格率97.77%,较上年提高10个百分点。加大了检查频率和打击违法行为的力度,全市饲料执法共出动执法人员3 919人次,检查了4 292家生产经营企业,立案16起,责令整改26起,现场处罚1 212件,没收假劣饲料4.1吨,取缔经营企业2家。由于组织得力,措施落实,成效明显,市兽药饲料检测所荣获农业部先进集体称号,5名先进个人获得农业部表彰。

【畜产品质量安全认证】 2009年完成无公害畜产品产地认定19个,认证规模737万头(只),认证无公害畜产品67个,绿色畜产品2个,有机畜产品2个,认证规模17万吨。全市无公害畜产品产地累计314个,无公害畜产品147个,绿色畜产品22个、有机畜产品10个。

【动物防疫法与动物卫生监督执法监督】

1.举办培训活动。2009年,全市再次举办学习贯彻新修订的《中华人民共和国防疫法》局所长培训班,40个区(县)的畜牧兽医局局长、动物卫生监督所所长、动物疫病预防控制中心主任共200多人参加了培训。市级培训工作结束以后,各区(县)也积极组织开展了《动物防疫法》的培训工作。

2.积极开展《动物防疫法》宣传活动。全市各级畜牧兽医部门加大宣传力度，积极开展面向社会、面向养殖经营者的全方位多形式的宣传活动。充分利用各地电视、广播、报纸、杂志、网络等媒体，努力做好宣传普及工作。

3.动物及动物产品检疫更加规范。全面推进1 149个动物检疫申报点和184个屠宰场驻场检疫监督组的规范化建设，着力强化动物检疫员培训管理，大力推广使用动物产品检疫标志。2009年，全市产地检疫牲畜947万头、家禽8 058万只，屠宰检疫牲畜696万头，检出病害畜禽6万头(只)，产地检疫面、屠宰检疫率和无害化处理率均达到100%。

4.动物防疫全程监管更加严格。全面推行养殖环节巡查监管制度，全面加强动物及产品养殖、屠宰、运输、经营、加工、贮藏等环节监督检查，严厉查处违法行为，全市共查办各类案件1 083件，4人被追究刑事责任。

【重大动物疫病防控】 坚持"预防为主"和"24字方针"，狠抓免疫、检疫、监测、消毒、堵疫等综合防控，未发生重大动物疫情。一是基础防疫进一步夯实。全市在继续抓好季节性免疫的基础上，强力推进免疫机制转变，全面推行以散养户申报免疫和规模场自主免疫相结合的常年免疫制度，有效确保了免疫密度、提高了免疫质量。全市共免疫猪瘟2 795万头、猪口蹄疫2 816.7万头、猪蓝耳病2 683.2万头、牛羊口蹄疫773.4万头、禽流感24 034.6万羽、鸡新城疫13 903.9万羽，应免动物常年免疫密度和牲畜戴标率均达到100%，圈舍消毒率达到100%。二是调运监管进一步加强。自2009年起，全面实施了市外调入动物备案管理制、指定道口制和隔离观察制。全市77个检查站严查备案、检疫手续，加强屠宰场、养殖场等终末环节监管，有效堵截了外疫传入。全市共备案6 198批次，隔离观察动物1 629批次415 678头(只)，检查车辆8万多辆次，查处违规调运案件135件。三是监测预警进一步提高。全市共监测畜禽免疫抗体145 566份、合格率85.00%；共监测畜禽非免疫抗体4 670份、病原样品16 810份，未发现重大动物疫情；开展应急流行病学调查20起；制发分析评估文件173个，其中市级51个、区(县)122个。

【动物标识、疫病可追溯体系与无规定动物疫病区建设】

1.在继续抓好基层人员培训的同时，稳步推进了追溯体系建设工作。全市共培训基层防疫人员3 000多人次，使用溯源耳标约2 000万枚，应佩牲畜佩戴率达到100%；6 000多台识读器全面投入使用，上传溯源信息800多万条；559个年出栏1 000头以上规模化猪场按规定全面报送溯源信息，超过农业部下达任务的2倍。

2.重庆市作为国家第一批投资建设的5个无规定动物疫病区示范区之一，通过国家无规定动物疫病区示范区建设、基层动物防疫体系建设等项目的实施，建立并完善了动物疫病控制、检疫监督、疫情监测和屏障保护体系，取得了明显的经济效益和社会效益。2009年，将全市纳入无疫区管理范畴。

(重庆市农业委员会)

四川省畜牧业

【概况】 2009年，四川畜牧业克服周边疫情严峻、极端天气事件频发、供求加剧等不利影响，抓住政策有力、市场有利的发展机遇，创新发展理念，优化生产方式，加强科技推广，推动了以生猪为主的畜牧业又好又快发展。

1.总量增长品质提升。生猪、水禽、兔、蜂群总量继续保持全国第一大省地位。非猪畜禽肉占肉类总产量比重由28.8%提高到29.5%，禽蛋、奶类产量占肉蛋奶产量比重由18.8%提高到19.2%。生猪三元杂交面达到67.08%，牛、羊、禽、兔良种面分别达到38.83%、86%、83.6%和86.71%，

2.生产方式转变加速。新建畜禽标准化养殖小区1 297个，增长25.4%。其中新建生猪标准化养殖小区526个，增长24%。新增无公害畜产品基地和产品85个，分别达到640个、448个。全省生猪、奶牛、蛋鸡规模养殖比率分别达到39%、30%、44%，分别提高6.9、3、3.7个百分点。新建种畜禽场531个，增加近1倍。

3.区域布局日趋合理。生猪以产业基础较好，相对集中联片的成都平原及丘陵地区为重点，兼顾有发展潜力的盆周山区。成都、南充、资阳、达州、宜宾、凉山、绵阳、泸州等8个生猪主产地猪肉产量占全省总量的56.99%。牛、羊、家禽生产主产区集中优势更加明显。8个肉牛主产区牛肉产量占全省总量的64.46%；8个奶牛主产区牛奶产量占全省总量的87.78%；8个肉羊主产区羊肉产量占全省总量的71.12%；8个家禽主产区禽肉、禽蛋产量分别占全省总量的69.06%和69.51%。

4.抗风险能力显著增强。重大动物疫病免疫密度常年保持在95%以上，有效抗体合格率高于农业部规定标准11~23个百分点，重大动物疫病防控效果达到近年来最好水平。全省饲料和兽药产品平均合格率比上年提高2~3个百分点，畜产品中抗生素、生长素、色素、"瘦肉精"、蛋白精等违禁物质均未检出，磺胺等药物残留均未超标，全年未发生畜产品质量安全事故。

【灾后恢复重建】

1. 认真评估,加强指导。会同相关部门开展《汶川地震灾后恢复重建规划》中期评估工作。认真核查各地灾后重建中期调整计划,积极争取重建项目向畜牧业倾斜;指导各地根据重建规划,抓紧灾后重建项目的启动和建设,将灾后重建与现代畜牧业发展有机结合,提升畜牧基础设施建设科技含量,提高灾区畜禽生产力和生产水平。

2. 增加投入。51 个重灾县共落实中央和省各类畜牧业投入 5.85 亿元,比上年增长 13%。重点投入到畜牧兽医服务体系、畜产品质量安全检验检测体系、种畜禽场建设等,为产业发展和农民增收提供基础保障。

截止到 2009 年底,完成投资 25.85 亿元,占规划总投资 129.32 亿元的 20%。共开工项目 234 个,其中在建 163 个,完工 71 个。39 个重灾县共恢复重建圈舍 1 019.08 万平方米,占规划的 49.35%;种畜禽场 92 个,占规划的 115%;畜牧兽医站 162 个,占规划的 15.55%;修复草地 3.16 万公顷,占规划的 21.26%;及时补栏畜禽 2 509.83 万头(只)(其中生猪 260.35 万头),恢复生产能力 71%,个别县已恢复到灾前水平。

【应对生猪价格波动】 2 月以来,四川生猪价格一度跌破盈亏平衡点。为了促进生猪生产稳定发展,建立稳定生猪生产供应和防止生猪价格过度下跌的长效机制,根据国家《防止生猪价格过度下跌调控预案(暂行)》,会同省物价局等部门制订了《四川省〈防止生猪价格过度下跌调控预案〉实施细则(暂行)》,同时,多措并举,积极应对生猪价格波动。在全国生猪价格持续下跌,部分省份出现宰杀能繁母猪和空栏现象的情况下,四川生猪生产形势总体略好于全国,规模养殖户(小区)信心尚未动摇,全省能繁母猪和育肥生猪存栏持续增长,未出现宰杀能繁母猪现象。

1. 积极争取国家发改委批复四川省建设国家优质商品猪战略保障基地。会同省发改委完成了《四川省国家优质商品猪战略保障基地建设规划纲要》的编制,为生猪生产发展提供政策支撑和项目支持。制定了《到 2012 年新增 1 000 万头出栏生猪生产能力实施方案》,印发了《关于下达新增 1 000 万头出栏生猪生产能力工程目标任务的通知》,将任务分年度下达 18 个市(州)100 个项目县。

2. 启动调控预案。在全国率先启动了 2 万吨冻猪肉储备(折合生猪 100 万头),遏制了生猪价格快速下跌的势头,增强了养殖户市场预期。

3. 加强宣传。通过媒体及时发布生猪产销形势,帮助养殖户坚定信心,科学应对价格波动,稳定生猪生产发展。

4. 开展畜牧科技助农增收行动。组织 10 270 名畜牧兽医科技人员进村入户,联系农户 5.18 万户,开展技术培训、推广,指导农户科学安排生产,实现联系户人均增收 118.3 元。

5. 加大生猪省外市场开拓力度。根据生猪产地检疫统计,全年出省活猪 758.46 万头,同比增长 4.27%。

【现代畜牧业建设】

1. 资阳、遂宁、眉山现代畜牧业试点成效显著。三市不断创新和推广"六方合作 + 保险"、"托养"、"寄养"、"订单养殖"等发展机制,主动承接产业转移,产业发展水平进一步提升。资阳四海集团 10 万吨畜产品精深加工、遂宁齐全生态博览园、眉山王家渡食品 165 万头生猪精深加工等项目建设加快推进,蒙牛(眉山)公司和现代牧场落成投产,龙头企业带动能力进一步增强。2009 年,三市肉、蛋、奶产量增幅均高于全省平均水平。畜牧业产值占农林牧渔业总产值的比重均超过 46%(国家统计局调整核定后的数据),比全省高 3 个百分点。三市农民人均畜牧业纯收入增长 40% 以上,超过全省平均水平 300 多元。

2. 标准化适度规模养殖快速发展。全省年出栏生猪 50 头以上、肉鸡 10 000 只以上,年末存栏奶牛 20 头以上、蛋鸡 2 000 只以上的适度规模养殖比率分别达到 39%、35%、30%、44%,分别比上年提高 6.9、4.5、3、3.7 个百分点。

3. 全省现代畜牧业发展由局部试点转向重点推进阶段。借鉴国内外畜牧业发展经验,总结近年来现代畜牧业试点成效的基础上,省政府下发了《关于深化试点加快推进现代畜牧业发展的意见》,在资阳召开了现代畜牧业试点提质扩面工作会,进一步明确了 2012 年、2015 年现代畜牧业发展的总体要求、目标任务和工作重点。按照省政府《意见》和会议精神,省畜牧食品局制订了实施方案,组织完成了现代畜牧业重点县申报评选工作。全省确定了 50 个重点培育县,3 个现代畜牧业带动现代农业实现新跨越试点县,2 个牧区现代畜牧业试点县。

【落实国家扶持政策】

1. 落实国家生猪标准化规模养殖场(小区)扶持政策。组织各地先期作好储备项目的筛选和申报工作,在 9 月国家下达项目后,即迅速完成了项目申报工作;国家投资计划批复后,及时组织完成了生猪标准化规模养殖场(小区)建设项目实施方案的审查。

2. 落实国家蛋鸡标准化规模养殖以奖代补政策。根据《农业部办公厅　财政部办公厅关于印发蛋鸡标准化规模养殖场改造以奖代补项目实施方案的通知》精神,制定了《四川省蛋鸡标准化规模养殖场改造以奖代补项目实施方案》,组织 19 个由各市(州)专家组成的评审验收组进行交叉评审验收,共验收合格 146 个养殖场(户)(其中存栏蛋鸡 10 000 ~ 29 999 只的

132 户，存栏蛋鸡 30 000 ~ 49 999 只的 14 户)。在省、市媒体公示无异议后，财政部门已于5月份将1 530万元以奖代补资金全部拨付到受奖养殖场(户)，调动了养殖场(户)的积极性。

3. 落实国家生猪良种补贴政策。2009 年，中央下达四川省生猪良种补贴项目实施县 38 个，补贴数量160 万头，补贴资金 6 400 万元。根据农业部办公厅、财政部办公厅《关于印发 2009 年度畜牧良种补贴项目实施指导意见的通知》要求，严格按照《生猪良种补贴资金管理暂行办法》和四川省《生猪良种补贴资金管理实施细则》的规定，全省生猪良种补贴项目已在 38个县全面启动。

4. 落实国家牛良种补贴政策。2009 年，国家下达四川省奶牛良补头数 12.5 万头、乳用西门塔尔牛良补2 万头和肉牛良补 28 万头。根据农业部和财政部相关文件精神，及时制订良补实施方案，举办牛良补项目管理与技术培训，并按国家有关规定对良种牛冻精进行公开招标。

5. 落实生猪调出大县奖励政策。2009 年，财政部下达四川省生猪调出大县奖励资金 29 608 万元，在原有 48 个调出大县的基础上，新增西充、江安、威远、大英四县为生猪调出大县。奖励资金由省财政全部下拨到各县。

【动物疫病防控】

1. 强化体系建设。不断推进兽医管理体制改革，167 个县、4 224 个乡镇完成改革任务，聘请了 50 584名村级防疫员兼疫情观察员。21 个市(州)、88 个县正式成立动物卫生监督所和动物疫病预防控制中心。

2. 强化基础免疫。采取市(州)集中交叉抽样、省里统一检测有效免疫抗体合格率的方式，强化免疫效果评价和目标考核。全年共免疫畜禽 15.86 亿头(只、羽)；全省高致病性禽流感等重大动物疫病的群体免疫密度常年保持在 95% 以上，高致病性禽流感、口蹄疫、猪瘟、新城疫有效免疫抗体合格率分别达到81.1%、93.34%、85.04%、92.14%，高于农业部规定的标准。

3. 强化检疫监管。认真落实检疫“四到位”要求，生猪产地检疫以乡为单位保持在 96% 以上，定点屠宰场屠宰检疫率达到 100%。全面加强动物卫生执法监管，严格执行引种申报和引种隔离观察制度，全省 91个公路防疫监督检查站坚持 24 小时值班，严格把关堵源。

4. 加强重大动物疫病监测和流行病学调查。制定下发 2009 年全省高致病性禽流感和口蹄疫等主要动物疫病监测和流行病学调查方案，组织各地加强对种畜禽场、重点养殖企业、规模化养殖场、活禽交易市场等高风险区域动物的血清学和病原学监测，全面开展了口蹄疫、禽流感等重大动物疫病和狂犬病、血吸虫病等人畜共患病流行病学调查。完成各种动物疫病的血清学和病原学监测近 10 万份。同时，全面开展了甲型H1N1 流感监测和流行病学调查。全省共监测种猪场4 367 个、商品猪场 10.68 万个、散养户 542.62 万个、交易市场 1.05 万个、屠宰场 1.63 万个，临床监测生猪6 438 万头，未发现感染病例。

5. 强化应急管理。制定了《四川省猪感染甲型H1N1 流感应急预案(试行)》和《四川省重大节假日期间重大动物疫情应急预案》，成立了“四川省甲型H1N1 流感防控工作应急预备队”和“四川省重大节假日期间重大动物疫情应急领导小组”，并设应急防控组、专家组、实验室诊断组和物资保障组，及时储备并更新应急物资，积极推进跨市(州)区域联防。2009 年全国突发重大动物疫情应急演练在四川省德阳市举行，四川省动物疫情应急管理水平受到农业部领导高度评价。

【畜产品质量安全】 按照“全程监管、重点监控、及时处置”的原则，采取坚决有力的综合措施，保障上市畜产品质量安全。

1. 大力推行健康养殖。积极组织无公害产品基地和产品一体化认证。2009 年新增无公害畜产品基地和产品 85 个，无公害畜产品基地和产品分别达到 640个、448 个。在 146 个县开展动物标识及疫病可追溯体系建设，牲畜二维码耳标佩戴率达 100%。

2. 加强投入品监管。一是加强对兽药产品的源头监控。根据农业部发布的兽药质量通报，省局组织市(县)畜牧兽医管理部门，监督企业认真自查整改，认真履行不合格产品的召回和销毁工作，并实施了行政处罚。全省共销毁召回或库存的不合格产品 571.5 件另 3 631 盒(支、袋、包)，对生产不合格兽药产品的企业罚没 22.87 万元。二是认真开展兽药、饲料专项整治。采取专项检查和综合治理相结合，交叉检查与重点检查相结合，一般检查与查源头、窝点相结合的方式，对全省进行了拉网式检查，重点打击了制售和使用违禁兽药、在饲料中添加使用违禁物质的违法行为。全省共出动执法人员 10 万人次，检查兽药生产企业、经营企业、动物诊疗机构、兽医站和养殖场(户)4.9 万个次，饲料生产企业 384 家、饲料经营企业 3.23 万个；查获假劣兽药产品注射剂 7.4 万瓶(支、袋)、其他产品 10.96 吨，货值 54.9 万元；饲料不合格产品 213.6吨，货值 67.8 万元。查获案件查处率 100%。

3. 开展生鲜乳专项整治。一是继续开展奶站清理整顿。全省原有奶站 142 个，经过清理整顿，取缔、淘汰 52 个，现存奶站 90 个，均做到了主体明确、证照齐全、制度健全。生鲜乳运输车辆实行持证运送和生鲜乳运送交接单制度。二是继续加强生鲜牛奶收购监管。继续向90个奶站派驻质量监督员,并实行驻站质量监督员对生鲜牛奶无掺杂使假行为的检查签字制度。三是继续加强生鲜牛奶源头监控。推行质量承诺,由奶牛养殖业主与当地畜牧部门签订责任书,向消费者张榜公开承诺,在饲养奶牛和生产销售生鲜牛奶过程中不添加三聚氰胺和掺杂使假,接受社会的监督;推行健康养殖,对养殖业主进行《奶牛饲养管理技术》的集中培训,督促养殖场(户)依法使用兽药、饲料等投入品,严格执行休药期制度。四是继续加强三聚氰胺专项监测。全省全年累计抽检奶站收购、鲜牛奶运输车装载和企业原料生鲜牛奶1 189批,均未检出三聚氰胺。五是开展生鲜乳质量安全"全覆盖"监测。省、市(州)畜牧部门根据乳品质量安全国家标准的要求,督促乳制品生产企业和奶站自检。同时,对生鲜乳中致病性微生物、兽(农)药残留等指标开展"全覆盖"监测,监测结果全部合格。

4.加强执法监督。集中开展整治活禽经营市场和打击经营病死动物及其产品专项行动,进一步加大活畜(禽)市场交易的监管力度,严格执行定期休市消毒、活禽销售不过夜等各项制度,严厉打击经营病死动物及其产品的违法行为。全省出动执法人员8 500余人(次),检查活禽经营市场及集贸市场682个、屠宰加工场及规模养殖场8 658个、公路动物卫生监督检查站92个;查处违规经营行为2 000多起,无害化处理牲畜0.5万头、禽2.6万只、动物产品77.6吨。在全省178个县实施"放心肉"工程。

5.加强质量检验检测。全年共抽检饲料4 584批次、兽药产品910批次、畜产品7 329批次。饲料和兽药产品平均合格率分别比上年提高了2~3个百分点。畜产品中抗生素、生长素、色素、"瘦肉精"、蛋白精等违禁物质均未检出,磺胺等药物残留均未超标,全年未发生一起畜产品质量安全事故。

【饲料质量安全执法年活动】

1.加强领导,落实监管责任。制定印发了《2009年饲料专项整治行动实施方案》,成立了以分管局长任组长的执法年活动领导小组,与21个市(州)饲料管理部门签订了《四川省饲料质量安全监管责任书》。形成了以属地管理为原则,以严格执行首问责任制、限时办结制和责任追究制为重点,以加强督查力度,强化目标考核,完善激励和问责机制为保障,充分发挥县级饲料管理部门主力军作用的省市县三级互动的行政执法格局。

2.加强整治,严打违法行为。全省共出动执法人员25 562人次,检查饲料企业8 833个次;检查养殖户23 875个次,查获并处理不合格产品1 127吨。一是加大不合格饲料产品的通报力度。及时向社会通报在全省饲料"全覆盖"监测中检测出的不合格饲料产品和生产经营单位,从严处罚质量跟踪检测不合格的饲料企业,严肃查处涉嫌造假的饲料企业,严格处罚假劣饲料经销单位,溯源查处饲料卫生安全隐患,严格不合格饲料产品市场准入制度。二是加强大案要案的查处。5月,省局根据有关部门提供的信息,一举查处了一饲料厂人为故意生产销售含三聚氰胺饲料案,吊销该饲料厂的《动物源性饲料生产企业安全卫生合格证》。

3.加强检测,提高产品质量。全省共检测饲料产品2 468批,合格率达到93.68%,同比提高2.66个百分点,高于全国抽检合格率和同比提高2.3个百分点的水平。全年共检测盐酸克伦特罗、三聚氰胺等违禁物质528批,检出率为零。抽检反刍动物尿样1 677份,其中牛1 128份、羊549份,检出结果为零。全省检测牛羊饲料样品222个,合格218个、不合格4个,对检出的4个不合格样品的标示单位及时进行了处理。

4.加强整改,提高企业自律意识。4月,组织召开了全省不合格饲料产品生产企业整改会,对2008年度98家涉及不合格饲料产品的企业负责人以及相关市(州)饲料管理部门的工作人员就饲料行业管理的法规规章、饲料企业管理制度的建立与执行、检(化)验人员实验室操作与规范记录记载等内容进行了专题讲座培训。

5.加强培训,提高从业人员素质。举办了4期三聚氰胺专项检测培训班,全省所有生产蛋白原料或使用蛋白原料生产饲料的企业质检部门的负责人和检化验人员参加了培训,其中870名检化验人员经考核获得了由省饲料监察所颁发的《三聚氰胺检测技术培训合格证书》,有效提高了饲料企业对三聚氰胺等有毒有害物质的自检能力,提升了饲料企业的自我防控水平。11月,省局召开全省饲料执法人员培训会,邀请专家对21个市(州)及59个扩权试点县饲料管理部门的饲料执法人员分别就行政处罚与诉讼、饲料行业政策法规以及饲料监管工作规范化运作进行了专项培训。

6.加强审查,严格行业准入。一是严把已建饲料企业的年度审查备案关,加快淘汰"作坊式"小企业。严格已建饲料企业的年度审查备案,凡达不到条件的一律不予审查备案。2009年共注销5家饲料添加剂生产企业、24家预混料生产企业、7家动物源性饲料生产企业的资质证书。二是严格依法处理违法企业。对饲料企业严重违法违规行为绝不姑息迁就,对情节严重的案件,应吊销饲料企业证照的,一律吊销饲料企业证照;应移送公安机关查处的,一律移送公安机关查处。三是严把新建饲料企业现场审核关,不断提高饲料行业的准入门槛。婴幼儿奶粉事件发生后,全省将是否具备三聚氰胺快速自检能力作为饲料生产企业的必备条件,要求凡是新建企业,必须具备快速检测三聚氰胺的能力,并严格现场审核,凡达不到条件的一律不予通过。

【畜牧产业化经营】 优化产业发展环境,主动承接产业转移,培育壮大龙头企业、专业合作组织等产业化经营主体,创新利益联结机制,加快产业化经营步伐。

1. 龙头企业发展壮大。全省新增销售过亿元畜牧龙头企业 18 家,畜牧业亿元企业达到 123 家,全省畜产品加工产值较上年增长 16% 以上。

2. 专业合作组织快速发展。全省养殖专业合作组织发展到 5 600 个,龙头企业及各种畜牧产业化经营组织带动农户 568 万户,占全省农业产业化经营带动农户总数的 52%。

3. 市场开拓力度空前。开展"优质肉蛋奶进部队、医院"对接座谈活动,组织企业签订肉蛋奶供货协议 5 700 余万元;组织动员畜牧产业化龙头企业参加 2009 杭州优质农产品迎新春大联展,成功举办了川浙农牧产品购销合同签约仪式和四川 · 广元(杭州)农产品推介暨农业项目洽谈会,"一展两会"共签订农牧项目和农牧产品购销合同 9. 59 亿元;以承办全国畜牧业暨饲料工业展览会为平台,组织开展知名畜产品养殖、加工企业总裁级商务对接活动和"四川省畜产品暨畜牧业承接产业转移重大项目"签约仪式等一系列"营销四川畜牧业"的经贸活动,全省 31 家企业、19 个单位与省外客商共签订 25 个产品购销和项目投资协议,总金额 25. 86 亿元,其中近 10 个项目已经投入建设或建成投产;积极参加第十届西博会,畜牧兽医系统 6 个单位获中国农交会执委会授奖,25 家参展畜牧企业产品获奖。2009 年,一系列多形式、多层次、多角度的市场拓展活动累计签订了 50. 9 亿元的购销投资合同。

【草原保护建设】

1. 抓好退牧还草工程建设。8 月,会同省发改委等部门联合下达了建设任务和投资计划,9 月,对项目进行了认真评审,11 月省政府批复下达了项目实施方案,12 月,在成都召开了退牧还草工程监管培训会。邀请有关专家就项目财务资金管理、招投标管理、工程质量管理、项目监督检查和廉政监督等内容对项目县有关人员进行了专题培训。并采取以训代查的形式,对各县的项目财务资料进行了检查,有效推动了工程建设的顺利开展。2009 年全省退牧还草工程实施范围增加了 6 个县,已覆盖到了 31 个县,新增退牧还草任务 64 万公顷,累计达 564 万公顷,占规划的 52. 8%。全省已累计退牧还草 500 万公顷。

2. 积极实施"牧民定居行动计划"。配合省发改委等部门认真规划、申报 2009 年四川省游牧民定居工程,积极筹措 900 万元省级畜牧配套资金,下发《切实抓好牧民定居行动计划畜牧业生产设施建设的通知》和《牲畜暖棚建设技术规程》,派遣专家指导定居牧户开展牲畜棚圈、贮草棚建设,全方位、多方面大力支持"牧民定居行动计划"实施。

3. 认真开展岩溶地区石漠化治理试点工程建设。华蓥市、宁南县等 5 个国家岩溶地区石漠化治理试点县草地建设项目顺利进行。已完成人工种草 254 公顷、草地改良逾 200 公顷。

4. 切实加强草原防火基础设施建设。若尔盖、松潘、色达、阿坝 4 个县级草原防火物资站竣工建成,红原、稻城县草原防火物资站抓紧建设,甘孜自治州草原防火指挥中心申报立项,全省草原防火体系逐步建立。

5. 扎实搞好优良牧草种植推广示范项目建设。积极争取优良牧草种植推广示范项目省级财政资金 2 000万元,认真指导阿坝自治州、甘孜自治州开展项目规划和实施。已建和在建优良牧草种子基地1 500 公顷,推广种植优良牧草 2. 23 万公顷。项目区重现了"风吹草低见牛羊"的景象。

2009 年,全省草原建设面积达 750 万公顷,其中,人工草地逾 180 万公顷,围栏改良草地近 570 万公顷;草地治理面积达 1 118 万公顷;农区种草面积达80. 2 万公顷。

(四川省畜牧食品局　陈　婷)

贵州省畜牧业

【概况】 2009 年全省实现畜牧业产值 281. 53 亿元,占农林牧渔业总产值的 32. 2%,畜牧业增加值 167. 79 亿元,占农林牧渔业增加值的 30. 5%。全省肉类总产量 169. 60 万吨,同比增长 5%,禽蛋产量 12. 20 万吨,同比增长 12. 8%,牛奶产量 4. 49 万吨,同比增长5. 2%。年末生猪存栏 1 618 万头,同比增长 1. 9%,牛存栏 539. 10万头,同比增长 3%,羊存栏 253 万只,同比增长 9. 4%,生猪出栏 1 596 万头,同比增长 2. 2%,牛出栏 92. 1 万头,同比增长 9. 3%,羊出栏 190. 10 万只,同比增长 6. 5%,禽出栏 8 084 万羽,同比增长 7. 9%。

【突出产业结构调整,加快草地畜牧业发展】 在 2008 年已建设的草地生态畜牧业示范县和黔西南自治州晴隆、普安、兴仁、册亨、望谟实施生态畜牧业推进行动的基础上,以畜牧业平稳较快发展和农民持续增收为目标,加大对牛羊良种繁育、优势特色养殖示范的投资力度,本着"切块到地区、分类到畜禽、落实到项目、重点发展草食家畜和加大秸秆利用力度"的原则,省级财政投入 4 600 万元建设肉牛示范场、两高沿线产业带示范、石漠化治理牛羊配套养殖、小区建设及特色畜牧业、生态畜牧业推进行动计划、肉用种羊场改扩建和秸秆养畜示范等七类项目,通过建设一批区域性的示范指导项目，加快草地畜牧业发展，推进畜牧业生产方式转变和产业化进程，提高畜牧业综合生产能力。

【推进畜禽品种资源调查工作，加大地方品种保护与开发利用力度】 对全省畜禽品种、配套系和畜禽遗传资源进行认真清理，按照农业部《畜禽新品种、配套系审定和畜禽遗传资源鉴定办法》和《畜禽新品种、配套系审定和畜禽遗传资源鉴定技术规范》（试行）要求，组织专家编制了黔北黑猪等《畜禽遗传资源鉴定申请表》，5月和10月中旬国家畜禽遗传资源委员会组织猪、羊、禽和其他畜种专业委员会24位专家赴黔开展现场鉴定工作，黔北麻羊、贵州黑山羊、黔北黑猪、平坝灰鹅、天柱番鸭、长顺绿壳蛋鸡、瑶山鸡和下司犬8个遗传资源已通过国家畜禽遗传资源会鉴定和审定。制定《贵州省畜禽遗传资源保护名录》，确定香猪（含白香猪）、关岭猪、黔东花猪、江口萝卜猪、贵州白水牛、威宁绵羊、矮脚鸡、高脚鸡、天柱番鸭、贵州下司犬和贵州马（含矮马）等11个品种为省级畜禽遗传资源保护品种。全省累计已有56个畜禽品种（遗传资源）通过认定，25个畜禽资源品种列入《中国畜禽遗传资源名录》，其中有3个列入《中国畜禽遗传资源保护名录》，11个列入《贵州省畜禽遗传资源保护名录》，8个地方畜禽遗传资源通过国家鉴定。

【强化动物疫病防控，确保畜牧业健康发展】

1. 切实抓好强制免疫。全省免疫各类畜禽3.96亿头（只），免疫密度均达到应免数的100%。牛、猪、羊和家禽死亡率均控制在国家规定的标准以内。

2. 加强疫情监测，提高预警能力。全年订购口蹄疫、禽流感等14种动物疫病监测诊断试剂20万余头份，认真开展监测工作。其中禽流感和口蹄疫等人畜共患病免疫合格率均到达国家规定的标准。

3. 建立省、地、县三级应急物资储备制度，组建各级重大动物疫病防控专家组，应对突发疫情，加强应急队伍建设与应急演练，积极应对突发疫情。

4. 积极应对甲型H1N1流感。制定《贵州省农业部门应对甲型H1N1流感应急预案》和《开展甲型H1N1流感监测和流行病学调查方案》，成立防控猪流感专家组和应急预备队，对贵阳和安顺等地从国外引进的种猪进行了重点排查。全省共组织8 500余人（次）、排查1 464个乡镇、13 850个村、1 301个生猪养猪场（小区）、232个屠宰场（点）和262个活猪交易市场，临床排查生猪1 510.23万头，未发现猪感染甲型H1N1流感疫情。

5. 加强检疫监管，确保动物及其产品安全。继续深入推进产地检疫工作，规模饲养场（养殖小区）产地检疫率达到100%，以自然村为单位，散养户产地检疫面达到100%。严格规范屠宰检疫行为，建立和完善屠宰检疫相关管理制度，严格把好动物“入场关”、“待宰关”、“同步检疫”、“宰后处理”四关，实施屠宰加工全过程同步检疫。

6. 开展动物标识及疫病可追溯体系建设。分9期对全省9个市（州、地）88个县（市、区）共407人进行溯源门户网站及设备操作使用师资培训，确定乌当区和毕节市为全省动物标识及疫病可追溯体系建设工作示范点。

【加强质量监管，确保畜产品质量安全】 组织开展畜产品质量安全监督检查，加强生产、流通、市场等环节的监督管理工作，确保畜产品质量安全。开展生鲜乳、饲料、兽药及兽药残留专项整治行动。全省共检查生鲜乳收购站25个，检查生鲜乳运输车24辆，出动执法人员1 671人次，查处问题52起，抽查乳品生产企业4家，检查运输车辆10批。全省共出动执法人员18 655人次，出动督查人员2 427人次，检查饲料生产经营企业（户）13 637个次，养殖场（户）4 368场次，取缔非法企业14个，查处无证、无号、无标签产品15个，查处违法饲料产品700余吨，立案调查违法企业、养殖场户数31户，涉案金额26.156万元。出动执法人员6 185人次，检查市场1 365次，检查兽药生产、经营、使用单位4 138个；收缴假劣兽药1 528.84千克，货值21.74万元；立案查处86起，罚款和没收违法所得28.30万元。开展农产品质量安全整治暨农产品质量安全执法年活动和兽药GSP管理和无公害畜产品认证工作。全省违禁药品专项监测工作共抽查各类生产、经营企业58家，抽取各类饲料样品108批，合格率均为100%。组织人员对86家兽药经营企业进行兽药GSP现场检查验收，发放《兽药GSP合格证》73个。对已取得兽药GSP合格证的92家企业进行后续监督检查，对不符合要求的12家撤销其兽药经营企业《兽药GSP合格证》。

【加强饲草饲料行业管理】 全面推行《饲料生产企业审查办法》，开展动物源性饲料、饲料添加剂和添加剂预混合饲料生产企业年度备案，推进草地监测和确权工作。整合资源，加强草地建设，开展冬季农田种草，大力推广玉米秸秆的青（黄）贮等饲料化利用技术，缓解草畜不平衡的矛盾。强化《饲料生产企业审查合格证》、《动物源性饲料产品生产企业安全卫生合格证》、《饲料添加剂生产许可证》和《饲料添加剂生产许可证》的申办和审查工作。组织实施全省第五次草地资源与生态监测工作，对全省9个市（地、州）的55个县、市、区草地资源开展定点测定，共调查165个样地，系统收集贵州主要草地类型的地面数据，初步摸清全省草地生态现状。根据《贵州省基本草原权属划定工作实施方案》，全省已启动基本草原权属划定工作，毕节地区、黔西南2个地（州）已基本完成草原确权工作。

全省累计已完成草原确权承包2.37万公顷。

（贵州省畜牧兽医局 邓晓静）

云南省畜牧业

【概况】 2009年，云南省各级畜牧兽医部门扎实工作，全面落实各项扶持畜牧业发展的政策措施，克服了国际金融危机、甲型H1N1流感、主要畜产品价格下跌等不利因素的影响，全省畜产品产量稳步增长，畜牧业保持了持续发展的态势。

据行业统计，全年肉类产量304.6万吨、奶类产量105.9万吨、禽蛋产量20.8万吨，同比分别增长5.7%、8.8%、7.2%。全年畜牧业产值557.76亿元。农民人均来自畜牧业的纯收入412元，同比增加16元，增长4.6%。

【畜禽养殖与生产】

1.生猪生产。通过认真贯彻各项扶持政策，特别是针对生猪价格大幅下滑的严峻形势，省政府下发了通知，制定并实施了10条防控措施，各级畜牧兽医部门积极应对，有效稳定了生猪生产。生猪期末存栏数达到2 736.2万头，肉猪出栏2 824.5万头，猪肉产量230.8万吨，同比分别增长2.5%、4.5%和5.1%。

2.家禽生产。家禽存栏11 705.8万只，同比增长7.3%；当年家禽出栏17 953.6万只，同比增长8.5%。2009年全省推广良种禽19 997万只，其中自给达到9 365万只，比上年增加565万只。

3.牛羊生产。牛期末存栏数达到742.6万头，出栏252.6万头，牛肉产量28万吨，同比分别增长5.1%、6.9%和7.2%。羊期末存栏数达到877.6万只，增长4%，出栏687.1万只，增长5.4%，羊肉产量12.1万吨，增长5.5%。

全省通过基地、综示区建设以及加强良种繁育体系建设，加强动物疫病防治等综合技术推广措施，促进肉牛肉羊产业的标准化生产，在基地县建设牛羊养殖小区和示范村（户），积极推广优质饲草种植技术、舍饲半舍饲技术、秸秆养畜技术、浓缩料补饲和快速育肥技术等科学养牛羊技术。逐步转变了牛羊养殖生产方式。同时，通过狠抓全省奶源基地建设、标准化养殖小区（场）建设、奶牛良种补贴等项目的实施，加强奶站监督管理，加快推进奶业生产标准化、规模化，确保生鲜乳质量安全。全省存栏100头以上的奶牛（含奶水牛）规模养殖小区（场）已有97个，其中存栏200头以上的有65个，已有45个养殖小区（场）争取到国家投资进行标准化、规模化养殖小区建设，对全省奶业标准化养殖起到较好的示范和带动作用。

【畜产品与饲料加工业】 年内，不仅宣威火腿等畜产品产量大幅增加，临沧澳华、寻甸天牧、牟定彝山工贸等一批畜产品加工企业相继投产，以冷鲜肉为主的畜产品深加工比例不断提高。据省农业厅统计，全年畜牧业加工产值150亿元，同比增长8%。

全年工业饲料总产量310万吨，同比增长10.3%，产值115亿元，同比增长12.7%；农田种草面积逾3万公顷，产量350万吨，同比增长7.8%。

【政策扶持】 中央和各级政府加大了对畜牧业的扶持力度，各级畜牧兽医部门认真落实能繁母猪补贴、畜牧保险、畜牧良种补贴、生猪调出大县奖励等扶持政策，开展了现代农业生猪生产、生猪标准化规模养殖、蛋鸡标准化养殖场建设、畜禽良种繁育体系建设、石漠化综合治理、草地治理、退耕还林后续产业养殖业建设等项目建设，2009年全省共获中央政策类项目补贴资金4.51亿元，有力地促进了全省畜牧业持续健康发展。

1.生猪良种补贴。在上年10个项目县的基础上，省农业厅会同财政厅按照生猪产业布局要求，又增加在13个县（市、区）实施，共补贴能繁母猪87万头，同时明确了全省2009年度生猪良种补贴项目计划及资金配置、生产任务分解、生猪良种补贴实施方案编制要求。

2.奶牛良种补贴。1—3季度，2008年度项目的冷冻精液供应已全部到位，全省荷斯坦奶牛改良配种74 662头，占任务总数的71%；奶水牛改良配种51 194头，占任务总数的85.3%。据初步统计，水牛受胎率达到47%，奶牛受胎率达到87%。项目区涉及全省144个乡镇，受益农户88 222户。

3.规模养殖。按照《云南省发展和改革委员会 省农业厅关于申报生猪标准化规模养殖场（小区）建设项目的通知》要求，认真组织并将项目任务分解落实到各州（市）、县（市、区），各场（小区）编制了项目实施方案。省级严格按照国家和省的申报规定及要求组织预审，按时完成了项目申报工作。建设标准化生猪养殖场566个，其中，年出栏300～499头的222个，出栏500～999头的286个，出栏1 000～1 999头的38个，年出栏2 000～2 999头的8个，出栏3 000头以上的9个。到年底，项目进展顺利。

4.生猪调出大县。在原有5个县的基础上，2009年又新增麒麟、沾益、建水、镇雄四县。原5个调出大县1—11月完成猪舍改造4.67万平方米，引进良种1 638头，粪污处理1.4万立方米。购买种公猪、母猪、仔猪和饲料等贷款贴息122.64万元，防疫服务费用支出251.3万元，猪肉产加销贷款贴息9万元。

【草原保护与建设】 2009年全省新增人工种草1.87万公顷，改良草地0.74万公顷，草种田面积0.24万公顷，新增围栏0.65万公顷。全省各级财政（包括省、地、县财政）投资共计1 535万元。

1.岩溶地区草地治理试点工程。2006—2009年巧家县岩溶地区草地治理试点工程共投资建设四期，建设内容主要包括草地改良、围栏封育、人工种草、饲草机械和棚圈建设等。项目涉及到13个乡镇，工程建设总投资4 009万元，实际到位资金2 983万元，完成草地治理1.92万公顷（其中围栏封育0.61万公顷，草地改良0.88万公顷，人工种草近0.43万公顷），棚圈建设12 914平方米，饲草料加工机械22台。第一、第二期工程项目已通过省级验收，第三期工程已开始自查与整改，第四期工程也已全面开工。

2.天然草原退牧还草工程。作为国家西部地区天然草原退牧还草工程项目实施县的迪庆自治州三县，累计完成35.1万公顷，占计划任务的100.24%，其中：禁牧围栏15.7万公顷，占计划任务的100.19%；休牧围栏16万公顷，完成计划任务的100.34%；完成轮牧3.33万公顷，完成计划的100%。草场补播4.5万公顷，完成计划的100.05%。所有项目在2009年全部通过省级验收。

3.秸秆养畜。据统计，2009年全省利用青贮、氨化技术加工处理秸秆饲料（风干样）196.28万吨，相当于解决了近91.93万个牛单位的饲草。

4.牧草品种审定。2009年云南省共有6个牧草品种通过国家草品种审定委员会审定登记，即野生栽培种的寻甸梅氏画眉草、德钦苜蓿；引进品种的得娜塔鸭茅，麦迪多年生黑麦草，草地瓦纳鸭茅，德梅特苇状羊茅以及地方品种的盈江危地马拉草。

除此之外，农业部安排的667公顷飞播种草项目安排在新平县实施，项目资金45万元。经精心组织准备，拟于翌年5—6月播种。

【疫情防控】 全省加大了重大动物疫病的防控力度，畜禽强制免疫密度均超过90%；疫情监测范围和频度加大，监测畜禽样品68.35万份；检疫监管和督检力度加强，全省共实施产地检疫2 546万头（只），屠宰检疫畜禽1 370万头（只）；境外疫情防堵效果明显，动物疫情明显下降，有效保障了畜牧业发展。

【畜产品质量安全】 各地进一步加强生鲜乳质量安全监督整治、奶站规范化管理，组织抽检生鲜乳检查生鲜乳收购站381个次，检查生鲜乳运输车辆244辆，查处问题24起，取缔和关闭奶站39个。未检出三聚氰胺违禁添加物。此外，强化了兽药和饲料的质量监管，全年共检查饲料生产和经营企业8 141个，检查养殖场（户）3 129个，取缔非法企业34个，查处无证、无号、无标签产品61个，查处违法饲料产品28.65吨。畜产品质量明显提升，未发生重大质量安全事件。

【兽药质量与药物残留监管】 2009年全省10个兽药检测所共抽检兽药产品1721批，合格1 005批，合格率58.4%（包括非法企业产品和假冒合法企业的假兽药批次）。完成畜产品中兽药残留抽样800批，其中，农业部下达任务100批，检测结果除在一批鸡肉中检出四环素残留限量超标外，其余799批动物产品兽药残留检测全部合格，残留超标率0.1%。

在兽药监督执法体制方面，除各级兽医行政管理部门外，全省有14个州（市）、80个县成立了动物卫生监督所，监督所都成立了兽药监督科，协助兽医行政管理部门开展兽药监督执法工作。全省现有兽药行政执法人员4 806人，其中，省级20人、州（市）330人、县及县以下4 456人。

在兽药质量监督管理方面，加强了对兽药生产、经营和使用环节的全程监管，重点是加强对禁用兽药、假劣兽药、不规范的兽药标签说明书和非法制售兽用生物制品的打击力度，2009年全省共检查兽药生产经营企业、医疗机构及养殖场8 162个；出动执法人员12 748人次；查处兽药案件193起，货值20.37万元，罚款13.8万元，查处假劣兽药40 376支/瓶、1 037.36千克；取缔无证生产、经营企业40个；吊销兽药经营许可证15个；整治重点区域602个。还加强了对非强制免疫兽用生物制品、进口兽用生物制品和兽药广告的许可审批。

【科技推广】 加大了畜禽良种、母猪高产技术、生猪人工授精技术、仔猪培育技术和现代化养猪配套技术、生猪标准化生产技术、发酵床生态养猪技术、中蜂活框饲养技术以及胚胎移植、作物秸秆资源利用、农田种草、犊牛培育等草食畜生产技术的推广力度。完成肉牛冻精改良43万头，水牛17万头，奶牛13万头，同比分别增长2%、6%、8%；黄牛、水牛和奶牛的受胎率分别达到73.10%、53.3%和83.31%。生猪改良530万头，其中人工授精318万窝，同比均增长7%；良种禽推广2.3亿羽，同比增长6%；全省累计推广蜂29.80万群，比上年增加0.70万群，其中中蜂19.40万群，比上年增加0.40万群；推广西蜂0.30万群，生产水平明显提升。

【种畜禽监管】 组织开展了种畜禽生产经营许可证补换发工作，2009年换发省级场证5个，州市级场证39个，进一步规范了种畜禽生产经营活动。积极申报国家畜禽遗传资源新品种的审定，全省通过初审的24个畜禽遗传资源有18个通过现场鉴定，并经国家畜禽遗传资源委员会审定通过。

【市场监测预警】 各地加强了生猪生产及畜产品市场预警监测，新建立了肉牛、肉羊、奶牛、家禽生产重点县入户调查制度和畜产品价格周报制度，及时为政府决策和广大养殖户提供信息服务，科学引导生产发展。

全省畜牧业生产虽稳步增长，但仍然存在一些突出困难和问题，如养殖成本增加，养殖比较效益下降；基础设施落后，严重制约持续发展；动物防疫体系不健全，动物疫病防控难度加大以及畜产品质量安全管理难度大，存在安全隐患等，亟待克服与解决。

（云南省畜牧兽医局）

西藏自治区畜牧业

【概况】 2009年，西藏自治区各级畜牧部门在自治区党委、政府的正确领导和国家有关部委的大力支持下，深入贯彻落实全国农业工作会议和自治区农牧业工作会议精神，按照"一产上水平"的发展要求，坚持以农牧民增收为目标，认真落实中央和自治区畜牧业发展各项政策，狠抓畜牧业基础设施建设，积极推进生产方式转变，畜牧业保持了平稳发展的良好态势。年末全区各类牲畜存栏2 411.1万头（只、匹），比上年末增加6.5万头（只、匹）。其中：牛654.1万头，增加9.6万头；羊1 674.5万只，减少3.4万只。全年猪牛羊肉产量达到23.8万吨，比上年增长11.8%；奶类产量28.7万吨，下降0.1%。禽蛋产量0.3万吨，与上年持平。

【发展政策】 为积极应对自然灾害，减少灾害损失，自治区政府主席办公会议确定在2个地震县和10个雪灾严重县实施牲畜出栏补助政策，以出栏率17%为基数，每增加出栏一个绵羊单位补助20元。按照工作程序，经村委会公示、乡镇和县核查，以及自治区农牧厅会同自治区财政厅检查验收组的抽查，及时将2 367万元牲畜出栏补助兑现给牧户，减少了牲畜越冬死亡，实现了牧户增收，而且也减缓了冬季草场压力。

【牧区改革】 在稳定"三个长期不变"政策的前提下，进一步探索推进统分结合的双层经营体制，全自治区累计已有41个县（牧业县和畜牧业比重大的半农半牧县）、259个乡、2 031个村落实了草场承包经营责任制，覆盖12.7万户，68万人；承包到户草场面积达3 620万公顷，其中冬春草场2 313万公顷，分别占可利用草场和冬春草场总面积的66%和85%。2008—2009年在11个农业县的牧业乡（镇）相继开展了落实完善草场承包经营责任制工作，为开展退牧还草工程和建立草原生态保护奖励机制奠定了基础。

【畜禽资源保护】 根据《中华人民共和国畜牧法》有关规定，自治区成立了畜禽遗传资源委员会，明确了工作职责，强化了畜禽遗传资源管理，重点开展了畜禽遗传资源补充调查工作，进一步完善了《西藏畜禽遗传资源品种志》（征求意见稿），对自治区级畜禽遗传资源保护名录进行了初审。根据《中华人民共和国动物防疫法》、《种畜禽管理条例》和农业部相关规定，组织开展引进种公牛前期工作。坚持冻配为主、本交补充的原则，自治区安排专项资金，计划引进种公牛300头，年内已重点完成项目论证、实施方案审查等前期工作。

【良种繁育及推广】 按照自治区农牧厅、财政厅制定的《2008年牲畜良种推广补贴项目实施方案》要求，2009年认真核实2008年项目区农牧民选育存活优质牦牛犊及购买种畜奶畜情况，兑现牲畜良种补贴资金146.5万元。同时，根据《西藏自治区牲畜良种补贴试行办法》，自治区农牧厅会同财政厅制定印发了《2009年牲畜良种补贴项目实施方案》，牲畜良种补贴仍保持1 000万元规模，主要用于黄牛改良、绵羊改良、牦牛选育以及农牧户购买种畜、奶畜补助，其中黄牛改良、绵羊改良补助资金达830万元。

【草原保护与建设】 加强草原鼠虫毒草害治理和草地资源监测工作。一是加强草原"三害"治理。在对草原鼠虫害进行监测工作的基础上，利用生物药品实施草原鼠害治理67万公顷，在当雄、聂荣、嘉黎、左贡4个县架设招鹰架974根，控制鼠害面积近3万公顷。山南地区从吉林省引进银黑狐开展人工驯化工作，开辟了鼠害治理新途径，已取得阶段性成效，首批投放草原人工繁育银黑狐170只。在阿里地区5个县实施草原蝗虫治理5.3万公顷，蝗虫发生危害范围得到控制。针对阿里地区毒草危害比较严重的状况，自治区农牧厅积极争取资金，在阿里地区改则县选择一个乡镇，对面积较大的成片毒草进行围栏，阻止羊自由采食，同时从西北农林科技大学购买疯草灵缓释丸，对部分牧户的山羊、绵羊进行投喂，减少羊采食毒草死亡现象发生，实现牧民增收，同时又保护了生态。二是草原生态监测。年内加强草原资源与生态监测工作，监测区域从五地（市）8个县扩展到六地（市）15个县，监测样地从100个增加到218个。通过对山地草甸、温性草甸草原、温性草原、高寒草原、高寒草甸、高寒草甸草原、高寒荒漠草原等7个草地类型的544个测产样方监测，结合农业部遥感数据，测出2009年全区草原鲜草产量为7 928万吨，折合干草约2 550.2万吨。

【生态建设与监督管理】 积极推进草原生态保护奖励机制试点工作。财政部、农业部确定2009年在西藏开展草原生态保护奖励机制试点工作。8月22日，自治区人民政府举行了建立草原生态保护奖励机制试点工作启动仪式，办公厅印发了《2009年度西藏自治区建立草原生态保护奖励机制试点工作实施方案》，自治区财政厅制定印发了《西藏自治区建立草原生态保护奖励机制试点资金管理办法》，自治区农牧厅制定印发了《西藏自治区草原生态保护奖励机制试点工作管理办法（试行）》，进一步明确了目标要求，细化了实施步骤，强化了保障措施。自治区、相关地、县都成立了建立草原生态保护奖励机制试点工作领导小组，明确各职能部门工作职责，试点县抽调专人开展工作，进一步细化工作方案。

【退牧还草工程】 2009年9月，配合国家退牧还草工程检查组，对全区2007年退牧还草工程建设情况进行了实地检查并给予充分肯定，认为各级政府、农牧部门十分重视，制度建设较为健全，管理比较规范，禁牧、休牧围栏工程质量较高，补播草种选择适宜，项目"四制"落实较好，生态、经济和社会效益显著。10月，自治区农牧厅、发改委、财政厅等部门组成综合工作组，对上年开工建设的农牧业项目进行了专项检查，发现问题限期整改；为提高工程建设质量和效益，推进工程管理迈上制度化、规范化轨道，自治区举办了全区退牧还草工程管理培训班，有关地（市）农牧局分管项目建设的副局长、项目科科长和纳入退牧还草规划县分管农牧业副县长、农牧局局长参加了培训；针对部分县退牧还草工程建设进度慢、网围栏招标工作把关不严等问题，为进一步加强管理，完善措施，农牧厅在充分调研的基础上，根据国家有关部委相关规定，结合本区实际，起草了《关于切实加强退牧还草工程管理的通知》，提请自治区退牧还草工程领导小组审定后印发各地执行。

【冬虫夏草采集管理】 为确保冬虫夏草采集工作顺利开展，切实保障农牧民的合法利益，各地（市）委、行署和产区县把冬虫夏草采集管理工作纳入到重要工作日程，切实加强组织领导。地、县两级均充实完善了由主要领导挂帅，政法、农牧、公安、民政、工商、财政、环保、司法等部门负责人为成员的管理工作领导小组和办公室。那曲地区修订颁布了《冬虫夏草采集管理工作方案》、《冬虫夏草采集管理工作应急预案》、《地区综治办关于那曲地区虫草采集与保护管理工作的实施意见》，山南、林芝、拉萨三地（市）也结合各自实际，出台了《拉萨市冬虫夏草采集管理实施办法》、《山南地区冬虫夏草采集管理细则和实施方案》、《林芝地区2009年度虫草采集管理实施意见（试行）》，为及时化解和消除因资源引发的各种矛盾和纠纷提供了制度保障。冬虫夏草采集活动始于4月20日，结束于8月12日，历时115天，未发生伤亡和其他重大事件，农牧民上山采集人数累计为377 230人次，比上年减少48 893人次；产量约36 469.37千克，同比减少25%左右。

（西藏自治区农牧厅　曹仲华）

陕西省畜牧业

【概况】 2009年，按照《陕西省实施七大工程促进农民增收规划纲要》的要求，全省认真组织实施《畜牧业收入倍增工程规划》，突出生猪、奶牛两大主导产业，以百万头生猪大县建设和高产奶牛创建工程为重点，加大资金扶持，全面落实畜牧业发展政策措施，狠抓动物防疫与畜产品质量安全，各项工作均取得了显著成效。2009年底，全省生猪存栏920.3万头，同比增长4.5%；牛存栏169万头，增长1.8%；奶牛存栏43.5万头，增长6.9%；羊存栏670.2万只，下降1.7%；家禽存栏5 592.5万只，增长3%；肉、蛋、奶产量分别达到98.7万吨、48.1万吨、185.8万吨，分别比上年增长－0.7%、－0.2%和1.9%。

【优势产业开发】 2009年，陕西省把畜牧业作为促进农民增收的七大工程之一，生猪、奶牛等优势特色产业克服了市场不利因素影响，取得了快速发展。一是生猪产业快速发展。突出百万生猪大县建设，以万头生猪养殖村建设为单元，制定实施方案，积极抓点示范，强化技术指导，大力推广渭北果区果畜结合和陕南"120"模式，在洛川、澄城、旬邑、洛南、西乡强力启动实施百万头生猪示范县建设。截止到年底，洛川、澄城、旬邑建设商品代种猪场58个、万头生猪示范村59个，洛南、西乡建设种猪场3个、发展"120"模式万头生猪养殖村14个。在淳化等13个县、区扶持建设15个万头生猪示范村，每村省财政安排80万元，扶持建设1个存栏600头二元基础母猪的商品代种猪场，发展年出栏200头的养殖户50户。到年底，15个万头生猪示范村已建设商品代种猪场14个，发展示范户380个。加快自然养猪法试点。安排500万元扶持武功县建设2个年出栏育肥猪3 000头的育肥场，建设5个自然养猪小区，开展自然养猪法技术推广试点。已开工建成自然养猪法小区22个，建成猪舍242栋。二是奶业持续发展。以千头奶牛场和标准化奶牛养殖小区建设为重点，大力推进奶牛规模养殖和标准化生产。引进蒙牛现代牧业在宝鸡市建设2万头现代化奶牛场，一期工程已完成，首批进口的2 806头奶牛投入生产，标志着全国最大的现代化奶牛场落户陕西。积极实施千阳县标准化奶牛小区示范县建设，新建、改扩建标准化奶牛养殖小区31个的建设任务，为推动全省标准化奶牛养殖小区建设树立了样板。三是肉牛产业健康发展。充分发挥秦川牛品种资源优势，坚持点上保种、面上改良，以秦川牛保种县为依托，建立秦川牛核心群，实施秦川牛母牛补贴，开展秦川牛本品种选育提高，不断扩大秦川牛良种群体规模。同时，引进利木赞、红安格斯等国外优良肉牛品种，以陈仓等地为基地开展秦川牛杂交改良，积极实行繁育、架子牛、育肥三段式饲养。大力扶持年出栏500头以上的秦川牛育肥场和出栏10头以上的养殖大户，促进了肉牛产业发展。

【畜牧产业化】 按照省委、省政府《关于加快畜牧产业化建设的决定》，围绕优势特色产业开发，以龙头企业发展、营销体系和社会化服务体系建设为重点，大力推进畜牧业产业化经营。石羊、本香、汉宝等龙头企业加大投入，积极参与良种繁育、生产基地建设和加工业发展；雨润集团在永寿建设的10万头肉牛屠宰项目、在蓝田建设的3 000万只肉鸡加工项目、在汉滨与西乡分别建设年屠宰加工200万头生猪加工企业全面开工建设。一批省内外领军企业，看好陕西畜牧业发展的政策环境和良好前景，纷纷投身产业化发展，加快了本省现代畜牧业进程。饲料工业长足发展，结构调整优化，产品质量稳步提高。2009年，全省饲料工业企业达到510家，总产量352万吨，实现产值113亿元，分别同比增长13.1%和6.1%。

【兽医卫生】 通过深入贯彻落实《动物防疫法》、《重大动物疫情应急条例》等法律法规，全面落实免疫和扑杀相结合的综合防控措施，坚持狠抓春秋集中免疫，进一步加大疫情监测和流行病学调查力度，不断提高应急能力和水平，全面强化动物卫生监督管理，除南郑县因引进肉牛发生一起亚洲Ⅰ型口蹄疫疫情外，全省无高致病性禽流感、高致病性猪蓝耳病等重大动物疫情发生；汉中市发生的狂犬病得到了及时控制；布鲁氏菌病等主要人畜共患病监测阳性率比上年持续下降。一是认真组织开展重大动物疫病强制免疫工作。以口蹄疫、禽流感、高致病性猪蓝耳病等重大动物疫病为重点，制定免疫方案，规范免疫程序，加强技术培训，保障疫苗供应，认真开展春秋两季重大动物疫病强制免疫。全年共免疫牲畜口蹄疫4 867.8万头（次）、高致病性猪蓝耳病2 618.4万头（次）、猪瘟2 655.6万头（次）、高致病性禽流感13 487.3万羽（次）、鸡新城疫13 023.7万羽（次），强制免疫病种应免密度均达到了95%以上，免疫抗体水平均超过农业部规定标准。二是进一步加大疫情监测和流行病学调查力度。认真制定方案，组织采购诊断试剂，细致调查与监测。全省共采集和检测血清、组织、棉拭子等样品62 370份，其中病原监测27 366份，免疫抗体监测35 004份，未发现重大动物疫情。三是加强甲型H1N1流感防控工作。成立了省农业厅防控甲型H1N1流感领导小组，紧急下发了防控通知，制定了防控预案，组建了专家诊断组和应急队，实行了日报告和零报告制度，印制了甲型H1N1流感防控宣传册，开展了市及重点县的实验室人员培训，进行了全面流行病学调查工作。全省共调查种猪场220个，商品猪场1 253个，散养农户953 073个，交易市场1 436个，屠宰场531个，涉及生猪166.2万头，未发现甲型H1N1流感疫情。四是积极推进动物标识及疫病可追溯体系建设。加强了耳标的招标供应工作，强化了质量监督，全省累计提供牲畜二维耳标2 621.56万套，保证了交易牲畜顺利进入市场流通，并实施追溯。在宁强、岐山、澄城三县和28个公路动物防疫监督检查站启动了动物标识网络信息试点工作，为试点区域配置移动智能识读器378台、便携式打印机108台、动物标识管理智能（IC）卡2152张，培训技术人员500名，保证了动物标识等信息的正确录入与传递。据全国动物疫病可追溯信息网统计，陕西省入网牲畜头数累计达到46.45万头（只）。五是强化动物卫生检疫监督。以签约式产地检疫推广、屠宰场标准化检疫室建设、公路检查站标准化建设竞赛活动和国庆60周年动物卫生保障为重点，全面推进检疫监督工作。全省产地检疫动物3 358万头（只），屠宰检疫动物1 468万头（只），检出、无害化处理病害动物7.2万头（只）、产品92吨，查处违法案件1 018件，有效地保障了动物产品安全，维护了消费者的合法权益。六是加强动物防疫体系建设。国家第三批扩大内需项目共投资建设陕西省动物疫病预防控制中心及西北区动物疫病区域诊断实验室、基层动物防疫基础设施、乡镇兽医站基础设施、地震灾后重建县级动物防疫基础设施、地震灾后重建乡镇兽医站设施共五大类7 857万元。截止到2009年底，地震灾后重建项目和乡镇站建设已进入建设阶段，县级建设项目已批复方案。扎实推进畜牧兽医体制改革，省、市已全面完成改革任务，93%的县、63%的乡改革方案已批准或完成了改革任务。加强了村级动物防疫员队伍建设与管理，制定下发了村级防疫员管理意见，全省共聘用村级防疫员22 832名，基本上保证了村村都有防疫员，全年培训村级防疫员2.2万名，确保了重大动物疫病防控工作各项措施的落实。

【饲草饲料】 围绕宝鸡蒙牛2万头现代化奶牛场建设，以眉县、扶风为中心，大力推广饲料专用玉米种植和带棒青贮技术，积极实施草畜配套工程，建设优质牧草示范基地，开展青贮专用玉米订单种植340公顷，完成带棒青贮3.1万吨。加快草原生态保护建设步伐，组织在靖边、神木、富县、陇县四县新建草原无鼠害示范区3万多公顷，在已建成的吴起、横山等示范区内巩固扫残逾13万公顷，在长城沿线风沙区的定边县完成飞播种草试验示范667公顷，并完成了全国草品种区域试验观察任务、陕北10个草原重点县草原资源与生态持续监测任务，为科学指导草原生态保护建设工作奠定了基础。

【技术推广】 突出主导产业发展，加快科技推广。针对澄城、旬邑、洛川3个百万头生猪大县发展生猪产业而境内水资源和劳动力资源相对短缺的问题,积极探索推广节水节敛养猪模式。一是重点支持自繁自育家庭适度规模养殖方式,即"120"模式(1户存栏基础母猪10头,年出栏商品猪200头),以此规避建大型养殖场用水量大和境内水资源短缺的矛盾。二是积极推广粪尿干湿分离技术,化粪池发酵等节水养殖技术,以此化解人畜争水和养殖污染问题。三是积极推广标准化圈舍建造技术,圈舍内配备自动喂料、饮水设施和取暖降温设备,用现代化技术手段规避发展生猪生产需要大量劳动力的被动局面。四是针对当地果枝资源丰富的特点,努力探索果枝揉碎技术,以此推动自然养猪法技术的示范推广,为实现"果枝还园,猪肥果优"的良性循环奠定基础。围绕自然养猪法技术推广,通过对圈舍建设、品种选择、饲养管理、疫病防控等方面制订标准,全面推广"科技人员联系直接到户,良种良法直接到圈、技术要领直接到人"的科技服务模式,努力提升该项技术的推广应用效果。据测定,武功县自然养猪法示范户与传统养猪户比较,平均每头可增加收入100元左右,养殖利润明显提升。在关中奶牛主产区选取了30个规模化牛场作为全省首批示范牛场,以DHI测定技术为核心,积极整合集成奶牛体形外貌鉴定技术、奶牛科学饲养繁育技术、规模牛场信息化管理技术等生产管理技术,努力提升规模奶牛场的生产管理水平。

【执法管理】 认真贯彻《畜牧法》、《动物防疫法》、《草原法》和《种畜禽管理条例》、《重大动物疫病应急条例》、《乳品质量安全监督管理条例》、《草原防火条例》、《兽药管理条例》、《饲料和饲料添加剂管理条例》等法律法规,不断强化行政执法,加强行业执法管理,促进了畜牧兽医工作法制化进程。一是开展相关地方配套法规的起草制定工作。完成了《陕西省实施〈中华人民共和国草原法〉办法》的起草工作,于2009年7月24日经陕西省第十一届人民代表大会常务委员会第九次会议修订通过颁布实施。二是加强生鲜乳质量监管。加大奶站清理整顿力度。截止到年底,全省生鲜乳收购站982个,其中乳品企业开办217个、养殖场开办245个、合作社开办476个、奶牛养殖小区开办29个、个体私营投资开办15个,全省1 064个流动奶站全部取缔,生鲜乳收购站清理整顿取得显著成效。严格落实监管责任,坚持属地管理,省市县各级成立专门机构,建立岗位责任制,层层抓落实,确保了监管责任落到实处。全面推行生鲜奶收购质量监督员进站制度,抽调县乡畜牧主管部门和技术推广单位干部进驻收购站,对站内生鲜奶生产、收购环节进行全程监督。深入开展生鲜乳收购站执法大检查,组织市、县农牧部门进驻奶站,对奶站生鲜奶收购、运输等环节进行了全面检查。全省共检查生鲜乳收购站784个、检查生鲜乳运输车辆480辆。强化生鲜乳质量安全监督监测,制定《陕西省生鲜乳质量安全监测计划》,对奶牛养殖集中区生鲜乳收购、运输环节进行抽样检测,开展三聚氰胺、β-内酰胺酶、硫氰酸钠和动物水解蛋白等指标抽样检测,全年完成抽检775批次,抽检合格率100%。加大生鲜乳监管督促检查,先后派出10多个督查组50余人次,配合农业部3次深入关中5市1区,对生鲜乳收购站整治情况进行督查。市、县农牧部门建立生鲜乳收购站日常巡查制度,定期对生鲜乳收购站卫生保障、质量安全保障、挤奶操作规程、投入品使用、购销台账建立等情况进行检查,有效规范了生鲜乳收购站经营行为。三是加大兽药和饲料专项整治力度。制定了《2009年兽药及兽药残留专项整治方案》,加强了兽药生产环节的监管,对农业部列为重点监控企业、质量产品违规企业、新建企业和35个兽药GMP生产企业进行了重点检查;加强了经营环节的监管,覆盖率达到90%;加强了兽药使用环节的指导检查,对畜禽养殖场、兽医诊疗机构和宠物医院等检查覆盖率达到50%以上。全省共出动兽药执法人员8 000多人次,检查兽药生产企业35家、经营企业3 000多次、畜禽养殖场500多个,查处案件300多件,涉及金额300余万元,责令整改7起,取消了19家经营企业的经营资格。积极开展饲料质量安全执法年活动,加强对饲料生产企业、饲料产品经营市场的监督检查,开展饲料生产企业诚信联盟宣誓活动,与150多家企业签订了饲料质量安全承诺书,增强了各级管理部门和饲料生产企业的质量安全意识。全省共出动饲料执法人员10 508人次,检查饲料企业3 068个次,检查养殖场(户)9 083个次,查处违法饲料产品142.5吨,涉案金额20.51万元,注销生产许可证和卫生合格证5个。四是加强种畜禽生产经营管理。严格执行种畜禽生产经营许可制度,推行证照核发政务公开,切实加强种畜禽生产经营管理。全年共发放种畜禽生产经营许可证146个。

(陕西省畜牧兽医局 张宏兴)

甘肃省畜牧业

【概况】 2009年,甘肃省大牲畜存栏591.2万头,比上年增长1.3%,其中牛存栏432.5万头,与上年持平,出栏148.7万头,增长6.7%;羊存栏1 726.7万头,增长3%,出栏984.5万只,增长2.6%;猪存栏568.9万头,比上年增长0.7%,出栏622.3万头,增长4.4%。全年肉类总产量达到82.9万吨,增长4.8%,其中:猪肉45.8万吨,比上年增长6.7%,牛肉15.1万吨,增长2.2%,羊肉15.6万吨,增长1.6%,禽肉4.1万吨,增长3.17%;禽蛋产量13.9万吨,牛奶产量37.67万吨,绵羊毛产量2.61万吨,分别比上年增长17%、8.6%和

5.7%。全省畜牧业生产继续保持稳定良好发展态势。

1. 养殖效益持续看好。据统计部门测算,2009 年全省共完成农林牧渔业增加值 497 亿元,同比增长 4.89%,其中,完成牧业增加值 117.4 亿元,同比增长 6.05%,增幅为各农业产业之首。据调查,全年畜牧业生产效益最高的为肉牛产业,依次为肉羊、奶牛、生猪产业。1 头育肥牛平均纯收入在 800 ~ 1 000 元之间,1 只羊平均纯收入在60 ~ 80 元之间,奶牛由亏损 2 000 元/头以至杀牛到盈亏平衡,年产 5 000 千克以上的高产奶牛处于赢利,每头收入在 2 000 元以上,育肥猪由 1—5 月亏损 300 元到下半年处于盈亏平衡并有 100 元盈余。

2. 草食畜牧业迅猛发展。年内省委、省政府启动了增加农民收入的六大行动,其中草食畜牧业发展行动被列为重点产业,多渠道整合资金 1.5 亿元,确定了 39 个牛羊产业大县,在良种繁育、饲草料生产加工、小区建设等 9 个方面全面扶持发展,有效地带动了全省草食畜牧业跨越式发展。全省牛羊饲养量达到 3 448 万头(只),牛羊肉产量达到 33.5 万吨,同比增长 8% 以上,比猪肉增长高出 4 个百分点;牛羊肉产量占肉类总产的 40%,同比增长 1.2 个百分点;而猪肉产量占肉类总产下降至 56%。牛羊产值比重超过 40%,草食畜牧业主导产业地位开始突显,成为全省农业发展的重要优势产业之一。

3. 畜种改良成效显著。牛羊品种改良作为全省主推的"十大技术"之一。各级畜牧部门高度重视,重点落实省委书记刘伟平在牛羊产业大县建设会议上的讲话精神,早动手、快行动、作计划、抓落实,建组织、筹资金、搞培训,积极引种扩繁,扩大改良覆盖面,使牛羊品种改良工作落到了实处。全省完成黄牛改良冻配 78 万头,肉羊改良配种完成 350 万只,同比上升了 9.8% 和 16.6%;全省已配套装备牛改点 1 173 个,新增 210 个,绵羊改良人工授精点 1 050 个,新增 200 个,杂交授配母猪 95 万头,推广良种鸡 5 400 万只。

4. 奶农养殖信心逐渐恢复。为了有效应对奶业严峻形势,促进奶业平稳健康发展,6 月份省政府根据省农牧厅建议投资 1 700 万元,出台有利于支持乳制品企业开拓销售市场、有利于促进散养奶牛向小区(场)集中饲养、集中挤奶及标准化饲养的 6 条政策和措施,对恢复奶农生产信心和奶站标准化建设起到积极作用。8 月份以来,随着奶价回升,非正常淘汰奶牛的现象明显减少,奶业生产趋于稳定。据统计,全年奶牛存栏基本维持在上年的 21 万头左右。

5. 人工种草及草业开发持续推进。针对年内各地旱情比较严重,许多地区以草补农,使人工种草和草产业发展继续保持了良好的发展势头。全省共完成人工种草 31 万公顷,牧草留床面积达到 118.8 万公顷,比上年增长 1.3%,优质牧草种子基地面积达到 1.57 万公顷,比上年增长 6.8%。全省新增草产品加工能力 3 万吨,草粉、草捆、草颗粒等草产品商品量达到 64 万吨,比上年增长 23%。草产业开发带动了种植结构的调整,牧草种植比例不断加大,牧草种植面积向优势区域集中,种草与养畜结合日益紧密。

6. 秸秆饲料化利用全面深入。各地认真贯彻国务院《关于加快推进农作物秸秆综合利用的意见》和省农牧厅《关于加快推进农作物秸秆养畜过腹还田工作的通知》精神,结合全省牛羊大县建设,不断加强青贮氨化池等配套基础设施建设,大力推广秸秆青贮氨化技术和秸秆搭配饲喂技术,推动了秸秆饲料化利用工作,为草食畜牧业发展提供了强力支撑。2009 年,全省各类饲用农作物秸秆总量达到 1 570 万吨,秸秆饲料化利用 605 万吨,约占秸秆总量的 38.5%。全省新建青贮氨化池 4 万多个、新建示范村 77 个、示范户 1.5 万户,引导群众建设 30 ~ 60 立方米小型青贮窖 2 516 个,比上年提高 78.5%。

【推进牛羊产业大县建设】 年初,按照省政府《甘肃省草食畜牧业发展的扶持办法》精神,省农牧厅、省发改委、省财政厅等六部门联合下达 2009 年省级草食畜牧业发展行动建设任务和资金计划,整合资金 1.5 亿元,在标准化养殖小区、良种繁育体系、能繁母牛保护等 9 个方面进行全面建设。8 月份,省农牧厅与省发改委制定了《甘肃省草食畜牧业发展规划》(2008—2012 年),并经省政府办公厅批转执行。一是完成 8 辆液氮运输车、100 万支肉牛冻精、10 万升液氮、410 套黄牛、绵羊改良器械购置,采购种公羊 1 000 只。二是已完成或动工兴建的畜禽养殖小区达到 276 个,占计划任务的 125%。三是动工兴建或已完工的大中型青贮窖达 422 个,占计划任务的 60%,组建 20 个专业化青贮服务队。四是甘南自治州确定 116 个退粮还草试点村种植优质紫花苜蓿 0.7 万公顷,选育种公牦牛 1 000 头,种公藏羊 1 800 只,投放到夏河、碌曲、玛曲等产业大县。五是 12 个市(州)39 个牛羊产业大县累计投入各类资金达 13.8 亿元,其中市县两级财政配套资金 5 195 万元,银行和群众自筹 11.3 亿元,有效带动民间资本投入草食畜牧业发展。六是在全省牛羊产业大县组织探索和推广"青贮银行、青贮合作社、袋贮、揉丝打捆、商业化收贮"等 5 种秸秆加工利用模式。七是通过甘肃日报、甘肃经济日报、农民日报、中国牧业通讯、甘肃电视台和采取呈送送阅件、简报、网络等多种形式,发稿 50 余篇,大力宣传各级政府扶持发展草食畜牧业的政策、措施及建设成效,有效地促进了牛羊产业大县建设进展。

【转变畜牧业生产方式】 在牛羊产业大县建设的带动下,各地积极发展规模养殖小区(场)。据初步统计，全省开工新建标准化养殖小区（场）1 402 个，占全年目标任务的 140%，养殖小区（场）总数达到 3 452 个，饲养畜禽 3 200 万头（只），占全省畜禽饲养总量的 26%。一是建设力度明显加大。利用省级统筹资金，将标准化养殖小区建设作为重点内容，共投入 3 000 万元。各市县也结合实际制定出台了一系列扶持政策和措施。通过政策引导、宣传动员和典型示范，农户筹资新建养殖小区的积极性普遍提高，养殖小区建设投入不断加大。二是规范化程度进一步提高。为规范养殖小区建设，各地按照省政府办公厅印发的《甘肃省养殖场养殖小区建设规范暨备案管理办法》，从建区选址、养殖规模、饲养管理、生产经营、防疫灭病、废弃物处理等 10 个方面加强养殖小区建设管理，同时结合当地区域特点、产业规划和资金力量等实际情况制定了具体办法，有效规范了养殖小区建设，提高了养殖小区的整体生产水平。三是标准化养殖技术得到广泛应用。各级畜牧技术推广部门，充分发挥技术优势，采取科技特派员、科技承包、技术入股等形式，加大养殖综合配套生产技术推广力度，以推广应用优良品种、杂交繁育、同进同出、分段饲养、全价饲料、程序化免疫、粪便及废弃物无害化处理等生产技术为重点，努力提高养殖小区标准化生产水平和效益，有力地促进了养殖小区的健康发展。清水县 8 名科技干部入驻县养殖示范园区开展技术指导，使园区养殖水平和效益明显提高，每户养蛋鸡 3 000 只以上，户均收入 5 万元以上；牧源牧业有限公司种鸡场有 40 多名技术干部入股 240 多万元，直接参与鸡场的生产、管理和经营等各环节。四是建设方式灵活多样。各地在建设标准化养殖小区的实践中，结合实际不断探索创新，形成了示范园区型、龙头带动型、整村推进型、协会牵头型、股份合作型、农户联建型等各具特色、灵活多样的发展模式，为养殖小区健康发展注入了动力和活力。

【扶持奶业发展】 针对奶业发展面临的严峻形势，省农牧厅研究提出了促进奶业平稳健康发展的意见，并呈报省委、省政府，得到了省委、省政府的高度重视。6 月 4 日，省政府办公厅下发了《关于促进我省当前奶业平稳健康发展的通知》，投资 1 700 万元，其中利用草食畜牧业发展资金 800 万元，新增资金 900 万元，重点从保护奶农利益稳定奶农情绪，加强奶牛生产管理与服务，支持乳品企业开拓销售市场，扶持奶业发展方式转变，加强生鲜乳收购站建设和加大奶牛标准化饲养管理技术推广力度六方面予以重点扶持。

【退牧还草工程建设】 甘南自治州的迭部、卓尼、合作、临潭，酒泉市的肃北、阿克塞，张掖市的肃南、山丹，武威市的天祝、民勤，金昌市的永昌，定西市的漳县，庆阳市的环县等 13 个县为退牧还草工程实施县。2009 年国家下达甘肃省退牧还草任务 63 万公顷，补播改良任务近 19 万公顷；建设总投资 2.44 亿元，其中国家投资 1.80 亿元，地方配套及自筹资金 0.64 亿元。2009 年全省共完成建设投资 1.95 亿元，占计划的 79.72%，完成围栏建设任务逾 38 万公顷，占计划的 61.30%，完成草原补播改良 10 多万公顷，占计划的 56.68%。2003—2008 年的退牧还草工程建设任务已全部完成，全省围栏建设面积累计已达 575 万公顷。

【标准化生鲜乳收购站建设与监管】 为有效开展此项工作，3 月份省农牧厅将三大制度和三大目标分别细化为 11 项具体要求和 23 项具体工作任务，并确定了责任部门和协助部门，进一步明确了责任与分工。截止到 12 月底，全省有各类奶站 135 个，其中乳品企业建设的 56 个，占 41%，奶畜养殖场建设的 63 个，占 47%，奶农合作组织建设的 14 个，占 11%，个体投资建设的和流动奶站 2 个，占 1%。依法对 132 个基本符合条件的奶站进行了审核发证，占应发证数量的 98%，其余奶站也已 100% 纳入全程监管，对 26 辆生鲜乳运输车辆进行了发证。同时按照工作实施方案，积极开展以乳品企业、奶牛场、奶农合作组织建设生鲜乳收购站为主，兼顾个体私营收购站、流动收奶点等其他类型的抽查检验工作。据统计，全省确定 134 个监测场所，出动监测人员 610 人，抽样 437 个，均未检出三聚氰胺或符合国家临时管理限量值规定，产品质量均为合格，有效地刺激了奶业形势的好转。

【贯彻实施《畜牧法》】 甘肃省人大常委会成立《畜牧法》检查组。检查组在听取了甘肃省政府关于全省贯彻实施《中华人民共和国畜牧法》情况报告后，采取重点检查和自查相结合的办法，对全省贯彻实施《中华人民共和国畜牧法》情况进行全面检查。省人大检查组深入武威、张掖、甘南 3 市州 6 县区就《畜牧法》配套规章制定、畜禽遗传资源保护、种畜禽生产经营管理、养殖场（小区）建设与备案、畜产品质量、政策落实及牧区畜牧业发展进行了实地检查。从重点检查和其他市州人大自查情况看，《畜牧法》颁布实施 3 年来，全省各级政府、各有关部门认真贯彻实施《畜牧法》，积极履行各项法律职能，相继出台支持畜牧业发展的各项规章、政策和措施，加强部门协调配合，创新行政执法思路，各项工作取得了显著成效，《畜牧法》贯彻实施工作得到省人大积极肯定。据统计，3 年内省级和市（州）畜牧行政主管部门共核发《种畜禽生产经营许可证》219 个，占应发证数量的 85% 以上，有效地加强了种畜禽生产经营管理工作。

【积极组织实施国家畜牧良种补贴项目】 按照农业部办公厅、财政部办公厅《关于印发 2009 年畜牧良种补贴项目实施指导意见的通知》要求，组织符合条件的市(州)和县(区)开展了畜牧良种补贴项目申报工作，分别制定了甘肃省生猪、奶牛、肉牛、绵羊良种补贴4个项目实施方案，将补贴数量、品种分解到县。其中种羊和奶牛、肉牛冻精采取已分别于11月24日和12月3日实施了公开招标，并按规定程序规范操作。在6县区组织实施23万头生猪良种补贴项目，每头能繁母猪年精液补贴40元，补贴资金920万元；在全省77个县(区)组织实施12万头奶牛良种补贴项目，补贴冻精数量24万支，每支冻精补贴15元，补贴资金360万元；在15个县(区)组织12万头肉牛良种补贴项目，补贴冻精数量24万支，每支冻精补贴5元，补贴资金120万元；在22个县(区)组织实施0.7万只绵羊良种补贴项目，每只种羊补贴800元，补贴资金560万元，中标的19个种羊场，分别提供肉羊0.1万只、细毛羊0.13万只、滩羊0.03万只、小尾寒羊0.34万只、藏羊0.1万只。

(甘肃省农牧厅畜牧处　万占全)

青海省畜牧业

【概况】 2009年，青海省认真贯彻落实中央支农惠农政策，狠抓基础建设，畜牧业生产呈现出草食畜的仔畜繁活增加、成畜损亡减少、出栏稳步提高，生猪存栏、出栏双增长，奶牛平稳发展的态势。据统计，2009年全省牧业产值达90.11亿元，占农林牧渔业总产值的比重达到57.3%。牧业增加值达到66.96亿元，占第一产业增加值的62.35%。

【畜禽养殖与生产】

1. 生猪养殖。2009年，通过大力推进仔猪繁育专业村、生猪标准化规模养殖场(小区)建设，全省生猪呈现存栏、出栏稳步增长的态势。全省共存栏生猪109.8万头，同比增加2.6万头，增长2.43%，其中，存栏能繁母猪11万头，同比增加1万头，增长10%。共出栏生猪134.8万头，同比增加11.2万头，增长9.08%。猪肉产量达到9.2万吨，同比增加0.5万吨，增长5.74%。

2. 牛(奶牛)养殖。2009年共损亡成年牛8.81万头，同比减少3.2万头。各地抗灾保畜工作得力，共繁活犊牛148.11万头，与上年基本持平。全年共出栏牛92.5万头，同比增加0.39万头，增长0.4%。年末共存栏牛444.6万头，同比减少0.8万头，降幅为0.17%，其中能繁母牛存栏240.5万头，比上年增加9.29万头。全省牛肉产量8.1万吨，同比增加0.82万吨。奶牛生产继续保持平稳发展，全省存栏奶牛能繁母牛13.7万头，同比增加0.22万头，增长1.63%。全省奶牛奶产量为14.49万吨，占牛奶产量的57.27%。

3. 羊生产。2009年全省共损亡成年羊30.01万只，同比减少19.75万只。共繁活羔羊661.7万只，同比增加19.75万只。全省共出栏羊552.9万只，同比增加10.9万只，增长2%。全省共存栏羊1 497.8万只，同比减少1.6万只，其中能繁母羊存栏831.67万只，同比增加31.77万只。全年羊肉产量8.8万吨，同比增加0.13万吨。

4. 家禽生产。2009年，全省共出栏家禽322.2万只，同比增加1.39万只，增长0.4%。禽肉产量0.5万吨，与上年基本持平。全省禽蛋产量1.5万吨，同比增加0.11万吨，增长7.9%。

【政策落实】

1. 奶牛良种补贴项目。一是全面完成2008年度奶牛良种补贴项目建设任务。给12.6万头奶牛能繁母牛佩戴了耳标，向项目区调配大通牦牛种公牛1 333头。截止到2009年8月，全省共改良奶牛12.58万头、牦牛5万头。二是积极组织2009年度畜牧业良种补贴项目。认真编写《青海省2009年奶牛良种补贴项目实施方案》和《青海省2009年绵羊良种补贴试点项目实施方案》，积极与省财政厅沟通完成所需冻精招标购置工作，冻精于12月10日前全部到位。

2. 生猪标准化规模养殖场(小区)项目。一是主动编制规划推进规模养殖发展。在《黄河、湟水流域特色农牧业发展规划》的基础上，积极细化建设方案，制定了《黄河、湟水流域规模养殖建设方案》，将规模养殖场建设布局细化到村、细化到场。二是认真组织2008年项目建设。2008年投资的20家生猪标准化规模养殖场(小区)，2009年完成建设并投入生产，据统计，20家生猪养殖场(小区)现存栏生猪63 103头，同比增加11 254头，增长21.71%，其中存栏能繁母猪9 395头，同比增加3 511头，增长59.67%；提供仔猪61 220头，同比增加28 750头，增长88.54%；出栏肥猪10 013头，同比增加4 064头，增长68.31%。三是积极申报2009年度项目建设。积极会同有关部门，依据《青海省黄河、湟水流域特色农牧业发展规划》和《建设方案》中生猪规模养殖发展布局，从其中择优选择了20家生猪规模养殖场(小区)申报建设项目。

3. 畜禽良种繁育体系建设。一是大力推进仔猪繁育专业村建设。在互助、乐都、平安、湟中、大通县(自治县)建立了瘦肉型猪繁育专业村10个，通过补助方式，更新养殖户饲养的低产母猪6 379头，增产仔猪1.28万头以上。二是狠抓藏羊本品种选育基地建设。在继续完善祁连、天峻、玛多、河南县藏羊选育基地的同时，新建曲麻莱、兴海县藏羊选育基地，通过补贴方式，向牧区推广藏系种公羊6 300只，使选育提高藏羊规模达到32.3万只，同比增加4.3万只。三是继续强化牦牛本品种选育工作。依托大通种牛场，继续加大牦牛复壮力度，推广大通牦牛种公牛1 500头，使牦牛复壮改良规模达17.4万头，同比增加2.01万头。四是认真实施半细毛羊巩固提高工作。通过招标，选择乌兰县茶卡镇、德令哈市柯鲁柯镇、海晏县哈勒景乡、门源回族自治县苏吉湾村4个乡村级种羊场进行了建设。

4. 畜牧业基础设施建设。全省积极筹措资金，在东部农区，建设60平方米畜用暖棚4 000栋，完成建筑面积24.1万平方米。已初步建立向规模养殖方向发展的养殖场（小区）58个，有力地推动了农区规模养殖发展。在海南藏族自治州、海北藏族自治州、海西蒙古族藏族自治州、黄南藏族自治州建设120平方米牧区畜用暖棚6 000幢，共修建畜棚72万平方米。

5. 奶站整治与建设。坚持整治与建设并重，一是认真开展奶站清理整顿工作。全省99个生鲜乳收购站已发证的40个、继续整改的48个、取缔不符合开办条件的奶站11个。二是强化生鲜乳质量安全抽检。省兽药饲料监察所对全省奶站开展了两个阶段的抽样工作，共抽检生鲜牛乳206批次，均未检出三聚氰胺，合格率为100%。三是加强奶站建设。积极争取落实项目资金463万元，对全省奶站开展标准化建设，补充购置生鲜乳制冷罐19个、运输罐23个、挤奶设备16台（套）、检测设备135套，新建和维修业务用房76处3 040平方米，建立健全奶站档案。

6. 草地生态保护工程。一是大力实施退牧还草工程。组织完成了2008年度退牧还草工程禁牧任务70万公顷的网围栏安装工作。根据2009年度下达的禁牧任务计划，编制完成了省级实施方案，已上报农业部审查，计划2010年组织实施。二是认真实施三江源规划农牧组项目。全面完成了2008年建设养畜配套工程，涉及牧户5 196户，共建设牲畜暖棚62.35万平方米，贮草棚20.78万平方米，人工饲草料基地1 686.7公顷。全面完成2008年黑土滩综合治理3 333公顷的建设任务，2009年的4 793公顷工程任务已治理2 500公顷。三是大力推进青海湖流域生态治理工程建设。海晏县退化草地综合治理工程中的高原鼢鼠防治工程全面完成，其余各项工程计划于2010年4月开工建设。

7. 游牧民定居工程。及时制定出台了《关于2009年青海省藏区游牧民定居工程实施意见》、《青海省藏区游牧民定居工程2009年实施方案》和《青海省藏区游牧民定居工程建设管理办法》，已建设完工15 850户，建筑总面积97.56万平方米，占计划任务的61.65%；完成投资75 432.24万元，占计划投资的61.53%。

8. 退牧还草工程建设。组织实施了2007年度退牧还草补播工程和2008年度退牧还草工程。2008年度安排禁牧任务70万公顷，下达国家投资21 709万元，其中围栏投资18 375万元、补播投资3 150万元。安排年度粮食补助2 598.75万元。根据2009年度禁牧任务计划，编制完成了省级实施方案。

【饲料业生产】 2009年全省饲料工业总量为124 488.9吨，其中生产配合饲料108 453吨，饲料添加剂7 512吨，动物源性饲料8 523.9吨，实现工业总产值达2.85亿元。

【草原保护与建设】 一是毒草防治。2009年安排草原毒草防治任务1.33万公顷，全部按时完成，当年防治效果达到90%以上。二是建设养畜配套工程。完成了2008年建设养畜配套工程任务5 196户，共建设牲畜暖棚62.35万平方米，贮草棚20.78万平方米，建设人工饲草料基地1 686.7公顷。下达了2009年度建设养畜配套工程任务3 813户，共建设牲畜暖棚45.76万平方米，贮草棚15.25万平方米，建设人工饲草料基地1 273.3公顷。截止到2009年底，已完工561户，2 252户已完成备料工作。三是黑土滩综合治理工程。完成了2008年黑土滩综合治理任务3 333.3公顷，投资500万元。下达了2009年黑土滩综合治理工程任务为4 793.3公顷，投资719万元。四是草原防火工程。2009年下达草原防火工程投资1 536.4万元。2009年底各州、县草原防火工程已全面完成。

【法制建设】

1. 畜牧法制建设。一是认真执行种畜禽生产经营许可制度。坚持《种畜禽生产经营许可证》省级管理的原则，为10个种畜禽生产单位新发和换发了许可证。二是强化省外引进种畜审批制度。审核同意省外引进种畜事项7项，数量2 151头（只）。三是开展奶牛良种登记工作。对养殖户、养殖场饲养的良种奶牛及其改良牛能繁母牛建档立卡，进行登记，全省共存栏奶牛及其改良牛能繁母牛13.69万头，其中纯种及高代杂种牛8.43万头，占61.58%。四是积极争取畜禽新品种审定。积极向国家畜禽遗传委员会申请培育的细毛羊、半细毛羊、绒山羊新品种审定。五是积极开展种畜鉴定工作。组织专家对大通种牛场和三角城、湖东、英德尔种羊场及都兰、共和等地的1 540头大通牦牛种公牛，1 447只细毛、半细毛羊种羊进行了鉴定。

2. 兽医法制建设。加大《动物防疫法》宣传培训力度，举办宣传活动，强化专业技术人员技术培训和知识更新，开展了以动物检疫员整顿及动物产地检疫、屠宰检疫、公路动物防疫监督检查站和市场流通领域为主的动物检疫专项整治行动。

3. 草原法制建设。组织有关专家对《青海省草原补偿费征收管理实施办法》和《青海省草原植被恢复费征收标准》进行修改完善；完成了《青海省加快草原流转，促进规模经营的意见》和《推动草畜平衡工作意见》，并通过专家论证；制订了《虫草市场管理办法》；

开展《青海省草原流转管理办法》修订工作。

【行业监管】

1. 动物卫生执法监管。印发《关于合理设置动物检疫报检点加强产地检疫工作的通知》，建立产地检疫报检点256个，其中重点报检点132个。对全省仔猪调运进行了专项检查和整顿，下发《关于加强生猪调运管理工作的紧急通知》，组织人员对贩运单位（户）贩运资格进行督查监管，建立健全仔猪贩运户档案。对奶牛引进实现100%监测，建立完善动物检疫各项规章制度，规范检疫程序和内容，建立健全病死畜禽处理制度。查处检疫方面的违法案件157起，罚款15 399元，销毁病害肉411吨。统一全省动物检疫文书，加强证、章、标志管理，开展公路动物防疫监督检查站达标考核活动，坚持24小时值班制度，实行上路检疫。全省共检疫各类动物722.01万头只，其中产地检疫306.41万头只、屠宰检疫415.61万头只，检出染疫动物21 337头（只），检疫肉类10.37万吨，检出病害肉411吨。

2. 草原执法监管。针对中国石油天然气股份有限公司实施"涩北—西宁—兰州输气管道复线工程"中未办理临时占用草原相关手续的问题，及时组织基层草原监理站处理依据植被恢复管理办法向果洛藏族自治州德尔泥铜矿征收了475.3万元草原植被恢复费。截止到2009年底，全省共查处各类草原违法案件100余起，立案率和结案率均达到80%以上。

3. 畜禽资源保护。3个八眉猪保种场保种群规模达400头以上，贵德黑裘皮羊保种规模维持在5 000只，青海高原牦牛选育得到强化，海东鸡保种群规模维持在1 000只。

4. 饲料安全监管。一是全面开展饲料专项的整治工作。制定了《青海省2009年饲料专项整治行动实施方案》，组织各级农牧（饲料）管理部门在全省范围内组织开展整治工作。2009年，全省已出动饲料安全专项整治执法人员364人（次），检查饲料生产企业220家（次），检查饲料经营门店364家（次），各类饲料产品1 320批（次），饲料药物添加剂250批（次），检查养殖企业（户）368家（次），从生猪养殖、屠宰企业抽样检测猪尿、猪肝和饲料产品，合格率为100%。在整治行动中未发现非法添加和使用违禁药品及有毒有害物质。二是按期完成2009年度全省饲料产品质量安全检测工作。编制《2009年青海省的饲料产品质量监督检测工作实施方案》，完成了三州（地、市）八县493家的饲料产品的抽样工作，共检测各类饲料产品任务647批次，完成计划任务的102.6%，合格率99.4%。

5. 兽医实验室安全监管。进一步加强全省动物病原微生物生物安全管理工作，签订《青海省动物病原微生物安全监管责任书》。加强动物病原微生物菌（毒）种保藏和使用管理。

6. 兽药质量与药物残留监督管理。制定《青海省兽药残留及兽药残留专项整治行动方案》，认真开展兽药打假行动。全省共出动执法人员456人次，整治重点区域40个，累计检查兽药经销单位、养殖场（户）共510多个，查处违禁、过期、假劣兽药417种，价值4.2万元。完成了西宁市、海东地区链霉素药物残留检测；猪尿、猪肝中盐酸克伦特罗等违禁药物检测680批，其中：牛奶中检测链霉素残留124批、猪尿中检测盐酸克伦特罗133批、猪肝中检测盐酸克伦特罗残留140批，均未检出有违禁药物。对全省的16个县（市）52家兽药经营、使用单位进行了监督检查，抽检硫酸庆大霉素注射液、注射用青霉素钾、注射用硫酸链霉素、安痛定注射液、安乃近注射液等81个品种、211批次；严格执行兽用生物制品批签发抽样制度，完成羊快疫、羊痘活疫苗等10个品种140批次批签发抽样，兽用疫苗批签发率达100%，产品合格率达到100%，监督实施GMP管理达100%。

【结构调整】

1. 大力推进生态畜牧业建设试点工作。为实现草地畜牧业可持续发展，2008年起在全省牧区六州的7个村大力推进试点建设。一是畜牧业生产经营方式发生转变。试点村有43.4%的牧户加入合作社，使组织化程度得到提高，出现了股份经营、联户经营、委托经营等新模式，使畜牧业生产经营方式发生转变。二是基础设施得到加强。试点村共建成牲畜暖棚127栋15 240平方米、贮草棚63栋2 520平方米，维修及新建草场围栏383.6千米，种植饲草料433.53公顷，修建牲畜免疫注射栏78处。三是畜种改良工作进一步加强。引进藏系种公羊1 300只、大通牦牛种公牛350头、半细毛种羊200只，藏羊选育面基本覆盖试点村、牦牛复壮面占牦牛的75%，牲畜生产性能不断提高。四是以草定畜工程得到落实。已核减牲畜25 198个羊单位，占超载牲畜的83%，各地正在加大超载牲畜的核减。

2. 大力推进农区规模养殖发展。全省已建成年繁育仔猪千头以上规模养殖场（小区）74个，存栏奶牛百头以上规模养殖场（小区）23个，年出栏肉牛430头以上的规模养殖场（小区）13个，目前正在新建或扩建年繁育仔猪万头左右的猪场8个、存栏奶牛千头左右的奶牛场2个、年育肥出栏肉牛千头左右的肉牛养殖场7个。农区逐步出现了以规模养殖场（小区）为龙头，通过合作社或股份制经营，带动养殖户共同发展的新模式。

3. 加快推进畜牧业生产方式转变。一是努力提高农牧民组织化程度。全省农牧业专业合作经济组织发展到890家，拥有会员11.8万人，带动农牧户34万户。其中牧业专业合作经济组织430家，会员达4.5万人，带动农牧户11.5万户。二是积极实施西繁东育工程。在东部农区扶持牛羊贩运育肥户，共贩运育肥牛羊320万头(只)。

【畜产品质量安全】 一是加强监管体系建设。安排中央及省级农畜产品质量安全监管项目专项资金2 100万元，重点用于建立健全质量检测和监管体系。二是落实农畜产品质量监管责任。各州(地、市)农牧部门签订了《农产品质量安全责任书》，明确了农畜产品质量安全工作的责任主体。三是开展农产品质量安全专项整治行动。对全省99个生鲜乳收购站进行了全面整治，共抽检生鲜牛乳123批次，合格率为100%。开展了以养殖场自配料、食槽饲料和育肥猪为监控重点的违禁药物和有毒有害物质的排查工作，全省共检查饲料生产企业220家(次)，合格率为100%。四是积极推行农畜产品市场准入制度。在西宁市的主要批发市场、农贸市场和超市全面推行了农产品市场准入制。

【动物卫生】

1. 重大动物疫病防控。

一是确保免疫质量。全年重大动物疫病免疫各类畜禽6 179.45万头(只次)，其中口蹄疫免疫4 857.29万头(只次)、禽流感免疫485.44万只次、猪瘟免疫165.76万头次；鸡新城疫免疫478.82万只次、猪蓝耳病免疫192.14万头次。从2月10日起，停止审批从外省区调运牛只，停止出具奶牛、种牛出县境动物检疫合格证明。从外省调入的奶牛及种牛全部进行口蹄疫抗体检测。加强对奶牛规模养殖场(小区)监管，严格封闭管理和消毒制度。在40个县(市)开展了免疫抗体监测，抽检各类血清20 140份，均达到农业部规定要求。

二是加强疫情监测 。完成口蹄疫、禽流感、猪瘟等17种动物疫病监测18.47万头份，覆盖面和监测量为近年来最多的一年，同比增长87.9%。加强对基层动物防疫监督机构的指导，90%以上县级实验室开展了布鲁氏菌病、结核病等样品采集和监测工作。组织开展了动物疫病常规流行病学调查和重点病抽样流行病学调查。开展易感家畜A型口蹄疫监测，监测牛羊猪5 044头只，均合格。开展甲型H1N1临床监测和调查工作，临床监测种猪场4个、饲养场(户)143个、交易市场39个、屠宰场38个，累计临床监测牛猪207.61万头次，均未发现异常状态。

三是完善应急机制。制定了《农牧部门人感染甲型H1N1流感应急预案(试行)》，组建了由相关部门和单位200余人参加的应急预备队和农牧部门人感染甲型H1N1流感防控专家组。在西宁市举行了禽流感防控应急演练，各州(地、市)、县、开展了重大动物疫病防控应急演练。省、州(地、市)、县建立应急物资储备库，加强应急物资储备。四是强化人畜共患病防控。制定下发了《2009年全省牛羊布鲁氏菌病和结核病防控方案》，全省完成布鲁氏菌病监测12.26万头(只)、奶牛结核病监测3.08万头，分别检出阳性畜1 275头，并组织开展了净化淘汰工作。重点加强了祁连、天峻两县布鲁氏菌病防控工作，对生产母畜全面恢复免疫，共免疫牛羊190.08万头只，对种公牛、种公羊实施100%检测，对阳性畜及时进行了淘汰处理。

2. 动物标识及疫病可追溯体系建设。全省采购各类牲畜耳标1 127.4万枚，建立省级追溯管理机构1个，州级机构8个，县级机构47个，初步建立了全省动物标识及疫病可追溯体系网络，全年上传佩戴耳标信息565.86万条，免疫信息2 671.7万条，乐都、共和、乌兰、湟源、海晏等5个试点县工作进展顺利，免疫信息上传率达到95%以上。举办培训36期，州、县、乡动物标识及疫病追溯体系基础知识培训1 235人。

【生态建设与监督管理】

1. 草原自然灾害。2009年，全省各地出现降雪过程，局部地区积雪厚度达10厘米，对畜牧业生产造成了一定的影响。据统计，全省3州9县25个行政村出现了不同程度的灾害，受灾牲畜256万头只，损亡3.46万头(只)，经济损失1 384万元。

2. 草原鼠害防治。2009年，共安排鼠害防治任务73.33万公顷，投入资金686万元。实际完成鼠害防治任务94.06万公顷，完成计划任务的128.27%，平均防治效果95.19%。

3. 草原虫害防治。2009年，共安排草原毛虫、草原蝗虫、古毒蛾等草原虫害防治任务30.13万公顷，投入资金1 014.5万元。实际完成草原虫害防治任务31.37万公顷，完成计划任务的104.1%，平均防治效果达到95.36%。

4. 草原防火。进一步完善草原防火预报预警系统和《草原火灾应急预案》，与省气象部门解决了青海省草原火险气象信息服务系统和省州两级草原火险气象信息预测预报系统运行中出现的问题，使草原防火的预测预警体系更加完善。截止到2009年底，全省共发生草原火警15起，过火面积134.62公顷，造成经济损失5.43万元，火警起数、过火面积、经济损失较上年同期相比明显下降。

(青海省农牧厅)

宁夏回族自治区畜牧业

【概况】 2009年，宁夏回族自治区畜牧业以提质增效为中心，进一步优化结构布局，切实落实各项扶持政策与措施，着力推进基础设施建设，大力发展标准化规模健康养殖，保持了较好的发展态势。

2009年，全区肉牛饲养量143万头，同比增长1.3%；羊只饲养量865.5万只，同比增长7.7%；生猪饲养量218.9万头，同比增长3%；家禽饲养量1 966万只，同比下降5.3%。肉、蛋、奶产量分别达到25.6万吨、7.5万吨和81.1万吨，同比增长8.6%、16.5%和-9%。畜牧业生产持续发展，主要畜产品数量和质量同步提升，有力地保障了城乡居民"菜篮子"的有效供给，为农民增收和稳定消费品价格水平做出了突出贡献。全年畜牧业产值达到70.7亿元。

【清真牛羊肉生产继续发展】 2009年，中央和自治区加大了对清真牛羊肉产业的扶持力度，通过启动实施肉牛、绵羊良种补贴项目和中南部设施养殖业建设项目，加之市场牛羊肉一直稳定在28～30元/千克，使全区清真牛羊肉产业得到较快发展。截止到年底，全区肉牛存栏41.7万头，同比增长6.6%，出栏50.9万头，同比增长6.7%；羊只存栏470.2万只，同比增长1.8%，出栏395.3万只，同比增长15.6%。

【奶牛生产全面恢复】 受婴幼儿奶粉事件等因素的影响，全区奶业遇到前所未有的困难，奶牛存栏出现下滑，淘汰、宰杀奶牛现象严重。针对这种情况，自治区党委、政府及时出台了12项措施稳定奶业发展，并安排专项资金2 730万元用于保护奶农、调整结构、帮助乳品企业开拓市场、调整产品结构、解决信贷资金等方面，确保了奶业稳定健康发展。到年底，鲜奶收购价比年初平均每千克提高1.0元左右，其中规模化养殖场(小区)每千克鲜奶3.2～3.5元，散户每千克2.6～2.8元，奶牛存栏、奶农收益逐步回升，全区奶牛存栏27.2万头，鲜奶产量81.1万吨。

【生猪生产扭转不利局面】 受全球金融危机、猪肉消费不旺和产能相对过剩的影响，2—5月份活猪价格下跌到最低点，为9.3元/千克，猪肉价格16.58元/千克。6月份《防止生猪价格过渡下跌调控预案》冻肉收贮政策出台后，生猪价格开始回升，截止到年底，活猪平均价格为每千克11.31元，比5月份最低点上升了21.61%，同比下降25.1%；市场猪肉价格每千克为21.25元，比5月份最低点上升了28.17%，同比下降15.94%；每头猪平均净利润为106.48元，养殖户已经扭亏为盈，生猪存栏、出栏数已有所上升，全区生猪存栏91.7万头，同比增长3%；母猪存栏13.7万头，同比增长6.2%；生猪出栏127.2万头，同比增长7.8%。

【家禽生产保持稳定】 年末全区家禽分别存栏和出栏863.6万只、1 102.4万只，同比分别下降3.2%和7%。10月份市场白条鸡每千克13.42元，同比下降2.2%，鸡蛋每千克8.2元，同比持平。

【狠抓畜牧业基地建设】 按照自治区农牧厅党组提出的建设"三大农业示范区"的战略部署，立足全区畜牧业发展实际，深入开展调查研究，提出了"以奶牛、清真牛羊肉产业为重点，充分发挥资源优势和区位优势，加快四大产业带建设，不断提高畜牧业综合生产能力，增强市场竞争力，加快建设现代畜牧业"的发展思路，按照这一总体思路，制定了《关于加快中南部设施养殖业发展的意见》、《关于促进宁夏奶业持续健康发展的意见》等，计划利用4年时间，通过健全良繁体系，发展规模经营，实行整村推进，实现在中南部建成出栏肉牛70万头、肉羊(滩羊)500万只的清真牛羊肉生产基地，在引黄灌区建成以银吴平原为核心的80万头奶牛产业带，使全区畜牧业产值和主要畜产品产量比2008年翻一番的发展目标。

【推进畜禽良种繁育体系建设】 经过多年努力，全区已建成各类种畜禽场42个，其中国家级畜禽遗传资源保护场2个，种公牛站1个，种羊场5个，种奶牛场7个，种肉牛场6个，种猪场12个，祖代种禽场1个，父母代种禽场8个。常年存栏种畜禽70多万头(只、套)，每年可向市场提供牛冻精150万剂，种羊2 000余只，良种仔猪5.4万头，良种家禽苗6 500万只以上。除满足本区外，部分良种仔猪、鸡苗、优质冻精还供应区外其他地区。

全区已形成区、县、乡村四级畜牧品改站，建成家畜改良站(点)736个。2009年冷配改良奶牛20万头，肉牛25万头，推广种公羊7 000只，据调查全区奶牛成母牛平均单产达到6 150千克，改良一代肉牛18月龄胴体重达到180千克，杂一代肉羊6月龄羔羊体重平均36.5千克。品种改良工作不断加强，提高了畜禽良种化程度，优化了畜禽品种结构。截止到2009年底，全区奶牛、肉牛、肉羊、生猪、家禽的良种覆盖率已分别达到98%、45%、50%、95%和90%。

【创新发展模式，推进规模养殖】 2009年，全区新建标准化规模养殖场(小区)168个，比上年增加近一倍，新建肉牛科技示范村100个，建设棚圈160万平方米。全区各类规模养殖场(小区)已达2 470个，其中奶牛446个、肉牛349个、肉羊922个、生猪401个、家禽352个。规模养殖的比例显著提高。其中奶牛60%，肉牛29%、肉羊38.6%、生猪62.4%、肉鸡65%和蛋鸡70%。全区规模化养殖畜禽存出栏已达全区总量的65%以上。

【加强草原保护与建设】 2009年，全区各地继续加强禁牧封育，切实做好退牧还草工程、补播改良工作，强化鼠虫病害防治、草原防火工作，大力发展人工种草，全面完成了2007—2008年度7.53万公顷退牧还草工程围栏安装和4.2万公顷补播改良任务；完成草原鼠虫病害防治面积26万公顷，完成多年生人工种草1.77万公顷，一年生牧草10.44万公顷。截止到年底，全区已完成草原围栏面积148万公顷，补播改良25.2万公顷，使草原天然植被得到有效恢复，草原植被覆盖度由禁牧前的35%提高到65%，产草量每公顷由过去的525千克增加到1 275千克。全区多年生人工种草面积累计已达41.73万公顷，一年生牧草10万公顷，年产青干草450万吨，为畜牧业可持续发展奠定了坚实的物质基础。

【推进农作物秸秆加工调制利用】 为缓解封育禁牧后饲草料短缺的矛盾，降低生产成本，把加大农作物秸秆调制作为加快现代畜牧业发展的一项战略性措施，确定了以提高秸秆资源利用率，促进农民增收、保护环境为目标，通过"技术推动、政策拉动、机制带动"加大了农作物秸秆加工调制利用进程。结合国家和自治区农机购置补贴政策为农户购置饲草料加工机械1.8万台(套)。累计达到9.8万台(套)，建设"三贮一化"池50万立方米，累计已达300万立方米，新建饲草加工配送中心20个。年内共完成秸秆加工调制226万吨，其中全株玉米青贮100万吨，青贮及包膜等126万吨，秸秆加工利用总量同比增长17.7%，利用率达到了50%以上。

【加大科技培训，搞好服务指导】 为确保畜牧业健康可持续发展，加快现有畜牧养殖技术转化和畜牧科技成果的推广，年内专门针对中南部设施养殖项目和饲草加工配送中心建设成立了技术专家组，负责设施养殖和饲草加工等各项技术培训、推广和指导服务，组织编写了《农作物秸秆加工调制技术》、《肉牛肉羊饲养管理技术》、《生物环保养猪技术》、《草原资源与生态监测教材》等技术手册1.5万册。自治区畜牧站和草原站充分发挥技术优势和人才优势，选派专业技术人员深入养殖场、养殖小区和专业村等重点养殖区域，采取技术承包等方式，从产前、产中、产后等各生产环节广泛开展技术服务，并组织技术人员有针对性地开展技术培训，举办培训班32期，大大提高了养殖户的科技素质以及饲养、防疫等技术的实际运用能力。

【重点技术示范推广有了突破】 一是全区农作物秸秆加工调制工作取得重大进展，已由单纯技术推广向产业化方向转变，实现了种植业和养殖业的有机结合，实现了牧业增效、农民增收、农牧业良性循环。按照自治区农牧厅的统一部署，根据《宁夏农作物秸秆综合利用规划》(2009—2012年)和《宁夏饲草加工配送中心建设规划暨2009年实施方案》的要求，继续开展"山川互动，对口帮扶"技术服务，以饲草加工配送中心建设为突破口，进一步加大了新技术示范和农作物秸秆加工调制利用力度，扩大全株玉米青贮技术推广面。通过创新机制，强化服务，完善责任制，圆满完成目标任务。全区秸秆加工调制总量和全株玉米青贮利用实现了"双突破"。加工调制总量突破200万吨，达到226万吨，较上年提高17.7%；全株玉米青贮突破100万吨，较上年提高33%。年内启动实施的20个饲草料配送中心建设进展顺利，基本完成计划任务。同时，引进专用饲草捆扎包膜机械设备，在贺兰、泾源、原州、海原、同心和中卫等6县(市、区)分别开展苜蓿、燕麦、全株玉米、玉米秸秆及全混合日粮等多种饲草的捆扎包膜(青贮)试验和技术示范。通过多点、多种饲料原料的贮存试验，完成了机械选型、包膜青贮效果、经济效益分析等方面综合评价，积累了经验，为今后全面推广提供了技术依据。到年底已加工各种包膜青贮1 200包，约72吨。二是加大生物环保养猪技术示范推广力度。作为全区引进示范推广的重点技术之一，2009年推广范围由上年的中宁、灵武和青铜峡3个县(市)扩展到沙坡头、隆德、贺兰、西夏、兴庆、平罗、盐池和永宁等12个县(市、区)。据统计，全区改建、新建生物环保养猪场户262家，建成发酵床猪舍33.09万平方米，生猪饲养量达到50多万头，占全区生猪饲养总量的20%左右。三是肉牛规范化、高效养殖技术和高档肉牛生产技术示范取得突破。根据不同养殖类型、规模、模式特点，重点示范了肉牛标准化棚圈、青贮池建设，品种改良、母牛高效养殖、犊牛早期断奶、全混合日粮(TMR)饲喂、高效育肥等关键技术。在养殖模式上，通过创新运行机制，探索建立了夏华模式和泾源模式，并在全区范围内示范推广。与中国农业大学合作，历时3年，完成了高档肉牛生产技术研究、示范。首批高档肉牛已于10月屠宰，经数据测定分析和专家鉴定，牛肉等级全部达到A级以上。其中，A3等级的占30%，肉色、品质、风味、口感俱佳，已达到国内先进水平。

【奶牛DHI测定工作进一步完善】 全区参加DHI测定奶牛场(园区)43个，已完成奶牛DHI测定13 585头，测定奶样95 095头次。参测奶牛头数和产奶量分别占全区总数的8.2%和10.7%。9月份DHI综合分析报告显示：参测牛头均日产奶量24.93千克、校正奶量27.39千克，分别比2008年12月提高了2.85千克和1.99千克。采取以奖代补方式，为18个参加DHI测定奶牛场配置标准挤奶计量计281个，进一步健全完善了奶牛DHI测定规范化采样体系，推进了DHI测定工作有序发展。奶牛DHI技术的应用使全区奶牛群管理实现了由群体向个体、由定性向定量的转变,实现了测奶养牛。

【现代畜牧业产业化支撑体系建设】 2009 年,全区畜牧业产业化支撑体系示范点由上年 13 个增加到 24 个。其中,肉牛 12 个、奶牛 6 个、羊产业 6 个。根据现代畜牧业生产建设需要,在示范点择优集成、组装配套、示范推广了一批实用技术,取得明显效果。调查结果显示:肉牛产业技术支撑体系示范点养殖户育肥出栏牛头均胴体重由 150 千克提高到 185 千克以上,头均增收 500 元以上;奶产业示范点创高产示范牛群年均单产提高 345 千克,增长8.9%。奶牛乳房炎、子宫内膜炎等疾病发病率降低 12%,头均新增收入 676.2 元。各示范点技术水平和经济效益显著高于周边农户,为产业发展起到了良好的示范带动作用。

【重点项目全面推进】

1."宁夏中部干旱带和南部山区设施养殖建设"项目。根据自治区农牧厅下发的《宁夏中部干旱带和南部山区设施养殖实施方案》,制定了技术实施方案,并组织成立了各级技术服务小组,编写了《中南部设施养殖技术材料汇编》,在棚圈和青贮池建设、饲草加工调制、疫病防治等方面统一了技术要求和建设标准,并指导技术服务组深入中南部各县巡回开展了肉牛养殖技术培训。各示范村在项目实施过程中,严格按照技术规程开展工作。

2."国家肉牛产业技术体系建设"项目。作为宁夏参与实施的农业部重点项目之一,2009 年完成了项目任务书编制、产业调研和饲草料样本的采集、测定工作,开展了母牛高效养殖技术、肉牛育肥技术、不同肉牛品种杂交组合生长(育肥)性能测定、肉牛全混合日粮(TMR)饲喂技术研究试验,选择 50 个不同规模肉牛养殖场(户)进行养殖效益定点调研、分析等工作。

3.国家公益性行业专项"示范牛场(小区)奶牛高效饲养技术和计算机管理的示范与推广"项目。一是开展了牛奶尿素氮的综合控制技术研究,为合理高效利用蛋白质饲料,充分发挥奶牛生产潜力提供了依据。有针对性地制订了调整奶牛日粮和日粮能量供给,改善奶牛饲养管理等牛奶尿素氮控制技术方案。二是全面开展饲草料调查,建立宁夏奶牛常用饲料数据库。三是承办了国家奶牛产业技术体系"金钥匙"培训工程、中国奶业协会中国奶农培训计划宁夏培训班。讲座内容覆盖面广,与当前奶业生产实践结合紧密,对提振全区奶牛产业生产水平起到积极的促进作用。

4.国家公益性行业专项"高档肉牛产业化示范与技术推广服务体系建立"。根据全区肉牛产业布局规划,创新组织运行机制,探索建立了"山繁川育"高档肉牛生产模式。即以宁南山区肉牛主产区为核心,按照"四统一"的原则:统一建档立卡、统一计算机录入,统一品种,统一饲养标准,开展高档肉牛良种繁育。犊牛饲养至 6～8 月龄,由川区大型育肥场统一组织收购、集中育肥。通过运行机制、模式的创新,探索宁南山区肉牛产业增效和农民增收的新思路。同时,在规模肉牛养殖场首次开展了肉牛全混合日粮(TMR)饲喂技术研究示范,验证、筛选了 4 组不同生产水平的典型日粮配方,显著提高肉牛生产性能,育肥饲养 153 天,平均日增重提高 11.4%,犊牛增加纯收入 243 元,为肉牛全混合日粮饲喂技术示范、推广积累了经验。

【国家畜禽遗传资源(西吉驴品种)鉴定工作】 完成西吉驴国家遗传资源的申报、鉴定的相关工作,撰写了《西吉驴遗传资源调查报告》,调查测定:成年公驴体高、体长、胸围、管围和体重分别为 124.3 厘米、125.5 厘米、135.0 厘米、15.5 厘米和 213.7 千克;成年母驴体高、体长、胸围、管围和体重分别为 123.3 厘米、123.2厘米、137.5 厘米、14.5 厘米和 216.0 千克。屠宰测定成年骟驴 5 头,平均年龄 8.4 岁,宰前活重 210.80千克,屠宰率 48.20%、净肉率 37.56%。繁殖力性能调查成年母驴 50 头,平均性成熟 23.36 月,配种月龄 33.33 月,发情周期 20.90 天,妊娠期 365.00 天。2009 年 10 月 11 日国家畜禽遗传资源委员会组织专家对西吉驴遗传资源进行了现场鉴定,获得专家组成员的一致好评,同意上报国家畜禽遗传资源委员会审定批准。

【畜牧信息管理平台建设与良种信息化管理技术示范应用】 为进一步完善和提高畜禽良种信息化管理与服务体系建设,与北方民族大学、南京丰顿信息咨询有限公司联合开展"宁夏畜牧信息中心管理平台研究与开发利用"项目的研发工作,已基本完成奶牛、肉牛、肉羊联合育种网络信息平台(综合信息分析平台)专用管理软件的开发,并已在全区范围内开始在线试运行。

【实施退牧还草工程】 2009 年,全区计划实施退牧还草工程草原围栏任务 7.5 万公顷,补播改良 5.2 万公顷。其中 2007 年度围栏 4.2 万公顷,补播改良 4.2 万公顷;2008 年度围栏 3.3 万公顷,补播改良 1 万公顷。按照实施方案,狠抓落实,加强质量监督,确保工程进度和质量,积极督促各项目县、市组织实施,完成了 2007—2008 年退牧还草工程草原围栏任务和 2007 年补播改良 4.2 万公顷。9 月上旬,国家发改委西部司、农业部计划司、畜牧业司组成联合检查组对宁夏 2007 年度实施的退牧还草工程进行了检查,认为项目建设成效显著。此外,还完成了《宁夏草原生态建设与建立生态补偿机制研究报告》。

【草原鼠虫病害防治和强化预测预报】 2009年,全区坚持统筹规划,突出重点,集中连片,统防统治,标本兼治,灭效与环保并重的原则,积极开展草原鼠虫病害综合防治。首先,建立完善了草原监测体系,提高预测预报水平。参加了农业部草原病虫鼠害农牧民观测网建立试点工作,组织培训农牧民测报员90名,结合科技实验在宁南山区及中卫市建立了71个鼠虫害固定监测点。完善落实值班报告制度,从6月10日至9月30日草原虫害发生期,安排技术人员专职负责数据统计分析和虫情周报工作,及时掌握全区草原虫害发生、发展动态,为开展防控工作提供准确测报信息。其次,加强和科研部门的横向合作,开展课题研究和技术培训。经与中国农业科学院植物保护研究所合作完成的"基于GIS的牧草病虫害预测预报地理信息系统"研究课题获得自治区科技进步二等奖,结合课题实施培养了一支草原鼠虫害监测骨干队伍。加强技术培训,把资源生态监测与病虫鼠害监测及草原监理执法培训相结合,举办培训班三期,拓宽了广大基层技术人员的业务知识面,起到了一专多能的作用。第三,积极开展草原鼠虫害防治工作。据监测,全区共发生草原鼠虫病害危害面积123.6万公顷(鼠害61万公顷、虫害62.6万公顷),其中严重危害面积45.97万公顷(鼠害24.67万公顷、虫害21.3万公顷),占草原总面积的18.8%。4月份,全区完成草原鼠害防治17.27万公顷,占计划任务的103.6%,其中,利用狐狸控制鼠害持续巩固5.33万公顷,药物灭除11.54万公顷,人工捕打0.4万公顷。经测定,平均灭效达85%以上。草原防虫工作全区共调运药品39.6吨,投入喷雾器具9 056台,投劳10 123人(次),完成虫害防治8.75万公顷,占计划任务的101%,平均灭效达85%以上。治虫灭鼠经济、社会效益显著,经测算,通过有效防控,可减少牧草损失51 985吨,挽回经济损失2 599.3万元。第四,快速反应,应对突发鼠虫病害疫情开展防控工作。4—5月,平罗县陶乐镇发生鼠间鼠疫,迅速对该镇"鼠疫基本控制区"5万多公顷草原进行了以建隔离带为主的草原鼠害防治,布设宽0.5千米的隔离带120千米,投入防治资金72万元,有效保护了当地农牧民的生产、生活安全。6月初,针对中卫市3县(区)及同心县压沙瓜分布区草原发生草原蝗虫危害的情况,采取紧急措施,争取自治区财政专项资金50万元,完成虫害防治面积6.62万公顷,有效控制了该区域及周边农业区蝗虫灾害的进一步蔓延。第五,创新思路,继续开展"狐狸野化训练控制草原鼠害"课题研究。年内野化训练狐狸64只,区内投放30只,新增控制面积5.33万公顷;在四川省的甘孜、阿坝青藏高原草原区投放34只,控制草原面积达4.67万公顷。经监测,平均灭效达85%以上。

【草原防火】 根据自治区安委会和农牧厅安全生产工作会议精神及《农牧厅安全生产治理行动实施方案》、《农牧厅安全生产宣传教育行动实施方案》的要求,结合全区草原防火工作实际,全区重点开展了五项工作。一是认真学习宣传贯彻新修订的《草原防火条例》。3月份以来,特别是结合4月份草原法制宣传月活动,各市县草原防火部门广泛开展了《草原防火条例》宣传活动。据统计,共开展各种形式的宣传活动近189场(次),发放宣传手册2.3万册,宣传材料27.3万份;制作宣教展板105个,拍摄专题片8个;开展草原火灾应急预案演练99次,参加人员7 885人次,普及草原防火安全知识达51.7万人次;组织有关市县防火人员参加全国草原防火培训2期,培训6人。二是制定草原防火安全治理方案,加强督查。印发了《草原防火安全治理与宣传教育行动实施方案》,同时自治区农牧厅畜牧局、草原监理中心组成督察组,先后4次深入21个市县(区)开展防火工作督查、检查,对存在的问题和隐患提出限期整改措施。全区共开展草原防火隐患排查394次,参加排查人数4 084人次,查出隐患79起,经过认真整改,已全部排除。全区上下形成了组织健全,制度完善,责任落实,火情监测到位的草原防火机制。三是强化组织机构与制度建设。全区组建以市县主管领导任指挥长的县以上草原防火指挥部25个,乡(镇)级136个,草原防火专(兼)职人员4 139人。各市县按照区指挥部的统一要求,规范了草原防火六项制度和适合本地防火工作的其他配套制度,编制修订草原防火应急预案49份(其中乡级22份),并由本级政府发布实施。四是草原防火基础设施建设有了新进展。2009年在建3个县级草原防火物资站项目,盐池县已完成土建工程400平方米,灵武市已完成60%土建任务,海原县完成了初步设计,其设备均将统一招标采购。固原市物资储备库完成了全部工程建设和设备采购工作,投入正常使用,并通过自治区验收。五是加强草原火灾监测。在重点草原防火区域和火灾易发区,结合退牧还草工程管理,确定了草原火灾监测人员500余人,划定范围,明确责任,签订合同,发现火灾隐患及时排除,有效地控制了草原火灾的发生。全区已连续6年未发生草原火灾,确保了草原资源和人民生命财产的安全。

【草原监理执法】 根据农业部《关于开展2009年草原普法宣传月活动的通知》精神,4月份组织开展了以《草原法》、《草原防火条例》、《宁夏草原管理条例》及草原生态文明为主题的草原普法宣传月活动。据统计,全区共组织400多人(次)下基层、进村入户,充分利用广播电视、宣传车、刷写固定标语、印发宣传资料等形式深入开展送法下乡活动。通过宣传，使草原法律法规深入人心，广大干部群众的法律意识进一步得到增强，依法保护草原的自觉性有了明显提高，为草原监理执法营造了良好的法治环境和社会氛围。同时，严厉打击违禁放牧、非法滥垦乱占草原等违法行为，有效保护了草原建设成果。据统计，全年共发生各类草原违法案件602起，其中立案362起，立案率为60.13%；已结案351起，结案率97%，有效维护了农牧民的合法权益。

【草原资源与生态动态监测】 完成了《宁夏回族自治区草原资源与生态监测手册》、《宁夏回族自治区草原资源与生态监测教材》的编写任务，确定了全区开展监测工作的市、县(区)监测区域、样地数量、监测样地的地理坐标，围建固定样方120个。及时开展草原资源监测，累计完成野外调查样地171个，草本样方510个，灌木样方33个，养殖户入户调查201户，编制了《2009年草原资源与生态监测报告》。

【草原承包文档建立及管理试点】 以彭阳县交岔乡为试点，本着"依法承包、和谐承包、自愿承包、联户承包"的原则，制定了"规范面积，规范界线，规范承包文书，规范资料档案"的承包方案。试点工作历时半年，共在7个行政村承包天然草原近0.7万公顷，占应承包面积的100%，承包农户1 440户，占总户数的96.6%。共签订承包合同491份，发放《草原承包使用证》1 440个。开展工作试点不仅为稳定和完善草原承包经营制积累了经验，也为建立禁牧封育草原合理利用长效机制奠定了基础。

(宁夏回族自治区农牧厅)

新疆维吾尔自治区畜牧业

【概况】 2009年，新疆牲畜存栏3 844.75万头(只)，比上年增长2.6%；牲畜出栏3 135.72万头(只)，下降7.4%。肉类总产量115.4万吨，与上年持平。其中羊肉43.77万吨，下降4.8%；牛肉33.88万吨，增长4.6%；猪肉22.03万吨，下降1.2%。牛奶产量120.88万吨，下降12%。绵羊毛产量7.16万吨，下降14.7%。畜牧业产值318.37亿元。

2009年，新疆结合国家游牧民定居工程的实施，新建游牧民住房、棚圈1.2万户，新增人工种草0.2万公顷，使实现标准定居的牧民达到10.65万户，占牧民总户数的38.6%。启动草原监督管理体系建设工作，新建和完善3个自治区级、5个地(州)级、20个县级草原监理站。

2009年，新疆新建养殖小区284个，截止到年底，养殖小区总数达2 800个。全区猪禽规模化养殖比例60%以上，奶牛规模化养殖比例40%以上，大多数规模牛场和奶牛养殖小区实现机械化挤奶。自治区畜禽改良总站和天山畜牧良繁中心重组联合，年优质牛冻精生产能力达200多万剂。

2009年，新疆调往内地的活畜超过21万头(只)，销往内地肉类0.78万吨、奶粉4.66万吨。

全面推行重大动物疫病免疫抗体逐级考核机制和兽医工作目标管理考核制度，全区重大动物疫病免疫密度95%以上，实现了全年动物疫病的防控目标。

2009年，国家向新疆发放畜牧业发展项目资金13.5亿元，比上年增长27%。自治区财政投入畜牧业发展资金3.2亿元。

2009年，新疆畜牧业发展存在的主要问题和困难：牧区基础设施建设落后，牧民定居整体水平不高；草原生态环境依然脆弱，草畜矛盾依然突出；动物疫病防控体系需要进一步完善；畜禽良种繁育体系难以满足现代畜牧业发展的要求；畜牧业科技创新和科技推广服务体系建设滞后。

(冯东河)

【生猪产销】 2009年，新疆生猪存栏180.4万头，比上年增长1.9%；出栏254.2万头，下降4.3%。

2009年，新疆生猪及猪肉产品价格持续走低，猪粮比价一度临近5∶1的盈亏平衡点，自治区党委、政府及有关部门及时发出预警，引导养殖户调整生产计划。2009年，全区活猪出场价平均9.5元/千克，比上年下降20.8%；市场去骨猪肉15元/千克，下降21.05%；仔猪价格23元/千克，下降17.8%。

【家禽产销】 2009年，新疆家禽存栏2 913.5万只(羽)，比上年下降0.5%；出栏4 998万只(羽)，增长10.3%；禽肉产量8.1万吨；禽蛋产量23.2万吨，下降6.8%。

2009年，新疆禽产品价格小幅上涨。鸡蛋平均价格7.5元/千克，比上年上涨4.1%；西装鸡平均价格13.6元/千克，上涨3%。

【羊毛、山羊绒及牛羊产销】 2009年，新疆绵羊毛总产量71 600吨，比上年下降14.8%，其中细羊毛25 600吨，增长5.7%。山羊绒1 261吨，比上年增长9%。

2009年，全区销售各类牲畜4 648万头(只)，比上年增长1.55%。2009年全区牛羊肉价格继续走高，去骨牛肉平均价格32元/千克，增长15.9%；带骨羊肉平均价格33元/千克，增长15.78%。

【生鲜乳收购站专项整治】 2009年，新疆从构建奶站运营管理新秩序、提高奶站机械化配套比例、建立奶站原料乳质量监督长效机制等方面入手，逐步实现全区原料乳生产购销规范化管理。全区取缔无固定场所流动收奶的站点189个，取缔环境设施不合格的奶站30个。截止到11月底，全区奶站共652个，其中符合奶站主体的444个。

【生鲜乳质量安全监管】 2009年，新疆开展了3次区域性生鲜乳质量抽样检测，主要检查区域是乌鲁木齐—石河子沿线，出动检查抽样人员137人次，检查规模养殖场14个，奶站93个，农户337户，抽取样品1 049个，均未检出有毒有害物质。

【乳品生产销售】 2009年第一季度，新疆奶粉价格最低下跌到每吨1.65万元，第四季度回升到每吨2.2万~2.4万元。第一季度液态奶销售比上年同期下降15%，4月底之后，酸奶、各类乳饮料的销量有所攀升。从6月开始，液态奶销量基本恢复至往年水平。全年液态奶产销量增长7.7%。

（孙家鹏）

【种畜禽管理】 2009年，新疆加强种畜禽经营许可证管理和发放，严格审查种畜禽场22家，并核发种畜禽生产经营许可证。对出场种畜禽严格执行“三证”（种畜合格证、系谱登记证、检疫合格证）管理，结合国家和自治区畜牧业良种补贴项目实施，对26家种畜生产单位2万多头（只）出场种畜开展鉴定、分级、登记工作。全年审批引种报告50多份。

【牲畜品种改良示范县建设】 2009年，新疆安排牲畜品种改良示范县建设资金1 000万元，主要用于乡镇牲畜品种改良配种站建设。建设单位有：察布查尔锡伯自治县、奎屯市、沙湾县、乌苏市、昌吉市、吉木萨尔县、木垒哈萨克自治县、乌鲁木齐市米东区、乌鲁木齐县、轮台县、尉犁县、若羌县、和硕县、伊吾县、温宿县、拜城县、乌什县、柯坪县、阿克苏市、疏勒县、麦盖提县、民丰县、和田市、阿克陶县。

【黄牛与绵山羊改良】 2009年，新疆完成黄牛改良配种166.53万头，占可繁母牛总数的63.3%，其中完成冷冻精液人工授精103.7万头、常温配种62.83万头。

2009年，新疆完成绵羊改良配种1 278.2万只，占可繁绵羊总数的55.73%，其中人工授精207.31万只。完成绒山羊改良配种206.37万只，占可繁山羊总数的57.45%，其中人工授精40.12万只。年末全区绵羊优良化率68%、山羊良种率67%。

【国家奶牛良种补贴项目】 2009年，国家对新疆荷斯坦奶牛、褐牛、乳用西塔尔牛实施良种冻精补贴，标准为平均每头奶牛补贴2剂冻精。对荷斯坦奶牛实施全面补贴，要求享受褐牛及乳用西门塔尔牛补贴的县市被补贴品种能繁母牛存栏在5 000头以上。补贴冻精152万剂，其中荷斯坦牛冻精80万剂、褐牛冻精48万剂、乳用西门塔尔牛冻精24万剂。荷斯坦奶牛补贴县市83个，褐牛补贴县市22个，乳用西门塔尔牛补贴县市30个，共补贴奶牛76万头，补贴金额1 920万元。

【国家肉牛、绵羊良种补贴项目】 2009年，国家对新疆实施肉牛冻精补贴，标准为平均每头补贴冻精2剂。要求享受此项补贴的县市能繁母牛存栏在5 000头以上。补贴资金120万元，补贴肉牛12万头、冻精24万剂，补贴县市42个。

2009年，国家对新疆实施绵羊良种补贴，补贴绵羊种公羊2万只，每只补贴800元，补贴1 600万元。补贴品种为新疆细毛羊、阿勒泰羊、巴什拜羊、和田羊等新疆本地良种绵羊。补贴范围为75个县市。

【自治区畜牧业良种补贴项目】 2009年，自治区安排畜牧业良种补贴专项资金900万元，用于推进边远牧区和贫困农区牲畜品种改良工作。补贴特级、一级种公畜3 500多头（只），其中种用山羊及超细毛羊3 000多只、种牛450多头、种马40多匹，冻精26.22万剂，享受补贴县市80多个。

【畜禽遗传资源调查】 2009年，新疆继续开展畜禽遗传资源调查，按照国家有关要求完成54个畜禽遗传资源调查报告的撰写和上报。经国家畜禽遗传资源委员会专家组现场评估，11个新发现畜禽遗传资源被国家认可并公布，包括：拜城油鸡、和田黑鸡、塔里木鸽、吐鲁番黑羊、罗布羊、巴尔楚克羊、叶城羊、柯尔克孜马、和田青驴、吐鲁番驴、哈萨克牧羊犬。

【牲畜品种改良冷链体系建设项目实施】 2009年，新疆实施牲畜品种改良冷链体系建设项目，项目总投资4 500多万元。项目主要任务为完善区、地、县、乡畜禽品种改良机构冻精、液氮储运设施。项目实施期限为2009—2010年，计划为新疆各级畜禽改良机构配置不同类型牲畜品种改良服务车3 000多辆，液氮及冻精储运设备7 000多台，配种器材2 700多套。2009年70%以上项目任务完成。

（蒋小怀）

【冬羔生产】 截止到2010年2月底，新疆生产冬羔906.8万只，其中成活861.46万只。仔畜阶段成活率95.05%，比上年降低3.1个百分点。

【畜牧业灾情】 2009年，新疆北疆阿勒泰山、塔额盆地，伊犁河谷、天山北坡区域连续出现强降雪降温大风天气过程，降雪强度和危害程度为60年罕见。据畜牧部门统计，2009年新疆因干旱、暴风雪、强降温、洪水等灾害造成阿勒泰、塔城、伊犁、博尔塔拉、昌吉、哈密、巴音郭楞、克孜勒苏、和田等9个重点受灾地州31个县市52万牧业人口受灾，占全区牧业人口的45%，占当地牧业人口的75%；受灾草场面积800万公顷，占灾区冬草场总面积的92.3%；受灾牲畜719万头（只），占当地牧区牲畜总头数的70%以上。

【牧业过冬储备】 2009年，新疆各地普遍加大了以棚圈建设和饲草料储备为主要内容的“133”工程实施力度。据畜牧部门统计，2009年，全区（不含兵团）累计打储饲草1 510.8万吨，比上年增加64.3万吨，畜均备草327千克，与上年基本持平，备料128.5万吨，同比增加5.1吨。全区新建棚圈3.58万座，累计维修各种棚圈8.73万座，比上年增加1.82万座。

【养殖小区建设】 截止到2009年底，新疆累计建设各类养殖小区1 800多个，比2006年增长80.53%。其中奶牛养殖小区515个，存栏100头以上、200头以上、500头以上、1 000头以上的奶牛养殖小区分别为245个、139个、100个、31个，生猪养殖小区400多个，家禽养殖小区140多个，牛羊育肥小区300多个。

（解晓钰）

【草原建设】 2009年，新疆新增人工种草0.2万公顷，改良草场5.8万公顷，围栏草场110.6万公顷，其中禁牧草场50万公顷，休牧草场60.6万公顷。生产各类牧草种子1 100吨。

【草原监理】 2009年，自治区财政安排1 500万元（含2008年500万元）用于草原监理监测体系建设，给3个自治区级、4个地州级、20个县市级草原监理监测单位配备交通工具、办公设备、监理监测设备等。

2009年，审批采挖甘草910吨，占计划的12.4%；审批采挖麻黄草350吨，占计划的0.5%。发放收购许可证19个，审批收购甘草980吨和麻黄草2 600吨。审核征用占用草原申请38起，合计1 200公顷。办理牧草种子生产许可证3份。

【退牧还草工程】 2009年，新疆全面完成2007年度退牧还草工程项目的验收。完成退牧110.67万公顷，其中禁牧46.67万公顷，休牧64万公顷。新建人工饲草料地3 733.3公顷，完成计划的90%。草原补播5.8万公顷，完成计划任务的17%。

2009年退牧还草工程项目计划任务108.66万公顷，其中禁牧49.33万公顷、休牧59.33万公顷，草原补播32.6万公顷。项目缩减到22个县市，分别是：和布克赛尔县、裕民县、托里县、额敏县、塔城市，阿勒泰市、富蕴县、青河县、福海县、吉木乃县、博乐市、精河县、温泉县、阜康市、奇台县、木垒哈萨克自治县、乌鲁木齐县、巴里坤哈萨克自治县、伊吾县、哈密市、和静县、和硕县。项目实施期为2010年。

【高标准人工饲草料地建设】 2009年，自治区畜牧厅集中本级财政资金6 000万元，在10个县市、2个国有牧场实施高标准人工饲草料地建设，计划新增人工草料地400公顷，计划2010年完工。

【草原火灾与草原生物灾害防治】 2009年，新疆发生草原火灾7起，受灾面积108.8公顷。

2009年，新疆草原发生生物灾害1 445.79万公顷，其中虫害241.73万公顷、鼠害528.33万公顷、毒害草675.79万公顷。防治面积230.6万公顷，其中虫害防治面积92.93万公顷（化学防治30.53万公顷、生物防治62.4万公顷），鼠害防治面积106.07万公顷（生物防治102.7万公顷、物理防治0.7万公顷、生态治理2.67万公顷），毒害草防治31.6万公顷。

【游牧民定居工程】 2009年，国家在新疆实施游牧民定居工程，对定居牧民住房、棚圈给予每户2.5万元的资金补助。伊犁哈萨克自治州直、塔城地区、阿勒泰地区、博尔塔拉蒙古自治州、昌吉回族自治州33个县市的1.2万户牧民享受2009年国家补贴政策，中央补助新疆3亿元。自治区预算内投资、财政本级配套资金和7个贫困县以工代赈计划共计配套5 825万元。截止到年底，开工住房1 1516户、暖圈9 123户，完工住房9 633户、暖圈6 983户。

（姬宏亮）

【畜牧业科技推广】 2009年，新疆畜牧行业大力普及实用技术。一是通过开展人工授精、健康养殖、青贮制作、奶牛高产配套、肉用羊经济杂交、牛羊育肥、粪污无害化处理等实用技术的普及和推广，逐步提高科技含量，使规模化、集约化养殖得到迅速发展，带动农村经济的发展。阿克苏地区筛选出适合当地的牛、羊、禽、猪等主导品种和相应的主推技术进行推广应用。伊犁哈萨克自治州加大牛细管冻精冷配、胚胎移植、性控冻精冷配等技术的推广力度，州直年内完成黄牛冷配22.48万头。吐鲁番地区完成青贮加工1.44万吨。二是开展畜牧业科技试验示范，加速新技术、新品种的推广应用。喀什、阿克苏、和田、哈密地区积极开展饲草料试验示范和新品种引种对比试验。昌吉回族自治州建立肉羊改良示范点134个，发展肉羊改良示范户1 019个；建立以农牧民为主体的二级肉羊良繁场（户）10个，繁殖纯种或高代杂种公羊1 089只；生产和移植鲜胚1 560枚,平均每只供体羊冲胚7.8枚(全部为A级胚胎),比国内平均5枚胚胎水准高出35%。阿勒泰地区建设产业化实验基地。三是通过各类基地建设,实行规模化、标准化、现代化生产模式,提高畜牧业生产水平。喀什地区发展家禽业,建立孵化场点51个,拥有孵化机组314台,单批孵化能力510万枚/次,初步形成"种蛋—孵化—育雏—禽蛋销售、出口"养禽产业链。伊犁哈萨克自治州直建设饲草料基地6 667公顷,完成配套饲草料地建设3 693.33公顷。四是加大品种改良力度,提高畜群生产能力。阿克苏地区实施肉羊改良"整乡覆盖、整村推进"工程,示范村由31个增加到80个,示范户由500户增加到1 592户。和田地区完成和田羊、策勒黑羊新型联合繁育体系核心群、育种群、扩繁群的组建工作。昌吉回族自治州以育种龙头企业的"天山牛"、"新澳羊"、"天康猪"、"泰昆鸡"品牌为品种导向,以奶牛、肉羊改良为重点突破,不断提高牲畜良种化水平。

2009年,新疆畜牧兽医系统开展科技培训年活动。全年举办50多类培训班5 318期,培训92.5万人次。其中党政领导干部科技培训班11期,1 431人;继续教育培训班7期,847人;各类专业技术培训班1 332期,11.3万人次,畜牧业法律法规培训班231期,2.9万人次;品种改良体系建设、饲养管理技术等培训班195期,1.9万人次;家畜繁育工培训班15期,1 687人;养殖户、农牧民培训班3 527期,76万人次。

【畜产品市场整顿】 2009年,自治区畜牧厅将畜产品市场整顿工作化分为8类32项,全面整顿畜产品市场。全年出动执法人员13 975人次,检查生产经营企业12 749家,查处问题231起,涉及金额18.1万元,责令整改225起,立案217起,结案199起,取缔无证照企业6家,整治重点区域170个。

2009年,新疆开展无公害畜产品专项整治。一是对已认定的53个无公害畜产品产地和20个产品,重点加强产地环境、生产过程、投入品使用管理、疫病监控、标志使用、生产记录执行等方面的督导检查。二是以认证服务为抓手,引导畜牧企业、养殖场(区)开展标准化饲养,实行品种、饲料、防疫、销售、管理五统一。三是对获证单位开展系统培训,建立健全企业生产制度,提高企业标准化生产水平,先后培训企业管理人员和技术人员近200人次。

(唐　萌)

【畜牧业标准】 2009年,新疆制定畜牧业国家标准3项:麻黄属、籽粒苋种子质量分级、毛绒色度和光泽度实验方法;制定畜牧业农业部行业标准5项:阿勒泰羊、绵羊剪毛技术规程、绵羊分级和打包技术规程、种羊性能遗传评估技术规程、绒山羊抓绒技术规程;制定畜牧业地方标准6项:无公害养羊　种公羊饲养管理技术规范、无公害养羊　种母羊饲养管理技术规范、无公害羔羊育肥饲养管理技术规范、无公害养羊　育肥羊饲养管理技术规范、无公害育成羊饲养管理技术规范、无公害养羊　棚圈建设技术规范。

【绒山羊标准化示范区建设】 2009年,和布克赛尔蒙古自治县绒山羊标准化示范区被列入国家级(部级)农业标准化示范基地(县),中央投资20万元。通过建立优质山羊绒生产标准化示范场,扩大良种绒山羊覆盖率,实施新疆山羊生产技术标准,推广现代化生产管理技术,实现优质山羊绒产品的标准化、规模化生产,达到"控制数量、提高质量"的绒山羊发展战略以及逐步实现绒山羊养殖方式转变的目标。

(徐胜利)

【地方国有牧场】 2009年,新疆有地方国有牧场122家,比上年减少1家(和静县德尔比勒金牧场撤场并乡)。其中种畜场19家(含国家级种畜场3家),经济牧场103家。上报农业部农垦局国家级贫困牧场53家,确定"十二五"期间重点扶持16家。牧场总人口383 600人,从业人员160 802人,年末在岗职工111 225人,离退休职工26 619人。参加社会养老统筹的企业100家,参加社会养老统筹57 532人。

2009年,新疆地方国有牧场实现生产总值(按1990年不变价,下同)16.43亿元,比上年增长6.69%。其中第一产业增加值13.07亿元,增长6.26%;第二产业增加值1.23亿元,增长9.82%;第三产业增加值2.13亿元,下降7.58%。生产粮食31.77万吨,增长3.28%;油料4.71万吨,增长5.13%;棉花5.06万吨,增长3.05%;糖料14.04万吨,增长8%。肉类总产6.67万吨,下降1.9%;牛奶12.52万吨,增长18.67%;羊毛5 523吨,增长13.84%;羊绒187吨,下降23.92%。年末牲畜存栏383.7万头(只),下降2.75%。

2009年,新疆地方国有牧场实现工业总产值2.76亿元,与上年持平。建筑业完成增加值3 600万元,增长5.88%。固定资产投资25 912万元,增长6.33%,其中第一产业投资14 432万元、第二产业投资5 817万元、第三产业投资5 662万元。国有固定资产投资中,基本建设投资14 432万元,当年新增固定资产15 110万元。

(刘　燕)

【畜牧业对外合作】 2009年,新疆畜牧业对外合作项目有4个:

一是世界银行贷款新疆畜牧业发展项目,2009年是项目实施的第6年。

二是全球环境基金赠款(GEF)项目。2009年,被列入GEF应用研究项目的新疆天然草地生态系统植被恢复过程中碳循环与生物多样性变化研究、阿勒泰羊本品种选育、巴音布鲁克羊本品种选育研究等3个课题第一期全部结束

三是中加合作动物健康推广服务项目。

四是中日合作中国新疆草地生态及牧民定居示范项目。

（阿布来提）

【饲料工业】 截止到2009年底，新疆有各类饲料企业253家，比上年增加58家。其中饲料加工生产企业92家（每小时生产能力535吨），单一饲料（饼粕、麸皮及蛋白类）生产企业158家，动物源性饲料生产企业3家。饲料加工生产企业按产品的类型分（有重复计算）：配合饲料企业69家，浓缩饲料企业49家（大部分企业兼产），添加剂预混合饲料企业29家（有12家企业兼产配合饲料、浓缩饲料），饲料添加剂企业5家（有2家企业兼产预混合饲料），单一饲料生产企业158家，动物源性饲料生产企业3家。按企业登记注册类型分：国有企业25家，集体企业26家，私营企业114家，股份有限企业23家，股份责任企业22家，股份合作企业2家，外资企业5家，其他36家。

2009年，新疆各类饲料总产量135.06万吨，比上年增长3.28%。其中配合饲料116.38万吨，增长1.9%；浓缩饲料15.77万吨，增长10.82%；添加剂预混合饲料2.91万吨，增长24.89%。各类饲料中商品饲料占80.79%。

2009年，全区饲料工业总产值30.03亿元。年末从业人员6 345人。

【饲料行业管理】 2009年，新疆有1家生产饲料添加剂企业取得生产许可证，1家生产添加剂预混料的企业取得生产许可证，有1家生产饲料添加剂企业、7家生产添加剂预混料的企业换发生产许可证，年内发放产品批准文号63个。有75家配合饲料、浓缩饲料、精料补充料及单一料（除动物源性饲料外）的生产企业取得饲料生产企业合格证，其中饲料加工企业16家、单一饲料企业59家，备案饲料产品文号1 237个。有1家生产卤虫卵企业获动物源性饲料产品生产企业安全卫生合格证。因企业改制、迁址等原因注销8个饲料生产企业合格证。年内，为40家企业审核办理饲料产品免税。审查93家企业的199个饲料产品标准。年内133人参加饲料行业特有工种饲料检验化验员职业技能培训，有117人通过考核鉴定获得饲料检验化验员证书。

（刘君健）

【饲料监察】 2009年，新疆完成饲料检测4 163个批次，比上年增长5.9%。

新疆饲料质量安全检测333批次（其中农业部安排300批次），合格率81.1%；完成"瘦肉精"、"蛋白精"等违禁药物监督抽样检验506批次（其中农业部任务290批次，按照农业部安排对内蒙古重点养殖场户违禁药物监测抽检120批次），合格率100%；完成反刍动物饲料中牛羊源性成分监测789批次（其中农业部安排计划240个批次），检测结果合格率100%；各类饲料产品标签专项检查325个，合格率95.1%。

在全疆饲料生产企业、经营企业、养殖环节等专项整治工作中，饲料中三聚氰胺专项抽样检测1 236批次，反刍动物饲料中盐酸克伦特罗专项抽样检测881批次，合格率100%；产蛋鸡配合饲料中游离棉酚抽样检测79批次，合格72批次。

完成乌鲁木齐市饲料生产企业定期监督抽查14批次；完成报批复核检验样品93批次，合格率100%；免税检验75批次；其他委托检验923批次。

（王炜国）

【国家级秸秆养畜示范项目建设】 截止到2009年底，新疆有27个县市和3家企业实施国家级秸秆养畜示范项目，分别为伊宁县、莎车县、托克逊县、拜城县、额敏县、霍城县、昌吉市、乌什县、库车县、博乐市、库尔勒市、阿克苏市、察布查尔锡伯自治县、焉耆回族自治县、乌苏市、岳普湖县、吐鲁番市、麦盖提县、阿瓦提县、新和县、温宿县、且末县、塔城市、和硕县、和静县、尉犁县、阿勒泰市和库尔勒大华实业开发有限责任公司（库尔勒市）、喀什地区南达投资有限公司、哈密地区长河工贸集团有限公司。其中在建项目有2个县和2个企业集团，分别是和硕县、和静县、库尔勒市大华实业开发有限责任公司、喀什地区的南达投资有限公司。2009年，阿勒泰市列入国家级秸秆养畜示范项目建设，项目总投资350.9万元，其中中央财政资金100万元、地方配套资金40万元、自筹资金210.9万元。

（艾克拜尔）

【动物疫病防治】 2009年，新疆免疫动物4.48亿头（只、羽）次，驱虫（药浴）6 930.37万头（只），未发生高致病性猪蓝耳病、猪瘟、新城疫、小反刍兽疫疫情，全年保持平稳的疫情防控目标。

【动物疫情监测】 2009年，新疆完成高致病性禽流感等11种动物疫病监测64.5万份（含免疫效果监测58.19万份）。口蹄疫免疫抗体抽检9.32万份，免疫抗体合格率77.44%；高致病性禽流感免疫抗体抽检8.41万份，免疫抗体合格率85.42%；猪瘟免疫抗体抽检6 197份，免疫抗体合格率73.71%。高致病性禽流感、口蹄疫和高致病性猪蓝耳病病原学监测5.98万

份，均未检出特异性病原。加大布鲁氏菌病、结核病的检疫净化力度，监测牛、羊布鲁氏菌病 29.93 万头（只），检出阳性病畜 2 219 头（只），畜间布鲁氏菌病平均阳性率 0.74%；结核病检疫牛 18.37 万头，检出阳性牛 375 头，牛结核病平均阳性率 0.2%。全区 75 个县开展马传染性贫血病的检疫净化工作，疫区县减少到 2 个，检疫监测马属动物 7.6 万匹，检出阳性马 67 匹，均进行了无害化处理。在 13 个县开展棘球蚴监测工作，监测家畜 3 944 头（只），检出棘球蚴病畜 1 593 头（只），其中牛 46 头、羊 1 547 只，牛、羊的阳性率分别为 9.8%、44.5%。

（刘英豪）

【兽药监督管理】 2009 年，新疆在兽药生产企业、经营企业、动物医院、动物门诊等环节监督抽样兽药产品 1 306 批次，检测合格率 80%，抽检品种包括化学药品、抗生素、中药及复方制剂等，监测范围覆盖 14 个地州市及石河子市；受理委托、报批检验 245 批次。检测兽药样品 1 306 批次，合格率 80%，受理委托样品检验 78 批次，完成 80 家兽药生产企业送检的复合氯酸钠（水产用）、阿维菌素溶液（水产用）、板金止咳散、黄芪红花散、镇喘片等 9 类中药、化学药品试行标准转正质量复核检验 191 批次，批签发生产企业兽用生物制品 20 个品种、184 个批次。

2009 年，在兽药市场专项整治行动中，各地开展兽药专项监督检查 967 次，出动执法人员 4 422 人次，检查兽药生产企业 7 家，兽药经营单位 1 880 家，查处违法违规单位 229 家，吊销兽药经营许可证 4 个，清缴抗病毒等禁用兽药 711 盒（瓶/支）。

【兽药残留监测】 2009 年，新疆畜牧兽医系统在饲料生产经营企业、养殖场（户）等开展盐酸克伦特罗、莱克多巴胺、地西泮、呋喃唑酮、己烯雌酚、氯霉素、苏丹红、西马特罗等违禁药物监督抽样检验 506 批次，检测合格率 100%。开展对羊肉、牛肉、鸡肉、鸡肝、牛奶、猪肉、猪肝、猪尿等 8 类畜禽产品中 11 种药物残留的监测，抽检范围覆盖全区，抽取样品 2 593 批次，其中检测鸡肝中氟喹诺酮类 205 批次，羊肉中磺胺类、氯霉素 616 批次，猪肝中盐酸克仑特罗、莱克多巴胺、沙丁胺醇 493 批次，猪尿中盐酸克仑特罗、莱克多巴胺 122 批次，牛奶中氨基糖苷类、青霉素、三聚氰胺 342 批次，猪肉中盐酸克伦特罗 87 批次，牛肉中盐酸克伦特罗 197 批次，鸡蛋中磺胺二甲嘧啶 121 批次，鸡肉中氟喹诺酮类、泰乐菌素、氯霉素 410 批次，检测合格率均为 100%。

（刘爱荣）

【动物卫生监督执法】 2009 年，新疆动物卫生监督执法查处案件 1 771 件，其中现场处罚 1 036 件、立案处罚 735 件，罚款 56.56 万元。

1. 产地检疫。2009 年，新疆推行设立产地检疫报检点的做法，大力推进产地检疫工作。全区共设立产地检疫报检点 1 436 个。全区动物产地检疫证发放使用数量比上年同期增长 63.93%；家畜和家禽的产地检疫开展面（以乡镇为单位）分别为 86% 和 75%，分别提高 40 和 27 个百分点。产地检疫畜禽 2 779.3 万头（只），消毒运载工具 114.4 万辆，检出病畜禽 19 444 头（只）。

2. 流通环节检疫监管。进一步加强对屠宰场、活畜禽交易市场和公路动物卫生监督检查站等屠宰、流通环节的检疫监管，加大跨省区调运种用、乳用动物的准调审查和监管力度，建立进疆鸡苗、种蛋查证验物、登记备案和追踪监控的检疫监管工作机制。落实公路动物卫生监督检查站 24 小时值班制度。集中整治活畜禽交易市场，严厉查处拒绝免疫、逃避检疫、私屠滥宰和运输、贩卖、加工病死动物及动物产品等违法行为，确保上市动物及动物产品的质量卫生安全。全区有 756 个屠宰场（点）和 1 288 个活畜（禽）交易市场，均派驻监督人员，严把屠宰场和交易市场的准入关，监督业主做好消毒和无害化处理工作。全年屠宰检疫畜禽 2 825.55 万头（只），检出病害动物 5.36 万头（只）。全区定点屠宰场检疫率 100%。

【畜禽标识管理】 自治区财政积极支持全区动物标识、识读器和省级信息中心建设设施的招标采购工作。全年采购牛标识 900 万枚、猪标识 600 万枚、识读器 2 750多台。有 9 个地州市的 26 个县市开展了二维码标识的佩戴工作，截止到年底，全区累计佩戴牛耳标 46.85 万枚。

（塔依尔）

【动物防疫体系建设】 2009 年，中央安排新疆动物防疫体系建设，投入资金 7 167 万元，建设项目有：省级动物疫病预防控制中心改扩建，星星峡省级动植物联合检疫检查站基础设施建设，伊犁、和田两个地市级动物防疫检疫监督基础设施建设项目，29 个县级动物防疫基础设施续建，331 个乡镇兽医站基础设施建设。

2009 年，中央补助 2 500 万元，自治区财政补助 1 200 万元，用于基层动物防疫国家强制免疫工作补助。

2009 年，新疆投资 2 000 万元对国家批复的 77 个乡镇兽医站按自治区有关标准配套建设，按自治区乡镇站建设标准填平补齐 45 个乡镇站建设，新建或改建 15 个国有牧场畜牧兽医站，新建并改扩建 10 个公路动物防疫监督检查消毒站，建设 2 个动物医院，改扩建自治区动物卫生监督所驻乌鲁木齐铁路动物卫生监督所,对14个县建设140套移动防疫栏进行补助,加强自治区动物卫生监督所软硬件设施建设,开展动物防疫工作督察、调研以及技术人员培训、目标考核奖励等。

(迪力夏提)

大连市畜牧业

【概况】 2009年,大连市畜牧业紧紧围绕“保持农业农村经济平稳较快发展”这一主题,以全面实施“现代畜牧业推进计划”为工作核心,积极推进畜禽标准化规模饲养和清洁化健康养殖、全面实施重大动物疫病防控、切实强化畜产品安全监管、巩固动物卫生管理体制改革,各项工作得到全面落实,畜牧业取得显著成效。全市生猪饲养量614.1万头、牛饲养量55.1万头、羊饲养量132.8万只、家禽饲养量1.6亿只,分别比上年增长13.9%、15.3%、3.4%和9.4%。肉类总产量60.1万吨,禽蛋产量25.7万吨,奶类总产量16.3万吨,分别比上年增长14.2%、6.1%和7.9%。畜牧业产值161.5亿元,比上年增长4.5%。

2009年畜牧业生产情况

项　目	单位	数量	比上年增长(%)
生猪饲养量	万头	614.1	13.9
生猪存栏	万头	237.9	14.8
生猪出栏	万头	376.2	13.4
牛饲养量	万头	55.1	15.3
牛存栏	万头	30.1	14.4
奶牛	万头	3.3	2.3
牛出栏	万头	25.0	16.4
羊饲养量	万只	132.8	3.4
羊存栏	万只	72.7	-3.0
羊出栏	万只	60.1	12.3
家禽饲养量	万只	16 019.6	9.4
家禽存栏	万只	4 261.9	5.2
家禽出栏	万只	11 757.7	11.0
肉类产量	万吨	60.1	14.2
蛋类产量	万吨	25.7	6.1
奶类产量	万吨	16.3	7.9
畜牧业产值	亿元	161.5	4.5

【科学规划助发展,标准化养殖促转变】 2009年,按照辽宁省畜牧兽医局《关于推进全省“一县一业”优势主导畜牧产业发展的意见》,大连市把实施“一县一业”畜牧区域发展规划作为推进产业发展的重要措施,制定了《大连市现代畜牧业“十二五”发展规划》,为今后5年的跨越式发展奠定坚实的基础。

为大力促进畜禽饲养方式转变,2009年,制定了《大连市2009年畜禽标准化规模养殖场(小区)建设项目实施方案》,下发了《大连市支持现代畜牧业发展专项资金管理办法》,进一步加强政策引导,着力规范和完善畜牧标准化规模饲养场建设。在各级政府的共同努力下,全市新建标准化规模饲养场(小区)122处,累计投资5.2亿元,新增畜禽饲养量1 500万头(只),创产值20亿元,增加农民纯收入1亿元。畜牧业集约化经营水平得到进一步提高,标准化规模养殖已成为带动农民致富的主要途径。

【发酵床养猪技术有效控制环境污染】 2009年,大连市把推广应用发酵床养猪新技术10万平方米,作为“环保攻坚惠民”的重要举措,列为全市新农村建设实事之一。制定了《大连市2009年发酵床养猪项目实施方案》,分解任务,组织协调,抓好落实。全市举办发酵床养猪技术培训班12次,培训人员800多人次,专家电视讲座6次,刻发教学光盘200张,印制发酵床技术规范手册3 000本,散发宣传单5万份,营造了良好的舆论氛围。在普兰店市沙包镇张前屯打造出全市第一个生态养猪示范屯,全屯17户养猪户全部采用发酵床法养猪,统一建设标准和生产模式,充分展示了新技术给新农村养殖业带来的新变化,示范效果明显。全年新建发酵床10.8万平方米,可一次性存栏生猪7万头,年出栏肥猪18万头,创产值1.8亿元,新增加收入2 000万元,减少生猪粪污排放量80万吨,有效地解决了养殖污染问题。

【畜牧龙头企业提升产业化水平】 2009年,大连市贯彻落实畜产品龙头加工企业扶持政策,产业化龙头企业不断壮大,带动能力进一步增强。新增牛肉产品加工能力1万吨,新增水貂皮加工能力200万张。全市规模企业蛋粉加工能力达2万吨,年加工鲜蛋10万吨,肉牛年加工能力19万头,生猪年屠宰能力500万头,生猪熟肉制品年生产3万吨,肉鸡年加工能力达3.5亿只,肉鸡产业化向集群方向发展。龙头企业通过“公司+基地”的订单生产,带动了规模饲养企业的崛起,规模养殖比重不断提升,全市55%的生猪、90%的蛋鸡和100%的肉鸡实现了规模养殖。订单生产和规模养殖加快了农民增收致富的步伐。

【畜牧业生产组织化程度显著提高】 在政策的引导下,大连市畜牧专业合作组织蓬勃发展,形成了龙头企业牵头兴办的“统一品牌、统一供雏(仔)、统一标准、统一技术指导、统一检测、统一回收、统一包装、统一销售”、村委会牵头兴办的“协会+科技示范户+养殖户”、能人或经纪人牵头兴办的“协会+基地+养殖户"、乡镇畜牧兽医站牵头兴办的"产前、产中和产后等服务"多种运行模式，涌现出大连富美养猪合作社、大连华翔禽蛋专业合作社、普兰店市利木赞牛协会和复州湾镇绒山羊协会等一批专业合作组织。截止到2009年，共有各种畜牧专业合作组织263个，会员5万人，带动农户8万户。全年畜牧业专业合作组织销售畜产品40万吨，会员年人均牧业收入8万元。

【重大动物疫病得到有效防控】 大连市的重大动物疫病防控工作被列为政府绩效考核的重要内容，建立和完善了防控工作责任制。2009年，全市开展了疫情监测和免疫效果评估监测，确保畜禽免疫效果控制在有效期内；加大了督查力度，市级开展了春秋两次集中督查活动，推进了全市免疫工作的规范进行；完成"两病"净化目标场56个，散养户1 387个，检测2.8万头次；进一步加大产地检疫和屠宰检疫力度，建立检疫申报制度，完善乡镇检疫申报点建设，确保将疫病有效控制在源头；加强了外疫防范，坚持常年对外进动物及产品实行报批报验制度，市级报批动物产品2 490批次；全市动物检疫监督检查站检查动物824.7万头，产品6 964吨。各项措施落实到位确保了全年无重大动物疫情发生。

【畜产品质量安全水平显著提高】 2009年，大连市组织开展了生鲜乳专项整治行动、饲料专项整治行动、兽药及兽药残留专项整治行动和"瘦肉精"专项整治行动。全市共出动执法人员3 858人次，检查各类企业、场户2 049次。全年立案查处各类违法案件31起，罚没款7.1万元。共检测饲料514批次、兽药461批次以及7大类畜禽产品2 862批次，抽检生鲜乳851批次。兽药产品合格率比上年提高20个百分点，饲料产品合格率同比提高17个百分点，畜产品合格率达到了99.8%，生鲜乳中三聚氰胺检测合格率达到100%。在农业部组织开展的全国畜产品安全例行监测中，全市畜产品合格率100%，始终在全国保持领先水平。

（大连市农村经济委员会　郑　颖）

青岛市畜牧业

【概况】 2009年，青岛市畜牧业生产克服重重困难，保持了持续健康发展态势。全市肉蛋奶总产量110.26万吨，其中，肉类总产量55.56万吨，蛋类产量18.91万吨，奶类产量35.79万吨。

【全面落实畜牧业扶持政策】 全面落实上级畜牧业扶持政策，积极争取财政支持，全年共落实市及市以上惠农支农财政资金1.14亿元。其中，落实中央惠农政策，农业政策性保险（能繁母猪、奶牛）补贴1 900万元、能繁母猪补贴2 000万元、后备奶牛补贴1 500万元；中央预算内专项资金1 665万元；中央预算内基本建设资金2 815万元，为全市畜牧业发展提供了财力支持。

积极推进畜牧业生产方式转变。采取政策推动、示范带动、技术扶持等手段，大力推进畜牧业生产方式转变。

1. 加快推进标准化规模养殖基地建设。以畜禽标准化基地建设为切入点，引导畜牧业增长方式转变，制定了《青岛市2009年畜禽标准化养殖基地建设实施方案》，对标准化基地建设形式、建设内容等提出了具体要求。奶牛标准化养殖场改扩建项目争取中央补助资金550万元；生猪标准化养殖场改扩建项目争取中央补助资金1 800万元；中央财政安排905万元对全市92家改造后达标的蛋鸡场给予资金奖励。莱西市积极发动奶牛养殖户退村进区，发展规模化、标准化奶牛养殖基地；即墨市积极协调，在新一轮的土地规划编修工作中将畜禽标准化养殖用地纳入全市用地规划。全年新建和改扩建标准化养殖基地160处，其中新建58处，改扩建102处，全市畜禽标准化养殖基地达到1 260处。蛋鸡、肉鸡、肉兔标准化饲养达到90%，奶牛、生猪准化饲养达到80%，标准化生产进入了全面提高的新阶段。

2. 大力推广发酵床生态养猪模式。3月份，在胶南市召开了全市发酵床生态养猪场建管现场会，在全市推广发酵床生态养猪模式，市财政安排710万元，用于新建发酵床生态养猪场补贴。通过现场观摩、典型带动、政策激励、技术指导等措施，引导养猪场户积极改建、新建发酵床生态养猪场。全年新建发酵床生态养猪场292个，全市累计建成488个，发酵床生态养猪存栏规模达20万头。全市共完成玉米秸秆青贮160万吨。

3. 加快推进良种工程。继续实施国家奶牛良种补贴项目，全年完成奶牛改良5万头，使用国家补贴高产奶牛细管冻精18.4万支，为农户补贴资金276万元；继续实施优质后备奶牛饲养补贴制度，按每头500元标准补贴优质后备奶牛2.4万头；中央财政安排520万元，对胶南、胶州、平度市13万头能繁母猪实施人工授精补贴；继续推广细管冻精冷配技术和肉羊人工授精技术，改良黄牛10万头、改良本地羊20万只。

4. 大力推进畜产品无公害认证。围绕畜产品品牌创建，开展引导、宣传工作，组织全市符合条件的养殖、加工企业参加畜产品无公害认证。年内21家企业通过了省畜禽无公害产地认定，12个畜产品通过了农业部无公害认证，全市通过无公害产地认定和产品认证的畜产品分别达到61个和29个。

5. 畜牧科教工作成效显著。深入开展"送科技下乡"活动。3月份，组织市畜牧兽医局机关、局直单位的35名专家及工作人员在胶南市泊里镇开展了"送科技下乡活动"。积极开展农民科技培训，组织实施了"农民畜牧业科技培训工程项目"，全市各级共举办农民畜牧业科技培训班79期，累计共培训农民1.06万人次，提高了养殖场户科学养殖水平和养殖效益。畜牧科研取得新成果，畜牧科研项目获得市科技进步奖二等奖1项，市科技进步奖三等奖1项，市农业丰收二等奖2项、市农业丰收三等奖1项。

【扎实开展重大动物疫病防控工作】 坚持"预防为主"的方针，全面落实各项防控措施，保持了全市安全无疫。

1.强制免疫和消毒工作。狠抓强制免疫等关键措施的落实，采取春、秋集中免疫和日常补免相结合的方法，组织各区（市）开展了高致病性禽流感、口蹄疫、猪瘟、高致病性猪蓝耳病、鸡新城疫5种重大动物疫病强制免疫活动，其中对禽流感实施一年三次免疫，共免疫生猪1 200多万头次，牛羊420多万头次，家禽13 000万羽份，畜禽免疫合格率达90%以上；组织各区市对畜禽饲养场、屠宰场、交易市场和周边环境进行三次集中消毒，消毒面积达7 000多万平方米；制定了《青岛市猪感染甲型H1N1流感应急预案》，开展了疫情普查、监测；加强动物出栏、屠宰、流通等环节的检疫监督；实行调运限制、调运隔离检疫等措施，积极开展甲型流感和A型口蹄疫综合防控。有效防止了重大动物疫病的发生。

2.疫病监测工作。制定了《动物疫病监测计划和实施方案》，将监测所需经费纳入市、区（市）两级财政预算，在全市组织开展了高致病性禽流感、口蹄疫、猪瘟、鸡新城疫、布鲁氏菌病、结核病、鸡白痢、鸡传染性法氏囊病、猪伪狂犬病、高致病性猪蓝耳病、兔瘟、猪甲型H1N1流感等十余种动物疫病的病原学和血清学监测以及流行病学调查，全年共抽检样品62万份。

3.基层动监站和村级防疫员队伍建设。投资393.3万元，完成乡镇兽医站建设项目（国家拉动内需项目）仪器设备购置，采购设备1 922台套，基层动物监督站设施进一步改善；制定了《青岛市村级动物防疫员补助经费管理办法》，争取市财政支持，将村级动物防疫员补助经费由每月200元提高至300元，稳定了基层动物防疫队伍。

4.狂犬病防治工作。实行日常免疫与集中免疫相结合，定点免疫与进社区免疫相结合的办法开展犬的狂犬病免疫，市动物疫病预防与控制中心在城区设置9个动物免疫门诊，春季实施集中免疫，7—10月在城区开展进社区免疫，市内四区全年免疫犬3.2万只，犬的免疫密度进一步提高。

【强化畜禽产品质量安全监管】 深入开展动物卫生规范执法年行动，进一步完善畜产品质量安全追溯体系，圆满完成了新中国成立60周年、第十一届全运会畜产品质量安全保障任务。

1.加强动物卫生执法和监测工作。制定了动物卫生规范执法年行动方案和畜产品质量安全监测计划，组织开展动物卫生执法大检查，加强畜禽及其产品检疫和市场监督，全年查获违法案件60起；充分发挥村级防疫员协检作用，设置了143个动物出栏报检点，提高了动物检疫率；加强对市内三区肉类批发市场和超市动物产品的监管，全面落实复验换证制度，对证物不符、证章不符的动物产品依法查处。每月对"瘦肉精"、莱克多巴胺等20多种违禁药物和限用药物残留进行检测，全年共抽检1 112个批次，保障了入市畜禽产品质量安全。

2.开展奶站专项整治。对全市收奶站进行了调查摸底，建立了奶站业务档案，制定了奶站防疫卫生、质量检验等10项管理制度；对全市152家奶站，70台生鲜乳运输车进行清理整顿，取缔不合格奶站20多家；为87家奶站办理了生鲜乳收购许可证，为54台生鲜乳运输车辆发放了准运证；落实官方兽医监管制度，加强了对奶牛场、鲜奶收购和运输环节的监管，完善了市、区（市）两级生鲜乳质量检测体系，全面启动三聚氰胺和"解抗剂"的检测工作，保证了乳产品质量安全。

3.加强动物标识及疫病可追溯体系建设。对动物防疫监督管理信息化系统进行了完善，全面推行动物标识及疫病可追溯体系建设，并做好设备的使用管理、免疫、检疫数据的录入和上传工作。全年上传动物免疫、检疫等信息1 072万条。

4.加强兽药、饲料和畜产品监督检测。市饲料兽药检测站顺利通过中国合格评定国家认可委员会组织的实验室认可复核评审，并扩项142个项目/参数。国家实验室认可总项目/参数已达到315个。全年共完成各类检测4 169批次，其中，兽药、饲料和畜产品监督检测2 083批次，完成农业部安排的各项监测任务1 369批次，各类委托检验717批次，检验报告及时率、准确率达到100%，圆满完成了农业部和青岛市的监督检测任务，为兽药、饲料和畜产品安全监管提供了可靠依据。

【加强兽药监管】 对兽药生产企业每月巡查，修订完善了兽药产品质量责任制，使兽药GMP得到了较好的执行，从源头上保证兽药产品质量安全；兽药GSP试点工作，采取抓点带面的形式，加强对试点单位的指导，全市通过GSP验收兽药经营企业达到38个；组织开展了兽药打假护农专项整治行动，查处违法案件65起；强化兽药使用环节的监管，在莱西市召开现场会，推广"一卡三档三书"（养殖场监管联系卡，药品购入和使用台账档案、养殖档案及监管档案，养殖场监管工作责任书、安全用药保证书和安全用药告知书）监管模式；积极开展兽药抽样检测，共抽检兽药产品616批次，兽药监管工作进一步加强。

【**饲料生产与管理**】 严格行业准入，积极引导企业“调结构、提水平、创名牌”，全市饲料产量140万吨，同比增长1.5%；积极开展饲料企业HACCP等质量体系认证，全市通过质量体系认证的饲料企业达到40余个，六和、环山饲料公司进入“全国饲料企业五十强”；开展“饲料质量安全执法年”活动，取缔非法生产企业1个，查处“三无”（无质量合格证、无饲料标签、无质量标准）饲料产品20多个，净化了饲料市场；开发应用了饲料监管软件，在全省率先借助互联网对饲料生产企业实行动态监管，监管水平进一步提高；积极开展饲料质量安全监测，共抽检饲料产品648批次，产品检测合格率97%。

【**畜牧兽医体制改革取得新进展**】 12月23日，市委、市政府出台了《青岛市人民政府机构改革的意见》，市畜牧兽医局由市农业委员会下设机构调整为市农业委员会的部门管理机构，管理职能进一步加强。

（青岛市畜牧兽医局　王清信）

宁波市畜牧业

【**概况**】 2009年，全市出栏肉猪158.02万头，比上年下降2.81%，家禽出栏3 357.63万羽，比上年下降7.70%，肉类总产量19.11万吨，比上年增长2.80%，禽蛋产量10.29万吨，比上年下降1.62%，奶类产量1.67万吨，比上年下降7.73%。畜牧业产值46.9亿元，比上年下降4.48%，在农林牧渔业总产值中的比重16.38%，比上年减少2.27个百分点。

全市共有年出栏50头以上养猪专业场（户）3 380个，比上年增加129个，专业场（户）出栏肉猪量占全市总出栏量的96.03%，比上年提高1.90个百分点；养禽专业场（户）5 454个，比上年增加191个，专业场（户）家禽饲养量占全市总饲养量的90.38%，与上年持平。

【**饲料生产**】 全市饲料加工产品产量94.37万吨，比上年增长14.61%，其中配合饲料产量21.28万吨，比上年下降0.42%，浓缩饲料产量为0.48万吨，比上年增长33.33%，添加剂预混合饲料0.23万吨，与上年持平，鱼粉产量4.78万吨，比上年增长62.03%，豆粕产量67.6万吨，比上年增长17.56%。饲料工业总产值37.48亿元，比上年增长19.06%。

【**动物疫病免疫与监测**】 全年共免疫生猪口蹄疫225.23万头、牛口蹄疫4.4万头、羊13.33万只，免疫家禽禽流感4 101万羽、新城疫1 778.68万羽，免疫生猪猪瘟267.26万头、高致病性猪蓝耳病114.41万头。

全市共设立市级动物疫病测报点31个，对口蹄疫、猪瘟、高致病性猪蓝耳病、高致病性禽流感、奶牛“两病”等10余种疫病进行监测预警，全年共完成抽检畜禽养殖户3 072个，监测样本7万份。

【**畜产品安全**】 全年共从奶牛养殖场、奶站抽取样品85份，经检测，合格率为100%；全年共完成农业部、省畜产品质量安全例行监测5次，抽检样品575份，通过对“瘦肉精”、莱克多巴胺、磺胺类、抗生素类等兽药残留进行检测，合格率达99.5%；市级共抽检畜禽产品1 592份、饲料样品100份，合格率为100%；全年共完成例行抽检尿样240份，地产生猪尿样集中抽检6 000份，检测结果均为阴性。

【**防检疫员技能大比武**】 11月11日，宁波市畜牧兽医局组织开展了动物防（检）疫员技能比武活动，来自全市11个县（市）、区及东钱湖旅游度假区的126名基层乡镇兽医专管员、动物防疫员和动物检疫员选手代表参加了比武。

【**喷淋技术推广现场会**】 7月29日，宁波市农业局在余姚组织召开了全市规模畜禽场喷淋降温消毒技术推广现场会，余姚市水利局奕永庆对余姚市微喷灌技术在畜牧场的使用情况、应用效果等方面作了详细讲解，余姚市康宏畜牧有限公司、月飞兔场等4个畜禽场负责人就微喷灌技术的实际应用作了典型介绍，市农业局副局长朱红霞对降温设施在全市畜禽养殖场的应用情况和现状进行了分析，并对喷淋降温消毒技术的进一步推广应用提出了要求，各县（市、区）分管畜牧局长（站长、主任）和畜禽养殖场户代表共60余人参加了会议。会后，与会代表还实地参观了余姚市康宏畜牧有限公司微喷灌技术在畜牧场使用的实况。

【**畜牧业标准的制（修）订**】 2009年度制订了《紫花苜蓿生产技术规程》、《绿色食品　蛋鸡生产操作规程》、《专业种公猪站种猪饲养管理规范》3个市级畜牧业标准，修订了《安全卫生优质猪肉》、《安全卫生优质禽肉》2个市级畜牧业标准，11月12日通过了专家组评审，年底发布。

（宁波市畜牧兽医局）

厦门市畜牧业

【**概况**】

1.畜牧业产量。全市肉、蛋、奶总产量14.08万吨,同比下降2.2%。其中,肉类总产量13.18万吨,同比下降4.4%,占肉产量比重最大的猪肉产量11.67万吨,下降3%;禽肉产量1.42万吨,下降13.3%,禽蛋产量0.71万吨,增长52.5%,其中鸡蛋产量0.05万吨,鸭蛋产量0.66万吨;奶类产量0.19万吨,增长29.7%。

2.畜禽存出栏数量。截止到年底,全市生猪存栏99.69万头,同比增长0.8%,其中能繁母猪存栏10.96万头,同比下降7.3%;全年累计出栏生猪166.7万头,同比下降3%。家禽存栏306.38万只,同比下降10.1%,其中鸡存栏133.16万只(蛋鸡存栏1.41万只),同比下降28.3%,鸭存栏171.99万只(蛋鸭存栏38.09万只),增长11.8%;全年累计出栏家禽1 187.57万只,下降16.9%。牛存栏2.18万头,同比下降4.9%,其中奶牛存栏541头,牛出栏0.84万头,同比下降18.9%;羊存栏0.64万头,同比下降7.7%,羊出栏0.71万头,同比下降41.2%;兔存栏0.98万只,同比持平,兔出栏3.19万只,同比下降21.1%;存养蜜蜂0.63万箱,同比增长45.3%,蜂蜜产量185吨,同比增长22.5%。

【落实畜牧业发展扶持措施】

1.落实标准化规模养殖。根据国家发改委、农业部《关于申报生猪良种繁育体系和生猪标准化规模养殖场(小区)建设项目投资计划的通知》要求,会同市发改委,申请中央投资计划400万元,用于本市6个生猪标准化养殖场建设,新建沼气池1 800立方米,新建标准化猪舍10 565平方米,新增固液分离机6台、产床和定位栏590多套。

2.推进畜禽生态型养殖。2009年,市级财政投入资金100万元,扶持5个生态型零排放养殖基地建设,采取沼气处理、种养结合、农田循环的治理方式,通过项目建设引导养殖场走种养结合的生态型养殖模式。扶持资金主要用于建设动物防疫消毒、病死畜禽及其基地废弃物的无害化处理、饲料及饮水等设施。

3.落实能繁母猪保险补贴政策。根据《厦门能繁母猪保险保费补贴管理暂行办法》、《厦门市财政局厦门市农业局厦门市保监局关于实施能繁母猪保险有关问题的通知》的规定,先后落实了4批能繁母猪保险保费市级补贴资金,共下达市级财政补贴资金173万余元,全市能繁母猪参保数达53 525头。

【加强重大动物疫情防控工作】

1.认真贯彻,全面部署防控工作。根据全国和全省春、秋季重大动物疫病防控工作会议要求,及时召开了全市重大动物疫病防控工作会议,并部署防控工作。市政府、市重大动物疫情应急控制指挥部先后下发了有关文件,提出了加强组织领导、抓好集中免疫、加强疫情监测、规范检疫监管、完善应急机制、严格疫情报告、落实保障措施和加强监督检查等贯彻落实意见,圆满地完成了春防、秋防各项工作任务。

2.制订方案,确保防控目标实现。制订并下发了《2009年厦门市高致病性禽流感和口蹄疫等主要动物疫病免疫方案》和《2009年厦门市高致病性禽流感和口蹄疫等主要动物疫病监测计划》,提出了确保实现重大动物疫病动态免疫密度达到100%和免疫合格率达到75%的总体防控目标。截止到年底,共免疫家禽1 250.12万羽,猪254.9万头,牛4.17万头,羊1.48万只,应免畜禽免疫率全部达到100%。全市共检测禽流感、猪口蹄疫等抗体7 086份,平均免疫合格率保持在91%以上。

3.抓住时机,组织消毒灭源工作。专门制定了《厦门市2009年夏季消毒灭源活动实施方案》,组织各级畜牧兽医部门和有关从业人员,在各动物防疫的重点场所开展全面、彻底的消毒灭源集中行动,按时完成夏季消毒灭源任务。本次消毒灭源工作于9月初全面完成,全市共使用消毒剂6.58吨,消毒面积达380万平方米。

4.加强督查,促进防控措施落实。为做好春、秋防工作,专门制定了《重大动物疫病防控工作督查方案》,组织检查组分赴各区开展防控督查。检查组分别对各级防控部门的疫苗台账建立、领用记录和进出库登记等情况做了检查,并对养殖场的疫苗保管和使用记录等情况进行了核查。针对检查中存在的免疫档案管理不够规范、免疫率统计方法不全面等问题,及时下发督查通报,提出整改意见,并督促各区执行。

5.落实经费,确保物资供应稳定。在2009年预算中,市、区财政安排各项防控经费达1 000多万元(包括市级疫苗配套经费、消毒药经费、防检员补助经费、动物疫情监测分析防控经费和应急经费等)。截止到年底,全市累计采购禽流感疫苗1 025万毫升、猪口蹄疫疫苗400.6万毫升、牛羊口蹄疫疫苗11万毫升、猪瘟疫苗254万头份、高致病性猪蓝耳病疫苗149.8万毫升、消毒药8吨、一次性防护服1 700套、多次性防护服20套,储备充足的防疫物资保障了防控工作的顺利开展。

6.加强培训,科学指导集中免疫。先后开设了3期重大动物疫病防控技术培训班,市、区、镇三级重大动物疫病防控工作的主要技术骨干、市畜牧业协会会员、规模养殖大户业主共500多人参加了培训。

7.加强协作,强化应急管理工作。根据《厦门市重大动物疫情应急预案》的要求,各项疫情防控制度全部公示,各级防控机构强化应急值守,严格执行24小时值班制度,领导亲自带班,工作人员分组轮流值班,疫情专家组随时待命。同时,市疫控办启动成员单位定点联系制度,定期召开市指挥部联络员会议,协调各成员单位共同协作，开展防控。

8. 周密部署，有效防控甲型 H1N1 流感。一是全面部署防控工作。召开会议研究部署加强甲型 H1N1 流感防控工作，先后下发了多份关于加强甲型 H1N1 流感防控工作的紧急通知，进一步加强本市生猪养殖场、定点屠宰场等场所的人员感染甲型 H1N1 流感疫情监测和流行病学调查。二是组织开展甲型 H1N1 流感监测。紧急制定《2009 年厦门市甲型 H1N1 流感疫病监测方案》，对同安区、翔安区两个养殖大区的规模养殖场、散养户及屠宰场进行甲型 H1N1 流感流行病学调查、临床检查和随机抽样。三是及时建立健全防控应急机制。制定了《厦门市农业局应对人感染甲型 H1N1 流感预案》（试行），对应急监测、预警、疫情报告、应急处置、应急响应以及保障措施等作出规定。成立防控猪感染甲型 H1N1 流感病毒应急工作领导小组和防控专家组。四是深入基层开展检查指导。防控期间，市委常委、副市长詹沧洲带领有关部门负责人，实地检查了同安区动物卫生监督所、银祥集团养殖基地，并对防控工作提出具体要求。农业部门也多次组织督查组，检查了全市所有生猪屠宰场，对检查中发现的问题，现场提出整改意见，并下发《关于严防甲型 H1N1 流感疫情屠宰场检疫督查情况的通报》，要求各区认真开展自查自纠，切实整改。五是开展科普宣传。组织编印防控甲型 H1N1 流感科普知识宣传手册 2 000 册，重点宣传我国在人感染甲型 H1N1 流感预防控制方面采取的有力措施和科学防范方法，通过宣传增强群众的防控能力，消除群众的恐慌心理，维护社会稳定。

【加强动物产品质量安全】

1. 组织开展专项整治。根据《厦门市 2009 年农产品质量安全整治暨农产品质量安全执法年活动实施方案》的部署，结合本市实际开展了生鲜乳、饲料、兽药及兽药残留专项整治行动。一是细化整治方案。细化工作任务和工作要求，明确工作进度和时间安排，做到有阶段安排、有重点活动、有检查指导、有责任追究、有总结提高，确保各项工作目标和任务落到实处。二是明确工作目标。在生鲜乳整治上，提出生鲜乳收购站检查率达到 100%，生鲜乳质量安全违规单位查处率达到 100%，生鲜乳中三聚氰胺检测合格率 100%，在兽药及兽药残留整治上，提出兽药产品合格率平均提高 2 个百分点，养殖基地畜禽产品兽药残留检测合格率保持 99% 以上，全市各牲畜屠宰场、岛内家禽集中交易市场、入岛动物产品报验站的检疫率达 100%。三是落实整治措施。在生鲜乳整治上，指导督促同安、集美两区加强生鲜收购站的监管，指定专人定期开展指导工作，帮助企业建立健全各项生产档案记录，要求凭证进行生鲜乳的销售、运输，规范生鲜乳经营行为，督促奶站实现持证经营。在兽药及兽药残留整治上，以规模养殖场和兽药经营市场为重点，每季度组织一次对养殖场兽药安全使用情况的检查，督促养殖场建立健全养殖档案及兽药使用情况记录，规范养殖用药行为，组织对全市所有兽药经营单位开展市场巡查，要求兽药生产经营企业加强台账管理，规范做好各项兽药进入台账记录。

2. 加强违禁药品检测。一是加强养殖基地检测。下发了《厦门市农业局关于加强生猪养殖场“瘦肉精”和莱克多巴胺等违禁药品监管的通知》，采取属地管理、分级负责的原则，规模养殖场、小型养殖场和散养农户由市区农业部门实行分类管理。对年存栏 5 000 头以上的，市级每年每场抽检 1 次，每次抽样占存栏数 1%，区级每年每场至少抽检 2 次，每次抽样占存栏数 1%；对年存栏 300～4 999 头之间的，市级实行不定期监督抽检，区级每年每场至少抽检 1 次，每次抽样占存栏数 1%～2%；对年存栏 300 头以下的，由区级采取随机抽检，每次抽样占存栏数 3%。二是加强屠宰环节检测。按照《厦门市贸发局 厦门市农业局关于加强全市屠宰场生猪“瘦肉精”和莱克多巴胺等违禁药品监管工作的通知》的要求，2009 年 2 月 1 日起，由市区动物卫生监督部门负责生猪屠宰场违禁药品的监督检测工作，在生猪进场时，由动物卫生监督部门现场随机抽样，采用快速反应试纸条同步实施违禁药品快速检测，发现疑似阳性生猪，立即进行隔离，将可疑阳性样品送市农产品检测中心确诊，不合格的由动物卫生监督部门执法人员监督做无害化处理。

3. 严格检疫监管管理。一要加强对定点屠宰场管理，严格 24 小时值班制度，监督病死猪无害化处理工作，发现屠宰病死猪、经营病死猪肉等违法行为，依法严肃处理。二要严格查验产地检疫证明，严格执行凭有效检疫合格证明和二维码耳标入场制度，严禁在定点屠宰场所实施产地检疫。三要规范生猪进场时间，按照《生猪屠宰管理条例》规定，建立执行屠宰场开宰前 12 小时内生猪不得进场制度。四要逐步推进机打检疫证明，从 5 月 1 日起，同安银祥和海沧亿香定点屠宰场先进行机打检疫证明试点，其他定点屠宰场逐步推广。四是加强冷冻动物产品监管。对入岛动物产品检疫报检站的冷冻动物产品进行日常快速检测，完善各项规章制度，建立档案，加强消毒灭源，提高监管水平。

4. 加强部门联防联控。根据动物产品质量安全监管工作的客观要求，发扬互助合作精神，加强分工与协作，推进动物产品质量安全监管资源有效整合，形成了政府主导、部门配合、上下联动、社会各方面共同参与的动物产品质量安全监管工作机制。一是定期座谈。组织工商、贸发、卫生、各区农业部门、各屠宰加工企业、各生猪（家禽）批发商代表，召开全市动物产品质量安全监管工作座谈会，加强与各部门、各单位之间的协调配合，共同探讨全市动物产品质量安全监管工作措施。二是及时通报。根据农业部及市农产品检测中心对全市动物产品质量安全的检测结果，及时将有关检测超标情况向工商、贸发、产品输出地农业部门通报，规范生猪、猪肉经营行为。严厉打击生猪养殖环节违规使用“瘦肉精”、莱克多巴胺等违禁药品违法行为。

【加强饲料产品质量安全】

1. 有序开展饲料整治活动。以规范饲料企业生产经营，查处在饲料中添加和使用违禁药物和非法添加物为重点，积极深入地开展以“保障饲料安全，推进健康养殖”为主题的饲料质量安全执法年行动。组织制定了《2009 年饲料专项整治行动实施方案》。市区两级农业部门、各相关事业单位开展了饲料专项整治行动，专项整治活动历时 1 年。

2. 调整日常监管职能。2009 年 9 月，根据工作职能调整，将饲料行业的日常监管工作由市动物卫生监督所移交到市农产品质量安全检验测试中心。同时下发了《厦门市农业局关于加强饲料和饲料添加剂生产（经营）企业检查工作的通知》，再次明确饲料行业的属地监管职责，要求各区切实履行《饲料和饲料添加剂管理条例》、《饲料生产企业审查办法》所赋予的监管职责。

3. 加强饲料产品检测工作。根据农业部、省农业厅关于开展饲料质量安全监测工作的要求，结合全市实际情况，制定并组织实施了《2009 年厦门市饲料质量安全监测工作方案》，共抽检了全市生产、经营企业及养殖场 61 家，抽检配合饲料、浓缩饲料、饲料添加剂、添加剂预混合饲料、自配料、饲料原料以及进口宠物饲料 247 批次。

4. 规范生产管理水平。严格按照《饲料生产企业审查办法》要求，对申请新建饲料生产企业的材料严格审核把关，对不符合条件和要求的，坚决不予上报。对在年审工作中不达标的企业坚决不予年审备案。

【推动动物无害化处理立法进程】 2009 年，市农业局组织开展动物无害化处理的立法调研工作，完成了《厦门市动物无害化处理管理办法》立法调研报告，并争取将其列入 2010 年政府规章立法计划。通过组织参考、借鉴其他地区先进经验，结合本市实际情况，大力推动动物无害化处理立法工作进程，争取早日出台本市动物无害化处理管理办法。

【积极应对国际金融危机】 一是调整屠宰检疫费用，帮助本市屠宰加工企业积极应对国际金融危机。从 2009 年 2 月 1 日至 7 月 31 日，本市生猪屠宰检疫费统一调整至 1.5 元/头，为本市屠宰加工企业减免检疫费用 120 多万元。二是积极协调国税局，暂缓征收饲料生产企业增值税，帮助饲料生产企业共同应对资金紧张问题。会同市国税局、市质监局，共同出台了《关于加强饲料产品免征增值税管理的通知》，进一步明确了免税饲料产品范围、免税饲料产品管理和饲料产品检测机构。

（厦门市农业局 陈旭波）

深圳市畜牧业

【建基地，保供应】 2009 年，深圳市生猪出栏量 26.5 万头，同比减少 3.2%；家禽出栏量 518 万只，同比持平，其中肉鸡出栏量 445.6 万只，肉鸽出栏量 73 万只；肉类总产量26 300吨，同比减少 0.2%，其中猪肉产量 21 280 吨，禽肉产量 5 020 吨；年末奶牛存栏 6 735 头，同比减少 6%，鲜奶产量 16 924 吨，同比减少 8%，牛奶价格 4.5 元/千克；畜牧业生产总值 5 亿元，同比略有减少。

【饲料业生产】 全市共有饲料生产企业 38 家，2009 年饲料总产量 72 万吨，总产值 11 亿元。饲料产品包括畜禽配合料、单一饲料，浓缩料，预混料，水产料，添加剂，观赏动物饲料，微生物发酵饲料，动物源性饲料等，虽然企业的数量不是很多，但饲料产品种类多，基本涵盖了各系列的饲料产品。

据统计，全市饲料生产总体呈现出波动较大，总量上升的趋势，见下表。

时间	饲料总产量（万吨）	配合料产量（万吨）	浓缩料产量（万吨）	预混料产量（万吨）
一季度	15.08	11.27	1.86	1.94
二季度	17.31	13.16	1.98	2.17
三季度	19.21	14.23	2.41	2.56
四季度	21.20	15.10	2.85	3.25
总　计	72.80	53.76	9.10	9.92

【继续推动生猪生产基地建设】

1. 基地认定。根据市农业和渔业局的统一安排部署，抽签决定第七批专家名单和评审线路，分十条线对省内外 90 个生猪基地进行现场评审，新认定了 65 个生猪生产基地，年出栏量 117.5 万头。截止到年底共认定了七批 328 个生猪生产基地，年出栏量 685.24 万头。

2. 生猪回运。从调整政策入手促进生猪回运，经不懈努力，市政府决定在维持《深圳市食品安全“五大工程”政府扶持资金管理暂行办法》中有关生猪基地扶持政策不变的前提下，从 6 月 1 日起至 12 月 31 日止，对经市局认定的供深生猪基地回运的生猪每头补贴35元。生猪政策调整后,生猪回运量大幅增长。加强生猪回运核算管理,制定并印发了生猪基地建设企业、生猪基地及驻场检验人员回运核算的工作要求,进一步规范回运核算工作。据统计,1—10月份基地回运生猪159.4万头,占上半年屠宰总量的42.5%。

3.基地检查。一是组织开展了生猪基地自查自纠工作。按照市局的统一安排,制定了生猪基地建设情况自查表,督促企业自查自纠。二是组织开展了基地监督检查工作。于4—5月组织4个检查组分别对省内、湖南、江西、广西等地共27个生猪基地进行了现场检查。通过检查,对零回运或检查中发现问题的41个生猪基地予以撤销,对企业申请的7个基地核减规模,对4个存在问题的生产基地进行整改。

【畜产品质量安全专项整治】

1.畜产品质量安全专项检查。对全市规模养殖场组织开展了监督检查,对养殖环境较差、畜禽粪污无害化处理设施不完备或不正常运转、无养殖档案或养殖档案不全的养殖场要求限期整改。严查畜禽养殖环节中使用"瘦肉精"、莱克多巴胺的违法行为,抽取养殖场猪尿样、饲料和兽药650多批次,重点查禁使用违禁药,截止到年底,未发现一起养殖场使用违禁药品的情况。加强对屠宰场、"三鸟"(鸡、鸭、鹅)批发市场的检查,多次组织市、区动物卫生监督部门对全市屠宰场、"三鸟"批发市场进行检查。重点查看驻场检疫人员到位、索证、检疫记录及病死畜禽处理情况,在提高畜产品安全的同时,也有力地推动了规范化制度的建设。

2.深化生鲜乳专项整治。按照农业部、省农业厅的有关要求,采取有力措施,实施生鲜乳收购站标准化管理,保障生鲜乳质量安全。一是建立生鲜乳收购站监管责任制。为加强对收购站的监督管理,规范收购秩序,按照省农业厅的要求,与省、区农业部门及生鲜乳生产企业签订了6份安全生产责任书,层层落实责任,切实保障生鲜乳质量安全。二是加大宣传工作力度。组织各级农业部门、生鲜乳生产企业学习《乳品质量安全监督管理条例》、《生鲜乳生产收购管理办法》等规范和办法,进一步明确生鲜乳生产、收购等环节的规范要求,增强了依法管理的自觉性。三是规范生鲜乳收购站建设。认真摸底,对全市所有生鲜乳收购站进行登记造册,督促企业按照农业部有关规定进行整顿改造。严格对照标准,认真审核把关,对规划建设的6家生鲜乳收购站进行验收,已发放生鲜乳收购站许可证5个。四是加强监督管理。为加强对生鲜乳收购站的日常监管,进一步规范生鲜乳收购秩序。按照上级部门要求,市局设立了2个工作小组,每周一次对生鲜乳收购站进行监督检查,督促企业建立生鲜乳卫生保障和质量安全保障制度,规范收购和检测记录,督促企业严格管理生鲜乳运输车辆,已发放生鲜乳准运证明8个。五是加强生鲜乳质量安全监督检测。共出动检查人员200多人次,检查奶牛养殖场40家次,抽取生鲜乳样品30多批次,进行三聚氰胺专项检测,结果均为合格,专项整治行动取得了较好效果。

3.饲料、兽药专项整治行动。结合农业部《农产品质量安全整治暨农产品质量安全执法年活动实施方案》的要求,组织市、区、街道动物卫生执法人员对全市饲料生产企业和兽药生产、经营单位进行了专项整治。以查处禁用兽药为重点,对全市2家兽药生产企业和40家兽药经营门店进行了监督抽查,查处了1家生产假兽药的企业,罚款2 070元,查处了2家经营不合格兽药产品的门店,罚款1.058万元。以三聚氰胺等非食物添加剂为重点,检查生产经营违禁化学物质的违法行为,重点检查生产配合饲料、浓缩饲料、蛋白饲料的饲料企业,对29家饲料生产企业进行了监督抽查,抽检样品130份进行了检测。对深圳出入境检验检疫局反馈1家饲料生产企业的产品被检出含三聚氰胺的问题,进行了调查处理。

【重大动物疫病防控】

1.强化动物疫病强制免疫。一是及早部署,落实免疫计划。为有序开展2009年重大动物疫病免疫工作,年初按照农业部召开的全国春季重大动物疫病防控视频会议精神,制定了《深圳市2009年高致病性禽流感等重大动物疫病免疫实施方案》,于2月份召开会议部署全市春季重大动物疫病防控工作,要求各部门及早布置,加强督查,层层落实,把各项防控措施落到实处。上半年分别于3月上旬至5月中旬开展春季集中免疫行动,禽流感家禽免疫率、牲畜口蹄疫免疫率达100%,完成了计划免疫目标。

2.做好动物疫病免疫监测。组织各区动物卫生监督部门开展集中免疫监测和补免行动,对免疫不达要求的和新补栏的动物进行补免,确保防控工作不留死角。对鸡禽流感、新城疫、O型口蹄疫、亚洲Ⅰ型口蹄疫抗体的监测均达到75%以上。

3.科学防控甲型H1N1流感。按照国家、省、市的统一部署,迅速行动,科学应对甲型H1N1流感。迅速成立以局领导为组长的局防控甲型H1N1流感领导小组,下发紧急通知,召开会议部署,加强监督检查。对全市各大型养猪企业进行猪流感排查,督促饲养场加强饲养管理和防疫,严格防疫制度,并要求各级动物卫生监督部门高度重视,密切关注动物疫情,严防死守确保非常时期畜禽养殖安全。此外,还按照农业部、省农业厅要求实施每日零报告制度,安排专人24小时值班,发现疫情及时上报、及时处理。

4.做好消毒和无害化处理工作。组织人员加强规模养殖场、屠宰场、家禽批发市场的消毒灭源工作,确保不留死角、不留隐患。要求建立科学的消毒灭源制度，明确消毒责任人，明确消毒间隔时间及方式方法。安排好消毒药品购买和供应工作，发放各类消毒药25吨。规范病死畜禽的无害化处理，要求各企业建立健全病死畜禽处理制度，严格实行“四不准一处理”，即对病死畜禽不准宰杀、不准食用、不准出售、不准转运，必须按要求进行无害化处理。同时加大宣传力度，让广大经营者了解病死畜禽无害化处理的重要性，提高自我保护意识，提高群防群控水平。

5.加强防疫应急物资管理和储备。为进一步完善全市重大动物疫病疫苗管理，确保防疫需要，保证疫苗用在实处，印发了《关于进一步完善深圳市重大动物疫病疫苗管理的通知》，要求市、区动物卫生监督部门严格疫苗的发放程序，建立健全物资进出台账，专人负责各项记录并实行每月盘点一次。同时根据防控要求，要求市动卫所加强对高致病性禽流感疫苗、猪O型口蹄疫浓缩苗、高致病性猪蓝耳病疫苗、犬类狂犬病疫活苗、马流感疫苗和各类消毒药的购置和储备。

6.加强培训，提高防疫检疫执法水平。加强对市、区动物卫生监督部门执法人员的培训，规范动物监督执法人员的思想和行为，树立责任意识。举办了《动物防疫法》、《兽药管理条例》等动物防疫、兽药管理法律法规的培训班，规范市、区动物监督执法人员执法行为。同时强化理论与实际操作相结合，努力提高动物防疫检疫人员的专业技术技能，着力打造一支政治合格、业务精通、作风过硬的执法队伍。

7.积极配合省农业厅做好马属动物的防疫工作。按照省农业厅的要求，组织市、区动物卫生监督部门，加强对全市马属动物的检疫，对各马场存栏的马匹进行编号、标识，并建立档案。严格对调入马匹的报检、隔离观察及检疫，同时进行马传染性贫血、马流感监测，检疫合格后方可混群。对全市马场开展流行病学调查，并对全市414匹存栏马匹进行了马传贫、马流感监测。

【饲料监管】 以“保障饲料安全，推进健康养殖”为主题，全面加强饲料管理工作。组织召开各区农业主管部门及生产企业参加的紧急动员会，督促饲料和饲料添加剂生产经营企业开展自查自纠工作。重点检查饲料生产企业的仓库和药品库，查看企业的进货、出货、生产、检验等记录，检查结果总体情况良好，没有发现有违法添加非饲料用物质和滥用饲料添加剂的现象。加大对饲料生产企业的检查频次，共出动执法人员103人次，检查饲料生产企业35家，检测饲料产品114份，本市饲料产品质量总体较好。

（深圳市农业和渔业局　张碧华）

新疆生产建设兵团畜牧业

【概况】 2009年，新疆生产建设兵团畜牧业继续推进标准化规模养殖，夯实养殖基础设施配套工程建设，加大畜禽品种改良和科技推广力度，积极促进畜牧业生产方式和经营方式转变，推动产业化发展。全年肉蛋奶等畜产品大幅增长。生猪市场供应充足，生猪价格下滑，亏损面45%，养殖规模仍较快扩张；奶牛养殖回暖，效益回升，生产规模稳步扩大；牛羊肉价格稳中有升、高位运行，效益较好，但发展势头平稳，牛羊养殖补栏不积极；家禽生产相对稳定。

年末牲畜存栏586.2万头（只），同比增长9.3%。其中奶牛总存栏18.5万头，同比增长25.4%，生猪存栏134.1万头，同比净增27.2万头，增长25.5%，能繁母猪存栏16.3万头，同比增长19%；羊存栏414.2万只，同比增长4.9%。出栏各类牲畜604万头（只），增长14%。

完成肉类总产量26.6万吨，同比增长21.2%（其中猪肉13.3万吨，增幅达40.5%，牛肉3.08万吨，羊肉7.65万吨，禽肉2.2万吨）；牛奶产量38.4万吨，同比增长17.1%；禽蛋总产量4.1万吨，同比增长17.2%。羊毛1万吨，鹿茸44.5吨，蜂蜜0.23万吨。

【主要畜种生产形势】

1.奶牛。年内荷斯坦奶牛生产规模稳步扩大，奶牛总存栏18.5万头，其中含乳肉兼用牛褐牛2.2万头，西门塔尔牛3.42万头，纯种荷斯坦奶牛13.48万头。农一、七、八、十二师荷斯坦奶牛总存栏9.76万头，占兵团荷斯坦奶牛总存栏的72.4%。存栏200头以上规模的奶牛场（小区）132个，当年新增18个，其中千头以上奶牛场22个，500头以上奶牛场45个。

2009年，兵团奶业经历了较长低谷期，1—8月奶牛养殖处于亏损或维持经营状态，规模化奶牛主产区原料乳交售基准价维持在2.1元/千克（农一师1.6元/千克），实际奶农兑现价格平均2.3元/千克，处于盈亏平衡点，少部分学生奶交售价达到了2.8元/千克；其余散养户原料乳收购价格1.6~2元/千克，呈亏损经营，农八师、十师、十二师实施了原料奶交售补贴0.2元/千克。9月后，奶粉价格攀升，加之自治区推行学生奶计划及奶粉出疆运输补贴等政策，加工企业库存减少，效益好转，原料奶价格较快回升，9—12月原料奶收购价回升到2.5~3.3元/千克，奶牛养殖开始赢利经营。同时牛群总体结构得到优化，经营模式及管理水平不断完善提高。

2.生猪。2009年末，生猪存栏134万头，与前两年同期相比，分别增加58万头及27万头，增幅分别达76%及25.5%；能繁母猪存栏增幅分别为159%及19%；猪肉产量增幅分别为97%及40%。各师养猪小区及规模养殖场建设蓬勃兴起，生猪养殖成为拉动兵团畜产品产量及产值的增长点。1—5月，兵团生猪养殖效益直线下滑，生猪销售活重价长期维持在7.8~

8.5 元/千克，玉米价格却由年初 1.4 元/千克较快增长至 1.8～2.2 元/千克，仔猪销售价一度跌破 14 元/千克，各养殖场开始出现不同程度的亏损经营状态，但生产规模由于惯性作用仍处于稳步扩张阶段，能繁母猪及育肥减栏现象均不明显。6 月份之后，国家启动防止生猪价格过度下跌调控预案，开展冻肉储备并实施养殖补贴政策，市场供求关系得到短期改善，内地主产区猪肉价格抬升，生猪出疆条件改善，因此 6—9 月疆内生猪活重价格每月回升近 1 元，活猪销售价已回升至 10.5～12.5 元/千克，开始出现养殖赢利。10 月份以后，生猪活重价格持续呈下跌态势，维持在 10～10.5 元/千克。

3. 肉牛及养羊业。尽管牛羊肉市场价格持续走高，羊肉价格在 32 元/千克以上高位运行，育肥牛头均获利 500～1 500 元，育肥羊只均获利 50～100 元，但牛羊养殖补栏不积极。同时，疆内牛羊肉价格较高，与内地差价缩小，牛羊肉加工业利润率较低，加工量也呈减少趋势。

【扶持政策】 2009 年，在农业部、国家发改委、财政部的支持下，总体下达兵团畜牧业中央支持资金 9 000 余万元。主要包括中央预算内畜牧业建设项目中央投资 2 150 万元（其中种畜禽场及规模场基础设施建设资金 1 550 万元，饲草料基地建设投资 300 万元，龙头企业扶持资金 300 万元），奶牛、生猪标准化规模场建设项目中央资金 900 万元，国家畜禽良种工程建设项目投资 350 万元，农业综合开发秸秆养畜及良种场建设项目资金 360 万元，退牧还草中央资金 850 万元，草原防火隔离带建设项目中央投资 80 万元，草原治蝗灭鼠中央补助资金 200 万元，奶牛冻精良种补贴项目中央投资 350 万元，绵羊的种羊推广补贴资金 240 万元，财政部安排兵团现代农业发展资金 5 000 万元，其中安排现代畜牧业发展资金 3 800 万元。

【规模养殖】 为适应新农村建设及确保畜产品质量安全的需要，国家大力倡导推进标准化规模养殖。根据各师行业部门统计汇总，全兵团累计已建成规模养殖场（小区）1 251 个（当年新增 820 个），其中存栏 200 头以上规模化奶牛场（小区）132 个，当年新增 18 个；年出栏 500 头以上规模化养猪场（小区）710 个，当年新增 284 个；年出栏 500 只以上规模化羊场 296 个，当年新增 108 个；养禽场 167 个，规模化育肥牛场 78 个，具有一定规模养殖总户数 3.2 万户。兵团总体规模化养殖水平达到 66%。

【科技推广】 年内在优质高产青贮玉米、复播玉米、紫花苜蓿模式化种植及订单收购、机械化收获等方面取得较好成效，草产业逐步向种植、养殖双赢及商品化方向发展。全年籽实玉米种植 4.78 万公顷，青贮玉米种植 1.93 万公顷（青贮窖总容量 174 万立方米），苜蓿种植 5.89 万公顷，饲草种植总面积达到 12.6 万公顷，饲草收贮总量 261 万吨。高产田青贮玉米单产达到 8.5 吨以上，最高苜蓿干草单产达到 1.3 吨。青贮收获机累计 79 台，奶牛 TMR 机 47 台。牲畜品种改良工作继续推进。年内新建商品仔猪繁育场 85 家，新增商品仔猪供种能力 35 万头，引进奶牛冻精 18 万剂，褐牛冻精 4 万剂，西门塔尔牛冻精 4 万剂，实施牛冷配改良 11.85 万头，其中农八师、一师、七师等实施性控冻精舍冷配改良 1.37 万头；种羊调配引进 2 297 只，累计实施肉用羊杂交改良 96 万只，细毛羊良繁 48 万只。各级畜牧兽医专业技术人员培训工作不断强化。年内兵团、师、团三级围绕奶牛养殖、生猪养殖、畜禽疫病防控、草原建设、行业执法等开展了多期培训，对生产起到了良好的作用。

【产业化发展】 2009 年，兵团辖区奶业加工企业以天润、花园、新农、明旺、伊利、银桥、娃哈哈乳业等为主共 16 家，年处理鲜奶加工能力接近 80 万吨，2009 年实际加工鲜奶 25 万吨。肉类加工企业以绿翔、天康、鑫宝、香巴拉、蓝希酪、喀尔万等公司为主共 18 家，2009 年实际加工肉类 6.4 万吨。各企业在资源整合、市场开拓、品牌建设等方面均取得了一定成效，并逐步开始投入基地建设；各类养殖专业协会的建设也在不断完善，为兵团畜牧业的产业化发展进一步夯实基础。2009 年，天康公司与新湖农场合作发展养猪、正大集团与农六师合作发展畜禽养殖代养模式取得了一定成效，解决了部分农牧职工发展养殖的资金不足、技术服务不到位、市场销售难等问题，从一定程度上保障了农牧职工养殖效益，规避市场风险能力得到较大提高。

（新疆生产建设兵团农业局畜牧处　杨　勇）

【草原保护和建设】 截止到 2009 年底，兵团累计落实草原承包面积 174 万公顷；种草总面积近 14 万公顷，其中人工种草 5.87 万公顷，改良草场 7.8 万公顷；围栏面积 63.4 万公顷，禁牧、休牧和轮牧面积近 55 万公顷，开展治蝗灭鼠 43.53 万公顷，建设草原防火隔离带 700 千米。草原基础设施得到进一步的加强和改善。通过保护建设，草原植被得到初步恢复，防风固沙和水土保持能力显著增强，项目建设区生态环境明显改善，农牧民生产方式得到了转变，以草定畜、科学养畜意识增强，推动了草原畜牧业快速发展。

【草原虫害防治】 2009 年，农一师、二师、三师、四师、五师、六师、七师、八师、九师、十师、十二师、十三师和十四师等 13 个师 41 个团场发生草原蝗虫灾害，蝗虫的优势种类为意大利蝗、西伯利亚蝗，平均虫口密度60~80头/平方米，严重区虫口密度高达150多头/平方米。发生面积42万公顷，成灾面积17.8万公顷。开展防治面积15.4万公顷，其中化学防治8.3万公约，生物防治7.1万公顷。

据统计，2009年全兵团在草原虫害防治工作中，累计投入经费241万元，使用农药71吨，购置防治器械127台套，出动人员4 583人次，动用飞机1架次，投入大型喷雾器176台，背负式喷雾器2 038台，车辆301辆。开展培训技术人员109人，农牧民1 008人，农牧民测报员80人，实现了“飞蝗不起飞成灾，土蝗不扩散危害”的防治目标。

防治工作中，采取机械与人工相结合的方式，一是使用锐劲特、氯氰菊酯等化学农药进行化学防治；二是利用绿僵菌、印楝素等生物制剂进行防治和招引椋鸟、放养牧鸡牧鸭进行控制，牧鸡牧鸭控制2.2万公顷，椋鸟控制近2.2万公顷，生物制剂防治2.6万公顷；三是结合禁牧休牧等工程项目进行生态治理，采取围栏、补播改良等技术措施，改变害虫宜生的栖息环境，从而抑制害虫种群数量。生物防治和生态控制面积占当年防治总面积的46%。

【草原防火】 2009年，兵团认真宣传贯彻落实《草原防火条例》，在3月份就专门召开了春季防火工作会议，对全年防火工作做了具体部署和安排，完善制度，明确责任，加强设施设备的检修保养，强化宣传培训。除组织105人次分4次进行专业培训外，还在《草原法》防火宣传月活动期间，组织开展讲座、知识竞赛、论坛等科普宣教活动38次，发放应急知识手册、宣传教育材料7900份数，普及草原防火安全知识人次10万人次。此外，注重开展防火检查和火险隐患排查，特别是重大节假日期间，加大巡查力度，全年兵团开展火灾隐患排查次2次，师级4次，团级12次，查出隐患7次，排除隐患7次。确保全年没有火灾发生。

【草原鼠害防治】 2009年农一师、二师、三师、四师、五师、六师、七师、八师、九师、十师、十二师、十三师和十四师等13个师38个团场发生草原鼠害，主要优势种为大沙鼠、鼹形田鼠、子午沙鼠、黄免尾鼠、赤颊田鼠、长尾黄鼠、普通田鼠、灰旱獭等，兵团草原鼠害危害面积共28万公顷，严重危害面积达10.8万公顷。

为有效遏制草原鼠害的危害和蔓延，全兵团以加强管理，突出重点，综合治理，讲求实效为方针，坚持“连片防治，集中力量打歼灭战”和标本兼治，持续控制为原则，共筹措资金224.6万元，出工13 559人次，防治面积达15万公顷，其中化学防治1.4万公顷，生物防治12.74万公顷，器械防治1.17万公顷。生态治理8.19万公顷，出动防治器械799台次，车179辆，培训670人次，取得了较好的成效。

【草原执法监督】 2009年兵团草原发案数量为87起，其中立案70起，破坏草原面积近56公顷。其中，非法采集草原野生植物案件62起，占发案总数的71.26%；破坏草原面积35公顷，占破坏总面积的62.81%；其次是开垦草原案件，发案数9起，占发案总数的10.34%；破坏草原面积16.2公顷，占破坏总面积的28.8%。

（新疆生产建设兵团农业局畜牧处　刘根俊）

（本栏目主编　王志刚　武玉波　寇占英　李　扬）

统 计 资 料

全国畜牧生产情况比较表(一)

项　　　目	单位	2009 年	2008 年	2009 年比 2008 年增减	
				绝对数	%
当年畜禽出栏					
大牲畜					
牛	万头	4 602.17	4 446.09	156.08	3.51
马	万匹	145.22	141.59	3.64	2.57
驴	万头	227.90	214.95	12.95	6.03
骡	万匹	56.72	54.34	2.38	4.38
骆驼	万峰	6.33	8.08	-1.75	-21.64
猪	万头	64 538.61	61 016.61	3 522.00	5.77
羊	万只	26 732.89	26 172.30	560.59	2.14
山羊	万只	14 915.87	14 616.04	299.83	2.05
绵羊	万只	11 817.02	11 556.30	260.72	2.26
家禽	万只	1 060 944.97	1 022 155.69	38 789.28	3.79
兔	万只	43 281.43	41 529.90	1 751.53	4.22
畜禽年末存栏					
大牲畜	万头	12 357.57	12 250.69	106.87	0.87
役畜	万头	4 262.58	5 052.80	-790.22	-15.64
牛	万头	10 726.53	10 576.00	150.53	1.42
奶牛	万头	1 260.33	1 233.49	26.84	2.18
马	万匹	678.50	682.09	-3.59	-0.53
驴	万头	648.42	673.14	-24.72	-3.67
骡	万匹	279.29	295.47	-16.18	-5.48
骆驼	万峰	24.83	24.00	0.83	3.46
猪	万头	46 996.04	46 291.33	704.71	1.52
能繁母猪	万头	4 957.73	4 878.83	78.90	1.62
羊	万只	28 452.16	28 084.92	367.23	1.31
山羊	万只	15 050.09	15 229.22	-179.13	-1.18
绵羊	万只	13 402.07	12 855.74	546.33	4.25
家禽	万只	533 031.94	528 197.35	4 834.58	0.92
兔	万只	22 221.29	21 835.12	386.17	1.77

全国畜牧生产情况比较表(二)

项　　目	单位	2009 年	2008 年	2009 年比 2008 年增减	
				绝对数	%
畜产品产量					
肉类总产量	万吨	7 649.75	7 278.74	371.01	5.10
猪牛羊肉	万吨	5 915.7	5 614.0	301.7	5.37
牛肉	万吨	635.54	613.17	22.38	3.65
平均每头产肉量	千克/头	138.10	137.91	0.19	0.14
猪肉	万吨	4 890.76	4 620.50	270.25	5.85
平均每头产肉量	千克/头	75.80	75.73	0.07	0.10
羊肉	万吨	389.42	380.35	9.07	2.38
平均每只产肉量	千克/只	14.60	14.53	0.07	0.46
禽肉	万吨	1 594.88	1 533.65	61.23	3.99
兔肉	万吨	63.60	58.75	4.86	8.27
其他畜产品产量					
奶类产量	万吨	3 732.59	3 781.45	-48.86	-1.29
牛奶产量	万吨	3 518.84	3 555.82	-36.99	-1.04
山羊毛产量	吨	49 453	44 406	5 047	11.37
绵羊毛产量	吨	364 002	367 687	-3 685	-1.00
细羊毛	吨	127 352	123 838	3 514	2.84
半细羊毛	吨	113 018	104 838	8 179	7.80
羊绒产量	吨	16 964	17 184	-220	-1.28
蜂蜜产量	万吨	40.15	40.01	0.15	0.37
禽蛋产量	万吨	2 742.47	2 702.20	40.27	1.49
蚕茧产量	万吨	83.22	90.93	-7.71	-8.48
桑蚕茧	万吨	76.12	83.12	-7.00	-8.42
柞蚕茧	万吨	7.10	7.81	-0.71	-9.11

各地区主要畜禽出栏量

单位:万头、万只、万匹

地区	猪	牛	羊	马	驴	骡	家禽	兔
全国总计	**64 538.6**	**4 602.2**	**26 732.9**	**145.2**	**227.9**	**56.7**	**1 060 945.0**	**43 281.4**
北京	314.0	11.7	86.7	0.0	0.1	0.0	12 355.0	15.4
天津	328.9	21.0	65.6	0.1	0.2	0.1	6 184.2	28.0
河北	3 332.9	344.3	2 059.1	11.2	33.2	10.0	52 552.8	2 777.0
山西	663.4	34.6	404.4	0.5	4.3	2.2	5 664.3	437.1
内蒙古	883.0	294.0	5 339.2	27.3	40.0	8.4	8 838.7	586.1
辽宁	2 597.0	270.0	721.0	10.4	48.5	7.4	68 029.3	190.1
吉林	1 374.8	283.8	293.8	18.0	13.6	5.5	38 451.6	289.0
黑龙江	1 512.6	237.9	702.4	6.1	2.8	1.4	17 343.2	257.5
上海	269.7	0.0	42.8				4 097.7	46.0
江苏	2 748.1	17.5	686.9	0.1	1.5	0.3	72 665.5	3 710.0
浙江	1 894.0	7.0	102.9				26 021.6	476.4
安徽	2 680.2	120.2	968.5	0.0	0.2	0.0	62 243.4	243.3
福建	1 922.9	21.6	127.5				19 419.7	1 536.0
江西	2 714.2	121.4	73.4				37 644.6	296.1
山东	4 155.7	454.3	3 057.1	1.9	5.2	1.5	156 864.2	7 502.8
河南	5 143.6	559.8	2 175.6	9.3	17.5	4.1	80 512.5	3 625.2
湖北	3 735.5	118.9	494.0	0.2	0.1	0.0	43 551.1	129.5
湖南	5 508.7	139.6	680.0	0.1	0.3	0.0	36 880.0	478.0
广东	3 601.0	52.2	48.1				113 617.4	259.4
广西	3 119.9	143.0	205.0	2.8		0.0	72 834.0	352.5
海南	482.5	25.3	83.3				12 295.3	16.7
重庆	2 003.1	46.9	166.6	0.3	0.0	0.4	17 918.3	2 559.6
四川	6 915.5	251.8	1 576.3	1.7	0.7	0.6	54 565.0	16 710.8
贵州	1 596.1	92.1	190.1	9.8	0.0	0.7	8 084.0	113.9
云南	2 824.5	252.6	687.1	10.3	5.8	6.2	17 953.6	78.4
西藏	14.7	123.7	526.3				103.7	
陕西	1 063.6	53.8	487.2	0.3	2.4	1.0	4 530.0	264.0
甘肃	622.3	148.7	984.5	2.3	15.8	4.5	3 301.8	40.6
青海	134.8	92.5	552.9	1.8	0.8	1.1	322.2	17.3
宁夏	127.2	50.9	395.3	0.2	3.7	0.9	1 102.4	19.8
新疆	254.2	210.9	2 749.3	30.7	31.1	0.3	4 998.0	225.0

各地区主要畜禽年末存栏量(一)

单位:万头、万匹

地 区	大牲畜	役畜	牛			马	驴	骡
				肉牛	乳牛			
全国总计	12 357.6	4 262.6	10 726.5	5 918.8	1 260.3	678.5	648.4	279.3
北 京	23.4	0.7	22.1	6.2	15.8	0.2	0.9	0.2
天 津	28.2	1.8	27.4	10.5	15.8	0.1	0.5	0.2
河 北	536.7	152.7	429.1	152.7	167.4	20.3	62.9	24.4
山 西	133.7	61.0	90.6	32.8	27.4	2.2	21.3	19.5
内蒙古	868.9	182.6	663.9	290.0	227.3	70.7	90.5	34.2
辽 宁	515.6	223.5	354.0	232.4	28.9	26.5	113.9	21.2
吉 林	556.6	182.8	474.7	354.5	19.3	47.2	22.2	12.6
黑龙江	572.0	94.9	533.2	257.5	197.0	26.8	8.3	3.7
上 海	6.5	0.1	6.5	3.4	3.0			
江 苏	39.7	10.6	33.9	7.2	18.9	0.4	4.1	1.3
浙 江	20.4	10.1	20.4	4.2	6.1			
安 徽	149.5	37.0	148.8	105.2	6.8	0.2	0.4	0.1
福 建	70.3	36.9	70.3	28.4	5.0	0.0		
江 西	269.3	153.9	269.3	121.4	4.0			
山 东	507.5	103.3	485.6	303.4	83.8	5.2	13.4	3.2
河 南	1 080.1	350.3	1 044.7	657.5	50.5	12.7	17.1	5.6
湖 北	335.6	210.6	334.0	118.9	5.4	0.9	0.5	0.1
湖 南	444.8	308.5	440.0	132.6	2.6	4.2	0.4	0.2
广 东	233.3	122.9	233.1	104.7	5.6	0.2		
广 西	493.5	56.7	448.0	425.4	2.3	40.4	0.1	5.0
海 南	92.7	23.0	92.7	69.5	0.1			
重 庆	122.9	78.2	119.4	41.5	1.7	2.3	0.2	1.0
四 川	1 107.5	389.9	989.2	633.6	19.7	97.8	9.9	10.6
贵 州	626.2	404.2	539.1	216.6	9.7	83.6	0.2	3.3
云 南	919.5	327.0	742.6	401.5	14.1	74.4	34.1	68.6
西 藏	697.1	121.6	645.1	392.6	39.0	41.5	8.7	1.8
陕 西	193.0	88.6	169.0	36.9	43.5	0.8	16.8	6.4
甘 肃	591.2	245.3	432.5	247.1	14.0	13.6	100.7	43.0
青 海	480.7	40.6	444.6	389.9	28.2	21.4	5.6	8.2
宁 夏	104.7	35.7	92.1	41.7	27.2	0.4	8.6	3.7
新 疆	536.9	207.8	330.8	99.1	170.4	84.6	107.2	1.4

各地区主要畜禽年末存栏量(二)

单位:万峰、万头、万只

地区	骆驼	猪	能繁母猪	羊	山羊	绵羊	家禽
全国总计	**24.8**	**46 996.0**	**4 957.7**	**28 452.2**	**15 050.1**	**13 402.1**	**533 031.9**
北京		186.6	24.4	67.4	18.9	48.5	2 835.4
天津		181.0	21.0	38.1	4.3	33.8	1 978.4
河北		1 968.0	206.5	1 565.1	551.4	1 013.7	34 922.4
山西	0.0	498.8	56.9	747.7	375.1	372.6	6 216.9
内蒙古	9.6	683.7	90.1	5 197.2	1 991.9	3 205.3	4 334.5
辽宁		1 606.2	218.7	717.0	447.8	269.2	38 250.1
吉林		1 007.7	114.9	422.9	187.9	235.0	15 928.8
黑龙江		1 356.7	134.0	897.7	338.3	559.4	12 886.5
上海		175.2	17.3	25.1	23.6	1.5	1 305.2
江苏		1 760.2	147.2	426.5	419.2	7.3	32 160.4
浙江		1 225.8	112.0	111.6	43.2	68.3	12 352.3
安徽		1 482.6	137.4	584.2	583.2	1.0	22 540.8
福建		1 315.8	133.5	103.4	103.4		8 422.2
江西		1 569.1	150.1	57.3	57.3		18 106.2
山东		2 753.1	299.2	2 096.9	1 689.0	408.0	52 028.8
河南		4 528.9	473.8	1 997.2	1 901.0	96.2	61 307.0
湖北		2 546.1	251.2	413.2	413.2	0.0	27 828.6
湖南		4 032.8	411.2	521.1	518.7	2.4	27 100.0
广东		2 392.3	267.1	37.2	37.2		37 490.5
广西		2 332.4	281.7	190.0	190.0		28 180.0
海南		411.5	61.5	71.8	71.8		4 444.4
重庆		1 604.1	154.5	142.3	142.3		10 813.3
四川		5 122.0	521.8	1 723.9	1 573.6	150.3	39 776.6
贵州		1 618.0	168.6	253.0	238.1	14.9	6 892.7
云南		2 736.2	285.7	877.6	774.0	103.6	11 705.8
西藏		30.5	10.3	1 674.5	494.4	1 180.1	112.5
陕西		920.3	88.8	670.2	539.9	130.3	5 592.5
甘肃	1.5	568.9	67.9	1 726.7	386.4	1 340.2	3 515.8
青海	0.8	109.8	11.0	1 497.8	227.6	1 270.2	226.3
宁夏	0.0	91.7	13.7	470.2	138.2	332.0	863.6
新疆	13.0	180.4	25.8	3 127.5	569.4	2 558.1	2 913.5

各地区畜牧业主要产品产量(一)

单位:万吨

地 区	肉类总产量	猪牛羊肉	猪肉	牛肉	羊肉	禽肉	奶类	牛奶	禽蛋
全国总计	7 649.7	5 915.7	4 890.8	635.5	389.4	1 594.9	3 732.6	3 518.8	2 742.5
北 京	47.2	27.6	24.1	2.1	1.4	19.5	67.4	67.4	15.4
天 津	39.5	30.7	25.7	3.6	1.5	8.4	68.7	68.3	19.6
河 北	426.6	336.8	253.6	55.3	28.0	76.5	461.0	451.5	353.2
山 西	69.8	61.1	50.7	4.8	5.6	6.9	74.1	72.5	75.3
内蒙古	234.0	204.2	68.6	47.4	88.2	19.2	934.0	903.1	48.9
辽 宁	389.2	266.8	218.8	40.2	7.8	115.1	115.6	110.0	263.1
吉 林	226.2	158.6	113.2	41.8	3.6	65.8	44.5	44.5	98.6
黑龙江	187.6	156.6	108.2	36.8	11.6	28.9	534.7	528.7	101.9
上 海	26.2	18.1	17.6	0.0	0.6	6.8	21.2	21.2	8.0
江 苏	344.4	215.2	204.5	3.3	7.5	120.4	55.4	55.4	185.2
浙 江	170.4	131.0	128.2	1.0	1.7	38.4	19.9	19.9	43.3
安 徽	362.5	261.2	229.8	17.5	13.8	99.6	20.1	20.1	118.2
福 建	175.1	146.8	142.9	2.2	1.7	25.6	15.6	15.2	28.8
江 西	276.0	222.8	210.8	10.9	1.1	51.8	11.2	11.2	41.4
山 东	684.1	443.8	341.3	69.6	32.9	229.4	258.1	236.3	377.1
河 南	615.0	499.5	389.6	84.0	25.9	100.1	301.3	281.9	382.9
湖 北	367.0	304.8	279.9	17.0	7.8	61.4	28.3	15.5	128.9
湖 南	476.3	422.1	395.4	15.7	11.0	52.3	7.7	7.7	88.9
广 东	427.0	269.0	262.1	6.1	0.9	152.5	14.4	14.0	33.9
广 西	371.3	248.9	232.3	13.4	3.2	118.4	8.1	8.1	19.3
海 南	66.0	43.1	39.7	2.3	1.1	21.1	0.4	0.2	3.2
重 庆	187.7	154.5	146.5	5.9	2.1	28.5	7.9	7.9	36.0
四 川	632.8	527.4	474.2	28.9	24.3	81.8	68.7	68.2	144.1
贵 州	169.6	154.7	140.1	11.4	3.2	13.5	4.5	4.5	12.2
云 南	304.6	270.9	230.8	28.0	12.1	30.8	105.9	48.4	20.8
西 藏	24.0	23.8	1.2	14.2	8.4	0.1	28.7	23.0	0.3
陕 西	98.7	90.1	75.0	7.8	7.3	7.3	185.8	149.2	48.1
甘 肃	82.9	76.6	45.8	15.1	15.6	4.1	37.7	37.7	13.9
青 海	26.9	26.1	9.2	8.1	8.8	0.5	25.3	25.3	1.5
宁 夏	25.6	23.2	9.2	7.3	6.8	2.0	81.1	81.1	7.5
新 疆	115.4	99.7	22.0	33.9	43.8	8.1	125.2	120.9	23.2

各地区畜牧业主要产品产量(二)

单位:吨

地　区	蜂蜜(万吨)	山羊毛	绵羊毛			羊绒	蚕茧		
				细羊毛	半细羊毛			桑蚕茧	柞蚕茧
全国总计	**40.2**	**49 453**	**364 002**	**127 352**	**113 018**	**16 964**	**832 156**	**761 196**	**70 960**
北　京	0.3	89	378	10	53	39			
天　津	0.0	1	603	44	559				
河　北	1.0	2 980	34 588	6 228	16 998	676	1 471	571	900
山　西	0.3	1 330	5 866	510	488	797	4 604	4 604	
内蒙古	0.5	18 455	102 027	54 234	15 509	7 375	5 733	277	5 456
辽　宁	0.2	2 736	10 136	2 511	6 034	1 216	50 366	224	50 142
吉　林	1.2	1 169	22 011	17 088	4 743	130	4 211		4 211
黑龙江	1.5	1 152	25 309	4 611	20 698	770	3 018		3 018
上　海	0.0	153	44		44				
江　苏	0.5	1	351	80	271	0	79 024	79 024	
浙　江	8.8	438	1 856		1 856		68 296	68 296	
安　徽	1.6	119	153	48	105		28 838	28 838	
福　建	0.9						32	32	
江　西	1.1						8 375	8 375	
山　东	0.8	4 576	8 660	1 633	4 593	925	52 472	51 844	628
河　南	10.1	4 887	10 419	948	6 823	885	28 285	21 781	6 504
湖　北	0.9	11	3				6 100	5 999	101
湖　南	1.0	2					301	301	
广　东	1.4	5					86 101	86 101	
广　西	0.0						224 930	224 930	
海　南	0.1						135	135	
重　庆	1.1		4	4			19 464	19 464	
四　川	4.5	516	6 949	862	4 039	27	106 979	106 979	
贵　州	0.2	38	434	105	329	3	530	530	
云　南	0.7	104	1 744	231	1 002		26 595	26 595	
西　藏	0.0	1 224	8 837	669	1 501	550			
陕　西	0.4	2 152	5 655	2 515	1 507	1 217	25 845	25 845	
甘　肃	0.1	1 762	26 127	8 544	5 516	359	452	452	
青　海	0.1	805	14 573	690	4 531	416			
宁　夏	0.1	349	5 674	187	2 319	317	1	1	
新　疆	0.8	4 400	71 600	25 600	13 500	1 261			

各地区畜牧业分项产值以及农林牧渔业增加值与畜牧业增加值对比

（按当年价格计算）

单位:亿元

地区	畜牧业产值	牲畜饲养				猪饲养	家禽饲养	捕猎	其他畜牧业	农林牧渔业增加值	畜牧业增加值
			牛	羊	奶产品						
全国	19 468.4	4 323.9	1 874.6	1 181.7	982.0	9 177.6	5 177.5	13.3	776.0	35 225.9	9 412.3
北京	136.1	35.5	10.5	5.4	18.5	42.0	47.2		11.4	118.3	38.9
天津	83.6	27.6	6.9	3.0	15.8	34.3	21.4		0.2	128.9	34.8
河北	1 350.1	430.0	163.2	112.8	142.1	441.6	376.4		102.0	2 207.3	661.8
山西	230.9	72.9	22.3	26.6	17.7	93.5	62.0		2.5	477.6	145.5
内蒙古	721.4	562.7	90.3	224.1	221.4	106.1	51.4		1.2	929.6	375.5
辽宁	1 171.4	325.4	162.0	46.0	29.6	401.1	389.7		55.2	1 414.9	473.8
吉林	825.5	180.6	141.3	11.0	21.8	384.9	237.6	0.5	21.9	980.6	378.5
黑龙江	870.2	296.9	128.0	24.0	136.4	380.8	184.7		7.8	1 154.3	302.5
上海	64.6	10.7	0.2	1.9	8.4	35.2	15.8		2.9	113.8	19.9
江苏	874.0	56.1	7.2	24.9	17.5	348.5	403.5	2.8	63.1	2 261.9	355.5
浙江	404.9	15.1	1.8	6.3	6.8	276.5	76.0	0.3	37.0	1 163.1	181.9
安徽	795.8	104.4	52.9	46.4	4.2	416.9	238.1	1.3	35.1	1 495.4	396.5
福建	366.9	24.7	7.6	10.4	6.8	240.9	87.8	1.8	11.6	1 182.7	192.2
江西	541.5	43.2	35.2	3.5	3.9	355.3	130.2	1.3	11.5	1 098.4	281.6
山东	1 683.8	332.7	163.6	93.4	71.8	667.1	541.7	0.9	141.5	3 226.6	691.1
河南	1 654.3	578.0	333.5	101.9	95.2	659.8	363.9	1.5	51.1	2 769.0	913.1
湖北	881.8	64.1	44.0	14.8	3.2	583.8	228.6	0.4	4.9	1 795.9	523.6
湖南	1 100.4	66.9	39.3	25.0	2.5	739.9	276.7		16.8	1 969.7	475.9
广东	917.1	19.7	11.5	2.0	6.2	488.8	367.3	1.4	40.0	2 010.3	415.2
广西	812.5	52.3	41.8	7.1	3.1	428.1	274.3		57.8	1 455.2	398.2
海南	142.8	11.3	8.3	2.9	0.1	75.3	53.3	0.1	2.7	462.2	82.3
重庆	319.4	19.3	12.7	4.0	2.5	188.2	94.9	0.1	17.0	606.8	164.0
四川	1 596.7	202.3	95.6	82.9	19.9	893.0	442.6		58.9	2 240.6	790.4
贵州	281.5	39.8	31.6	6.3	1.6	195.5	44.4	0.1	1.7	550.3	167.8
云南	557.8	115.2	73.9	28.0	10.3	369.0	65.0	0.1	8.5	1 067.5	311.2
西藏	44.3	41.7	20.8	11.0	6.6	2.1	0.5			63.9	31.1
陕西	387.9	124.6	26.8	39.0	53.6	197.3	57.2	0.5	8.3	789.6	208.6
甘肃	171.9	86.6	32.6	40.2	8.8	71.2	12.7		1.4	497.0	117.4
青海	90.1	72.4	28.3	28.2	13.1	15.3	2.1		0.3	107.4	66.9
宁夏	70.7	48.1	17.8	14.4	14.3	14.5	7.8		0.3	127.3	30.5
新疆	318.4	263.1	63.3	134.0	18.5	31.2	22.6		1.5	759.7	185.8

全国饲养业产品成本与收益

项目	生猪平均		规模养猪平均		农户散养生猪	
	2008年	2009年	2008年	2009年	2008年	2009年
每头(百只)						
主产品产量(千克)	110.5	111.5	108.8	110.0	112.1	113.0
产值合计(元)	1 559.6	1 257.8	1 568.1	1 247.9	1 551.0	1 267.7
主产品产值(元)	1 542.5	1 241.5	1 554.3	1 234.7	1 530.8	1 248.4
副产品产值(元)	17.1	16.3	13.9	13.2	20.3	19.3
总成本(元)	1 290.2	1 149.9	1 263.9	1 118.7	1 316.2	1 180.8
生产成本(元)	1 289.0	1 148.9	1 262.0	1 116.8	1 315.8	1 180.8
物质与服务费用(元)	1 160.5	1 013.1	1 192.1	1 042.7	1 128.7	983.4
人工成本(元)	128.6	135.8	69.8	74.1	187.1	197.4
家庭用工折价(元)	113.6	119.5	40.2	41.6	186.8	197.3
雇工费用(元)	15.0	16.3	29.7	32.5	0.3	0.1
土地成本(元)	1.1	0.9	1.9	1.8	0.4	
净利润(元)	269.4	108.0	304.2	129.2	234.9	86.9
成本利润率(%)	20.9	9.4	24.1	11.6	17.8	7.4
每50千克主产品						
平均出售价格(元)	698.0	556.7	714.3	561.0	682.8	552.5
总成本(元)	577.4	508.9	575.7	502.9	579.4	514.6
生产成本(元)	576.9	508.5	574.8	502.1	579.2	514.6
净利润(元)	120.6	47.8	138.6	58.1	103.4	37.9
附:						
每核算单位用工数量(日)	5.7	5.2	2.7	2.5	8.7	8.0
平均饲养天数(日)	154.0	152.2	139.0	141.2	169.0	163.3

项目	奶牛平均		规模养殖蛋鸡平均		规模养殖肉鸡平均	
	2008年	2009年	2008年	2009年	2008年	2009年
每头(百只)						
主产品产量(千克)	5 413.5	5 543.2	1 670.4	1 686.6	211.7	221.4
产值合计(元)	14 638.1	15 654.8	11 817.0	12 445.7	2 112.3	2 161.9
主产品产值(元)	13 507.4	14 312.7	10 240.8	10 818.5	2 087.0	2 135.6
副产品产值(元)	1 130.7	1 342.1	1 576.1	1 627.2	25.4	26.3
总成本(元)	11 413.8	12 154.7	10 927.5	11 748.8	1 877.2	1 970.3
生产成本(元)	11 380.8	12 124.4	10 905.6	11 731.3	1 872.9	1 957.3
物质与服务费用(元)	10 120.4	10 793.4	10 430.9	11 210.6	1 770.7	1 845.5
人工成本(元)	1 260.5	1 331.0	474.8	520.7	102.3	111.8
家庭用工折价(元)	745.9	774.3	299.8	327.2	75.2	85.1
雇工费用(元)	514.6	556.8	174.9	193.6	27.1	26.7
土地成本(元)	33.0	30.4	21.9	17.4	4.3	13.0
净利润(元)	3 224.2	3 500.1	889.4	697.0	235.1	191.6
成本利润率(%)	28.3	28.8	8.1	5.9	12.5	9.7
每50千克主产品						
平均出售价格(元)	124.8	129.1	306.5	320.7	492.9	482.4
总成本(元)	97.3	100.2	283.5	302.8	438.1	439.7
生产成本(元)	97.0	100.0	282.9	302.3	437.1	436.8
净利润(元)	27.5	28.9	23.1	18.0	54.9	42.8
附:						
每核算单位用工数量(日)	47.2	43.4	18.9	18.1	4.2	4.0
平均饲养天数(日)	365.0	365.0	350.0	354.2	65.0	67.1

各地区人均畜产品占有量及排序

单位:千克

地区	肉类	位序	蛋类	位序	奶类	位序
全国总计	57.5		20.6		28.0	
北京	27.4	28	8.9	20	39.1	10
天津	32.8	26	16.3	13	57.1	7
河北	60.8	15	50.4	2	65.8	5
山西	20.4	30	22.0	9	21.7	15
内蒙古	96.8	1	20.2	10	386.3	1
辽宁	90.2	2	60.9	1	26.8	13
吉林	82.7	4	36.0	5	16.3	16
黑龙江	49.0	18	26.6	6	139.8	2
上海	13.8	31	4.2	25	12.2	18
江苏	44.7	21	24.0	7	7.2	20
浙江	33.1	25	8.4	21	3.9	23
安徽	59.1	16	19.3	11	3.3	24
福建	48.4	19	8.0	22	4.3	22
江西	62.5	14	9.4	19	2.5	26
山东	72.4	9	39.9	4	27.3	12
河南	65.0	12	40.5	3	31.9	11
湖北	64.2	13	22.6	8	5.0	21
湖南	74.5	8	13.9	14	1.2	29
广东	44.5	23	3.5	28	1.5	28
广西	76.8	7	4.0	26	1.7	27
海南	76.9	6	3.7	27	0.4	31
重庆	65.9	11	12.6	16	2.8	25
四川	77.5	5	17.7	12	8.4	19
贵州	44.7	22	3.2	29	1.2	30
云南	66.8	10	4.6	24	23.2	14
西藏	83.3	3	1.0	31	99.6	4
陕西	26.2	29	12.8	15	49.3	8
甘肃	31.5	27	5.3	23	14.3	17
青海	48.4	20	2.7	30	45.6	9
宁夏	41.1	24	12.0	17	130.6	3
新疆	53.8	17	10.8	18	58.4	6

(资料来源:国家统计局)

各地区种畜禽场情况(一)

地区	种畜禽场(个)												
	总数	种牛场					种马场	种猪场	种羊场	种绵羊场		种山羊场	
			种乳牛场	种肉牛场	种水牛场	种牦牛场					种细毛羊场		种绒山羊场
全　国	**14 788**	**435**	**266**	**136**	**20**	**13**	**25**	**7 619**	**906**	**313**	**67**	**593**	**130**
北　京	178	25	24	1			4	75	8	7		1	
天　津	26							11	3	2		1	
河　北	565	8	5	3			2	321	25	19	2	6	4
山　西	261	12	11	1				124	39	21		18	9
内蒙古	218	24	16	8			3	74	96	70	17	26	22
辽　宁	1 268	50	39	11			5	607	66	10	6	56	56
吉　林	442	6		6			2	220	18	15	8	3	2
黑龙江	461	9	6	3				304	16	10	3	6	5
上　海	61	1		1				24	3	1		2	
江　苏	902	5	3		2			153	34	4		30	
浙　江	332	3	2		1			70	19	11		8	
安　徽	881	4	1	3				440	41	2		39	
福　建	404	24	21	1	2		1	310	8			8	
江　西	546							283	1			1	
山　东	1 459	62	49	13			1	587	38	14	2	24	1
河　南	823	7	3	3	1			448	20	11	1	9	
湖　北	470	7	1	6				279	34			34	
湖　南	900	36	6	21	9			561	109	1		108	3
广　东	1 023	8	4	3	1			776	1			1	
广　西	326	2		1	1			195	3			3	
海　南	414	19	1	18				155	32			32	
重　庆	738	11	7	3	1			379	59			59	
四　川	760	10	6	1		3		448	42	6		36	
贵　州	117							87	7	2	1	5	
云　南	261	9	1	6	2		3	182	38	6	1	32	
西　藏	15	9	6			3		1	3	2	1	1	1
陕　西	479	27	17	10			1	323	39	8	3	31	19
甘　肃	243	40	25	10		5	1	112	47	43	4	4	1
青　海	31	3	1	1		1	1	12	7	6	3	1	1
宁　夏	42							18	7	6		1	1
新　疆	142	14	11	2		1	1	40	43	36	15	7	5

各地区种畜禽场情况(二)

地 区	种畜禽场(个)											
	种禽场	种蛋鸡场			种肉鸡场			种鸭场	种鹅场	种兔场	种蜂场	其他场
			祖代场	父母代场		祖代以上场	父母代场					
全 国	5 030	1 650	107	1 543	2 206	160	2 046	908	266	548	76	149
北 京	64	25	8	17	33	9	24	6			1	1
天 津	12	9		9	2	2			1			
河 北	198	156	9	147	36	7	29	6		4	1	6
山 西	75	62	1	61	9	1	8	3	1	6		5
内蒙古	13	6		6	6	1	5		1	3		5
辽 宁	527	171	3	168	341	3	338	6	9	10	1	2
吉 林	162	33	2	31	114	5	109	6	9	20		14
黑龙江	129	44	1	43	71		71	3	11	2		1
上 海	26	7	1	6	12	2	10	7				7
江 苏	640	261	9	252	245	36	209	108	26	28	13	29
浙 江	194	24		24	57	8	49	90	23	27	11	8
安 徽	357	81	14	67	135	18	117	94	47	25	4	10
福 建	54	5		5	30	5	25	18	1	6	1	
江 西	251	23	9	14	192	8	184	21	15	6		5
山 东	675	248	6	242	277	2	275	132	18	69	2	25
河 南	328	193	12	181	86	3	83	25	24	14	2	4
湖 北	127	55	2	53	36	3	33	24	12	17	2	4
湖 南	144	39	5	34	47	9	38	41	17	22	27	1
广 东	218	10		10	138	7	131	65	5	15	1	4
广 西	110	2		2	94	2	92	9	5	13		3
海 南	204	13	2	11	88	17	71	86	17			4
重 庆	185	35	6	29	25	1	24	118	7	96	7	1
四 川	132	32	5	27	54	6	48	36	10	126		2
贵 州	14	5	1	4	7	2	5	1	1	8		1
云 南	24	8	2	6	11	3	8	2	3	4		1
西 藏	2	1		1	1		1					
陕 西	74	51	3	48	23		23			12	1	2
甘 肃	26	20	3	17	5		5		1	14	1	2
青 海	5	2		2	3		3			1		2
宁 夏	17	10	1	9	7		7					
新 疆	43	19	2	17	21		21	1	2		1	

各地区种畜禽场情况（三）

地　区	种畜站（个）	种公牛站	种公羊站	种公猪站	年末存栏数量						
					种牛场（头）	种乳牛场	种肉牛场	种水牛场	种牦牛场	种马场（匹）	种猪场（头）
全　国	**5 603**	**62**	**704**	**4 835**	**396 110**	**280 106**	**49 053**	**3 856**	**63 095**	**6 726**	**16 733 770**
北　京	2			2	12 367	11 987	380			740	293 704
天　津	8			8							79 934
河　北	12	2		10	3 520	2 130	1 390			209	1 214 777
山　西	5	1		4	10 398	10 388	10				381 824
内蒙古	8	3	3		54 124	45 189	8 935			1 136	107 719
辽　宁	1 399	1	457	941	31 210	29 126	2 084			728	154 715
吉　林	98		35	63	8 935		8 935			215	217 089
黑龙江	68			68	8 084	7 717	367				628 212
上　海	1	1			180		180				125 153
江　苏	143	1	73	69	8 533	8 152		381			857 652
浙　江	22	1		21	1 355	1 210		145			389 851
安　徽	145	7	7	131	443	287	156				668 224
福　建	19			19	23 010	22 182	675	153		83	905 188
江　西	31			31	260			260			391 553
山　东	162	10	27	125	83 846	80 638	3 208			62	908 335
河　南	233	4	1	228	5 245	4 117	1 082	46			2 391 116
湖　北	870	5	37	828	4 487	2 984	1 503				715 148
湖　南	576	6	6	564	5 643	1 974	2 764	905			927 484
广　东	52	7		45	1 234	897	319	18			2 475 680
广　西	18	1		17	1 149		65	1 084			510 020
海　南	52			52	5 067	500	4 567				396 770
重　庆	143	1	2	140	5 077	4 431	605	41			153 417
四　川	650	1	6	643	27 691	2 764	225		24 702		596 746
贵　州	1	1									149 765
云　南	550	2		548	2 443	580	1 040	823		9	153 819
西　藏	2	2			928	336			592		65
陕　西	307	1	40	266	13 358	9 813	3 545			52	419 223
甘　肃	25	3	10	12	36 666	18 139	6 905		11 622	1 452	222 808
青　海					20 541	13	100		20 428	320	12 895
宁　夏	1	1									9 074
新　疆					20 316	14 552	13		5 751	1 720	275 810

各地区种畜禽场情况(四)

地 区	年末存栏数量							
	种羊场(只)	种绵羊场	种细毛羊场	种山羊场	种绒山羊场	种蛋鸡场(套)	祖代场	父母代场
全 国	**1 309 858**	**907 672**	**174 619**	**402 186**	**196 024**	**41 298 043**	**4 964 331**	**36 333 712**
北 京	13 150	11 650		1 500		1 456 000	248 000	1 208 000
天 津	793	586		207		201 125		201 125
河 北	28 573	24 932	475	3 641	3 211	4 078 622	235 910	3 842 712
山 西	38 998	21 516		17 482	9 705	1 860 455	15 000	1 845 455
内蒙古	194 325	101 736	24 348	92 589	83 969	54 800		54 800
辽 宁	31 236	9 120	5 120	22 116	22 116	2 700 980	56 000	2 644 980
吉 林	25 880	22 030	7 710	3 850	3 590	828 500	40 000	788 500
黑龙江	14 974	9 729	2 596	5 245	3 745	793 100	16 000	777 100
上 海	8 670	7 550		1 120		361 342	100 000	261 342
江 苏	14 540	8 027		6 513		3 028 734	112 460	2 916 274
浙 江	16 569	14 572		1 997		623 000		623 000
安 徽	23 941	3 840		20 101		1 685 542	235 186	1 450 356
福 建	6 420			6 420		320 300		320 300
江 西	1 400			1 400		1 247 800	970 700	277 100
山 东	15 794	7 983	960	7 811	120	4 920 882	186 450	4 734 432
河 南	15 048	7 780	580	7 268		7 992 648	703 300	7 289 348
湖 北	11 708			11 708		1 628 530	351 650	1 276 880
湖 南	16 963	208		16 755	291	1 027 601	23 831	1 003 770
广 东	290			290		949 701		949 701
广 西	5 124			5 124		27 500		27 500
海 南	19 544			19 544		162 760	35 000	127 760
重 庆	15 644			15 644		566 565	22 844	543 721
四 川	33 356	2 900		30 456		2 226 490	1 295 000	931 490
贵 州	4 747	1 630	670	3 117		375 400	7 000	368 400
云 南	22 304	4 838	439	17 466		343 188	88 000	255 188
西 藏	3 489	1 339	632	2 150	2 150	12 000		12 000
陕 西	15 734	5 162	825	10 572	6 009	884 811	154 000	730 811
甘 肃	39 283	37 664	4 294	1 619	799	428 827	40 000	388 827
青 海	149 734	148 281	20 906	1 453	1 453	12 500		12 500
宁 夏	11 904	10 404		1 500	1 500	282 340	8 000	274 340
新 疆	509 723	444 195	105 064	65 528	57 366	216 000	20 000	196 000

各地区种畜禽场情况(五)

地　区	年末存栏数量									
	种肉鸡场(套)	祖代以上场	父母代场	种鸭场(只)	种鹅场(只)	种兔场(只)	种蜂场(箱)	种公牛站(头)	种公羊站(只)	种公猪站(头)
全　国	**79 283 130**	**4 552 633**	**74 730 497**	**17 329 517**	**2 027 633**	**1 996 918**	**49 188**	**1 937**	**2 990**	**75 501**
北　京	1 192 500	188 000	1 004 500	115 000						350
天　津	32 000	32 000								735
河　北	1 225 796	181 000	1 044 796	171 200		10 700	30	123		395
山　西	1 161 000	2 000	1 159 000	87 967	3 000	28 000		50		31
内蒙古	107 000	21 000	86 000		50 000	6 670		210	610	
辽　宁	8 703 274	28 670	8 674 604	52 375	56 800	13 750	459	88	948	5 451
吉　林	4 915 760	71 000	4 844 760	82 400	154 000	45 200			198	1 127
黑龙江	952 500		952 500	185 000	57 000	112 100				21 506
上　海	75 800	6 300	69 500	95 000				156		
江　苏	5 084 745	519 391	4 565 354	1 875 435	100 714	115 273	1 140	31	237	1 060
浙　江	2 152 052	300 550	1 851 502	1 026 171	127 360	156 782	3 106	2		118
安　徽	5 768 064	793 886	4 974 178	1 785 861	220 560	61 130	4 345	64	240	6 958
福　建	2 058 720	4 400	2 054 320	328 250	1 500	30 180	95			470
江　西	1 194 135	99 935	1 094 200	61 078	34 510	23 532				706
山　东	14 189 812	157 343	14 032 469	5 254 600	154 900	396 980	209	36	238	8 281
河　南	4 322 900	913 500	3 409 400	1 404 000	541 100	55 360	340	307	9	6 104
湖　北	2 293 400	58 000	2 235 400	1 221 763	121 100	101 686	13 900	140	90	4 725
湖　南	1 056 764	97 066	959 698	350 020	114 530	22 525	2 929	101	156	5 829
广　东	8 999 473	824 105	8 175 368	404 674	74 000	59 655	480	58		656
广　西	8 849 227	27 180	8 822 047	1 611 260	50 549	126 169		82		252
海　南	1 307 407	175 003	1 132 404	233 810	36 010					687
重　庆	505 931	10 000	495 931	352 659	24 536	116 816	5 097	38	18	1 840
四　川	1 307 103	24 204	1 282 899	608 294	70 654	399 048		96	127	4 015
贵　州	143 600	5 100	138 500	1 200	1 310	38 210		48		
云　南	413 499	13 000	400 499	19 500	20 500	10 200		105		2 801
西　藏	3 000		3 000					36		
陕　西	520 456		520 456			27 157	58	31	83	1 124
甘　肃	83 012		83 012		5 000	32 250	10 000	65	36	280
青　海	7 700		7 700			7 545				
宁　夏	282 500		282 500					70		
新　疆	374 000		374 000	2 000	8 000		7 000			

各地区种畜禽场情况(六)

地区	能繁母畜数量									
	种牛场(头)	种乳牛场	种肉牛场	种水牛场	种牦牛场	种马场(匹)	种猪场(头)	种羊场(只)	种绵羊场	种细毛羊场
全国	244 721	185 623	29 361	2 397	27 340	3 685	3 740 275	849 830	562 352	174 619
北京	7 906	7 626	280			234	57 608	5 150	4 550	
天津							14 145	546	339	
河北	2 427	1 300	1 127			73	183 437	14 326	11 917	475
山西	6 170	6 162	8				67 575	23 175	12 587	
内蒙古	32 527	26 304	6 223			700	27 285	148 288	66 574	24 348
辽宁	30 719	29 066	1 653			719	145 795	28 449	7 948	5 120
吉林	5 756		5 756			149	75 456	15 791	13 500	7 710
黑龙江	6 321	6 062	259				134 923	9 351	6 397	2 596
上海	55		55				18 791	3 600	3 000	
江苏	2 084	1 867		217			110 859	8 888	5 415	
浙江	857	768		89			53 598	8 230	6 989	
安徽	233	160	73				136 579	12 437	2 825	
福建	13 617	13 276	228	113		64	163 367	4 528		
江西	180			180			139 113	760		
山东	56 975	55 213	1 762			50	282 341	10 727	5 638	960
河南	4 063	3 319	706	38			352 920	9 704	6 960	580
湖北	3 023	1 946	1 077				173 125	7 555		
湖南	4 169	1 381	2 017	771			217 931	11 961	200	
广东	682	571	103	8			556 044	236		
广西	551		51	500			133 590	2 381		
海南	3 359	250	3 109				112 465	17 550		
重庆	3 876	3 417	428	31			59 748	10 696		
四川	12 440	1 734	149		10 557		230 423	23 348	1 459	
贵州							33 688	3 495	1 350	670
云南	1 425	460	515	450		2	61 193	13 793	2 833	439
西藏	565	265			300		38	1 212	712	632
陕西	8 564	6 504	2 060			2	106 772	9 804	2 944	825
甘肃	18 012	11 011	1 649		5 352	562	40 920	22 366	21 143	4 294
青海	8 178	2	73		8 103	180	5 149	83 617	82 954	20 906
宁夏							5 106	9 418	8 518	
新疆	9 987	6 959			3 028	950	40 291	328 448	285 600	105 064

各地区种畜禽场情况(七)

地区	能繁母畜数量		当年出场种畜禽数量									
	种山羊场	种绒山羊场	种牛场(头)	种乳牛场	种肉牛场	种水牛场	种牦牛场	种马场(匹)	种猪场(头)	种羊场(只)	种绵羊场	种细毛羊场
全国	**287 478**	**150 543**	**46 751**	**26 401**	**15 313**	**1 369**	**3 668**	**1 016**	**22 392 810**	**374 859**	**185 737**	**48 669**
北京	600		1 658	1 658				90	352 748	8 950	7 950	
天津	207								91 757	317	277	
河北	2 409	2 179	483	460	23			78	1 524 102	24 910	22 476	3 410
山西	10 588	5 202	1 718	1 710	8				433 909	12 014	6 635	
内蒙古	81 714	74 658	6 980	5 335	1 645			220	152 002	49 626	38 139	17 343
辽宁	20 501	20 501	2 181	2 006	175			69	416 380	11 949	1 763	930
吉林	2 291	2 190	2 313		2 313			99	283 452	8 275	7 755	3 340
黑龙江	2 954	2 594	658	632	26				622 007	5 275	3 826	1 710
上海	600		10		10				73 728	5 260	5 200	
江苏	3 473		46			46			625 268	13 911	6 220	
浙江	1 241		375	310		65			224 564	9 060	6 334	
安徽	9 612		32		32				750 845	13 458	3 550	
福建	4 528		1 263	846	319	98		23	582 974	3 764		
江西	760		60			60			644 558	600		
山东	5 089	70	9 122	7 607	1 515				1 159 875	11 139	4 635	700
河南	2 744		238	56	175	7			1 738 188	10 102	5 350	850
湖北	7 555		972	365	607				1 361 532	11 515		
湖南	11 761	264	1 907		1 128	779			1 161 190	23 359		
广东	236		53		47	6			4 478 859			
广西	2 381		157		27	130			851 077	972		
海南	17 550		245		245				1 210 770	22 799		
重庆	10 696		752	468	256	28			378 714	14 413		
四川	21 889		655	119			536		1 546 345	24 440	535	
贵州	2 145								225 311	1 795	220	
云南	10 960		386	40	196	150			273 670	13 120	6 086	450
西藏	500	500	151	43			108		150	622	411	351
陕西	6 860	3 836	2 512	1 160	1 352				764 865	9 737	2 249	617
甘肃	1 223	713	8 614	1 816	5 152		1 646	1	272 782	19 680	18 127	1 567
青海	663	663	1 425	5	62		1 358	86	58 833	2 405	2 405	1 332
宁夏	900	900							27 360	3 794	3 794	
新疆	42 848	36 273	1 785	1 765			20	350	104 995	37 598	31 800	16 069

各地区种畜禽场情况（八）

地 区	当年出场种畜禽数量				当年生产胚胎			
	种山羊场		种禽场		种牛场（枚）			
		种绒山羊场	祖代蛋鸡场（套）	祖代以上肉鸡场（套）		种乳牛场	种肉牛场	种水牛场
全 国	189 122	35 049	112 516 806	116 005 364	83 977	26 613	55 204	1 142
北 京	1 000		1 594 015	620 200	1 000	1 000		
天 津	40			1 000 000				
河 北	2 434	1 814	9 933 000	8 100 000	3 953	3 953		
山 西	5 379	3 270	300 000		960	960		
内蒙古	11 487	6 087		1 600 000				
辽 宁	10 186	10 186	2 250 000	2 245 000	8		8	
吉 林	520	520	3 000 000	680 000	20		20	
黑龙江	1 449	1 449	350 000					
上 海	60		2 000 000	216 000				
江 苏	7 691		1 720 000	22 310 230				
浙 江	2 726			12 083 550	380	380		
安 徽	9 908		14 285 635	12 866 800				
福 建	3 764			247 700	2 531	2 531		
江 西	600		278 900	2 022 782				
山 东	6 504	200	16 810 000	5 925 463	3 100	3 068	32	
河 南	4 752		42 052 550	600 000	68		58	10
湖 北	11 515		3 010 000	2 574 860	12 000	12 000		
湖 南	23 359	470	174 700	2 935 814	4 083		3 451	632
广 东				30 096 687	414	351	63	
广 西	972			500 000	527		27	500
海 南	22 799			9 323 478				
重 庆	14 413		849 006		353	290	63	
四 川	23 905		540 000		652	205	447	
贵 州	1 575		103 000	1 200				
云 南	7 034		6 086 000	55 600				
西 藏	211	211						
陕 西	7 488	4 882	7 180 000		51 035		51 035	
甘 肃	1 553	523			650	650		
青 海					160	160		
宁 夏								
新 疆	5 798	5 437			2 083	1 065		

各地区种畜禽场情况(九)

地区	当年生产胚胎					当年生产冻精		
	种羊场(枚)	种绵羊场	种细毛羊场	种山羊场	种绒山羊场	种公牛站(万份)	种公羊站(万份)	种公猪站(万份)
全　国	41 195	13 085	325	28 110	1 660	1 615.04	60.99	3 042.86
北　京								30.00
天　津								69.79
河　北	200	200				260.00		28.00
山　西	890			890	650	48.00		0.74
内蒙古	8 825	8 330		495		13.02	12.00	
辽　宁	500			500	500	169.60	0.47	82.26
吉　林	1 375	1 225	25	150	150		0.78	30.41
黑龙江								234.84
上　海						377.00		
江　苏							4.84	176.70
浙　江	219			219		0.20		9.00
安　徽	5 420			5 420		3.74	18.46	107.80
福　建	2 300			2 300				51.40
江　西								27.65
山　东	220			220		3.90	19.00	256.68
河　南						485.00	0.18	277.21
湖　北	1 150			1 150		8.40	0.07	257.72
湖　南	14 196			14 196	360	6.18	0.53	298.17
广　东						0.05		73.82
广　西	76			76		56.93		46.54
海　南								40.80
重　庆	179			179		15.00	0.51	172.52
四　川	1 921			1 921				410.24
贵　州						13.00		
云　南	112			112		36.00		243.52
西　藏								
陕　西	865	623		242		36.00	4.15	110.04
甘　肃	800	800						7.00
青　海	300	300	300					
宁　夏						83.00		
新　疆	1 647	1 607		40				

各地区技术推广机构情况(一)

地区	畜牧站																	
	省级站									地(市)级站								
	总数(个)	干部职工人数(人)	高级职称	中级职称	初级职称	研究生	大学本科	专科及以下	离退休人员	总数(个)	干部职工人数(人)	高级职称	中级职称	初级职称	研究生	大学本科	专科及以下	离退休人员
全国	36	1 581	376	347	250	177	669	423	618	337	5 797	1 131	1 682	1 236	237	2 368	2 012	2 397
北京	1	84	18	9	20	18	29	23	45									
天津	1	31	12	10	9	2	11	18	29									
河北	1	49	15	8	16	4	40	3	2	24	569	104	108	162	28	247	157	200
山西										7	92	16	17	22	2	40	41	61
内蒙古										16	548	65	93	63	26	244	202	450
辽宁	1	15				2	9	4		7	56	14	24	9	3	30	20	24
吉林	1	15	10	2	3	2	12	1	8	7	133	35	28	22	4	47	35	92
黑龙江	2	32	9	6	8	1	21	6	4	12	107	47	31	18	7	69	19	39
上海																		
江苏	1	17	10	5	1	2	6	8	15	12	158	49	45	42	20	62	31	85
浙江	2	57	1	6	2	16	31	7	29	12	237	53	93	71	31	148	50	100
安徽	1	13	5	5	1	2	5	5		21	230	60	65	43	8	89	87	70
福建	1	20	9	3	4	6	4	6	12	9	45	16	13	8	4	22	14	12
江西	1	80	7	14	27	8	19	19		5	66	26	16	19	1	36	24	22
山东	1	29	10	9	2	3	14	9	5	17	228	50	65	53	26	99	69	50
河南	2	43	10	20	4	11	20	12		13	305	41	71	73	9	116	126	105
湖北	1	5	3		2		4	1		11	124	32	49	31	4	43	75	43
湖南	3	181	52	31	22	18	82	36	84	6	55	13	25	7	3	27	23	25
广东	1	20	7	4	4	6	7	6	8	10	174	30	46	49	2	35	76	92
广西	1	30	8	14	3	16	11		7	14	102	9	35	26	3	39	36	49
海南	1	16	2	2	5	1	2	11		1	5		4	1		2	3	
重庆	1	49	15	4	7	6	22	21	11									
四川	1	59	20	11	8	17	14	11	21	22	344	69	84	41	5	191	113	105
贵州	2	32	5	8	7	1	17	7	11	25	288	34	83	49	14	102	114	105
云南										12	255	61	99	53	2	88	105	132
西藏	1	64	7	12	17	2	15	33	13	7	202	12	50	56		12	93	36
陕西	1	72	18	26	22	6	35	16	87	11	301	49	80	70	11	85	107	119
甘肃	1	145	20	19	12	6	59	26	114	17	429	59	154	100	13	161	131	165
青海	3	135	28	44	13	13	72	50	56	8	207	56	94	48	4	119	78	79
宁夏	1	31	17	3	5	2	18	11		2	24	6	7	6	2	9	8	8
新疆	2	257	58	72	26	6	90	73	57	29	513	125	203	94	5	206	175	129

各地区技术推广机构情况(二)

地区	畜牧站									家畜繁育改良站								
	县(市)级站									省级站								
	总数(个)	干部职工人数(人)	高级职称	中级职称	初级职称	研究生	大学本科	专科及以下	离退休人员	总数(个)	干部职工人数(人)	高级职称	中级职称	初级职称	研究生	大学本科	专科及以下	离退休人员
全国	**4 209**	**58 778**	**4 544**	**17 014**	**19 764**	**479**	**12 521**	**34 278**	**21 946**	**19**	**892**	**212**	**198**	**168**	**49**	**299**	**304**	**392**
北京	17	713	13	141	218	17	163	416	509									
天津	12	409	43	107	152	2	143	206	211									
河北	212	3 577	261	1 056	1 234	13	696	2 096	979	1	94	26	17	8	7	14	60	30
山西	151	1 535	75	425	593	4	248	997	865	2	20	11	3	5	1	14	4	19
内蒙古	112	2 579	248	799	804	22	803	1 347	1 328	1	93	27	28	32	5	31	19	39
辽宁	110	1 423	121	489	504	8	327	901	525									
吉林	204	3 036	254	759	1 325	11	476	1 945	1 290									
黑龙江	171	1 192	165	526	297	7	393	689	451	1	124	37	28	29	6	50	39	69
上海	11	236	39	66	96	19	81	92	193									
江苏	102	1 875	387	655	592	61	612	1 058	911									
浙江	94	1 621	184	725	539	56	658	834	650									
安徽	144	1 680	234	524	575	22	457	1 011	726	1	24	5	10	9	4	9	11	12
福建	80	377	72	137	101	3	109	228	165									
江西	130	1 390	186	389	410	7	332	769	339									
山东	246	4 319	370	1 160	1 709	67	1 082	2 525	1 319									
河南	216	4 588	194	881	1 259	18	492	2 541	1 418	1	27	14	6	2	2	18	7	
湖北	107	1 282	63	471	449	3	212	913	462	1	60	13	18	2	2	20	38	
湖南	258	3 304	198	877	1 199	7	483	1 943	985	1	30	10	12	5	5	17	6	
广东	431	3 974	69	384	1 152	21	282	2 144	1 957									
广西	95	657	22	213	224	1	129	413	227	1	47	6	12	10	2	14	15	30
海南	112	585	7	125	242	3	34	427	234									
重庆	36	638	129	248	146	25	215	359	283	1								
四川	227	3 600	282	1 122	1 239	33	1 020	1 924	1 149	1	43	12	5	2	2	13	5	15
贵州	136	1 693	41	586	654	10	352	1 112	695	1	43	2	9	8	1	13	11	29
云南	131	2 535	245	1 102	770	7	427	1 758	977	1	24	9	8	1	5	12	4	13
西藏	74	539	17	103	197		63	307	98									
陕西	117	3 033	118	758	1 075	11	242	2 040	1 173	1	36	5	5	10		8	12	15
甘肃	118	2 243	167	632	746	11	530	1 209	547	1	36	5	7	9		10	13	25
青海	44	988	86	492	301	3	329	597	276	1	57	2	12	10		7	27	55
宁夏	37	509	87	246	132	2	199	293	157	1	40	5	2	10	4	18	18	25
新疆	274	2 648	167	816	830	5	932	1 184	847	1	94	23	16	16	3	31	15	16

各地区技术推广机构情况(三)

地区	家畜繁育改良站																	
	地(市)级站									县(市)级站								
	总数(个)	干部职工人数(人)	高级职称	中级职称	初级职称	研究生	大学本科	专科及以下	离退休人员	总数(个)	干部职工人数(人)	高级职称	中级职称	初级职称	研究生	大学本科	专科及以下	离退休人员
全国	**115**	**2 077**	**312**	**419**	**336**	**45**	**490**	**633**	**1 088**	**1 146**	**9 094**	**612**	**2 601**	**3 019**	**24**	**1 569**	**5 152**	**3 109**
北京										9	71		3	26	1	12	33	67
天津																		
河北	4	24	3	5	5		8	5	14	103	513	24	121	187		38	307	80
山西	11	146	31	43	33	3	38	38	15	103	570	24	209	180	2	96	313	156
内蒙古	10	393	79	83	59	17	108	133	145	87	1 267	143	384	349	3	330	631	710
辽宁	4	27	4	8	8		3	3	4	29	451	67	180	167	3	111	303	221
吉林	3	50	19	14	4	2	24	16	24	36	605	58	137	251	2	99	355	172
黑龙江	11	90	31	37	11	4	37	39	55	76	389	27	181	103	2	88	260	132
上海																		
江苏	3	69	7	11	19	6	13	15	58	34	270	19	59	84	1	30	146	109
浙江										1	12		2	10		1	11	15
安徽	1	1			1			1		17	104	4	18	30		16	40	88
福建										1	2	1					1	
江西									5	14	68	7	24	22		23	34	17
山东	1	3	1	1	1			3	3	50	466	47	123	143	1	77	291	128
河南	21	438	33	28	34	2	39	117	368	87	806	24	150	232		37	434	168
湖北	2	12	3	7	2		3	9	5	38	292	11	83	160		26	214	52
湖南	4	33	5	5	6		12	8		90	572	19	129	217		50	323	90
广东	4	223	10	24	24	1	11	65	173	65	429	1	35	117		13	199	180
广西	1	9	1	1	3		1	5	15	15	88	1	13	30		5	45	41
海南										5	22		2	1			8	1
重庆										13	120	22	40	29	1	42	68	48
四川	7	97	11	17	8	1	18	26	45	81	613	38	210	196	3	136	324	251
贵州	9	75	11	29	18	6	38	29	32	87	562	12	227	229	1	141	346	215
云南	3	17	6	7	2	2	8	5	5	33	285	32	127	91	2	68	185	72
西藏																		
陕西	1	29	1	5	4		2	9	10	19	181	8	36	54	1	13	118	55
甘肃	1	22	3	2	11		3	15	4	16	125	5	40	23		22	67	13
青海	2	3	1		2		1	2		16	18		3	15		1	3	
宁夏										6	24	3	7	8		3	21	
新疆	12	316	52	92	81	1	123	90	108	15	169	15	58	65	1	91	72	28

各地区技术推广机构情况(四)

地区	饲料监察所																	
	省级所									地(市)级所								
	总数(个)	干部职工人数(人)	高级职称	中级职称	初级职称	研究生	大学本科	专科及以下	离退休人员	总数(个)	干部职工人数(人)	高级职称	中级职称	初级职称	研究生	大学本科	专科及以下	离退休人员
全国	**27**	**713**	**240**	**197**	**103**	**117**	**362**	**167**	**188**	**96**	**835**	**148**	**267**	**233**	**33**	**326**	**349**	**259**
北京	1	24	6	6	7	6	10	3	6									
天津	1	30	8	8	9	3	13	14	17									
河北	1	36	20	8	1	6	8	22	9	5	34	6	8	6	2	14	15	
山西	1	32	15	10	2	4	20	5	5	8	48	5	21	14		28	12	6
内蒙古	1	24	19	3	2	7	13	3	7	6	58	14	21	9	7	22	19	6
辽宁	1	43				9	25	6		9	92	12	31	33	4	41	30	14
吉林	1	43	14	15	4	1	20	15		6	76	20	26	10		37	35	21
黑龙江	1	42	20	16	4	11	22	7	32	8	42	12	20	4	4	24	12	17
上海																		
江苏	1									2	11	6	5					
浙江	1	19	4	13	2	5	10	2										
安徽	1	18	6	5	4	7	7	4	11									
福建										1	1					1		
江西	1	25	14	3	1	4	15	3	3	2	3	1	2					5
山东	1	28	8	8	5	8	10	8	2	9	66	15	11	23	9	34	16	
河南	1	21	7	10	4	6	11	4		5	49	8	9	16		25	20	106
湖北	1	8	5	2	1	1	6	1		5	138	8	35	81	2	26	109	37
湖南	1	22	10	3	3	4	15	3	2	5	18	3	6	4		8	10	
广东		20	6	7		3	11	3	9	2	25	3	5	2		5	13	16
广西	1	39	17	7	10	5	23	7	14	1	5		3	2		1	4	
海南	1	6	2	3	1	2	2	2										
重庆	1																	
四川	1	18	8	5	2	5	6	4	3	3	17	3	6	1	1	2	7	4
贵州	1	19	5	6	6		13	4	8	5	19	2	7	5	1	7	9	8
云南										2	19	3	8	2		12		
西藏	1	10					4	3	3									
陕西	1									1	8	1	3	3	1	2	5	2
甘肃	1	52	14	15	8	4	27	9	29	6	64	10	25	9	2	30	21	17
青海	1	23	3	10	4	1	15	7	6	2	6	1	2	3		2	4	
宁夏	1	26	13	2	5	2	17	7	8	1	8	4	1	3		4	4	
新疆	1	85	16	32	18	13	39	21	14	2	28	11	12	3		1	4	

各地区技术推广机构情况(五)

地区	饲料监察所									草原工作站								
	县(市)级所									省级站								
	总数(个)	干部职工人数(人)	高级职称	中级职称	初级职称	研究生	大学本科	专科及以下	离退休人员	总数(个)	干部职工人数(人)	高级职称	中级职称	初级职称	研究生	大学本科	专科及以下	离退休人员
全国	**725**	**5 269**	**313**	**1 563**	**1 889**	**13**	**911**	**3 279**	**525**	**25**	**847**	**204**	**207**	**136**	**62**	**362**	**169**	**301**
北京	1	24		4	20		7	17		1	14	2	6	6	4	6	3	14
天津										1	7	1		5		4	3	
河北	66	260	28	60	92	2	47	125	10	1	12	6	3		4	7		2
山西	35	252	9	103	93		31	160	101	1	31	7	8	2	3	10	7	3
内蒙古	25	122	15	39	34	1	43	62	11	2	77	29	32	10	3	28	15	19
辽宁	22	130	12	56	50		48	78	21	1	13				2	10	1	
吉林	35	345	30	91	103		48	215	52	1	29	9	7	3	2	14	11	7
黑龙江	46	154	17	75	30	1	50	84	27	1	19	11	4	3	2	14	2	5
上海																		
江苏	6	98	7	17	55		17	61	8									
浙江	2	3			1			3										
安徽	4	42	3	9	8		3	28	12									
福建	1	23		10	4		7	13		1								
江西	15	94	8	42	35		20	66	12	1								
山东	70	514	47	158	204	4	128	310	30									
河南	72	867	28	169	300	2	61	513	47	1	18	9	5	2	2	8	8	
湖北	48	661	12	167	336		44	511	38	1	9	3	1	3	1	6	2	
湖南	81	326	9	88	130		64	214	11	1	6	3	1	2	2	4		
广东	7	30		1	7		2	11	4									
广西	7	56	1	14	25		12	41	11	1	55	1	9	10	2	11	13	36
海南	4	15	1	9	3			8										
重庆	9	55	6	22	8		17	35	4	1								
四川	51	300	25	97	69	2	63	149	45	2	38	11	12	5	8	19	3	6
贵州	46	129	2	57	51		20	100	15	1	14	4	4	3	3	7	1	7
云南	28	267	32	141	65		64	183	17	1	17	10	2			13	2	9
西藏																		
陕西	4	78	3	11	31		9	53	23	1								
甘肃	30	366	13	98	123		83	207	26	1	74	32	23	16	3	61	10	59
青海	4	31	5	14	8	1	8	22		1	104	22	34	21	9	43	52	71
宁夏	3									1	37	17	6	7	2	22	7	9
新疆	3	27		11	4		15	10		1	273	27	50	38	10	75	29	54

各地区技术推广机构情况(六)

地区	草原工作站																	
	地(市)级站									县(市)级站								
	总数(个)	干部职工人数(人)	高级职称	中级职称	初级职称	研究生	大学本科	专科及以下	离退休人员	总数(个)	干部职工人数(人)	高级职称	中级职称	初级职称	研究生	大学本科	专科及以下	离退休人员
全　国	154	1 665	315	458	347	38	592	594	454	1 062	9 225	573	2 630	2 780	29	1 922	5 402	2 471
北　京																		
天　津																		
河　北	4	29	7	3	9	1	14	6	15	36	277	23	74	81	1	39	151	21
山　西	13	129	21	44	26	10	38	30	22	102	669	17	239	223	1	109	411	202
内蒙古	16	455	100	103	66	11	142	159	188	118	1 951	174	532	514	11	446	1 007	814
辽　宁	8	34	5	11	12	1	11	8	11	37	303	31	93	134	1	72	203	100
吉　林	5	54	16	13	11	1	16	23	21	41	540	31	127	163		72	332	94
黑龙江	11	47	17	14	7	3	26	14	11	87	393	29	200	112		93	271	100
上　海																		
江　苏	1																	
浙　江																		
安　徽										3	14	2	5			4	3	3
福　建	3									5	2	1					1	
江　西									5	9	25	5	11	9		7	18	7
山　东	3	15	5	3	5		13	2		9	53	1	22	25		5	48	9
河　南	5	23	6	6	4	1	4	7		19	271	11	46	86		20	156	70
湖　北	2									13	107	1	58	39		32	66	18
湖　南	2	6	1		5		1			31	111	5	33	34		20	67	21
广　东										22	33		2	16		1	18	4
广　西	2	4	1	2	1		3	1	2	1	5		2	2		1	4	
海　南										1	5			1			1	
重　庆										6	26	10	5	2		11	12	8
四　川	9	62	16	23	9		18	23	4	71	541	35	204	171	1	160	262	145
贵　州	9	58	11	21	16	2	22	30	18	81	390	23	149	179	2	89	265	82
云　南	3	14	5	4	3		6	6	4	35	241	31	105	71	4	52	169	35
西　藏	5	74	5	15	18		7	14	1									
陕　西	3	43	7	13	11	1	6	24	13	20	394	11	58	135		19	210	85
甘　肃	7	69	9	36	13		32	28	24	60	584	32	151	168	4	107	346	84
青　海	6	125	20	53	35		60	58	25	41	598	33	210	179	1	162	347	95
宁　夏	1	7	2	2	3		1	6		18	229	29	90	81	1	83	139	30
新　疆	36	417	61	92	93	7	172	155	90	196	1 463	38	214	355	2	318	895	444

各地区乡镇畜牧兽医站基本情况(一)

地 区	站数(个)	职工人数(人)	在编人数	离退休人员	职称状况(人)			
					高级技术职称	中级技术职称	初级技术职称	技术员
全 国	**33 409**	**223 751**	**151 816**	**69 095**	**2 652**	**33 237**	**69 000**	**38 022**
北 京	137	1 237	893	539	2	173	335	122
天 津	152	1 161	911	563	11	99	276	94
河 北	1 499	7 811	5 702	1 919	152	843	2 329	1 761
山 西	1 157	6 994	4 749	3 173	15	776	2 819	1 077
内蒙古	784	7 765	6 010	1 487	217	1 749	2 009	1 355
辽 宁	26	186	158	215		25	87	50
吉 林	681	7 091	5 911	2 195	118	1 123	2 648	706
黑龙江	1 597	8 323	6 366	1 751	197	2 110	2 720	1 919
上 海	86	859	391	427	8	133	304	109
江 苏	1 004	11 158	5 490	6 372	62	1 283	3 521	1 679
浙 江	768	2 722	1 473	1 393	6	419	885	421
安 徽	1 197	7 010	3 053	1 832	101	676	1 495	1 523
福 建	943	2 239	1 613	529	42	572	617	202
江 西	1 449	9 188	5 120	1 661	112	725	2 041	3 096
山 东	1 559	12 363	8 532	3 387	266	2 044	4 275	1 304
河 南	1 592	8 021	5 127	2 278	225	1 004	1 340	1 261
湖 北	1 167	20 810	9 911	6 078	70	2 804	6 326	4 838
湖 南	2 256	17 965	11 700	5 270	627	2 131	4 196	3 601
广 东	1 315	11 163	6 980	5 102	56	387	2 226	1 938
广 西	1 148	5 420	4 838	1 255	13	870	2 287	705
海 南	316	1 580	1 122	410		77	482	413
重 庆	938	7 984	6 910	4 020	21	1 320	3 292	1 020
四 川	4 275	25 020	18 324	10 524	58	4 561	9 612	3 041
贵 州	1 466	7 458	5 331	408	9	1 315	3 069	637
云 南	1 340	7 517	7 061	1 121	107	2 916	3 038	633
西 藏	459	1 310	842	131	1	45	91	481
陕 西	1 665	6 753	4 990	2 161	13	538	1 418	1 073
甘 肃	1 024	4 316	3 784	730	20	534	1 363	1 048
青 海	371	1 697	1 478	123	24	471	849	246
宁 夏	194	861	734	185	11	251	312	121
新 疆	842	9 767	6 316	1 856	88	1 263	2 736	1 548

各地区乡镇畜牧兽医站基本情况(二)

地区	经营情况				全年总收入(万元)	经营服务收入	全年总支出(万元)	工资支出
	盈余站(个)	盈余额(万元)	亏损站(个)	亏损额(万元)				
全　国	8 784	13 857.90	8 023	25 305.50	377 062.20	49 433.30	388 509.70	258 608.10
北　京	94	107.67	43	331.71	4 618.51	282.44	4 842.54	2 293.28
天　津	59	108.40	56	157.94	3 556.47	1 268.31	3 606.01	1 777.44
河　北	662	623.32	493	783.89	12 752.98	6 295.67	12 913.55	8 388.90
山　西	818	128.37	111	218.21	12 034.88	931.70	12 124.72	9 260.33
内蒙古	90	167.75	147	930.71	11 017.60	1 096.17	11 780.50	9 836.70
辽　宁	23	28.00	3	26.50	343.50	101.00	342.00	255.20
吉　林	286	189.58	155	270.84	12 498.49	475.78	12 579.75	10 200.34
黑龙江	186	295.05	782	1 607.48	7 310.55	641.90	8 622.98	7 323.39
上　海	24	36.18	62	978.35	1 594.40	465.96	2 536.57	1 789.04
江　苏	401	2 027.00	302	1 930.23	33 351.52	5 512.97	33 254.76	18 381.38
浙　江	115	167.60	234	673.90	5 690.50	1 247.95	6 196.80	3 959.64
安　徽	87	72.70	183	352.30	3 441.03	642.25	3 720.64	3 369.75
福　建	265	161.62	167	105.21	3 248.06	574.22	3 191.66	2 336.94
江　西	335	230.07	341	615.84	5 198.55	781.02	5 584.32	4 630.36
山　东	769	1 872.45	402	1 177.79	50 583.39	11 413.96	49 888.74	14 502.13
河　南	301	157.57	296	233.68	4 155.31	1 184.90	4 231.41	3 485.39
湖　北	470	1 468.87	354	1 880.97	20 028.15	4 481.09	20 440.25	13 275.46
湖　南	483	747.90	866	2 477.60	16 060.80	2 662.10	17 790.50	12 514.00
广　东	283	1 850.51	599	3 275.35	23 706.60	1 118.15	25 131.44	14 457.47
广　西	140	225.60	173	860.40	10 880.90	89.70	11 515.70	9 780.10
海　南	57	117.13	173	127.30	2 136.73	393.76	2 146.90	1 531.40
重　庆	77	92.14	65	525.28	20 469.13	622.20	20 902.27	15 107.56
四　川	1 201	1 493.35	921	3 868.86	33 534.17	1 951.74	35 909.68	24 305.72
贵　州	165	16.75	12	5.53	12 245.46	39.62	12 234.23	11 961.43
云　南	344	418.39	176	250.30	21 204.54	838.10	21 036.45	16 724.01
西　藏					1 569.72		1 569.72	333.00
陕　西	270	236.22	325	466.89	9 727.61	876.39	9 958.28	8 507.50
甘　肃	384	303.43	346	312.76	6 973.74	985.50	6 983.07	5 976.81
青　海	78	48.39	45	21.19	5 378.16	541.91	5 350.97	4 944.75
宁　夏	38	10.56	17	12.65	1 765.38	27.72	1 767.47	1 731.68
新　疆	279	455.35	174	825.83	19 985.38	1 889.11	20 355.86	15 667.08

各地区牧区县畜牧生产情况(一)

地区	基本情况					畜禽饲养情况			
	牧业人口数（万人）	人均收入（元/人）	人均牧业收入（元/人）	牧户数（户）	定居牧户（户）	大牲畜年末存栏头数（头）	牛（头）	能繁母牛（头）	当年成活犊牛（头）
全国	518.40	4 228.58	2 525.42	1 214 562	975 637	16 406 739	13 562 318	7 192 377	3 904 552
内蒙古	137.03	5 442.12	3 651.06	375 927	360 101	3 583 773	2 817 024	1 733 413	802 200
吉林	25.20	3 605.00	1 550.00	52 700	47 800	102 101	83 145	43 522	29 325
黑龙江	146.62	4 314.95	2 038.45	315 373	251 588	2 073 257	1 316 372	700 112	356 341
四川	35.36	2 579.94	1 624.02	77 441	39 383	3 274 317	2 908 171	1 312 777	785 174
西藏	24.01	3 011.19	2 682.42	51 078	18 990	2 841 184	2 840 859	1 101 953	391 200
甘肃	21.20	3 138.02	2 407.67	57 186	52 510	1 087 246	1 013 543	483 006	256 043
青海	79.27	3 080.72	2 701.96	182 169	153 621	4 111 340	3 852 415	1 972 047	1 124 513
宁夏	13.20	3 288.03	1 027.31	32 567	25 231	11 900	8 400	1 000	950
新疆	60.52	4 585.05	2 226.02	121 199	45 403	2 162 805	1 563 248	946 500	550 006

地区	畜禽饲养情况							
	牦牛（头）	绵羊年末存栏（只）	能繁母羊（只）	当年生存栏羔羊（只）	细毛羊（只）	半细毛羊（只）	山羊年末存栏（只）	绒山羊年末存栏（只）
全国	7 261 263	38 714 739	25 221 156	9 269 553	6 723 930	4 880 491	14 488 074	11 747 203
内蒙古		14 179 990	9 796 376	2 432 668	4 299 633	2 775 897	10 448 675	9 767 364
吉林		320 628	227 400	84 000	320 628		62 100	62 100
黑龙江		1 676 566	1 063 223	451 178	850 292	416 310	171 711	13 455
四川	2 779 286	1 258 962	554 782	349 873	112 754	108 736	285 810	
西藏	1 288 571	1 245 700	916 000	329 700		89 000	2 526 993	864 123
甘肃	892 959	3 201 453	1 625 058	994 990	284 688	184 033	396 528	302 984
青海	3 485 228	9 777 426	5 519 836	3 340 136	314 748	1 199 015	1 523 985	602 360
宁夏		779 000	624 000	155 000			120 000	120 000
新疆	103 790	7 520 714	5 810 481	1 461 708	541 187	196 500	1 479 265	878 940

地区	畜产品产量							
	肉类总产量（吨）	牛肉（吨）	羊肉（吨）	猪肉（吨）	奶产量（吨）	毛产量（吨）	山羊毛产量（吨）	绵羊毛产量（吨）
全国	1 878 184	569 793	615 527	504 556	3 888 679	98 256	8 551	89 705
内蒙古	764 747	192 344	348 223	174 852	1 322 023	48 876	6 555	42 321
吉林	24 811	3 553	2 338	13 793	33 500	1 565		1 565
黑龙江	426 911	68 309	18 489	258 804	1 611 882	6 174	146	6 028
四川	86 717	73 399	10 223	2 876	149 052	1 524	158	1 367
西藏	73 762	45 131	20 688	1 943	119 783	7 116	638	6 478
甘肃	53 202	21 378	25 363	5 663	53 728	5 891	199	5 691
青海	195 033	112 293	77 113	4 778	147 788	12 389	550	11 839
宁夏	23 690	1 200	10 800	8 600	11 770	1 435	99	1 336
新疆	303 073	97 316	122 978	35 190	558 936	20 403	845	19 558

各地区牧区县畜牧生产情况(二)

地区	畜产品产量					出栏情况			
	细羊毛产量(吨)	半细羊毛产量(吨)	山羊绒产量(吨)	牛皮产量(万张)	羊皮产量(万张)	牛出栏(头)	出栏率(%)	羊出栏(只)	出栏率(%)
全 国	**33 096**	**15 686**	**6 031**	**347.10**	**3 033.72**	**4 571 654**	**34.99**	**36 523 220**	**68.48**
内蒙古	20 991	10 029	5 198	116.91	1 806.87	1 304 850	51.08	20 084 832	77.39
吉 林	1 565		27	0.44	1.80	24 500	31.64	155 870	56.99
黑龙江	3 248	1 284	3	11.84	40.55	426 201	37.74	1 134 533	67.29
四 川	148	166	15	72.04	44.40	741 230	25.17	450 532	29.29
西 藏		697	508	18.90	33.03	279 627	11.84	1 783 703	71.82
甘 肃	3 251	559	49	11.82	94.57	254 545	23.77	1 537 209	48.24
青 海	292	2 062	339	73.06	371.54	1 140 796	30.00	5 270 131	45.96
宁 夏			37	0.25	98.00	17 000	519.24	913 000	130.43
新 疆	3 600	1 587	362	60.74	575.98	662 532	44.62	6 977 113	81.80

地区	畜产品出售情况						
	肉类总量(吨)	牛肉(吨)	羊肉(吨)	猪肉(吨)	奶量(吨)	羊毛总量(吨)	羊绒总量(吨)
全 国	**1 430 278**	**451 653**	**534 963**	**382 293**	**2 944 783**	**86 472**	**5 945**
内蒙古	658 700	176 654	317 193	130 114	1 186 527	45 001	5 056
吉 林	16 160	3 325	2 030	9 647	29 800	1 495	26
黑龙江	268 204	51 402	14 433	200 801	1 144 219	5 990	2
四 川	59 697	51 389	7 139	992	67 076	697	4
西 藏	30 806	19 165	11 642		6 000	190	110
甘 肃	50 569	20 981	24 575	4 994	47 718	4 176	130
青 海	144 907	71 261	69 468	3 855	71 470	10 918	338
宁 夏	15 830	740	8 640	6 450	11 770	1 147	37
新 疆	216 211	75 901	91 485	25 440	386 202	17 048	351

各地区半牧区县畜牧生产情况(一)

地　区	基本情况					畜禽饲养情况			
	牧业人口数（万人）	人均收入（元/人）	牧业收入（元/人）	牧户数（户）	定居牧户（户）	大牲畜年末存栏头数（头）	牛（头）	能繁母牛（头）	当年成活犊牛（头）
全　国	**1 099.73**	**4 177.85**	**1 630.99**	**2 567 678**	**2 406 484**	**14 060 898**	**9 938 887**	**4 776 033**	**2 807 296**
河　北	42.43	2 375.45	956.88	89 788	87 788	950 280	567 660	294 010	174 590
山　西	5.90	2 560.00	1 470.00	15 800	8 500	24 562	17 259	8 295	6 266
内蒙古	232.58	4 432.96	2 073.18	552 770	551 869	2 690 238	1 904 510	1 017 065	602 661
辽　宁	160.80	5 141.42	1 745.95	408 455	405 459	1 025 632	418 038	241 825	107 833
吉　林	172.71	5 253.51	1 942.42	453 203	407 676	1 363 626	1 069 904	623 457	308 166
黑龙江	144.47	4 323.13	2 229.41	410 150	409 799	1 941 474	1 128 825	546 749	335 081
四　川	142.20	3 488.33	1 063.89	326 137	287 401	4 065 142	3 337 490	1 317 049	791 117
甘　肃	91.75	2 779.14	787.47	169 969	136 049	719 320	485 894	212 305	124 958
青　海	4.38	3 831.24	2 099.53	10 129	7 877	271 819	239 179	137 304	84 950
宁　夏	63.40	2 582.81	468.22	79 655	79 655	161 284	127 650	33 538	23 089
新　疆	39.10	4 024.52	1 571.61	51 622	24 411	847 521	642 478	344 436	248 585

地　区	畜禽饲养情况							
	牦牛（头）	绵羊年末存栏（只）	能繁母羊（只）	当年生存栏羔羊（只）	细毛羊（只）	半细毛羊（只）	山羊年末存栏（只）	绒山羊年末存栏（只）
全　国	**1 908 940**	**28 845 620**	**19 358 438**	**7 705 389**	**12 551 951**	**4 200 234**	**13 340 331**	**8 200 319**
河　北	2 200	815 940	610 120	158 150	317 260	608	51 510	36 008
山　西		354 788	233 301		3 519	37 986	16 425	
内蒙古		10 026 992	7 041 325	2 790 059	5 507 802	366 132	5 911 688	5 700 668
辽　宁		1 458 932	971 888	345 253	942 353	411 105	133 184	64 655
吉　林		3 501 966	2 502 608	936 887	3 433 129	21 837	414 151	285 580
黑龙江		1 481 529	890 328	432 466	477 134	753 172	150 445	24 265
四　川	1 495 736	2 651 181	1 359 416	875 027	176 094	1 428 884	3 838 153	
甘　肃	211 659	2 265 630	1 169 270	774 932	190 572	252 010	1 339 419	965 171
青　海	155 944	1 035 142	597 625	267 032		308 900	176 842	15 668
宁　夏		946 600	660 499	265 321	178 000		101 950	94 650
新　疆	43 401	4 306 920	3 322 058	860 262	1 326 088	619 600	1 206 564	1 013 654

地　区	畜产品产量							
	肉类总产量（吨）	牛肉（吨）	羊肉（吨）	猪肉（吨）	奶产量（吨）	毛产量（吨）	山羊毛产量（吨）	绵羊毛产量（吨）
全　国	**4 589 174**	**703 004**	**589 537**	**2 367 451**	**4 274 297**	**97 198**	**6 927**	**90 271**
河　北	176 520	64 626	28 256	71 700	523 565	5 969	258	5 711
山　西	6 216	459	4 015	1 581	6 150	457	6	451
内蒙古	922 079	146 067	216 363	420 089	1 613 734	41 115	3 395	37 720
辽　宁	767 888	59 857	35 058	421 110	309 270	4 056	8	4 049
吉　林	1 016 792	133 981	55 482	498 852	415 841	15 733	486	15 247
黑龙江	532 509	104 096	22 143	304 375	907 260	5 526	536	4 990
四　川	729 810	98 748	87 692	500 486	111 970	5 603	270	5 333
甘　肃	88 381	7 117	23 248	49 191	49 817	4 186	751	3 435
青　海	18 922	5 974	9 041	3 786	26 960	1 496	127	1 369
宁　夏	59 481	28 413	21 017	4 797	993	1 913	50	1 863
新　疆	270 575	53 665	87 223	91 485	308 736	11 143	1 040	10 103

各地区半牧区县畜牧生产情况(二)

地　区	畜产品产量					出栏情况			
	细羊毛产量(吨)	半细羊毛产量(吨)	山羊绒产量(吨)	牛皮产量(万张)	羊皮产量(万张)	牛出栏(头)	出栏率(%)	羊出栏(只)	出栏率(%)
全　国	**55 006**	**14 998**	**2 514**	**368.01**	**2 989.86**	**4 780 171**	**51.23**	**36 355 641**	**87.81**
河　北	3 367	69	29	20.84	129.90	441 420	63.24	1 908 800	190.09
山　西	3	18		0.69	23.50	3 094	12.54	269 810	68.37
内蒙古	26 512	2 483	1 917	87.77	1 228.65	926 952	52.83	14 250 160	95.77
辽　宁	1 711	2 239	3	37.45	231.73	369 242	96.31	2 308 241	155.54
吉　林	14 974	272	125	46.16	240.58	854 396	98.73	3 588 579	98.57
黑龙江	2 462	2 528	14	39.19	89.65	636 036	67.98	1 409 254	81.37
四　川	523	3 431		79.28	420.76	822 662	25.58	4 313 769	68.58
甘　肃	670	664	165	3.76	87.88	76 028	17.55	1 541 799	40.68
青　海	418	505	21	7.96	61.42	82 439	34.89	618 587	49.78
宁　夏	285		44	14.91	106.78	182 900	143.90	1 329 600	117.07
新　疆	4 082	2 789	195	30.00	369.02	385 002	58.58	4 817 042	82.90

地　区	畜产品出售情况						
	肉类总量(吨)	牛肉(吨)	羊肉(吨)	猪肉(吨)	奶量(吨)	羊毛总量(吨)	羊绒总量(吨)
全　国	**3 654 115**	**565 945**	**455 749**	**1 938 592**	**3 578 474**	**91 812**	**2 418**
河　北	145 922	53 908	19 993	65 360	323 460	5 913	29
山　西	5 550	450	3 400	1 700	5 850	450	
内蒙古	828 630	141 282	163 766	383 938	1 350 545	38 308	1 849
辽　宁	632 806	47 621	29 598	351 278	308 930	3 973	3
吉　林	842 423	121 933	49 859	443 060	378 288	15 505	112
黑龙江	384 851	50 009	18 861	249 369	842 355	5 368	14
四　川	486 905	71 657	59 349	327 278	56 638	4 031	
甘　肃	66 746	7 406	18 107	37 863	46 939	3 854	162
青　海	14 839	4 956	8 359	1 468	40 294	1 323	21
宁　夏	45 642	24 601	16 206	3 974	946	1 855	44
新　疆	199 801	42 122	68 253	73 306	224 228	11 232	184

各地区生猪饲养规模情况(一)

地区	年出栏数1~49头		年出栏数50~99头		年出栏数100~499头		年出栏数500~999头	
	场(户)数	出栏数(万头)	场(户)数	出栏数(万头)	场(户)数	出栏数(万头)	场(户)数	出栏数(万头)
全国	64 599 143	34 061.01	1 653 865	11 394.69	689 739	14 743.69	129 369	8 397.18
北京	14 732	27.65	6 501	40.39	2 906	48.88	574	38.80
天津	7 657	15.52	10 185	83.28	6 150	165.92	751	52.52
河北	1 435 847	1 156.62	79 243	550.55	42 097	912.33	7 966	548.17
山西	417 640	416.13	25 819	180.98	9 887	201.84	1 536	98.31
内蒙古	1 409 669	594.30	25 575	159.01	4 516	95.79	860	61.13
辽宁	1 142 498	982.85	110 533	710.12	33 782	710.62	4 495	277.86
吉林	774 972	1 080.65	100 298	688.85	32 121	647.96	6 098	416.61
黑龙江	618 055	1 038.15	110 825	777.99	30 274	625.76	4 212	285.95
上海	11 929	25.00	2 404	18.77	1 335	29.42	213	15.78
江苏	1 503 358	1 416.90	39 632	286.28	34 886	821.37	4 156	291.66
浙江	843 881	439.91	35 259	234.59	25 265	556.11	3 832	246.30
安徽	3 023 765	1 233.23	58 551	423.97	22 400	522.04	5 453	360.01
福建	642 833	498.87	29 357	225.98	24 537	525.80	3 847	279.95
江西	1 591 166	748.86	32 504	224.17	16 459	362.10	5 373	339.21
山东	1 393 262	1 951.51	192 009	1 405.17	64 376	1 590.73	12 733	886.42
河南	2 303 684	1 284.98	110 492	705.01	67 192	1 254.73	19 885	1 163.69
湖北	4 856 038	2 008.96	43 872	301.91	38 720	827.68	5 771	374.10
湖南	5 480 793	3 081.81	173 049	1 212.26	61 794	1 342.29	14 356	920.70
广东	1 209 428	670.73	55 809	368.64	35 503	658.35	8 466	540.91
广西	3 548 195	1 694.21	43 183	298.64	15 553	371.00	2 806	176.75
海南	570 602	293.53	5 147	33.68	2 092	46.48	530	33.03
重庆	3 981 397	1 394.32	24 239	170.79	11 811	272.42	2 040	133.24
四川	11 954 275	5 409.16	190 370	1 329.61	58 362	1 256.52	8 184	514.01
贵州	5 372 337	1 479.83	16 310	107.27	4 175	77.46	392	24.36
云南	6 487 014	3 599.74	47 543	303.16	9 923	193.27	1 066	70.24
西藏	40 734	18.45	167	0.95	3	0.05		
陕西	1 791 868	716.57	43 634	276.21	16 629	280.58	1 463	92.77
甘肃	1 529 457	394.67	24 677	146.28	7 053	117.95	1 072	70.04
青海	302 572	103.01	1 385	9.84	329	6.75	29	1.89
宁夏	262 402	116.05	3 156	23.97	1 758	51.74	155	11.58
新疆	77 083	168.83	12 137	96.36	7 851	169.76	1 055	71.19

各地区生猪饲养规模情况(二)

地 区	年出栏数 1 000~2 999 头		年出栏数 3 000~4 999 头		年出栏数 5 000~9 999 头		年出栏数 10 000~49 999 头		年出栏数 50 000 头以上	
	场(户)数	出栏数(万头)	场(户)数	出栏数(万头)	场(户)数	出栏数(万头)	场(户)数	出栏数(万头)	场(户)数	出栏数(万头)
全 国	**46 429**	**7 126.76**	**10 342**	**3 782.04**	**5 117**	**3 285.32**	**3 083**	**4 570.54**	**96**	**730.75**
北 京	222	34.94	102	32.98	54	36.74	42	53.68		
天 津	203	41.31	58	23.60	51	35.71	12	25.18		
河 北	2 453	403.99	444	168.66	185	127.44	145	217.14	6	47.44
山 西	711	99.78	109	38.93	54	33.76	39	50.48		
内蒙古	589	73.29	60	23.88	10	6.07	6	10.44	1	5.00
辽 宁	1 594	253.94	356	128.28	156	97.84	50	74.37		
吉 林	1 719	272.70	431	158.34	107	68.06	21	34.00		
黑龙江	1 588	242.38	405	151.63	189	121.63	58	80.45	5	33.95
上 海	93	17.67	51	19.05	56	40.78	56	103.26		
江 苏	1 461	240.57	315	119.09	190	133.11	101	174.61	3	19.04
浙 江	1 422	225.57	267	101.17	155	102.29	147	252.09	6	47.82
安 徽	1 907	290.22	476	174.56	218	149.57	112	153.36	2	16.12
福 建	2 083	357.98	416	161.76	260	178.15	132	209.33	1	6.00
江 西	2 198	331.25	550	202.73	335	209.52	241	345.34	9	56.02
山 东	3 446	574.46	622	244.79	289	199.75	121	184.77	3	
河 南	6 008	806.20	1 609	544.96	797	463.95	446	600.40	14	147.90
湖 北	3 182	494.86	607	220.80	302	198.76	327	499.82	2	14.36
湖 南	4 342	675.96	961	356.93	437	282.26	167	241.00	7	42.68
广 东	3 856	566.60	977	357.74	570	357.68	340	544.21	23	171.30
广 西	1 225	188.67	316	113.74	155	98.69	100	150.06	6	41.37
海 南	257	37.89	76	26.99	89	53.45	64	108.49		
重 庆	1 043	146.19	170	62.34	35	20.37	28	35.05		
四 川	2 796	452.33	580	209.83	215	136.96	189	241.60	3	17.79
贵 州	132	18.79	21	7.52	6	3.48	6	6.21		
云 南	584	79.92	64	24.66	50	33.17	22	30.59		
西 藏					1	0.70				
陕 西	647	91.20	181	63.91	87	52.18	82	98.35	1	5.00
甘 肃	291	42.59	72	25.48	31	19.14	10	14.40		
青 海	19	3.07	5	1.71	2	1.05	1	1.05	1	12.00
宁 夏	95	13.90	3	1.05	2	1.14	3	3.26		
新 疆	263	48.54	38	14.90	29	21.93	15	27.54	3	25.00

各地区奶牛饲养规模情况(一)

地区	年存栏数1~4头		年存栏数5~9头		年存栏数10~19头		年存栏数20~49头	
	场(户)数	存栏数(头)	场(户)数	存栏数(头)	场(户)数	存栏数(头)	场(户)数	存栏数(头)
全国	**1 816 359**	**4 456 379**	**374 541**	**2 640 589**	**138 265**	**2 008 282**	**49 490**	**1 545 155**
北京	1 326	3 867	999	6 624	627	8 476	198	6 932
天津	765	2 268	358	2 672	475	7 772	800	28 198
河北	87 698	184 275	13 501	98 152	9 211	135 194	3 329	106 866
山西	47 927	123 912	13 295	98 104	3 175	45 260	999	30 752
内蒙古	360 847	970 352	91 527	635 731	23 951	335 235	8 709	271 132
辽宁	22 097	62 050	9 444	66 356	5 382	74 022	2 071	62 195
吉林	37 052	112 867	7 717	54 864	4 232	63 740	1 774	54 971
黑龙江	192 442	621 008	90 525	630 710	35 033	517 689	9 713	302 516
上海								
江苏	841	2 216	1 025	7 378	658	9 745	776	23 240
浙江	1 215	3 099	706	4 736	459	6 138	261	7 955
安徽	1 442	3 321	384	2 600	265	3 838	158	4 510
福建	2 546	5 948	661	4 238	231	2 942	49	1 316
江西	453	932	274	1 878	277	4 469	271	10 349
山东	44 980	127 648	17 375	122 533	9 706	141 987	5 844	181 165
河南	42 660	102 194	11 808	84 717	6 814	97 949	3 366	109 524
湖北	8 756	10 181	47	341	77	1 041	88	2 639
湖南	2 340	6 383	1 087	9 085	220	3 334	88	3 251
广东	1 871	4 495	224	1 529	42	606	96	3 214
广西	328	737	130	868	112	1 585	40	1 358
海南								
重庆	2 468	5 590	627	4 484	356	4 693	77	2 242
四川	21 373	48 689	3 710	26 914	1 356	19 966	631	19 286
贵州	916	2 784	332	2 579	93	1 270	23	661
云南	62 057	134 991	2 203	13 578	713	9 014	330	8 117
西藏	20 298	40 596	5 369	32 214	988	10 868	335	11 725
陕西	124 993	292 637	11 202	74 051	2 758	36 442	1 120	33 220
甘肃	27 672	66 094	5 404	36 558	1 599	22 958	498	14 577
青海	98 364	201 973	1 559	9 669	330	4 115	19	635
宁夏	5 825	19 218	9 256	66 970	6 003	82 464	1 468	45 605
新疆	594 807	1 296 054	73 792	540 456	23 122	355 470	6 359	197 004

各地区奶牛饲养规模情况（二）

地　区	年存栏数 50～99 头		年存栏数 100～199 头		年存栏数 200～499 头		年存栏数 500～999 头		年存栏数 1 000 头以上	
	场（户）数	存栏数（头）	场（户）数	存栏数（头）	场（户）数	存栏数（头）	场（户）数	存栏数（头）	场（户）数	存栏数（头）
全　国	**13 685**	**942 979**	**4 324**	**622 298**	**3 341**	**1 070 472**	**1 773**	**1 214 833**	**706**	**1 306 105**
北　京	97	6 373	145	21 200	124	37 968	30	22 467	28	44 206
天　津	293	18 780	73	9 447	38	12 418	45	33 862	13	22 277
河　北	1 005	71 380	422	64 229	593	219 244	709	496 649	193	347 860
山　西	230	16 242	158	21 377	102	31 120	31	20 051	11	12 799
内蒙古	3 069	209 608	762	118 306	380	124 828	168	110 408	52	90 134
辽　宁	515	34 974	130	18 740	99	29 841	37	25 789	27	41 488
吉　林	487	33 096	183	25 883	94	27 478	30	19 156	9	14 106
黑龙江	2 210	153 425	688	98 061	197	61 648	62	42 314	27	55 037
上　海	4	265	31	4 791	52	17 398	19	14 656	13	26 880
江　苏	124	9 009	93	13 944	112	34 797	46	28 883	28	66 170
浙　江	97	6 686	60	8 034	33	10 164	11	7 697	10	14 262
安　徽	90	6 084	49	6 043	39	11 251	17	10 494	13	30 968
福　建	9	586	2	327	7	2 178	12	8 581	13	17 120
江　西	85	6 057	22	2 661	9	3 508	1	834	2	3 921
山　东	1 830	123 095	594	80 495	426	134 426	180	121 309	82	171 554
河　南	549	35 679	206	27 741	324	102 508	169	113 885	70	152 743
湖　北	47	3 275	12	1 684	17	4 820	22	16 229	12	21 500
湖　南	22	1 653	10	1 294	9	2 322	2	1 629	3	4 630
广　东	75	5 553	45	5 732	16	4 634	11	7 475	11	21 463
广　西	14	1 102	9	1 444	19	7 694	2	1 491	3	3 764
海　南			1	151	1	483	1	500		
重　庆	12	846	10	1 290	3	1 020	3	2 209	2	2 073
四　川	117	7 896	56	8 045	56	15 368	11	6 812	7	12 955
贵　州	6	405	3	377	6	2 069	3	1 768	1	1 926
云　南	63	4 288	13	1 844	19	5 847	8	5 009	3	3 673
西　藏										
陕　西	229	15 303	165	24 160	325	89 406	51	30 920	19	36 787
甘　肃	166	10 733	81	10 664	39	10 288	9	5 766	9	17 137
青　海	14	1 072	10	1 243	10	3 455			1	1 731
宁　夏	397	27 225	116	17 737	74	22 313	29	20 792	14	20 724
新　疆	1 829	132 289	175	25 354	118	39 978	54	37 198	30	46 217

各地区肉牛饲养规模情况

地区	年出栏数 1～9头		年出栏数 10～49头		年出栏数 50～99头		年出栏数 100～499头		年出栏数 500～999头		年出栏数 1 000头	
	场（户）数	出栏数（万头）	场（户）数	出栏数（万头）	场（户）数	出栏数（万头）	场（户）数	出栏数（万头）	场（户）数	出栏数（万头）	场（户）数	出栏数（万头）
全　国	13 278 414	3 409.40	467 596	1 124.72	71 900	507.50	18 281	421.67	2 679	178.24	749	128.65
北　京	1 282	0.95	800	2.65	332	2.33	104	1.88	26	1.55	12	2.32
天　津	3 531	2.31	1 158	3.35	1 043	8.76	139	3.19	2	0.11		
河　北	567 221	216.66	40 784	99.21	4 744	35.10	881	25.70	69	4.74	20	12.22
山　西	177 955	51.43	5 634	12.67	851	5.63	229	4.88	5	0.32	5	0.68
内蒙古	279 140	109.05	35 917	85.14	4 657	30.58	914	18.70	125	8.19	59	8.94
辽　宁	481 902	175.84	46 491	101.38	7 319	50.67	2 207	49.94	445	26.85	81	13.18
吉　林	608 069	281.24	64 523	171.86	13 563	99.70	2 703	75.53	707	51.70	154	20.48
黑龙江	221 519	120.67	47 891	126.35	10 248	74.56	2 903	61.02	314	19.35	56	8.72
上　海												
江　苏	115 294	33.93	1 613	4.63	461	3.28	119	2.83	26	2.19	7	1.34
浙　江	28 025	5.29	620	1.46	68	0.46	20	0.34	2	0.15	1	0.12
安　徽	427 848	102.18	4 944	12.20	1 226	8.24	480	11.45	51	3.74	32	4.88
福　建	88 997	16.93	1 023	2.10	54	0.36	61	1.10	5	0.30	5	0.82
江　西	646 326	105.84	6 074	17.96	995	7.61	192	4.97	18	1.27	5	0.97
山　东	1 008 747	261.44	33 079	92.34	7 368	54.03	1 893	47.63	265	18.53	67	15.02
河　南	1 535 639	411.57	43 902	112.29	3 492	23.32	1 829	39.14	381	23.37	146	23.99
湖　北	707 485	142.19	4 150	9.28	1 118	7.77	805	16.36	63	4.05	35	5.37
湖　南	708 310	137.73	17 848	35.11	2 435	15.49	387	7.20	15	0.97	3	0.34
广　东	261 159	54.10	1 908	4.54	225	1.57	73	1.43	2	0.15	1	0.28
广　西	722 734	126.80	3 842	9.64	363	2.33	40	0.79	1	0.05	1	0.15
海　南	116 818	18.92	1 126	2.68	100	0.66	13	0.37				
重　庆	250 471	38.11	2 729	5.77	326	2.04	96	1.79	10	0.60	2	0.24
四　川	1 026 492	182.75	11 331	27.91	1 411	10.08	377	8.31	12	0.82	7	1.03
贵　州	506 061	79.82	3 102	5.89	313	1.93	47	0.78	3	0.21		
云　南	1 168 918	255.06	14 824	28.08	806	5.48	211	3.92	9	0.59	4	0.69
西　藏	173 465	100.12	15 802	19.48	387	2.75	65	0.79				
陕　西	291 776	62.41	3 245	5.68	304	1.95	77	1.56	4	0.29	2	0.28
甘　肃	511 893	113.82	19 833	38.82	2 207	13.10	443	7.67	50	3.21	31	3.73
青　海	48 377	9.32	2 478	4.04	153	1.00	39	0.85	4	0.34	5	0.79
宁　夏	217 735	61.66	8 592	22.24	728	5.56	161	4.54	18	1.19	3	0.71
新　疆	375 225	131.29	22 333	59.98	4 603	31.16	773	17.01	47	3.42	5	1.36

各地区羊饲养规模情况

地 区	年出栏数 1～29 只		年出栏数 30～99 只		年出栏数 100～499 只		年出栏数 500～999 只		年出栏数 1 000 只以上	
	场（户）数	出栏数（万只）	场（户）数	出栏数（万只）	场（户）数	出栏数（万只）	场（户）数	出栏数（万只）	场（户）数	出栏数（万只）
全 国	**19 707 146**	**17 277.32**	**1 663 203**	**9 114.98**	**242 517**	**5 287.62**	**14 949**	**1 049.55**	**2 799**	**684.71**
北 京	7 080	9.78	7 508	33.26	1 184	26.08	134	9.60	29	8.01
天 津	6 757	9.62	6 532	41.23	875	17.42	33	2.23	6	0.72
河 北	778 290	1 058.43	120 155	708.58	9 232	257.40	780	58.77	523	78.55
山 西	344 979	352.90	44 602	243.32	6 938	131.86	226	15.24	45	19.84
内蒙古	1 351 096	1 803.67	286 797	1 548.76	70 045	1 445.98	5 857	385.90	600	166.00
辽 宁	223 195	314.99	73 514	425.71	7 513	190.26	482	30.38	87	12.15
吉 林	128 300	160.63	50 436	266.04	6 326	127.94	428	31.00	141	33.44
黑龙江	122 067	221.75	52 190	282.29	10 982	256.76	557	38.59	44	5.61
上 海	68 529	32.21	789	4.59	60	1.14	2	0.11	6	3.91
江 苏	1 593 519	1 279.59	26 034	178.62	2 683	68.88	207	16.02	33	7.36
浙 江	187 272	112.31	7 363	39.64	1 074	22.83	50	3.26	23	3.98
安 徽	900 241	810.46	43 586	240.48	4 514	105.86	195	13.46	28	20.36
福 建	92 328	51.82	5 451	31.63	626	12.48	30	2.29	5	0.75
江 西	68 956	47.75	4 317	23.93	808	15.04	48	2.83	8	1.09
山 东	2 024 323	2 011.14	184 869	1 134.32	20 355	576.99	1 092	86.02	344	55.08
河 南	2 435 325	2 036.42	120 543	663.07	7 341	144.48	296	18.70	82	36.17
湖 北	746 558	356.22	16 013	84.17	5 245	92.48	230	14.99	83	13.06
湖 南	706 253	497.82	30 562	169.75	6 002	137.15	191	13.43	6	0.85
广 东	20 933	20.31	2 089	12.45	355	7.93	17	0.99		
广 西	168 279	131.85	10 961	56.79	784	15.13	7	0.54	2	0.22
海 南	66 257	59.15	2 870	15.29	232	5.19	1	0.08	1	0.22
重 庆	366 513	194.66	11 932	56.71	1 348	27.52	33	2.19	6	0.82
四 川	3 190 181	1 863.68	72 246	353.27	7 260	150.63	374	25.20	64	14.99
贵 州	407 276	175.26	8 896	40.38	923	14.84	16	1.18		
云 南	563 489	474.12	28 619	141.65	2 225	36.60	26	1.69	9	1.49
西 藏	129 497	323.74	15 502	124.02	2 580	95.49				
陕 西	631 964	394.22	53 669	223.62	964	15.77	17	1.08	5	1.03
甘 肃	650 339	630.34	47 544	244.72	7 014	136.47	348	21.59	77	15.15
青 海	255 053	242.99	42 153	239.58	11 568	195.65	134	8.46	40	6.78
宁 夏	290 710	314.95	40 156	221.71	4 997	147.14	635	52.92	175	78.67
新 疆	1 181 587	1 284.54	245 305	1 265.40	40 464	808.23	2 503	190.81	327	98.41

各地区蛋鸡饲养规模情况(一)

地区	年存栏数1～499只			年存栏数500～1 999只			年存栏数2 000～9 999只		
	场(户)数	存栏数(万只)	鸡蛋产量(万吨)	场(户)数	存栏数(万只)	鸡蛋产量(万吨)	场(户)数	存栏数(万只)	鸡蛋产量(万吨)
全国	**22 412 896**	**53 322.18**	**503.11**	**468 781**	**51 292.08**	**553.79**	**233 903**	**90 020.00**	**1 001.10**
北京	12 463	84.28	0.68	1 644	155.01	1.42	442	228.18	2.39
天津	17 214	91.25	1.22	2 170	249.53	3.38	1 430	498.05	6.84
河北	1 280 310	5 419.06	54.58	95 190	10 196.79	101.47	46 309	18 498.35	183.29
山西	492 819	1 202.34	9.30	17 433	1 950.73	17.80	9 762	3 341.28	32.11
内蒙古	706 214	1 003.94	11.39	12 455	1 096.08	14.23	2 526	996.11	12.35
辽宁	855 634	3 677.67	43.48	48 967	5 139.47	63.54	29 594	10 022.57	121.40
吉林	577 952	3 403.77	37.32	15 650	1 856.96	22.63	9 701	4 467.57	53.27
黑龙江	473 917	2 418.17	20.72	22 571	2 407.54	23.93	6 955	2 504.96	26.19
上海	75 172	49.59	0.60	102	7.70	0.08	30	16.64	0.15
江苏	745 166	1 440.15	16.73	20 394	2 487.38	31.89	20 158	8 070.14	106.61
浙江	99 827	121.81	1.25	1 163	111.62	1.32	1 365	575.13	6.49
安徽	652 480	1 924.86	21.27	15 479	1 880.49	19.93	6 853	2 800.91	30.48
福建	112 923	105.36	1.00	615	61.77	0.73	268	142.46	2.08
江西	937 705	942.34	8.25	3 393	479.46	4.87	1 404	681.88	8.42
山东	1 311 923	5 236.70	61.72	63 677	7 710.58	92.85	35 624	13 771.65	165.65
河南	2 041 840	7 201.13	64.17	89 688	10 042.60	103.87	30 817	12 108.65	136.80
湖北	1 539 407	3 462.96	36.50	4 387	523.76	5.65	6 807	2 847.50	28.54
湖南	1 335 630	3 964.02	27.17	10 693	1 088.82	8.64	3 869	1 375.35	10.48
广东	578 764	522.10	4.58	1 090	93.95	1.10	262	117.78	1.26
广西	211 927	294.81	2.34	210	28.64	0.26	79	41.04	0.43
海南	259 957	261.68	0.50	174	12.69	0.10	56	24.16	0.16
重庆	836 785	782.55	7.00	2 429	241.45	2.41	1 840	728.37	7.63
四川	4 042 203	5 002.51	33.69	11 629	1 035.02	9.48	5 044	1 924.37	18.41
贵州	369 783	627.63	3.77	1 000	108.00	0.68	513	229.24	1.40
云南	399 438	544.96	3.34	1 911	168.29	1.46	1 849	622.97	5.44
西藏	106	0.80		17	1.75		5	1.05	
陕西	829 105	1 327.92	14.46	12 029	1 133.03	12.23	5 102	1 563.13	15.92
甘肃	834 471	995.10	4.26	6 781	507.68	2.47	2 227	687.95	3.66
青海	153 806	96.95	0.96	37	4.14	0.05	19	7.04	0.09
宁夏	189 747	243.98	2.50	1 256	123.37	1.40	1 169	353.36	4.41
新疆	438 208	871.79	8.36	4 547	387.78	3.92	1 824	772.16	8.75

各地区蛋鸡饲养规模情况(二)

地区	年存栏数 10 000～49 999 只			年存栏数 50 000～99 999 只			年存栏数 100 000～499 999 只			年存栏数 500 000 只以上		
	场(户)数	存栏数(万只)	鸡蛋产量(万吨)	场(户)数	存栏数(万只)	鸡蛋产量(万吨)	场(户)数	存栏数(万只)	鸡蛋产量(万吨)	场(户)数	存栏数(万只)	鸡蛋产量(万吨)
全　国	28 456	48 704.86	554.46	1 388	8 566.24	96.45	400	6 060.09	67.15	17	1 281.04	13.01
北　京	143	253.95	2.67	24	149.26	1.66	13	186.90	2.60	3	301.25	3.65
天　津	173	305.91	4.13	8	51.49	0.63	1	10.00	0.15			
河　北	3 447	5 831.88	60.11	62	403.05	4.43	20	294.00	3.17	2	140.00	1.39
山　西	847	1 388.98	13.77	48	286.56	2.65	21	309.70	2.57	1	60.00	0.66
内蒙古	320	503.20	5.63	5	30.72	0.31	2	34.00	0.33			
辽　宁	2 343	3 994.02	47.66	192	1 101.80	14.29	39	625.62	7.45	1	87.00	1.21
吉　林	1 541	2 853.24	34.98	76	444.55	5.44	21	261.83	3.03			
黑龙江	957	1 440.03	16.65	21	135.64	1.33	4	72.98	0.80			
上　海	25	55.69	0.69	7	40.85	0.53	5	62.30	0.73			
江　苏	1 931	3 351.15	43.58	80	511.26	6.65	26	424.32	5.31			
浙　江	393	684.36	8.18	12	82.14	0.95	8	116.80	1.58			
安　徽	644	1 217.57	14.29	46	312.74	3.48	10	160.74	1.71	1	52.79	0.82
福　建	306	574.00	7.96	29	180.17	2.47	8	104.83	1.32			
江　西	175	383.18	5.33	12	85.23	1.05	6	84.10	0.70			
山　东	3 775	6 580.15	80.18	179	1 080.57	12.90	33	516.39	6.21			
河　南	4 686	7 792.52	91.31	173	1 110.17	12.40	49	666.48	8.07	5	349.00	2.78
湖　北	2 454	4 445.67	49.46	123	773.80	8.85	44	727.99	8.31			
湖　南	946	1 473.78	12.94	68	421.36	2.42	3	36.70	0.55			
广　东	104	247.47	2.00	34	212.64	1.84	17	280.52	2.70	1	65.00	0.40
广　西	21	41.25	0.51	2	12.19	0.18	2	41.50	0.65			
海　南	39	68.39	0.40	1	9.67	0.07	1	32.81	0.29			
重　庆	373	691.03	7.81	26	156.24	1.78	4	53.50	0.43			
四　川	971	1 763.86	17.06	60	371.35	4.45	18	285.72	2.85	1	120.00	0.97
贵　州	157	275.61	1.94	14	94.97	0.64	8	178.17	1.15			
云　南	712	999.66	9.35	30	184.13	2.05	11	148.74	1.52	1	50.00	0.65
西　藏												
陕　西	315	467.95	5.11	12	75.12	0.89	3	37.00	0.43	1	56.00	0.48
甘　肃	243	371.01	2.71	10	56.38	0.40	1	30.00	0.18			
青　海	11	16.86	0.23	1	6.89	0.02						
宁　夏	84	153.79	2.00	3	23.50	0.29	4	54.50	0.73			
新　疆	320	478.70	5.82	30	161.80	1.40	18	221.95	1.63			

各地区肉鸡饲养规模情况(一)

地区	年出栏数1~1999只		年出栏数2000~9999只		年出栏数10000~49999只	
	场(户)数	出栏数(万只)	场(户)数	出栏数(万只)	场(户)数	出栏数(万只)
全　国	**26 609 204**	**134 823.20**	**348 327**	**179 205.83**	**155 017**	**309 497.89**
北　京	1 584	56.61	2 133	941.22	2 252	2 957.88
天　津	1 084	67.70	1 349	789.41	1 646	4 184.35
河　北	81 261	3 788.98	16 088	7 404.19	6 192	10 012.24
山　西	26 686	240.41	2 679	1 205.70	842	1 513.68
内蒙古	522 852	1 337.73	2 407	1 235.06	603	1 255.58
辽　宁	74 518	5 225.43	41 481	22 399.54	14 064	26 105.33
吉　林	253 322	7 807.18	32 596	20 940.55	10 938	29 946.15
黑龙江	214 029	5 092.30	13 719	5 955.75	2 136	4 155.20
上　海	75 190	392.12	726	405.62	672	1 354.46
江　苏	366 684	3 142.36	10 787	6 267.48	9 783	21 949.96
浙　江	575 378	1 740.56	6 178	2 662.69	4 789	8 850.14
安　徽	1 248 749	6 061.21	16 735	8 633.54	7 884	13 816.69
福　建	628 706	2 249.07	2 793	1 389.38	1 045	2 354.73
江　西	788 460	3 876.76	6 328	2 912.25	4 059	7 842.69
山　东	170 028	7 858.74	66 202	37 959.48	40 700	88 650.59
河　南	689 145	9 189.52	26 412	12 207.01	8 565	14 783.80
湖　北	296 305	5 970.80	3 166	1 620.40	5 098	10 304.79
湖　南	3 783 439	9 814.29	15 577	7 992.35	4 569	6 980.63
广　东	2 507 729	15 053.85	29 126	14 860.06	15 891	29 866.97
广　西	3 141 344	13 440.22	20 197	7 487.64	4 407	7 619.52
海　南	624 396	2 296.73	1 743	787.73	453	609.59
重　庆	632 844	1 656.46	2 639	1 173.97	1 700	3 030.86
四　川	5 414 913	14 667.48	11 317	4 528.50	3 930	6 277.42
贵　州	1 394 887	1 660.41	2 389	1 548.86	174	359.87
云　南	1 328 469	2 643.41	3 478	1 626.05	1 380	2 507.65
西　藏	9 393	74.30	50	25.00	5	5.20
陕　西	523 628	1 284.65	1 610	635.09	206	333.71
甘　肃	331 202	796.07	1 067	398.35	183	270.61
青　海	78 833	83.03	8	3.78	1	1.00
宁　夏	134 914	553.11	964	502.62	128	261.70
新　疆	689 232	6 701.75	6 383	2 706.57	722	1 334.91

各地区肉鸡饲养规模情况(二)

地区	年出栏数 50 000~99 999 只		年出栏数 100 000~499 999 只		年出栏数 500 000~999 999 只		年出栏数 100 万只以上	
	场(户)数	出栏数(万只)	场(户)数	出栏数(万只)	场(户)数	出栏数(万只)	场(户)数	出栏数(万只)
全国	**14 802**	**95 340.15**	**3 531**	**67 978.92**	**369**	**23 513.32**	**202**	**65 855.50**
北京	259	1 482.65	39	932.44	33	1 890.71	3	313.51
天津	260	1 869.27	43	1 005.25				
河北	519	3 230.28	131	2 285.25	9	589.30	3	388.00
山西	54	337.22	17	281.80				
内蒙古	16	99.99	5	64.08				
辽宁	1 219	7 595.27	422	8 999.64	17	1 186.08	7	1 482.00
吉林	1 273	8 656.34	127	2 331.28	22	1 476.17	16	4 500.00
黑龙江	178	1 285.68	58	789.50	1	54.00	1	390.42
上海	63	515.37	17	285.44	3	199.90		
江苏	751	4 957.74	289	5 088.14	34	2 129.57	8	6 617.80
浙江	530	3 296.28	73	1 137.08	4	240.30	2	283.50
安徽	883	5 527.93	240	3 741.97	17	1 239.10	11	4 046.30
福建	165	1 084.45	70	1 097.65	3	181.04	2	7 736.00
江西	172	1 262.78	70	1 284.34	2	116.54		
山东	3 993	25 057.24	689	13 322.28	116	7 615.31	55	9 322.90
河南	811	5 417.83	406	10 794.52	24	1 380.60	16	4 335.00
湖北	386	2 526.53	214	3 292.86	14	782.88	15	3 614.70
湖南	297	1 867.87	39	718.65	8	475.00	3	601.00
广东	1 969	12 946.16	349	6 346.84	27	1 744.13	21	4 296.86
广西	357	2 252.52	86	1 616.66	22	1 441.40	30	16 476.34
海南	59	386.06	23	323.17	4	240.56	3	716.17
重庆	102	680.39	19	338.80	2	125.50		
四川	304	1 852.23	46	828.13	6	352.23		
贵州	22	139.20	6	124.59	1	53.00		
云南	102	650.39	36	559.14				
西藏								
陕西	9	54.80	4	72.40				
甘肃	3	16.74	1	11.85				
青海								
宁夏	1	5.00	1	11.67				
新疆	45	285.92	11	293.50			6	735.00

各地区1月份畜产品及饲料集市价格(一)

单位:元/千克、元/只

地　区	仔猪	活猪	猪肉	鸡蛋	蛋雏鸡	肉雏鸡	活鸡	西装鸡	牛肉
全国均价	**20.06**	**13.41**	**21.25**	**7.56**	**2.33**	**2.06**	**14.16**	**14.06**	**33.90**
北　京	18.81	13.12	19.12	6.33	2.07	3.60		13.75	30.80
天　津	16.42	13.60	21.80	6.06	1.74	2.03	6.99	12.70	30.00
河　北	17.11	13.31	20.51	6.18	2.02	2.31	9.27	11.85	29.68
山　西	22.18	13.59	21.24	6.33	2.38	3.70	9.99	11.92	32.14
内蒙古	27.41	14.39	20.71	6.56	3.15	3.58	13.89	13.63	29.45
辽　宁	24.67	13.23	21.17	5.71	1.98	1.28	17.50	12.74	30.63
吉　林	18.63	13.14	19.80	5.97	1.91	0.92	8.45	11.27	31.00
黑龙江	19.12	12.58	18.63	5.89	2.20	2.24	13.47	10.95	28.82
上　海	20.23	14.09	24.65	7.35	1.83	0.89	15.30	15.25	38.00
江　苏	12.57	12.51	20.49	6.70	2.00	1.13	11.77	11.20	35.74
浙　江	15.01	13.96	22.24	7.73	2.13	1.96	14.36	13.85	42.10
安　徽	16.37	14.05	21.86	7.07	1.83	1.10	13.12	12.75	37.58
福　建	25.57	13.94	19.39	7.87	2.55	1.29	13.74	17.25	41.60
江　西	21.22	14.25	22.74	9.24	1.54	1.72	15.37	15.29	40.07
山　东	13.47	13.28	21.08	6.26	1.83	0.92	7.82	11.25	31.80
河　南	21.55	13.34	20.96	6.20	1.93	1.99	10.44	11.54	31.97
湖　北	23.94	14.06	22.93	7.65	2.07	2.05	12.77	14.86	36.38
湖　南	23.80	13.81	21.71	9.86	2.89	2.41	22.46	16.38	39.65
广　东	26.01	13.97	20.48	8.68	2.55	1.52	18.08	20.56	42.34
广　西	15.47	13.04	21.52	8.90	2.51	1.39	17.19	18.57	35.09
海　南	17.33	12.54	20.65	11.28	1.50	2.11	20.33	21.83	37.80
重　庆	18.32	13.36	21.86	8.29	2.11	1.76	15.86	13.46	34.46
四　川	17.00	13.34	22.52	9.44	2.78	2.65	19.38	19.29	31.86
贵　州	18.73	14.12	22.14	10.76	3.20	3.00	17.24	15.29	32.64
云　南	19.21	12.43	20.40	7.86	2.88	2.95	14.19	14.96	33.90
西　藏									
陕　西	22.29	13.01	20.71	6.50	2.26	2.23	12.04	13.83	33.11
甘　肃	25.36	12.85	21.85	6.51	3.37	3.38	13.63	13.28	30.34
青　海	35.00	14.88	21.56	7.36			16.90	15.78	30.02
宁　夏	19.45	12.35	21.60	6.05	2.60	3.39	12.27	13.81	29.75
新　疆	18.42	11.63	19.40	6.46	3.03	2.66	12.60	13.52	29.87

注:全国均价为各定点县平均值。

各地区1月份畜产品及饲料集市价格(二)

单位:元/千克

地区	牛奶	羊肉	绵羊毛	玉米	豆粕	小麦麸	进口鱼粉	育肥猪配合饲料	肉鸡配合料	蛋鸡配合料
全国均价	**2.79**	**33.32**	**10.59**	**1.55**	**3.82**	**1.49**	**8.09**	**2.50**	**2.69**	**2.40**
北京	2.67	31.78	16.00	1.47	3.56	1.31	8.48	2.33	2.86	2.18
天津	2.74	32.70		1.34	3.62	1.19	7.63	2.09	2.41	2.11
河北	2.78	29.60	7.28	1.35	3.51	1.18	8.71	2.24	2.51	2.02
山西	2.34	32.50	7.64	1.35	3.69	1.30	8.00	2.24	2.79	2.05
内蒙古	2.58	27.71	11.00	1.49	3.78	1.51	7.32	3.40	3.38	2.82
辽宁	2.90	32.67	13.20	1.36	3.73	1.37	7.73	2.17	2.31	1.98
吉林	2.88	34.90	12.54	1.46	3.74	1.49	8.16	2.17	2.27	2.02
黑龙江	2.35	26.48	13.61	1.33	3.42	1.38	8.70	2.44	2.51	2.24
上海	3.59	38.31		1.61	3.70	1.47	6.72	2.67	2.77	2.55
江苏	2.82	34.58		1.56	3.53	1.41	6.96	2.24	2.69	2.24
浙江	3.09	39.39	3.00	1.65	3.73	1.49	7.43	2.51	2.60	2.42
安徽	2.83	33.29	7.00	1.56	3.67	1.44	7.28	2.43	2.63	2.40
福建	2.88	41.87		1.72	4.00	1.68	8.70	2.54	2.68	2.60
江西	2.94	35.02		1.85	3.86	1.72	8.23	2.57	2.77	2.56
山东	2.57	34.65	7.97	1.35	3.63	1.24	7.70	2.13	2.50	2.09
河南	2.92	31.80	5.28	1.35	3.60	1.30	7.96	2.30	2.42	2.16
湖北	3.24	29.64	23.00	1.61	4.06	1.45	8.25	2.47	2.55	2.36
湖南		34.15		1.77	3.95	1.63	8.65	2.73	2.85	2.83
广东	3.55	36.37		1.77	3.77	1.69	8.22	2.63	2.90	2.85
广西	3.79	37.68		1.80	4.02	1.76	8.61	2.72	2.95	2.83
海南		41.23		1.97	4.22	1.82		3.08	3.39	3.27
重庆		35.10		1.61	4.11	1.60	7.63	2.46	2.75	2.54
四川	3.52	34.62	20.67	1.75	4.37	1.61	8.23	2.71	2.81	2.69
贵州	2.41	36.14		1.66	3.91	1.75	7.22	2.70	3.03	2.90
云南	2.37	36.52	11.00	1.59	4.07	1.80	7.35	2.99	2.99	2.73
西藏										
陕西	2.70	34.28	21.00	1.34	3.73	1.36	8.08	2.29	2.39	2.20
甘肃	2.55	28.43	9.90	1.42	3.90	1.39	8.35	2.63	2.59	2.45
青海	3.26	26.34	7.55	1.70	4.31	1.58	9.00	2.08	2.14	2.06
宁夏	1.99	28.00	8.17	1.21	3.74	1.25	8.38	2.67	2.56	2.37
新疆	2.45	29.39	19.50	1.38	3.85	1.51	8.85	2.20	2.66	2.12

各地区2月份畜产品及饲料集市价格(一)

单位:元/千克、元/只

地 区	仔猪	活猪	猪肉	鸡蛋	蛋雏鸡	肉雏鸡	活鸡	西装鸡	牛肉
全国均价	**20.11**	**12.70**	**20.62**	**7.43**	**2.42**	**2.31**	**13.99**	**13.88**	**33.72**
北 京	18.44	12.23	17.76	5.93	2.08	3.51		13.61	30.50
天 津	17.02	12.11	20.55	5.76	1.97	2.22	7.02	11.97	29.80
河 北	17.02	12.65	20.30	6.08	2.17	2.55	9.28	11.91	29.86
山 西	22.54	12.79	20.41	6.17	2.40	3.70	9.98	11.81	31.58
内蒙古	27.71	14.21	20.42	6.46	3.09	3.53	13.95	13.35	29.57
辽 宁	25.44	12.45	20.67	5.68	2.05	1.85	17.75	12.80	30.67
吉 林	20.79	11.97	19.00	5.76	2.10	1.53	8.28	11.29	31.08
黑龙江	19.00	11.46	17.64	5.72	2.21	2.30	13.27	10.77	28.38
上 海	18.68	12.83	23.90	7.29	2.13	1.31	14.54	14.99	37.33
江 苏	12.72	11.66	19.92	6.62	2.20	1.80	11.49	11.41	35.38
浙 江	14.79	12.91	21.37	7.75	2.21	2.11	14.41	13.72	41.82
安 徽	14.89	13.05	21.21	6.89	2.16	1.57	12.16	12.67	36.23
福 建	24.44	12.55	18.58	7.61	2.52	1.37	13.38	16.75	41.72
江 西	20.46	13.39	22.06	9.14	1.77	1.83	15.49	15.12	40.82
山 东	13.05	12.08	20.12	6.18	2.07	2.19	7.88	11.22	31.55
河 南	20.54	12.50	20.03	6.09	2.11	2.10	10.43	11.39	31.37
湖 北	23.78	13.08	22.39	7.61	2.20	2.23	12.34	14.65	35.82
湖 南	24.15	13.12	21.51	9.73	2.90	2.54	22.60	16.40	39.44
广 东	25.52	13.22	19.77	8.63	2.63	1.75	17.90	19.34	42.40
广 西	15.59	12.69	21.08	8.81	2.46	1.40	17.22	18.67	35.00
海 南	17.47	12.11	20.52	11.20	1.50	2.10	20.44	21.30	39.25
重 庆	19.29	12.86	21.20	7.99	2.29	2.10	15.96	13.33	34.44
四 川	17.22	12.84	21.98	9.40	2.79	2.69	19.22	18.86	31.69
贵 州	19.48	14.11	22.11	10.77	3.23	3.08	16.98	15.41	33.21
云 南	20.18	12.01	19.82	7.69	2.98	3.10	13.74	14.61	33.59
西 藏									
陕 西	23.27	12.25	20.28	6.50	2.38	2.32	11.71	13.77	32.47
甘 肃	24.78	12.56	20.98	6.39	3.15	3.24	13.15	13.07	30.01
青 海	37.16	15.33	20.13	7.22			16.83	16.17	29.84
宁 夏	23.20	12.12	21.35	6.07	2.55	3.35	11.67	13.34	29.20
新 疆	18.27	11.26	18.99	6.10	2.98	2.66	12.01	12.92	29.44

各地区2月份畜产品及饲料集市价格(二)

单位:元/千克

地 区	牛奶	羊肉	绵羊毛	玉米	豆粕	小麦麸	进口鱼粉	育肥猪配合饲料	肉鸡配合料	蛋鸡配合料
全国均价	2.74	33.10	10.58	1.54	3.77	1.49	8.10	2.48	2.67	2.39
北 京	2.55	31.90	16.00	1.42	3.51	1.30	8.05	2.28	2.86	2.16
天 津	2.48	33.05		1.34	3.40	1.21	7.61	2.05	2.36	2.06
河 北	2.75	29.68	7.18	1.35	3.51	1.19	8.60	2.24	2.52	2.02
山 西	2.26	31.70	7.61	1.29	3.69	1.29	8.06	2.21	2.80	2.04
内蒙古	2.55	27.55	11.06	1.49	3.83	1.53	7.39	3.35	3.35	2.81
辽 宁	2.83	32.75	13.20	1.36	3.63	1.39	7.85	2.16	2.33	1.98
吉 林	2.82	34.89	13.72	1.45	3.71	1.50	8.01	2.16	2.27	2.01
黑龙江	2.21	26.37	13.43	1.32	3.43	1.38	8.81	2.45	2.51	2.25
上 海	3.55	36.56		1.61	3.48	1.50	6.92	2.64	2.74	2.51
江 苏	2.81	34.75		1.54	3.48	1.42	6.94	2.27	2.68	2.27
浙 江	3.03	38.96	3.00	1.65	3.56	1.52	7.37	2.52	2.58	2.41
安 徽	2.80	31.98	7.00	1.51	3.64	1.44	7.34	2.31	2.53	2.28
福 建	2.95	41.80		1.69	3.53	1.66	8.59	2.48	2.61	2.53
江 西	2.92	35.31		1.82	3.83	1.72	8.30	2.55	2.74	2.54
山 东	2.47	34.00	7.82	1.37	3.41	1.26	7.78	2.13	2.48	2.08
河 南	2.91	31.50	5.30	1.34	3.47	1.30	7.91	2.28	2.37	2.11
湖 北	3.21	29.35	22.50	1.59	4.08	1.44	8.12	2.43	2.52	2.32
湖 南	3.19	34.60		1.76	3.96	1.64	9.30	2.73	2.86	2.84
广 东	3.59	35.57		1.76	3.57	1.70	8.21	2.63	2.92	2.85
广 西	3.80	37.78		1.79	4.01	1.76	8.75	2.70	2.94	2.84
海 南		43.65		1.96	4.22	1.81		3.06	3.36	3.23
重 庆	3.81	34.55		1.60	4.12	1.62	7.61	2.49	2.74	2.54
四 川	3.52	34.58	20.67	1.75	4.41	1.63	8.21	2.72	2.81	2.69
贵 州	2.41	36.41		1.66	4.06	1.76	7.25	2.71	3.04	2.91
云 南	2.38	36.32	11.00	1.62	4.18	1.82	7.38	3.01	2.97	2.73
西 藏										
陕 西	2.64	33.57	21.00	1.29	3.76	1.35	8.02	2.27	2.37	2.17
甘 肃	2.45	27.93	9.82	1.38	3.93	1.39	8.36	2.59	2.57	2.45
青 海	3.30	26.87	8.31	1.72	4.31	1.59	9.00	2.13	2.16	2.08
宁 夏	1.97	27.65	8.12	1.23	3.81	1.26	8.21	2.73	2.61	2.41
新 疆	2.41	28.91	18.46	1.36	3.80	1.46	8.81	2.16	2.61	2.09

各地区3月份畜产品及饲料集市价格(一)

单位:元/千克、元/只

地 区	仔猪	活猪	猪肉	鸡蛋	蛋雏鸡	肉雏鸡	活鸡	西装鸡	牛肉
全国均价	19.75	11.63	19.30	7.31	2.57	2.55	13.70	13.74	33.13
北 京	16.66	11.10	16.05	5.98	2.28	3.83		13.64	30.40
天 津	16.15	10.86	19.03	5.95	2.18	2.59	7.54	11.98	29.60
河 北	17.95	11.42	18.84	6.16	2.46	2.84	9.46	12.07	29.66
山 西	22.70	11.54	18.72	6.02	2.42	3.70	9.89	11.49	30.86
内蒙古	28.10	13.27	19.14	6.36	3.07	3.45	13.74	13.26	29.34
辽 宁	23.88	11.00	18.89	5.86	2.18	2.51	17.56	12.79	30.75
吉 林	21.15	10.43	17.88	5.85	2.19	2.41	8.79	11.68	30.93
黑龙江	17.60	10.08	16.18	5.69	2.19	2.45	12.90	10.67	28.07
上 海	17.63	11.95	22.60	7.31	2.41	1.64	14.53	15.58	36.83
江 苏	12.30	10.66	18.92	6.60	2.29	2.43	11.69	11.80	34.33
浙 江	14.39	12.00	19.98	7.68	2.23	2.25	14.37	13.91	41.05
安 徽	13.39	11.46	19.78	6.74	2.41	1.83	12.04	12.66	34.05
福 建	24.37	12.13	17.71	7.46	2.46	1.34	12.76	15.88	41.31
江 西	19.74	12.25	20.95	8.92	1.92	1.96	15.00	14.12	39.78
山 东	13.05	10.93	18.51	6.19	2.41	2.92	8.26	11.52	31.11
河 南	19.07	11.32	18.89	6.13	2.47	2.48	10.54	11.57	30.96
湖 北	22.73	11.61	20.55	7.36	2.42	2.39	11.87	14.18	34.22
湖 南	23.91	12.13	20.58	9.53	2.86	2.77	21.81	15.89	38.26
广 东	25.07	12.55	18.77	8.28	2.63	1.75	17.16	18.91	41.53
广 西	15.23	12.04	20.10	8.61	2.48	1.36	16.56	18.19	34.54
海 南	17.42	11.50	19.78	11.10	1.46	2.00	19.31	19.70	38.75
重 庆	18.96	11.27	19.46	7.32	2.24	1.99	15.05	12.68	33.31
四 川	16.42	11.65	20.19	9.11	2.96	2.89	18.38	17.96	31.13
贵 州	20.17	13.77	21.56	10.42	3.38	3.26	16.54	15.28	33.26
云 南	20.33	11.35	19.15	7.66	3.00	3.17	13.55	14.60	33.23
西 藏									
陕 西	24.53	11.17	18.67	6.31	2.53	2.45	11.74	13.77	31.37
甘 肃	24.36	11.51	19.33	6.29	3.13	3.06	12.92	12.71	29.42
青 海	32.55	13.93	18.63	7.09			16.63	16.47	29.05
宁 夏	25.84	11.39	19.75	6.18	2.66	3.54	12.17	14.07	28.90
新 疆	17.72	10.29	17.82	5.95	3.03	2.76	11.56	12.32	30.03

各地区3月份畜产品及饲料集市价格(二)

单位:元/千克

地　区	牛奶	羊肉	绵羊毛	玉米	豆粕	小麦麸	进口鱼粉	育肥猪配合饲料	肉鸡配合料	蛋鸡配合料
全国均价	2.69	32.54	10.46	1.56	3.54	1.49	8.03	2.46	2.64	2.37
北　京	2.55	32.63	16.00	1.43	3.36	1.32	8.03	2.29	2.80	2.22
天　津	2.34	33.20		1.43	3.02	1.22	7.48	2.03	2.34	2.08
河　北	2.73	29.46	7.13	1.42	3.26	1.25	8.50	2.22	2.52	2.01
山　西	2.15	31.54	7.63	1.27	3.42	1.30	8.07	2.20	2.80	2.00
内蒙古	2.51	27.32	11.06	1.51	3.76	1.52	7.41	3.31	3.30	2.77
辽　宁	2.64	32.83	13.20	1.40	3.43	1.40	8.11	2.09	2.28	1.94
吉　林	2.74	34.67	13.72	1.48	3.45	1.50	7.93	2.14	2.25	1.99
黑龙江	2.08	26.05	12.64	1.35	3.39	1.40	8.62	2.43	2.46	2.22
上　海	3.53	35.81		1.69	3.00	1.49	6.96	2.60	2.72	2.50
江　苏	2.76	33.00		1.58	3.13	1.40	6.96	2.25	2.65	2.24
浙　江	3.01	38.21	3.00	1.69	3.21	1.49	7.32	2.49	2.56	2.39
安　徽	2.69	30.03	7.00	1.53	3.43	1.43	7.40	2.28	2.51	2.27
福　建	2.96	40.75		1.73	3.14	1.60	8.51	2.44	2.56	2.49
江　西	2.84	33.52		1.80	3.65	1.69	8.23	2.50	2.70	2.49
山　东	2.34	33.39	7.66	1.45	3.12	1.27	7.80	2.15	2.46	2.07
河　南	2.81	31.07	5.30	1.39	3.24	1.31	7.74	2.23	2.31	2.05
湖　北	3.17	28.29		1.60	3.71	1.45	7.94	2.39	2.48	2.29
湖　南	3.15	33.76		1.77	3.84	1.61	9.16	2.69	2.83	2.79
广　东	3.66	33.89		1.76	3.26	1.67	8.12	2.56	2.88	2.78
广　西	3.78	36.96		1.78	3.70	1.72	8.74	2.66	2.92	2.80
海　南		43.64		1.96	3.90	1.78	8.13	3.00	3.27	3.15
重　庆	4.05	32.86		1.56	3.74	1.60	7.50	2.48	2.68	2.49
四　川	3.52	34.30	20.67	1.72	4.26	1.62	8.20	2.71	2.83	2.70
贵　州	2.47	36.27		1.66	3.94	1.76	7.23	2.70	3.07	2.96
云　南	2.38	36.53	11.00	1.65	4.01	1.81	7.38	3.00	2.95	2.72
西　藏										
陕　西	2.55	32.28	21.00	1.29	3.59	1.38	8.06	2.27	2.37	2.17
甘　肃	2.34	27.52	9.68	1.37	3.88	1.42	8.37	2.61	2.56	2.44
青　海	3.37	27.13	8.71	1.69	4.30	1.63	9.00	2.19	2.26	2.12
宁　夏	1.87	27.40	7.98	1.34	3.65	1.30	8.09	2.69	2.60	2.40
新　疆	2.42	30.07	17.43	1.34	3.70	1.44	8.60	2.11	2.54	2.09

各地区4月份畜产品及饲料集市价格(一)

单位:元/千克、元/只

地 区	仔猪	活猪	猪肉	鸡蛋	蛋雏鸡	肉雏鸡	活鸡	西装鸡	牛肉
全国均价	**18.27**	**10.35**	**17.60**	**7.44**	**2.62**	**2.47**	**13.57**	**13.71**	**32.81**
北 京	16.13	10.50	14.92	6.63	2.41	4.11		13.94	30.41
天 津	16.63	9.77	16.92	6.51	2.40	2.58	8.23	12.12	29.48
河 北	17.53	9.99	16.52	6.59	2.48	2.75	9.60	12.08	29.65
山 西	22.54	10.09	16.49	6.43	2.55	3.63	10.19	11.61	30.79
内蒙古	26.43	11.05	17.03	6.58	3.01	3.19	13.86	13.24	29.06
辽 宁	22.24	10.15	17.20	6.32	2.27	2.32	17.95	12.81	31.18
吉 林	19.18	9.44	15.72	6.30	2.28	1.84	8.76	11.66	30.84
黑龙江	18.34	9.42	14.83	6.04	2.30	2.58	12.98	10.81	28.08
上 海	16.87	10.46	20.61	7.48	2.43	1.41	14.34	15.56	36.93
江 苏	10.36	8.92	17.44	6.74	2.35	2.26	11.36	11.42	33.67
浙 江	12.92	10.39	18.38	7.61	2.33	2.26	14.08	13.76	40.65
安 徽	12.57	10.24	17.81	6.78	2.42	1.65	12.23	12.91	33.00
福 建	23.40	11.03	16.86	7.53	2.45	1.21	12.69	16.00	40.94
江 西	18.80	11.15	19.31	8.88	1.92	1.89	14.97	13.85	38.98
山 东	12.33	9.70	16.44	6.61	2.55	2.41	8.10	11.26	30.80
河 南	17.29	10.00	17.41	6.44	2.62	2.57	10.50	11.55	30.61
湖 北	19.94	10.38	18.89	7.39	2.71	2.76	11.87	13.72	33.11
湖 南	21.39	10.81	18.66	9.30	2.75	2.59	21.48	15.61	37.34
广 东	24.09	11.57	18.01	8.45	2.50	1.63	17.07	18.93	40.99
广 西	14.15	10.96	18.88	8.61	2.32	1.32	16.20	17.99	34.24
海 南	17.34	11.00	19.43	10.74	1.56	1.96	19.06	19.24	38.96
重 庆	15.88	9.78	16.75	7.26	2.25	1.73	14.27	12.71	32.32
四 川	14.20	10.03	18.05	8.82	2.92	2.89	17.60	17.96	30.97
贵 州	18.20	12.48	20.26	10.03	3.41	3.29	16.28	15.03	32.74
云 南	17.93	10.32	18.16	7.79	2.98	3.26	13.79	14.82	33.09
西 藏									
陕 西	22.55	9.60	16.43	6.54	2.65	2.43	11.71	13.73	30.92
甘 肃	23.06	10.15	17.11	6.42	3.16	3.18	12.76	12.70	28.78
青 海	28.14	13.17	17.84	7.29			15.58	16.49	29.13
宁 夏	22.50	9.74	17.75	6.60	2.35	3.40	12.70	14.40	28.80
新 疆	17.31	9.38	16.87	6.10	3.06	2.73	11.83	12.89	31.11

各地区4月份畜产品及饲料集市价格(二)

单位:元/千克

地区	牛奶	羊肉	绵羊毛	玉米	豆粕	小麦麸	进口鱼粉	育肥猪配合饲料	肉鸡配合料	蛋鸡配合料
全国均价	**2.65**	**32.25**	**10.27**	**1.58**	**3.58**	**1.49**	**8.08**	**2.46**	**2.65**	**2.37**
北京	2.53	32.64	16.00	1.52	3.52	1.38	7.99	2.24	2.77	2.24
天津	2.42	33.02		1.50	3.29	1.24	7.57	2.07	2.36	2.11
河北	2.72	29.38	7.10	1.46	3.37	1.25	8.59	2.23	2.54	2.04
山西	2.11	31.46	7.69	1.31	3.48	1.32	7.93	2.21	2.87	2.00
内蒙古	2.47	27.29	10.70	1.52	3.77	1.50	7.52	3.34	3.35	2.78
辽宁	2.57	33.00	13.20	1.48	3.45	1.38	8.14	2.07	2.26	1.91
吉林	2.70	34.62	13.72	1.56	3.47	1.51	8.06	2.17	2.26	2.00
黑龙江	2.03	25.99	12.29	1.42	3.26	1.39	8.59	2.42	2.49	2.23
上海	3.53	35.80		1.71	3.32	1.50	7.25	2.63	2.72	2.53
江苏	2.61	31.75		1.59	3.31	1.37	7.11	2.23	2.66	2.23
浙江	2.98	37.87	3.00	1.71	3.30	1.48	7.41	2.48	2.55	2.40
安徽	2.60	28.49	7.00	1.53	3.44	1.41	7.45	2.27	2.51	2.27
福建	2.96	40.33		1.76	3.37	1.59	8.53	2.46	2.58	2.51
江西	2.96	33.17		1.79	3.65	1.70	8.27	2.50	2.70	2.47
山东	2.23	33.30	7.40	1.48	3.29	1.28	7.82	2.15	2.48	2.08
河南	2.66	30.65	5.44	1.41	3.35	1.32	7.78	2.25	2.31	2.06
湖北	3.13	27.84		1.62	3.68	1.46	8.02	2.40	2.49	2.29
湖南	3.15	33.12		1.77	3.76	1.60	9.03	2.69	2.81	2.73
广东	3.63	33.47		1.80	3.45	1.67	8.20	2.62	2.95	2.87
广西	3.79	36.25		1.80	3.74	1.72	8.74	2.67	2.91	2.77
海南		43.21		2.00	3.96	1.77	8.57	2.95	3.26	3.04
重庆	4.05	31.75		1.53	3.76	1.58	7.64	2.45	2.67	2.48
四川	3.51	33.38	19.93	1.70	4.14	1.61	8.18	2.69	2.80	2.69
贵州	2.48	36.10		1.67	3.86	1.77	7.34	2.73	3.04	2.93
云南	2.37	36.79	11.00	1.68	4.00	1.79	7.61	2.99	2.96	2.73
西藏										
陕西	2.47	31.78	21.00	1.33	3.57	1.37	8.07	2.25	2.35	2.16
甘肃	2.35	27.18	9.43	1.44	3.79	1.44	8.30	2.54	2.56	2.45
青海	3.34	26.86	8.25	1.68	4.46	1.65	9.00	2.13	2.22	2.07
宁夏	1.87	26.80	7.75	1.48	3.55	1.33	8.09	2.70	2.66	2.48
新疆	2.41	31.96	17.46	1.42	3.75	1.45	8.53	2.13	2.50	2.11

各地区5月份畜产品及饲料集市价格(一)

单位:元/千克、元/只

地区	仔猪	活猪	猪肉	鸡蛋	蛋雏鸡	肉雏鸡	活鸡	西装鸡	牛肉
全国均价	**15.41**	**9.24**	**15.68**	**7.58**	**2.57**	**2.24**	**13.47**	**13.66**	**32.60**
北京	14.55	10.07	13.71	6.97	2.43	4.21		13.94	30.40
天津	13.07	9.65	15.84	6.87	2.35	2.39	8.24	12.21	29.80
河北	14.87	9.19	14.56	6.76	2.45	2.51	9.43	12.13	29.71
山西	19.59	8.85	14.63	6.71	2.59	3.63	10.45	11.76	30.36
内蒙古	23.12	9.89	15.15	6.90	2.97	3.19	13.78	13.27	29.00
辽宁	20.36	9.24	15.87	6.52	2.21	1.74	17.94	12.79	31.46
吉林	18.00	9.03	14.09	6.45	2.00	1.62	8.78	11.54	30.70
黑龙江	17.76	9.11	13.78	6.50	2.21	2.33	12.93	10.85	28.15
上海	16.87	9.73	18.25	7.67	2.30	1.06	13.25	15.13	37.58
江苏	9.05	8.29	15.40	6.94	2.34	1.66	11.58	11.40	33.64
浙江	12.16	9.52	16.70	7.54	2.33	2.14	14.01	13.92	39.83
安徽	10.96	9.17	15.88	6.90	2.39	1.38	11.92	12.70	32.17
福建	20.67	9.88	15.06	7.66	2.44	1.10	12.52	16.00	40.48
江西	15.94	9.81	16.66	8.93	1.84	1.76	15.03	13.66	38.47
山东	11.20	9.30	15.17	6.74	2.44	1.53	7.84	10.99	30.88
河南	13.96	9.16	15.50	6.69	2.56	2.26	10.54	11.48	30.47
湖北	16.25	9.27	16.65	7.40	2.61	2.56	11.80	13.59	32.31
湖南	17.15	9.54	16.35	9.34	2.70	2.47	21.33	15.35	37.03
广东	20.62	10.21	16.49	8.48	2.44	1.48	16.76	18.69	39.94
广西	12.11	9.55	17.29	8.66	2.72	1.41	16.04	17.80	34.27
海南	14.43	10.18	17.89	10.64	1.65	1.96	19.33	19.28	38.85
重庆	12.47	8.15	14.38	7.37	2.21	1.62	14.17	12.80	31.78
四川	11.32	8.46	15.70	8.77	2.79	2.70	17.39	17.66	30.87
贵州	13.87	10.06	17.24	9.92	3.27	3.13	15.84	14.79	31.97
云南	13.44	8.68	16.12	7.98	2.92	2.97	13.73	14.81	33.15
西藏									
陕西	17.96	8.72	14.77	6.78	2.62	2.38	11.63	13.55	30.87
甘肃	20.81	9.21	15.38	6.80	3.17	3.20	12.74	13.17	28.72
青海	18.08	10.95	17.50	7.62			15.30	16.71	29.25
宁夏	17.36	8.42	15.49	6.87	2.47	3.30	12.54	14.19	29.13
新疆	15.04	8.17	14.46	6.52	3.12	2.75	12.20	13.39	31.79

各地区5月份畜产品及饲料集市价格(二)

单位:元/千克

地区	牛奶	羊肉	绵羊毛	玉米	豆粕	小麦麸	进口鱼粉	育肥猪配合饲料	肉鸡配合料	蛋鸡配合料
全国均价	2.61	32.16	10.04	1.60	3.54	1.50	8.12	2.45	2.65	2.37
北京	2.46	32.44	16.00	1.56	3.51	1.39	8.13	2.32	2.86	2.34
天津	2.53	33.50		1.55	3.24	1.25	7.65	2.11	2.41	2.13
河北	2.59	29.64	7.06	1.50	3.36	1.27	8.60	2.23	2.55	2.07
山西	2.08	31.30	7.71	1.35	3.48	1.29	7.89	2.25	2.91	2.02
内蒙古	2.42	27.13	10.52	1.58	3.75	1.50	7.53	3.31	3.34	2.78
辽宁	2.50	33.04	13.20	1.55	3.39	1.40	8.30	2.17	2.29	1.95
吉林	2.76	34.53	13.40	1.59	3.45	1.51	8.05	2.17	2.26	2.02
黑龙江	2.01	26.26	12.00	1.48	3.22	1.39	8.58	2.41	2.50	2.26
上海	3.52	35.38		1.72	3.29	1.52	7.50	2.69	2.75	2.57
江苏	2.56	31.23		1.61	3.33	1.43	7.43	2.25	2.67	2.28
浙江	2.99	37.56	3.00	1.74	3.29	1.53	7.55	2.48	2.55	2.41
安徽	2.59	27.25	7.00	1.55	3.39	1.43	7.52	2.27	2.50	2.24
福建	2.97	40.05		1.78	3.36	1.65	8.64	2.47	2.59	2.51
江西	3.02	33.55		1.78	3.56	1.70	8.41	2.50	2.67	2.41
山东	2.18	33.16	7.29	1.51	3.28	1.30	7.77	2.18	2.50	2.12
河南	2.56	30.71	5.43	1.42	3.32	1.32	7.85	2.23	2.31	2.05
湖北	2.99	27.65		1.64	3.53	1.48	8.04	2.37	2.49	2.26
湖南	3.11	32.50		1.76	3.68	1.61	8.76	2.68	2.81	2.72
广东	3.63	32.55		1.78	3.41	1.71	8.24	2.63	2.96	2.90
广西	3.79	35.89		1.80	3.67	1.74	8.78	2.66	2.90	2.76
海南		43.23		2.00	3.90	1.81	8.84	2.92	3.26	3.00
重庆	4.01	31.60		1.54	3.77	1.59	7.89	2.45	2.66	2.47
四川	3.52	32.72	19.67	1.70	4.07	1.61	8.17	2.68	2.82	2.70
贵州	2.49	35.77		1.70	3.80	1.80	7.43	2.62	3.01	2.88
云南	2.29	36.85	8.38	1.72	3.95	1.81	7.78	2.90	2.98	2.74
西藏										
陕西	2.40	31.83	21.00	1.35	3.54	1.39	8.06	2.23	2.34	2.14
甘肃	2.39	27.09	9.54	1.47	3.75	1.43	8.30	2.49	2.53	2.39
青海	3.19	27.89	8.00	1.75	4.50	1.65	9.00	2.11	2.25	2.11
宁夏	1.93	26.90	7.26	1.53	3.57	1.33	8.01	2.60	2.61	2.43
新疆	2.45	33.49	16.67	1.49	3.78	1.46	8.60	2.23	2.52	2.20

各地区6月份畜产品及饲料集市价格(一)

单位:元/千克、元/只

地区	仔猪	活猪	猪肉	鸡蛋	蛋雏鸡	肉雏鸡	活鸡	西装鸡	牛肉
全国均价	15.08	9.33	15.46	7.57	2.48	2.03	13.37	13.50	32.53
北京	14.47	10.57	13.79	6.94	2.44	4.40		13.81	30.45
天津	14.87	10.47	16.19	6.60	2.02	2.19	7.69	11.49	29.80
河北	15.03	9.60	14.60	6.61	2.25	2.27	9.48	11.91	29.77
山西	19.53	9.08	14.73	6.70	2.58	3.67	10.41	12.03	30.46
内蒙古	22.46	9.63	14.43	7.00	3.04	3.05	13.78	13.24	28.92
辽宁	20.22	9.67	15.81	6.46	2.08	1.36	18.04	12.70	31.00
吉林	20.31	10.14	14.80	6.33	1.94	1.20	8.75	11.39	30.60
黑龙江	18.39	9.62	14.29	6.26	2.21	2.13	12.45	10.82	28.15
上海	17.45	10.12	18.40	7.51	1.99	0.79	13.06	14.98	37.42
江苏	8.54	8.43	15.06	6.92	2.25	1.24	10.98	10.83	33.43
浙江	12.19	9.83	16.44	7.60	2.30	1.95	13.79	13.87	39.65
安徽	10.50	9.25	15.70	6.94	2.31	1.09	11.09	12.17	32.03
福建	21.46	10.25	15.11	7.68	2.43	1.03	12.40	16.00	40.48
江西	15.25	9.73	16.13	8.98	1.50	1.64	15.03	13.36	38.35
山东	11.31	9.74	15.33	6.59	2.19	0.96	7.35	10.56	30.82
河南	13.79	9.52	15.53	6.58	2.29	1.76	10.37	11.22	30.47
湖北	15.40	9.14	15.96	7.33	2.61	2.27	11.76	13.43	32.01
湖南	16.99	9.44	16.09	9.35	2.65	2.43	21.66	15.35	36.48
广东	20.58	10.29	16.49	8.50	2.40	1.42	16.45	18.47	39.81
广西	11.87	9.39	16.96	8.67	2.66	1.45	15.78	17.70	34.37
海南	14.18	10.07	18.06	10.87	1.73	1.90	19.40	18.70	39.25
重庆	11.70	8.02	14.04	7.43	2.25	1.57	14.53	13.09	31.70
四川	10.77	8.18	15.25	8.77	2.65	2.54	17.46	17.22	30.81
贵州	11.36	9.20	15.87	9.87	3.26	3.08	15.76	14.54	31.42
云南	11.37	8.53	15.47	8.02	3.00	2.92	13.51	14.62	33.10
西藏									
陕西	17.93	8.92	14.79	6.87	2.58	2.29	11.34	13.41	31.27
甘肃	20.27	9.47	15.21	7.15	3.28	3.27	13.00	13.64	28.94
青海	16.75	10.25	16.66	7.70			15.10	16.35	30.00
宁夏	16.43	8.06	15.00	7.15	2.49	2.93	12.85	14.17	29.30
新疆	14.59	8.40	14.18	6.54	2.98	2.56	12.42	13.56	31.74

各地区0月份畜产品及饲料集市价格(二)

单位:元/千克

地 区	牛奶	羊肉	绵羊毛	玉米	豆粕	小麦麸	进口鱼粉	育肥猪配合饲料	肉鸡配合料	蛋鸡配合料
全国均价	**2.59**	**32.11**	**9.87**	**1.65**	**3.65**	**1.53**	**8.18**	**2.48**	**2.67**	**2.40**
北 京	2.49	32.42	16.00	1.60	3.60	1.44	8.22	2.38	2.83	2.41
天 津	2.55	33.65		1.63	3.44	1.35	7.93	2.21	2.48	2.21
河 北	2.47	29.75	7.02	1.54	3.47	1.29	8.58	2.25	2.57	2.11
山 西	2.02	31.03	7.94	1.42	3.57	1.31	7.93	2.27	2.93	2.06
内蒙古	2.43	27.04	10.26	1.59	3.77	1.50	7.54	3.32	3.35	2.79
辽 宁	2.44	32.79	11.80	1.56	3.44	1.44	8.36	2.18	2.30	1.98
吉 林	2.71	35.08	13.72	1.57	3.49	1.52	8.09	2.17	2.26	2.03
黑龙江	1.99	26.18	11.91	1.51	3.26	1.36	8.57	2.41	2.51	2.30
上 海	3.53	35.00		1.81	3.52	1.58	7.69	2.76	2.76	2.66
江 苏	2.54	30.16		1.70	3.51	1.49	7.51	2.31	2.72	2.34
浙 江	3.03	37.81	3.00	1.78	3.48	1.56	7.64	2.49	2.56	2.42
安 徽	2.61	26.93	7.00	1.62	3.55	1.45	7.52	2.34	2.54	2.29
福 建	2.99	39.92		1.83	3.60	1.72	8.71	2.52	2.65	2.56
江 西	3.09	34.00		1.80	3.65	1.70	8.41	2.50	2.67	2.43
山 东	2.15	33.15	7.25	1.60	3.44	1.34	7.82	2.24	2.55	2.17
河 南	2.46	30.84	5.33	1.49	3.48	1.35	7.99	2.28	2.35	2.09
湖 北	2.93	27.77		1.72	3.71	1.52	8.27	2.41	2.54	2.30
湖 南	3.10	31.99		1.80	3.77	1.65	8.66	2.72	2.83	2.73
广 东	3.63	32.03		1.85	3.63	1.80	8.42	2.68	3.01	2.95
广 西	3.77	35.80		1.81	3.79	1.80	8.97	2.66	2.92	2.77
海 南		43.40		2.00	3.98	1.84	8.94	2.93	3.24	3.01
重 庆	4.00	31.44		1.55	3.80	1.61	7.97	2.45	2.66	2.47
四 川	3.52	32.66	19.67	1.73	4.09	1.64	8.13	2.71	2.84	2.73
贵 州	2.49	35.54		1.76	3.83	1.77	7.59	2.60	2.97	2.83
云 南	2.32	36.95	7.75	1.74	3.99	1.80	7.82	2.88	3.00	2.74
西 藏										
陕 西	2.42	32.10	21.00	1.40	3.59	1.41	8.06	2.23	2.35	2.15
甘 肃	2.41	27.23	9.82	1.49	3.73	1.43	8.16	2.52	2.54	2.42
青 海	3.12	28.59	8.00	1.77	4.50	1.67	9.00	2.21	2.31	2.13
宁 夏	1.95	27.05	7.15	1.53	3.57	1.40	7.93	2.49	2.56	2.41
新 疆	2.44	33.01	14.26	1.59	3.83	1.48	8.73	2.26	2.54	2.25

各地区7月份畜产品及饲料集市价格(一)

单位:元/千克、元/只

地区	仔猪	活猪	猪肉	鸡蛋	蛋雏鸡	肉雏鸡	活鸡	西装鸡	牛肉
全国均价	**15.88**	**10.13**	**16.27**	**7.42**	**2.40**	**2.03**	**13.28**	**13.41**	**32.46**
北京	15.55	11.70	15.32	6.68	2.46	4.34		13.93	30.40
天津	17.08	11.36	17.19	6.24	1.84	2.00	7.47	11.50	29.92
河北	15.87	10.73	16.18	6.34	2.19	2.21	9.28	11.98	29.74
山西	19.94	10.02	16.01	6.48	2.51	3.61	10.25	12.17	29.48
内蒙古	22.06	10.68	15.60	6.82	3.09	3.02	13.65	13.12	28.79
辽宁	22.64	10.96	16.98	6.13	2.00	1.50	17.98	12.76	30.75
吉林	23.77	11.00	16.49	5.97	1.93	1.36	8.68	11.27	30.72
黑龙江	21.11	10.82	16.22	5.75	2.20	2.05	12.25	10.67	28.29
上海	18.79	11.10	19.40	7.42	2.06	1.07	13.78	15.24	38.27
江苏	9.88	9.56	15.63	6.64	2.13	1.44	10.60	10.79	33.17
浙江	13.31	10.82	16.81	7.56	2.25	1.95	13.58	13.84	39.40
安徽	11.11	10.51	16.48	6.87	2.29	1.37	11.26	12.09	31.72
福建	23.79	10.96	15.90	7.39	2.44	1.07	12.70	16.20	40.52
江西	16.52	10.65	16.81	9.00	1.55	1.68	15.07	13.48	38.48
山东	11.83	10.63	16.53	6.29	2.02	1.42	7.57	10.61	30.92
河南	14.82	10.40	16.33	6.18	2.11	1.69	10.20	11.13	30.40
湖北	16.52	10.23	16.95	7.28	2.41	2.05	11.76	13.34	31.68
湖南	18.48	10.05	16.52	9.32	2.66	2.31	21.70	15.33	36.29
广东	20.76	10.76	16.73	8.41	2.43	1.45	15.55	17.71	39.79
广西	11.40	9.22	16.57	8.66	2.50	1.39	15.33	17.37	34.23
海南	14.05	10.20	17.82	10.88	1.75	1.62	19.05	18.45	39.62
重庆	10.94	8.49	14.32	7.33	2.19	1.61	14.92	12.55	31.79
四川	11.12	8.84	15.83	8.79	2.58	2.44	17.44	17.34	30.93
贵州	11.23	9.23	15.90	9.94	3.16	2.95	15.72	14.41	31.50
云南	10.77	8.57	15.38	7.89	3.00	2.86	13.13	14.16	32.96
西藏									
陕西	19.20	9.81	15.83	6.63	2.47	2.18	11.05	13.28	31.44
甘肃	20.67	10.24	16.49	7.19	3.34	3.24	13.39	14.13	29.27
青海	16.70	11.98	18.33	7.59			14.80	16.01	30.03
宁夏	17.44	9.77	16.28	6.96	2.24	2.70	12.22	13.82	29.88
新疆	15.24	9.32	15.12	6.56	2.89	2.39	12.29	13.53	30.96

各地区7月份畜产品及饲料集市价格(二)

单位:元/千克

地区	牛奶	羊肉	绵羊毛	玉米	豆粕	小麦麸	进口鱼粉	育肥猪配合饲料	肉鸡配合料	蛋鸡配合料
全国均价	2.60	32.07	9.62	1.73	3.66	1.58	8.24	2.53	2.71	2.44
北京	2.59	32.20	11.80	1.71	3.50	1.56	8.31	2.48	2.88	2.43
天津	2.70	33.92		1.74	3.40	1.46	7.97	2.30	2.53	2.30
河北	2.50	29.74	6.81	1.64	3.49	1.38	8.69	2.32	2.60	2.17
山西	2.06	30.38	7.33	1.54	3.54	1.37	7.98	2.32	2.96	2.10
内蒙古	2.42	27.00	9.32	1.60	3.79	1.52	7.58	3.33	3.35	2.83
辽宁	2.42	32.68	11.80	1.58	3.44	1.48	8.43	2.20	2.33	2.01
吉林	2.70	35.36	12.15	1.57	3.54	1.53	8.17	2.20	2.31	2.07
黑龙江	1.98	26.24	11.95	1.53	3.28	1.38	8.50	2.44	2.53	2.32
上海	3.55	35.85		1.89	3.51	1.67	7.83	2.83	2.86	2.69
江苏	2.64	30.80		1.85	3.51	1.54	7.60	2.41	2.81	2.40
浙江	3.07	37.44	3.00	1.84	3.50	1.60	7.79	2.51	2.58	2.44
安徽	2.67	26.30	7.00	1.78	3.59	1.53	7.53	2.42	2.62	2.37
福建	3.05	39.65		1.88	3.55	1.80	8.74	2.53	2.66	2.59
江西	3.15	33.75		1.85	3.70	1.73	8.49	2.56	2.71	2.44
山东	2.18	33.30	7.45	1.75	3.43	1.41	7.84	2.34	2.63	2.26
河南	2.47	31.06	5.33	1.66	3.50	1.43	8.08	2.37	2.44	2.16
湖北	2.96	27.71		1.80	3.74	1.56	8.32	2.45	2.60	2.35
湖南	3.10	31.98		1.85	3.81	1.69	8.59	2.74	2.85	2.77
广东	3.65	32.12		1.90	3.68	1.87	8.48	2.72	3.03	2.96
广西	3.76	35.58		1.85	3.81	1.85	8.89	2.68	2.96	2.80
海南		43.66		2.02	3.95	1.90	8.96	2.98	3.24	3.04
重庆	4.00	31.23		1.59	3.82	1.64	7.89	2.50	2.67	2.45
四川	3.50	32.53	19.67	1.76	4.17	1.68	8.24	2.75	2.87	2.77
贵州	2.49	35.72		1.86	3.85	1.78	7.92	2.65	3.00	2.85
云南	2.27	37.29	8.00	1.80	3.98	1.84	7.96	2.88	3.03	2.77
西藏										
陕西	2.44	32.15	20.80	1.50	3.62	1.45	8.08	2.26	2.34	2.17
甘肃	2.42	27.53	10.25	1.55	3.77	1.47	8.06	2.58	2.63	2.52
青海	3.11	29.10	8.84	1.79	4.10	1.69	9.00	2.22	2.38	2.19
宁夏	1.97	27.36	7.22	1.59	3.59	1.46	7.88	2.50	2.56	2.40
新疆	2.30	31.30	14.95	1.73	3.79	1.51	8.67	2.31	2.63	2.30

各地区8月份畜产品及饲料集市价格(一)

单位:元/千克、元/只

地 区	仔猪	活猪	猪肉	鸡蛋	蛋雏鸡	肉雏鸡	活鸡	西装鸡	牛肉
全国均价	**17.74**	**11.38**	**17.94**	**7.86**	**2.50**	**2.37**	**13.66**	**13.73**	**32.70**
北 京	16.96	12.67	16.48	7.18	2.62	4.35		14.21	30.45
天 津	19.20	12.07	18.35	7.11	2.15	2.56	8.16	12.20	30.05
河 北	17.16	11.78	17.85	7.04	2.28	2.48	9.45	12.31	29.62
山 西	21.71	11.34	18.22	7.06	2.60	3.58	10.45	12.40	29.32
内蒙古	22.81	11.35	16.98	7.09	3.18	3.08	13.69	13.23	29.03
辽 宁	25.93	11.75	18.20	6.64	2.18	2.23	17.97	12.80	30.77
吉 林	26.21	11.62	17.62	6.58	2.11	2.16	8.95	11.59	30.80
黑龙江	22.46	11.43	16.75	6.21	2.23	2.17	12.34	10.99	28.35
上 海	22.05	12.54	21.60	8.19	2.59	1.60	14.65	16.10	38.67
江 苏	11.71	11.16	17.01	7.32	2.28	2.43	11.62	11.69	33.50
浙 江	14.97	12.24	18.07	7.75	2.25	2.22	13.86	14.21	39.59
安 徽	12.85	11.99	18.94	7.45	2.47	1.79	11.87	12.43	32.10
福 建	26.91	12.25	17.37	8.08	2.48	1.33	13.58	16.81	40.70
江 西	18.43	11.95	17.94	9.21	1.75	1.92	15.24	13.78	38.93
山 东	13.04	11.51	17.78	7.01	2.24	2.57	8.34	11.53	30.96
河 南	17.06	11.65	17.61	6.95	2.23	2.26	10.81	11.85	30.89
湖 北	20.25	11.91	19.51	8.03	2.69	2.34	12.28	13.47	32.81
湖 南	20.73	11.49	18.71	9.42	2.75	2.57	21.85	15.60	36.68
广 东	22.50	11.72	17.41	8.68	2.52	1.74	15.75	17.98	40.25
广 西	12.64	10.12	17.51	8.84	2.49	1.46	15.41	17.51	34.38
海 南	14.98	10.94	17.63	10.87	1.80	1.79	19.10	18.59	39.78
重 庆	13.45	11.22	18.15	7.87	2.11	1.92	15.89	11.70	32.00
四 川	12.70	10.56	18.54	9.01	2.60	2.58	17.88	17.32	31.12
贵 州	12.89	11.02	18.13	10.20	3.18	2.97	16.16	14.83	32.07
云 南	11.86	9.56	16.58	7.93	3.00	2.92	13.36	14.33	33.07
西 藏									
陕 西	21.31	11.31	17.73	7.09	2.56	2.41	11.53	13.54	31.58
甘 肃	21.30	11.25	18.17	7.47	3.35	3.16	13.69	14.26	29.27
青 海	18.75	12.80	18.73	7.89			14.65	16.15	30.01
宁 夏	19.14	11.04	18.07	7.30	2.34	2.75	12.50	13.81	30.20
新 疆	17.07	10.38	17.60	7.02	2.83	2.36	12.50	13.77	30.99

各地区8月份畜产品及饲料集市价格(二)

单位:元/千克

地　区	牛奶	羊肉	绵羊毛	玉米	豆粕	小麦麸	进口鱼粉	育肥猪配合饲料	肉鸡配合料	蛋鸡配合料
全国均价	**2.60**	**32.15**	**9.50**	**1.79**	**3.69**	**1.62**	**8.29**	**2.57**	**2.75**	**2.48**
北　京	2.61	32.58	9.75	1.80	3.62	1.69	8.43	2.56	2.88	2.48
天　津	2.79	33.95		1.83	3.52	1.55	7.99	2.42	2.60	2.42
河　北	2.47	29.96	6.82	1.76	3.53	1.48	8.77	2.44	2.68	2.27
山　西	2.19	30.71	7.39	1.63	3.56	1.42	8.03	2.33	3.00	2.15
内蒙古	2.37	27.41	9.01	1.61	3.78	1.52	7.59	3.34	3.35	2.83
辽　宁	2.39	32.38	11.80	1.63	3.45	1.50	8.55	2.21	2.35	2.02
吉　林	2.70	35.33	12.15	1.60	3.58	1.52	8.44	2.23	2.33	2.08
黑龙江	1.98	26.10	12.38	1.54	3.30	1.39	8.50	2.47	2.55	2.35
上　海	3.59	36.19		1.95	3.56	1.68	7.95	2.91	2.96	2.70
江　苏	2.76	30.39		1.92	3.57	1.59	7.66	2.52	2.92	2.46
浙　江	3.10	37.72	3.00	1.91	3.55	1.61	7.82	2.52	2.60	2.45
安　徽	2.69	26.50	7.00	1.87	3.65	1.59	7.57	2.49	2.67	2.41
福　建	3.07	39.50		1.94	3.62	1.82	8.81	2.59	2.69	2.62
江　西	3.16	34.13		1.90	3.70	1.76	8.50	2.60	2.74	2.48
山　东	2.22	33.56	6.83	1.85	3.53	1.49	7.86	2.42	2.69	2.35
河　南	2.43	31.08	5.28	1.78	3.56	1.50	8.10	2.46	2.52	2.22
湖　北	3.00	27.96		1.85	3.72	1.59	8.40	2.50	2.62	2.39
湖　南	3.10	32.21		1.90	3.83	1.74	8.55	2.76	2.85	2.80
广　东	3.65	31.94		1.97	3.75	1.94	8.54	2.78	3.10	3.02
广　西	3.80	35.37		1.85	3.84	1.89	8.98	2.69	2.96	2.80
海　南		43.50		2.08	3.97	1.96	9.00	3.05	3.26	3.04
重　庆	3.86	30.95		1.61	3.78	1.73	8.05	2.52	2.70	2.49
四　川	3.51	32.78	19.67	1.78	4.19	1.69	8.28	2.77	2.89	2.76
贵　州	2.49	37.51		1.93	3.89	1.79	8.07	2.70	3.04	2.88
云　南	2.26	37.36	8.00	1.87	4.02	1.87	8.03	2.88	3.05	2.78
西　藏										
陕　西	2.49	32.26	20.67	1.58	3.62	1.48	8.13	2.31	2.39	2.22
甘　肃	2.44	27.29	9.81	1.61	3.86	1.50	8.29	2.60	2.67	2.53
青　海	3.10	28.10	8.34	1.78	4.10	1.70	9.00	2.24	2.41	2.23
宁　夏	2.04	27.55	7.40	1.66	3.64	1.48	7.88	2.52	2.56	2.43
新　疆	2.14	30.36	13.72	1.84	3.75	1.50	8.62	2.40	2.67	2.35

各地区9月份畜产品及饲料集市价格(一)

单位:元/千克、元/只

地 区	仔猪	活猪	猪肉	鸡蛋	蛋雏鸡	肉雏鸡	活鸡	西装鸡	牛肉
全国均价	18.78	11.85	18.97	8.30	2.55	2.32	14.00	14.00	32.96
北 京	17.66	12.43	17.10	7.85	2.56	4.46		14.18	30.68
天 津	20.64	12.08	18.63	7.55	2.30	2.64	8.03	12.37	30.67
河 北	18.24	12.00	18.78	7.43	2.38	2.41	9.58	12.47	29.79
山 西	21.95	11.55	19.12	7.48	2.65	3.50	10.24	12.41	29.85
内蒙古	23.71	11.85	17.92	7.80	3.19	3.18	13.88	13.50	29.18
辽 宁	27.79	12.14	18.97	7.36	2.29	2.15	18.28	12.96	31.02
吉 林	26.62	11.77	17.98	7.26	2.23	1.98	9.23	11.87	30.88
黑龙江	24.26	11.94	17.80	7.25	2.30	2.24	12.67	11.34	28.64
上 海	23.18	12.58	21.79	8.56	2.44	1.52	14.84	16.01	38.80
江 苏	13.63	11.68	18.17	7.48	2.24	1.97	12.03	11.79	33.24
浙 江	15.70	12.37	18.83	8.17	2.33	2.30	14.18	14.40	40.15
安 徽	14.10	12.27	19.94	7.79	2.40	1.64	12.21	12.60	33.13
福 建	27.71	12.24	17.77	8.63	2.55	1.46	14.06	16.80	40.89
江 西	19.86	12.62	19.01	9.48	1.77	1.89	15.67	14.01	38.73
山 东	13.60	11.52	18.42	7.30	2.26	1.93	8.40	11.90	31.15
河 南	17.86	11.68	18.26	7.26	2.27	2.18	11.10	12.08	31.07
湖 北	21.28	12.24	20.75	8.28	2.69	2.26	12.70	13.84	33.56
湖 南	21.82	12.07	19.71	9.54	2.80	2.56	22.26	15.85	37.28
广 东	24.31	12.16	18.20	8.97	2.61	1.74	16.14	18.60	40.67
广 西	13.37	10.87	18.84	9.28	2.57	1.53	16.03	18.08	34.73
海 南	16.39	11.52	17.52	11.11	1.81	1.97	19.27	18.96	40.00
重 庆	14.06	11.51	18.91	9.13	2.14	1.75	17.22	11.97	32.04
四 川	13.35	11.36	19.88	9.36	2.70	2.68	17.93	17.31	31.37
贵 州	13.40	11.94	19.91	10.64	3.25	3.04	16.74	15.28	32.39
云 南	13.43	10.82	18.30	8.24	3.06	3.10	14.00	14.81	33.39
西 藏									
陕 西	22.82	11.88	19.04	7.65	2.68	2.49	11.93	13.86	31.83
甘 肃	22.02	12.10	20.12	8.14	3.27	3.11	13.99	14.47	29.22
青 海	19.91	14.18	19.29	8.24			14.26	15.86	29.11
宁 夏	21.92	11.86	20.21	8.11	2.51	3.09	12.95	13.75	30.60
新 疆	18.31	11.51	19.11	7.55	2.93	2.43	13.27	14.30	31.72

各地区9月份畜产品及饲料集市价格(二)

单位:元/千克

地区	牛奶	羊肉	绵羊毛	玉米	豆粕	小麦麸	进口鱼粉	育肥猪配合饲料	肉鸡配合料	蛋鸡配合料
全国均价	**2.61**	**32.39**	**9.51**	**1.85**	**3.72**	**1.62**	**8.50**	**2.62**	**2.78**	**2.51**
北京	2.76	32.28	8.00	1.82	3.59	1.64	8.58	2.57	2.93	2.50
天津	2.86	33.49		1.84	3.51	1.49	8.33	2.47	2.70	2.47
河北	2.48	29.71	6.80	1.85	3.60	1.46	8.87	2.51	2.77	2.33
山西	2.28	31.63	7.23	1.72	3.58	1.43	8.05	2.42	2.83	2.21
内蒙古	2.37	28.01	8.93	1.65	3.85	1.54	7.62	3.55	3.41	2.92
辽宁	2.39	32.58	11.74	1.72	3.45	1.50	8.81	2.26	2.41	2.11
吉林	2.71	35.22	11.10	1.65	3.63	1.54	8.86	2.29	2.40	2.10
黑龙江	2.01	26.40	12.75	1.60	3.39	1.40	8.44	2.54	2.60	2.43
上海	3.65	37.63		2.00	3.54	1.65	8.68	2.93	2.98	2.68
江苏	2.84	30.43		1.96	3.59	1.55	8.06	2.55	2.96	2.50
浙江	3.15	38.08		1.96	3.54	1.57	8.19	2.54	2.61	2.47
安徽	2.70	27.80		1.91	3.65	1.56	7.83	2.52	2.68	2.42
福建	3.07	39.86		2.04	3.58	1.72	9.06	2.62	2.71	2.64
江西	3.17	34.68		1.97	3.68	1.75	8.51	2.63	2.77	2.52
山东	2.34	33.78	6.38	1.90	3.52	1.47	8.00	2.47	2.73	2.40
河南	2.47	31.37	5.36	1.84	3.60	1.48	8.37	2.49	2.55	2.27
湖北	3.03	28.65		1.88	3.75	1.59	8.65	2.52	2.61	2.40
湖南	3.10	32.30		1.93	3.85	1.74	8.65	2.78	2.91	2.82
广东	3.65	31.74		2.04	3.77	1.93	8.78	2.83	3.15	3.08
广西	3.36	36.08		1.94	3.85	1.88	9.18	2.72	2.98	2.86
海南		43.48		2.18	3.84	1.91	10.62	3.08	3.25	3.02
重庆	3.85	31.06		1.65	3.81	1.76	8.64	2.49	2.76	2.49
四川	3.44	32.86	19.87	1.81	4.24	1.70	8.33	2.80	2.91	2.78
贵州	2.50	38.05		1.93	3.88	1.80	8.17	2.75	3.08	2.91
云南	2.27	37.43	9.19	1.85	4.04	1.87	8.40	2.93	3.05	2.78
西藏										
陕西	2.55	32.75	20.01	1.60	3.63	1.49	8.24	2.37	2.44	2.25
甘肃	2.52	27.24	9.54	1.71	3.83	1.53	8.42	2.62	2.67	2.50
青海	3.03	26.68	7.50	1.80	4.16	1.70	9.00	2.24	2.41	2.23
宁夏	2.20	27.80	7.48	1.78	3.73	1.56	7.94	2.66	2.64	2.50
新疆	2.19	31.34	13.79	1.91	3.80	1.52	9.06	2.38	2.70	2.34

各地区10月份畜产品及饲料集市价格(一)

单位:元/千克、元/只

地区	仔猪	活猪	猪肉	鸡蛋	蛋雏鸡	肉雏鸡	活鸡	西装鸡	牛肉
全国均价	**18.14**	**11.47**	**18.71**	**8.04**	**2.48**	**2.18**	**13.82**	**13.94**	**33.15**
北京	17.72	11.90	16.21	7.36	2.54	4.26		13.85	30.60
天津	20.04	11.55	17.97	6.71	2.19	2.27	7.24	11.66	30.90
河北	16.58	11.40	18.12	6.95	2.29	2.36	9.25	12.29	29.78
山西	20.58	10.88	18.14	7.02	2.58	3.71	9.60	12.30	29.78
内蒙古	24.06	11.84	18.02	7.80	3.20	3.18	13.77	13.63	29.27
辽宁	28.29	11.78	19.01	6.79	2.13	1.77	18.32	12.97	31.22
吉林	24.16	11.52	17.82	6.85	2.33	1.80	9.03	11.74	30.95
黑龙江	23.78	11.57	17.30	6.62	2.28	2.19	12.79	11.26	28.74
上海	21.88	12.04	21.95	8.00	2.26	1.28	14.66	15.94	38.83
江苏	12.74	10.84	18.17	7.07	2.29	1.73	11.54	11.59	33.47
浙江	15.69	11.97	18.86	8.22	2.32	2.15	14.39	14.33	40.86
安徽	13.97	11.70	19.60	7.55	2.27	1.37	12.23	12.49	33.69
福建	27.17	11.78	17.43	8.46	2.58	1.23	13.83	16.25	40.81
江西	20.04	12.47	19.25	9.45	1.70	1.76	15.94	13.81	39.20
山东	12.87	10.82	17.69	6.58	2.09	1.54	7.83	11.30	31.53
河南	17.01	10.99	17.77	6.62	2.18	1.91	10.80	11.72	31.04
湖北	19.93	11.58	19.89	8.07	2.62	2.18	12.49	13.65	34.06
湖南	21.20	11.75	19.46	9.48	2.80	2.50	22.37	16.08	37.85
广东	24.23	11.96	18.69	8.86	2.39	1.66	16.28	18.60	40.98
广西	13.24	10.83	18.77	9.29	2.43	1.28	15.99	18.17	34.96
海南	15.90	11.18	16.81	11.51	1.76	1.93	18.21	20.00	40.30
重庆	13.17	11.10	18.38	8.18	2.13	1.61	14.90	11.61	31.74
四川	12.89	11.39	20.07	9.38	2.71	2.67	17.91	17.62	31.39
贵州	12.36	11.70	19.89	10.93	3.28	3.06	16.88	15.27	32.52
云南	13.19	10.68	18.02	8.28	3.02	3.14	14.03	15.02	33.30
西藏									
陕西	22.14	11.39	18.64	7.30	2.54	2.36	12.04	13.94	31.76
甘肃	21.48	11.83	19.85	8.00	3.05	3.04	14.10	14.59	29.33
青海	18.81	13.51	19.11	8.11			14.42	16.23	28.58
宁夏	20.49	10.93	19.27	7.44	2.11	3.01	12.52	13.76	30.68
新疆	17.81	11.52	19.41	7.72	2.94	2.47	12.89	14.47	32.33

各地区10月份畜产品及饲料集市价格(二)

单位:元/千克

地区	牛奶	羊肉	绵羊毛	玉米	豆粕	小麦麸	进口鱼粉	育肥猪配合饲料	肉鸡配合料	蛋鸡配合料
全国均价	**2.65**	**32.65**	**9.45**	**1.81**	**3.75**	**1.61**	**8.85**	**2.62**	**2.78**	**2.52**
北京	2.89	31.98	8.00	1.73	3.63	1.67	9.08	2.54	2.91	2.46
天津	2.94	33.95		1.68	3.54	1.46	9.02	2.37	2.60	2.40
河北	2.55	29.72	6.65	1.77	3.61	1.45	9.08	2.48	2.75	2.32
山西	2.34	31.98	6.98	1.73	3.66	1.42	8.06	2.50	2.69	2.26
内蒙古	2.42	28.14	9.08	1.67	3.88	1.54	7.63	3.58	3.37	2.90
辽宁	2.40	32.61	10.60	1.71	3.45	1.51	9.20	2.28	2.43	2.14
吉林	2.77	35.22	10.03	1.69	3.64	1.54	9.35	2.31	2.44	2.11
黑龙江	2.12	26.56	12.53	1.60	3.42	1.40	8.57	2.57	2.63	2.48
上海	3.72	37.83		1.98	3.60	1.64	9.62	2.94	3.01	2.72
江苏	2.92	30.35		1.83	3.63	1.55	9.06	2.52	2.94	2.46
浙江	3.14	38.63		1.96	3.60	1.59	8.74	2.56	2.63	2.48
安徽	2.71	28.65		1.88	3.66	1.55	8.43	2.52	2.69	2.43
福建	3.06	39.88		1.99	3.62	1.72	9.44	2.62	2.69	2.64
江西	3.23	35.06		2.00	3.70	1.77	8.66	2.65	2.79	2.56
山东	2.48	34.00	4.88	1.75	3.57	1.47	8.20	2.43	2.69	2.35
河南	2.56	31.36	5.39	1.68	3.63	1.46	8.73	2.46	2.52	2.23
湖北	3.06	29.02		1.86	3.82	1.58	9.29	2.51	2.57	2.38
湖南	3.06	32.73		1.98	3.89	1.75	8.92	2.79	2.95	2.83
广东	3.65	33.00		2.04	3.76	1.94	9.14	2.84	3.16	3.09
广西	3.31	36.92		2.00	3.86	1.87	9.70	2.75	2.98	2.88
海南		43.98		2.21	4.01	1.88		3.09	3.24	3.00
重庆	2.66	31.39		1.72	3.90	1.70	9.44	2.51	2.74	2.45
四川	3.43	33.26	20.33	1.86	4.30	1.70	8.75	2.83	2.96	2.82
贵州	2.52	38.13		1.92	3.90	1.80	8.24	2.77	3.11	2.95
云南	2.28	37.50	11.00	1.80	4.04	1.90	8.74	2.92	3.05	2.78
西藏										
陕西	2.45	32.78	21.00	1.54	3.62	1.48	8.11	2.36	2.45	2.24
甘肃	2.52	27.41	9.72	1.74	3.80	1.52	8.43	2.63	2.62	2.48
青海	2.98	25.61	7.50	1.83	4.20	1.72	9.00	2.25	2.38	2.21
宁夏	2.39	27.93	7.21	1.63	3.71	1.49	7.49	2.59	2.58	2.37
新疆	2.24	31.97	13.08	1.71	3.85	1.50	9.65	2.37	2.75	2.38

各地区11月份畜产品及饲料集市价格(一)

单位:元/千克、元/只

地区	仔猪	活猪	猪肉	鸡蛋	蛋雏鸡	肉雏鸡	活鸡	西装鸡	牛肉
全国均价	**17.39**	**11.40**	**18.47**	**7.81**	**2.40**	**2.08**	**13.71**	**13.87**	**33.35**
北京	17.59	11.80	16.09	7.07	2.59	4.18		13.93	31.33
天津	16.56	11.52	17.46	6.63	1.95	1.92	7.21	11.49	30.98
河北	14.92	11.20	17.36	6.69	2.23	2.26	9.03	12.11	29.85
山西	19.06	10.73	18.00	6.59	2.48	4.22	8.98	12.22	30.09
内蒙古	23.93	11.77	17.73	7.39	3.25	3.18	13.80	13.55	29.35
辽宁	27.95	11.74	18.58	6.45	2.00	1.62	18.34	12.82	31.46
吉林	21.41	11.57	17.58	6.62	2.16	1.58	8.76	11.55	30.78
黑龙江	22.87	11.64	17.35	6.34	2.23	2.15	12.86	11.14	29.04
上海	21.26	12.14	21.48	7.66	2.23	1.13	14.60	15.80	38.51
江苏	12.42	10.97	17.84	6.76	2.27	1.60	11.39	11.52	34.33
浙江	15.53	11.96	18.79	8.06	2.26	2.08	14.26	14.19	40.55
安徽	13.88	11.84	19.55	7.15	2.24	1.35	12.19	12.43	35.03
福建	26.30	11.62	17.33	8.02	2.55	1.09	13.53	15.10	41.13
江西	19.47	12.28	19.20	9.32	1.67	1.73	15.92	13.69	39.02
山东	12.98	11.21	17.87	6.32	1.99	1.39	7.90	11.33	31.99
河南	16.53	11.36	17.78	6.38	2.06	1.73	10.72	11.60	31.18
湖北	19.01	11.51	19.46	7.92	2.57	2.11	12.47	13.68	34.74
湖南	20.44	11.55	19.10	9.33	2.67	2.43	22.28	16.32	37.85
广东	24.09	11.76	18.74	8.87	2.17	1.57	16.28	18.21	40.95
广西	12.79	10.76	18.49	9.19	2.34	1.10	15.83	18.07	35.53
海南	15.31	11.26	16.46	11.55	1.76	1.81	17.98	20.18	40.52
重庆	11.88	10.84	17.76	8.01	2.05	1.59	14.02	11.22	31.75
四川	12.15	11.31	19.96	9.25	2.69	2.62	18.07	17.97	31.72
贵州	11.23	11.14	19.36	10.89	3.31	3.08	16.54	15.24	32.65
云南	13.00	10.66	17.89	8.23	2.94	3.09	13.81	14.87	33.31
西藏	21.18	11.44	18.53	6.89	2.46	2.32	12.04	13.90	31.75
陕西									
甘肃	21.17	11.80	19.63	7.58	2.89	3.10	14.01	14.72	29.23
青海	17.33	12.14	18.81	7.97			14.42	16.31	28.32
宁夏	20.19	10.81	19.11	7.06	2.18	3.21	12.02	13.75	30.63
新疆	16.81	11.12	18.53	7.17	2.95	2.50	12.90	14.45	32.56

各地区11月份畜产品及饲料集市价格(二)

单位:元/千克

地 区	牛奶	羊肉	绵羊毛	玉米	豆粕	小麦麸	进口鱼粉	育肥猪配合饲料	肉鸡配合料	蛋鸡配合料
全国均价	**2.68**	**33.08**	**9.52**	**1.82**	**3.82**	**1.63**	**9.20**	**2.64**	**2.80**	**2.53**
北 京	2.98	32.53	8.00	1.73	3.75	1.72	10.03	2.59	2.96	2.49
天 津	3.00	34.43		1.67	3.70	1.47	9.88	2.42	2.62	2.44
河 北	2.67	29.79	6.56	1.74	3.69	1.47	9.29	2.46	2.75	2.31
山 西	2.45	31.97	6.84	1.72	3.76	1.42	8.16	2.50	2.78	2.27
内 蒙 古	2.46	28.01	9.13	1.66	3.88	1.53	7.64	3.61	3.38	2.93
辽 宁	2.46	32.80	9.04	1.69	3.55	1.52	9.40	2.32	2.45	2.15
吉 林	2.84	35.25	9.87	1.66	3.66	1.55	9.68	2.33	2.46	2.11
黑 龙 江	2.27	26.81	12.69	1.56	3.47	1.41	9.09	2.55	2.62	2.46
上 海	3.65	38.33		1.97	3.67	1.70	10.01	2.96	3.03	2.74
江 苏	2.92	30.84		1.85	3.68	1.57	9.68	2.52	2.93	2.47
浙 江	3.12	38.87		1.95	3.66	1.63	9.56	2.56	2.62	2.48
安 徽	2.79	31.08		1.86	3.74	1.56	8.61	2.54	2.73	2.47
福 建	3.06	40.34		2.03	3.76	1.79	9.93	2.66	2.74	2.67
江 西	3.35	35.19		2.00	3.74	1.80	8.82	2.68	2.82	2.60
山 东	2.64	34.20	4.79	1.77	3.71	1.49	8.60	2.46	2.72	2.36
河 南	2.63	31.52	5.31	1.68	3.75	1.46	9.24	2.49	2.55	2.25
湖 北	3.06	29.31		1.85	3.91	1.56	9.60	2.51	2.56	2.39
湖 南	3.06	32.99		2.01	3.91	1.78	9.25	2.80	2.96	2.85
广 东	3.65	34.57		2.05	3.80	1.97	9.77	2.86	3.15	3.10
广 西	3.31	37.98		2.02	3.92	1.89	10.10	2.77	2.99	2.88
海 南		43.91		2.19	4.04	1.89		3.13	3.28	3.03
重 庆	2.62	32.35		1.80	3.98	1.73	9.88	2.58	2.76	2.47
四 川	2.93	33.93	20.58	1.91	4.34	1.72	9.05	2.87	3.00	2.85
贵 州	2.53	38.77		1.97	3.90	1.83	8.59	2.82	3.13	2.97
云 南	2.30	38.16	11.00	1.78	4.06	1.95	9.13	2.91	3.07	2.79
西 藏	2.39	33.60	21.08	1.55	3.70	1.48	8.15	2.36	2.44	2.25
陕 西										
甘 肃	2.55	27.51	10.00	1.71	3.88	1.53	8.47	2.66	2.65	2.52
青 海	3.02	25.90	7.50	1.81	4.20	1.72	9.00	2.29	2.40	2.29
宁 夏	2.53	27.80	7.20	1.60	3.77	1.48	7.76	2.55	2.57	2.39
新 疆	2.37	32.38	13.13	1.66	3.86	1.49	9.74	2.32	2.71	2.33

各地区12月份畜产品及饲料集市价格(一)

单位:元/千克、元/只

地区	仔猪	活猪	猪肉	鸡蛋	蛋雏鸡	肉雏鸡	活鸡	西装鸡	牛肉
全国均价	17.55	12.09	19.11	7.86	2.38	2.17	13.83	14.00	33.73
北京	16.15	12.78	17.00	7.14	2.55	4.13		13.85	31.80
天津	18.97	13.02	18.92	6.78	1.90	2.08	7.77	12.43	31.42
河北	14.80	12.19	18.52	6.78	2.28	2.42	9.25	12.28	30.13
山西	19.53	11.61	18.89	6.65	2.50	4.14	8.96	12.04	30.66
内蒙古	23.98	12.28	17.93	7.35	3.25	3.17	13.92	13.47	29.86
辽宁	28.92	12.46	19.38	6.58	2.01	2.03	18.35	13.01	31.49
吉林	22.57	12.61	18.80	6.65	2.16	1.92	8.76	11.59	30.84
黑龙江	23.43	12.84	18.65	6.46	2.24	2.17	13.21	11.21	29.57
上海	23.30	13.21	22.42	7.74	2.17	1.23	14.54	15.84	37.93
江苏	12.47	11.85	18.71	6.86	2.24	2.03	11.71	11.90	34.69
浙江	16.09	12.85	19.68	8.16	2.17	2.09	14.43	14.38	40.74
安徽	14.26	12.76	20.75	7.18	2.19	1.50	12.67	12.68	35.43
福建	27.39	12.58	18.03	8.12	2.49	1.06	13.63	15.28	41.00
江西	19.64	12.86	19.60	9.32	1.74	1.73	16.08	13.61	39.29
山东	13.92	12.76	19.31	6.49	1.99	1.85	8.28	11.72	32.49
河南	17.02	12.44	18.83	6.48	2.01	1.97	10.93	11.85	31.38
湖北	19.31	12.49	20.37	8.11	2.57	2.09	12.89	13.81	35.28
湖南	20.91	12.13	19.34	9.33	2.59	2.40	22.45	16.29	38.49
广东	24.91	12.25	18.82	8.89	2.23	1.46	16.52	18.39	40.98
广西	12.74	11.10	18.82	9.19	2.18	0.99	16.10	18.22	35.92
海南	16.20	11.95	16.84	11.49	1.74	1.80	17.98	20.27	40.68
重庆	10.99	11.13	18.44	8.29	1.99	1.67	13.64	11.24	32.38
四川	11.88	11.74	20.54	9.35	2.66	2.48	18.60	18.05	32.31
贵州	10.10	10.83	19.04	10.34	3.31	3.07	15.09	15.12	33.04
云南	12.76	10.59	17.76	8.27	2.93	2.96	14.00	15.02	33.57
西藏									
陕西	19.72	11.94	18.76	6.94	2.47	2.37	12.30	13.96	32.02
甘肃	20.87	11.99	19.80	7.61	2.66	2.85	13.83	14.49	29.83
青海	16.32	12.41	19.24	8.16			14.92	16.31	29.10
宁夏	20.06	11.34	19.47	7.06	2.19	3.08	12.22	14.08	30.60
新疆	16.70	11.11	18.59	7.13	2.91	2.52	12.35	14.33	33.07

各地区12月份畜产品及饲料集市价格(二)

单位:元/千克

地区	牛奶	羊肉	绵羊毛	玉米	豆粕	小麦麸	进口鱼粉	育肥猪配合饲料	肉鸡配合料	蛋鸡配合料
全国均价	2.75	33.70	9.57	1.87	3.90	1.68	9.48	2.68	2.83	2.57
北京	2.99	32.36	8.00	1.80	3.83	1.78	10.81	2.61	2.98	2.53
天津	3.09	35.14		1.74	3.72	1.54	10.37	2.50	2.76	2.51
河北	2.74	30.04	6.53	1.77	3.78	1.53	9.40	2.51	2.81	2.36
山西	2.50	32.68	6.46	1.73	3.82	1.48	8.24	2.51	2.72	2.28
内蒙古	2.52	28.31	8.96	1.65	3.93	1.52	7.78	3.63	3.38	2.96
辽宁	2.47	32.84	9.19	1.69	3.55	1.57	9.64	2.34	2.47	2.16
吉林	2.97	35.29	10.00	1.62	3.68	1.57	10.13	2.36	2.47	2.13
黑龙江	2.38	27.43	12.79	1.54	3.51	1.41	9.36	2.52	2.60	2.43
上海	3.58	39.30		2.02	3.71	1.75	10.21	3.03	3.10	2.79
江苏	3.02	33.25		1.90	3.77	1.63	10.09	2.56	2.97	2.52
浙江	3.18	39.31		2.00	3.71	1.68	10.05	2.60	2.65	2.51
安徽	2.86	31.38		1.90	3.82	1.63	8.86	2.62	2.81	2.57
福建	3.08	40.89		2.08	3.85	1.89	10.26	2.71	2.78	2.71
江西	3.43	36.64		2.05	3.81	1.85	9.05	2.73	2.86	2.66
山东	2.74	34.96	4.23	1.85	3.81	1.54	8.84	2.52	2.79	2.43
河南	2.69	31.87	5.42	1.75	3.88	1.54	9.59	2.53	2.61	2.30
湖北	3.06	30.60		1.90	4.04	1.61	9.81	2.57	2.62	2.45
湖南	3.20	33.69		2.08	3.96	1.85	9.45	2.86	2.99	2.87
广东	3.62	36.61		2.13	3.93	2.02	10.24	2.88	3.19	3.15
广西	3.32	38.87		2.07	4.00	1.94	10.54	2.82	3.00	2.90
海南		44.19		2.25	4.09	1.97		3.17	3.30	3.06
重庆	2.72	33.40	28.00	1.93	4.04	1.79	10.00	2.73	2.79	2.51
四川	2.90	34.55	20.60	2.00	4.42	1.79	9.47	2.90	3.04	2.88
贵州	2.54	39.39		2.04	3.96	1.83	8.87	2.84	3.13	2.97
云南	2.35	38.29	11.00	1.88	4.18	1.99	9.55	2.95	3.12	2.85
西藏										
陕西	2.48	32.87	21.32	1.67	3.83	1.53	8.24	2.41	2.46	2.29
甘肃	2.56	27.88	9.99	1.72	3.97	1.52	8.30	2.65	2.69	2.56
青海	3.12	27.44	7.50	1.76	4.20	1.72	9.00	2.24	2.35	2.23
宁夏	2.76	27.68	7.05	1.67	3.96	1.55	8.04	2.60	2.65	2.45
新疆	2.45	33.02	13.00	1.71	3.96	1.54	10.08	2.37	2.70	2.33

(农业部畜牧业司　全国畜牧总站供稿)

2009 年主要畜产品出口量值表

商品编号	商品名称	出口金额（万美元）	同比增减 %	出口数量	同比增减 %
01019010	其他马，改良种用除外（吨）	2.01		18.15	
01021000	改良种用牛（吨）	2.47		13.10	
01029000	其他牛，改良种用除外（吨）	4 685.51		17 702.59	
01031000	改良种用猪（吨）	43.61		82.15	
01039120	猪，10 千克≤重量<50 千克，改良种用除外（吨）	446.50		1 196.13	
01039200	猪，改良种用除外，重量≥50 千克（吨）	32 560.98		161 076.59	
01041090	其他绵羊，改良种用除外（吨）	41.27		112.78	
01042090	其他山羊，改良种用除外（吨）	96.77		468.65	
01051190	其他鸡，重量≤185 克（吨）	53.24		77.87	
01059490	其他鸡，改良种用除外（吨）	2 555.07		9 423.59	
01063921	食用乳鸽〔千（个，头，只）〕	207.85	-20.41	1 282.27	-21.46
01063929	（2002 及后）其他食用鸟〔千（个，头，只）〕	13.16	-27.68	150.00	-28.95
01069020	其他食用活动物〔千（个，头，只）〕	11.32	-44.49	727.60	38.00
01069090	其他非食用活动物〔千（个，头，只）〕	27.67	-7.07	931 949.74	23.34
02013000	鲜、冷去骨牛肉（吨）	2 229.96	-38.01	4 924.65	-42.00
02022000	冻带骨牛肉（吨）	2.97	593.64	10.97	969.20
02023000	冻去骨牛肉（吨）	3 887.60	-34.69	8 459.70	-40.58
02031900	其他鲜、冷猪肉（吨）	5 067.93	4.95	16 659.48	21.72
02032110	冻整头及半头乳猪肉（吨）	297.36	-48.69	434.76	-40.46
02032190	其他冻整头及半头猪肉（吨）	2 784.23	-4.96	8 647.82	16.90
02032200	冻带骨猪前腿、猪后腿及其肉块（吨）	3.96	184.61	27.65	514.47
02032900	其他冻猪肉（吨）	18 118.60	-5.73	61 624.12	2.08
02044100	冻整头及半头绵羊肉（吨）	16.49	81.12	42.18	21.25
02044200	冻带骨绵羊肉（吨）	265.88	-65.62	548.87	-73.12
02044300	冻去骨绵羊肉（吨）	1 466.44	-6.33	3 517.77	-11.69
02045000	山羊肉（吨）	2 427.25	-6.11	5 422.99	-34.34
02050000	鲜、冻、冻马、驴、骡肉（吨）	46.82	36.60	37.44	23.80
02062100	冻牛舌（吨）	0.66		0.31	
02062200	冻牛肝（吨）	10.61	-12.98	100.47	-23.94
02062900	其他冻牛杂碎（吨）	42.72	41.74	339.80	-14.74
02064100	冻猪肝（吨）		-100.00		-100.00
02064900	其他冻猪杂碎（吨）	8.53	2 231.47	105.27	3 408.93
02068000	其他鲜、冷杂碎（牛、猪杂碎除外）（吨）	13.84	4 917.33	56.29	6 018.80
02069000	其他冻杂碎（牛、猪杂碎除外）（吨）	0.13	-95.52	0.85	-96.35
02071100	整只鸡，鲜或冷的（吨）	12 844.25	28.58	60 828.10	14.63
02071200	整只鸡，冻的（吨）	1 389.81	12.13	6 126.61	2.20
02071311	（2001 及后）鲜或冷的带骨鸡块（吨）	14.34	34.07	39.68	4.85
02071411	（2001 及后）冻的带骨鸡块（包括鸡胸脯、鸡大腿等）（吨）	294.03	123.08	1 767.21	154.69
02071419	（2001 及后）冻的不带骨鸡块（包括鸡胸脯、鸡大腿等）（吨）	11 861.99	-16.73	62 339.14	-5.87
02071421	（2001 及后）冻的鸡翼（不包括翼尖）（吨）	47.19	-4.70	173.02	-6.52
02071429	（2001 及后）冻的其他食用鸡杂碎（包括鸡翼尖、鸡爪、鸡肝等）（吨）	34.18		368.17	
02073210	整只的鲜、冷鸭（吨）	3 105.49	-0.43	22 748.61	-1.09
02073220	整只的鲜、冷鹅（吨）	3 030.14	13.10	14 227.70	4.05
02073310	整只冻鸭（吨）	544.96	-5.41	3 250.43	-5.79
02073320	整只冻鹅（吨）	26.09	-40.85	92.94	-45.46
02073510	（1997 及后）鲜或冷的鸭块及杂碎（吨）	2.15	1.32	9.25	-3.95

（续）

商品编号	商品名称	出口金额（万美元）	同比增减 %	出口数量	同比增减 %
02073610	（1997 及后）冻的鸭块及杂碎（吨）	373.74	24.18	1 836.51	24.69
02081020	冻兔肉，不包括兔头（吨）	4 147.80	26.20	10 375.02	22.65
02089010	鲜、冷、冻乳鸽（吨）	823.66	43.10	3 733.43	30.44
02089090	其他鲜、冷、冻肉及食用杂碎（吨）	593.14	9.48	1 192.78	2.58
02090000	不带瘦肉的肥猪肉、猪脂肪及家禽脂肪，鲜冷冻干熏盐腌或盐渍的（吨）	166.50	-48.89	1 134.50	-37.82
02101110	干、熏、盐腌或盐渍带骨猪腿（吨）	67.48	136.25	63.76	5.74
02101190	干、熏、盐腌或盐渍带骨猪肉块（吨）	0.98	3 509.19	1.04	5 389.47
02101200	干、熏、盐腌或盐渍猪腹肉（五花肉）（吨）	84.61	-0.99	266.20	-11.07
02101900	其他干、熏、盐腌或盐渍猪肉（吨）	60.96	33.94	80.84	26.32
02102000	干、熏、盐腌或盐渍牛肉（吨）	24.40	-57.00	11.30	-90.88
02109900	（2002 及后）其他干、熏、盐腌或盐渍的肉及食用杂碎，包括可供食用的肉或杂碎的细粉、粗粉（吨）	165.08	-15.93	371.03	-20.25
04012000	未浓缩未加糖的乳及奶油，1% <含脂量≤6%（吨）	1 303.65	-55.11	19 800.61	-48.08
04013000	未浓缩未加糖的乳及奶油，含脂量〉6%（吨）	30.60	-43.74	229.51	-21.63
04021000	固态乳及奶油，含脂量≤1.5%（吨）	0.08	-99.99	0.25	-99.98
04022100	未加糖的固态乳及奶油，含脂量〉1.5%（吨）	2 561.05	-88.38	8 050.70	-86.42
04022900	其他固态乳及奶油。含量〉1.5%（吨）	524.84	-48.90	1 686.57	-45.44
04029100	其他浓缩，未加糖的乳及奶油（吨）	198.49	-50.48	1 522.24	-45.39
04029900	其他浓缩的乳及奶油（吨）	372.62	-51.62	2 169.71	-58.80
04031000	酸乳（吨）	2.43	-93.51	29.56	-82.76
04039000	酪乳、结块或其他发酵或酸化的乳和奶油（吨）	112.59	-16.62	814.05	-12.69
04041000	乳青及改性乳清（吨）	6.88	-8.13	125.93	5 146.88
04049000	其他含天然的产品（吨）	27.00	-94.33	190.16	-95.59
04051000	黄油（吨）	501.01	-66.77	2 045.65	-53.23
04059000	其他（吨）		-100.00		-100.00
04061000	鲜乳酪（未熟化或未固化的）、凝乳（吨）	15.57		38.40	
04062000	各种磨碎或粉化的乳酪（吨）	1.96		1.30	
04063000	经加工的乳酪（但抹碎或粉化的除外）（吨）	23.00		68.27	
04069000	未列名的乳酪（吨）	7.20		6.75	
04070010	种用禽蛋〔千（个，只）〕	30.02	26.17	300.76	-24.72
04070021	鲜鸡蛋〔千（个，只）〕	7 853.58	-1.65	1 109 871.82	-8.60
04070022	鲜鸭蛋〔千（个，只）〕	4.97	16.10	780.90	-34.55
04070091	咸蛋〔千（个，只）〕	1 436.82	-2.48	144 492.40	-0.54
04070092	皮蛋〔千（个，只）〕	1 081.89	1.68	83 632.88	0.07
04070099	未列名腌制或煮过的带壳禽蛋〔千（个，只）〕	5.28	88.78	240.64	31.03
04081100	干蛋黄（吨）	382.43	-5.88	983.62	-9.72
04081900	其他蛋黄（吨）	38.53	39.11	97.10	44.84
04089100	干去壳禽蛋（吨）	556.08	-60.20	1 048.07	-55.04
04089900	其他去壳禽蛋（吨）	681.66	5.03	3 099.61	-1.54
04090000	天然蜂蜜（吨）	12 569.69	-14.55	71 831.32	-15.36
04100041	鲜蜂王桨（吨）	1 201.95	-36.83	541.66	-39.51
04100042	鲜蜂王浆粉（吨）	1 546.20	4.28	248.81	8.12
04100043	（2006 及后）蜂花粉（吨）	291.50	-5.96	842.65	-5.64
04100049	（2006 及后）其他蜂产品（吨）	192.03	42.41	90.96	87.78
04100090	未列名食用动物产品（吨）	470.77	33.27	171.48	-58.86
05021010	猪鬃（吨）	7 148.25	-30.70	6 800.35	-16.93
05021020	猪毛（吨）	45.65	168.46	444.62	92.44
05029011	制刷用山羊毛（吨）	249.97	-51.32	102.55	-77.00

（续）

商品编号	商品名称	出口金额（万美元）	同比增减 %	出口数量	同比增减 %
05029019	未列名制刷用兽毛（吨）	189.16	-46.58	12.27	-76.45
05040011	盐渍猪肠衣（猪大肠头除外）（吨）	51 492.20	-10.10	53 435.85	3.51
05040012	盐渍绵羊肠衣（吨）	24 229.37	3.20	14 218.16	0.86
05040013	盐渍山羊肠衣（吨）	2 018.10	7.29	716.46	-16.36
05040014	盐渍猪大肠头（吨）	381.43	-34.60	515.68	-16.09
05040019	其他动物肠衣（吨）	676.87	-26.72	332.90	-25.80
05040029	（2001 及后）其他动物的胃（鱼除外），整个或切块的（吨）	33.42	35.42	40.95	11.47
05040090	其他动物肠、膀胱及胃（鱼除外），整个或切块的（吨）	238.24	31.16	297.86	-40.04
05051000	填充用羽毛：羽绒（吨）	24 825.06	-16.18	27 029.53	-9.44
05059010	羽毛或不完整羽毛的粉末及废料（吨）	0.53	-49.52	0.13	-93.66
05059090	其他羽毛：带有羽毛或绒的鸟皮及鸟其他部分（吨）	18.68	-37.12	30.79	-25.20
05069019	（2002 及后）其他骨粉及骨废料（吨）	0.07	3.27	0.12	-68.25
05069090	其他未经加工或经脱脂、简单整理的骨及角柱（吨）	10.93	5.00	157.07	-56.50
05079020	鹿茸及其粉末（吨）	891.56	31.47	122.63	47.59
05079090	龟壳、鲸须、其他兽角、蹄、甲爪及喙（吨）	12.95	22.42	28.55	73.39
05100040	斑蝥（吨）	7.18	76.32	0.87	74.80
05100090	胆汁：配药用腺体及其他动物产品（吨）	142.97	89.13	133.57	56.59
05119920	动物胚胎（吨）	0.10	9 900.00	0.00	
05119930	蚕种（吨）	80.90	-58.35	10.57	-10.24
05119940	马毛及废马毛，不论是否制成有或无衬垫的毛片（吨）	567.52	-45.60	738.22	-41.00
05119990	未列名动物产品：不宜食用的第 1 章的死动物（吨）	944.18	-24.20	1 295.89	-27.87
15010000	猪脂肪（包括已炼制的猪油）及家禽脂肪（吨）	0.02	-98.17	0.10	-98.84
15020010	未炼制的牛、羊脂肪（吨）	26.94		101.88	
15020090	已炼制的牛、羊脂肪（吨）	95.11	634.60	533.85	357.08
15030000	未经制作的猪油硬脂、液体猪油、油硬脂级其他脂油（吨）	0.76	17.79	1.74	10.83
15050000	（2002 及后）羊毛脂及从羊毛脂制得的脂肪物质（吨）	3 595.52	84.23	11 562.50	35.30
15060000	未经化学改性的其他动物油脂及其分离品（吨）	21.78	75.72	152.30	485.09
16010010	（2006 及后）用天然肠衣做外包装的香肠及类似产品（吨）	4 422.23	48.58	10 909.58	39.28
16010020	（2006 及后）其他香肠及类似产品（吨）	6 437.44	-8.58	16 367.40	-6.82
16010030	（2006 及后）用香肠制成的食品（吨）	124.22	28.28	273.62	41.77
16021000	均化食品（吨）	59.05	-77.35	69.37	-85.17
16022000	制作或保藏的动物肝（吨）	89.91	81.01	323.40	52.06
16023100	制作或保藏的火鸡（吨）	0.93		5.18	
16023210	鸡罐头（吨）	197.78	-30.82	1 014.80	-30.76
16023291	（2005 及后）其他制作或保藏的鸡胸肉（吨）	5 958.45	38.75	17 140.49	37.58
16023292	（2005 及后）其他制作或保藏的鸡腿肉（吨）	31 814.43	0.07	77 210.66	-1.07
16023299	其他制作或保藏的鸡肉及食用杂碎（吨）	22 509.19	-6.02	64 231.25	-4.16
16023910	家禽肉及杂碎罐头（吨）	25.77	-60.11	138.80	-59.40
16023991	（2005 及后）未列名制作或保藏的鸭肉及食用杂碎（吨）	5 508.59	127.40	9 576.94	79.34
16023999	未列名制作或保藏的家禽肉及食用杂碎（吨）	13.16	-36.90	20.74	-4.86
16024100	制作或保藏的猪后腿及其肉块（吨）	693.86	-3.55	937.70	-8.73
16024200	制作或保藏的猪前腿及其肉块（吨）	21.91	-78.31	48.70	-81.34
16024910	猪肉及杂碎罐头（吨）	9 764.58	11.64	36 132.46	14.48
16024990	其他制作或保藏的猪肉及杂碎（吨）	19 566.71	-2.34	53 572.70	-4.73
16025010	牛肉及杂碎罐头（吨）	553.27	-62.80	2 660.89	-64.28
16025090	其他制作或保藏的牛肉及杂碎（吨）	5 174.73	5.58	11 211.05	-0.38
16029010	未列名肉及杂碎罐头（吨）	26.66	-71.18	98.21	-76.05
16029090	未列名制作或保藏的肉，食用杂碎及动物血（吨）	1 611.42	52.23	3 577.87	62.07
23011090	其他非食用肉、杂碎的渣粉及团粒（吨）	1.78		23.00	

（续）

商品编号	商品名称	出口金额（万美元）	同比增减 %	出口数量	同比增减 %
41012011	(2002 及后)经逆鞣处理的整张牛皮,简单干燥≤8 千克,干盐腌≤10 千克,鲜的、湿盐腌的≤16 千克(吨)	0.90		0.96	
41012019	(2002 及后)其他整张牛皮,简单干燥≤8 千克,干盐腌≤10 千克,鲜的、湿盐腌的≤16 千克(吨)		-100.00		-100.00
41012020	(2002 及后)整张马皮,简单干燥≤8 千克,干盐腌≤10 千克,鲜的、湿盐腌的≤16 千克(吨)		-100.00		-100.00
41019011	(2002 及后)其他经逆鞣处理的整张牛皮(吨)	1.11		0.35	
41019019	(2002 及后)其他牛皮(吨)	220.01	169.99	3 736.60	192.46
41021000	带毛的绵羊或羔羊生皮(吨)	0.08		0.07	
41022110	(2002 及后)经逆鞣处理的浸酸的不带毛的绵羊或羔羊生皮(吨)	15.13		37.62	
41022190	(2002 及后)其他浸酸的不带毛的绵羊或羔羊生皮(吨)	13.22		24.70	
41032000	爬行动物皮(吨)		-100.00		-100.00
41039021	(2002 及后)经逆鞣处理的山羊或小山羊皮(吨)	8.79		25.91	
41039029	(2003 及后)其他山羊或小山羊皮(吨)	4.13		0.99	
41039090	其他生皮(吨)	75.06	-32.62	72.32	-32.76
43011000	整张水貂皮,不论是否带头、尾或爪(吨)	16.65	-44.20	1.28	-26.07
43013000	阿斯特拉罕等羔羊的整张毛皮(吨)		-100.00		-100.00
43018010	(2002 及后)整张兔皮(吨)		-100.00		-100.00
43018090	(2002 及后)其他整张毛皮(吨)	32.87	-37.42	26.05	-42.03
43019090	其他适合加工皮货用的头、尾、爪等块、片(吨)		-100.00		-100.00
51011100	未梳含脂剪羊毛(吨)	97.22	53.09	354.03	41.29
51012100	未梳脱脂剪羊毛,未碳化(吨)	618.06	-46.21	3 458.37	-48.99
51012900	其他未梳脱脂羊毛,未碳化(吨)	63.12	-29.19	266.30	-28.14
51013000	未梳碳化羊毛(吨)	1 975.09	-35.21	3 767.27	-26.36
51021910	未梳兔毛(吨)	0.72		1.00	
51021920	(2002 及后)未梳山羊绒(吨)	17.16	-90.16	3.90	-88.95
51021930	未梳骆驼毛,骆驼绒(吨)	9.62	22.03	13.56	28.95
51021990	其他未梳动细毛(吨)	2.83	-73.93	3.57	-57.42
51031010	羊毛落毛(吨)	1 012.87	14.39	2 835.78	16.13
51032010	羊毛废料(吨)	58.92	-30.61	126.78	-1.36
51032090	其他动物细毛的废料(吨)	29.77	-65.71	15.46	-62.03

2009 年畜产品进出口分类别情况

单位:万美元、%

类别	进出口贸易总额			出口金额			进口金额		
	总额	占贸易总额比重	比上年增减	贸易额	占出口总额比重	比上年增减	贸易额	占进口总额比重	比上年增减
家禽产品	203 642.80	19.4	-3.2	102 221.40	26.10	3.60	101 421.40	15.40	-9.20
生猪产品	142 243.60	13.5	-30.9	89 593.00	22.90	-6.30	52 650.60	8.00	-52.20
动物毛	162 957.20	15.5	-14.5	12 135.30	3.10	-32.00	150 821.80	22.90	-12.70
动物生皮	144 567.40	13.8	-21.8	338.50	0.10	72.60	144 229.00	21.90	-21.90
乳品	108 719.80	10.3	-6.6	5 689.20	1.50	-81.20	103 030.60	15.60	19.50
肠衣制品	94 542.14	7.79	46.9	83 496.00	18.92	46.94	11 046.14	1.43	46.62
羽毛	30 301.40	2.9	-18.3	24 828.10	6.30	-16.30	5 473.30	0.80	-26.30
牛产品	30 068.90	2.9	13.5	16 572.00	4.20	-18.40	13 496.90	2.00	118.10

（续）

类别	进出口贸易总额			出口金额			进口金额		
	总额	占贸易总额比重	比上年增减	贸易额	占出口总额比重	比上年增减	贸易额	占进口总额比重	比上年增减
动物生毛皮	26 115.50	2.5	7.9	49.50	0.00	-97.80	26 065.90	4.00	18.60
蜂产品	16 386.70	1.6	-13.9	15 822.60	4.00	-14.70	564.10	0.10	15.40
羊产品	18 227.10	1.7	16.1	4 325.80	1.10	-15.30	13 901.30	2.10	31.30
蛋产品	12 130.50	1.2	-7.8	12 071.20	3.10	-7.40	59.30		-49.30
肉骨粉	4 007.60	0.4	8.6				4 007.60	0.60	8.60
兔产品	4 151.70	0.4	26.1	4 151.70	1.10	26.10			
马、驴、骡	469.40	0	-0.3	2.00		-78.00	467.40	0.10	1.20
遗传物质	549.50	0.1	32.6	1.40	0.00	140 740.00	548.10	0.10	32.30
其他	146 602.30	13.9	-9.7	103 494.90	26.40	-2.90	43 107.30	6.50	-22.70
畜产品合计	1 051 141.40	100	-13.4	391 296.70	100.00	-11.30	659 844.70	100.00	-14.60

2009 年畜产品出口主要市场

类别	出口额（万美元）	出口金额比同期（%）	占出口额的比例（%）	出口额（万美元）	出口金额比同期（%）	占出口额的比例（%）	出口额（万美元）	出口金额比同期（%）	占出口额的比例（%）
	中国澳门			比利时			波兰		
蛋产品	815.48	-0.55	10.26			0.00			0.00
动物毛	71.54	-59.65	0.90	217.58	-21.06	3.39	347.35	-15.99	3.91
蜂产品			0.00	2 320.73	-3.44	36.16	228.68	-33.42	2.57
家禽产品	2 284.92	2.51	28.74	925.28		14.42			0.00
牛产品	496.86	21.15	6.25			0.00			0.00
其他畜产品	243.58	-3.34	3.06	1 468.46	53.28	22.88	8 275.10	-43.67	93.11
乳品	14.56	-90.87	0.18			0.00			0.00
生猪产品	3 914.94	-4.79	49.25			0.00			0.00
兔产品			0.00	1 486.10	69.24	23.15			0.00
羊产品	91.94	-13.32	1.16			0.00			0.00
羽毛	15.41	-37.08	0.19			0.00	36.45	-43.73	0.41
总计	7 949.22	-4.1	100.00	6 418.15	42.10	100.00	8 887.57	-42.7	100.00
	德国			荷兰			马来西亚		
蛋产品	0.04	-30.84	0.00			0.00	135.73	-17.11	2.14
动物毛	849.45	-42.90	3.14	974.88	-42.16	7.69	2.85	-44.80	0.04
动物生毛皮	3.09	-22.02	0.01			0.00			0.00
动物生皮	0.55		0.00			0.00			0.00
蜂产品	400.57	-4.95	1.48	380.24	-36.82	3.00	526.35	57.86	8.29
家禽产品	1 783[illegible]	1 619.05	6.59	757.19	1 898.14	5.98	3 767.27	-2.34	59.31
牛产品			0.00			0.00	244.11	-55.15	3.84
其他畜产品	21 256.88	-12.51	78.58	10 544.17	60.27	83.23	237.29	-0.67	3.74
乳品	0.07	-63.53	0.00		-100.00	0.00	2.24	-76.88	0.04
生猪产品			0.00			0.00	1 352.24	-20.48	21.29
兔产品	830.90	-33.26	3.07	12.92		0.10			0.00
羊产品			0.00			0.00	77.18	37.08	1.22
羽毛	1 927.69	-11.06	7.13			0.00	6.07	118.15	0.10
总计	27 039.80	-8.7	100.00	12 668.10	42.1	100.00	6 351.33	-8.1	100.00
	美国			日本			中国台湾省		
蛋产品	383.10	-17.64	1.62	1 009.59	-20.65	0.96		-100.00	0.00
动物毛	396.96	-51.17	1.68	777.13	-46.01	0.74	363.13	-18.70	4.73

（续）

类别	出口额（万美元）	出口金额比同期（%）	占出口额的比例（%）	出口额（万美元）	出口金额比同期（%）	占出口额的比例（%）	出口额（万美元）	出口金额比同期（%）	占出口额的比例（%）
动物生毛皮			0.00	29.78	-85.99	0.03			0.00
动物生皮			0.00	294.77	52.77	0.28			0.00
蜂产品	342.26	-80.07	1.45	6 412.54	-23.08	6.10			0.00
家禽产品	0.52	-94.38	0.00	54 756.59	0.13	52.10			0.00
牛产品			0.00	3 126.33	-6.22	2.97			0.00
其他畜产品	15 496.67	-3.67	65.67	19 941.93	2.87	18.98	23.36	-8.49	0.30
乳品	0.00	-99.99	0.00	46.34	-40.94	0.04	5.07	-99.85	0.07
生猪产品			0.00	14 861.42	-4.96	14.14			0.00
兔产品	221.72	-24.76	0.94	11.23	33.65	0.01			0.00
遗传物质	0.10		0.00			0.00			0.00
羽毛	6 756.70	-39.74	28.63	3 828.02	2.95	3.64	7 280.11	-6.87	94.90
总计	23 600.40	-22.9	100.00	105 114.3	-4.7	100.00	7 671.67	-34.8	100.00
	中国香港								
蛋产品	8 238.71	0.75	6.92						
动物毛	38.80	-62.91	0.03						
蜂产品	105.32	-43.78	0.09						
家禽产品	32 080.59	2.56	26.96						
牛产品	8 369.26	-1.92	7.03						
其他畜产品	4 446.22	49.14	3.74						
乳品	1 958.37	-49.34	1.65						
生猪产品	61 195.32	-6.68	51.43						
兔产品	2.21	4.38	0.00						
羊产品	2 044.72	17.22	1.72						
羽毛	498.23	196.43	0.42						
总计	118 956.6	-3.1	100.00						

2009 年畜产品进口主要来源地

类别	进口额（万美元）	进口金额比同期（%）	占进口额的比例（%）	进口额（万美元）	进口金额比同期（%）	占进口额的比例（%）
	美国			澳大利亚		
蛋产品	49.51	55.98	0.03			
动物毛	1 119.79	2.44	0.62	106 885.40	-18.08	61.97
动物生毛皮	1 792.62	21.76	1.00	17.27	54.55	0.01
动物生皮	62 419.00	-31.82	34.83	27 042.31	-29.62	15.68
蜂产品	9.08	191.08	0.01	99.18	110.56	0.06
家禽产品	85 475.72	2.11	47.69			
马、驴、骡	3.63	-97.35	0.00	99.96	179.94	0.06
牛产品			0.00	7 691.28	57.55	4.46
其他畜产品	6 258.95	10.65	3.49	16 422.51	-39.25	9.52
肉骨粉	373.07	-26.97	0.21	1 549.96	-14.95	0.90
乳品	10 239.56	-32.16	5.71	7 216.24	-42.62	4.18
生猪产品	8 629.57	-80.88	4.82			
羊产品			0.00	5 427.37	40.45	3.15
遗传物质	346.90	155.75	0.19	18.19	0.00	0.01
羽毛	2 502.19	-12.92	1.40			
总计	179 219.59	157.67	100.00	172 469.68	98.52	100.00

（续）

类别	进口额（万美元）	进口金额比同期（%）	占进口额的比例（%）	进口额（万美元）	进口金额比同期（%）	占进口额的比例（%）
	新西兰			法国		
蛋产品		0.00	0.00	5.36	6.05	0.02
动物毛	13 291.59	-3.80	14.21	1 003.52	-38.14	4.35
动物生毛皮			0.00	1 257.74	32.04	5.45
动物生皮	2 982.65	-54.13	3.19	2 617.35	0.99	11.34
蜂产品	113.63	40.35	0.12	17.20	44.91	0.07
家禽产品		0.00	0.00	181.09	-88.22	0.78
马、驴、骡	2.15	74.19	0.00	4.45	-87.61	0.02
牛产品	2 452.49	189.05	2.62			0.00
其他畜产品	8 031.09	-33.60	8.59	362.09	-69.34	1.57
乳品	58 450.03	82.48	62.49	10 341.23	-12.16	44.80
生猪产品		0.00	0.00	7 082.50	-72.02	30.68
羊产品	8 214.81	22.99	8.78			0.00
遗传物质			0.00	10.72	6.51	0.05
羽毛		0.00	0.00	201.10	-2.35	0.87
总计	93 538.44	317.52	100.00	23 084.35	-279.33	100.00

（资料来源：海关总署）

2008 年世界肉类总产量及排名

位次	国别	总产量（吨）	位次	国别	总产量（吨）	位次	国别	总产量（吨）
	世界	279 952 928	7	墨西哥	5 630 941	14	英国	3 366 611
1	中国	74 538 698	8	西班牙	5 571 756	15	越南	3 341 407
2	美国	43 171 484	9	法国	5 471 300	16	波兰	3 163 133
3	巴西	22 832 330	10	加拿大	4 493 569	17	日本	3 145 259
4	德国	7 687 432	11	阿根廷	4 439 070	18	菲律宾	2 708 642
5	印度	6 795 916	12	澳大利亚	4 283 601	19	印度尼西亚	2 570 915
6	俄罗斯	6 136 072	13	意大利	4 134 214	20	荷兰	2 475 110

注：此表与以下各表内的中国数据均来源于联合国粮农组织（FAO），与中国国家统计局公布的 2008 年数据不一致。

2008 年世界猪肉生产及排名

位次	国别	屠宰数（头）	国别	胴体重（千克/头）	国别	产量（吨）
	世界	1 312 945 834	世界	79	世界	103 189 592
1	中国	620 766 550	波多黎各	158	中国	47 208 049
2	美国	112 000 000	意大利	118	美国	10 462 284
3	德国	54 847 564	马来西亚	112	德国	5 111 409
4	西班牙	41 305 540	厄瓜多尔	108	西班牙	3 484 363
5	越南	37 000 000	以色列	105	巴西	3 015 000
6	巴西	33 315 000	黑山	100	越南	2 553 000
7	法国	25 291 200	智利	100	俄罗斯	2 042 100
8	俄罗斯	24 068 236	马其顿	98	法国	2 028 500
9	菲律宾	23 805 040	奥地利	96	加拿大	1 940 980
10	波兰	22 359 600	巴巴多斯	95	波兰	1 797 400
11	加拿大	21 693 400	比利时	95	丹麦	1 707 200
12	丹麦	20 788 900	斯洛伐克	94	意大利	1 606 013

（续）

位次	国别	屠宰数(头)	国别	胴体重(千克/头)	国别	产量(吨)
13	日本	16 200 000	美国	93	菲律宾	1 605 984
14	墨西哥	15 264 759	德国	93	荷兰	1 317 705
15	荷兰	14 505 012	匈牙利	92	日本	1 249 000
16	印度	14 200 000	荷兰	91	墨西哥	1 160 677
17	韩国	13 806 000	巴西	91	比利时	1 056 169
18	意大利	13 616 438	乌克兰	90	韩国	1 056 000
19	泰国	13 293 535	新喀里多尼亚	90	泰国	864 000
20	印度尼西亚	11 578 000	斯洛文尼亚	90	英国	740 000
48			中国	76		

2008 年世界牛肉生产及排名

位次	国别	屠宰数(头)	国别	胴体重(千克/头)	国别	产量(吨)
	世界	297 979 830	世界	209	世界	62 363 306
1	中国	43 575 429	日本	418	美国	12 235 600
2	巴西	39 795 000	以色列	387	巴西	9 024 000
3	美国	34 514 400	美国	355	中国	5 845 149
4	阿根廷	13 500 000	加拿大	335	阿根廷	2 830 000
5	印度	12 216 000	比利时	329	澳大利亚	2 300 000
6	俄罗斯	9 598 047	英国	328	俄罗斯	1 768 700
7	澳大利亚	9 100 000	奥地利	325	墨西哥	1 667 138
8	墨西哥	8 074 451	爱尔兰	323	法国	1 479 300
9	法国	5 008 900	韩国	320	加拿大	1 288 070
10	哥伦比亚	4 250 000	德国	314	印度	1 258 248
11	德国	3 850 692	瑞典	298	德国	1 209 768
12	加拿大	3 843 900	芬兰	298	意大利	1 056 912
13	新西兰	3 835 375	法国	295	哥伦比亚	917 368
14	意大利	3 822 943	捷克	292	英国	862 000
15	埃塞俄比亚	3 500 000	新加坡	292	南非	805 000
16	巴基斯坦	3 500 000	斯洛文尼亚	281	巴基斯坦	680 000
17	乌兹别克斯坦	3 256 000	马耳他	280	西班牙	658 334
18	乌克兰	3 255 600	意大利	276	新西兰	634 558
19	南非	3 050 000	卢森堡	274	乌拉圭	588 000
20	苏丹	2 800 000	西班牙	266	乌兹别克斯坦	586 000
152			中国	134		

2008 年世界水牛肉生产及排名

位次	国别	屠宰数(头)	国别	胴体重(千克/头)	国别	产量(吨)
	世界	24 468 941	世界	137	世界	3 358 946
1	印度	10 846 000	泰国	253	印度	1 496 748
2	巴基斯坦	5 940 000	希腊	250	巴基斯坦	708 000
3	中国	3 061 750	意大利	228	中国	306 437
4	埃及	1 550 000	尼泊尔	220	埃及	270 000
5	尼泊尔	690 000	菲律宾	217	尼泊尔	151 690
6	越南	510 000	越南	215	越南	109 650
7	菲律宾	457 275	土耳其	184	菲律宾	99 163
8	印度尼西亚	282 000	马来西亚	181	泰国	56 182
9	缅甸	233 885	文莱	180	印度尼西亚	43 954

（续）

位次	国别	屠宰数(头)	国别	胴体重(千克/头)	国别	产量(吨)
10	泰国	222 065	埃及	174	缅甸	31 563
11	斯里兰卡	193 380	伊朗	160	斯里兰卡	21 851
12	老挝	173 000	柬埔寨	160	老挝	19 030
13	伊朗	93 125	印度尼西亚	156	伊朗	14 900
14	孟加拉国	71 000	保加利亚	154	柬埔寨	10 400
15	柬埔寨	65 000	伊拉克	150	孟加拉国	5 700
16	马来西亚	26 000	关岛	150	马来西亚	4 716
17	伊拉克	25 000	印度	138	伊拉克	3 750
18	意大利	10 516	缅甸	135	意大利	2 402
19	土耳其	7 251	巴基斯坦	119	土耳其	1 334
20	东帝汶	5 700	斯里兰卡	113	东帝汶	570
24			中国	100		

2008 年世界山羊肉生产及排名

位次	国别	屠宰数(头)	国别	胴体重(千克/头)	国别	产量(吨)
	世界	398 408 444	世界	12	世界	4 918 696
1	中国	133 342 235	关岛	50	中国	1 828 345
2	印度	54 400 000	阿曼	43	印度	544 000
3	孟加拉国	30 000 000	厄瓜多尔	31	尼日利亚	270 742
4	尼日利亚	21 318 300	美国	28	巴基斯坦	261 000
5	巴基斯坦	15 350 000	澳大利亚	25	孟加拉国	210 000
6	苏丹	14 300 000	塞浦路斯	23	苏丹	186 000
7	埃塞俄比亚	7 600 000	巴勒斯坦	22	伊朗	106 000
8	伊朗	7 550 000	日本	20	印度尼西亚	69 366
9	印度尼西亚	6 900 000	斯里兰卡	20	埃塞俄比亚	64 600
10	希腊	5 174 000	埃及	19	希腊	55 500
11	尼日尔	4 400 000	俄罗斯	18	菲律宾	53 152
12	尼泊尔	4 240 000	中非	18	尼日尔	52 800
13	肯尼亚	4 100 000	克罗地亚	18	尼泊尔	46 188
14	布基那法索	3 735 700	德国	18	肯尼亚	45 100
15	索马里	3 250 000	斯威士兰	18	土耳其	45 000
16	阿富汗	3 200 000	智利	18	墨西哥	43 128
17	马里	3 045 105	比利时	18	马里	42 631
18	菲律宾	3 037 411	黎巴嫩	18	索马里	42 250
19	也门	2 957 900	吉尔吉斯斯坦	18	阿富汗	41 600
20	土耳其	2 900 000	菲律宾	17	蒙古	38 600
66			中国	14		

2008 年世界绵羊肉生产及排名

位次	国别	屠宰数(头)	国别	胴体重(千克/头)	国别	产量(吨)
	世界	526 695 681	世界	16	世界	8 255 295
1	中国	131 800 012	厄瓜多尔	43	中国	1 978 000
2	新西兰	33 603 440	巴巴多斯	36	澳大利亚	693 000
3	澳大利亚	32 828 000	日本	32	新西兰	598 094
4	伊朗	21 600 000	美国	31	伊朗	390 000
5	印度	19 760 000	巴勒斯坦	31	英国	326 000
6	土耳其	17 200 000	阿曼	30	土耳其	272 000

（续）

位次	国别	屠宰数(头)	国别	胴体重(千克/头)	国别	产量(吨)
7	英国	16 697 000	新加坡	27	印度	237 120
8	西班牙	13 812 018	拉脱维亚	25	叙利亚	204 567
9	尼日利亚	13 211 000	埃及	25	阿尔及利亚	187 000
10	叙利亚	11 365 000	黑山	23	西班牙	156 980
11	阿尔及利亚	11 000 000	奥地利	23	俄罗斯	155 096
12	巴基斯坦	10 251 000	黎巴嫩	22	巴基斯坦	154 000
13	苏丹	9 260 000	塞浦路斯	22	苏丹	148 000
14	摩洛哥	9 230 000	瑞士	22	尼日利亚	145 321
15	俄罗斯	8 451 436	加拿大	22	摩洛哥	120 000
16	希腊	8 313 000	德国	22	南非	118 000
17	埃塞俄比亚	8 150 000	澳大利亚	21	哈萨克斯坦	110 364
18	南非	6 250 000	马提尼克	21	土库曼斯坦	93 000
19	哈萨克斯坦	6 237 000	比利时	21	希腊	90 500
20	土库曼斯坦	6 200 000	荷兰	21	法国	90 300
89			中国	15		

2008 年世界鸡肉生产及排名

位次	国别	屠宰数(1 000 只)	国别	胴体重(千克/只)	国别	产量(吨)
	世界	52 887 284	世界	1.5	世界	79 372 827
1	美国	9 075 261	阿根廷	2.6	美国	16 677 000
2	中国	7 759 196	厄瓜多尔	2.1	中国	11 054 320
3	巴西	5 465 780	塞浦路斯	2	巴西	10 215 500
4	印度	2 615 000	新加坡	2	墨西哥	2 580 779
5	印度尼西亚	1 904 000	尼加拉瓜	2	印度	2 490 000
6	墨西哥	1 513 341	秘鲁	2	俄罗斯	2 000 675
7	俄罗斯	1 320 232	西班牙	1.9	伊朗	1 400 000
8	伊朗	1 186 000	日本	1.9	日本	1 366 102
9	泰国	900 166	巴西	1.9	印度尼西亚	1 358 390
10	英国	822 753	委内瑞拉	1.9	英国	1 259 060
11	日本	725 339	乌克兰	1.9	阿根廷	1 160 000
12	法国	712 900	危地马拉	1.8	西班牙	1 155 000
13	菲律宾	663 377	美国	1.8	土耳其	1 087 680
14	缅甸	642 315	芬兰	1.8	加拿大	1 040 580
15	加拿大	640 281	澳大利亚	1.8	泰国	1 018 844
16	南非	636 000	土耳其	1.8	哥伦比亚	1 010 659
17	德国	635 700	新西兰	1.8	南非	974 150
18	土耳其	617 986	哥伦比亚	1.7	法国	931 800
19	韩国	604 000	丹麦	1.7	马来西亚	931 000
20	西班牙	600 000	智利	1.7	波兰	882 000
56			中国	1.4		

2008 年世界鸭肉生产及排名

位次	国别	屠宰数(1 000 只)	国别	胴体重(千克/只)	国别	产量(吨)
	世界	2 556 112	世界	1.5	世界	3 779 899
1	中国	1 913 162	保加利亚	3.8	中国	2 518 146
2	法国	79 200	匈牙利	3.2	法国	248 600
3	越南	70 000	法国	3.1	马来西亚	111 000

（续）

位次	国别	屠宰数(1 000 只)	国别	胴体重(千克/只)	国别	产量(吨)
4	缅甸	58 172	斯洛伐克	3.1	泰国	84 900
5	印度	56 000	美国	3.1	美国	84 000
6	马来西亚	42 800	约旦	2.8	越南	84 000
7	泰国	40 000	挪威	2.8	缅甸	74 167
8	德国	32 000	埃及	2.6	印度	72 800
9	印度尼西亚	30 400	阿根廷	2.6	德国	60 808
10	美国	27 500	马来西亚	2.6	韩国	54 000
11	韩国	27 000	丹麦	2.5	匈牙利	51 360
12	孟加拉国	23 000	南非	2.5	印度尼西亚	45 222
13	匈牙利	15 871	墨西哥	2.5	埃及	39 000
14	菲律宾	15 244	奥地利	2.5	英国	33 082
15	埃及	15 000	白俄罗斯	2.4	孟加拉国	23 000
16	英国	14 333	英国	2.3	墨西哥	20 500
17	荷兰	9 200	波兰	2.1	荷兰	18 000
18	墨西哥	8 200	泰国	2.1	波兰	17 000
19	波兰	8 000	澳大利亚	2.1	保加利亚	15 002
20	新加坡	6 375	希腊	2.1	菲律宾	14 863
46			中国	1.3		

2008 年世界鹅和珍珠鸡肉生产及排名

位次	国别	屠宰数(1 000 只)	国别	胴体重(千克/只)	国别	产量(吨)
	世界	600 268	世界	4	世界	2 376 611
1	中国	559 873	匈牙利	5.1	中国	2 237 628
2	埃及	10 000	加拿大	5	埃及	42 000
3	意大利	8 500	法国	4.8	匈牙利	26 942
4	匈牙利	5 255	英国	4.7	波兰	18 400
5	马达加斯加	4 200	波兰	4.6	意大利	12 700
6	波兰	4 000	斯洛伐克	4.6	马达加斯加	12 600
7	缅甸	1 350	德国	4.5	以色列	3 410
8	以色列	1 040	丹麦	4.5	伊朗	2 500
9	伊朗	1 000	奥地利	4.3	缅甸	2 500
10	土耳其	800	埃及	4.2	法国	2 400
11	法国	500	希腊	4.2	德国	2 170
12	德国	480	克罗地亚	4	土耳其	2 000
13	捷克	450	捷克	4	英国	1 950
14	英国	411	新西兰	4	捷克	1 800
15	泰国	320	爱尔兰	4	克罗地亚	1 200
16	克罗地亚	300	中国	4	爱尔兰	1 200
17	爱尔兰	300	南非	3.5	加拿大	900
18	菲律宾	250	立陶宛	3.4	泰国	800
19	加拿大	180	以色列	3.3	阿根廷	540
20	阿根廷	180	保加利亚	3.3	南非	455

2008 年世界火鸡肉生产及排名

位次	国别	屠宰数(1 000 只)	国别	胴体重(千克/只)	位次	国别	产量(吨)
	世界	668 616	世界	9.1		世界	6 106 083
1	美国	260 000	美国	13	1	美国	3 380 000

（续）

位次	国别	屠宰数(1 000 只)	国别	胴体重(千克/只)	位次	国别	产量(吨)
2	巴西	68 500	中国	12.8	2	巴西	438 000
3	法国	62 900	奥地利	12.7	3	德国	436 310
4	德国	50 000	斯洛文尼亚	11.8	4	法国	427 300
5	意大利	29 959	立陶宛	10.6	5	意大利	310 604
6	智利	27 000	意大利	10.4	6	加拿大	179 919
7	加拿大	22 849	匈牙利	10.1	7	英国	135 439
8	以色列	15 000	斯洛伐克	9.2	8	匈牙利	103 176
9	英国	14 925	英国	9.1	9	以色列	97 000
10	波兰	12 000	德国	8.7	10	智利	94 706
11	葡萄牙	11 450	南非	8	11	波兰	60 000
12	澳大利亚	10 400	加拿大	7.9	12	荷兰	52 000
13	荷兰	10 400	挪威	7.3	13	摩洛哥	50 000
14	匈牙利	10 172	克罗地亚	7.3	14	葡萄牙	45 800
15	摩洛哥	9 000	叙利亚	7	15	突尼斯	38 600
16	阿根廷	7 000	法国	6.8	16	澳大利亚	36 400
17	突尼斯	6 400	保加利亚	6.7	17	阿根廷	35 700
18	土耳其	6 100	芬兰	6.5	18	奥地利	24 145
19	爱尔兰	5 000	瑞士	6.5	19	墨西哥	23 814
20	墨西哥	3 873	以色列	6.5	20	西班牙	19 680
41	中国	301			33	中国	3 863

2008 年世界兔肉生产及排名

位次	国别	屠宰数(1 000 只)	国别	胴体重(千克/只)	国别	产量(吨)
	世界	1 281 800	世界	1.4	世界	1 842 255
1	中国	480 000	拉脱维亚	2.7	中国	660 000
2	委内瑞拉	299 000	俄罗斯	2.2	委内瑞拉	481 000
3	意大利	160 000	摩尔多瓦	2.1	意大利	240 000
4	朝鲜	70 000	韩国	2	朝鲜	91 000
5	西班牙	61 899	捷克	1.9	西班牙	74 161
6	埃及	58 200	保加利亚	1.8	埃及	69 840
7	法国	37 200	乌克兰	1.8	法国	51 400
8	德国	20 000	博茨瓦那	1.8	捷克	38 500
9	捷克	20 000	叙利亚	1.8	德国	32 000
10	乌克兰	7 220	毛里求斯	1.8	乌克兰	13 100
11	阿尔及利亚	7 000	希腊	1.7	俄罗斯	11 280
12	塞拉利昂	6 750	奥地利	1.7	希腊	8 000
13	阿根廷	6 600	立陶宛	1.7	阿根廷	7 260
14	俄罗斯	5 177	乌兹别克斯坦	1.7	阿尔及利亚	7 000
15	匈牙利	4 995	吉尔吉斯斯坦	1.7	塞拉利昂	6 750
16	希腊	4 700	白俄罗斯	1.7	匈牙利	6 648
17	墨西哥	4 250	委内瑞拉	1.6	墨西哥	4 250
18	哥伦比亚	3 000	德国	1.6	斯洛伐克	4 000
19	斯洛伐克	2 500	斯洛伐克	1.6	哥伦比亚	3 900
20	秘鲁	2 500	波兰	1.6	秘鲁	3 000
33			中国	1.4		

2008 年世界蛋类总产量及排名

位次	国别	总产量(吨)	位次	国别	总产量(吨)	位次	国别	总产量(吨)
	世界	65 585 809	7	巴西	1 903 627	14	伊朗	711 000
1	中国	26 734 250	8	印度尼西亚	1 484 596	15	西班牙	706 840
2	美国	5 338 700	9	法国	879 000	16	意大利	700 000
3	印度	2 740 000	10	泰国	872 000	17	荷兰	627 000
4	日本	2 554 000	11	乌克兰	868 500	18	菲律宾	622 000
5	墨西哥	2 337 215	12	土耳其	824 419	19	英国	613 480
6	俄罗斯	2 135 007	13	德国	786 700	20	韩国	594 550

2008 年世界带壳鸡蛋生产及排名

位次	国别	产蛋鸡(1 000 只)	国别	单产(千克/只)	国别	产量(吨)
	世界	6 243 208	世界	9.7	世界	60 678 391
1	中国	2 487 144	蒙古	26.7	中国	22 749 200
2	美国	341 906	约旦	24.1	美国	5 338 700
3	巴西	260 000	丹麦	23	印度	2 740 000
4	印度尼西亚	241 000	葡萄牙	20.7	日本	2 554 000
5	印度	232 200	新西兰	20.4	墨西哥	2 337 215
6	墨西哥	186 900	荷兰	20	俄罗斯	2 118 500
7	俄罗斯	139 163	哥伦比亚	19.3	巴西	1 825 000
8	日本	138 500	德国	19	印度尼西亚	1 266 900
9	尼日利亚	138 200	日本	18.4	法国	879 000
10	孟加拉国	116 000	瑞士	18.4	乌克兰	855 200
11	乌克兰	106 800	厄瓜多尔	18.3	土耳其	824 419
12	菲律宾	99 000	芬兰	18.3	德国	786 700
13	巴基斯坦	95 000	拉脱维亚	18.1	伊朗	711 000
14	泰国	79 000	卢森堡	18.1	西班牙	705 000
15	马来西亚	61 000	哥斯达黎加	18	意大利	700 000
16	土耳其	60 000	法国	17.9	荷兰	627 000
17	韩国	59 167	瑞典	17.8	英国	600 102
18	伊朗	59 000	挪威	17.6	波兰	581 740
19	西班牙	51 000	卡塔尔	16.8	韩国	566 050
20	越南	51 000	英国	16.6	泰国	562 000
82			中国	9.1		

2008 年世界其他带壳禽蛋生产及排名

位次	国别	产蛋禽(1 000 只)	国别	单产(千克/只)	国别	产量(吨)
	世界	141 558	世界	34.7	世界	4 907 418
1	印度尼西亚	31 000	西班牙	40	中国	3 985 050
2	泰国	24 500	马来西亚	12.9	泰国	310 000
3	孟加拉国	24 000	泰国	12.7	印度尼西亚	217 696
4	纳米比亚	18 500	韩国	9.5	孟加拉国	84 000
5	菲律宾	12 000	新西兰	8.9	巴西	78 627
6	巴西	10 500	巴西	7.5	菲律宾	72 000
7	安提瓜和巴布达	5 100	印度尼西亚	7	韩国	28 500
8	缅甸	4 500	塞舌尔	6	俄罗斯	16 507
9	韩国	3 000	菲律宾	6	缅甸	16 000
10	马达加斯加	2 520	尼泊尔	5.2	英国	13 378

（续）

位次	国别	产蛋禽(1 000 只)	国别	单产(千克/只)	国别	产量(吨)
11	巴基斯坦	2 400	巴布亚新几内亚	5	乌克兰	13 300
12	马来西亚	850	柬埔寨	5	罗马尼亚	11 253
13	柬埔寨	750	海地	5	马来西亚	11 000
14	坦桑尼亚	480	斯里兰卡	4.4	巴基斯坦	7 200
15	新加坡	340	巴拉圭	4.1	斯洛伐克	5 500
16	新西兰	280	老挝	3.6	马达加斯加	4 536
17	巴拉圭	220	缅甸	3.6	匈牙利	4 300
18	尼泊尔	183	新加坡	3.5	柬埔寨	3 750
19	海地	120	坦桑尼亚	3.5	乌兹别克斯坦	3 542
20	利比里亚	110	孟加拉国	3.5	立陶宛	3 230

2008 年世界奶类总产量及排名

位次	国别	总产量(吨)	位次	国别	总产量(吨)	位次	国别	总产量(吨)
	世界	693 707 346	7	巴西	27 888 500	14	乌克兰	11 761 350
1	印度	109 000 000	8	法国	25 336 110	15	荷兰	11 285 910
2	美国	86 178 896	9	新西兰	15 216 840	16	墨西哥	10 930 801
3	中国	40 130 066	10	英国	13 719 000	17	阿根廷	10 500 000
4	巴基斯坦	33 270 000	11	波兰	12 445 282	18	澳大利亚	9 223 000
5	俄罗斯	32 364 248	12	土耳其	12 243 064	19	加拿大	8 140 000
6	德国	28 691 256	13	意大利	12 118 980	20	日本	7 982 000

2008 年世界全脂鲜牛奶产量及排名

位次	国别	奶畜(头)	国别	单产(千克/头)	国别	产量(吨)
	世界	246 861 764	世界	2 343	世界	578 450 488
1	印度	38 500 000	沙特阿拉伯	14 964	美国	86 178 896
2	巴西	21 198 000	圣文森特和格林纳丁斯	13 830	印度	44 100 000
3	苏丹	14 350 000	以色列	10 108	中国	35 853 665
4	中国	12 652 601	韩国	9 910	俄罗斯	32 117 427
5	巴基斯坦	9 390 000	美国	9 343	德国	28 656 256
6	美国	9 224 000	丹麦	8 459	巴西	27 752 000
7	俄罗斯	9 221 000	瑞典	8 332	法国	24 516 320
8	肯尼亚	7 200 000	加拿大	8 277	新西兰	15 216 840
9	埃塞俄比亚	6 400 000	芬兰	7 988	英国	13 719 000
10	坦桑尼亚	4 900 000	荷兰	7 698	波兰	12 425 300
11	新西兰	4 347 657	日本	7 384	巴基斯坦	11 550 000
12	德国	4 217 711	英国	7 186	乌克兰	11 523 600
13	土耳其	4 080 240	西班牙	7 137	意大利	11 285 910
14	哥伦比亚	4 024 490	卢森堡	6 936	荷兰	11 285 910
15	孟加拉国	4 022 000	捷克	6 908	土耳其	11 255 200
16	法国	3 880 000	匈牙利	6 893	墨西哥	10 765 827
17	伊朗	3 500 000	德国	6 794	阿根廷	10 500 000
18	乌兹别克斯坦	3 123 900	爱沙尼亚	6 669	澳大利亚	9 223 000
19	乌克兰	3 036 500	葡萄牙	6 415	加拿大	8 140 000
20	波兰	2 733 130	塞浦路斯	6 405	日本	7 982 000
58			中国	2 834		

2008年世界全脂鲜水牛奶生产及排名

位次	国别	奶畜(头)	国别	单产(千克/头)	国别	产量(吨)
	世界	179 241 477	世界	85	世界	15 215 006
1	印度	30 200 000	德国	972	印度	4 000 000
2	孟加拉国	27 100 000	白俄罗斯	816	孟加拉国	2 168 000
3	苏丹	23 700 000	捷克	750	苏丹	1 474 926
4	伊朗	13 700 000	法国	669	巴基斯坦	700 000
5	索马里	6 580 000	奥地利	635	西班牙	592 800
6	印度尼西亚	5 950 000	瑞士	579	法国	572 600
7	巴基斯坦	4 932 000	亚美尼亚	538	希腊	505 000
8	蒙古	4 700 000	葡萄牙	515	伊朗	410 000
9	巴西	4 550 000	挪威	512	索马里	393 000
10	希腊	4 150 000	乌克兰	448	中国	265 801
11	尼日尔	4 000 000	西班牙	443	俄罗斯	245 836
12	马里	3 552 650	牙买加	393	印度尼西亚	238 000
13	坦桑尼亚	2 625 000	拉脱维亚	392	阿尔及利亚	230 000
14	阿富汗	2 260 000	立陶宛	377	乌克兰	213 800
15	肯尼亚	2 200 000	斯洛文尼亚	370	马里	213 159
16	阿尔及利亚	2 200 000	波兰	361	土耳其	209 570
17	布基那法索	2 125 000	马其顿	324	尼日尔	200 000
18	土耳其	1 937 390	马耳他	314	牙买加	165 000
19	也门	1 761 392	克罗地亚	299	墨西哥	164 974
20	沙特阿拉伯	1 580 000	匈牙利	291	巴西	136 500
27			中国	195		

2008年世界全脂鲜山羊奶生产及排名

位次	国别	奶畜(头)	国别	单产(千克/头)	国别	产量(吨)
	世界	58 399 702	世界	1 529	世界	89 277 195
1	印度	38 100 000	巴基斯坦	1 935	印度	60 900 000
2	巴基斯坦	10 845 000	埃及	1 600	巴基斯坦	20 985 000
3	中国	5 452 000	印度	1 598	中国	2 900 000
4	埃及	1 650 000	保加利亚	1 392	埃及	2 640 638
5	尼泊尔	1 158 300	意大利	1 183	尼泊尔	987 780
6	缅甸	513 086	马来西亚	1 150	伊朗	245 000
7	伊朗	230 000	伊朗	1 065	缅甸	220 462
8	意大利	186 000	越南	1 000	意大利	220 000
9	孟加拉国	84 000	土耳其	999	孟加拉国	34 000
10	斯里兰卡	63 120	伊拉克	952	越南	32 000
11	越南	32 000	尼泊尔	853	土耳其	31 422
12	土耳其	31 440	希腊	827	斯里兰卡	30 105
13	伊拉克	29 000	格鲁吉亚	638	伊拉克	27 600
14	格鲁吉亚	9 400	中国	532	马来西亚	7 935
15	马来西亚	6 900	叙利亚	508	保加利亚	7 173
16	保加利亚	5 153	阿尔巴尼亚	500	格鲁吉亚	6 000
17	叙利亚	3 150	斯里兰卡	477	叙利亚	1 600
18	不丹	800	缅甸	430	不丹	320
19	文莱	200	孟加拉国	405	希腊	110
20	希腊	133	不丹	400	文莱	40

2008 年世界全脂鲜绵羊奶生产及排名

位次	国别	奶畜(头)	国别	单产(千克/头)	国别	产量(吨)
	世界	197 129 010	世界	46	世界	9 129 480
1	中国	39 425 000	奥地利	392	中国	1 096 000
2	苏丹	28 000 000	瑞士	358	叙利亚	873 673
3	伊朗	17 800 000	捷克	220	希腊	785 000
4	叙利亚	15 771 400	亚美尼亚	209	土耳其	746 872
5	土耳其	9 642 170	马耳他	209	罗马尼亚	656 833
6	希腊	7 034 000	法国	201	意大利	564 550
7	索马里	6 820 000	西班牙	182	伊朗	534 000
8	阿尔及利亚	6 000 000	葡萄牙	161	苏丹	503 976
9	意大利	5 617 000	斯洛文尼亚	151	索马里	468 000
10	罗马尼亚	5 470 000	格鲁吉亚	133	西班牙	441 400
11	阿富汗	5 400 000	罗马尼亚	120	法国	247 190
12	马里	4 750 000	塞浦路斯	116	阿尔及利亚	220 000
13	印度尼西亚	3 940 000	黎巴嫩	113	阿富汗	162 000
14	伊拉克	3 150 000	希腊	112	马里	142 500
15	蒙古	2 800 000	以色列	102	印度尼西亚	118 200
16	沙特阿拉伯	2 500 000	意大利	101	毛里塔尼亚	96 250
17	西班牙	2 420 000	阿塞拜疆	98	埃及	93 000
18	也门	1 950 000	巴林	93	葡萄牙	92 000
19	埃及	1 880 000	吉尔吉斯斯坦	93	保加利亚	88 243
20	尼日尔	1 820 000	克罗地亚	89	约旦	87 000
57			中国	28		

2008 年世界原毛生产及排名

位次	国别	总产量(吨)	位次	国别	总产量(吨)	位次	国别	总产量(吨)
	世界	2 191 090	7	俄罗斯	53 491	14	摩洛哥	40 000
1	澳大利亚	464 736	8	印度	46 400	15	哈萨克斯坦	35 200
2	中国	395 000	9	土耳其	46 000	16	叙利亚	34 000
3	新西兰	217 900	10	苏丹	46 000	17	西班牙	30 000
4	伊朗	75 000	11	乌拉圭	45 000	18	印度尼西亚	24 400
5	英国	62 000	12	南非	45 000	19	乌兹别克斯坦	23 779
6	阿根廷	60 000	13	巴基斯坦	41 000	20	阿尔及利亚	23 360

2008 年世界鲜牛皮生产及排名

位次	国别	总产量(吨)	位次	国别	总产量(吨)	位次	国别	总产量(吨)
	世界	7 750 414	7	墨西哥	199 200	14	加拿大	96 097
1	中国	1 382 799	8	俄罗斯	182 362	15	哥伦比亚	93 500
2	美国	949 363	9	法国	150 000	16	南非	91 500
3	巴西	914 200	10	德国	132 000	17	西班牙	75 000
4	阿根廷	405 000	11	巴基斯坦	129 688	18	埃塞俄比亚	73 499
5	印度	386 000	12	意大利	125 000	19	乌拉圭	69 154
6	澳大利亚	255 000	13	乌克兰	100 000	20	英国	67 500

2008 年世界生山羊皮生产及排名

位次	国别	总产量(吨)	位次	国别	总产量(吨)	位次	国别	总产量(吨)
	世界	1 053 808	7	苏丹	35 750	14	尼日尔	8 800
1	中国	351 742	8	伊朗	18 875	15	菲律宾	8 504
2	印度	130 140	9	印度尼西亚	15 870	16	尼泊尔	8 480
3	巴基斯坦	93 998	10	肯尼亚	14 350	17	阿富汗	8 000
4	孟加拉国	63 600	11	埃塞俄比亚	13 680	18	布基那法索	7 844
5	约旦	45 900	12	蒙古	10 962	19	墨西哥	7 652
6	尼日利亚	42 636	13	希腊	10 348	20	索马里	6 500

2008 年世界绵羊带毛皮生产及排名

位次	国别	总产量(吨)	位次	国别	总产量(吨)	位次	国别	总产量(吨)
	世界	649 754	7	沙特阿拉伯	16 320	14	塔吉克斯坦	4 760
1	约旦	260 480	8	希腊	15 309	15	乌拉圭	4 676
2	澳大利亚	128 521	9	土库曼斯坦	12 400	16	伊朗	4 309
3	新西兰	56 000	10	蒙古	9 294	17	罗马尼亚	4 274
4	英国	29 241	11	乌兹别克斯坦	9 280	18	也门	3 960
5	巴基斯坦	17 221	12	哈萨克斯坦	7 259	19	挪威	3 492
6	俄罗斯	16 902	13	爱尔兰	6 807	20	葡萄牙	3 360

（本栏目主编　刘桂珍）

政 策 法 规

中共中央 国务院
关于加大统筹城乡发展力度
进一步夯实农业农村
发展基础的若干意见

（2009 年 12 月 31 日）

2009 年，是新世纪以来我国经济发展最为困难的一年。面对历史罕见国际金融危机的严重冲击，面对多年不遇自然灾害的重大考验，面对国内外农产品市场异常波动的不利影响，各地区各部门在党中央、国务院的坚强领导下，迎难而上，奋力拼搏，巩固和发展了农业农村好形势。粮食生产再获丰收，连续 6 年实现增产；农民工就业快速回升，农民收入连续 6 年较快增长；集体林权制度改革全面推进，农村体制创新取得新的突破；农村水电路气房建设继续加强，农民生产生活条件加快改变；农村教育、医疗、社保制度不断健全，农村民生状况明显改善；农村基层组织进一步巩固，农村社会和谐稳定。这为党和国家战胜困难、共克时艰赢得了战略主动，为保增长保民生保稳定提供了基础支撑。

当前，我国农业的开放度不断提高，城乡经济的关联度显著增强，气候变化对农业生产的影响日益加大，农业农村发展的有利条件和积极因素在积累增多，各种传统和非传统的挑战也在叠加凸显。面对复杂多变的发展环境，促进农业生产上新台阶的制约越来越多，保持农民收入较快增长的难度越来越大，转变农业发展方式的要求越来越高，破除城乡二元结构的任务越来越重。全党务必居安思危，切实防止忽视和放松“三农”工作的倾向，努力确保粮食生产不滑坡、农民收入不徘徊、农村发展好势头不逆转。必须不断深化把解决好“三农”问题作为全党工作重中之重的基本认识，稳定和完善党在农村的基本政策，突出强化农业农村的基础设施，建立健全农业社会化服务的基层体系，大力加强农村以党组织为核心的基层组织，夯实打牢农业农村发展基础，协调推进工业化、城镇化和农业现代化，努力形成城乡经济社会发展一体化新格局。

2010 年农业农村工作的总体要求是：全面贯彻党的十七大和十七届三中、四中全会以及中央经济工作会议精神，高举中国特色社会主义伟大旗帜，以邓小平理论和“三个代表”重要思想为指导，深入贯彻落实科学发展观，把统筹城乡发展作为全面建设小康社会的根本要求，把改善农村民生作为调整国民收入分配格局的重要内容，把扩大农村需求作为拉动内需的关键举措，把发展现代农业作为转变经济发展方式的重大任务，把建设社会主义新农村和推进城镇化作为保持经济平稳较快发展的持久动力，按照稳粮保供给、增收惠民生、改革促统筹、强基增后劲的基本思路，毫不松懈地抓好农业农村工作，继续为改革发展稳定大局作出新的贡献。

一、健全强农惠农政策体系，推动资源要素向农村配置

1. 继续加大国家对农业农村的投入力度。按照总量持续增加、比例稳步提高的要求，不断增加“三农”投入。要确保财政支出优先支持农业农村发展，预算内固定资产投资优先投向农业基础设施和农村民生工程，土地出让收益优先用于农业土地开发和农村基础设施建设。各级财政对农业的投入增长幅度都要高于财政经常性收入增长幅度。预算内固定资产投资要继续向重大农业农村建设项目倾斜。耕地占用税税率提高后，新增收入全部用于农业。严格按照有关规定计提和使用用于农业土地开发的土地出让收入，严格执行新增建设用地土地有偿使用费全部用于耕地开发和土地整理的规定。对各地土地收入用于农业农村的各项资金征收和使用情况进行专项检查。继续增加现代农业生产发展资金和农业综合开发资金规模。

2. 完善农业补贴制度和市场调控机制。坚持对种粮农民实行直接补贴。增加良种补贴，扩大马铃薯补贴范围，启动青稞良种补贴，实施花生良种补贴试点。进一步增加农机具购置补贴，扩大补贴种类，把牧业、林业和抗旱、节水机械设备纳入补贴范围。落实和完善农资综合补贴动态调整机制。按照存量不动、增量倾斜的原则，新增农业补贴适当向种粮大户、农民专业合作社倾斜。逐步完善适合牧区、林区、垦区特点的农业补贴政策。加强对农业补贴对象、种类、资金结算的

监督检查,确保补贴政策落到实处,不准将补贴资金用于抵扣农民交费。落实小麦最低收购价政策,继续提高稻谷最低收购价。扩大销区粮食储备规模。适时采取玉米、大豆、油菜籽等临时收储政策,支持企业参与收储,健全国家收储农产品的拍卖机制,做好棉花、食糖、猪肉调控预案,保持农产品市场稳定和价格合理水平。

3. 提高农村金融服务质量和水平。加强财税政策与农村金融政策的有效衔接,引导更多信贷资金投向"三农",切实解决农村融资难问题。落实和完善涉农贷款税收优惠、定向费用补贴、增量奖励等政策。进一步完善县域内银行业金融机构新吸收存款主要用于当地发放贷款政策。加大政策性金融对农村改革发展重点领域和薄弱环节支持力度,拓展农业发展银行支农领域,大力开展农业开发和农村基础设施建设中长期政策性信贷业务。农业银行、农村信用社、邮政储蓄银行等银行业金融机构都要进一步增加涉农信贷投放。积极推广农村小额信用贷款。加快培育村镇银行、贷款公司、农村资金互助社,有序发展小额贷款组织,引导社会资金投资设立适应"三农"需要的各类新型金融组织。抓紧制定对偏远地区新设农村金融机构费用补贴等办法,确保3年内消除基础金融服务空白乡镇。针对农业农村特点,创新金融产品和服务方式,搞好农村信用环境建设,加强和改进农村金融监管。建立农业产业发展基金。积极扩大农业保险保费补贴的品种和区域覆盖范围,加大中央财政对中西部地区保费补贴力度。鼓励各地对特色农业、农房等保险进行保费补贴。发展农村小额保险。健全农业再保险体系,建立财政支持的巨灾风险分散机制。支持符合条件的涉农企业上市。

4. 积极引导社会资源投向农业农村。各部门各行业要主动服务"三农",在制定规划、安排项目、增加资金时切实向农村倾斜。大中城市要发挥对农村的辐射带动作用。鼓励各种社会力量开展与乡村结对帮扶,参与农村产业发展和公共设施建设。企业通过公益性社会团体、县级以上人民政府及其部门或者设立专项的农村公益基金会,用于建设农村公益事业项目的捐赠支出,不超过年度利润总额12%的部分准予在计算企业所得税前扣除。有关部门要抓紧健全科技、教育、文化、卫生等下乡支农制度,通过完善精神物质奖励、职务职称晋升、定向免费培养等措施,引导更多城市教师下乡支教、城市文化和科研机构到农村拓展服务、城市医师支援农村。健全农业气象服务体系和农村气象灾害防御体系,充分发挥气象服务"三农"的重要作用。

5. 大力开拓农村市场。针对经济发展和农民生产生活需要,适时出台刺激农村消费需求的新办法新措施。加大家电、汽车、摩托车等下乡实施力度,大幅度提高家电下乡产品最高限价,对现行限价内的产品继续实行13%的补贴标准,超出限价的实行定额补贴,允许各省(自治区、直辖市)根据本地实际增选一个品种纳入补贴范围,补贴对象扩大到国有农林场(区)职工。改善售后服务,加强市场监管,严禁假冒伪劣产品流入农村。大力发展物流配送、连锁超市、电子商务等现代流通方式,支持商贸、邮政等企业向农村延伸服务,建设日用消费品、农产品、生产资料等经营网点,继续支持供销合作社新农村现代流通网络工程建设,提升"万村千乡"超市和农家店服务功能质量。鼓励农村金融机构对农民建房、购买汽车和家电等提供消费信贷,加大对兴办农家店的信贷投放。

二、提高现代农业装备水平,促进农业发展方式转变

6. 稳定发展粮食等大宗农产品生产。在稳定粮食播种面积基础上,大力优化品种结构,着力提高粮食单产和品质。全面实施全国新增千亿斤粮食生产能力规划,尽快形成生产能力。加快建立健全粮食主产区利益补偿制度,增加产粮大县奖励补助资金,提高产粮大县人均财力水平。有关扶持政策要向商品粮调出量大、对国家粮食安全贡献突出的产粮大县(农场)倾斜。继续减少直至取消主产区粮食风险基金地方资金配套。大力发展油料生产,加快优质油菜、花生生产基地县建设,积极发展油茶、核桃等木本油料。支持优势产区发展棉花、糖料生产。继续实施粮食丰产科技工程。扩大粮棉油糖高产创建实施规模,年内覆盖全国所有农业县(农场)。大力推进农作物病虫害专业化统防统治。支持垦区率先发展现代化大农业,建设大型农产品基地,带动周边农村经济社会发展。

7. 推进菜篮子产品标准化生产。实施新一轮菜篮子工程建设,加快园艺作物生产设施化、畜禽水产养殖规模化。支持建设生猪、奶牛规模养殖场(小区),发展园艺作物标准生产基地和水产健康养殖示范场,开展标准化创建活动,推进畜禽养殖加工一体化。支持畜禽良种繁育体系建设。加强重大动物疫病防控,完善扑杀补贴政策,推进基层防疫体系建设,健全工作经费保障机制。增加渔政、渔港、渔船安全设施等建设投入,搞好水生生物增殖放流,支持发展远洋渔业。加快农产品质量安全监管体系和检验检测体系建设,积极发展无公害农产品、绿色食品、有机农产品。

8. 突出抓好水利基础设施建设。国家固定资产投资要把水利建设放在重要位置。继续加强大江大河大湖治理,逐步推进重点中小河流治理。加快大中型水利枢纽工程建设,搞好蓄滞洪区建设和山洪灾害防治。大力推进大中型灌区续建配套和节水改造,加快末级渠系建设。按期完成规划内病险水库除险加固任务,统筹安排其余病险水库除险加固。在科学规划论证基础上,启动大中型病险水闸除险加固。加快大型灌排

泵站更新改造。拓宽水利建设基金筹资渠道。大幅度增加中央和省级财政小型农田水利设施建设补助专项资金规模，新增一批小型农田水利建设重点县。大力发展高效节水灌溉，支持山丘区建设雨水集蓄等小微型水利设施。通过一事一议、财政补助等办法，鼓励农民自愿投工投劳开展直接受益的小型水利设施建设。深化水利工程管理体制改革。推广农民用水户参与管理模式，加大财政对农民用水合作组织的扶持力度。加强基层抗旱排涝和农村水利技术服务体系建设。

9. 大力建设高标准农田。按照统筹规划、分工协作、集中投入、连片推进的要求，加快建设高产稳产基本农田。重视耕地质量建设，加大投入力度，安排中长期政策性贷款，支持农田排灌、土地整治、土壤改良、机耕道路和农田林网建设，把800个产粮大县的基本农田加快建成高标准农田，建立稳固的商品粮基地。继续增加农业综合开发、农村土地整治投入，有计划分片推进中低产田改造。扩大测土配方施肥、土壤有机质提升补贴规模和范围。推广保护性耕作技术，实施旱作农业示范工程，对应用旱作农业技术给予补助。

10. 提高农业科技创新和推广能力。切实把农业科技的重点放在良种培育上，加快农业生物育种创新和推广应用体系建设。继续实施转基因生物新品种培育科技重大专项，抓紧开发具有重要应用价值和自主知识产权的功能基因和生物新品种，在科学评估、依法管理基础上，推进转基因新品种产业化。推动国内种业加快企业并购和产业整合，引导种子企业与科研单位联合，抓紧培育有核心竞争力的大型种子企业。培养农业科技领军人才，发展农业产学研联盟，加强农业重点实验室、工程技术中心、科技基础条件平台建设。实施农村科技创业行动、科技富民强县专项行动计划、科普惠农兴村计划，推进现代农业产业技术体系建设。抓紧建设乡镇或区域性农技推广等公共服务机构，扩大基层农技推广体系改革与建设示范县范围。积极发展多元化、社会化农技推广服务组织。启动基层农技推广机构特设岗位计划，鼓励高校涉农专业毕业生到基层农技推广机构工作。推进农用工业技术改造。加快发展农业机械化，大力推广机械深松整地，支持秸秆还田、水稻育插秧等农机作业。创建国家现代农业示范区。

11. 健全农产品市场体系。统筹制定全国农产品批发市场布局规划，支持重点农产品批发市场建设和升级改造，落实农产品批发市场用地等扶持政策，发展农产品大市场大流通。加大力度建设粮棉油糖等大宗农产品仓储设施，完善鲜活农产品冷链物流体系，支持大型涉农企业投资建设农产品物流设施。加快发展农产品期货市场，逐步拓展交易品种，鼓励生产经营者运用期货交易机制规避市场风险。发展农业会展经济，支持农产品营销。全面推进双百市场工程和农超对接，重点扶持农产品生产基地与大型连锁超市、学校及大企业等产销对接，减少流通环节，降低流通成本。大力培育农村经纪人，充分运用地理标志和农产品商标促进特色农业发展。加强市场动态监测和信息服务。完善全国鲜活农产品绿色通道政策。

12. 构筑牢固的生态安全屏障。巩固退耕还林成果，在重点生态脆弱区和重要生态区位，结合扶贫开发和库区移民，适当增加安排退耕还林。延长天然林保护工程实施期限，抓紧制定实施办法。继续推进三北、沿海、长江等防护林体系和京津风沙源治理、湿地保护与恢复等重点林业生态工程建设。统筹推进青海三江源生态保护和建设。加大力度筹集森林、草原、水土保持等生态效益补偿资金。从2010年起提高中央财政对属集体林的国家级公益林森林生态效益补偿标准。建立造林、抚育、保护、管理投入补贴制度，开展造林苗木、森林抚育补贴试点，中央财政对林木良种生产使用、中幼林和低产林抚育给予补贴。编制林地保护利用规划，启动森林经营工程，增强森林生态服务功能，提高林地综合产出能力。大力增加森林碳汇。切实加强草原生态保护建设，加大退牧还草工程实施力度，延长实施年限，适当提高补贴标准。落实草畜平衡制度，继续推行禁牧休牧轮牧，发展舍饲圈养，搞好人工饲草地和牧区水利建设。推进西藏草原生态保护奖励机制试点工作。加大草原鼠虫害防治力度。加强草原监理体系建设，强化草原执法监督。实施国家水土保持重点建设工程，加快岩溶地区石漠化和南方崩岗治理，启动坡耕地水土流失综合治理工程，搞好清洁小流域建设。加强农业面源污染治理，发展循环农业和生态农业。

三、加快改善农村民生，缩小城乡公共事业发展差距

13. 努力促进农民就业创业。建立覆盖城乡的公共就业服务体系，积极开展农业生产技术和农民务工技能培训，整合培训资源，规范培训工作，增强农民科学种田和就业创业能力。因地制宜发展特色高效农业、林下种养业，挖掘农业内部就业潜力。推进乡镇企业结构调整和产业升级，扶持发展农产品加工业，积极发展休闲农业、乡村旅游、森林旅游和农村服务业，拓展农村非农就业空间。完善促进创业带动就业的政策措施，将农民工返乡创业和农民就地就近创业纳入政策扶持范围。加大农民外出务工就业指导和服务力度，切实维护农民工合法权益，促进农村劳动力平稳有序转移。健全农民工社会保障制度，深入开展工伤保险全覆盖行动，加强职业病防治和农民工健康服务，将与企业建立稳定劳动关系的农民工纳入城镇职工基本医疗保险，抓紧落实包括农民工在内的城镇企业职工基本养老保险关系转移接续办法。落实以公办学校为主、以输入地为主解决好农民工子女入学问题的政策，关心农村留守儿童。

14. 提高农村教育卫生文化事业发展水平。巩固和完善农村义务教育经费保障机制，落实好教师培训制度和绩效工资制度。农村学校布局要符合实际，方便学生上学，保证学生安全。继续实施中小学校舍安全工程。逐步改善贫困地区农村学生营养状况。大力发展中等职业教育，继续推进农村中等职业教育免费进程。逐步实施农村新成长劳动力免费劳动预备制培训。完善农村三级医疗卫生服务网络，落实乡镇卫生院人员绩效工资和乡村医生公共卫生服务补助政策，逐步实施免费为农村定向培养全科医生和招聘执业医师计划。搞好农村地区妇幼卫生工作和疾病防治，加强农村食品和药品监管。积极发展农村远程教育、远程医疗。稳定农村低生育水平，继续推进新农村新家庭计划和少生快富工程，完善农村部分计划生育家庭奖励扶助制度和计划生育家庭特别扶持制度，加强和创新农村流动人口计划生育服务管理。建立稳定的农村文化投入保障机制，推进广播电视村村通、文化信息资源共享、乡镇综合文化站和村文化室、农村电影放映、农家书屋等重点文化惠民工程建设和综合利用，广泛开展群众性精神文明创建活动和农民健身活动。

15. 提高农村社会保障水平。逐步提高新型农村合作医疗筹资水平、政府补助标准和保障水平。做好新型农村合作医疗、农村医疗救助、城镇居民基本医疗保险、城镇职工基本医疗保险制度的政策衔接。继续抓好新型农村社会养老保险试点，有条件的地方可加快试点步伐。积极引导试点地区适龄农村居民参保，确保符合规定条件的老年居民按时足额领取养老金。合理确定农村最低生活保障标准和补助水平，实现动态管理下的应保尽保。落实和完善被征地农民社会保障政策。健全临时救助制度。逐步提高农村五保户集中供养水平。搞好农村养老院建设，发展农村养老服务，探索应对农村人口老龄化的有效办法。加大对农村残疾人生产扶助和生活救助力度，农村各项社会保障政策优先覆盖残疾人。做好农村防灾减灾工作。

16. 加强农村水电路气房建设。搞好新农村建设规划引导，合理布局，完善功能，加快改变农村面貌。加大农村饮水安全工程投入，加强水源保护、水质监测和工程运行管理，确保如期完成规划任务。鼓励有条件的地方推行城乡区域供水。适应农村用电需求快速增长的趋势，结合推进农村电力体制改革，抓紧实施新一轮农村电网改造升级工程，提升农网供电可靠性和供电能力。继续实施小水电代燃料工程，推进水电新农村电气化县建设。全面完成“十一五”农村公路建设任务，落实农村公路管理养护责任，推进城乡客运交通一体化。加快推进农村户用沼气、大中型沼气和集中供气工程建设，加强沼气技术创新、维护管理和配套服务。支持农村开发利用新能源，推进农林废弃物资源化、清洁化利用。加快推进农村危房改造和国有林区（场）、垦区棚户区改造，继续实施游牧民定居工程。抓住当前农村建房快速增长和建筑材料供给充裕的时机，把支持农民建房作为扩大内需的重大举措，采取有效措施推动建材下乡，鼓励有条件的地方通过多种形式支持农民依法依规建设自用住房。加强村镇规划，引导农民建设富有地方特点、民族特色、传统风貌的安全节能环保型住房。实行以奖促治政策，稳步推进农村环境综合整治，开展农村排水、河道疏浚等试点，搞好垃圾、污水处理，改善农村人居环境。采取有效措施防止城市、工业污染向农村扩散。推进农村信息化，积极支持农村电信和互联网基础设施建设，健全农村综合信息服务体系。

17. 继续抓好扶贫开发工作。坚持农村开发式扶贫方针，加大投入力度，逐步扩大扶贫开发和农村低保制度有效衔接试点，对农村低收入人口全面实施扶贫政策，着力提高贫困地区群众自我发展能力，确保扶贫开发工作重点县农民人均纯收入增长幅度高于全国平均水平。因地制宜加大整村推进、劳动力转移培训、产业化扶贫、以工代赈等各项扶贫工作力度，加快贫困地区基础设施建设和社会事业发展。积极稳妥实行扶贫易地搬迁，妥善解决移民后续发展问题。对特殊类型贫困地区进行综合治理。扩大贫困村互助资金、连片开发以及彩票公益金支持革命老区建设等试点。动员社会各界参与扶贫事业，充分发挥行业扶贫作用，积极开展反贫困领域国际交流合作。研究制定未来10年扶贫开发纲要和相关规划。

四、协调推进城乡改革，增强农业农村发展活力

18. 稳定和完善农村基本经营制度。完善农村土地承包法律法规和政策，加快制定具体办法，确保农村现有土地承包关系保持稳定并长久不变。继续做好土地承包管理工作，全面落实承包地块、面积、合同、证书“四到户”，扩大农村土地承包经营权登记试点范围，保障必要的工作经费。加强土地承包经营权流转管理和服务，健全流转市场，在依法自愿有偿流转的基础上发展多种形式的适度规模经营。严格执行农村土地承包经营纠纷调解仲裁法，加快构建农村土地承包经营纠纷调解仲裁体系。按照权属明确、管理规范、承包到户的要求，继续推进草原基本经营制度改革。稳定渔民水域滩涂养殖使用权。鼓励有条件的地方开展农村集体产权制度改革试点。

19. 有序推进农村土地管理制度改革。坚决守住耕地保护红线，建立保护补偿机制，加快划定基本农田，实行永久保护。落实政府耕地保护目标责任制，上级审计、监察、组织等部门参与考核。加快农村集体土地所有权、宅基地使用权、集体建设用地使用权等确权登记颁证工作，工作经费纳入财政预算。力争用3年

时间把农村集体土地所有权证确认到每个具有所有权的农民集体经济组织。有序开展农村土地整治，城乡建设用地增减挂钩要严格限定在试点范围内，周转指标纳入年度土地利用计划统一管理，农村宅基地和村庄整理后节约的土地仍属农民集体所有，确保城乡建设用地总规模不突破，确保复垦耕地质量，确保维护农民利益。按照严格审批、局部试点、封闭运行、风险可控的原则，规范农村土地管理制度改革试点。加快修改土地管理法。

20. 着力提高农业生产经营组织化程度。推动家庭经营向采用先进科技和生产手段的方向转变，推动统一经营向发展农户联合与合作，形成多元化、多层次、多形式经营服务体系的方向转变。壮大农村集体经济组织实力，为农民提供多种有效服务。大力发展农民专业合作社，深入推进示范社建设行动，对服务能力强、民主管理好的合作社给予补助。各级政府扶持的贷款担保公司要把农民专业合作社纳入服务范围，支持有条件的合作社兴办农村资金互助社。扶持农民专业合作社自办农产品加工企业。积极发展农业农村各种社会化服务组织，为农民提供便捷高效、质优价廉的各种专业服务。支持龙头企业提高辐射带动能力，增加农业产业化专项资金，扶持建设标准化生产基地，建立农业产业化示范区。推进“一村一品”强村富民工程和专业示范村镇建设。

21. 积极推进林业改革。健全林业支持保护体系，建立现代林业管理制度。深化以明晰产权、承包到户为重点的集体林权制度改革，加快推进配套改革。规范集体林权流转，支持发展林农专业合作社。深化集体林采伐管理改革，建立森林采伐管理新机制和森林可持续经营新体系。完善林权抵押贷款办法，建立森林资源资产评估制度和评估师制度。逐步扩大政策性森林保险试点范围。扶持林业产业发展，促进林农增收致富。启动国有林场改革，支持国有林场基础设施建设。开展国有林区管理体制和国有森林资源统一管理改革试点。

22. 继续深化农村综合改革。深入推进乡镇机构改革。继续推进省直管县财政管理体制改革，提高县乡基本财力保障水平，落实村级组织运转经费保障政策。按相关规划和要求，中央和省级财政继续支持农村义务教育历史债务的清理化解，推进其他公益性乡村债务清理化解试点，防止发生新的乡村债务。坚持政府引导、分级负责、农民自愿、上限控制、财政补助的原则，探索建立新形势下村级公益事业建设的有效机制，认真总结一事一议财政奖补试点经验，加大财政奖补力度，扩大试点范围。继续开展农民负担重点治理，坚决防止农民负担反弹。加快落实推进供销合作社改革发展的相关政策，加强基层社建设，强化县联合社服务功能。深化农垦体制改革，分离企业办社会职能，健全社会保障制度。加强对新形势下农村改革试验区工作的指导。

23. 推进城镇化发展的制度创新。积极稳妥推进城镇化，提高城镇规划水平和发展质量，当前要把加强中小城市和小城镇发展作为重点。深化户籍制度改革，加快落实放宽中小城市、小城镇特别是县城和中心镇落户条件的政策，促进符合条件的农业转移人口在城镇落户并享有与当地城镇居民同等的权益。多渠道多形式改善农民工居住条件，鼓励有条件的城市将有稳定职业并在城市居住一定年限的农民工逐步纳入城镇住房保障体系。采取有针对性的措施，着力解决新生代农民工问题。统筹研究农业转移人口进城落户后城乡出现的新情况新问题。大力发展县域经济，抓住产业转移有利时机，促进特色产业、优势项目向县城和重点镇集聚，提高城镇综合承载能力，吸纳农村人口加快向小城镇集中。完善加快小城镇发展的财税、投融资等配套政策，安排年度土地利用计划要支持中小城市和小城镇发展。农村宅基地和村庄整理所节约的土地首先要补充耕地，调剂为建设用地的，在县域内按照土地利用总体规划使用，纳入年度土地利用计划，主要用于产业集聚发展，方便农民就近转移就业。继续推进扩权强县改革试点，推动经济发展快、人口吸纳能力强的镇行政管理体制改革，根据经济社会发展需要，下放管理权限，合理设置机构和配备人员编制。

24. 提高农业对外开放水平。支持优势农产品扩大出口，提供出口通关、检验检疫便利和优惠。推进农产品质量可追溯体系建设，支持建设出口基地。推动农产品出口信贷创新，探索建立出口信用保险与农业保险相结合的风险防范机制。积极应对国际贸易壁垒，支持行业协会和龙头企业维护自身权益。充分利用海关特殊监管区域及保税加工物流等措施，发展农产品加工贸易。加强国际农业科技和农业资源开发合作，制定鼓励政策，支持有条件的企业“走出去”。引导外资投向鼓励类产业，提高农业利用外资水平。加强农产品进出口调控，实行灵活高效的农产品进出口政策，建立健全农产品和农用物资进出口监测预警机制，严厉打击农产品走私违法犯罪行为，切实加强进出口农产品质量监督。

五、加强农村基层组织建设，巩固党在农村的执政基础

25. 加强和改进农村基层党的建设。推动农村基层党组织工作创新，扩大基层党组织对农村新型组织的覆盖面，推广在农民专业合作社、专业协会、外出务工经商人员相对集中点建立党组织的做法。加强乡镇党委书记队伍建设，选好配强乡镇党委班子。提高村党组织带头人队伍素质，注重从转业退伍军人、务工回乡青年、致富能手等党员中选拔村党组织书记。以明确责任、考核监督、保障服务为重点，加强乡、村党组织

领导班子管理,及时调整软弱涣散农村基层党组织班子。抓紧落实对长期在基层和艰苦边远地区工作的干部、长期担任县乡党政领导职务的干部实行工资福利倾斜的政策,进一步完善村干部“一定三有”政策,推进从优秀村干部中考录乡镇公务员、选任乡镇领导干部工作。建立稳定规范的农村基层组织工作经费保障制度,加快村级组织活动场所、农村党员干部现代远程教育网络建设。继续选聘高校毕业生到村任职,完善下得去、待得住、干得好、流得动的长效机制。不断深化农村党的建设三级联创活动,统筹城乡基层党建工作,创新完善农村流动党员教育管理服务制度,切实加强农民工中党的工作。深入开展党性党风党纪教育,加强农村基层党风廉政建设。

26.进一步完善符合国情的农村基层治理机制。发展和完善党领导的村级民主自治机制,规范村级民主选举、民主决策、民主管理、民主监督程序。总结各地实践经验,因地制宜推广本村重大事项由村党支部提议、支委会和村委会联席会议商议、全村党员大会审议、村民代表会议或村民会议决议,以及决议公开、实施结果公开等做法。加强对村党支部、村委会换届选举的领导和指导,严肃查处拉票、贿选等行为,确保选举平稳有序,防范和制止利用宗教、宗族等势力干预农村公共事务。加强农村集体资金、资产、资源管理,推进村务公开和民主管理“难点村”治理。开展农村社区建设创建活动,加强服务设施建设,培育发展社区服务性、公益性、互助性社会组织。强化乡镇政府社会管理和公共服务职能,建立综合服务平台,有条件的乡镇要设立便民服务中心、村设立代办点,为农民提供一站式服务。

27.切实维护农村社会稳定。完善党和政府主导的维护群众权益机制,切实解决好农村征地、环境污染、移民安置、集体资产管理等方面损害农民利益的突出问题。加强农村法制教育,畅通农村信访渠道,引导农民群众依法理性表达合理诉求、维护自身权益。推进农业综合执法。深入开展农村平安创建活动,坚持群防群治、依靠群众,加强和改进农村社会治安综合治理,进一步推进农村警务建设,严厉打击黑恶势力和各类违法犯罪活动。加强农村消防工作,健全农村应急反应机制。全面贯彻落实党的民族政策和宗教工作基本方针,加快民族地区经济社会发展,依法管理农村宗教事务。

各级党委和政府要站在经济社会发展全局和巩固党的执政基础的战略高度,切实加强和改善党对农村工作的领导。巩固农村基层深入学习实践科学发展观活动成果,建立党员干部受教育、科学发展上水平、农民群众得实惠的长效机制。按照促进科学发展的党政领导班子和领导干部考核评价办法的要求,指导地方细化考核指标,把粮食生产、农民增收、耕地保护、环境治理、和谐稳定等纳入地方党政领导班子绩效考核。完善农村工作领导体制和工作机制,把重中之重的要求落实到领导分工、机构设置、干部配备上,不断提高农村工作领导水平。切实加大农村政策落实力度,及时组织专项督查。各级领导干部要弘扬党的优良作风,密切联系群众,创造性开展工作。充分发挥民主党派、人民团体、社会组织和工商企业的作用,形成发展现代农业和建设社会主义新农村的强大合力。

做好2010年农业农村工作意义十分重大。我们要紧密团结在以胡锦涛同志为总书记的党中央周围,振奋精神,开拓进取,扎实工作,奋力开创农业农村工作新局面!

中华人民共和国
农村土地承包经营纠纷调解仲裁法

(2009年6月27日第十一届
全国人民代表大会常务委员会第九次会议通过)

第一章 总 则

第一条 为了公正、及时解决农村土地承包经营纠纷,维护当事人的合法权益,促进农村经济发展和社会稳定,制定本法。

第二条 农村土地承包经营纠纷调解和仲裁,适用本法。

农村土地承包经营纠纷包括:

(一)因订立、履行、变更、解除和终止农村土地承包合同发生的纠纷;

(二)因农村土地承包经营权转包、出租、互换、转让、入股等流转发生的纠纷;

(三)因收回、调整承包地发生的纠纷;

(四)因确认农村土地承包经营权发生的纠纷;

(五)因侵害农村土地承包经营权发生的纠纷;

(六)法律、法规规定的其他农村土地承包经营纠纷。

因征收集体所有的土地及其补偿发生的纠纷,不属于农村土地承包仲裁委员会的受理范围,可以通过行政复议或者诉讼等方式解决。

第三条 发生农村土地承包经营纠纷的,当事人可以自行和解,也可以请求村民委员会、乡(镇)人民政府等调解。

第四条 当事人和解、调解不成或者不愿和解、调解的,可以向农村土地承包仲裁委员会申请仲裁,也可以直接向人民法院起诉。

第五条 农村土地承包经营纠纷调解和仲裁,应当公开、公平、公正,便民高效,根据事实,符合法律,尊重社会公德。

第六条 县级以上人民政府应当加强对农村土地

承包经营纠纷调解和仲裁工作的指导。

县级以上人民政府农村土地承包管理部门及其他有关部门应当依照职责分工，支持有关调解组织和农村土地承包仲裁委员会依法开展工作。

第二章 调 解

第七条 村民委员会、乡（镇）人民政府应当加强农村土地承包经营纠纷的调解工作，帮助当事人达成协议解决纠纷。

第八条 当事人申请农村土地承包经营纠纷调解可以书面申请，也可以口头申请。口头申请的，由村民委员会或者乡（镇）人民政府当场记录申请人的基本情况、申请调解的纠纷事项、理由和时间。

第九条 调解农村土地承包经营纠纷，村民委员会或者乡（镇）人民政府应当充分听取当事人对事实和理由的陈述，讲解有关法律以及国家政策，耐心疏导，帮助当事人达成协议。

第十条 经调解达成协议的，村民委员会或者乡（镇）人民政府应当制作调解协议书。

调解协议书由双方当事人签名、盖章或者按指印，经调解人员签名并加盖调解组织印章后生效。

第十一条 仲裁庭对农村土地承包经营纠纷应当进行调解。调解达成协议的，仲裁庭应当制作调解书；调解不成的，应当及时作出裁决。

调解书应当写明仲裁请求和当事人协议的结果。调解书由仲裁员签名，加盖农村土地承包仲裁委员会印章，送达双方当事人。

调解书经双方当事人签收后，即发生法律效力。在调解书签收前当事人反悔的，仲裁庭应当及时作出裁决。

第三章 仲 裁

第一节 仲裁委员会和仲裁员

第十二条 农村土地承包仲裁委员会，根据解决农村土地承包经营纠纷的实际需要设立。农村土地承包仲裁委员会可以在县和不设区的市设立，也可以在设区的市或者其市辖区设立。

农村土地承包仲裁委员会在当地人民政府指导下设立。设立农村土地承包仲裁委员会的，其日常工作由当地农村土地承包管理部门承担。

第十三条 农村土地承包仲裁委员会由当地人民政府及其有关部门代表、有关人民团体代表、农村集体经济组织代表、农民代表和法律、经济等相关专业人员兼任组成，其中农民代表和法律、经济等相关专业人员不得少于组成人员的二分之一。

农村土地承包仲裁委员会设主任一人、副主任一至二人和委员若干人。主任、副主任由全体组成人员选举产生。

第十四条 农村土地承包仲裁委员会依法履行下列职责：

（一）聘任、解聘仲裁员；

（二）受理仲裁申请；

（三）监督仲裁活动。

农村土地承包仲裁委员会应当依照本法制定章程，对其组成人员的产生方式及任期、议事规则等作出规定。

第十五条 农村土地承包仲裁委员会应当从公道正派的人员中聘任仲裁员。

仲裁员应当符合下列条件之一：

（一）从事农村土地承包管理工作满五年；

（二）从事法律工作或者人民调解工作满五年；

（三）在当地威信较高，并熟悉农村土地承包法律以及国家政策的居民。

第十六条 农村土地承包仲裁委员会应当对仲裁员进行农村土地承包法律以及国家政策的培训。

省、自治区、直辖市人民政府农村土地承包管理部门应当制定仲裁员培训计划，加强对仲裁员培训工作的组织和指导。

第十七条 农村土地承包仲裁委员会组成人员、仲裁员应当依法履行职责，遵守农村土地承包仲裁委员会章程和仲裁规则，不得索贿受贿、徇私舞弊，不得侵害当事人的合法权益。

仲裁员有索贿受贿、徇私舞弊、枉法裁决以及接受当事人请客送礼等违法违纪行为的，农村土地承包仲裁委员会应当将其除名；构成犯罪的，依法追究刑事责任。

县级以上地方人民政府及有关部门应当受理对农村土地承包仲裁委员会组成人员、仲裁员违法违纪行为的投诉和举报，并依法组织查处。

第二节 申请和受理

第十八条 农村土地承包经营纠纷申请仲裁的时效期间为二年，自当事人知道或者应当知道其权利被侵害之日起计算。

第十九条 农村土地承包经营纠纷仲裁的申请人、被申请人为当事人。家庭承包的，可以由农户代表人参加仲裁。当事人一方人数众多的，可以推选代表人参加仲裁。

与案件处理结果有利害关系的，可以申请作为第三人参加仲裁，或者由农村土地承包仲裁委员会通知其参加仲裁。

当事人、第三人可以委托代理人参加仲裁。

第二十条 申请农村土地承包经营纠纷仲裁应当符合下列条件：

（一）申请人与纠纷有直接的利害关系；

(二)有明确的被申请人;

(三)有具体的仲裁请求和事实、理由;

(四)属于农村土地承包仲裁委员会的受理范围。

第二十一条 当事人申请仲裁,应当向纠纷涉及的土地所在地的农村土地承包仲裁委员会递交仲裁申请书。仲裁申请书可以邮寄或者委托他人代交。仲裁申请书应当载明申请人和被申请人的基本情况,仲裁请求和所根据的事实、理由,并提供相应的证据和证据来源。

书面申请确有困难的,可以口头申请,由农村土地承包仲裁委员会记入笔录,经申请人核实后由其签名、盖章或者按指印。

第二十二条 农村土地承包仲裁委员会应当对仲裁申请予以审查,认为符合本法第二十条规定的,应当受理。有下列情形之一的,不予受理;已受理的,终止仲裁程序:

(一)不符合申请条件;

(二)人民法院已受理该纠纷;

(三)法律规定该纠纷应当由其他机构处理;

(四)对该纠纷已有生效的判决、裁定、仲裁裁决、行政处理决定等。

第二十三条 农村土地承包仲裁委员会决定受理的,应当自收到仲裁申请之日起五个工作日内,将受理通知书、仲裁规则和仲裁员名册送达申请人;决定不予受理或者终止仲裁程序的,应当自收到仲裁申请或者发现终止仲裁程序情形之日起五个工作日内书面通知申请人,并说明理由。

第二十四条 农村土地承包仲裁委员会应当自受理仲裁申请之日起五个工作日内,将受理通知书、仲裁申请书副本、仲裁规则和仲裁员名册送达被申请人。

第二十五条 被申请人应当自收到仲裁申请书副本之日起十日内向农村土地承包仲裁委员会提交答辩书;书面答辩确有困难的,可以口头答辩,由农村土地承包仲裁委员会记入笔录,经被申请人核实后由其签名、盖章或者按指印。农村土地承包仲裁委员会应当自收到答辩书之日起五个工作日内将答辩书副本送达申请人。被申请人未答辩的,不影响仲裁程序的进行。

第二十六条 一方当事人因另一方当事人的行为或者其他原因,可能使裁决不能执行或者难以执行的,可以申请财产保全。

当事人申请财产保全的,农村土地承包仲裁委员会应当将当事人的申请提交被申请人住所地或者财产所在地的基层人民法院。

申请有错误的,申请人应当赔偿被申请人因财产保全所遭受的损失。

第三节 仲裁庭的组成

第二十七条 仲裁庭由三名仲裁员组成,首席仲裁员由当事人共同选定,其他二名仲裁员由当事人各自选定;当事人不能选定的,由农村土地承包仲裁委员会主任指定。

事实清楚、权利义务关系明确、争议不大的农村土地承包经营纠纷,经双方当事人同意,可以由一名仲裁员仲裁。仲裁员由当事人共同选定或者由农村土地承包仲裁委员会主任指定。

农村土地承包仲裁委员会应当自仲裁庭组成之日起二个工作日内将仲裁庭组成情况通知当事人。

第二十八条 仲裁员有下列情形之一的,必须回避,当事人也有权以口头或者书面方式申请其回避:

(一)是本案当事人或者当事人、代理人的近亲属;

(二)与本案有利害关系;

(三)与本案当事人、代理人有其他关系,可能影响公正仲裁;

(四)私自会见当事人、代理人,或者接受当事人、代理人的请客送礼。

当事人提出回避申请,应当说明理由,在首次开庭前提出。回避事由在首次开庭后知道的,可以在最后一次开庭终结前提出。

第二十九条 农村土地承包仲裁委员会对回避申请应当及时作出决定,以口头或者书面方式通知当事人,并说明理由。

仲裁员是否回避,由农村土地承包仲裁委员会主任决定;农村土地承包仲裁委员会主任担任仲裁员时,由农村土地承包仲裁委员会集体决定。

仲裁员因回避或者其他原因不能履行职责的,应当依照本法规定重新选定或者指定仲裁员。

第四节 开庭和裁决

第三十条 农村土地承包经营纠纷仲裁应当开庭进行。

开庭可以在纠纷涉及的土地所在地的乡(镇)或者村进行,也可以在农村土地承包仲裁委员会所在地进行。当事人双方要求在乡(镇)或者村开庭的,应当在该乡(镇)或者村开庭。

开庭应当公开,但涉及国家秘密、商业秘密和个人隐私以及当事人约定不公开的除外。

第三十一条 仲裁庭应当在开庭五个工作日前将开庭的时间、地点通知当事人和其他仲裁参与人。

当事人有正当理由的,可以向仲裁庭请求变更开庭的时间、地点。是否变更,由仲裁庭决定。

第三十二条 当事人申请仲裁后,可以自行和解。达成和解协议的,可以请求仲裁庭根据和解协议作出裁决书,也可以撤回仲裁申请。

第三十三条 申请人可以放弃或者变更仲裁请求。被申请人可以承认或者反驳仲裁请求,有权提出反请求。

第三十四条 仲裁庭作出裁决前，申请人撤回仲裁申请的，除被申请人提出反请求的外，仲裁庭应当终止仲裁。

第三十五条 申请人经书面通知，无正当理由不到庭或者未经仲裁庭许可中途退庭的，可以视为撤回仲裁申请。

被申请人经书面通知，无正当理由不到庭或者未经仲裁庭许可中途退庭的，可以缺席裁决。

第三十六条 当事人在开庭过程中有权发表意见、陈述事实和理由、提供证据、进行质证和辩论。对不通晓当地通用语言文字的当事人，农村土地承包仲裁委员会应当为其提供翻译。

第三十七条 当事人应当对自己的主张提供证据。与纠纷有关的证据由作为当事人一方的发包方等掌握管理的，该当事人应当在仲裁庭指定的期限内提供，逾期不提供的，应当承担不利后果。

第三十八条 仲裁庭认为有必要收集的证据，可以自行收集。

第三十九条 仲裁庭对专门性问题认为需要鉴定的，可以交由当事人约定的鉴定机构鉴定；当事人没有约定的，由仲裁庭指定的鉴定机构鉴定。

根据当事人的请求或者仲裁庭的要求，鉴定机构应当派鉴定人参加开庭。当事人经仲裁庭许可，可以向鉴定人提问。

第四十条 证据应当在开庭时出示，但涉及国家秘密、商业秘密和个人隐私的证据不得在公开开庭时出示。

仲裁庭应当依照仲裁规则的规定开庭，给予双方当事人平等陈述、辩论的机会，并组织当事人进行质证。

经仲裁庭查证属实的证据，应当作为认定事实的根据。

第四十一条 在证据可能灭失或者以后难以取得的情况下，当事人可以申请证据保全。当事人申请证据保全的，农村土地承包仲裁委员会应当将当事人的申请提交证据所在地的基层人民法院。

第四十二条 对权利义务关系明确的纠纷，经当事人申请，仲裁庭可以先行裁定维持现状、恢复农业生产以及停止取土、占地等行为。

一方当事人不履行先行裁定的，另一方当事人可以向人民法院申请执行，但应当提供相应的担保。

第四十三条 仲裁庭应当将开庭情况记入笔录，由仲裁员、记录人员、当事人和其他仲裁参与人签名、盖章或者按指印。

当事人和其他仲裁参与人认为对自己陈述的记录有遗漏或者差错的，有权申请补正。如果不予补正，应当记录该申请。

第四十四条 仲裁庭应当根据认定的事实和法律以及国家政策作出裁决并制作裁决书。

裁决应当按照多数仲裁员的意见作出，少数仲裁员的不同意见可以记入笔录。仲裁庭不能形成多数意见时，裁决应当按照首席仲裁员的意见作出。

第四十五条 裁决书应当写明仲裁请求、争议事实、裁决理由、裁决结果、裁决日期以及当事人不服仲裁裁决的起诉权利、期限，由仲裁员签名，加盖农村土地承包仲裁委员会印章。

农村土地承包仲裁委员会应当在裁决作出之日起三个工作日内将裁决书送达当事人，并告知当事人不服仲裁裁决的起诉权利、期限。

第四十六条 仲裁庭依法独立履行职责，不受行政机关、社会团体和个人的干涉。

第四十七条 仲裁农村土地承包经营纠纷，应当自受理仲裁申请之日起六十日内结束；案情复杂需要延长的，经农村土地承包仲裁委员会主任批准可以延长，并书面通知当事人，但延长期限不得超过三十日。

第四十八条 当事人不服仲裁裁决的，可以自收到裁决书之日起三十日内向人民法院起诉。逾期不起诉的，裁决书即发生法律效力。

第四十九条 当事人对发生法律效力的调解书、裁决书，应当依照规定的期限履行。一方当事人逾期不履行的，另一方当事人可以向被申请人住所地或者财产所在地的基层人民法院申请执行。受理申请的人民法院应当依法执行。

第四章 附　　则

第五十条 本法所称农村土地，是指农民集体所有和国家所有依法由农民集体使用的耕地、林地、草地，以及其他依法用于农业的土地。

第五十一条 农村土地承包经营纠纷仲裁规则和农村土地承包仲裁委员会示范章程，由国务院农业、林业行政主管部门依照本法规定共同制定。

第五十二条 农村土地承包经营纠纷仲裁不得向当事人收取费用，仲裁工作经费纳入财政预算予以保障。

第五十三条 本法自2010年1月1日起施行。

中华人民共和国食品安全法

（2009年2月28日第十一届全国人民代表大会常务委员会第七次会议通过）

第一章 总　　则

第一条 为保证食品安全，保障公众身体健康和生命安全，制定本法。

第二条 在中华人民共和国境内从事下列活动，应当遵守本法：

（一）食品生产和加工（以下称食品生产），食品流通和餐饮服务（以下称食品经营）；

（二）食品添加剂的生产经营；

（三）用于食品的包装材料、容器、洗涤剂、消毒剂和用于食品生产经营的工具、设备（以下称食品相关产品）的生产经营；

（四）食品生产经营者使用食品添加剂、食品相关产品；

（五）对食品、食品添加剂和食品相关产品的安全管理。

供食用的源于农业的初级产品（以下称食用农产品）的质量安全管理，遵守《中华人民共和国农产品质量安全法》的规定。但是，制定有关食用农产品的质量安全标准、公布食用农产品安全有关信息，应当遵守本法的有关规定。

第三条 食品生产经营者应当依照法律、法规和食品安全标准从事生产经营活动，对社会和公众负责，保证食品安全，接受社会监督，承担社会责任。

第四条 国务院设立食品安全委员会，其工作职责由国务院规定。

国务院卫生行政部门承担食品安全综合协调职责，负责食品安全风险评估、食品安全标准制定、食品安全信息公布、食品检验机构的资质认定条件和检验规范的制定，组织查处食品安全重大事故。

国务院质量监督、工商行政管理和国家食品药品监督管理部门依照本法和国务院规定的职责，分别对食品生产、食品流通、餐饮服务活动实施监督管理。

第五条 县级以上地方人民政府统一负责、领导、组织、协调本行政区域的食品安全监督管理工作，建立健全食品安全全程监督管理的工作机制；统一领导、指挥食品安全突发事件应对工作；完善、落实食品安全监督管理责任制，对食品安全监督管理部门进行评议、考核。

县级以上地方人民政府依照本法和国务院的规定确定本级卫生行政、农业行政、质量监督、工商行政管理、食品药品监督管理部门的食品安全监督管理职责。有关部门在各自职责范围内负责本行政区域的食品安全监督管理工作。

上级人民政府所属部门在下级行政区域设置的机构应当在所在地人民政府的统一组织、协调下，依法做好食品安全监督管理工作。

第六条 县级以上卫生行政、农业行政、质量监督、工商行政管理、食品药品监督管理部门应当加强沟通、密切配合，按照各自职责分工，依法行使职权，承担责任。

第七条 食品行业协会应当加强行业自律，引导食品生产经营者依法生产经营，推动行业诚信建设，宣传、普及食品安全知识。

第八条 国家鼓励社会团体、基层群众性自治组织开展食品安全法律、法规以及食品安全标准和知识的普及工作，倡导健康的饮食方式，增强消费者食品安全意识和自我保护能力。

新闻媒体应当开展食品安全法律、法规以及食品安全标准和知识的公益宣传，并对违反本法的行为进行舆论监督。

第九条 国家鼓励和支持开展与食品安全有关的基础研究和应用研究，鼓励和支持食品生产经营者为提高食品安全水平采用先进技术和先进管理规范。

第十条 任何组织或者个人有权举报食品生产经营中违反本法的行为，有权向有关部门了解食品安全信息，对食品安全监督管理工作提出意见和建议。

第二章 食品安全风险监测和评估

第十一条 国家建立食品安全风险监测制度，对食源性疾病、食品污染以及食品中的有害因素进行监测。

国务院卫生行政部门会同国务院有关部门制定、实施国家食品安全风险监测计划。省、自治区、直辖市人民政府卫生行政部门根据国家食品安全风险监测计划，结合本行政区域的具体情况，组织制定、实施本行政区域的食品安全风险监测方案。

第十二条 国务院农业行政、质量监督、工商行政管理和国家食品药品监督管理等有关部门获知有关食品安全风险信息后，应当立即向国务院卫生行政部门通报。国务院卫生行政部门会同有关部门对信息核实后，应当及时调整食品安全风险监测计划。

第十三条 国家建立食品安全风险评估制度，对食品、食品添加剂中生物性、化学性和物理性危害进行风险评估。

国务院卫生行政部门负责组织食品安全风险评估工作，成立由医学、农业、食品、营养等方面的专家组成的食品安全风险评估专家委员会进行食品安全风险评估。

对农药、肥料、生长调节剂、兽药、饲料和饲料添加剂等的安全性评估，应当有食品安全风险评估专家委员会的专家参加。

食品安全风险评估应当运用科学方法，根据食品安全风险监测信息、科学数据以及其他有关信息进行。

第十四条 国务院卫生行政部门通过食品安全风险监测或者接到举报发现食品可能存在安全隐患的，应当立即组织进行检验和食品安全风险评估。

第十五条 国务院农业行政、质量监督、工商行政管理和国家食品药品监督管理等有关部门应当向国务院卫生行政部门提出食品安全风险评估的建议，并提供有关信息和资料。

国务院卫生行政部门应当及时向国务院有关部门

通报食品安全风险评估的结果。

第十六条　食品安全风险评估结果是制定、修订食品安全标准和对食品安全实施监督管理的科学依据。

食品安全风险评估结果得出食品不安全结论的，国务院质量监督、工商行政管理和国家食品药品监督管理部门应当依据各自职责立即采取相应措施，确保该食品停止生产经营，并告知消费者停止食用；需要制定、修订相关食品安全国家标准的，国务院卫生行政部门应当立即制定、修订。

第十七条　国务院卫生行政部门应当会同国务院有关部门，根据食品安全风险评估结果、食品安全监督管理信息，对食品安全状况进行综合分析。对经综合分析表明可能具有较高程度安全风险的食品，国务院卫生行政部门应当及时提出食品安全风险警示，并予以公布。

第三章　食品安全标准

第十八条　制定食品安全标准，应当以保障公众身体健康为宗旨，做到科学合理、安全可靠。

第十九条　食品安全标准是强制执行的标准。除食品安全标准外，不得制定其他的食品强制性标准。

第二十条　食品安全标准应当包括下列内容：

（一）食品、食品相关产品中的致病性微生物、农药残留、兽药残留、重金属、污染物质以及其他危害人体健康物质的限量规定；

（二）食品添加剂的品种、使用范围、用量；

（三）专供婴幼儿和其他特定人群的主辅食品的营养成分要求；

（四）对与食品安全、营养有关的标签、标识、说明书的要求；

（五）食品生产经营过程的卫生要求；

（六）与食品安全有关的质量要求；

（七）食品检验方法与规程；

（八）其他需要制定为食品安全标准的内容。

第二十一条　食品安全国家标准由国务院卫生行政部门负责制定、公布，国务院标准化行政部门提供国家标准编号。

食品中农药残留、兽药残留的限量规定及其检验方法与规程由国务院卫生行政部门、国务院农业行政部门制定。

屠宰畜、禽的检验规程由国务院有关主管部门会同国务院卫生行政部门制定。

有关产品国家标准涉及食品安全国家标准规定内容的，应当与食品安全国家标准相一致。

第二十二条　国务院卫生行政部门应当对现行的食用农产品质量安全标准、食品卫生标准、食品质量标准和有关食品的行业标准中强制执行的标准予以整合，统一公布为食品安全国家标准。

本法规定的食品安全国家标准公布前，食品生产经营者应当按照现行食用农产品质量安全标准、食品卫生标准、食品质量标准和有关食品的行业标准生产经营食品。

第二十三条　食品安全国家标准应当经食品安全国家标准审评委员会审查通过。食品安全国家标准审评委员会由医学、农业、食品、营养等方面的专家以及国务院有关部门的代表组成。

制定食品安全国家标准，应当依据食品安全风险评估结果并充分考虑食用农产品质量安全风险评估结果，参照相关的国际标准和国际食品安全风险评估结果，并广泛听取食品生产经营者和消费者的意见。

第二十四条　没有食品安全国家标准的，可以制定食品安全地方标准。

省、自治区、直辖市人民政府卫生行政部门组织制定食品安全地方标准，应当参照执行本法有关食品安全国家标准制定的规定，并报国务院卫生行政部门备案。

第二十五条　企业生产的食品没有食品安全国家标准或者地方标准的，应当制定企业标准，作为组织生产的依据。国家鼓励食品生产企业制定严于食品安全国家标准或者地方标准的企业标准。企业标准应当报省级卫生行政部门备案，在本企业内部适用。

第二十六条　食品安全标准应当供公众免费查阅。

第四章　食品生产经营

第二十七条　食品生产经营应当符合食品安全标准，并符合下列要求：

（一）具有与生产经营的食品品种、数量相适应的食品原料处理和食品加工、包装、贮存等场所，保持该场所环境整洁，并与有毒、有害场所以及其他污染源保持规定的距离；

（二）具有与生产经营的食品品种、数量相适应的生产经营设备或者设施，有相应的消毒、更衣、盥洗、采光、照明、通风、防腐、防尘、防蝇、防鼠、防虫、洗涤以及处理废水、存放垃圾和废弃物的设备或者设施；

（三）有食品安全专业技术人员、管理人员和保证食品安全的规章制度；

（四）具有合理的设备布局和工艺流程，防止待加工食品与直接入口食品、原料与成品交叉污染，避免食品接触有毒物、不洁物；

（五）餐具、饮具和盛放直接入口食品的容器，使用前应当洗净、消毒，炊具、用具用后应当洗净，保持清洁；

（六）贮存、运输和装卸食品的容器、工具和设备应当安全、无害，保持清洁，防止食品污染，并符合保证食品安全所需的温度等特殊要求，不得将食品与有毒、有害物品一同运输；

（七）直接入口的食品应当有小包装或者使用无毒、清洁的包装材料、餐具；

（八）食品生产经营人员应当保持个人卫生，生产经营食品时，应当将手洗净，穿戴清洁的工作衣、帽；销售无包装的直接入口食品时，应当使用无毒、清洁的售货工具；

（九）用水应当符合国家规定的生活饮用水卫生标准；

（十）使用的洗涤剂、消毒剂应当对人体安全、无害；

（十一）法律、法规规定的其他要求。

第二十八条　禁止生产经营下列食品：

（一）用非食品原料生产的食品或者添加食品添加剂以外的化学物质和其他可能危害人体健康物质的食品，或者用回收食品作为原料生产的食品；

（二）致病性微生物、农药残留、兽药残留、重金属、污染物质以及其他危害人体健康的物质含量超过食品安全标准限量的食品；

（三）营养成分不符合食品安全标准的专供婴幼儿和其他特定人群的主辅食品；

（四）腐败变质、油脂酸败、霉变生虫、污秽不洁、混有异物、掺假掺杂或者感官性状异常的食品；

（五）病死、毒死或者死因不明的禽、畜、兽、水产动物肉类及其制品；

（六）未经动物卫生监督机构检疫或者检疫不合格的肉类，或者未经检验或者检验不合格的肉类制品；

（七）被包装材料、容器、运输工具等污染的食品；

（八）超过保质期的食品；

（九）无标签的预包装食品；

（十）国家为防病等特殊需要明令禁止生产经营的食品；

（十一）其他不符合食品安全标准或者要求的食品。

第二十九条　国家对食品生产经营实行许可制度。从事食品生产、食品流通、餐饮服务，应当依法取得食品生产许可、食品流通许可、餐饮服务许可。

取得食品生产许可的食品生产者在其生产场所销售其生产的食品，不需要取得食品流通的许可；取得餐饮服务许可的餐饮服务提供者在其餐饮服务场所出售其制作加工的食品，不需要取得食品生产和流通的许可；农民个人销售其自产的食用农产品，不需要取得食品流通的许可。

食品生产加工小作坊和食品摊贩从事食品生产经营活动，应当符合本法规定的与其生产经营规模、条件相适应的食品安全要求，保证所生产经营的食品卫生、无毒、无害，有关部门应当对其加强监督管理，具体管理办法由省、自治区、直辖市人民代表大会常务委员会依照本法制定。

第三十条　县级以上地方人民政府鼓励食品生产加工小作坊改进生产条件；鼓励食品摊贩进入集中交易市场、店铺等固定场所经营。

第三十一条　县级以上质量监督、工商行政管理、食品药品监督管理部门应当依照《中华人民共和国行政许可法》的规定，审核申请人提交的本法第二十七条第一项至第四项规定要求的相关资料，必要时对申请人的生产经营场所进行现场核查；对符合规定条件的，决定准予许可；对不符合规定条件的，决定不予许可并书面说明理由。

第三十二条　食品生产经营企业应当建立健全本单位的食品安全管理制度，加强对职工食品安全知识的培训，配备专职或者兼职食品安全管理人员，做好对所生产经营食品的检验工作，依法从事食品生产经营活动。

第三十三条　国家鼓励食品生产经营企业符合良好生产规范要求，实施危害分析与关键控制点体系，提高食品安全管理水平。

对通过良好生产规范、危害分析与关键控制点体系认证的食品生产经营企业，认证机构应当依法实施跟踪调查；对不再符合认证要求的企业，应当依法撤销认证，及时向有关质量监督、工商行政管理、食品药品监督管理部门通报，并向社会公布。认证机构实施跟踪调查不收取任何费用。

第三十四条　食品生产经营者应当建立并执行从业人员健康管理制度。患有痢疾、伤寒、病毒性肝炎等消化道传染病的人员，以及患有活动性肺结核、化脓性或者渗出性皮肤病等有碍食品安全的疾病的人员，不得从事接触直接入口食品的工作。

食品生产经营人员每年应当进行健康检查，取得健康证明后方可参加工作。

第三十五条　食用农产品生产者应当依照食品安全标准和国家有关规定使用农药、肥料、生长调节剂、兽药、饲料和饲料添加剂等农业投入品。食用农产品的生产企业和农民专业合作经济组织应当建立食用农产品生产记录制度。

县级以上农业行政部门应当加强对农业投入品使用的管理和指导，建立健全农业投入品的安全使用制度。

第三十六条　食品生产者采购食品原料、食品添加剂、食品相关产品，应当查验供货者的许可证和产品合格证明文件；对无法提供合格证明文件的食品原料，应当依照食品安全标准进行检验；不得采购或者使用不符合食品安全标准的食品原料、食品添加剂、食品相关产品。

食品生产企业应当建立食品原料、食品添加剂、食品相关产品进货查验记录制度，如实记录食品原料、食品添加剂、食品相关产品的名称、规格、数量、供货者名称及联系方式、进货日期等内容。

食品原料、食品添加剂、食品相关产品进货查验记录应当真实，保存期限不得少于二年。

第三十七条 食品生产企业应当建立食品出厂检验记录制度，查验出厂食品的检验合格证和安全状况，并如实记录食品的名称、规格、数量、生产日期、生产批号、检验合格证号、购货者名称及联系方式、销售日期等内容。

食品出厂检验记录应当真实，保存期限不得少于二年。

第三十八条 食品、食品添加剂和食品相关产品的生产者，应当依照食品安全标准对所生产的食品、食品添加剂和食品相关产品进行检验，检验合格后方可出厂或者销售。

第三十九条 食品经营者采购食品，应当查验供货者的许可证和食品合格的证明文件。

食品经营企业应当建立食品进货查验记录制度，如实记录食品的名称、规格、数量、生产批号、保质期、供货者名称及联系方式、进货日期等内容。

食品进货查验记录应当真实，保存期限不得少于二年。

实行统一配送经营方式的食品经营企业，可以由企业总部统一查验供货者的许可证和食品合格的证明文件，进行食品进货查验记录。

第四十条 食品经营者应当按照保证食品安全的要求贮存食品，定期检查库存食品，及时清理变质或者超过保质期的食品。

第四十一条 食品经营者贮存散装食品，应当在贮存位置标明食品的名称、生产日期、保质期、生产者名称及联系方式等内容。

食品经营者销售散装食品，应当在散装食品的容器、外包装上标明食品的名称、生产日期、保质期、生产经营者名称及联系方式等内容。

第四十二条 预包装食品的包装上应当有标签。标签应当标明下列事项：

（一）名称、规格、净含量、生产日期；

（二）成分或者配料表；

（三）生产者的名称、地址、联系方式；

（四）保质期；

（五）产品标准代号；

（六）贮存条件；

（七）所使用的食品添加剂在国家标准中的通用名称；

（八）生产许可证编号；

（九）法律、法规或者食品安全标准规定必须标明的其他事项。

专供婴幼儿和其他特定人群的主辅食品，其标签还应当标明主要营养成分及其含量。

第四十三条 国家对食品添加剂的生产实行许可制度。申请食品添加剂生产许可的条件、程序，按照国家有关工业产品生产许可证管理的规定执行。

第四十四条 申请利用新的食品原料从事食品生产或者从事食品添加剂新品种、食品相关产品新品种生产活动的单位或者个人，应当向国务院卫生行政部门提交相关产品的安全性评估材料。国务院卫生行政部门应当自收到申请之日起六十日内组织对相关产品的安全性评估材料进行审查；对符合食品安全要求的，依法决定准予许可并予以公布；对不符合食品安全要求的，决定不予许可并书面说明理由。

第四十五条 食品添加剂应当在技术上确有必要且经过风险评估证明安全可靠，方可列入允许使用的范围。国务院卫生行政部门应当根据技术必要性和食品安全风险评估结果，及时对食品添加剂的品种、使用范围、用量的标准进行修订。

第四十六条 食品生产者应当依照食品安全标准关于食品添加剂的品种、使用范围、用量的规定使用食品添加剂；不得在食品生产中使用食品添加剂以外的化学物质和其他可能危害人体健康的物质。

第四十七条 食品添加剂应当有标签、说明书和包装。标签、说明书应当载明本法第四十二条第一款第一项至第六项、第八项、第九项规定的事项，以及食品添加剂的使用范围、用量、使用方法，并在标签上载明“食品添加剂”字样。

第四十八条 食品和食品添加剂的标签、说明书，不得含有虚假、夸大的内容，不得涉及疾病预防、治疗功能。生产者对标签、说明书上所载明的内容负责。

食品和食品添加剂的标签、说明书应当清楚、明显，容易辨识。

食品和食品添加剂与其标签、说明书所载明的内容不符的，不得上市销售。

第四十九条 食品经营者应当按照食品标签标示的警示标志、警示说明或者注意事项的要求，销售预包装食品。

第五十条 生产经营的食品中不得添加药品，但是可以添加按照传统既是食品又是中药材的物质。按照传统既是食品又是中药材的物质的目录由国务院卫生行政部门制定、公布。

第五十一条 国家对声称具有特定保健功能的食品实行严格监管。有关监督管理部门应当依法履职，承担责任。具体管理办法由国务院规定。

声称具有特定保健功能的食品不得对人体产生急性、亚急性或者慢性危害，其标签、说明书不得涉及疾病预防、治疗功能，内容必须真实，应当载明适宜人群、不适宜人群、功效成分或者标志性成分及其含量等；产品的功能和成分必须与标签、说明书相一致。

第五十二条　集中交易市场的开办者、柜台出租者和展销会举办者，应当审查入场食品经营者的许可证，明确入场食品经营者的食品安全管理责任，定期对入场食品经营者的经营环境和条件进行检查，发现食品经营者有违反本法规定的行为的，应当及时制止并立即报告所在地县级工商行政管理部门或者食品药品监督管理部门。

集中交易市场的开办者、柜台出租者和展销会举办者未履行前款规定义务，本市场发生食品安全事故的，应当承担连带责任。

第五十三条　国家建立食品召回制度。食品生产者发现其生产的食品不符合食品安全标准，应当立即停止生产，召回已经上市销售的食品，通知相关生产经营者和消费者，并记录召回和通知情况。

食品经营者发现其经营的食品不符合食品安全标准，应当立即停止经营，通知相关生产经营者和消费者，并记录停止经营和通知情况。食品生产者认为应当召回的，应当立即召回。

食品生产者应当对召回的食品采取补救、无害化处理、销毁等措施，并将食品召回和处理情况向县级以上质量监督部门报告。

食品生产经营者未依照本条规定召回或者停止经营不符合食品安全标准的食品的，县级以上质量监督、工商行政管理、食品药品监督管理部门可以责令其召回或者停止经营。

第五十四条　食品广告的内容应当真实合法，不得含有虚假、夸大的内容，不得涉及疾病预防、治疗功能。食品安全监督管理部门或者承担食品检验职责的机构、食品行业协会、消费者协会不得以广告或者其他形式向消费者推荐食品。

第五十五条　社会团体或者其他组织、个人在虚假广告中向消费者推荐食品，使消费者的合法权益受到损害的，与食品生产经营者承担连带责任。

第五十六条　地方各级人民政府鼓励食品规模化生产和连锁经营、配送。

第五章　食品检验

第五十七条　食品检验机构按照国家有关认证认可的规定取得资质认定后，方可从事食品检验活动。但是，法律另有规定的除外。

食品检验机构的资质认定条件和检验规范，由国务院卫生行政部门规定。

本法施行前经国务院有关主管部门批准设立或者经依法认定的食品检验机构，可以依照本法继续从事食品检验活动。

第五十八条　食品检验由食品检验机构指定的检验人独立进行。

检验人应当依照有关法律、法规的规定，并依照食品安全标准和检验规范对食品进行检验，尊重科学，恪守职业道德，保证出具的检验数据和结论客观、公正，不得出具虚假的检验报告。

第五十九条　食品检验实行食品检验机构与检验人负责制。食品检验报告应当加盖食品检验机构公章，并有检验人的签名或者盖章。食品检验机构和检验人对出具的食品检验报告负责。

第六十条　食品安全监督管理部门对食品不得实施免检。

县级以上质量监督、工商行政管理、食品药品监督管理部门应当对食品进行定期或者不定期的抽样检验。进行抽样检验，应当购买抽取的样品，不收取检验费和其他任何费用。

县级以上质量监督、工商行政管理、食品药品监督管理部门在执法工作中需要对食品进行检验的，应当委托符合本法规定的食品检验机构进行，并支付相关费用。对检验结论有异议的，可以依法进行复检。

第六十一条　食品生产经营企业可以自行对所生产的食品进行检验，也可以委托符合本法规定的食品检验机构进行检验。

食品行业协会等组织、消费者需要委托食品检验机构对食品进行检验的，应当委托符合本法规定的食品检验机构进行。

第六章　食品进出口

第六十二条　进口的食品、食品添加剂以及食品相关产品应当符合我国食品安全国家标准。

进口的食品应当经出入境检验检疫机构检验合格后，海关凭出入境检验检疫机构签发的通关证明放行。

第六十三条　进口尚无食品安全国家标准的食品，或者首次进口食品添加剂新品种、食品相关产品新品种，进口商应当向国务院卫生行政部门提出申请并提交相关的安全性评估材料。国务院卫生行政部门依照本法第四十四条的规定作出是否准予许可的决定，并及时制定相应的食品安全国家标准。

第六十四条　境外发生的食品安全事件可能对我国境内造成影响，或者在进口食品中发现严重食品安全问题的，国家出入境检验检疫部门应当及时采取风险预警或者控制措施，并向国务院卫生行政、农业行政、工商行政管理和国家食品药品监督管理部门通报。接到通报的部门应当及时采取相应措施。

第六十五条　向我国境内出口食品的出口商或者代理商应当向国家出入境检验检疫部门备案。向我国境内出口食品的境外食品生产企业应当经国家出入境检验检疫部门注册。

国家出入境检验检疫部门应当定期公布已经备案的出口商、代理商和已经注册的境外食品生产企业名单。

第六十六条　进口的预包装食品应当有中文标签、中文说明书。标签、说明书应当符合本法以及我国其他有关法律、行政法规的规定和食品安全国家标准的要求，载明食品的原产地以及境内代理商的名称、地址、联系方式。预包装食品没有中文标签、中文说明书或者标签、说明书不符合本条规定的，不得进口。

第六十七条　进口商应当建立食品进口和销售记录制度，如实记录食品的名称、规格、数量、生产日期、生产或者进口批号、保质期、出口商和购货者名称及联系方式、交货日期等内容。

食品进口和销售记录应当真实，保存期限不得少于二年。

第六十八条　出口的食品由出入境检验检疫机构进行监督、抽检，海关凭出入境检验检疫机构签发的通关证明放行。

出口食品生产企业和出口食品原料种植、养殖场应当向国家出入境检验检疫部门备案。

第六十九条　国家出入境检验检疫部门应当收集、汇总进出口食品安全信息，并及时通报相关部门、机构和企业。

国家出入境检验检疫部门应当建立进出口食品的进口商、出口商和出口食品生产企业的信誉记录，并予以公布。对有不良记录的进口商、出口商和出口食品生产企业，应当加强对其进出口食品的检验检疫。

第七章　食品安全事故处置

第七十条　国务院组织制定国家食品安全事故应急预案。

县级以上地方人民政府应当根据有关法律、法规的规定和上级人民政府的食品安全事故应急预案以及本地区的实际情况，制定本行政区域的食品安全事故应急预案，并报上一级人民政府备案。

食品生产经营企业应当制定食品安全事故处置方案，定期检查本企业各项食品安全防范措施的落实情况，及时消除食品安全事故隐患。

第七十一条　发生食品安全事故的单位应当立即予以处置，防止事故扩大。事故发生单位和接收病人进行治疗的单位应当及时向事故发生地县级卫生行政部门报告。

农业行政、质量监督、工商行政管理、食品药品监督管理部门在日常监督管理中发现食品安全事故，或者接到有关食品安全事故的举报，应当立即向卫生行政部门通报。

发生重大食品安全事故的，接到报告的县级卫生行政部门应当按照规定向本级人民政府和上级人民政府卫生行政部门报告。县级人民政府和上级人民政府卫生行政部门应当按照规定上报。

任何单位或者个人不得对食品安全事故隐瞒、谎报、缓报，不得毁灭有关证据。

第七十二条　县级以上卫生行政部门接到食品安全事故的报告后，应当立即会同有关农业行政、质量监督、工商行政管理、食品药品监督管理部门进行调查处理，并采取下列措施，防止或者减轻社会危害：

（一）开展应急救援工作，对因食品安全事故导致人身伤害的人员，卫生行政部门应当立即组织救治；

（二）封存可能导致食品安全事故的食品及其原料，并立即进行检验；对确认属于被污染的食品及其原料，责令食品生产经营者依照本法第五十三条的规定予以召回、停止经营并销毁；

（三）封存被污染的食品用工具及用具，并责令进行清洗消毒；

（四）做好信息发布工作，依法对食品安全事故及其处理情况进行发布，并对可能产生的危害加以解释、说明。

发生重大食品安全事故的，县级以上人民政府应当立即成立食品安全事故处置指挥机构，启动应急预案，依照前款规定进行处置。

第七十三条　发生重大食品安全事故，设区的市级以上人民政府卫生行政部门应当立即会同有关部门进行事故责任调查，督促有关部门履行职责，向本级人民政府提出事故责任调查处理报告。

重大食品安全事故涉及两个以上省、自治区、直辖市的，由国务院卫生行政部门依照前款规定组织事故责任调查。

第七十四条　发生食品安全事故，县级以上疾病预防控制机构应当协助卫生行政部门和有关部门对事故现场进行卫生处理，并对与食品安全事故有关的因素开展流行病学调查。

第七十五条　调查食品安全事故，除了查明事故单位的责任，还应当查明负有监督管理和认证职责的监督管理部门、认证机构的工作人员失职、渎职情况。

第八章　监督管理

第七十六条　县级以上地方人民政府组织本级卫生行政、农业行政、质量监督、工商行政管理、食品药品监督管理部门制定本行政区域的食品安全年度监督管理计划，并按照年度计划组织开展工作。

第七十七条　县级以上质量监督、工商行政管理、食品药品监督管理部门履行各自食品安全监督管理职责，有权采取下列措施：

（一）进入生产经营场所实施现场检查；

（二）对生产经营的食品进行抽样检验；

（三）查阅、复制有关合同、票据、账簿以及其他有关资料；

（四）查封、扣押有证据证明不符合食品安全标准

的食品,违法使用的食品原料、食品添加剂、食品相关产品,以及用于违法生产经营或者被污染的工具、设备;

(五)查封违法从事食品生产经营活动的场所。

县级以上农业行政部门应当依照《中华人民共和国农产品质量安全法》规定的职责,对食用农产品进行监督管理。

第七十八条 县级以上质量监督、工商行政管理、食品药品监督管理部门对食品生产经营者进行监督检查,应当记录监督检查的情况和处理结果。监督检查记录经监督检查人员和食品生产经营者签字后归档。

第七十九条 县级以上质量监督、工商行政管理、食品药品监督管理部门应当建立食品生产经营者食品安全信用档案,记录许可颁发、日常监督检查结果、违法行为查处等情况;根据食品安全信用档案的记录,对有不良信用记录的食品生产经营者增加监督检查频次。

第八十条 县级以上卫生行政、质量监督、工商行政管理、食品药品监督管理部门接到咨询、投诉、举报,对属于本部门职责的,应当受理,并及时进行答复、核实、处理;对不属于本部门职责的,应当书面通知并移交有权处理的部门处理。有权处理的部门应当及时处理,不得推诿;属于食品安全事故的,依照本法第七章有关规定进行处置。

第八十一条 县级以上卫生行政、质量监督、工商行政管理、食品药品监督管理部门应当按照法定权限和程序履行食品安全监督管理职责;对生产经营者的同一违法行为,不得给予二次以上罚款的行政处罚;涉嫌犯罪的,应当依法向公安机关移送。

第八十二条 国家建立食品安全信息统一公布制度。下列信息由国务院卫生行政部门统一公布:

(一)国家食品安全总体情况;

(二)食品安全风险评估信息和食品安全风险警示信息;

(三)重大食品安全事故及其处理信息;

(四)其他重要的食品安全信息和国务院确定的需要统一公布的信息。

前款第二项、第三项规定的信息,其影响限于特定区域的,也可以由有关省、自治区、直辖市人民政府卫生行政部门公布。县级以上农业行政、质量监督、工商行政管理、食品药品监督管理部门依据各自职责公布食品安全日常监督管理信息。

食品安全监督管理部门公布信息,应当做到准确、及时、客观。

第八十三条 县级以上地方卫生行政、农业行政、质量监督、工商行政管理、食品药品监督管理部门获知本法第八十二条第一款规定的需要统一公布的信息,应当向上级主管部门报告,由上级主管部门立即报告国务院卫生行政部门;必要时,可以直接向国务院卫生行政部门报告。

县级以上卫生行政、农业行政、质量监督、工商行政管理、食品药品监督管理部门应当相互通报获知的食品安全信息。

第九章 法律责任

第八十四条 违反本法规定,未经许可从事食品生产经营活动,或者未经许可生产食品添加剂的,由有关主管部门按照各自职责分工,没收违法所得、违法生产经营的食品、食品添加剂和用于违法生产经营的工具、设备、原料等物品;违法生产经营的食品、食品添加剂货值金额不足1万元的,并处2 000元以上5万元以下罚款;货值金额1万元以上的,并处货值金额5倍以上10倍以下罚款。

第八十五条 违反本法规定,有下列情形之一的,由有关主管部门按照各自职责分工,没收违法所得、违法生产经营的食品和用于违法生产经营的工具、设备、原料等物品;违法生产经营的食品货值金额不足1万元的,并处2 000元以上5万元以下罚款;货值金额1万元以上的,并处货值金额5倍以上10倍以下罚款;情节严重的,吊销许可证:

(一)用非食品原料生产食品或者在食品中添加食品添加剂以外的化学物质和其他可能危害人体健康的物质,或者用回收食品作为原料生产食品;

(二)生产经营致病性微生物、农药残留、兽药残留、重金属、污染物质以及其他危害人体健康的物质含量超过食品安全标准限量的食品;

(三)生产经营营养成分不符合食品安全标准的专供婴幼儿和其他特定人群的主辅食品;

(四)经营腐败变质、油脂酸败、霉变生虫、污秽不洁、混有异物、掺假掺杂或者感官性状异常的食品;

(五)经营病死、毒死或者死因不明的禽、畜、兽、水产动物肉类,或者生产经营病死、毒死或者死因不明的禽、畜、兽、水产动物肉类的制品;

(六)经营未经动物卫生监督机构检疫或者检疫不合格的肉类,或者生产经营未经检验或者检验不合格的肉类制品;

(七)经营超过保质期的食品;

(八)生产经营国家为防病等特殊需要明令禁止生产经营的食品;

(九)利用新的食品原料从事食品生产或者从事食品添加剂新品种、食品相关产品新品种生产,未经过安全性评估;

(十)食品生产经营者在有关主管部门责令其召回或者停止经营不符合食品安全标准的食品后,仍拒不召回或者停止经营的。

第八十六条 违反本法规定,有下列情形之一的,由有关主管部门按照各自职责分工，没收违法所得、违法生产经营的食品和用于违法生产经营的工具、设备、原料等物品；违法生产经营的食品货值金额不足1万元的，并处2 000元以上5万元以下罚款；货值金额1万元以上的，并处货值金额2倍以上5倍以下罚款；情节严重的，责令停产停业，直至吊销许可证：

（一）经营被包装材料、容器、运输工具等污染的食品；

（二）生产经营无标签的预包装食品、食品添加剂或者标签、说明书不符合本法规定的食品、食品添加剂；

（三）食品生产者采购、使用不符合食品安全标准的食品原料、食品添加剂、食品相关产品；

（四）食品生产经营者在食品中添加药品。

第八十七条　违反本法规定，有下列情形之一的，由有关主管部门按照各自职责分工，责令改正，给予警告；拒不改正的，处2 000元以上2万元以下罚款；情节严重的，责令停产停业，直至吊销许可证：

（一）未对采购的食品原料和生产的食品、食品添加剂、食品相关产品进行检验；

（二）未建立并遵守查验记录制度、出厂检验记录制度；

（三）制定食品安全企业标准未依照本法规定备案；

（四）未按规定要求贮存、销售食品或者清理库存食品；

（五）进货时未查验许可证和相关证明文件；

（六）生产的食品、食品添加剂的标签、说明书涉及疾病预防、治疗功能；

（七）安排患有本法第三十四条所列疾病的人员从事接触直接入口食品的工作。

第八十八条　违反本法规定，事故单位在发生食品安全事故后未进行处置、报告的，由有关主管部门按照各自职责分工，责令改正，给予警告；毁灭有关证据的，责令停产停业，并处2 000元以上10万元以下罚款；造成严重后果的，由原发证部门吊销许可证。

第八十九条　违反本法规定，有下列情形之一的，依照本法第八十五条的规定给予处罚：

（一）进口不符合我国食品安全国家标准的食品；

（二）进口尚无食品安全国家标准的食品，或者首次进口食品添加剂新品种、食品相关产品新品种，未经过安全性评估；

（三）出口商未遵守本法的规定出口食品。

违反本法规定，进口商未建立并遵守食品进口和销售记录制度的，依照本法第八十七条的规定给予处罚。

第九十条　违反本法规定，集中交易市场的开办者、柜台出租者、展销会的举办者允许未取得许可的食品经营者进入市场销售食品，或者未履行检查、报告等义务的，由有关主管部门按照各自职责分工，处2 000元以上5万元以下罚款；造成严重后果的，责令停业，由原发证部门吊销许可证。

第九十一条　违反本法规定，未按照要求进行食品运输的，由有关主管部门按照各自职责分工，责令改正，给予警告；拒不改正的，责令停产停业，并处2 000元以上5万元以下罚款；情节严重的，由原发证部门吊销许可证。

第九十二条　被吊销食品生产、流通或者餐饮服务许可证的单位，其直接负责的主管人员自处罚决定作出之日起五年内不得从事食品生产经营管理工作。

食品生产经营者聘用不得从事食品生产经营管理工作的人员从事管理工作的，由原发证部门吊销许可证。

第九十三条　违反本法规定，食品检验机构、食品检验人员出具虚假检验报告的，由授予其资质的主管部门或者机构撤销该检验机构的检验资格；依法对检验机构直接负责的主管人员和食品检验人员给予撤职或者开除的处分。

违反本法规定，受到刑事处罚或者开除处分的食品检验机构人员，自刑罚执行完毕或者处分决定作出之日起十年内不得从事食品检验工作。食品检验机构聘用不得从事食品检验工作的人员的，由授予其资质的主管部门或者机构撤销该检验机构的检验资格。

第九十四条　违反本法规定，在广告中对食品质量作虚假宣传，欺骗消费者的，依照《中华人民共和国广告法》的规定给予处罚。

违反本法规定，食品安全监督管理部门或者承担食品检验职责的机构、食品行业协会、消费者协会以广告或者其他形式向消费者推荐食品的，由有关主管部门没收违法所得，依法对直接负责的主管人员和其他直接责任人员给予记大过、降级或者撤职的处分。

第九十五条　违反本法规定，县级以上地方人民政府在食品安全监督管理中未履行职责，本行政区域出现重大食品安全事故、造成严重社会影响的，依法对直接负责的主管人员和其他直接责任人员给予记大过、降级、撤职或者开除的处分。

违反本法规定，县级以上卫生行政、农业行政、质量监督、工商行政管理、食品药品监督管理部门或者其他有关行政部门不履行本法规定的职责或者滥用职权、玩忽职守、徇私舞弊的，依法对直接负责的主管人员和其他直接责任人员给予记大过或者降级的处分；造成严重后果的，给予撤职或者开除的处分；其主要负责人应当引咎辞职。

第九十六条　违反本法规定，造成人身、财产或者其他损害的，依法承担赔偿责任。

生产不符合食品安全标准的食品或者销售明知是

不符合食品安全标准的食品，消费者除要求赔偿损失外，还可以向生产者或者销售者要求支付价款10倍的赔偿金。

第九十七条　违反本法规定，应当承担民事赔偿责任和缴纳罚款、罚金，其财产不足以同时支付时，先承担民事赔偿责任。

第九十八条　违反本法规定，构成犯罪的，依法追究刑事责任。

第十章　附　　则

第九十九条　本法下列用语的含义：

食品，指各种供人食用或者饮用的成品和原料以及按照传统既是食品又是药品的物品，但是不包括以治疗为目的的物品。

食品安全，指食品无毒、无害，符合应当有的营养要求，对人体健康不造成任何急性、亚急性或者慢性危害。

预包装食品，指预先定量包装或者制作在包装材料和容器中的食品。

食品添加剂，指为改善食品品质和色、香、味以及为防腐、保鲜和加工工艺的需要而加入食品中的人工合成或者天然物质。

用于食品的包装材料和容器，指包装、盛放食品或者食品添加剂用的纸、竹、木、金属、搪瓷、陶瓷、塑料、橡胶、天然纤维、化学纤维、玻璃等制品和直接接触食品或者食品添加剂的涂料。

用于食品生产经营的工具、设备，指在食品或者食品添加剂生产、流通、使用过程中直接接触食品或者食品添加剂的机械、管道、传送带、容器、用具、餐具等。

用于食品的洗涤剂、消毒剂，指直接用于洗涤或者消毒食品、餐饮具以及直接接触食品的工具、设备或者食品包装材料和容器的物质。

保质期，指预包装食品在标签指明的贮存条件下保持品质的期限。

食源性疾病，指食品中致病因素进入人体引起的感染性、中毒性等疾病。

食物中毒，指食用了被有毒有害物质污染的食品或者食用了含有毒有害物质的食品后出现的急性、亚急性疾病。

食品安全事故，指食物中毒、食源性疾病、食品污染等源于食品，对人体健康有危害或者可能有危害的事故。

第一百条　食品生产经营者在本法施行前已经取得相应许可证的，该许可证继续有效。

第一百零一条　乳品、转基因食品、生猪屠宰、酒类和食盐的食品安全管理，适用本法；法律、行政法规另有规定的，依照其规定。

第一百零二条　铁路运营中食品安全的管理办法由国务院卫生行政部门会同国务院有关部门依照本法制定。

军队专用食品和自供食品的食品安全管理办法由中央军事委员会依照本法制定。

第一百零三条　国务院根据实际需要，可以对食品安全监督管理体制作出调整。

第一百零四条　本法自2009年6月1日起施行。《中华人民共和国食品卫生法》同时废止。

中华人民共和国食品安全法实施条例

第一章　总　　则

第一条　根据《中华人民共和国食品安全法》（以下简称食品安全法），制定本条例。

第二条　县级以上地方人民政府应当履行食品安全法规定的职责；加强食品安全监督管理能力建设，为食品安全监督管理工作提供保障；建立健全食品安全监督管理部门的协调配合机制，整合、完善食品安全信息网络，实现食品安全信息共享和食品检验等技术资源的共享。

第三条　食品生产经营者应当依照法律、法规和食品安全标准从事生产经营活动，建立健全食品安全管理制度，采取有效管理措施，保证食品安全。

食品生产经营者对其生产经营的食品安全负责，对社会和公众负责，承担社会责任。

第四条　食品安全监督管理部门应当依照食品安全法和本条例的规定公布食品安全信息，为公众咨询、投诉、举报提供方便；任何组织和个人有权向有关部门了解食品安全信息。

第二章　食品安全风险监测和评估

第五条　食品安全法第十一条规定的国家食品安全风险监测计划，由国务院卫生行政部门会同国务院质量监督、工商行政管理和国家食品药品监督管理以及国务院商务、工业和信息化等部门，根据食品安全风险评估、食品安全标准制定与修订、食品安全监督管理等工作的需要制定。

第六条　省、自治区、直辖市人民政府卫生行政部门应当组织同级质量监督、工商行政管理、食品药品监督管理、商务、工业和信息化等部门，依照食品安全法第十一条的规定，制定本行政区域的食品安全风险监测方案，报国务院卫生行政部门备案。

国务院卫生行政部门应当将备案情况向国务院质量监督、工商行政管理和国家食品药品监督管理以及国务院商务、工业和信息化等部门通报。

第七条　国务院卫生行政部门会同有关部门除依照食品安全法第十二条的规定对国家食品安全风险监

测计划作出调整外，必要时，还应当依据医疗机构报告的有关疾病信息调整国家食品安全风险监测计划。

国家食品安全风险监测计划作出调整后，省、自治区、直辖市人民政府卫生行政部门应当结合本行政区域的具体情况，对本行政区域的食品安全风险监测方案作出相应调整。

第八条　医疗机构发现其接收的病人属于食源性疾病病人、食物中毒病人，或者疑似食源性疾病病人、疑似食物中毒病人的，应当及时向所在地县级人民政府卫生行政部门报告有关疾病信息。

接到报告的卫生行政部门应当汇总、分析有关疾病信息，及时向本级人民政府报告，同时报告上级卫生行政部门；必要时，可以直接向国务院卫生行政部门报告，同时报告本级人民政府和上级卫生行政部门。

第九条　食品安全风险监测工作由省级以上人民政府卫生行政部门会同同级质量监督、工商行政管理、食品药品监督管理等部门确定的技术机构承担。

承担食品安全风险监测工作的技术机构应当根据食品安全风险监测计划和监测方案开展监测工作，保证监测数据真实、准确，并按照食品安全风险监测计划和监测方案的要求，将监测数据和分析结果报送省级以上人民政府卫生行政部门和下达监测任务的部门。

食品安全风险监测工作人员采集样品、收集相关数据，可以进入相关食用农产品种植养殖、食品生产、食品流通或者餐饮服务场所。采集样品，应当按照市场价格支付费用。

第十条　食品安全风险监测分析结果表明可能存在食品安全隐患的，省、自治区、直辖市人民政府卫生行政部门应当及时将相关信息通报本行政区域设区的市级和县级人民政府及其卫生行政部门。

第十一条　国务院卫生行政部门应当收集、汇总食品安全风险监测数据和分析结果，并向国务院质量监督、工商行政管理和国家食品药品监督管理以及国务院商务、工业和信息化等部门通报。

第十二条　有下列情形之一的，国务院卫生行政部门应当组织食品安全风险评估工作：

（一）为制定或者修订食品安全国家标准提供科学依据需要进行风险评估的；

（二）为确定监督管理的重点领域、重点品种需要进行风险评估的；

（三）发现新的可能危害食品安全的因素的；

（四）需要判断某一因素是否构成食品安全隐患的；

（五）国务院卫生行政部门认为需要进行风险评估的其他情形。

第十三条　国务院农业行政、质量监督、工商行政管理和国家食品药品监督管理等有关部门依照食品安全法第十五条规定向国务院卫生行政部门提出食品安全风险评估建议，应当提供下列信息和资料：

（一）风险的来源和性质；

（二）相关检验数据和结论；

（三）风险涉及范围；

（四）其他有关信息和资料。

县级以上地方农业行政、质量监督、工商行政管理、食品药品监督管理等有关部门应当协助收集前款规定的食品安全风险评估信息和资料。

第十四条　省级以上人民政府卫生行政、农业行政部门应当及时相互通报食品安全风险监测和食用农产品质量安全风险监测的相关信息。

国务院卫生行政、农业行政部门应当及时相互通报食品安全风险评估结果和食用农产品质量安全风险评估结果等相关信息。

第三章　食品安全标准

第十五条　国务院卫生行政部门会同国务院农业行政、质量监督、工商行政管理和国家食品药品监督管理以及国务院商务、工业和信息化等部门制定食品安全国家标准规划及其实施计划。制定食品安全国家标准规划及其实施计划，应当公开征求意见。

第十六条　国务院卫生行政部门应当选择具备相应技术能力的单位起草食品安全国家标准草案。提倡由研究机构、教育机构、学术团体、行业协会等单位，共同起草食品安全国家标准草案。

国务院卫生行政部门应当将食品安全国家标准草案向社会公布，公开征求意见。

第十七条　食品安全法第二十三条规定的食品安全国家标准审评委员会由国务院卫生行政部门负责组织。

食品安全国家标准审评委员会负责审查食品安全国家标准草案的科学性和实用性等内容。

第十八条　省、自治区、直辖市人民政府卫生行政部门应当将企业依照食品安全法第二十五条规定报送备案的企业标准，向同级农业行政、质量监督、工商行政管理、食品药品监督管理、商务、工业和信息化等部门通报。

第十九条　国务院卫生行政部门和省、自治区、直辖市人民政府卫生行政部门应当会同同级农业行政、质量监督、工商行政管理、食品药品监督管理、商务、工业和信息化等部门，对食品安全国家标准和食品安全地方标准的执行情况分别进行跟踪评价，并应当根据评价结果适时组织修订食品安全标准。

国务院和省、自治区、直辖市人民政府的农业行政、质量监督、工商行政管理、食品药品监督管理、商务、工业和信息化等部门应当收集、汇总食品安全标准在执行过程中存在的问题，并及时向同级卫生行政部门通报。

食品生产经营者、食品行业协会发现食品安全标准在执行过程中存在问题的，应当立即向食品安全监督管理部门报告。

第四章 食品生产经营

第二十条 设立食品生产企业，应当预先核准企业名称，依照食品安全法的规定取得食品生产许可后，办理工商登记。县级以上质量监督管理部门依照有关法律、行政法规规定审核相关资料、核查生产场所、检验相关产品；对相关资料、场所符合规定要求以及相关产品符合食品安全标准或者要求的，应当作出准予许可的决定。

其他食品生产经营者应当在依法取得相应的食品生产许可、食品流通许可、餐饮服务许可后，办理工商登记。法律、法规对食品生产加工小作坊和食品摊贩另有规定的，依照其规定。

食品生产许可、食品流通许可和餐饮服务许可的有效期为3年。

第二十一条 食品生产经营者的生产经营条件发生变化，不符合食品生产经营要求的，食品生产经营者应当立即采取整改措施；有发生食品安全事故的潜在风险的，应当立即停止食品生产经营活动，并向所在地县级质量监督、工商行政管理或者食品药品监督管理部门报告；需要重新办理许可手续的，应当依法办理。

县级以上质量监督、工商行政管理、食品药品监督管理部门应当加强对食品生产经营者生产经营活动的日常监督检查；发现不符合食品生产经营要求情形的，应当责令立即纠正，并依法予以处理；不再符合生产经营许可条件的，应当依法撤销相关许可。

第二十二条 食品生产经营企业应当依照食品安全法第三十二条的规定组织职工参加食品安全知识培训，学习食品安全法律、法规、规章、标准和其他食品安全知识，并建立培训档案。

第二十三条 食品生产经营者应当依照食品安全法第三十四条的规定建立并执行从业人员健康检查制度和健康档案制度。从事接触直接入口食品工作的人员患有痢疾、伤寒、甲型病毒性肝炎、戊型病毒性肝炎等消化道传染病，以及患有活动性肺结核、化脓性或者渗出性皮肤病等有碍食品安全的疾病的，食品生产经营者应当将其调整到其他不影响食品安全的工作岗位。

食品生产经营人员依照食品安全法第三十四条第二款规定进行健康检查，其检查项目等事项应当符合所在地省、自治区、直辖市的规定。

第二十四条 食品生产经营企业应当依照食品安全法第三十六条第二款、第三十七条第一款、第三十九条第二款的规定建立进货查验记录制度、食品出厂检验记录制度，如实记录法律规定记录的事项，或者保留载有相关信息的进货或者销售票据。记录、票据的保存期限不得少于2年。

第二十五条 实行集中统一采购原料的集团性食品生产企业，可以由企业总部统一查验供货者的许可证和产品合格证明文件，进行进货查验记录；对无法提供合格证明文件的食品原料，应当依照食品安全标准进行检验。

第二十六条 食品生产企业应当建立并执行原料验收、生产过程安全管理、贮存管理、设备管理、不合格产品管理等食品安全管理制度，不断完善食品安全保障体系，保证食品安全。

第二十七条 食品生产企业应当就下列事项制定并实施控制要求，保证出厂的食品符合食品安全标准：

（一）原料采购、原料验收、投料等原料控制；

（二）生产工序、设备、贮存、包装等生产关键环节控制；

（三）原料检验、半成品检验、成品出厂检验等检验控制；

（四）运输、交付控制。

食品生产过程中有不符合控制要求情形的，食品生产企业应当立即查明原因并采取整改措施。

第二十八条 食品生产企业除依照食品安全法第三十六条、第三十七条规定进行进货查验记录和食品出厂检验记录外，还应当如实记录食品生产过程的安全管理情况。记录的保存期限不得少于2年。

第二十九条 从事食品批发业务的经营企业销售食品，应当如实记录批发食品的名称、规格、数量、生产批号、保质期、购货者名称及联系方式、销售日期等内容，或者保留载有相关信息的销售票据。记录、票据的保存期限不得少于2年。

第三十条 国家鼓励食品生产经营者采用先进技术手段，记录食品安全法和本条例要求记录的事项。

第三十一条 餐饮服务提供者应当制定并实施原料采购控制要求，确保所购原料符合食品安全标准。

餐饮服务提供者在制作加工过程中应当检查待加工的食品及原料，发现有腐败变质或者其他感官性状异常的，不得加工或者使用。

第三十二条 餐饮服务提供企业应当定期维护食品加工、贮存、陈列等设施、设备；定期清洗、校验保温设施及冷藏、冷冻设施。

餐饮服务提供者应当按照要求对餐具、饮具进行清洗、消毒，不得使用未经清洗和消毒的餐具、饮具。

第三十三条 对依照食品安全法第五十三条规定被召回的食品，食品生产者应当进行无害化处理或者予以销毁，防止其再次流入市场。对因标签、标识或者说明书不符合食品安全标准而被召回的食品，食品生产者在采取补救措施且能保证食品安全的情况下可以继续销售；销售时应当向消费者明示补救措施。

县级以上质量监督、工商行政管理、食品药品监督管理部门应当将食品生产者召回不符合食品安全标准的食品的情况，以及食品经营者停止经营不符合食品安全标准的食品的情况，记入食品生产经营者食品安全信用档案。

第五章 食品检验

第三十四条 申请人依照食品安全法第六十条第三款规定向承担复检工作的食品检验机构（以下称复检机构）申请复检，应当说明理由。

复检机构名录由国务院认证认可监督管理、卫生行政、农业行政等部门共同公布。复检机构出具的复检结论为最终检验结论。

复检机构由复检申请人自行选择。复检机构与初检机构不得为同一机构。

第三十五条 食品生产经营者对依照食品安全法第六十条规定进行的抽样检验结论有异议申请复检，复检结论表明食品合格的，复检费用由抽样检验的部门承担；复检结论表明食品不合格的，复检费用由食品生产经营者承担。

第六章 食品进出口

第三十六条 进口食品的进口商应当持合同、发票、装箱单、提单等必要的凭证和相关批准文件，向海关报关地的出入境检验检疫机构报检。进口食品应当经出入境检验检疫机构检验合格。海关凭出入境检验检疫机构签发的通关证明放行。

第三十七条 进口尚无食品安全国家标准的食品，或者首次进口食品添加剂新品种、食品相关产品新品种，进口商应当向出入境检验检疫机构提交依照食品安全法第六十三条规定取得的许可证明文件，出入境检验检疫机构应当按照国务院卫生行政部门的要求进行检验。

第三十八条 国家出入境检验检疫部门在进口食品中发现食品安全国家标准未规定且可能危害人体健康的物质，应当按照食品安全法第十二条的规定向国务院卫生行政部门通报。

第三十九条 向我国境内出口食品的境外食品生产企业依照食品安全法第六十五条规定进行注册，其注册有效期为4年。已经注册的境外食品生产企业提供虚假材料，或者因境外食品生产企业的原因致使相关进口食品发生重大食品安全事故的，国家出入境检验检疫部门应当撤销注册，并予以公告。

第四十条 进口的食品添加剂应当有中文标签、中文说明书。标签、说明书应当符合食品安全法和我国其他有关法律、行政法规的规定以及食品安全国家标准的要求，载明食品添加剂的原产地和境内代理商的名称、地址、联系方式。食品添加剂没有中文标签、中文说明书或者标签、说明书不符合本条规定的，不得进口。

第四十一条 出入境检验检疫机构依照食品安全法第六十二条规定对进口食品实施检验，依照食品安全法第六十八条规定对出口食品实施监督、抽检，具体办法由国家出入境检验检疫部门制定。

第四十二条 国家出入境检验检疫部门应当建立信息收集网络，依照食品安全法第六十九条的规定，收集、汇总、通报下列信息：

（一）出入境检验检疫机构对进出口食品实施检验检疫发现的食品安全信息；

（二）行业协会、消费者反映的进口食品安全信息；

（三）国际组织、境外政府机构发布的食品安全信息、风险预警信息，以及境外行业协会等组织、消费者反映的食品安全信息；

（四）其他食品安全信息。

接到通报的部门必要时应当采取相应处理措施。

食品安全监督管理部门应当及时将获知的涉及进出口食品安全的信息向国家出入境检验检疫部门通报。

第七章 食品安全事故处置

第四十三条 发生食品安全事故的单位对导致或者可能导致食品安全事故的食品及原料、工具、设备等，应当立即采取封存等控制措施，并自事故发生之时起2小时内向所在地县级人民政府卫生行政部门报告。

第四十四条 调查食品安全事故，应当坚持实事求是、尊重科学的原则，及时、准确查清事故性质和原因，认定事故责任，提出整改措施。

参与食品安全事故调查的部门应当在卫生行政部门的统一组织协调下分工协作、相互配合，提高事故调查处理的工作效率。

食品安全事故的调查处理办法由国务院卫生行政部门会同国务院有关部门制定。

第四十五条 参与食品安全事故调查的部门有权向有关单位和个人了解与事故有关的情况，并要求提供相关资料和样品。

有关单位和个人应当配合食品安全事故调查处理工作，按照要求提供相关资料和样品，不得拒绝。

第四十六条 任何单位或者个人不得阻挠、干涉食品安全事故的调查处理。

第八章 监督管理

第四十七条 县级以上地方人民政府依照食品安全法第七十六条规定制定的食品安全年度监督管理计划，应当包含食品抽样检验的内容。对专供婴幼儿、老年人、病人等特定人群的主辅食品,应当重点加强抽样检验。

县级以上农业行政、质量监督、工商行政管理、食品药品监督管理部门应当按照食品安全年度监督管理计划进行抽样检验。抽样检验购买样品所需费用和检验费等,由同级财政列支。

第四十八条 县级人民政府应当统一组织、协调本级卫生行政、农业行政、质量监督、工商行政管理、食品药品监督管理部门,依法对本行政区域内的食品生产经营者进行监督管理;对发生食品安全事故风险较高的食品生产经营者,应当重点加强监督管理。

在国务院卫生行政部门公布食品安全风险警示信息,或者接到所在地省、自治区、直辖市人民政府卫生行政部门依照本条例第十条规定通报的食品安全风险监测信息后,设区的市级和县级人民政府应当立即组织本级卫生行政、农业行政、质量监督、工商行政管理、食品药品监督管理部门采取有针对性的措施,防止发生食品安全事故。

第四十九条 国务院卫生行政部门应当根据疾病信息和监督管理信息等,对发现的添加或者可能添加到食品中的非食品用化学物质和其他可能危害人体健康的物质的名录及检测方法予以公布;国务院质量监督、工商行政管理和国家食品药品监督管理部门应当采取相应的监督管理措施。

第五十条 质量监督、工商行政管理、食品药品监督管理部门在食品安全监督管理工作中可以采用国务院质量监督、工商行政管理和国家食品药品监督管理部门认定的快速检测方法对食品进行初步筛查;对初步筛查结果表明可能不符合食品安全标准的食品,应当依照食品安全法第六十条第三款的规定进行检验。初步筛查结果不得作为执法依据。

第五十一条 食品安全法第八十二条第二款规定的食品安全日常监督管理信息包括:

(一)依照食品安全法实施行政许可的情况;

(二)责令停止生产经营的食品、食品添加剂、食品相关产品的名录;

(三)查处食品生产经营违法行为的情况;

(四)专项检查整治工作情况;

(五)法律、行政法规规定的其他食品安全日常监督管理信息。

前款规定的信息涉及两个以上食品安全监督管理部门职责的,由相关部门联合公布。

第五十二条 食品安全监督管理部门依照食品安全法第八十二条规定公布信息,应当同时对有关食品可能产生的危害进行解释、说明。

第五十三条 卫生行政、农业行政、质量监督、工商行政管理、食品药品监督管理等部门应当公布本单位的电子邮件地址或者电话,接受咨询、投诉、举报;对接到的咨询、投诉、举报,应当依照食品安全法第八十条的规定进行答复、核实、处理,并对咨询、投诉、举报和答复、核实、处理的情况予以记录、保存。

第五十四条 国务院工业和信息化、商务等部门依据职责制定食品行业的发展规划和产业政策,采取措施推进产业结构优化,加强对食品行业诚信体系建设的指导,促进食品行业健康发展。

第九章 法律责任

第五十五条 食品生产经营者的生产经营条件发生变化,未依照本条例第二十一条规定处理的,由有关主管部门责令改正,给予警告;造成严重后果的,依照食品安全法第八十五条的规定给予处罚。

第五十六条 餐饮服务提供者未依照本条例第三十一条第一款规定制定、实施原料采购控制要求的,依照食品安全法第八十六条的规定给予处罚。

餐饮服务提供者未依照本条例第三十一条第二款规定检查待加工的食品及原料,或者发现有腐败变质或者其他感官性状异常仍加工、使用的,依照食品安全法第八十五条的规定给予处罚。

第五十七条 有下列情形之一的,依照食品安全法第八十七条的规定给予处罚:

(一)食品生产企业未依照本条例第二十六条规定建立、执行食品安全管理制度的;

(二)食品生产企业未依照本条例第二十七条规定制定、实施生产过程控制要求,或者食品生产过程中有不符合控制要求的情形未依照规定采取整改措施的;

(三)食品生产企业未依照本条例第二十八条规定记录食品生产过程的安全管理情况并保存相关记录的;

(四)从事食品批发业务的经营企业未依照本条例第二十九条规定记录、保存销售信息或者保留销售票据的;

(五)餐饮服务提供企业未依照本条例第三十二条第一款规定定期维护、清洗、校验设施、设备的;

(六)餐饮服务提供者未依照本条例第三十二条第二款规定对餐具、饮具进行清洗、消毒,或者使用未经清洗和消毒的餐具、饮具的。

第五十八条 进口不符合本条例第四十条规定的食品添加剂的,由出入境检验检疫机构没收违法进口的食品添加剂;违法进口的食品添加剂货值金额不足1万元的,并处2 000元以上5万元以下罚款;货值金额1万元以上的,并处货值金额2倍以上5倍以下罚款。

第五十九条 医疗机构未依照本条例第八条规定报告有关疾病信息的,由卫生行政部门责令改正,给予警告。

第六十条　发生食品安全事故的单位未依照本条例第四十三条规定采取措施并报告的，依照食品安全法第八十八条的规定给予处罚。

第六十一条　县级以上地方人民政府不履行食品安全监督管理法定职责，本行政区域出现重大食品安全事故、造成严重社会影响的，依法对直接负责的主管人员和其他直接责任人员给予记大过、降级、撤职或者开除的处分。

县级以上卫生行政、农业行政、质量监督、工商行政管理、食品药品监督管理部门或者其他有关行政部门不履行食品安全监督管理法定职责、日常监督检查不到位或者滥用职权、玩忽职守、徇私舞弊的，依法对直接负责的主管人员和其他直接责任人员给予记大过或者降级的处分；造成严重后果的，给予撤职或者开除的处分；其主要负责人应当引咎辞职。

第十章　附　　则

第六十二条　本条例下列用语的含义：

食品安全风险评估，指对食品、食品添加剂中生物性、化学性和物理性危害对人体健康可能造成的不良影响所进行的科学评估，包括危害识别、危害特征描述、暴露评估、风险特征描述等。

餐饮服务，指通过即时制作加工、商业销售和服务性劳动等，向消费者提供食品和消费场所及设施的服务活动。

第六十三条　食用农产品质量安全风险监测和风险评估由县级以上人民政府农业行政部门依照《中华人民共和国农产品质量安全法》的规定进行。

国境口岸食品的监督管理由出入境检验检疫机构依照食品安全法和本条例以及有关法律、行政法规的规定实施。

食品药品监督管理部门对声称具有特定保健功能的食品实行严格监管，具体办法由国务院另行制定。

第六十四条　本条例自公布之日起施行。

〔《中华人民共和国食品安全法实施条例》已经2009年7月8日国务院第73次常务会议通过，并于2009年7月20日以国务院第557号令公布——编辑部注〕

国务院关于当前稳定农业发展促进农民增收的意见

国发〔2009〕25号

（节　　选）

二、促进畜牧业稳定发展

（七）加大生产投入。抓紧落实已出台的生猪和奶牛良种冻精补贴、能繁母猪补贴、生猪调出大县奖励等扶持政策，今年继续安排30亿元中央建设投资支持生猪和奶牛标准化规模养殖小区建设，促进饲养方式转变，提高畜牧养殖水平。

（八）加强市场调控。认真执行国务院批准的《防止生猪价格过度下跌调控预案（暂行）》，适时启动相应的调控措施。增加部分中央建设投资支持冷链物流设施建设，扩大社会冰鲜冷冻储藏能力。继续实施奶粉临时收储政策，进一步扩大国产奶粉收储规模。将原料奶收购贷款财政贴息政策实施期限延长至2009年12月底。

（九）加强疫病防控。加强动物疫病防控工作，落实畜禽防疫经费，依法对畜禽实施强制免疫，所需经费由同级财政预算安排。严厉查处屠宰加工检疫、防疫疫苗销售以及运输中间环节的乱收费行为。

食品安全整顿工作方案

为做好食品安全整顿工作，切实解决食品安全突出问题，全面提升食品安全水平，制定本工作方案。

一、指导思想和总体目标

（一）指导思想。

全面贯彻党的十七大精神，以邓小平理论和“三个代表”重要思想为指导，深入落实科学发展观，坚持以人为本，切实把食品安全工作放在突出位置，落实食品生产经营者的主体责任，健全地方政府对本地区食品安全工作负总责、有关部门按照分工各负其责的监管体系。坚持治理整顿与振兴产业相结合、集中整治与长效机制建设相结合、企业自律与政府监管相结合，统筹兼顾，突出重点，依法整顿，促进食品产业持续健康发展，保障人民群众饮食安全。

（二）总体目标

用两年左右时间集中整顿，使食品安全各环节监管责任进一步落实，食品安全标准逐步完善，食品行业自律显著加强，农产品和食品质量安全水平明显提高，人民群众食品安全得到切实保障。

二、整顿任务

重点就以下七个方面进行集中整顿：

（一）违法添加非食用物质和滥用食品添加剂。打击在食品中违法添加非食用物质行为。查处研制、生产、销售、使用非法食品添加物的行为。整治超过标准规定的范围、限量滥用食品添加剂的行为。

（二）农产品质量安全。深入开展奶站清理整顿，严格生鲜乳收购许可证制度，对达不到要求的奶站一律责令停业整顿或取缔。打击在生鲜乳中添加违禁物质的行为。打击违法生产经营甲胺磷等五种禁用高毒农药、普通农药中非法添加高毒农药和违法违规使用禁用限用农药的行为。查处在饲料原料和产品中添加有毒有害化学物质的行为,取缔无生产许可证、无产品批准文号、无产品标签的"三无"饲料生产企业。查处非法生产经营假劣过期兽药产品行为。加大对蔬菜、水果和茶叶中农药残留、猪肉产品中喹噁啉类、硝基咪唑类等促生长剂药物残留、禽肉产品中硝基呋喃类、喹诺酮、磺胺类药物残留和蜂产品中抗生素药物残留的监督检查力度。打击禽畜养殖、水产养殖(特别是苗种生产阶段)使用违禁药物和有毒有害物质的行为。查处伪造、冒用、超范围使用无公害农产品、绿色食品、有机农产品标志的行为。

(三)食品生产和进出口环节。打击制售假冒伪劣食品、使用非食品原料和回收食品生产加工食品的行为。取缔无营业执照、无生产许可证的非法食品生产加工企业。查处企业生产不符合安全标准食品的行为。重点整顿小企业、小作坊,解决行业内影响食品安全的普遍问题。打击食品非法进出口行为。全面清理出口食品原料基地和获得卫生注册登记资格的出口食品生产企业,打击逃避检验检疫行为。

(四)食品流通环节。严格食品经营主体市场准入,查处无证、无照经营和超范围经营食品的行为。打击销售过期变质、假冒伪劣等不合格食品和扰乱食品市场秩序的行为。重点整顿售假问题突出的市场特别是农村市场和食杂店,重点检查消费者举报多的食品。

(五)餐饮消费环节。查处餐饮单位无证经营行为。重点整顿学校食堂、建筑工地食堂、农家乐旅游点、小型餐饮单位。查处采购、使用病死或者死因不明的畜禽及其制品、劣质食用油等行为。加大对熟食卤味、盒饭、冷菜等高风险食品和餐具清洗消毒等重点环节的监督检查力度。

(六)畜畜屠宰。打击私屠滥宰行为。加大对定点屠宰厂(场)的监督力度。查处生产加工、销售病死病害猪(牛、羊)肉和注水猪肉等的行为,规范活禽屠宰,严防未经检疫(验)或检疫(验)不合格畜禽产品流入市场。

(七)保健食品。打击在保健食品中违法添加药物的行为。查处违规生产经营保健品和伪造、冒用保健品标签标识的行为。严查以公益讲座、免费体检、学术交流、会展销售等形式销售假冒伪劣保健食品的行为。整治宣传普通食品功能疗效、夸大宣传保健食品功能的行为。

三、整顿措施

(一)落实企业的食品安全主体责任。企业要确保生产经营的食品符合国家质量安全标准,并承担相应的法律责任。督促企业建立健全食品安全管理制度,严格执行原料查验、索证索票和全程追溯制度;提高检验检测能力,落实食品检验合格出厂制度和不合格食品召制度。完善相关政策措施,采取行政、认证等多种措施,鼓励和引导食品企业积极采用良好生产规范(GMP)、良好卫生规范(GHP)、良好农业规范(GAP)和危害分析控制点技术(HACCP)等先进食品安全制度,提高企业食品安全管理水平。

(二)完善食品安全标准。尽快修订国家乳品质量安全标准。全面清理现行食品质量标准、卫生标准和行业标准,解决标准缺失、重复和矛盾问题,在风险评估的基础上,建立健全科学、统一的食品安全标准体系。重点制(修)订食品中农兽药残留、有毒有害污染物、致病微生物、真菌毒素限量标准以及食品添加剂使用标准。加强对国际标准和国外先进标准的跟踪研究,及时调整和完善我国食品安全标准。加强宣传培训和督促检查,严格实施食品安全标准。

(三)加强检验检测。各相关监管部门要加强对食品特别是高风险食品的检验检测,加大检验检测频次,定期公布检验检测结果。规范食品安全检验检测结果发布。完善检验检测手段,重点提高对食品中有毒有害物质鉴定排查、风险监测、风险预警、风险评估和技术仲裁的能力。建立覆盖各省(区、市)、市、县并逐步延伸到农村地区的食品污染物和食源性疾病监测体系,加强食品安全风险监测数据的收集、报送和管理。加快推进检验检测机构改革,鼓励社会第三方检验检测机构发展。严格资质审查,加强检验检测人员管理,提高检验检测机构服务水平。合理配置检验检测资源,推进检验检测资源和信息共享,实现检验检测结果互认,避免重复检验检测。

(四)加强食品安全监管。规范食品生产经营准入条件,提高准入门槛。严格落实食品安全各项监管制度,加大对重点食品、重点环节和重点地区的监督检查力度,对不合格食品下架、退市,责令企业召回。改进监督抽检手段,采取明察暗访、突击检查、追踪溯源、排查举报线索等方式,及时发现和查处违法生产经营行为。加强食品安全各环节执法衔接,联合开展监督抽查,相互通报情况,提高监管效率。

(五)强化行政执法。保障基层执法单位执法装备、检测设备和经费,提高执法能力。严格执法程度,规范执法行为,加强评议考核,落实食品安全行政执法责任制和责任追究制,着力纠正执法监管中的不作为、不到位和乱作为问题。加强执法队伍思想建设、业务建设和作风建设,提高执法队伍素质和依法行政水平。健全食品安全事故信息快速通报制度,完善食品安全事故快速反应机制。及时查处食品安全重大案件,严惩违法犯罪分子。

(六)加强食品行业自律。加快建立以守法遵章为准绳、社会道德为基础、企业自律为重点、社会监督为约束、诚信效果可评价、诚信奖惩有制度的食品企业诚信体系。抓紧制订食品生产企业诚信体系建设指导意见和诚信体系评价标准。选择若干企业开展诚信体系建设试点，及时总结推广试点经验，完善相关规范和标准。建立食品企业诚信不良记录收集、管理、通报制度和行业退出机制。

四、工作要求

（一）地方政府对本地区整顿工作负总责。地方各级政府要将食品安全整顿列入当前重要议事日程，加强组织领导，统筹调配力量，加大经费投入。各地要根据本工作方案安排，结合本地实际制订实施方案，提出具体任务和工作目标，明确完成工作的时限和考核指标，逐级落实整顿工作任务和责任。

（二）有关部门加强协调指导。国务院各有关部门要按照职能分工，认真履行职责，加强协调配合，督促和指导地方相关部门开展工作。农业部门负责农产品生产环节质量安全的监管，对生产中或者市场上销售的农产品进行监督抽查。质检部门负责食品生产加工环节和进出口食品质量安全的监管。工商部门负责流通环节食品质量安全的监管。食品药品监管部门负责餐饮业、食堂等消费环节食品安全和保健食品的监管。商务部门负责畜禽屠宰环节整顿。卫生、质检部门负责食品安全标准和检验检测体系建设。工业和信息化部门负责推进食品生产企业诚信体系建设。发展改革、财政部门负责加强食品安全监测能力建设。卫生部门要加强对食品安全整顿工作的综合协调，形成整顿工作合力。

（三）动员社会各方面广泛参与。加强社会监督，鼓励群众积极参与食品安全工作，提高全社会食品安全意识。大力宣传食品安全整顿的重大意义，及时报道各地区、各部门开展整顿的措施、进展和成效。大力开展诚信教育和行业自律宣传。同时，整顿工作要注意策略和方法，正确把握舆论导向，增强消费者信心。

（四）加强督查和评估。各地区、各有关部门要根据工作目标和任务，逐级开展检查和评估。对整顿工作扎实、效果显著的地区、要给予鼓励；对食品安全问题突出且长期得不到解决的地区，要通报批评、督促整改，并依法依纪追究有关负责人的责任。国务院将对食品安全整顿工作进行督查。

〔《食品安全整顿工作方案》已于2009年2月6日由国务院办公厅以国办发[2009]8号文件公布——编辑部注〕

关于认真贯彻实施食品安全法的通知

各省、自治区、直辖市人民政府，国务院各部委、各直属机构：

《中华人民共和国食品安全法》（以下简称食品安全法）已于2009年2月28日经第十一届全国人大常委会第七次会议通过，将于2009年6月1日起施行。食品安全直接关系广大人民群众的身体健康和生命安全，关系国家经济健康发展和社会和谐稳定。食品安全法的公布施行，对规范食品生产经营活动，防范食品安全事故发生，增强食品安全监管工作的规范性、科学性和有效性，提高我国食品安全整体水平，具有重要意义。为确保这部法律各项规定得到严格执行，经国务院批准，现就有关工作安排通知如下：

一、充分认识食品安全法的重要意义，认真做好学习、宣传和培训工作

食品安全法体现了预防为主、科学管理、明确责任、综合治理的食品安全工作指导思想，确立了食品安全风险监测和风险评估制度、食品安全标准制度、食品生产经营行为的基本准则、索证索票制度、不安全食品召回制度、食品安全信息发布制度，明确了分工负责与统一协调相结合的食品安全监管体制，为全面加强和改进食品安全工作，实现全程监管、科学监管，提高监管成效、提升食品安全水平，提供了法律制度保障。食品安全法的公布施行，对于保证食品安全，保障公众身体健康和生命安全，具有重要意义。

各地区、各有关部门特别是各级领导干部，要从深入贯彻落实科学发展观、全面推进依法行政和建设责任政府的高度，从维护人民群众根本利益出发，充分认识食品安全法实施的重要意义，要把学习、宣传食品安全法作为一项重要工作列入议事日程，把实施食品安全法作为一项长期工作抓紧抓好、抓出成效。县级以上地方人民政府要对食品安全法的宣传工作做出具体安排，广电、新闻出版等部门要充分发挥广播、电视、报刊、网络等媒体的作用，采取多种形式，广泛宣传食品安全法的立法宗旨和主要内容，做到家喻户晓，增强人民群众的食品安全法律意识和监督意识，为法律的贯彻实施营造良好的舆论氛围和社会环境。卫生、农业、质量监督、工商行政管理、食品药品监督管理等部门要开展食品安全法的学习培训，特别要加强执法队伍的法律知识和专业技术培训，确保执法人员准确理解、全面掌握食品安全法的主要内容，提高执法人员依法行政意识和执法水平。食品生产经营者要加强食品安全法学习，熟练掌握食品安全法律知识，自觉守法经营；食品行业组织要加强行业自律，指导、监督食品生产经营者加强诚信建设；食品行业管理部门要加强对食品生产经营者、食品行业组织学习食品安全法的指导。

二、依法履行食品安全监管职责，严格实行责任追究制

食品安全法规定了县级以上地方人民政府的食品安全责任，以及县级以上各级卫生、农业、质量监督、工

商行政管理、食品药品监督管理等部门的具体职责，明确了分工负责与统一协调相结合的食品安全监管体制。县级以上地方人民政府要依照食品安全法和国务院的规定，确定本级卫生、农业、质量监督、工商行政管理、食品药品监督管理部门的食品安全监督管理职责，既要避免职责交叉，又要防止监管空白，确保监管工作统一、协调、有效。

县级以上地方人民政府、各有关部门要强化责任意识，严格履行食品安全法规定的各项职责，切实承担起食品安全监管责任。县级以上地方人民政府统一负责、领导、组织、协调本地区的食品安全监督管理工作，要结合本地实际，采取措施加强食品安全监管能力建设，建立健全食品安全全程监管工作机制，形成监管合力；要统筹规划，建立、完善食品安全信息网络，实现食品安全信息、食品检验资源等的整合、共享；要建立并执行严格的食品安全监管责任追究制度，督促有关监管部门依法履职，严肃查处食品安全监管工作中的失职、渎职行为。各级卫生、农业、质量监督、工商行政管理、食品药品监督管理等部门要依照食品安全法的规定，依据各自职责，严格执行各项食品安全法律制度，采取有力措施，督促食品生产经营者切实承担起食品安全第一责任人的责任，严肃查处违法食品生产经营行为。

县级以上地方人民政府要根据本地区实际，建立健全各食品安全监管部门的沟通协调机制，统一组织、协调有关部门依法开展食品安全监管工作；要明确、细化各监管环节的衔接措施，保证食品安全监管工作的整体性和有效性；对不履行沟通协作责任、造成食品安全事故等后果的监管部门，要依法严肃追究其直接负责的主管人员和其他直接责任人员的责任。各级卫生、农业、质量监督、工商行政管理、食品药品监督管理等部门要依照食品安全法及其配套法规、规章、规范性文件的规定，积极履行部门间的信息通报等责任，加强主动沟通和相互协作，努力实现各监管环节的无缝衔接。

食品安全法实施一段时间后，县级以上地方各级人民政府、各有关部门要及时总结法律执行情况，适时组织开展本地区、本系统执法情况检查，研究、解决法律执行中的问题，及时改进执法工作。

三、抓紧制定、修订食品安全标准，为食品安全监管提供统一、科学依据

食品安全标准是强制执行的标准，是食品安全监管的技术依据。卫生部要依照食品安全法的规定，抓紧整合现行的食用农产品质量安全标准、食品卫生标准、食品质量标准和有关食品的行业标准中强制执行的标准，统一公布为食品安全国家标准。要尽快完成乳品质量安全国家标准制定、修订工作，优先制定、修订食品中致病性微生物、农药残留、兽药残留、重金属、污染物质等的限量标准以及食品添加剂使用标准。食品安全风险评估结果表明需要制定、修订食品安全国家标准的，卫生部要立即依法组织开展相关标准的制定、修订工作，有关监管部门要密切配合。卫生部及省级人民政府卫生部门组织制定、修订食品安全标准，要严格遵循食品安全法规定的程序，确保标准内容科学、合理。食品安全标准应当公开，供公众免费查阅。各级卫生、农业、质量监督、工商行政管理、食品药品监督管理等部门要做好食品安全标准的宣传贯彻工作。各监管部门依据统一的食品安全标准实施食品安全监管。

四、抓紧制定、完善有关行政法规和规章，确保食品安全法律制度的一致性

国务院将根据实施食品安全法的需要，制定食品安全法实施条例，与食品安全法同时施行；食品安全法授权国务院制定的其他行政法规，国务院有关部门要抓紧研究，及时提出有关制度设计的建议。国务院各有关部门和各省（区、市）人民政府要依照食品安全法的规定，依据各自职责，根据食品安全监管工作的实际需要，制定配套的部门规章、地方政府规章，确保食品安全法律制度得到切实执行。

国务院各有关部门和各省（区、市）人民政府要依照食品安全法及其配套行政法规的规定，对现行与食品安全监管有关的部门规章、地方性法规和地方政府规章进行清理，及时废止与食品安全法及其配套行政法规不一致的规章或者修订、废止其中与食品安全法及其配套行政法规不一致的内容，及时提出废止或者修订与食品安全法及其配套行政法规不一致的地方性法规的建议。国务院有关部门和各省（区、市）人民政府起草法规草案、制定规章，应当严格遵守《中华人民共和国立法法》、《行政法规制定程序条例》、《规章制定程序条例》规定的程序，确保食品安全法律制度的一致性。

五、加强食品安全监管能力建设，提高监管的有效性和公信力

食品安全法确立了食品安全风险监测和风险评估制度，规定了食品安全监管部门实施抽样检验应当购买样品并不得收取检验费用及其他任何费用。县级以上地方人民政府要对本地区执行食品安全法确立的各项制度给予经费保障，对增强食品检验能力、提高执法队伍的专业技术水平等食品安全监管能力建设给予必要的支持。要坚决杜绝监管部门通过实施食品安全监管向管理相对人违法收取费用的现象。各监管部门要严格依法实行“收支两条线”管理；对通过实施食品安全监管违法收取费用的，要依法严肃处理，追究直接责

任人和负责人的责任。

六、以贯彻实施食品安全法为契机，扎实做好食品安全整顿工作

目前，我国食品安全问题仍然比较突出，食品安全事件时有发生，人民群众对食品安全反映强烈。为切实解决我国食品安全突出问题，国务院已做出部署，用两年左右时间，在全国集中开展食品安全整顿工作。地方各级人民政府、各有关部门要以贯彻实施食品安全法为契机，下大决心、花大力气，从严格落实食品安全法各项制度入手，加强监督和诚信建设，系统、有序地解决食品安全突出问题。地方各级人民政府对本地区的食品安全整顿工作要负总责，按照《国务院办公厅关于印发食品安全整顿工作方案的通知》（国办发〔2009〕8号）要求，加强对食品安全整顿工作的组织领导，制订切实可行的工作方案，抓好督促检查和指导工作，逐级落实整顿工作任务和责任。各级卫生、农业、质量监督、工商行政管理、食品药品监督管理等部门要按照国务院的要求，继续做好违法添加非食品用物质和滥用食品添加剂、食用农产品质量安全、食品生产和进出口、食品流通、餐饮消费、禽畜屠宰和声称具有特定保健功能的食品的集中整顿。要通过集中整顿，使食品安全监管各环节监管责任进一步落实，食品安全标准更加完善，食品行业自律显著加强，食品安全水平明显提高，人民群众食品安全得到切实保障。

各地区、各有关部门要按照本通知精神，结合本地区、本部门的实际，制定具体方案和措施。对食品安全法实施中的有关重要情况和问题，要及时报告国务院。

〔《关于认真贯彻实施食品安全法的通知》于2009年3月4日由国务院办公厅以国办发〔2009〕25号文件公布——编辑部注〕

关于实行“以奖促治”加快解决突出的农村环境问题的实施方案

环境保护部　财政部　国家发展和改革委员会

根据全国农村环境保护工作电视电话会议精神，自2008年下半年以来，对采取有力措施使严重危害农村居民健康、群众反映强烈的突出污染问题得到解决的村镇，国家实行了“以奖促治”政策，以激励和促进地方人民政府及社会各界加大农村环境保护投入，稳步推进农村环境综合整治。为进一步落实“以奖促治”政策，加快解决突出的农村环境问题，制定本实施方案。

一、总体要求、基本原则和工作目标

（一）总体要求。以科学发展观为指导，统筹规划、突出重点，因地制宜、分类指导，通过“以奖促治”，推动污染防治的重点流域、区域和问题严重地区开展农村环境集中整治，着力解决危害群众身体健康、威胁城乡居民食品安全、影响农村可持续发展的突出环境问题。

（二）基本原则。注重实效，农民受益。有针对性地实施农村环境综合整治，切实改善农民的生产和生活环境，保证农民得到实惠。政府引导，多元投入。充分发挥财政资金的引导作用，促进地方各级人民政府加大投入，吸引社会资金，鼓励农民出资出劳。规范管理，公开透明。整治项目的确定、成效考核和奖励资金的使用要向社会公布，尊重群众意愿，接受群众监督。

（三）工作目标。到2010年，集中整治一批环境问题最为突出、当地群众反映最为强烈的村庄，使危害群众健康的环境污染得到有效控制，环境监管能力得到加强，环保意识得到增强。到2015年，环境问题突出、严重危害群众健康的村镇基本得到治理，环境监管能力明显加强，环保意识明显增强。

二、实施范围、整治内容和成效要求

（一）实施范围。“以奖促治”政策的实施，原则上以建制村为基本治理单元。优先治理淮河、海河、辽河、太湖、巢湖、滇池、松花江、三峡库区及其上游、南水北调水源地及沿线等水污染防治重点流域、区域，以及国家扶贫开发工作重点县范围内，群众反映强烈、环境问题突出的村庄。在重点整治的基础上，可逐步扩大治理范围。

（二）整治内容。“以奖促治”政策重点支持农村饮用水水源地保护、生活污水和垃圾处理、畜禽养殖污染和历史遗留的农村工矿污染治理、农业面源污染和土壤污染防治等与村庄环境质量改善密切相关的整治措施。

（三）成效要求。农村集中式饮用水水源地划定了水源保护区，在分散式饮用水水源地建设了截污设施，水质监测得到加强，依法取缔了保护区内的排污口，无污染事件发生。采取集中和分散相结合的方式，妥善处理了农村生活垃圾和生活污水，并确保治理设施长期稳定运行和达标排放。通过生产有机肥、还田等方式，有效治理了规模化畜禽养殖污染，对分散养殖户进行人畜分离，养殖废弃物得到集中处理；对历史遗留农村工矿污染采取工程治理措施，消除了隐患。推广化肥、农药污染小的生产方式，建立了有机食品基地；在污灌区、基本农田等区域，开展了污染土壤修复示范工程，保障食品安全。

三、实施程序和监督考核

（一）申报程序。每年上半年，由环境保护部、财

政部根据有关规划和年度预算安排原则及重点，发布年度“以奖促治”资金申报指南，提出具体要求。“以奖促治”资金由县级人民政府申请，经市（地）级环境保护、财政部门审核，省级环境保护、财政部门审查汇总后，联合报送环境保护部和财政部。环境保护部会同财政部组织审查。已有投资渠道的农村环境治理项目，按现行工作程序进行。

（二）资金管理。“以奖促治”资金是财政奖励资金，专项用于农村环境综合整治。省级财政部门应在中央财政下达资金的20个工作日内，及时下达资金预算。资金使用实行县级财政报账制，县级财政、环境保护部门要加强资金审核和管理，确保专款专用、专项核算，不得截留、挤占和挪用。资金使用和整治进展情况要在当地张榜公布，实行村务公开。财政部会同环境保护部对资金使用情况进行监督检查。对违反规定，截留、挤占和挪用资金或有其他违规行为的，将相应扣减或取消安排下一年度资金，并按规定追究相关人员责任。

（三）监督考核。省级环境保护、财政部门要加强“以奖促治”政策实施进展和成效、资金使用、污染治理设施运行、群众满意程度等情况的考核验收，于每年2月底之前将上年度实施情况报送环境保护部和财政部。2008年已安排的“以奖促治”项目应于2009年6月底前完成，省级环境保护、财政部门要于2009年8月底前将实施情况报送环境保护部和财政部。环境保护部会同财政部对“以奖促治”政策的落实情况进行抽查并考核，考核的重点是“以奖促治”工作机制、责任制落实、治理目标完成、资金管理等情况。对按时完成治理目标、考核情况较好的地区，优先安排“以奖促治”资金；对未按时完成治理目标，考核情况较差的地区，将通报批评并取消申报资格、停止资金安排或追缴已拨付资金。

四、组织领导

（一）地方责任。各省、自治区、直辖市人民政府要切实加强农村环境保护“以奖促治”政策实施工作的组织领导，合理规划本行政区域综合整治的目标和任务，建立工作制度，完善政策措施，制订具体实施方案，逐级明确责任，层层抓好落实。县级人民政府作为政策落实的责任主体，要抓紧建立农村环境综合整治目标责任制，通过签订责任书等形式，明确具体承担单位的任务和要求，并确保污染治理设施稳定达标排放。地方各级人民政府要参照国家“以奖促治”政策，结合当地实际，安排本级农村环境保护专项补助资金。

（二）部门分工。环境保护部要做好“以奖促治”政策实施的统筹规划，加强对治理工作的指导、协调、监督和考核，会同有关部门尽快编制全国农村环境综合整治规划，确定“以奖促治”政策支持的范围、目标、内容和资金需求，为年度资金安排提供依据。财政部要制定有关政策措施，加大资金投入，会同环境保护部抓紧制定出台“以奖促治”资金管理办法。发展改革委要制定综合性政策措施，加大解决农村环境问题的支持力度。其他有关部门要按照职能分工，加强协调配合，形成工作合力。

〔《关于实行“以奖促治”加快解决突出的农村环境问题的实施方案》已由国务院办公厅以国办发〔2009〕11号文件于2009年2月27日公布——编辑部注〕

防止生猪价格过度下跌调控预案

（暂行）

国家发展和改革委员会　财政部　农业部

商务部　国家工商总局　国家质检总局

在坚持实施现行扶持生猪生产发展政策的基础上，为建立生猪生产稳定发展的长效机制，防止生猪价格过度下跌，稳定生猪生产，维护生猪养殖户利益，特制定本预案。

一、基本原则

（一）市场主导、政府调控。在尊重市场规律、充分发挥市场机制调节作用的基础上，加强政府调控，调节市场供求，引导市场预期，缓解生猪生产和价格的周期性波动。

（二）统一领导、分级负责。在国务院统一领导下，建立健全分级负责、以属地管理为主的生猪市场调控管理体系，强化“菜篮子”市长负责制，进一步细化“菜篮子”工作的各项具体职责。

（三）分工协作、密切配合。各地区、各有关部门分别负责本行政辖区和部门职责范围内的工作，各司其职，加强协调配合，建立联动机制，努力形成职责明确、信息共享、齐抓共管、综合调控的工作格局。

二、预警指标

国家在判断生猪生产和市场情况时，将猪粮比价作为基本指标，同时参考仔猪与白条肉价格之比、生猪存栏和能繁母猪存栏情况，并根据生猪生产方式、生产成本和市场需求变化等因素适时调整预警指标及具体标准。

三、调控目标

国家加强对生猪等畜禽产品价格监测，采取综合调控措施，促使猪粮比价、仔猪价格、生猪存栏、能繁母猪存栏等指标保持在合理范围内。主要目标是猪粮比价不低于5.5∶1；辅助目标是仔猪与白条肉价格之比不低于0.7∶1;生猪存栏不低于4.1亿头;能繁母猪存栏不低于4100万头。

四、预警区域

当猪粮比价高于9∶1时,按照《国务院关于促进生猪生产发展稳定市场供应的意见》(国发[2007]22号)规定,适时投放政府冻肉储备,必要时向城乡低保对象和家庭经济困难的大中专院校学生发放临时补贴。

当猪粮比价低于9∶1时,划分为以下五种情况:(一)绿色区域(价格正常),猪粮比价在9∶1~6∶1之间;(二)蓝色区域(价格轻度下跌),猪粮比价在6∶1~5.5∶1之间;(三)黄色区域(价格中度下跌),猪粮比价在5.5∶1~5∶1之间;(四)红色区域(价格重度下跌),猪粮比价低于5∶1;(五)生猪价格异常下跌的其他情况。

五、响应机制

国家加强监测和统计报告工作,根据猪粮比价的变动情况,分别或同时启动发布预警信息、增加储备、调整政府补贴、进出口调节等措施。

(一)正常情况当猪粮比价处于9∶1~6∶1之间(绿色区域)时,做好市场监测工作,密切关注生猪生产和市场价格变化情况。各部门根据职责定期发布生猪生产和市场信息。中央和地方正常猪肉储备规模主要用于满足应急和救灾的需要。

(二)三级响应

1.当猪粮比价低于6∶1时,在中国政府网及时向社会发布生猪市场预警信息,并通过其他媒体向社会发布。

2.当猪粮比价连续四周处于6∶1~5.5∶1之间(蓝色区域)时,根据市场情况增加必要的中央和地方冻肉储备,并着手做好实施二级响应的前期准备工作。

(三)二级响应

1.当猪粮比价低于5.5∶1时,通过财政贴息的形式鼓励大型猪肉加工企业增加商业储备和猪肉深加工规模。

2.当猪粮比价连续四周处于5.5∶1~5∶1之间(黄色区域)时,进一步增加中央政府冻肉储备,同时要求主销区和沿海大中城市增加地方冻肉储备,还可以适当增加地方政府的活体储备。

(四)一级响应

1.当猪粮比价低于5∶1(红色区域)时,较大幅度增加中央冻肉储备规模。

2.增加政府储备后,猪粮比价仍然低于5∶1,而且出现养殖户过度宰杀母猪的情况,月度母猪存栏量同比下降较多时,对国家确定的生猪调出大县的养殖户(场),按照每头能繁母猪100元的标准,一次性增加发放临时饲养补贴;对国家确定的优良种猪场的养殖户(场),按每头公种猪100元的标准,一次性发放临时饲养补贴。

3.适当限制猪肉进口,减少当期市场供应;完善食品安全体系建设,鼓励猪肉及其制品出口。

(五)其他异常情况

当出现生猪价格异常下跌的其他情况时,及时研究提出调控生猪市场的相应措施。

六、配套措施

(一)信息发布。在完善生猪信息统计制度的基础上,在中国政府网建立生猪市场调控统一信息平台,各部门根据职责定期在平台发布有关信息,提醒生产者防范市场风险和疫病风险,引导养殖户适时调整养殖规模和养殖结构。

(二)市场监测监管。加强饲料安全和防疫监管工作;加强疫情监测,建立健全重大动物疫情预警机制;按照《国家突发重大动物疫情应急预案》要求及时处理疫情。加强屠宰环节病害猪(肉)无害化处理的监管。强化猪肉检疫和检验制度,严禁未经检疫检验或检疫检验不合格的猪肉流入市场。严肃查处屠宰加工和销售病死猪肉和注水肉等不法行为,规范生猪市场交易行为和流通秩序。清理整顿在生猪饲养、运输、屠宰和猪肉运输、销售等环节的不合理税费。加强生猪市场价格监督检查,维护正常的市场价格秩序。

信息发布分工表

内容	提供单位	频率
生猪出场价格	国家发改委	每周
玉米批发价格	国家发改委	每周
仔猪价格	农业部	每周
生猪存栏量	农业部	每月
母猪存栏量	农业部	每月
生猪疫情	农业部	每月
屠宰企业白条肉出厂价格	商务部	每周
生猪定点屠宰量	商务部	每月
屠宰企业病害猪无害化处理量	商务部	每季度

注:以上信息统一由国务院有关部门授权中国政府网发布,并注明信息提供单位。

(三)产销衔接。一是生猪主产区和主销区政府之间建立产销合作机制。主销区应当和主产区签订长期、稳定的生猪购销协议,鼓励主销区在主产区建立养殖基地。二是政府鼓励养殖户(场)和肉制品加工企业之间建立产销合作机制。养殖户(场)和屠宰加工企业,屠宰加工企业和大型批发市场、超市之间应当建立长期、稳定的购销合同。鼓励发展生猪订单生产,地方政府应当对采取订单方式采购的加工企业实行必要的扶持政策。

七、组织体系

（一）组织协调。建立生猪市场调控应急会商协调机制，按预案规定的职责分工做好各项日常工作，并按国务院的统一部署，落实各自职责范围内的相关政策。

（二）会商机制。有关部门定期会商，密切关注本预案设定的预警指标变动情况。根据需要报国务院批准后，分别启动三级响应、二级响应或一级响应。当生猪市场出现其他异常波动时，及时会商，向国务院提出政策建议。

（三）地方责任。生猪市场的生产供应责任主要在地方，各地要切实落实“菜篮子”市长负责制，按照国务院的统一部署，具体承担扶持生猪生产、完善生猪疫情防控、保持必要的地方储备、维护市场稳定、保障当地居民正常消费需求的责任。

八、附　　则

（一）实际情况发生变化时，由发展改革委会同有关部门报国务院批准后修订本预案。

（二）各地区可结合当地实际情况适当调整预警指标和标准，制定本地区的实施细则。

（三）本预案自发布之日起实施，由发展改革委负责解释。

草种检验员考核办法

第一章　总　　则

第一条　为加强草种检验员管理，规范草种检验员考核工作，根据《中华人民共和国种子法》、《中华人民共和国草原法》和《草种管理办法》，制定本办法。

第二条　本办法所称草种检验员，包括扦样员、室内检验员和田间检验员。扦样员负责样品扦取，室内检验员负责净度、发芽率、水分和其他植物种子数等项目检测，田间检验员负责品种真实性的鉴别等。

第三条　省级以上人民政府有关主管部门依法设置的检验机构的草种检验员由农业部负责考核；其他检验机构的草种检验员由该机构登记所在地的省、自治区、直辖市人民政府草原行政主管部门负责考核。

第二章　申请、考核及发证

第四条　申请草种检验员考核的人员，应当具备以下条件：

（一）具有草原、农学等相关专业大专以上文化程度或具有中级以上技术职称；

（二）从事草种检验技术工作三年以上。

第五条　申请草种检验员考核，应当按照第三条规定分别向农业部或省级人民政府草原行政主管部门（以下简称考核机关）提交以下材料：

（一）草种检验员考核申请表；

（二）学历证书或职称证书复印件；

（三）工作单位出具的从事草种检验技术工作年限证明。

第六条　考核机关对申请材料进行审查，符合第四条规定条件的，发给受理通知书，并通知申请者在规定时间参加考核；不符合条件的，书面通知申请者并说明理由。

第七条　考核机关每年组织一次草种检验员考核。申请截止日期为每年6月30日。

草种检验员考核，包括专业知识和操作技能考核。

草种检验员考核大纲和题库由农业部统一编制。

第八条　专业知识考核内容主要包括相关法律法规、职业道德、草种基础知识、质量管理与控制、种子批的划分、扦样方法、分取方法、样品管理、草种检验理论、草种检验规程、草种质量标准、田间检验方法、品种特征特性、田间标准等。

专业知识考核采用闭卷书面考试，试题由考核机关从题库中抽取。

第九条　专业知识考核合格后进行操作技能考核。考核内容根据检验员类别确定：扦样员重点考核样品扦取和分取、扦样器和分样器的使用、样品处置等；室内检验员重点考核检验仪器设备的操作与使用及化学试剂配置，净度、发芽率、水分、其他植物种子数等质量指标的检验技术操作等；田间检验员重点考核草种生产田检验频率和时期的确定、品种真实性的鉴别等。

操作技能考核采用现场跟踪考评，由考核机关组织考评小组按照考核岗位和考核大纲的要求进行。考评小组由不少于三人的具有相关专业高级技术职称的专家组成。

第十条　专业知识考核和操作技能考核采用百分制评分，成绩均达到80分为合格。

第十一条　对考核合格的申请者，考核机关应当在10个工作日内发给草种检验员证。

第十二条　草种检验员证应当注明检验员姓名、工作单位、检验员类别、证号、变更、审查等内容。证号为“中草种检字第××××××号”，号码为六位，前两位为考核机关代码，由农业部规定，后四位为序号，由考核机关确定。

第十三条　草种检验员证是草种检验员具备从事草种质量检验技术工作资格的证明，在全国范围内有效。

第十四条　因工作调动到另一检验机构工作的，

应当按照第三条规定,向考核机关提交草种检验员变更申请表和检验员证原件,申请变更草种检验员证,证号不变。考核机关发生变化的,由调入地的考核机关将变更情况通知原考核机关。

第十五条　已经取得某一类别资格的草种检验员,申请增加其他类别资格的,应当同时提交草种检验员考核申请表和草种检验员变更申请表,经考核合格后,由考核机关在草种检验员证变更记录栏中记载,证号不变。申请截止日期为每年6月30日。

第十六条　草种检验员应当加强业务学习,及时更新检验知识,提高检验技术水平。

第十七条　考核机关对草种检验员证每三年审查一次。连续三次审查合格的可延长至每六年审查一次。主要审查草种检验员法律法规、检验知识和检验能力保持等内容。

第三章　证件管理

第十八条草种检验员证由农业部统一印制。

草种检验员资格申请表等相关表格式样由农业部统一规定。

第十九条　考核机关应当建立草种检验员档案,记录草种检验员考核、审查和检验员证颁发、变更等内容。

第二十条　草种检验员应当妥善保管草种检验员证,不得涂改、倒卖、出借或转让。

丢失、损毁草种检验员证的,应当及时向受聘检验机构报告,由受聘检验机构报请原考核机关补发。第二十一条　草种检验员有下列情形之一的,受聘检验机构应当收回草种检验员证,并上报考核机关予以注销;考核机关发现的,应当主动注销:

(一)出具虚假检验数据或结果,情节严重的;

(二)无正当理由未按规定参加定期审查的;

(三)审查未通过且在规定期限内再次审查仍未通过的;

(四)死亡或丧失行为能力的;

(五)连续三年未从事草种检验工作或因工作调动、辞职等原因不再从事草种检验工作的。

第二十二条　草种检验员证的颁发、注销、变更等情况应当公开,由考核机关定期公布。

第四章　附　　则

第二十三条　草种生产、经营单位的草种质量检验人员考核参照本办法执行。

第二十四条　省、自治区、直辖市人民政府草原行政主管部门应当于每年1月31日前,将本机关上……度草种检验员考核情况报农业部备案。

……行。

第二十五条　本办法自2009年6……

关于贯彻实施食品安全法有关问题的通知

卫监督发[2009]52号

卫生部　工业和信息化部　农业部　商务部
工商总局　质检总局　食品药品监督管理局

各省、自治区、直辖市卫生厅局,工业和信息化主管部门,农业、畜牧、渔业厅(局),商务厅,工商局,质量技术监督局、出入境检验检疫局,食品药品监管局:

为贯彻实施《中华人民共和国食品安全法》(以下简称《食品安全法》),做好食品生产、流通和消费各监管环节工作衔接,严格履行食品安全监管职责,有力、有序、有效地开展食品安全整顿工作,现就《食品安全法》实施的有关事宜通知如下:

一、认真学习贯彻《食品安全法》,依法履行监管职责

各地区、各部门要按照《国务院办公厅关于认真贯彻实施食品安全法的通知》(国办发〔2009〕25号)精神,认真组织学习《食品安全法》,在地方政府领导下,依据《食品安全法》、《农产品质量安全法》、《国境卫生检疫法》和国务院确定的部门职能分工以及相关部门规章,进一步明确各监管部门职责,加强沟通合作,依法履行食品安全监管职责。国家各有关部门正在加快制定完善与《食品安全法》配套的规章制度,在新的配套规章制度公布前,各食品安全监管部门原则上要按照现行规定开展监督执法工作,并及时向上级主管部门报告《食品安全法》的贯彻实施情况以及好的经验和做法。

二、加强食品安全各环节的监管,做好工作衔接

(一)严格食品生产经营和餐饮服务许可工作。自2009年6月1日起,各级卫生行政部门不再发放食品生产、流通和餐饮服务单位的食品卫生许可证,汇总食品生产、经营和餐饮单位食品卫生许可证发放名单、许可证复印件和违法记录情况分别通报同级质量技术监督、工商行政管理和……品药品监管部门。申请人提交食品生产许可……材料中,不必再提供食品卫生许可证。利用……品原料生产食品的,未经国务院卫生行政……全性评估通过、准予许可的,不得生产经营……6月1日以后,对于地方机构改革和职能……完成的,餐饮服务和保健食品生产企业的许……,由地方政府确定的部门继续按现行工作机制……担相关工作并做好平稳过渡。

(二)加强食品生产经营各环节的日常监管工作。自2009年6月1日起,各食品安全监管部门要依法履行食品安全监督管理职责。农业部门要按照《农产品

质量安全法》有关规定，继续做好农产品质量安全监督管理工作。工业和信息化、商务部门要制定行业的发展规划和产业政策，推进产业优化升级，指导食品行业诚信体系建设。工业和信息化部门要推进形成“政府指导、行业自律、社会监督、企业诚信”的食品安全保障长效机制，促进食品行业健康发展。商务部门要加强生猪屠宰行业管理，抓好酒类流通管理，继续做好酒类经营者备案登记制度和酒类流通附随单溯源制度等行业管理工作。工商部门要加强对流通环节食品经营者的监督检查，依法查处违法经营行为，督促食品经营企业建立进货查验记录制度，依法加强对食品广告的监管，建立健全流通环节食品安全监管相关制度。质检部门要加强食品、食品添加剂和食品相关产品生产企业的监督检查，督促企业建立健全食品安全控制措施及各项记录、报告制度，监督生产企业落实食品安全主体责任；要加强食品检验机构资质认定和监督管理工作。出入境检验检疫机构对列入《出入境检验检疫机构实施检验检疫的进出境商品目录》内的进出口食品、食品添加剂和食品相关产品按照《食品安全法》和《商检法》及实施条例的有关规定实施检验；要按照食品安全国家标准对进口食品进行检验，继续做好口岸食品的监督管理工作，依法加强进口食品生产企业注册管理和出口食品生产企业备案管理。在食品安全国家标准公布前，对进口食品按照现行食用农产品质量安全标准、食品卫生标准、食品质量标准和有关食品的行业标准实施检验；对已有进口记录尚无食品安全国家标准的食品，按原有规定进行检验；对进口预包装食品的中文标签、中文说明书按照现行相关标准进行检验。各地卫生行政部门、食品药品监管部门要根据地方政府确定的职责，做好食品安全综合协调、餐饮服务和保健食品的监督管理工作；2009 年 6 月 1 日以后，对于地方机构改革未完成的，目前负责的部门应继续承担食品安全综合协调、餐饮服务监管工作。各地监督管理部门要在地方政府领导下，积极配合地方人大机关加快制[illegible]小作坊和食品摊贩管理法规，落实监管措施。

（三）做好企业[illegible]标准备案工作。自 2009 年 6 月 1 日起，卫生部门负[illegible]企业标准备案工作，质检部门不再负责食品企业标准[illegible]工作，之前已经备案的企业标准继续有效。各有关[illegible]督促食品生产企业按照《食品安全法》的规定进行[illegible]理，企业生产的食品没有食品安全国家标准或者地[illegible]的，应当制定企业标准，作为组织生产的依据。各[illegible]生行政部门要按照企业标准备案工作的要求，开[illegible]业标准备案工作，加强企业标准备案管理工作，[illegible]关工作制度。卫生行政部门与质量技术监督部门要[illegible]当地政府的领导下，做好食品企业标准备案工作的衔接。

（四）规范食品相关产品企业生产行为。各有关部门要督促食品相关产品，特别是食品容器、包装材料的生产单位，按照现行有关食品安全国家标准等相关规定组织生产，并开展自查清理。各生产单位要在 2010 年 6 月 1 日前完成自查清理工作，并依照相关规定和程序对未列入食品安全国家标准的食品相关产品及新品种向卫生部申请批准。各有关部门要严厉打击违规使用有毒有害原料生产食品容器、包装材料的行为。各相关行业协会要加强自律、引导、沟通，组织本行业企业开展自查清理工作。各相关监管部门要积极指导、督促并给予帮助。

三、工作要求

（一）统一思想，提高认识。食品安全直接关系广大人民群众的身体健康和生命安全，关系国家经济健康发展和社会和谐稳定。《食品安全法》的公布施行，对规范食品生产经营活动，防范食品安全事故发生，增强食品安全监管工作的规范性、科学性和有效性，提高我国食品安全整体水平，具有重要意义。各地区、各部门要从深入贯彻落实科学发展观、全面推进依法行政和建设责任政府的高度，从维护人民群众根本利益出发，充分认识《食品安全法》实施的重要意义，要把全面贯彻实施《食品安全法》作为一项重要工作列入议事日程，把实施《食品安全法》作为一项长期工作抓紧抓好、抓出成效。

（二）扎实推进食品安全整顿工作。各地区、各部门要按照《国务院办公厅关于印发食品安全整顿工作方案的通知》（国办发〔2009〕8 号）要求，加强食品安全整顿工作的组织领导，制订工作方案，完善工作制度，明确责任，狠抓落实，坚决查处违法食品生产经营重大案件。要以贯彻实施《食品安全法》为契机，下大决心、花大力气，从严格落实《食品安全法》各项制度入手，系统、有序地解决好从农田到餐桌整个食物链各环节存在的食品安全问题。承担综合协调职责的部门要在地方人民政府的统一领导下，做好食品安全整顿工作的综合协调，组织提出食品安全年度监督管理计划，并及时向地方人民政府报告工作开展情况。

（三）认真贯彻执行食品安全标准。各地要组织各食品安全监督管理部门、食品企业、行业组织学习贯彻食品安全相关标准。卫生部成立食品安全国家标准审评委员会，会同有关部门在整合完善乳品质量安全标准的同时，启动整合现行有效的食品相关标准，提高标准的统一性，对现行的食用农产品质量安全标准、食品卫生标准、食品质量标准和有关食品行业标准进行梳理整合，统一公布为食品安全国家标准。各地区、各部门要加强标准执行的跟踪评价和宣传贯彻，使食品[illegible]严格按照标准组织生产经营，自觉履行标准规定[illegible]要求，夯实食品安全的工作基础。在新的食品安全国家标准公布之前，原有食品相关标准继续有效。各地区、各部门要将标准执行情况向卫生部门通报。

（四）加强风险监测和评估体系建设。卫生部近期将成立食品安全风险评估委员会，组建食品安全风险评估中心，会同有关部门制定全国食品安全风险监测计划框架。各地要加快组建食品安全（含保健食品）风险评估机构，结合本省（区、市）实际，合理规划，不断提高食品中有毒有害物质鉴定排查、风险评估和预警能力，尽快承担食品安全风险评估任务，搭建全国食品安全风险评估体系。加强食品安全风险监测体系建设，力争利用两年左右的时间，在全国建立起覆盖食品生产经营各环节和各省（区、市）、市（地）、县并逐步延伸到农村的食品污染物、食源性疾病监测和总膳食调查体系，建立食品安全有害因素与食源性疾病监测数据库，逐步实现建立与国际接轨的食源性疾病监测、调查、报告和数据分析机制。落实各级医疗单位食源性疾病、食物中毒等食品安全事故的报告责任，建立事故监测、报告和处置工作机制。各地要协调建立部门间信息沟通平台，依托先进科技力量和手段，调动各方资源，实现信息的互联互通、资源共享，提高信息管理水平和综合利用效果，加快食品安全信息统一公布制度建设，履行法定职责发布食品安全信息。

各地在执行《食品安全法》和本通知中的问题，请及时函告上级主管部门。

关于加大活禽经营市场监管力度切实做好人禽流感防控工作的通知

卫应急发〔2009〕10号

卫生部　农业部　国家工商总局

各省、自治区、直辖市卫生厅局、畜牧兽医（农牧、农业）厅（局、办）、工商行政管理局，新疆生产建设兵团卫生局、农业局、工商行政管理局：

目前，我国正值人感染高致病性禽流感（以下简称人禽流感）等呼吸道突发急性传染病的高发季节。随着春节临近，各地人流物流激增，人禽流感疫情总体防控形势愈加严峻。近期，周边国家动物禽流感和人禽流感疫情频繁发生。1个月内，北京、山西、山东、湖南等省市相继发现了4例人禽流感病例，调查工作涉及多个省市。根据流行病学调查结果以及专家分析研判的意见，活禽经营市场依然是人禽流感防控工作的重要关口。为切实做好人禽流感防控工作，保护人民群众身体健康与生命安全，减少动物禽流感和人禽流感疫情造成的经济损失和社会负面影响，确保全国人民度过一个欢乐祥和的春节，现将有关要求通知如下：

一、提高风险防范认识，统筹部署防控工作

地方各级卫生、农业和工商部门要充分认识到当前人禽流感防控面临的严峻形势，切实加强防控工作领导，加大活禽经营市场监管力度，加强动物疫情监测，层层落实领导责任制，严格按照《卫生部办公厅关于加强人禽流感等突发急性传染病防控工作的通知》（卫发明电〔2008〕162号）等文件要求，加强冬春季人禽流感等突发急性传染病防控工作，明确职责，确保各项防控措施落到实处，保障春节和“两会”期间的公共卫生安全。

二、强化疫情监测工作，及时互通疫情信息

地方各级卫生、农业和工商部门要认真履行各自职责，全面启动24小时值班制、领导带班制和疫情日报告制，切实做好禽流感疫情的监测和信息报告工作，尤其要做好春节期间的监测和信息报告。发现疫情后，在第一时间向上级主管部门报告的同时，要相互进行通报，确保“三同时”原则（即同时到达现场、同时开展调查、同时进行疫情处理）在禽流感防控工作中得到贯彻执行。

三、完善联防联控机制，提高疫情防控能力

地方各级卫生、农业和工商部门要继续巩固、完善联防联控合作机制，加强活禽经营市场监管工作的衔接与配合。对家禽交易批发市场及农贸市场的交易和流通环节加强监管，要明确专人驻场24小时监督。一旦发现禽流感或疑似禽流感疫情，当地卫生、农业和工商部门要立即按照预案和相关工作方案规定，做好禽流感疫情的应急处置、流行病学调查、疫情来源追溯和密切接触者的隔离观察等工作，上级卫生、农业和工商部门要积极给予支持，防止疫情扩散。

四、坚持预防为主原则，严格活禽市场监管

地方各级卫生、农业和工商部门要认真贯彻落实《国务院办公厅关于整顿和规范活禽经营市场秩序加强高致病性禽流感防控工作的意见》（国办发〔2006〕89号）的要求，积极建议当地政府落实相关部门职责，加大活禽经营市场的管理力度。各地要从防控工作实际需要出发，力争关闭城区活禽经营市场，不能关闭的市场应实行每日清洗消毒和定期休市等防控制度，严格做好活禽市场的环境卫生、采样监测等疾病预防控制工作，从源头上减少禽流感和人禽流感疫情的发生风险。

五、加强宣传教育工作，做好疫情风险沟通

地方各级卫生、农业和工商部门要加强对社会公众禽流感和人禽流感防病知识的宣传教育，引导其正

确认识禽流感和人禽流感疫情。要重点强化市场管理人员、商贩、顾客等重点人群对活禽经营市场潜在风险的认识,逐步提高社会公众的防病意识和能力。在发生疫情后,要正确引导,积极做好风险沟通,消除群众恐慌心理,维护正常的社会生产生活秩序。

六、加强节日期间检查,确保措施落到实处

地方各级卫生、农业和工商部门要经常性地组成联合督导组,对辖区内禽流感和人禽流感防控工作开展专项督导检查,重点检查活禽市场监管、家禽免疫、不明原因肺炎病例和禽流感疫情监测与信息报告,以及预案制定、防控物资储备、应急队伍建设等准备工作。要重点加强节日期间的应急值守,做到人员到位、联络通畅、反应迅速,确保各项措施落到实处。

关于联合开展活禽和活体鸟类经营市场专项整治行动方案的通知

工商市字〔2009〕51 号

国家工商总局　农业部　卫生部　国家林业局

为强化活禽经营市场监督管理,做好高致病性禽流感防控工作,现就国家工商总局、农业部、卫生部、国家林业局联合开展活禽经营市场专项整治行动制定如下工作方案。

一、总体要求和目标

各级工商、农业、卫生、林业部门要按照学习实践科学发展观和构建社会主义和谐社会的要求,以维护市场秩序,促进国民经济又好又快发展,保护人民群众身体健康和生命安全为出发点,增强责任意识和大局意识,坚持"预防为主、综合治理"的方针,依据《中华人民共和国动物防疫法》、《中华人民共和国传染病防治法》、《重大动物疫情应急条例》、《国务院办公厅关于整顿和规范活禽经营市场秩序加强高致病性禽流感防控工作的意见》(国办发〔2006〕89 号)和《活禽经营市场高致病性禽流感防控管理办法》(农医发〔2006〕11 号)等有关法律法规和政策,针对活禽经营市场(含活禽批发市场、有活禽经营的城市农贸市场、农村集贸市场等)存在的突出问题,进行集中整治,惩防并举,有效防止高致病性禽流感通过市场环节传播。

通过专项整治,要使活禽经营市场监管力度得到加强,防控高致病性禽流感工作机制得到完善,活禽经营市场存在的突出问题得到有效解决,消费者合法权益得到切实保护。要使活禽经营市场开办者和入场经营者的责任得到进一步强化,禽类及其产品经营者防控疫情的意识和能力得到进一步增强,活禽经营市场秩序得到进一步规范,活禽经营市场监管水平得到进一步提升。

二、主要任务和工作重点

(一)严格活禽经营市场开办条件。按照国办发〔2006〕89 号和农医发〔2006〕11 号的有关规定,重点检查活禽经营市场的设施建设是否符合规定的动物防疫条件和要求。对违反规定的,要责令其暂停经营,限期整改。对整改后仍不符合要求的,建议当地政府对市场或市场内的活禽经营商户予以关闭、停业。

(二)严把活禽市场准入关。重点检查上市销售的活禽有无检疫证明以及检疫证明是否在经营地点公示、是否重复使用或弄虚作假。严禁没有检疫证明的活禽及禽类产品上市销售。

(三)规范活禽经营行为。重点检查活禽经营者有无合法经营资格,活禽经营市场开办者是否落实管理责任;活禽及禽类产品经营者是否建立健全进货检查验收、索证索票、购销台账等制度。严厉打击经营注水、病死、未经检疫的活禽及禽类产品等违法行为。

(四)规范市场活禽宰杀行为。重点检查活禽宰杀区域的布局、设施是否符合动物防疫条件,从事销售、宰杀的人员是否符合公共卫生标准。

(五)加强活禽经营市场卫生管理和疫情监测。重点检查活禽经营市场是否已建立定期休市制度,以及日常及休市期间清洗、消毒、无害化处理等各项制度措施的落实情况;检查是否已实行定期抽检制度,包括是否对活禽及禽类产品、环境样品进行了定期抽样监测,以及对从业人员进行医学监测情况。

(六)增强预防和应急处置能力。重点检查各相关部门高致病性禽流感防控应急预案是否完善有效,信息通报和措施联动是否健全,不断提高应急处置能力。

三、部门职责分工

(一)工商行政管理部门:负责活禽经营市场开办者及入场经营者经营行为的监督管理。依法查处无照经营及其他违法经营活禽及禽类产品行为,保护消费者合法权益。

(二)农业行政管理部门:负责活禽经营市场的动物卫生监督管理,加强动物疫情监测。检查活禽经营市场的疫情防控设施建设,以及重大动物疫情处置措施。

(三)卫生行政管理部门:负责活禽经营市场从业人员的宣传教育。加强对活禽经营市场从业人员等高危人群及市场环境样本的监测。

(四)林业行政管理部门:负责核实野生动物来源,查处非法经营野生动物及其产品行为。加强对野生动物疫情监测,尤其是加强对野鸟驯养繁殖场等重点区域的病毒监测和隐患排查。

四、工作进度安排

此次专项整治工作自2009年3月初开始至5月底结束。分四个阶段进行：

第一阶段：3月上旬，各有关部门根据职能研究制定具体的专项整治工作方案，并进行动员部署。

第二阶段：3月中旬至5月中旬，地方各级有关部门在政府统一领导下，查找问题，突出重点，落实各项整治措施，集中开展专项整治工作。

第三阶段：5月上旬，国家工商总局、农业部、卫生部、国家林业局组成若干联合督查组，对部分省市的专项整治工作进行督导检查。

第四阶段：5月中下旬，各地对专项整治工作进行总结，提出相关意见和建议，以及下一步工作措施。国家工商总局会同农业部、卫生部、国家林业局对各地开展专项整治工作情况进行分析、汇总，并将有关情况总结上报国务院。

五、工作要求

（一）加强领导，落实责任。

有关部门要根据各自职能，围绕本整治行动方案确定的工作目标和重点，切实加强组织领导，密切配合，搞好衔接，建立上下联动、部门联动、措施联动的工作机制，形成严密的监管网络。同时，要定期收集汇总专项整治工作的进展情况，分析研究并及时解决存在的问题，不断巩固整治成果。

（二）突出重点，务求实效。

各有关部门要根据本行动方案，抓住活禽经营市场防控禽流感工作中的主要问题和薄弱环节，制定本部门有针对性和操作性强的工作方案，明确具体要求，及时进行动员和部署，迅速开展专项整治工作。对专项整治工作的各项措施，都要有部署、有检查。专项整治工作要与做好日常工作、建立长效机制有机结合起来，切实把专项整治工作抓好、做细做实。

（三）强化监督，严格督查。

为确保专项整治工作的进度和质量，各有关部门要认真进行监督检查，及时发现问题。要把专项整治行动的各项措施是否落实到位作为检查的重点，强化责任追究，对整治工作中不履行或不及时履行职责、互相推诿、滥用职权等行为，要严肃处理，责令整改。

（四）加强配合，注重宣传。

各地各级有关部门要积极争取地方党委、政府的支持，加强各部门之间以及与建设、商务、质检、城管、城市环境卫生等部门的配合和协作，加强信息沟通，建立情况通报机制，提高专项整治的整体效能。充分发挥报刊、广播、电视、网络等媒体的作用，大力宣传专项整治成果。完善举报投诉制度，广泛发动和正确引导公众参与，积极营造良好的舆论和社会氛围。

各地专项整治工作中如遇到重大情况和问题，请及时向各自上级部门报告。专项整治行动的日常协调工作由国家工商行政管理总局市场规范管理司负责，联系电话：(010)88650607、68028481(传真)，电子邮箱：scszsc@saic.gov.cn。

关于加强
生鲜乳品抗生素残留量管理的公告

（2009年第6号）

卫生部　工业和信息化部　农业部　国家工商总局
国家质量监督检验检疫总局　国家食品药品监督管理局

近期，少数乳品企业宣称生产“无抗奶”，误导消费者，严重扰乱乳品生产经营秩序。为保护消费者身体健康，规范乳品生产经营活动，根据《乳品质量安全监督管理条例》、《兽药管理条例》、《食品标识管理规定》等法规规定，现公告如下：

一、严禁在乳品标签、标识和广告中宣传“无抗奶”等不科学、不符合实际的内容。自即日起，各乳品生产经营和餐饮企业应当停止“无抗奶”生产经营活动。自2009年6月30日起，各有关监管部门开始依法查处。

二、奶畜养殖者、生鲜乳收购者和乳制品生产企业要严格执行《乳品质量安全监督管理条例》、《兽药管理条例》等法规的规定，禁止销售、收购和加工尚在用药期和休药期内的奶畜产的、不符合健康标准或者未经检疫合格的奶畜产的以及其他不符合法规标准的生鲜乳，确保乳品质量安全。

三、各地要加强奶畜养殖、生鲜乳收购、乳品生产流通和餐饮消费等环节的监督管理，依职能、依法查处违反《食品标识管理规定》、乳品质量不符合《动物性食品中兽药最高残留限量》规定的违法行为，维护乳品生产经营秩序。

四、发现乳品违法生产经营活动和宣传“无抗奶”的，消费者有权向当地卫生、农业、工商、质量技术监督和食品药品监管部门举报。

进出口饲料和饲料添加剂
检验检疫监督管理办法

第一章　总　　则

第一条　为规范进出口饲料和饲料添加剂的检验检疫监督管理工作，提高进出口饲料和饲料添加剂安全水平，保护动物和人体健康，根据《中华人民共和国进出境动植物检疫法》及其实施条例、《中华人民共和国进出口商品检验法》及其实施条例、《国务院关于加强食品等产品安全监督管理的特别规定》等有关法律法规规定,制定本办法。

第二条 本办法适用于进口、出口及过境饲料和饲料添加剂(以下简称饲料)的检验检疫和监督管理。

作饲料用途的动植物及其产品按照本办法的规定管理。

药物饲料添加剂不适用本办法。

第三条 国家质量监督检验检疫总局(以下简称国家质检总局)统一管理全国进出口饲料的检验检疫和监督管理工作。

国家质检总局设在各地的出入境检验检疫机构(以下简称检验检疫机构)负责所辖区域进出口饲料的检验检疫和监督管理工作。

第二章 风险管理

第四条 国家质检总局对进出口饲料实施风险管理,包括在风险分析的基础上,对进出口饲料实施的产品风险分级、企业分类、监管体系审查、风险监控、风险警示等措施。

第五条 检验检疫机构按照进出口饲料的产品风险级别,采取不同的检验检疫监管模式并进行动态调整。

第六条 检验检疫机构根据进出口饲料的产品风险级别、企业诚信程度、安全卫生控制能力、监管体系有效性等,对注册登记的境外生产、加工、存放企业(以下简称境外生产企业)和国内出口饲料生产、加工、存放企业(以下简称出口生产企业)实施企业分类管理,采取不同的检验检疫监管模式并进行动态调整。

第七条 国家质检总局按照饲料产品种类分别制定进口饲料的检验检疫要求。对首次向中国出口饲料的国家或者地区进行风险分析,对曾经或者正在向中国出口饲料的国家或者地区进行回顾性审查,重点审查其饲料安全监管体系。根据风险分析或者回顾性审查结果,制定调整并公布允许进口饲料的国家或者地区名单和饲料产品种类。

第八条 国家质检总局对进出口饲料实施风险监控,制定进出口饲料年度风险监控计划,编制年度风险监控报告。直属检验检疫局结合本地实际情况制定具体实施方案并组织实施。

第九条 国家质检总局根据进出口饲料安全形势、检验检疫中发现的问题、国内外相关组织机构通报的问题以及国内外市场发生的饲料安全问题,在风险分析的基础上及时发布风险警示信息。

第三章 进口检验检疫

第一节 注册登记

第十条 国家质检总局对允许进口饲料的国家或者地区的生产企业实施注册登记制度,进口饲料应当来自注册登记的境外生产企业。

第十一条 境外生产企业应当符合输出国家或者地区法律法规和标准的相关要求,并达到与中国有关法律法规和标准的等效要求,经输出国家或者地区主管部门审查合格后向国家质检总局推荐。推荐材料应当包括:

(一)企业信息:企业名称、地址、官方批准编号;

(二)注册产品信息:注册产品名称、主要原料、用途等;

(三)官方证明:证明所推荐的企业已经主管部门批准,其产品允许在输出国家或者地区自由销售。

第十二条 国家质检总局应当对推荐材料进行审查。

审查不合格的,通知输出国家或者地区主管部门补正。

审查合格的,经与输出国家或者地区主管部门协商后,国家质检总局派出专家到输出国家或者地区对其饲料安全监管体系进行审查,并对申请注册登记的企业进行抽查。对抽查不符合要求的企业,不予注册登记,并将原因向输出国家或者地区主管部门通报;对抽查符合要求的及未被抽查的其他推荐企业,予以注册登记,并在国家质检总局官方网站上公布。

第十三条 注册登记的有效期为5年。

需要延期的境外生产企业,由输出国家或者地区主管部门在有效期届满前6个月向国家质检总局提出延期。必要时,国家质检总局可以派出专家到输出国家或者地区对其饲料安全监管体系进行回顾性审查,并对申请延期的境外生产企业进行抽查,对抽查符合要求的及未被抽查的其他申请延期境外生产企业,注册登记有效期延长5年。

第十四条 经注册登记的境外生产企业停产、转产、倒闭或者被输出国家或者地区主管部门吊销生产许可证、营业执照的,国家质检总局注销其注册登记。

第二节 检验检疫

第十五条 进口饲料需要办理进境动植物检疫许可证的,应当按照相关规定办理进境动植物检疫许可证。

第十六条 货主或者其代理人应当在饲料入境前或者入境时向检验检疫机构报检,报检时应当提供原产地证书、贸易合同、信用证、提单、发票等,并根据对产品的不同要求提供进境动植物检疫许可证、输出国家或者地区检验检疫证书、《进口饲料和饲料添加剂产品登记证》(复印件)。

第十七条 检验检疫机构按照以下要求对进口饲料实施检验检疫:

(一)中国法律法规、国家强制性标准和国家质检总局规定的检验检疫要求；

（二）双边协议、议定书、备忘录；

（三）《进境动植物检疫许可证》列明的要求。

第十八条　检验检疫机构按照下列规定对进口饲料实施现场查验：

（一）核对货证：核对单证与货物的名称、数（重）量、包装、生产日期、集装箱号码、输出国家或者地区、生产企业名称和注册登记号等是否相符；

（二）标签检查：标签是否符合饲料标签国家标准；

（三）感官检查：包装、容器是否完好，是否超过保质期，有无腐败变质，有无携带有害生物，有无土壤、动物尸体、动物排泄物等禁止进境物。

第十九条　现场查验有下列情形之一的，检验检疫机构签发《检验检疫处理通知单》，由货主或者其代理人在检验检疫机构的监督下，作退回或者销毁处理：

（一）输出国家或者地区未被列入允许进口的国家或者地区名单的；

（二）来自非注册登记境外生产企业的产品；

（三）来自注册登记境外生产企业的非注册登记产品；

（四）货证不符的；

（五）标签不符合标准且无法更正的；

（六）超过保质期或者腐败变质的；

（七）发现土壤、动物尸体、动物排泄物、检疫性有害生物，无法进行有效的检疫处理的。

第二十条　现场查验发现散包、容器破裂的，由货主或者代理人负责整理完好。包装破损且有传播动植物疫病风险的，应当对所污染的场地、物品、器具进行检疫处理。

第二十一条　检验检疫机构对来自不同类别境外生产企业的产品按照相应的检验检疫监管模式抽取样品，出具《抽/采样凭证》，送实验室进行安全卫生项目的检测。

被抽取样品送实验室检测的货物，应当调运到检验检疫机构指定的待检存放场所等待检测结果。

第二十二条　经检验检疫合格的，检验检疫机构签发《入境货物检验检疫证明》，予以放行。

经检验检疫不合格的，检验检疫机构签发《检验检疫处理通知书》，由货主或者其代理人在检验检疫机构的监督下，作除害、退回或者销毁处理，经除害处理合格的准予进境；需要对外索赔的，由检验检疫机构出具相关证书。检验检疫机构应当将进口饲料检验检疫不合格信息上报国家质检总局。

第二十三条　货主或者其代理人未取得检验检疫机构出具的《入境货物检验检疫证明》前，不得擅自转移、销售、使用进口饲料。

第二十四条　进口饲料分港卸货的，先期卸货港检验检疫机构应当以书面形式将检验检疫结果及处理情况及时通知其他分卸港所在地检验检疫机构；需要对外出证的，由卸毕港检验检疫机构汇总后出具证书。

第三节　监督管理

第二十五条　进口饲料包装上应当有中文标签，标签应当符合中国饲料标签国家标准。

散装的进口饲料，进口企业应当在检验检疫机构指定的场所包装并加施饲料标签后方可入境，直接调运到检验检疫机构指定的生产、加工企业用于饲料生产的，免予加施标签。

国家对进口动物源性饲料的饲用范围有限制的，进入市场销售的动物源性饲料包装上应当注明饲用范围。

第二十六条　检验检疫机构对饲料进口企业（以下简称进口企业）实施备案管理。进口企业应当在首次报检前或者报检时提供营业执照复印件向所在地检验检疫机构备案。

第二十七条　进口企业应当建立经营档案，记录进口饲料的报检号、品名、数/重量、包装、输出国家或者地区、国外出口商、境外生产企业名称及其注册登记号、《入境货物检验检疫证明》、进口饲料流向等信息，记录保存期限不得少于2年。

第二十八条　检验检疫机构对备案进口企业的经营档案进行定期审查，审查不合格的，将其列入不良记录企业名单，对其进口的饲料加严检验检疫。

第二十九条　国外发生的饲料安全事故涉及已经进口的饲料、国内有关部门通报或者用户投诉进口饲料出现安全卫生问题的，检验检疫机构应当开展追溯性调查，并按照国家有关规定进行处理。

进口的饲料存在前款所列情形，可能对动物和人体健康和生命安全造成损害的，饲料进口企业应当主动召回，并向检验检疫机构报告。进口企业不履行召回义务的，检验检疫机构可以责令进口企业召回并将其列入不良记录企业名单。

第四章　出口检验检疫

第一节　注册登记

第三十条　国家质检总局对出口饲料的出口生产企业实施注册登记制度，出口饲料应当来自注册登记的出口生产企业。

第三十一条　申请注册登记的企业应当符合下列条件：

（一）厂房、工艺、设备和设施。

1. 厂址应当避开工业污染源，与养殖场、屠宰场、居民点保持适当距离；

2. 厂房、车间布局合理，生产区与生活区、办公区分开；

3. 工艺设计合理，符合安全卫生要求；

4. 具备与生产能力相适应的厂房、设备及仓储设施；

5. 具备有害生物（啮齿动物、苍蝇、仓储害虫、鸟类等）防控设施。

（二）具有与其所生产产品相适应的质量管理机构和专业技术人员。

（三）具有与安全卫生控制相适应的检测能力。

（四）管理制度。

1. 岗位责任制度；

2. 人员培训制度；

3. 从业人员健康检查制度；

4. 按照危害分析与关键控制点（HACCP）原理建立质量管理体系，在风险分析的基础上开展自检自控；

5. 标准卫生操作规范（SSOP）；

6. 原辅料、包装材料合格供应商评价和验收制度；

7. 饲料标签管理制度和产品追溯制度；

8. 废弃物、废水处理制度；

9. 客户投诉处理制度；

10. 质量安全突发事件应急管理制度。

（五）国家质检总局按照饲料产品种类分别制定的出口检验检疫要求。

第三十二条　出口生产企业应当向所在地直属检验检疫局申请注册登记，并提交下列材料（一式3份）：

（一）《出口饲料生产、加工、存放企业检验检疫注册登记申请表》；

（二）工商营业执照（复印件）；

（三）组织机构代码证（复印件）；

（四）国家饲料主管部门有审查、生产许可、产品批准文号等要求的，须提供获得批准的相关证明文件；

（五）涉及环保的，须提供县级以上环保部门出具的证明文件；

（六）第三十一条（四）规定的管理制度；

（七）生产工艺流程图，并标明必要的工艺参数（涉及商业秘密的除外）；

（八）厂区平面图及彩色照片（包括厂区全貌、厂区大门、主要设备、实验室、原料库、包装场所、成品库、样品保存场所、档案保存场所等）；

（九）申请注册登记的产品及原料清单。

第三十三条　直属检验检疫局应当对申请材料及时进行审查，根据下列情况在5日内作出受理或者不予受理决定，并书面通知申请人：

（一）申请材料存在可以当场更正的错误的，允许申请人当场更正；

（二）申请材料不齐全或者不符合法定形式的，应当当场或者在5日内一次书面告知申请人需要补正的全部内容，逾期不告知的，自收到申请材料之日起即为受理；

（三）申请材料齐全、符合法定形式或者申请人按照要求提交全部补正申请材料的，应当受理申请。

第三十四条　直属检验检疫局应当在受理申请后10日内组成评审组，对申请注册登记的出口生产企业进行现场评审。

第三十五条　评审组应当在现场评审结束后及时向直属检验检疫局提交评审报告。

第三十六条　直属检验检疫局收到评审报告后，应当在10日内分别做出下列决定：

（一）经评审合格的，予以注册登记，颁发《出口饲料生产、加工、存放企业检验检疫注册登记证》（以下简称《注册登记证》），自做出注册登记决定之日起10日内，送达申请人；

（二）经评审不合格的，出具《出口饲料生产、加工、存放企业检验检疫注册登记未获批准通知书》。

第三十七条　《注册登记证》自颁发之日起生效，有效期5年。

属于同一企业、位于不同地点、具有独立生产线和质量管理体系的出口生产企业应当分别申请注册登记。

每一注册登记出口生产企业使用一个注册登记编号。经注册登记的出口生产企业的注册登记编号专厂专用。第三十八条　出口生产企业变更企业名称、法定代表人、产品品种、生产能力等的，应当在变更后30日内向所在地直属检验检疫局提出书面申请，填写《出口饲料生产、加工、存放企业检验检疫注册登记申请表》，并提交与变更内容相关的资料（一式三份）。

变更企业名称、法定代表人的，由直属检验检疫局审核有关资料后，直接办理变更手续。

变更产品品种或者生产能力的，由直属检验检疫局审核有关资料并组织现场评审，评审合格后，办理变更手续。

企业迁址的，应当重新向直属检验检疫局申请办理注册登记手续。

因停产、转产、倒闭等原因不再从事出口饲料业务的，应当向所在地直属检验检疫局办理注销手续。

第三十九条　获得注册登记的出口生产企业需要延续注册登记有效期的，应当在有效期届满前3个月按照本办法规定提出申请。

第四十条　直属检验检疫局应当在完成注册登记、变更或者注销工作后30日内，将相关信息上报国家质检总局备案。

第四十一条　进口国家或者地区要求提供注册登记的出口生产企业名单的，由直属检验检疫局审查合格后，上报国家质检总局。国家质检总局组织进行抽查评估后,统一向进口国家或者地区主管部门推荐并办理有关手续。

第二节 检验检疫

第四十二条 检验检疫机构按照下列要求对出口饲料实施检验检疫:

(一)输入国家或者地区检验检疫要求;

(二)双边协议、议定书、备忘录;

(三)中国法律法规、强制性标准和国家质检总局规定的检验检疫要求;

(四)贸易合同或者信用证注明的检疫要求。

第四十三条 饲料出口前,货主或者代理人应当向产地检验检疫机构报检,并提供贸易合同、信用证、《注册登记证》(复印件)、出厂合格证明等单证。检验检疫机构对所提供的单证进行审核,符合要求的受理报检。

第四十四条 受理报检后,检验检疫机构按照下列规定实施现场检验检疫:

(一)核对货证:核对单证与货物的名称、数(重)量、生产日期、批号、包装、唛头、出口生产企业名称或者注册登记号等是否相符;

(二)标签检查:标签是否符合要求;

(三)感官检查:包装、容器是否完好,有无腐败变质,有无携带有害生物,有无土壤、动物尸体、动物排泄物等。

第四十五条 检验检疫机构对来自不同类别出口生产企业的产品按照相应的检验检疫监管模式抽取样品,出具《抽/采样凭证》,送实验室进行安全卫生项目的检测。

第四十六条 经检验检疫合格的,检验检疫机构出具《出境货物通关单》或者《出境货物换证凭单》、检验检疫证书等相关证书;检验检疫不合格的,经有效方法处理并重新检验检疫合格的,可以按照规定出具相关单证,予以放行;无有效方法处理或者虽经处理重新检验检疫仍不合格的,不予放行,并出具《出境货物不合格通知单》。

第四十七条 出境口岸检验检疫机构按照出境货物换证查验的相关规定查验,重点检查货证是否相符。查验合格的,凭产地检验检疫机构出具的《出境货物换证凭单》或者电子转单换发《出境货物通关单》。查验不合格的,不予放行。

第四十八条 产地检验检疫机构与出境口岸检验检疫机构应当及时交流信息。

在检验检疫过程中发现安全卫生问题,应当采取相应措施,并及时上报国家质检总局。

第三节 监督管理

第四十九条 取得注册登记的出口饲料生产、加工企业应当遵守下列要求:

(一)有效运行自检自控体系;

(二)按照进口国家或者地区的标准或者合同要求生产出口产品;

(三)遵守我国有关药物和添加剂管理规定,不得存放、使用我国和进口国家或者地区禁止使用的药物和添加物;

(四)出口饲料的包装、装载容器和运输工具应当符合安全卫生要求。标签应当符合进口国家或者地区的有关要求。包装或者标签上应当注明生产企业名称或者注册登记号、产品用途;

(五)建立企业档案,记录生产过程中使用的原辅料名称、数(重)量及其供应商、原料验收、半产品及成品自检自控、入库、出库、出口、有害生物控制、产品召回等情况,记录档案至少保存2年;

(六)如实填写《出口饲料监管手册》,记录检验检疫机构监管、抽样、检查、年审情况以及国外官方机构考察等内容。

取得注册登记的饲料存放企业应当建立企业档案,记录存放饲料名称、数/重量、货主、入库、出库、有害生物防控情况,记录档案至少保留2年。

第五十条 检验检疫机构对辖区内注册登记的出口生产企业实施日常监督管理,内容包括:

(一)环境卫生;

(二)有害生物防控措施;

(三)有毒有害物质自检自控的有效性;

(四)原辅料或者其供应商变更情况;

(五)包装物、铺垫材料和成品库;

(六)生产设备、用具、运输工具的安全卫生;

(七)批次及标签管理情况;

(八)涉及安全卫生的其他内容;

(九)《出口饲料监管手册》记录情况。

第五十一条 检验检疫机构对注册登记的出口生产企业实施年审,年审合格的在《注册登记证》(副本)上加注年审合格记录。

第五十二条 检验检疫机构对饲料出口企业(以下简称出口企业)实施备案管理。出口企业应当在首次报检前或者报检时提供营业执照复印件向在所在地检验检疫机构备案。

出口与生产为同一企业的,不必办理备案。

第五十三条 出口企业应当建立经营档案并接受检验检疫机构的核查。档案应当记录出口饲料的报检号、品名、数(重)量、包装、进口国家或者地区、国外进口商、供货企业名称及其注册登记号、《出境货物通关单》等信息,档案至少保留2年。

第五十四条 检验检疫机构应当建立注册登记的出口生产企业以及出口企业诚信档案,建立良好记录企业名单和不良记录企业名单。

第五十五条　出口饲料被国内外检验检疫机构检出疫病、有毒有害物质超标或者其他安全卫生质量问题的，检验检疫机构核实有关情况后，实施加严检验检疫监管措施。

第五十六条　注册登记的出口生产企业和备案的出口企业发现其生产、经营的相关产品可能受到污染并影响饲料安全，或者其出口产品在国外涉嫌引发饲料安全事件时，应当在24小时内报告所在地检验检疫机构，同时采取控制措施，防止不合格产品继续出厂。检验检疫机构接到报告后，应当于24小时内逐级上报至国家质检总局。

第五十七条　已注册登记的出口生产企业发生下列情况之一的，由直属检验检疫局撤回其注册登记：

（一）准予注册登记所依据的客观情况发生重大变化，达不到注册登记条件要求的；

（二）注册登记内容发生变更，未办理变更手续的；

（三）年审不合格的。

第五十八条　有下列情形之一的，直属检验检疫局根据利害关系人的请求或者依据职权，可以撤销注册登记：

（一）直属检验检疫局工作人员滥用职权、玩忽职守作出准予注册登记的；

（二）超越法定职权作出准予注册登记的；

（三）违反法定程序作出准予注册登记的；

（四）对不具备申请资格或者不符合法定条件的出口生产企业准予注册登记的；

（五）依法可以撤销注册登记的其他情形。

出口生产企业以欺骗、贿赂等不正当手段取得注册登记的，应当予以撤销。

第五十九条　有下列情形之一的，直属检验检疫局应当依法办理注册登记的注销手续：

（一）注册登记有效期届满未延续的；

（二）出口生产企业依法终止的；

（三）企业因停产、转产、倒闭等原因不再从事出口饲料业务的；

（四）注册登记依法被撤销、撤回或者吊销的；

（五）因不可抗力导致注册登记事项无法实施的；

（六）法律、法规规定的应当注销注册登记的其他情形。

第五章　过境检验检疫

第六十条　运输饲料过境的，承运人或者押运人应当持货运单和输出国家或者地区主管部门出具的证书，向入境口岸检验检疫机构报检，并书面提交过境运输路线。

第六十一条　装载过境饲料的运输工具和包装物、装载容器应当完好，经入境口岸检验检疫机构检查，发现运输工具或者包装物、装载容器有可能造成途中散漏的，承运人或者押运人应当按照口岸检验检疫机构的要求，采取密封措施；无法采取密封措施的，不准过境。

第六十二条　输出国家或者地区未被列入第七条规定的允许进口的国家或者地区名单的，应当获得国家质检总局的批准方可过境。

第六十三条　过境的饲料，由入境口岸检验检疫机构查验单证，核对货证相符，加施封识后放行，并通知出境口岸检验检疫机构，由出境口岸检验检疫机构监督出境。

第六章　法律责任

第六十四条　有下列情形之一的，由检验检疫机构按照《国务院关于加强食品等产品安全监督管理的特别规定》予以处罚：

（一）存放、使用我国或者进口国家或者地区禁止使用的药物、添加剂以及其他原辅料的；

（二）以非注册登记饲料生产、加工企业生产的产品冒充注册登记出口生产企业产品的；

（三）明知有安全隐患，隐瞒不报，拒不履行事故报告义务继续进出口的；

（四）拒不履行产品召回义务的。

第六十五条　有下列情形之一的，由检验检疫机构按照《中华人民共和国进出境动植物检疫法实施条例》处3 000元以上3万元以下罚款：

（一）未经检验检疫机构批准，擅自将进口、过境饲料卸离运输工具或者运递的；

（二）擅自开拆过境饲料的包装，或者擅自开拆、损毁动植物检疫封识或者标志的。

第六十六条　有下列情形之一的，依法追究刑事责任；尚不构成犯罪或者犯罪情节显著轻微依法不需要判处刑罚的，由检验检疫机构按照《中华人民共和国进出境动植物检疫法实施条例》处2万元以上5万元以下的罚款：

（一）引起重大动植物疫情的；

（二）伪造、变造动植物检疫单证、印章、标志、封识的。

第六十七条　有下列情形之一，有违法所得的，由检验检疫机构处以违法所得3倍以下罚款，最高不超过3万元；没有违法所得的，处以1万元以下罚款：

（一）使用伪造、变造的动植物检疫单证、印章、标志、封识的；

（二）使用伪造、变造的输出国家或者地区主管部门检疫证明文件的；

（三）使用伪造、变造的其他相关证明文件的；

（四）拒不接受检验检疫机构监督管理的。

第六十八条　检验检疫机构工作人员滥用职权，

故意刁难，徇私舞弊，伪造检验结果，或者玩忽职守，延误检验出证，依法给予行政处分；构成犯罪的，依法追究刑事责任。

第七章 附 则

第六十九条 本办法下列用语的含义是：

饲料：指经种植、养殖、加工、制作的供动物食用的产品及其原料，包括饵料用活动物、饲料用（含饵料用）冰鲜冷冻动物产品及水产品、加工动物蛋白及油脂、宠物食品及咬胶、饲草类、青贮料、饲料粮谷类、糠麸饼粕渣类、加工植物蛋白及植物粉类、配合饲料、添加剂预混合饲料等。

饲料添加剂：指饲料加工、制作、使用过程中添加的少量或者微量物质，包括营养性饲料添加剂、一般饲料添加剂等。

加工动物蛋白及油脂：包括肉粉（畜禽）、肉骨粉（畜禽）、鱼粉、鱼油、鱼膏、虾粉、鱿鱼肝粉、鱿鱼粉、乌贼膏、乌贼粉、鱼精粉、干贝精粉、血粉、血浆粉、血球粉、血细胞粉、血清粉、发酵血粉、动物下脚料粉、羽毛粉、水解羽毛粉、水解毛发蛋白粉、皮革蛋白粉、蹄粉、角粉、鸡杂粉、肠膜蛋白粉、明胶、乳清粉、乳粉、蛋粉、干蚕蛹及其粉、骨粉、骨灰、骨炭、骨制磷酸氢钙、虾壳粉、蛋壳粉、骨胶、动物油渣、动物脂肪、饲料级混合油、干虫及其粉等。

出厂合格证明：指注册登记的出口饲料或者饲料添加剂生产、加工企业出具的，证明其产品经本企业自检自控体系评定为合格的文件。

第七十条 本办法由国家质检总局负责解释。

第七十一条 本办法自2009年9月1日起施行。自施行之日起，进出口饲料有关检验检疫管理的规定与本办法不一致的，以本办法为准。

〔《进出口饲料和饲料添加剂检验检疫监督管理办法》已经2009年2月23日国家质量监督检验检疫总局局务会议审议通过，并以第118号令于2009年7月20日公布——编辑部注〕

农村土地承包经营纠纷仲裁规则

第一章 总 则

第一条 为规范农村土地承包经营纠纷仲裁活动，根据《中华人民共和国农村土地承包经营纠纷调解仲裁法》，制定本规则。

第二条 农村土地承包经营纠纷仲裁适用本规则。

第三条 下列农村土地承包经营纠纷，当事人可以向农村土地承包仲裁委员会（以下简称仲裁委员会）申请仲裁：

（一）因订立、履行、变更、解除和终止农村土地承包合同发生的纠纷；

（二）因农村土地承包经营权转包、出租、互换、转让、入股等流转发生的纠纷；

（三）因收回、调整承包地发生的纠纷；

（四）因确认农村土地承包经营权发生的纠纷；

（五）因侵害农村土地承包经营权发生的纠纷；

（六）法律、法规规定的其他农村土地承包经营纠纷。

因征收集体所有的土地及其补偿发生的纠纷，不属于仲裁委员会的受理范围，可以通过行政复议或者诉讼等方式解决。

第四条 仲裁委员会依法设立，其日常工作由当地农村土地承包管理部门承担。

第五条 农村土地承包经营纠纷仲裁，应当公开、公平、公正，便民高效，注重调解，尊重事实，符合法律，遵守社会公德。

第二章 申请和受理

第六条 农村土地承包经营纠纷仲裁的申请人、被申请人为仲裁当事人。

第七条 家庭承包的，可以由农户代表人参加仲裁。农户代表人由农户成员共同推选；不能共同推选的，按下列方式确定：

（一）土地承包经营权证或者林权证等证书上记载的人；

（二）未取得土地承包经营权证或者林权证等证书的，为在承包合同上签字的人。

第八条 当事人一方为五户（人）以上的，可以推选三至五名代表人参加仲裁。

第九条 与案件处理结果有利害关系的，可以申请作为第三人参加仲裁，或者由仲裁委员会通知其参加仲裁。

第十条 当事人、第三人可以委托代理人参加仲裁。

当事人或者第三人为无民事行为能力人或者限制民事行为能力人的，由其法定代理人参加仲裁。

第十一条 当事人申请农村土地承包经营纠纷仲裁的时效期间为二年，自当事人知道或者应当知道其权利被侵害之日起计算。

仲裁时效因申请调解、申请仲裁、当事人一方提出要求或者同意履行义务而中断。从中断时起，仲裁时效重新计算。

在仲裁时效期间的最后六个月内，因不可抗力或者其他事由，当事人不能申请仲裁的，仲裁时效中止。从中止时效的原因消除之日起，仲裁时效期间继续计算。

侵害农村土地承包经营权行为持续发生的，仲裁时效从侵权行为终了时计算。

第十二条 申请农村土地承包经营纠纷仲裁,应当符合下列条件:

(一)申请人与纠纷有直接的利害关系;

(二)有明确的被申请人;

(三)有具体的仲裁请求和事实、理由;

(四)属于仲裁委员会的受理范围。

第十三条 当事人申请仲裁,应当向纠纷涉及土地所在地的仲裁委员会递交仲裁申请书。申请书可以邮寄或者委托他人代交。

书面申请有困难的,可以口头申请,由仲裁委员会记入笔录,经申请人核实后由其签名、盖章或者按指印。

仲裁委员会收到仲裁申请材料,应当出具回执。回执应当载明接收材料的名称和份数、接收日期等,并加盖仲裁委员会印章。

第十四条 仲裁申请书应当载明下列内容:

(一)申请人和被申请人的姓名、年龄、住所、邮政编码、电话或者其他通讯方式;法人或者其他组织应当写明名称、地址和法定代表人或者主要负责人的姓名、职务、通讯方式;

(二)申请人的仲裁请求;

(三)仲裁请求所依据的事实和理由;

(四)证据和证据来源、证人姓名和联系方式。

第十五条 仲裁委员会应当对仲裁申请进行审查,符合申请条件的,应当受理。

有下列情形之一的,不予受理;已受理的,终止仲裁程序:

(一)不符合申请条件;

(二)人民法院已受理该纠纷;

(三)法律规定该纠纷应当由其他机构受理;

(四)对该纠纷已有生效的判决、裁定、仲裁裁决、行政处理决定等。

第十六条 仲裁委员会决定受理仲裁申请的,应当自收到仲裁申请之日起五个工作日内,将受理通知书、仲裁规则、仲裁员名册送达申请人,将受理通知书、仲裁申请书副本、仲裁规则、仲裁员名册送达被申请人。

决定不予受理或者终止仲裁程序的,应当自收到仲裁申请或者发现终止仲裁程序情形之日起五个工作日内书面通知申请人,并说明理由。

需要通知第三人参加仲裁的,仲裁委员会应当通知第三人,并告知其权利义务。

第十七条 被申请人应当自收到仲裁申请书副本之日起十日内向仲裁委员会提交答辩书。

仲裁委员会应当自收到答辩书之日起五个工作日内将答辩书副本送达申请人。

被申请人未答辩的,不影响仲裁程序的进行。

第十八条 答辩书应当载明下列内容:

(一)答辩人姓名、年龄、住所、邮政编码、电话或者其他通讯方式;法人或者其他组织应当写明名称、地址和法定代表人或者主要负责人的姓名、职务、通讯方式;

(二)对申请人仲裁申请的答辩及所依据的事实和理由;

(三)证据和证据来源,证人姓名和联系方式。

书面答辩确有困难的,可以口头答辩,由仲裁委员会记入笔录,经被申请人核实后由其签名、盖章或者按指印。

第十九条 当事人提交仲裁申请书、答辩书、有关证据材料及其他书面文件,应当一式三份。

第二十条 因一方当事人的行为或者其他原因可能使裁决不能执行或者难以执行,另一方当事人申请财产保全的,仲裁委员会应当将当事人的申请提交被申请人住所地或者财产所在地的基层人民法院,并告知申请人因申请错误造成被申请人财产损失的,应当承担相应的赔偿责任。

第三章 仲裁庭

第二十一条 仲裁庭由三名仲裁员组成。

事实清楚、权利义务关系明确、争议不大的农村土地承包经营纠纷,经双方当事人同意,可以由一名仲裁员仲裁。

第二十二条 双方当事人自收到受理通知书之日起五个工作日内,从仲裁员名册中选定仲裁员。首席仲裁员由双方当事人共同选定,其他二名仲裁员由双方当事人各自选定;当事人不能选定的,由仲裁委员会主任指定。

独任仲裁员由双方当事人共同选定;当事人不能选定的,由仲裁委员会主任指定。

仲裁委员会应当自仲裁庭组成之日起二个工作日内将仲裁庭组成情况通知当事人。

第二十三条 仲裁庭组成后,首席仲裁员应当召集其他仲裁员审阅案件材料,了解纠纷的事实和情节,研究双方当事人的请求和理由,查核证据,整理争议焦点。

仲裁庭认为确有必要的,可以要求当事人在一定期限内补充证据,也可以自行调查取证。自行调查取证的,调查人员不得少于二人。

第二十四条 仲裁员有下列情形之一的,应当回避:

(一)是本案当事人或者当事人、代理人的近亲属;

(二)与本案有利害关系;

(三)与本案当事人、代理人有其他关系,可能影响公正仲裁;

（四）私自会见当事人、代理人，或者接受当事人、代理人请客送礼。

第二十五条　仲裁员有回避情形的，应当以口头或者书面方式及时向仲裁委员会提出。

当事人认为仲裁员有回避情形的，有权以口头或者书面方式向仲裁委员会申请其回避。

当事人提出回避申请，应当在首次开庭前提出，并说明理由；在首次开庭后知道回避事由的，可以在最后一次开庭终结前提出。

第二十六条　仲裁委员会应当自收到回避申请或者发现仲裁员有回避情形之日起二个工作日内作出决定，以口头或者书面方式通知当事人，并说明理由。

仲裁员是否回避，由仲裁委员会主任决定；仲裁委员会主任担任仲裁员时，由仲裁委员会集体决定主任的回避。

第二十七条　仲裁员有下列情形之一的，应当按照本规则第二十二条规定重新选定或者指定仲裁员：

（一）被决定回避的；

（二）在法律上或者事实上不能履行职责的；

（三）因被除名或者解聘丧失仲裁员资格的；

（四）因个人原因退出或者不能从事仲裁工作的；

（五）因徇私舞弊、失职渎职被仲裁委员会决定更换的。

重新选定或者指定仲裁员后，仲裁程序继续进行。当事人请求仲裁程序重新进行的，由仲裁庭决定。

第二十八条　仲裁庭应当向当事人提供必要的法律政策解释，帮助当事人自行和解。

达成和解协议的，当事人可以请求仲裁庭根据和解协议制作裁决书；当事人要求撤回仲裁申请的，仲裁庭应当终止仲裁程序。

第二十九条　仲裁庭应当在双方当事人自愿的基础上进行调解。调解达成协议的，仲裁庭应当制作调解书。

调解书应当载明双方当事人基本情况、纠纷事由、仲裁请求和协议结果，由仲裁员签名，并加盖仲裁委员会印章，送达双方当事人。

调解书经双方当事人签收即发生法律效力。

第三十条　调解不成或者当事人在调解书签收前反悔的，仲裁庭应当及时作出裁决。

当事人在调解过程中的陈述、意见、观点或者建议，仲裁庭不得作为裁决的证据或依据。

第三十一条　仲裁庭作出裁决前，申请人放弃仲裁请求并撤回仲裁申请，且被申请人没有就申请人的仲裁请求提出反请求的，仲裁庭应当终止仲裁程序。

申请人经书面通知，无正当理由不到庭或者未经仲裁庭许可中途退庭的，可以视为撤回仲裁申请。

第三十二条　被申请人就申请人的仲裁请求提出反请求的，应当说明反请求事项及其所依据的事实和理由，并附具有关证明材料。

被申请人在仲裁庭组成前提出反请求的，由仲裁委员会决定是否受理；在仲裁庭组成后提出反请求的，由仲裁庭决定是否受理。

仲裁委员会或者仲裁庭决定受理反请求的，应当自收到反请求之日起五个工作日内将反请求申请书副本送达申请人。申请人应当在收到反请求申请书副本后十个工作日内提交反请求答辩书，不答辩的不影响仲裁程序的进行。仲裁庭应当将被申请人的反请求与申请人的请求合并审理。

仲裁委员会或者仲裁庭决定不予受理反请求的，应当书面通知被申请人，并说明理由。

第三十三条　仲裁庭组成前申请人变更仲裁请求或者被申请人变更反请求的，由仲裁委员会作出是否准许的决定；仲裁庭组成后变更请求或者反请求的，由仲裁庭作出是否准许的决定。

第四章　开　　庭

第三十四条　农村土地承包经营纠纷仲裁应当开庭进行。开庭应当公开，但涉及国家秘密、商业秘密和个人隐私以及当事人约定不公开的除外。

开庭可以在纠纷涉及的土地所在地的乡（镇）或者村进行，也可以在仲裁委员会所在地进行。当事人双方要求在乡（镇）或者村开庭的，应当在该乡（镇）或者村开庭。

第三十五条　仲裁庭应当在开庭五个工作日前将开庭时间、地点通知当事人、第三人和其他仲裁参与人。

当事人请求变更开庭时间和地点的，应当在开庭三个工作日前向仲裁庭提出，并说明理由。仲裁庭决定变更的，通知双方当事人、第三人和其他仲裁参与人；决定不变更的，通知提出变更请求的当事人。

第三十六条　公开开庭的，应当将开庭时间、地点等信息予以公告。

申请旁听的公民，经仲裁庭审查后可以旁听。

第三十七条　被申请人经书面通知，无正当理由不到庭或者未经仲裁庭许可中途退庭的，仲裁庭可以缺席裁决。

被申请人提出反请求，申请人经书面通知，无正当理由不到庭或者未经仲裁庭许可中途退庭的，仲裁庭可以就反请求缺席裁决。

第三十八条　开庭前，仲裁庭应当查明当事人、第三人、代理人和其他仲裁参与人是否到庭，并逐一核对身份。

开庭由首席仲裁员或者独任仲裁员宣布。首席仲裁员或者独任仲裁员应当宣布案由，宣读仲裁庭组成人员名单、仲裁庭纪律、当事人权利和义务，询问当事人是否申请仲裁员回避。

第三十九条　仲裁庭应当保障双方当事人平等陈述的机会，组织当事人、第三人、代理人陈述事实、意见、理由。

第四十条　当事人、第三人应当提供证据，对其主张加以证明。

与纠纷有关的证据由作为当事人一方的发包方等掌握管理的，该当事人应当在仲裁庭指定的期限内提供，逾期不提供的，应当承担不利后果。

第四十一条　仲裁庭自行调查收集的证据，应当在开庭时向双方当事人出示。

第四十二条　仲裁庭对专门性问题认为需要鉴定的，可以交由当事人约定的鉴定机构鉴定；当事人没有约定的，由仲裁庭指定的鉴定机构鉴定。

第四十三条　当事人申请证据保全，应当向仲裁委员会书面提出。仲裁委员会应当自收到申请之日起二个工作日内，将申请提交证据所在地的基层人民法院。

第四十四条　当事人、第三人申请证人出庭作证的，仲裁庭应当准许，并告知证人的权利义务。

证人不得旁听案件审理。

第四十五条　证据应当在开庭时出示，但涉及国家秘密、商业秘密和个人隐私的证据不得在公开开庭时出示。

仲裁庭应当组织当事人、第三人交换证据，相互质证。

经仲裁庭许可，当事人、第三人可以向证人询问，证人应当据实回答。

根据当事人的请求或者仲裁庭的要求，鉴定机构应当派鉴定人参加开庭。经仲裁庭许可，当事人可以向鉴定人提问。

第四十六条　仲裁庭应当保障双方当事人平等行使辩论权，并对争议焦点组织辩论。

辩论终结时，首席仲裁员或者独任仲裁员应当征询双方当事人、第三人的最后意见。

第四十七条　对权利义务关系明确的纠纷，当事人可以向仲裁庭书面提出先行裁定申请，请求维持现状、恢复农业生产以及停止取土、占地等破坏性行为。仲裁庭应当自收到先行裁定申请之日起二个工作日内作出决定。

仲裁庭作出先行裁定的，应当制作先行裁定书，并告知先行裁定申请人可以向人民法院申请执行，但应当提供相应的担保。

先行裁定书应当载明先行裁定申请的内容、依据事实和理由、裁定结果和日期，由仲裁员签名，加盖仲裁委员会印章。

第四十八条　仲裁庭应当将开庭情况记入笔录。笔录由仲裁员、记录人员、当事人、第三人和其他仲裁参与人签名、盖章或者按指印。

当事人、第三人和其他仲裁参与人认为对自己的陈述记录有遗漏或者差错的，有权申请补正。仲裁庭不予补正的，应当向申请人说明情况，并记录该申请。

第四十九条　发生下列情形之一的，仲裁程序中止：

（一）一方当事人死亡，需要等待继承人表明是否参加仲裁的；

（二）一方当事人丧失行为能力，尚未确定法定代理人的；

（三）作为一方当事人的法人或者其他组织终止，尚未确定权利义务承受人的；

（四）一方当事人因不可抗拒的事由，不能参加仲裁的；

（五）本案必须以另一案的审理结果为依据，而另一案尚未审结的；

（六）其他应当中止仲裁程序的情形。

在仲裁庭组成前发生仲裁中止事由的，由仲裁委员会决定是否中止仲裁；仲裁庭组成后发生仲裁中止事由的，由仲裁庭决定是否中止仲裁。决定仲裁程序中止的，应当书面通知当事人。

仲裁程序中止的原因消除后，仲裁委员会或者仲裁庭应当在三个工作日内作出恢复仲裁程序的决定，并通知当事人和第三人。

第五十条　发生下列情形之一的，仲裁程序终结：

（一）申请人死亡或者终止，没有继承人及权利义务承受人，或者继承人、权利义务承受人放弃权利的；

（二）被申请人死亡或者终止，没有可供执行的财产，也没有应当承担义务的人的；

（三）其他应当终结仲裁程序的。

终结仲裁程序的，仲裁委员会应当自发现终结仲裁程序情形之日起五个工作日内书面通知当事人、第三人，并说明理由。

第五章　裁决和送达

第五十一条 仲裁庭应当根据认定的事实和法律以及国家政策作出裁决，并制作裁决书。

首席仲裁员组织仲裁庭对案件进行评议，裁决依多数仲裁员意见作出。少数仲裁员的不同意见可以记入笔录。

仲裁庭不能形成多数意见时，应当按照首席仲裁员的意见作出裁决。

第五十二条 裁决书应当写明仲裁请求、争议事实、裁决理由和依据、裁决结果、裁决日期，以及当事人不服仲裁裁决的起诉权利和期限。

裁决书由仲裁员签名，加盖仲裁委员会印章。

第五十三条　对裁决书中的文字、计算错误，或者裁决书中有遗漏的事项，仲裁庭应当及时补正。补正构成裁决书的一部分。

第五十四条　仲裁庭应当自受理仲裁申请之日起六十日内作出仲裁裁决。受理日期以受理通知书上记载的日期为准。

案情复杂需要延长的，经仲裁委员会主任批准可以延长，但延长期限不得超过三十日。

延长期限的，应当自作出延期决定之日起三个工作日内书面通知当事人、第三人。

期限不包括仲裁程序中止、鉴定、当事人在庭外自行和解、补充申请材料和补正裁决的时间。

第五十五条　仲裁委员会应当在裁决作出之日起三个工作日内将裁决书送达当事人、第三人。

直接送达的，应当告知当事人、第三人下列事项：

（一）不服仲裁裁决的，可以在收到裁决书之日起三十日内向人民法院起诉，逾期不起诉的，裁决书即发生法律效力；

（二）一方当事人不履行生效的裁决书所确定义务的，另一方当事人可以向被申请人住所地或者财产所在地的基层人民法院申请执行。

第五十六条　仲裁文书应当直接送达当事人或者其代理人。受送达人是自然人，但本人不在场的，由其同住成年家属签收；受送达人是法人或者其他组织的，应当由法人的法定代表人、其他组织的主要负责人或者该法人、组织负责收件的人签收。

仲裁文书送达后，由受送达人在送达回证上签名、盖章或者按指印，受送达人在送达回证上的签收日期为送达日期。

受送达人或者其同住成年家属拒绝接收仲裁文书的，可以留置送达。送达人应当邀请有关基层组织或者受送达人所在单位的代表到场，说明情况，在送达回证上记明拒收理由和日期，由送达人、见证人签名、盖章或者按指印，将仲裁文书留在受送达人的住所，即视为已经送达。

直接送达有困难的，可以邮寄送达。邮寄送达的，以当事人签收日期为送达日期。

当事人下落不明，或者以前款规定的送达方式无法送达的，可以公告送达，自发出公告之日起，经过六十日，即视为已经送达。

第六章　附　　则

第五十七条　独任仲裁可以适用简易程序。简易程序的仲裁规则由仲裁委员会依照本规则制定。

第五十八条　期间包括法定期间和仲裁庭指定的期间。

期间以日、月、年计算，期间开始日不计算在期间内。期间最后一日是法定节假日的，以法定节假日后的第一个工作日为期间的最后一日。

第五十九条　对不通晓当地通用语言文字的当事人、第三人，仲裁委员会应当为其提供翻译。

第六十条　仲裁文书格式由农业部、国家林业局共同制定。

第六十一条　农村土地承包经营纠纷仲裁不得向当事人收取费用，仲裁工作经费依法纳入财政预算予以保障。

当事人委托代理人、申请鉴定等发生的费用由当事人负担。

第六十二条　本规则自2010年1月1日起施行。

〔《农村土地承包经营纠纷仲裁规则》已经2009年12月18日农业部第10次常务会议审议通过，并经国家林业局同意，并以农业部、国家林业局第1号令于2009年12月29日公布——编辑部注〕

农村土地承包仲裁委员会示范章程

本示范章程中的楷体文字部分为解释性规定，其他字体部分为示范性规定。各农村土地承包仲裁委员会根据自身实际情况，参照示范章程制定本委员会章程。

______农村土地承包仲裁委员会章程

第一条　根据《中华人民共和国农村土地承包经营纠纷调解仲裁法》，制定本章程。

第二条　______市/县/区农村土地承包仲裁委员会（以下简称本仲裁委员会）在______市/县/区人民政府指导下依法组织设立，并报______省（自治区、直辖市）人民政府农业、林业行政主管部门备案。

第三条　本仲裁委员会的职责：

（一）聘任、解聘仲裁员；

（二）培训、管理仲裁员；

（三）受理仲裁申请；

（四）指导、监督仲裁活动；

（五）法律法规规定的其他职责。

第四条　本仲裁委员会的日常工作由______市/县/区______【注：农村土地承包管理部门】承担，主要包括以下内容：

（一）登记、审查仲裁申请；

（二）监督管理仲裁程序；

（三）编制仲裁员名册；

（四）组织仲裁员培训；

（五）管理仲裁文书和仲裁档案；

（六）管理仲裁工作经费；

（七）仲裁委员会交办的其他事项。

本仲裁委员会办公地点设在______。

第五条　本仲裁委员会由______市/县/区人民政府及______【注：有关部门】代表、______【注：有关人民团体】代表、农村集体经济组织代表、农民代表和______【注：法律、经济等相关专业】人员兼任组成，成员人数为______人【注:总数为单数,其中农民代表和法律、经济等相关专业人员不少于二分之一】。

本仲裁委员会设主任一人、副主任______【注:一至二】人,委员______人。

第六条 本仲裁委员会组成人员的任期为______【注:三至五】年。

仲裁委员会换届,应当在任期届满前一个月内完成;有特殊情况不能如期换届的,应当在任期届满后两个月内完成。

第七条 本仲裁委员会组成人员任期内因故更换的,由仲裁委员会组织重新确定人选。主任、副主任更换的,由本仲裁委员会全体会议选举决定。

第八条 本仲裁委员会每年召开______【注:不少于一】次全体会议。根据主任、副主任或者三分之二以上组成人员提议,可以召开临时全体会议。全体会议由主任或者主任委托的副主任主持。

全体会议须有三分之二以上的成员出席方能举行,会议决议须经出席会议成员三分之二以上通过。

修改章程须经全体成员的三分之二以上通过。

第九条 全体会议主要负责议决以下事项:

(一)制定和修改仲裁委员会的章程、议事规则和规章制度;

(二)选举仲裁委员会主任、副主任;

(三)决定仲裁员的聘任、解聘和除名;

(四)仲裁委员会主任担任仲裁员的,决定主任的回避;

(五)审议仲裁委员会工作计划和年度工作报告;

(六)研究农村土地承包经营纠纷仲裁的重大事项;

(七)其他重要事项。

第十条 本仲裁委员会从公道正派,并符合下列条件之一的人员中选聘仲裁员,颁发聘书:

(一)从事农村土地承包管理工作满五年;

(二)从事法律工作或者人民调解工作满五年;

(三)在当地威信较高,熟悉农村土地承包法律以及国家政策的居民。

第十一条 本仲裁委员会定期组织仲裁员进行农村土地承包法律以及国家政策的培训。

第十二条 仲裁员聘期______【注:一般为三】年,期满可以继续聘任。

第十三条 本仲裁委员会建立仲裁员考核制度,考核结果作为续聘或者解聘仲裁员的依据。

第十四条 本仲裁委员会的组成人员、仲裁员应当依法履行职责,遵纪守法,不得索贿受贿、徇私舞弊、枉法裁决,不得侵害当事人的合法权益。

第十五条 本仲裁委员会有权要求被选定或者被指定组成仲裁庭的仲裁员主动报告是否有回避情形。

第十六条 本仲裁委员会组成人员、仲裁员、记录人员、翻译人员等有保密义务,不得擅自对外界透露案件实体和仲裁程序进行的情况。

第十七条 仲裁员辞聘,应当提前三个月向本仲裁委员会提交辞呈。组成仲裁庭的仲裁员,在仲裁程序结束前不得辞聘。

第十八条 本仲裁委员会对有下列情形之一的仲裁员,予以解聘:

(一)故意隐瞒应当回避事实的;

(二)无正当理由故意不到庭审理案件的;

(三)连续两年考核不合格的;

(四)其他不宜继续担任仲裁员的。

第十九条 本仲裁委员会对有索贿受贿、徇私舞弊、枉法裁决以及接受当事人请客送礼等违法违纪行为的仲裁员,予以除名,且不再聘为仲裁员。

第二十条 本仲裁委员会不向当事人收取仲裁费用,工作经费依法纳入财政预算。

第二十一条 本章程经本仲裁委员会____年____月____日全体会议讨论通过,自____年____月____日起生效。

〔《农村土地承包仲裁委员会示范章程》已经2009年12月18日经农业部第10次常务会议审议通过,并经国家林业局同意,并以农业部、国家林业局第2号令于2009年12月29日公布——编辑部注〕

地方性法规

天津市畜牧条例

(2009年5月27日天津市第十五届人民代表大会常务委员会第十次会议通过)

第一章 总 则

第一条 为了规范畜牧业生产经营行为,保障畜禽和畜禽产品质量安全,促进畜牧业持续健康发展,根据《中华人民共和国畜牧法》和《中华人民共和国农产品质量安全法》等法律、法规的规定,结合本市实际,制定本条例。

第二条 在本市行政区域内从事畜禽繁育、饲养、经营、运输以及畜禽和畜禽产品质量安全管理等活动,适用本条例。

本条例所称畜禽,是指依法列入国家公布的畜禽遗传资源目录的畜禽。

本条例所称畜禽产品,是指来源于畜牧业的可供人类食用的肉、蛋、乳、脏器等畜禽初级产品。

第三条 本市鼓励和扶持生态型、集约型、效益型畜牧业的发展,推广畜禽规模化、标准化养殖,提高畜牧业综合生产能力，增加农民收入。

第四条　市和区、县人民政府应当加强对畜牧业及畜禽和畜禽产品质量安全工作的领导，制定相关政策和措施，支持畜牧业发展。

市和区、县人民政府安排畜牧业发展资金，专项用于畜牧产业化、优势种业发展、品种改良、标准化规模养殖、疫病防治、畜禽粪污处理、病死畜禽处理以及种畜禽和畜禽产品质量安全管理工作。

市畜牧业发展资金应当加大对畜禽养殖优势区、县的支持力度。

第五条　市畜牧兽医行政主管部门负责全市畜牧业的监督管理工作。

区、县畜牧兽医行政主管部门负责本行政区域内的畜牧业监督管理工作。

其他有关部门在各自职责范围内，做好促进畜牧业发展的相关工作。

第六条　市畜牧兽医行政主管部门会同有关部门编制市畜牧业发展规划，经市人民政府同意后，纳入本市国民经济和社会发展规划。

区、县畜牧兽医行政主管部门根据市畜牧业发展规划和本地畜牧业生产基础、资源条件等，制定本行政区域畜牧业发展规划，并会同国土资源管理部门确定规模化畜禽养殖用地的数量、布局、规模和边界。

乡、镇人民政府应当将规模化畜禽养殖用地纳入乡、镇土地利用总体规划，落实畜禽养殖用地，满足用地需要。

因建设确需占用规模化畜禽养殖用地的，区、县人民政府应当根据需要和规划布局，落实新的养殖用地。

第七条　本市鼓励发展畜禽养殖保险，建立畜牧业风险防范长效机制。根据国家和本市畜牧业发展需要，对参加畜禽政策性保险的养殖场(户)给予保费补贴。

第二章　种畜禽生产经营

第八条　从事种畜禽生产经营或者生产商品代仔畜、雏禽的单位和个人，应当取得由市畜牧兽医行政主管部门核发的种畜禽生产经营许可证。申请人持种畜禽生产经营许可证依法办理工商登记，取得营业执照后，方可从事生产经营活动。

申请生产家畜卵子、冷冻精液、胚胎等遗传材料生产经营许可证的，市畜牧兽医行政主管部门依法审核，报国务院畜牧兽医行政主管部门审批。

第九条　向市畜牧兽医行政主管部门申请种畜禽生产经营许可，应当符合法律、行政法规规定的条件并提交下列材料：

(一)《种畜禽生产经营许可证》申请表；

(二)种畜禽场、站平面布局图；

(三)供种单位的《种畜禽生产经营许可证》复印件，国外引种除外；

(四)与供种单位签订的引种协议原件及复印件；

(五)拟引种畜的系谱档案复印件；

(六)畜牧兽医技术人员的相关技术职称证书、学历证明、身份证原件及复印件；

(七)饲养管理、畜禽防疫制度；

(八)种畜禽繁育方案；

(九)企业名称预先核准通知书；

(十)动物防疫条件合格证原件及复印件。

第十条　从事种畜禽生产经营的单位和个人，应当按照种畜禽生产经营许可证载明的范围从事生产经营。

变更生产经营内容的，应当按原审批程序办理变更手续。

第十一条　从事种畜生产经营的单位和个人，应当建立种畜个体养殖档案。养殖档案应当记载标识编码、性别、出生日期、父系和母系品种类型、母本的标识编码等信息。

种畜调运时，应当附带个体养殖档案，并在个体养殖档案上注明调出地和调入地。

第三章　养殖管理

第十二条　本市支持农村集体经济组织、农民和畜牧业合作经济组织发展规模化、标准化养殖。

建立畜禽养殖场、养殖小区应当符合法律规定的条件，并达到下列规模标准：

(一)猪存栏300头以上；

(二)家禽存栏1万只以上；

(三)牛存栏50头以上；

(四)羊存栏500只以上；

(五)兔存栏3 000只以上；

(六)其他畜存栏100头以上。

市畜牧兽医行政主管部门可以根据我市畜牧业发展实际情况，对养殖场、养殖小区规模标准予以调整，报市人民政府批准后公布。

第十三条　畜禽养殖场、养殖小区应当在投入生产后十五日内向所在地区、县畜牧兽医行政主管部门备案。

未备案的畜禽养殖场、养殖小区不得享受国家和本市的相关优惠政策。

第十四条　畜禽养殖场、养殖小区备案时应当提交下列材料：

(一)备案登记表；

(二)负责人身份证原件及复印件；

(三)动物防疫条件合格证原件及复印件；

(四)区位图、平面布局图；

(五)生产管理、畜禽防疫制度。

第十五条　禁止在下列区域内建设养殖场、养殖小区：

（一）生活饮用水的水源保护区，风景名胜区，以及自然保护区的核心区和缓冲区；

（二）城镇居民区、文化教育科学研究区等人口集中区域；

（三）法律、法规规定的其他禁养区域。

第十六条 畜禽养殖场、养殖小区的污水排放和废弃物处理，应当符合国家和本市规定的标准。

畜禽养殖场、养殖小区应当设置符合环境保护要求的畜禽粪便固定储存设施和堆放场所，防止畜禽粪便的散落、渗漏和溢流，并采取有效措施，对畜禽粪便实行无害化处理

第十七条 畜禽养殖者应当按照有关规定使用兽药、饲料和饲料添加剂等投入品，严格执行兽药休药期的规定。

畜禽养殖过程中，不得使用国家和本市禁用的饲料、饲料添加剂、兽药以及其他对动物和人体具有直接或者潜在危害的物质。

第十八条 为预防、控制畜禽疫病，养殖场、养殖小区内的水禽与旱禽、家禽与家畜不得混养。

农户利用房前屋后空地零星饲养畜禽，应当符合防疫要求。

第十九条 本市对病死畜禽实行集中无害化处理，具体措施由市人民政府制定。尚未实行集中无害化处理的区域，畜禽养殖者应当按照法律、法规和相关技术标准的规定对病死畜禽进行无害化处理。

第二十条 畜禽养殖场应当依法建立养殖档案。

未达到养殖场规模标准的，应当建立畜禽养殖记录。养殖记录应当记载畜禽的品种、数量、来源及投入品使用、疫病防治、病死畜禽处理等情况。

第四章 质量安全管理

第二十一条 畜禽养殖和畜禽产品生产，应当严格执行国家和本市制定的质量安全标准。禁止生产、销售不符合质量安全标准的畜禽和畜禽产品。

第二十二条 畜禽产品生产企业应当建立生产记录。生产记录应当记载畜禽来源、畜禽标识编码、养殖代码以及畜禽产品生产时间、批号、销售去向等内容，实现畜禽产品质量安全可追溯。

生产记录应当真实，保存期限不得少于二年。

第二十三条 畜禽和畜禽产品生产者，在销售畜禽和畜禽产品时应当提供质量安全检测合格证明。质量安全检测合格证明应当载明畜禽和畜禽产品的名称、产地或者生产单位、生产日期、检测项目、检测机构、检测责任人、检测日期等内容。

未经检测或者检测不合格的畜禽和畜禽产品，不得销售。

第二十四条 本市鼓励畜禽产品生产企业通过无公害畜禽产品、绿色畜禽产品、有机畜禽产品认证或者良好农业规范认证。

第二十五条 生鲜乳收购站应当由取得工商登记的乳制品生产企业、奶畜养殖场、奶农专业生产合作社开办，并取得所在地区、县畜牧兽医行政主管部门颁发的生鲜乳收购许可证。未取得生鲜乳收购许可证的，任何单位或者个人不得收购生鲜乳。

第二十六条 禁止在生鲜乳生产、收购、贮存、运输、销售过程中添加任何物质。

第二十七条 销售畜禽产品应当在包装或者附加标识上，标明品名、产地、生产者或者销售者名称、生产日期、保质期等内容。

从事屠宰加工的企业或者个人出售畜禽内脏的，应当包装上市。

第二十八条 禁止在中心城区和区、县人民政府所在地人口密集地区，从事活禽销售或者现场屠宰交易。

第二十九条 畜禽和畜禽产品销售者，从事销售活动应当查验供货者的动物检疫合格证明、质量安全检测合格证明和其他相关标志、标识，并建立经营台账。经营台账应当记载每批畜禽和畜禽产品的种类、数量、保质期、生产者、接收单位、承运人及检疫证明编号等内容。

经营台账应当真实，保存期限不得少于二年。

第三十条 集贸市场的开办者应当加强对畜禽产品经营者的管理，查验动物检疫合格证明和质量安全检测合格证明，督促经营者落实畜禽产品质量安全责任。对没有动物产品检疫证明和畜产品质量安全检测合格证明的，应当禁止进入市场，并报告所在地区、县工商行政主管部门。工商行政主管部门应当依法予以处理。

第五章 监督管理

第三十一条 本市建立健全畜禽和畜禽产品质量安全检测体系，完善检测条件，提高检测能力。

从事畜禽和畜禽产品质量安全检测的机构，必须具备相应的检测条件和能力，由市畜牧兽医行政主管部门考核合格。

第三十二条 畜牧兽医行政主管部门应当制定并组织实施畜禽和畜禽产品质量安全监测计划，定期对畜禽和畜禽产品质量进行监督抽查。

监督抽查结果应当按照有关法律规定及时予以公布。

第三十三条 市畜牧兽医行政主管部门应当组织开展畜禽和畜禽产品质量安全风险监测工作，对下列可能影响畜禽和畜禽产品质量安全的有害因素进行监测：

（一）动物源性病原微生物；

（二）兽药、饲料添加剂、农药以及重金属的残留；

（三）其他有害因素。

第三十四条　市畜牧兽医行政主管部门应当根据畜禽和畜禽产品质量安全风险监测信息、科学数据以及其他有关信息，组织有关部门和专家进行风险分析，对经风险分析表明可能存在危及人体健康和公共卫生安全风险的，应当及时报告市人民政府，经市人民政府批准，采取有关防范措施。

根据风险分析结果，需要制定或者修订畜禽和畜禽产品质量安全地方标准的，有关部门应当及时制定或者修订。

第三十五条　畜禽产品生产者发现其生产的畜禽产品不安全，应当立即停止生产，召回已经上市销售的畜禽产品，记录召回情况，并通知相关生产经营者和消费者。

畜禽产品销售者发现其销售的畜禽产品不安全，应当立即停止销售，通知相关生产者和消费者，并记录通知情况。

畜禽产品生产者对召回的畜禽产品，应当采取销毁、无害化处理等措施，防止不安全畜禽产品再次流入市场。

畜牧兽医行政主管部门发现不安全畜禽产品的，应当及时责令生产者、销售者召回或者立即停止销售不安全畜禽产品。

第三十六条　市畜牧兽医行政主管部门应当会同有关部门制定突发畜禽产品质量安全事件应急预案，报市人民政府批准后组织实施。

第三十七条　市畜牧兽医行政主管部门与外埠省级畜牧兽医行政主管部门建立畜禽和畜禽产品质量安全协作制度。

在我市销售的外埠畜禽和畜禽产品应当符合国家和我市的有关质量安全标准。

外埠畜禽和畜禽产品进入我市时，应当随车携带动物检疫合格证明、畜禽和畜禽产品质量安全检测合格证明，经市人民政府指定通道进入，并接受本市动物卫生监督机构检查和防疫消毒。

未接受本市动物卫生监督机构检查和防疫消毒的畜禽和畜禽产品，任何单位和个人不得接收。

第三十八条　畜牧兽医行政主管部门在监督检查中可以采取下列措施：

（二）进入有关场所进行现场检查，查阅、复制涉及生产经营活动的记录、档案、票据、协议、证明等资料；

（三）查验种畜禽合格证、种畜个体养殖档案、动物检疫证明、畜禽和畜禽产品质量安全检测合格证明以及其他相关标志、标识等；

（四）对畜禽和畜禽产品进行采样、留验、抽检以及现场快速检测；

（五）查封、扣押不符合质量安全标准的畜禽产品；

（六）监督当事人对不符合质量安全标准的畜禽产品进行处理；

（七）对不符合畜禽产品质量安全标准的畜禽采取限制出栏等措施；

（八）法律、法规规定的其他措施。

畜牧兽医行政主管部门行使职权时，有关单位和个人应当配合，不得拒绝和阻挠。

第六章　法律责任

第三十九条　违反本条例第十八条第一款规定，养殖场、养殖小区的水禽与旱禽、家禽与家畜混养的，由畜牧兽医行政主管部门责令改正；逾期不改正的，由畜牧兽医行政主管部门处2 000元以上1万元以下罚款。

第四十条　违反本条例第二十三条第二款规定，畜禽和畜禽产品生产者销售未经检测的畜禽或者畜禽产品的，由畜牧兽医行政主管部门责令检测，并处5 000元以上2万元以下罚款。销售检测不合格的畜禽产品的，由畜牧兽医行政主管部门责令其追回，予以销毁。货值金额不足5 000元的，并处2万元罚款；货值金额5 000元以上不足1万元的，并处5万元罚款；货值金额1万元以上的，并处货值金额5倍以上10倍以下罚款。拒不销毁的，由畜牧兽医行政主管部门强制销毁，所需费用由违法人承担。给消费者造成损害的，依法承担赔偿责任。

第四十一条　违反本条例第二十七条规定，销售的畜禽产品未在包装或者标识上标明品名、产地、生产者或者销售者名称、生产日期、保质期等内容的，或者从事屠宰加工的企业或者个人销售未经包装的畜禽内脏的，由畜牧兽医行政主管部门或者工商行政管理部门责令改正；逾期不改正的，处2 000元以上1万元以下罚款。

第四十二条　违反本条例第二十八条规定，在中心城区和区、县人民政府所在地人口密集地区从事活禽销售或者现场屠宰交易的，由畜牧兽医行政主管部门责令改正；拒不改正的，没收销售、屠宰的活禽。

第四十三条　违反本条例第二十九条规定，畜禽和畜禽产品销售者未按规定建立经营台账的，由畜牧兽医行政主管部门责令改正；逾期不改正的，处2 000元以下罚款。

第四十四条　违反本条例第三十七条规定，外埠畜禽和畜禽产品进入本市未经本市动物卫生监督机构检查和防疫消毒的，由动物卫生监督机构处5 000元以上3万元以下罚款。

接收未经本市动物卫生监督机构检查和防疫消毒的畜禽和畜禽产品的，由动物卫生监督机构予以警告，并处1万元以上3万元以下罚款。

第四十五条 擅自销售、转移依法已被查封的畜禽和畜禽产品的，由畜牧兽医行政主管部门责令改正，并处货值金额5倍以上10倍以下罚款；构成犯罪的，依法追究刑事责任

第四十六条 畜牧兽医行政主管部门和其他有关部门的工作人员滥用职权、徇私舞弊、玩忽职守的，由所在单位或者其上级行政主管部门给予行政处分；构成犯罪的，依法追究刑事责任。

第四十七条 对违反本条例的行为，法律、行政法规已作出规定的，依照有关规定予以处罚。

第七章 附 则

第四十八条 本条例自2009年9月1日起施行。2006年8月1日起实施的《天津市畜禽养殖管理办法》(2006年市人民政府令第104号)同时废止。

内蒙古自治区实施《中华人民共和国农村土地承包法》办法

(2009年7月30日内蒙古自治区第十一届人民代表大会常务委员会第九次会议通过)

第一章 总 则

第一条 根据《中华人民共和国农村土地承包法》和国家有关法律、法规，结合自治区实际，制定本办法。

第二条 本办法适用于自治区行政区域内的农村牧区土地承包及土地承包合同管理。

本办法所称农村牧区土地，是指农牧民集体所有和国家所有依法由农牧民集体使用的耕地、林地、草地，以及其他依法用于农牧业的土地。

第三条 旗县级以上人民政府农牧业、林业等行政主管部门依照各自职责，负责本行政区域内农村牧区土地承包及土地承包合同管理，具体管理工作由其所属农村牧区土地承包管理机构承担。

苏木乡镇人民政府负责本行政区域内农村牧区土地承包及土地承包合同管理。

第四条 各级人民政府应当将农村牧区土地承包及土地承包合同管理工作经费列入同级财政预算。

第二章 土地的发包和承包

第五条 农村牧区土地承包采取嘎查村集体经济组织内部的家庭承包方式。不宜采取家庭承包方式的荒山、荒沟、荒丘、荒滩等农村土地，可以采取招标、拍卖、公开协商等方式承包。

第六条 农牧民集体所有的土地依法属于嘎查村农牧民集体所有的，由嘎查村集体经济组织或者嘎查村民委员会发包；已经分别属于嘎查村内两个以上嘎查村集体经济组织的农牧民集体所有的，由嘎查村内各该嘎查村集体经济组织或者嘎查村民小组发包。

嘎查村集体经济组织或者嘎查村民委员会发包的，不得改变嘎查村内各集体经济组织农牧民集体所有的土地所有权。

国家所有依法由农牧民集体使用的农村牧区土地，由使用该土地的嘎查村集体经济组织、嘎查村民委员会或者嘎查村民小组发包。

第七条 家庭承包的承包方是本嘎查村集体经济组织的农牧户。

第八条 嘎查村集体经济组织、嘎查村民委员会或者嘎查村民小组按照规定统一组织发包农村牧区土地时，下列人员有权依法以家庭承包方式承包农村牧区土地：

(一)本嘎查村集体经济组织成员及新生子女且户口未迁出的；

(二)因与本嘎查村集体经济组织成员有合法的婚姻、收养关系，户口迁入本嘎查村的；

(三)户口迁入本嘎查村并实际居住，在原居住地未取得承包地，无稳定非农职业，经本嘎查村集体经济组织成员的嘎查村民会议三分之二以上成员或者三分之二以上嘎查村民代表同意的；

(四)国家法律、法规规定的其他人员。

第九条 承包期内，嘎查村集体经济组织应当为本嘎查村集体经济组织的下列人员保留土地承包经营权：

(一)承包方全家迁入小城镇落户，不愿放弃土地承包经营权的；

(二)解放军、武警部队的现役义务兵和符合国家有关规定的士官；

(三)高等院校、中等专业学校的在校学生；

(四)劳教、服刑人员。

第十条 以家庭承包方式承包农村牧区土地的，耕地的承包期为三十年；草地的承包期为三十年至五十年；林地的承包期为三十年至七十年；特殊林木的林地承包期经依法批准可以延长。

荒山、荒沟、荒丘、荒滩的承包期不得超过五十年。

第十一条 承包农村牧区土地的，发包方应当与承包方签订书面土地承包合同。土地承包合同自成立之日起生效，承包方自土地承包合同生效时取得土地承包经营权。

第十二条 旗县级以上人民政府应当向土地承包方发放土地承包经营权证、林权证、草原承包经营权证等(以下统称土地承包经营权证)证书，并登记造册，确认土地承包经营权。

第十三条 承包方分户或者离婚要求对原承包地

进行分割承包的，分户各方或者离婚双方应当分别与发包方重新签订书面土地承包合同，并换发相应的确权证书。分割后的承包期限为原承包期限的剩余承包期限。

第十四条　承包方自愿放弃土地承包经营权的，应当向发包方递交由家庭具有民事行为能力的全体成员签名的书面材料。

承包方在本轮承包期内自愿放弃土地承包经营权的，在本轮承包期内不得再要求承包土地。

第十五条　不宜采取家庭承包方式的荒山、荒沟、荒丘、荒滩等农村土地，通过采取招标、拍卖、公开协商等方式承包的，发包方应当拟定承包方案，并在本嘎查村集体经济组织内公示，公示时间不得少于十五日。承包方案应当明确承包土地的名称、坐落、四至、用途、面积、承包方式、承包期限以及其他应当注明的事项。

采取招标、拍卖、公开协商等方式承包农村土地的，在同等条件下，本嘎查村集体经济组织成员享有优先承包权。发包给本嘎查村集体经济组织以外的单位或者个人承包，应当事先经本嘎查村集体经济组织成员的嘎查村民会议三分之二以上成员或者三分之二以上嘎查村民代表的同意，并报苏木乡镇人民政府批准。

采取公开协商方式承包农村土地的，其承包底价及支付方式应当经本嘎查村集体经济组织成员的嘎查村民会议三分之二以上成员或者三分之二以上嘎查村民代表的同意。

第三章　土地承包经营权的保护

第十六条　承包期内，发包方不得收回承包地。

承包期内，承包方全家迁入设区的市，转为非农业户口的，应当及时将承包的耕地或者草地交回发包方；承包方不交回的，发包方可以收回。发包方收回土地后，对承包方在土地上的投入应当给予合理的补偿。

承包期内，承包农牧户消亡的，发包方依法收回其承包的耕地或者草地。

第十七条　承包期内，妇女结婚，在新居住地未取得承包地的，发包方不得收回其原承包地；妇女离婚或者丧偶，仍在原居住地生活或者不在原居住地生活但在新居住地未取得承包地的，发包方不得收回其原承包地。

因结婚男方到女方家落户的，适用前款规定。

第十八条　承包方不得闲置、荒芜耕地。承包方暂不能耕种的，应当委托他人代耕。承包方将承包的耕地闲置、荒芜超过一年又不委托他人代耕的，发包方可以组织其他农牧户代耕，并书面告知承包方；耕种者应当合理利用耕地，不得种植生长期长于一年的作物。

原承包户要求恢复耕种时，应当在六个月前向发包方提出申请，代耕者应当归还土地；代耕者已耕种的，应当在收获后归还耕地。

第十九条　承包期内，发包方不得调整承包地。

承包期内有下列情形之一，对个别农牧户之间承包的耕地或者草地需要适当调整的，应当经本嘎查村集体经济组织成员的嘎查村民会议三分之二以上成员或者三分之二以上嘎查村民代表同意，并报苏木乡镇人民政府和旗县级人民政府农牧业行政主管部门批准：

（一）因自然灾害严重毁损承包地的；

（二）因土地被依法征收、征用，失去土地的农牧户自愿放弃补偿费和安置费，要求继续承包土地，且本嘎查村集体经济组织有条件给予调整的；

（三）国家法律、法规规定的其他情形。

土地承包合同约定不得调整承包地的，按照其约定。

第二十条　下列土地应当用于依法调整承包土地或者承包给新增人口：

（一）嘎查村集体经济组织依法预留的机动地；

（二）嘎查村集体经济组织通过依法整理土地等方式增加的；

（三）承包方依法、自愿交回的；

（四）发包方依法收回的。

前款所列土地，在未用于调整之前，可采取招标、公开协商等方式进行短期发包，发包期限一般为一年，最多不得超过二年。短期承包方应当按照土地承包合同约定使用土地。

第二十一条　征收、征用农村牧区集体所有土地的，应当严格履行法定程序，并依法对被征收、征用土地的嘎查村集体经济组织和农牧户予以足额补偿、妥善安置，保障被征地农牧民的生活，维护被征地农牧民的合法权益。

任何单位和个人不得采取以租代征方式占用农村牧区集体土地或者未经法定程序批准先行用地。

第四章　土地承包经营权的流转

第二十二条　通过家庭承包取得的土地承包经营权可以依法采取转包、出租、互换、转让、股份合作或者其他方式进行流转。

任何组织和个人不得强迫或者阻碍承包方依法进行土地承包经营权流转。

土地承包经营权流转不得改变土地集体所有性质、不得改变土地用途、不得损害农牧民土地承包权益。

第二十三条　旗县级以上人民政府农牧业、林业等行政主管部门和苏木乡镇人民政府应当加强对土地承包经营权流转的管理和服务，建立健全土地承包经营权流转市场服务体系，在交易场所、信息体系、中介服务和纠纷调解等方面，为土地承包经营权流转创造条件，提供便利。

第二十四条 土地承包经营权采取转包、出租、互换、转让或者其他方式流转，当事人双方应当签订书面合同。

采取转让方式流转的，应当经发包方同意，发包方应当在收到承包方书面申请之日起二十日内答复，逾期不答复的，视为同意；发包方不同意转让的，应当向承包方书面说明理由。

采取转包、出租、互换或者其他方式流转的，承包方应当自流转合同签订之日起三十日内报发包方备案。

第二十五条 承包方委托发包方或者中介机构流转其承包土地经营权的，委托方与受委托方应当签订书面委托合同，载明委托事项、委托权限等内容，并由双方当事人签字盖章。

第五章 土地承包经营权证管理

第二十六条 土地承包经营权证等确权证书应当发放到农牧户，任何单位、个人不得强制代保管、扣留土地承包经营权证书，不得擅自更改土地承包经营权证的内容。

第二十七条 土地承包经营权证等确权证书，严重污损、损坏、遗失的，承包方应当向苏木乡镇人民政府申请换发、补发。经苏木乡镇人民政府审核后，报请原发证机关办理换发、补发手续。

第二十八条 承包期内，承包方采取转包、出租方式流转土地承包经营权的，不须办理土地承包经营权证变更登记。

土地承包经营权采取互换、转让方式流转，当事人申请登记变更的，旗县级以上人民政府应当受理并予以登记。未经登记，不得对抗善意第三人。

因互换、转让以外的其他方式导致土地承包经营权分立、合并的，应当办理土地承包经营权证变更登记。

第二十九条 有下列情形之一的，应当变更土地承包合同和土地承包经营权证：

（一）依法征收、征用致使承包方部分承包地丧失的；

（二）经依法批准对承包地进行调整致使承包地位置、面积发生变动的；

（三）承包方自愿交回部分承包地的；

（四）国家法律、法规规定的其他情形。

第三十条 有下列情形之一的，应当解除或者终止土地承包合同，并由发证机关依法收回土地承包经营权证：

（一）承包方提出书面通知，自愿交回全部承包土地的；

（二）承包地依法被全部征收的；

（三）承包耕地或者草地的农牧户消亡的；

（四）发包方依法收回的；

（五）国家法律、法规规定的其他情形。

承包方无正当理由拒绝交回土地承包经营权证的，由原发证机关注销土地承包经营权证，并予以公告。

第三十一条 旗县级人民政府农牧业、林业等行政主管部门和苏木乡镇人民政府应当完善农村牧区土地承包方案、土地承包合同、土地承包经营权证及其相关文件档案管理制度，建立健全农村牧区土地承包信息化管理系统，提高科学管理水平。

承包方有权查阅、复印与其承包地相关的土地承包经营权证登记簿和其他登记资料。有关部门及其工作人员应当为承包方提供方便，不得拒绝或者限制，不得收取费用。

第三十二条 土地承包经营权证的颁发、变更、收回、注销等具体程序按照国家有关规定办理。

第六章 法律责任

第三十三条 违反本办法规定的行为，《中华人民共和国农村土地承包法》和国家有关法律、法规已经作出具体处罚规定的，从其规定。

第三十四条 发包方有下列行为之一的，由苏木乡镇人民政府或者旗县级以上人民政府农牧业、林业等行政主管部门责令限期改正；给当事人造成损失的，依法承担赔偿责任：

（一）擅自变更土地承包期限的；

（二）以招标、拍卖、公开协商等方式承包农村土地，不公示承包方案的；

（三）强制代保管、扣留或者擅自更改土地承包经营权证的；

（四）剥夺、侵害妇女依法享有土地承包经营权的；

（五）其他侵害土地承包经营权的行为。

第三十五条 发包方有《中华人民共和国农村土地承包法》第五十四条规定行为之一的，承包方有权向苏木乡镇人民政府和旗县级人民政府农牧业、林业等行政主管部门投诉、举报，并由苏木乡镇人民政府或者旗县级人民政府农牧业、林业等行政主管部门依法调查处理。

第三十六条 承包方违法将承包地用于非农建设的，由旗县级以上人民政府有关行政主管部门依法予以处罚。

承包方给承包地造成永久性损害的，发包方有权制止，并有权要求承包方赔偿由此造成的损失。

第三十七条 国家机关及其工作人员有下列行为

之一，情节严重的，由上级机关或者所在单位依法给予直接责任人员行政处分；给当事人造成损失的，依法承担赔偿责任；构成犯罪的，依法追究刑事责任：

（一）干涉农村牧区土地承包方式，强制变更、解除土地承包合同的；

（二）干涉承包方依法享有的生产经营自主权的；

（三）强迫、阻碍承包方进行土地承包经营权流转的；

（四）违反规定办理土地承包经营权证颁发、变更、收回、注销等手续的；

（五）不依法受理有关土地承包的投诉、举报的；

（六）其他滥用职权、玩忽职守、徇私舞弊行为，侵害农牧民土地承包经营权的。

第七章　附　　则

第三十八条　本办法实施前已经按照国家有关农村牧区土地承包的规定承包土地的，本办法实施后继续有效，不得重新承包土地。原颁发的内蒙古自治区农村牧区土地承包经营权证书继续有效。

第三十九条　本办法实施前发包方已经预留机动地的，机动耕地面积不得超过本嘎查村集体经济组织耕地总面积的5%；机动草地面积不得超过本嘎查村集体经济组织草地总面积的5%；超过部分应当自本办法实施之日起，一年内根据公平合理的原则分包到户；不足5%的，不得再增加机动地；未留机动地的不得再留。

第四十条　农村牧区土地承包经营纠纷调解仲裁按照国家有关法律、法规的规定执行。

第四十一条　自治区人民政府可以根据国家有关法律、法规和本办法作出具体规定。

第四十二条　本办法自2009年10月1日起施行。2000年12月12日内蒙古自治区第九届人民代表大会常务委员会第二十次会议通过的《内蒙古自治区农牧业承包合同条例》同时废止。

辽宁省畜禽屠宰管理条例

（2009年11月27日辽宁省第十一届人民代表大会常务委员会第十三次会议通过）

第一章　总　　则

第一条　为了加强畜禽屠宰管理，保证畜禽产品质量安全，保障公民身体健康，根据《生猪屠宰管理条例》和国家其他有关法律、行政法规，结合本省实际，制定本条例。

第二条　本条例适用于本省行政区域内人工饲养的猪、牛、羊、鸡的屠宰及其监督管理。

本条例所称畜禽产品是指畜禽屠宰后未经加工的胴体、肉、脂、脏器、血液、骨、头、蹄（爪）、皮等。

第三条　畜禽屠宰实行定点屠宰、集中检疫制度。

未经定点，任何单位和个人不得从事畜禽屠宰活动。但农村地区个人自宰自食的畜禽和城镇居民自宰自食的家禽除外。

第四条　省、设区的市（以下简称市）、县（含县级市、区，下同）人民政府负责管理畜禽屠宰工作的行政部门（以下简称畜禽屠宰行政主管部门）负责本行政区域内畜禽屠宰的监督管理工作，其所属的畜禽屠宰管理机构，负责畜禽屠宰监督管理的具体工作。

卫生、畜牧兽医、环保、工商、质监、公安、建设、民族事务等有关部门，在各自职责范围内，做好畜禽屠宰监督管理的有关工作。

乡（镇）人民政府协助县畜禽屠宰行政主管部门做好本乡（镇）的畜禽屠宰监督管理工作。

第五条　引导、扶持畜禽定点屠宰厂进行技术改造和创新，鼓励其向标准化、规模化、产业化方向发展，推广质量管理体系认证。

第六条　清真用畜禽的定点屠宰，除符合本条例规定外，还应当遵守省清真食品生产经营管理的有关规定。

第七条　县以上人民政府应当加强对畜禽屠宰监督管理工作的领导，及时协调、解决畜禽屠宰监督管理工作中的重大问题，将畜禽屠宰管理工作所需经费纳入本级财政预算。

第二章　设置规划与审批

第八条　省畜禽屠宰行政主管部门应当会同畜牧兽医、环保等有关部门制订畜禽定点屠宰厂（场）设置规划。设置规划应当符合城乡规划，并遵循合理布局、适当集中、保护环境、有利流通、方便群众的原则。设置规划报省人民政府批准后实施。

在地处偏僻、居住分散、交通不便、屠宰量较小的乡村，可以设置仅限于向本地市场供应畜禽产品的小型畜禽定点屠宰点。

第九条　市畜禽屠宰行政主管部门应当会同畜牧兽医、环保等有关部门，根据省畜禽定点屠宰厂（场）设置规划，制定本行政区域内畜禽定点屠宰厂（场）和小型畜禽定点屠宰点（以下简称畜禽定点屠宰厂、点）的具体设置方案，经征求省畜禽屠宰行政主管部门意见，报市人民政府批准后实施。

市畜禽定点屠宰厂、点设置方案应当在充分利用现有符合条件的畜禽定点屠宰厂、点及其设施的基础上，规定本行政区域内畜禽定点屠宰厂、点的数量、规模、布局以及小型畜禽定点屠宰点的畜禽产品的销售区域等内容。小型畜禽定点屠宰点的畜禽产品不得超出规定区域销售。

第十条　畜禽定点屠宰厂应当具备下列条件：

（一）有与屠宰规模相适应，水质符合国家规定标准的水源条件；

（二）有符合国家规定要求的待宰间、屠宰间、急宰间以及畜禽屠宰设备、冷藏设施和运载工具；

（三）有与屠宰规模相适应并依法取得健康证明的屠宰技术人员；

（四）有与屠宰规模相适应并经考核合格的肉品品质检验人员；

（五）有符合国家规定要求的检验设备、消毒设施和消毒药品；

（六）有符合环境保护要求的污染防治设施；

（七）有病害畜禽及畜禽产品无害化处理设施；

（八）依法取得动物防疫条件合格证。

第十一条　小型畜禽定点屠宰点应当具备待宰间、屠宰间及必要的屠宰设备，有经考核合格的屠宰技术人员和专、兼职肉品品质检验人员，有符合环境保护要求的污染防治设施和无害化处理设施，并符合卫生防疫规定。

第十二条　申请设立（包括新建、改建、扩建）畜禽定点屠宰厂，应当向市畜禽屠宰行政主管部门提出书面申请，并提交建设项目规划选址意见书和环境影响评价的批准文件。市人民政府应当依照行政许可法规定的审批期限，组织畜禽屠宰、畜牧兽医、环保、建设等部门，依照本条例和畜禽定点屠宰厂设置方案进行审查，并征求省畜禽屠宰行政主管部门的意见。经审查符合条件的，作出同意建设畜禽定点屠宰厂的书面决定；不符合条件的，应当通知申请人并说明理由。

申请设立小型畜禽定点屠宰点，应当持符合本条例第十一条规定条件的有关材料，经县畜禽屠宰行政主管部门向市畜禽屠宰行政主管部门提出书面申请，由市人民政府按前款规定进行审查。

第十三条　畜禽定点屠宰厂、点建成后，申请人应当向市畜禽屠宰行政主管部门提出竣工验收书面申请，并提交符合本条例第十条规定条件的有关技术资料和说明文件。市人民政府应当依照行政许可法规定的审批期限，组织畜禽屠宰、畜牧兽医、环保等部门，对竣工的畜禽定点屠宰厂、点进行验收。验收合格的，颁发畜禽定点屠宰证书和畜禽定点屠宰标志牌。

市人民政府应当将其确定的畜禽定点屠宰厂、点名单及时向社会公布，并报省畜禽屠宰行政主管部门备案。

畜禽定点屠宰厂、点应当持畜禽定点屠宰证书和动物防疫条件合格证向工商部门办理登记手续。

第十四条　畜禽定点屠宰厂、点应当将畜禽定点屠宰标志牌悬挂于显著位置。

畜禽定点屠宰厂、点不得出租、出借或者转让畜禽定点屠宰标志牌和证书。任何单位和个人不得冒用或者使用伪造的定点屠宰标志牌和证书。

第三章　定点屠宰

第十五条　畜禽定点屠宰厂、点屠宰的畜禽，应当持有畜禽产地动物卫生监督机构出具的检疫合格证明和畜禽标识。

畜禽定点屠宰厂、点不得屠宰没有检疫合格证明和畜禽标识的畜禽。

第十六条　畜禽定点屠宰厂、点屠宰畜禽，应当符合国家规定的操作规程和技术要求。

第十七条　畜禽定点屠宰厂、点应当如实记录其屠宰的畜禽来源和畜禽产品流向。畜禽来源和畜禽产品流向记录保存期限不少于两年。

第十八条　畜禽定点屠宰厂、点应当按照国家肉品品质检验规程进行肉品品质检验。肉品品质检验包括宰前检验和宰后检验。检验的主要内容包括：

（一）健康状况；

（二）传染性疾病和寄生虫病以外的疾病；

（三）有害腺体；

（四）注水或者注入其他物质；

（五）有害物质；

（六）白肌肉（PSE 肉）或黑干肉（DFD 肉）；

（七）种猪及晚阉猪；

（八）国家规定的其他检验内容。

第十九条　畜禽肉品品质检验应当遵守下列规定：

（一）肉品品质检验应当与畜禽屠宰同步进行；

（二）建立肉品品质检验结果及其处理情况登记制度，记录保存期限不少于两年；

（三）对经肉品品质检验合格的畜禽产品，应当出具肉品品质检验合格证。对畜类胴体或者片鲜肉加盖肉品品质检验合格验讫印章；对禽类产品附加肉品品质检验合格标识；对分割包装未经熟制的肉品，应当在包装物封口处加封肉品品质检验合格标识。

畜禽定点屠宰厂、点屠宰的畜禽产品未经肉品品质检验或者经肉品品质检验不合格的，不得出厂、点。

第二十条　小型畜禽定点屠宰点屠宰的畜禽产品经肉品品质检验合格的，应当加盖小型畜禽定点屠宰点专用的肉品品质检验合格印章，出具小型畜禽定点屠宰点专用的肉品品质检验合格证。

第二十一条　肉品品质检验合格证、章、标识由省畜禽屠宰行政主管部门统一制作，由市畜禽屠宰行政主管部门负责发放。

任何单位和个人不得伪造、涂改、出租、出借或者转让肉品品质检验合格证、章、标识。

第二十二条　畜禽定点屠宰厂、点对检疫、检验出的病害畜禽及其产品，应当按照国家有关规定进行无害化处理，并如实记录处理情况，处理情况记录保存期限不得少于两年。对无害化处理产生的费用和损失，按照国家和省有关规定给予必要的补助。

畜禽屠宰行政主管部门或者动物卫生监督机构对无害化处理的过程进行现场监督。

第二十三条　畜禽定点屠宰厂、点以及其他任何单位和个人不得对畜禽或者畜禽产品注水或者注入其他物质。

畜禽定点屠宰厂、点不得屠宰注水或者注入其他物质的畜禽。

第二十四条　畜禽定点屠宰厂对未能及时销售或者及时出厂的畜禽产品，应当采取冷冻或者冷藏等必要措施予以储存。

第二十五条　运输畜禽产品应当符合下列条件：

（一）畜禽产品具有动物产品检疫、检验合格证明和检疫、检验标志；

（二）使用符合国家卫生要求的专用的密闭运载工具；

（三）运输有温度要求的畜禽产品应当使用专用的冷藏车或者保温车；

（四）畜类片鲜肉应当吊挂运输；

（五）畜类分割产品和禽类产品应当使用专用容器或者专用包装。

运输小型畜禽定点屠宰点的畜禽产品，应当符合卫生要求，不得敞运，防止肉品污染。

第二十六条　任何单位和个人不得为未经定点违法从事畜禽屠宰活动的单位或者个人提供畜禽屠宰场所或者畜禽产品储存设施，不得为对畜禽或者畜禽产品注水或者注入其他物质的单位或者个人提供场所。

第二十七条　畜禽定点屠宰厂、点应当建立产品召回制度，发现其产品不安全时，应当立即停止生产，向社会公布有关信息，通知销售者停止销售，告知消费者停止使用，召回已经上市销售的产品，并向当地畜禽屠宰行政主管部门报告。

畜禽定点屠宰厂、点对召回的产品应当进行无害化处理，防止该产品再次流入市场。

第二十八条　从事畜禽产品销售、肉食品生产加工的单位和个人以及餐饮服务经营者、集体伙食单位销售、使用的畜禽产品，应当是畜禽定点屠宰厂、点屠宰并经检疫和肉品品质检验合格的畜禽产品，并登记其来源。

任何单位和个人不得销售注水或者注入其他物质的畜禽产品。

从事畜禽产品销售的经营者应当向消费者明示动物产品检疫合格证、肉品品质检验合格证或者检验合格标识。

定点屠宰厂屠宰的种猪和晚阉猪，应当在胴体和《肉品品质检验合格证》上标明相关信息，并不得用于加工无皮鲜、冻片猪肉，销售时应当明示。

第四章　监督管理

第二十九条　畜禽定点屠宰厂、点应当建立信息报送制度，按照国家有关屠宰统计报表制度的要求，及时报送屠宰、销售等相关信息。

第三十条　畜禽屠宰行政主管部门依法对畜禽屠宰活动进行监督检查，可以采取下列措施：

（一）进入畜禽屠宰等有关场所实施现场检查；

（二）向有关单位和个人了解有关情况；

（三）查阅、复制有关记录、票据以及其他资料；

（四）查封与违法畜禽屠宰活动有关的场所、设施，扣押与违法畜禽屠宰活动有关的畜禽、畜禽产品以及屠宰工具和设备。

第三十一条　县以上畜禽屠宰行政主管部门应当建立举报制度，公布举报电话、通信地址或者电子信箱，受理对违反本条例规定行为的举报，及时依法处理，并为举报人保密。举报经调查属实的，对举报人应当给予奖励。

第三十二条　畜禽屠宰行政主管部门发现畜禽定点屠宰厂、点已经不具备本条例和国家有关规定条件的，应当责令其限期整改；拒不整改或者经整改仍达不到本条例和国家有关规定条件的，由市人民政府取消其畜禽定点屠宰厂、点资格。

第五章　法律责任

第三十三条　违反本条例规定，未经定点非法从事畜禽屠宰活动的，由畜禽屠宰行政主管部门责令停止违法行为，没收屠宰的畜禽、畜禽产品、屠宰工具和设备以及违法所得，并处货值金额 3 倍以上 5 倍以下的罚款；货值金额难以确定的，对个人并处 5 000 元以上 1 万元以下的罚款，对非法从事畜类屠宰活动的单位并处 10 万元以上 20 万元以下的罚款，对非法从事禽类屠宰活动的单位并处 1 万元以上 5 万元以下的罚款；构成犯罪的，依法追究刑事责任。

违反本条例第十四条第二款规定，出租、出借或者转让畜禽定点屠宰标志牌或者证书的，由市人民政府取消其畜禽定点屠宰资格；有违法所得的，由畜禽屠宰行政主管部门没收违法所得。

第三十四条　违反本条例第九条第二款规定，小型畜禽定点屠宰点屠宰的畜禽产品超出规定区域销售的，由工商行政主管部门没收违法所得，并处货值金额 1 倍以上 3 倍以下的罚款；货值金额难以确定的，并处 1 000 元以上 5 000 元以下的罚款。

第三十五条　违反本条例第十六条、第十七条、第十八条和第十九条第一款规定，畜禽定点屠宰厂、点未按规定进行畜禽屠宰和肉品品质检验的，未如实记录、保存畜禽来源和畜禽产品流向的，由畜禽屠宰行政主管部门责令限期改正，处 2 万元以上 5 万元以下的罚款;逾期不改正的,责令停业整顿,对其主要负责人处5 000元以上1万元以下的罚款。

第三十六条　违反本条例第十九条第二款规定,畜禽定点屠宰厂、点出厂未经肉品品质检验或者经肉品品质检验不合格的畜禽产品的,由畜禽屠宰行政主管部门责令停业整顿,没收畜禽产品和违法所得,并处货值金额1倍以上3倍以下的罚款,对其主要负责人处1万元以上2万元以下的罚款;货值金额难以确定的,对畜类定点屠宰厂并处5万元以上10万元以下的罚款,对禽类定点屠宰厂和小型畜禽定点屠宰点并处1万元以上5万元以下的罚款。

上述违法行为造成严重后果的,由市人民政府取消其畜禽定点屠宰资格;构成犯罪的,依法追究刑事责任。

第三十七条　违反本条例第二十三条第一款规定,畜禽定点屠宰厂、点以及其他单位和个人对畜禽、畜禽产品注水或者注入其他物质的,由畜禽屠宰行政主管部门没收注水或者注入其他物质的畜禽、畜禽产品、注水工具和设备以及违法所得,并处货值金额3倍以上5倍以下的罚款,对畜禽定点屠宰厂或者其他单位的主要负责人处1万元以上2万元以下的罚款,构成犯罪的,依法追究刑事责任;货值金额难以确定的,按照以下规定处以罚款:

(一)对畜类、畜类产品注水或者注入其他物质的,对畜禽定点屠宰厂或者其他单位并处5万元以上10万元以下的罚款,对个人并处1万元以上2万元以下的罚款;小型畜禽定点屠宰点对畜类、畜类产品注水或者注入其他物质的,并处1万元以上5万元以下的罚款。

(二)对禽类、禽类产品注水或者注入其他物质的,对畜禽定点屠宰厂或者其他单位并处1万元以上5万元以下的罚款,对个人并处1 000元以上5 000元以下的罚款;小型畜禽定点屠宰点对禽类、禽类产品注水或者注入其他物质的,并处1万元以上5万元以下的罚款。

畜禽定点屠宰厂、点对畜禽、畜禽产品注水或者注入其他物质的,除依照前款的规定处罚外,还应当由畜禽屠宰行政主管部门责令停业整顿;造成严重后果,或者两次以上对畜禽、畜禽产品注水或者注入其他物质的,由市人民政府取消其畜禽定点屠宰资格。

第三十八条　违反本条例第二十三条第二款规定,畜禽定点屠宰厂、点屠宰注水或者注入其他物质的畜禽的,由畜禽屠宰行政主管部门责令改正,没收注水或者注入其他物质的畜禽、畜禽产品以及违法所得,并处货值金额1倍以上3倍以下的罚款,对其主要负责人处1万元以上2万元以下的罚款;货值金额难以确定的,并处2万元以上5万元以下的罚款;拒不改正的,责令停业整顿;造成严重后果的,由市人民政府取消其畜禽定点屠宰资格。

第三十九条　违反本条例第二十五条规定,运输畜禽产品不符合规定条件的,由畜禽屠宰或者工商行政主管部门按照各自职责分工,责令改正,给予警告;拒不改正的,责令停产停业,并处两千元以上5万元以下的罚款;情节严重的,由原发证部门吊销许可证。

第四十条　违反本条例第二十六条规定,为未经定点违法从事畜禽屠宰活动的单位或者个人提供畜禽屠宰场所或者畜禽产品储存设施,或者为对畜禽、畜禽产品注水或者注入其他物质的单位或者个人提供场所的,由畜禽屠宰行政主管部门责令改正,没收违法所得,对单位并处2万元以上5万元以下的罚款,对个人并处5 000元以上1万元以下的罚款。

第四十一条　违反本条例第二十八条第一款和第二款规定,销售、使用非畜禽定点屠宰厂、点屠宰的畜禽产品、未经肉品品质检验或者检验不合格的畜禽产品以及注水或者注入其他物质的畜禽产品的,由工商、食品药品监督、质监部门按照各自职责分工,没收尚未销售、使用的畜禽产品以及违法所得,并处货值金额3倍以上5倍以下的罚款;货值金额难以确定的,按照以下规定处以罚款:

(一)非法销售、使用畜类产品的,对单位并处5万元以上10万元以下的罚款,对个人并处1万元以上20万元以下的罚款;

(二)非法销售、使用禽类产品的,对单位并处1万元以上5万元以下的罚款,对个人并处1 000元以上5 000元以下的罚款。

违反第二十八条第四款规定加工、销售种猪和晚阉猪肉品的,由工商行政主管部门责令停止销售,没收违法销售的肉品以及违法所得,并处货值金额1倍以上3倍以下的罚款。

上述违法行为情节严重的,由原发证(照)机关吊销有关证照;构成犯罪的,依法追究刑事责任。

第四十二条　畜禽屠宰行政主管部门和其他有关部门工作人员在畜禽屠宰监督管理工作中有下列行为之一的,对直接负责的主管人员和其他直接责任人员依法给予行政处分;构成犯罪的,依法追究刑事责任:

(一)利用职务之便谋取非法利益的;

(二)拒绝履行法定职责或者未在规定时限内办理有关事项,给畜禽屠宰企业造成损失的;

(三)实施违法行政行为并造成严重后果的;

(四)有其他滥用职权、玩忽职守、徇私舞弊行为的。

第六章　附　　则

第四十三条　本条例规定范围以外鸭、鹅、食用犬等畜禽的定点屠宰,由省人民政府根据具体情况规定,其中行政审批的设置和程序依照本条例的规定执行。

第四十四条　本条例自2010年4月1日起施行。

西藏自治区
冬虫夏草交易管理暂行办法

（2009年6月4日西藏自治区人民政府
第9次常务会议通过）

第一章　总　　则

第一条　为了规范冬虫夏草（以下简称“虫草”）交易活动，维护交易双方的合法权益，促进虫草交易市场健康、有序发展，根据《中华人民共和国消费者权益保护法》、《中华人民共和国野生植物保护条例》等法律、法规，结合自治区实际，制定本办法。

第二条　在自治区行政区域内从事虫草交易活动的，应当遵守本办法。

本办法所称虫草交易活动是指虫草收购行为和虫草销售行为。

虫草收购是指持有营业执照，并取得虫草收购许可证明的企业和个体工商户直接向虫草采集者购买虫草的交易行为。个人购买自用的除外。

虫草销售是指持有营业执照的企业和个体工商户向消费者出售虫草的交易行为。

第三条　县级以上工商行政管理部门依法负责虫草收购、销售行为的市场监督管理工作。

县级以上农牧行政主管部门依法负责虫草收购许可证的发放、使用和监督管理工作。

质量技术监督、食品药品监督、公安、物价、税务等有关部门按照各自职责，做好虫草交易活动的相关监督管理工作。

第四条　虫草产区县级以上人民政府应当根据当地实际，为虫草交易活动创造条件，促进农牧民增收。

第五条　虫草产区县级人民政府应当支持和引导当地农牧民成立虫草交易（经营）专业合作组织，维护自身权益。

第六条　从事虫草交易活动的，应当遵守诚实信用原则和商业道德。

第二章　虫草交易

第七条　虫草收购实行许可制度。

收购虫草的，应当持有工商行政管理部门核发的允许经营虫草项目的营业执照和有效身份证明，到县级农牧行政主管部门办理虫草收购许可证明。农牧行政主管部门应当自收到申请之日起15个工作日内，作出是否批准的决定，并通知申请人。经审查不符合条件的，应当书面通知申请人，并说明理由。

农牧民从事虫草收购活动的，应当办理营业执照和虫草收购许可证明。

药品生产、经营企业已经办理《药品生产许可证》、《药品经营许可证》的，不再申办虫草收购许可证明。

第八条　虫草收购许可证明应当载明持证人姓名、身份证号码、近期免冠照片、收购地点、期限等内容。

第九条　农牧行政主管部门在审核发放虫草收购许可证明时，除工本费以外，不得收取其他费用。

第十条　虫草收购者应当到县（市、区）、乡（镇）人民政府指定的交易点收购虫草，并服从当地政府的管理。

第十一条　收购虫草的，收购者应当主动向出售者出示虫草收购许可证明。出售者应当要求收购者出示虫草收购许可证明，并不得向无虫草收购许可证明的收购者出售虫草。

虫草收购者应当及时结清虫草交易款项，不得拖欠虫草收购款。

第十二条　任何单位和个人不得伪造、涂改、倒卖、出租、出借、转让虫草收购许可证明。

第十三条　国家机关、事业单位、社会团体及其工作人员不得从事虫草收购活动。

第十四条　销售虫草的，应当具有固定的经营场所，并取得所在地工商行政管理部门核发的营业执照后，方可销售。

农牧民可以凭《虫草采集证》出售个人采挖的虫草。

第十五条　虫草包装材料和容器，应当符合国家相关规定。不得使用国家禁用或者不合格的虫草包装材料和容器。

第十六条　包装类虫草的标识及实物必须真实，并使用藏汉两种文字标明经销单位、地址、产地、净含量、采集年份、包装日期和安全使用说明等。

定量包装虫草应当符合《定量包装商品计量监督管理办法》的规定。

第十七条　销售虫草的，应当建立和完善购销台帐、进货检查验收和质量承诺制度。

销售虫草应当开具发票并如实填写品名、数量、价格等。

第十八条　从事虫草交易活动，不得有下列行为：

（一）欺行霸市、强买强卖、骗买骗卖、缺斤少两；

（二）排斥和控制他人正常交易活动；

（三）哄抬物价、互相串通垄断价格或者垄断经营；

（四）使用国家禁止、未经检定或者检定不合格的计量器具；

（五）掺杂使假、以假充真、以次充好，伪造、涂改虫草的采集年份和包装日期；

（六）伪造虫草产地，冒用他人的厂名、厂址和质量标志；

（七）发布虚假广告，误导和欺骗消费者；

（八）法律、法规和规章禁止的其他行为。

第十九条 市场开办者、柜台经营者和展销会举办者应当建立健全市场管理制度，加强对虫草交易场所经营者的管理和虫草质量的监管，与进场经营者签订质量协议，明确双方责任，推行质量承诺。

市场开办者、柜台经营者和展销会举办者应当对场内经营者经销假冒伪劣虫草的违法行为负责，并承担连带责任。

第二十条 从事虫草交易活动的，应当依法纳税。

第三章 监督管理

第二十一条 各级人民政府应当加强对农牧民的法制宣传教育，提高农牧民法律意识、诚信意识和自我保护意识。

第二十二条 工商行政管理部门依法对虫草交易活动中无照经营、超范围经营以及扰乱市场秩序和违法违规的交易行为进行监督检查。

第二十三条 农牧行政主管部门依法对从事虫草收购活动及虫草收购许可证明的发放、使用等情况进行监督检查，依法查处无证收购行为。

第二十四条 产品质量监督管理部门依法对虫草加工过程中以假充真、以次充好、掺杂使假等违法行为进行监督检查。

第二十五条 税务部门应当加强对虫草交易活动的税收征管，依法查处虫草交易活动中的偷税、漏税等行为。

第二十六条 公安机关应当依法查处利用虫草交易从事诈骗的违法犯罪活动。

第二十七条 相关监督管理部门对虫草市场进行监督管理时，有权进入现场检查，向有关单位和个人调查、了解情况，查阅、复制合同、票据、账簿等资料。

交易当事人应当如实说明情况，提供相关资料，不得拒绝、妨碍监督管理部门依法执行公务。

第二十八条 任何单位和个人有权向有关部门举报虫草交易活动中的违法行为。举报属实的，依照国家和自治区有关规定给予奖励。

第四章 法律责任

第二十九条 违反本办法第七条第一款规定，未取得虫草收购许可证明收购虫草的，由农牧行政主管部门没收虫草和违法所得，可以并处违法所得3倍以上10倍以下的罚款。

国家机关、事业单位、社会团体及其工作人员非法从事虫草收购活动的，除按前款规定处罚外，对有关责任人员依法给予行政处分；有犯罪嫌疑的，移送司法机关处理。

第三十条 违反本办法第十二条规定，伪造、涂改、倒卖、出租、出借、转让虫草收购许可证明的，由农牧行政主管部门没收违法所得，可以并处5 000元以上2万元以下的罚款。

第三十一条 违反本办法第七条第二款、第十四条第一款规定，未取得工商行政管理部门颁发的营业执照收购、销售虫草的，由工商行政管理部门依照《无照经营查处取缔办法》第十四条的规定处罚。

第三十二条 违反本办法第十五条、第十六条、第十七条第一款、第十八条、第十九条规定的，由工商行政管理、质量技术监督或者价格等主管部门按照职责分工，依照国家相关法律法规的规定处罚。

第三十三条 违反本办法第十七条第二款、第二十条规定的，由税务部门依照有关税收法律法规的规定处罚。

第三十四条 虫草交易者在交易活动中，违反治安管理规定的，由公安机关依照《中华人民共和国治安管理处罚法》的规定予以处罚；有犯罪嫌疑的，移送司法机关处理。

第三十五条 监督管理部门工作人员违反本办法规定，弄虚作假、玩忽职守、滥用职权、徇私舞弊的，给予行政处分；有犯罪嫌疑的，移送司法机关处理。

第五章 附 则

第三十六条 虫草收购申请表、收购许可证明式样由自治区农牧行政主管部门统一印制。

第三十七条 本办法自2009年10月1日起施行。

（本栏目主编 冯葆昌）

推进草原保护 建设人类美好家园

——在“2009中国草原发展论坛”上的讲话摘编

全国政协副主席 罗富和

（2009年10月14日）

草原问题不仅关系生态环境安全，也关系我国经济社会全面发展的大局。当前，全球气候变暖已引起国际社会的高度关注。上个月在纽约召开的联合国气候变化峰会上，胡锦涛主席发表演讲时指出：“应对气候变化，实现可持续发展，是摆在我们面前的一项紧迫而艰巨的任务，事关人类生存环境和发展前途。”草原是地球的皮肤，是面积最大的生态屏障，是应对全球气候变暖、建设生态文明不可缺少的重要基础。同时，草原还具有独特的经济和社会功能，在保障草原畜牧业发展、加快牧区社会进步等方面具有极其重要的战略意义。

当代中国正在发生广泛而深刻的变革，改革开放和现代化建设取得了历史性成就，但也面临着经济增长过程中草原资源消耗代价过大，人口、资源、环境之间的矛盾日益尖锐，可持续发展面临严重威胁的突出问题。加强草原保护建设，尽快扭转草原不断退化、草原生态持续恶化的趋势，实现人与自然和谐相处，是落实科学发展观，加快建设社会主义和谐社会的新要求。

回顾过去，中国草原保护建设事业取得了辉煌成就，展望未来，前景美好但任务也更加艰巨。加快草原发展必须进一步落实以人为本、全面协调可持续的科学发展观，进一步解放思想，完善发展政策，加大建设投入，健全保障机制，推进科技进步。

全国政协历来高度重视草原工作。近年来，针对草原面临的突出问题，全国政协多次组织开展专题调研，提出了许多重大政策建议，为推动我国草原保护建设事业健康发展做出了应有贡献。今后，全国政协还将一如既往地关注、关心、支持草原工作，积极为草原工作出谋划策，为建设生态文明，构建和谐社会，推进整个社会走上生产发展、生活富裕、生态良好的文明发展道路发挥出更大的作用。

加强草原保护建设，是一项功在当代、利在千秋的伟大事业，需要全社会的积极参与和共同努力。全社会应该更加重视草原、关爱草原、支持草原事业发展。

推进草原发展的任务光荣而艰巨。我相信，有国家的高度重视，有全国人民的大力支持，有我们大家的共同努力，中国草原一定能又好又快发展，一定能为建设人类美好家园作出更大的贡献！

开创草原改革发展新局面

——在“2009中国草原发展论坛”上的讲话摘编

农业部副部长 高鸿宾

（2009年10月14日）

草原是重要的战略资源，是我国陆地生态系统的主体，是农牧民基本的生产生活资料。

草原工作涉及生态、经济、社会各个方面，是“三牧”工作的集中体现，对保增长、保民生、保稳定意义重大。党中央、国务院高度重视草原工作，特别是党的十六大以来，国家出台了一系列政策措施，不断强化草原保护建设。各地要进一步加强组织协调，健全体制机制，完善方法手段，切实保证各项措施落到实处，努力开创草原改革发展的新局面。

第一，加强领导，强化组织保障。加强组织领导是做好草原工作的前提。各级农牧部门要把草原工作摆在更加突出的位置，思想认识上要有新提高，工作部署上要有新思路，组织管理上要有新理念。要站在党和国家工作全局，站在落实科学发展观、建设生态文明和实现可持续发展的高度，提高对草原保护建设工作重要性的认识。要将人财物配置向草原倾斜，坚持“两手抓、两促进”,一手抓草原保护建设,一手抓农牧业生产,在促进生态恢复的同时,促进经济加快发展。要树立“一盘棋”思想,建立统一领导、齐抓共管,分工负责、各司其职的工作机制。各级农牧部门要积极争取各级党委和政府的重视支持,充分发挥科研院所、教学单位和专业协会的积极作用,共同推进草原保护建设事业健康发展。

第二,健全机构,提升工作能力。健全机构队伍是做好草原工作的基础。要按照配置合理、职能明确、运转高效、服务到位的原则,加强草原监督管理、技术推广和科技支撑机构的建设。当前,要把草原面积较大的省(自治区)、草原工程项目县、草原生态脆弱区,作为草原监理机构建设的重点,完善机构、明确职责、充实人员。已经设立监理机构的地方,要进一步理顺体制、完善机制,积极争取实行参公管理。在农技推广体系改革中,要切实加强草原技术推广机构建设,明确公益性定位,落实公益性职能,健全体系,完善队伍。要高度重视草原科研院所建设,提高科研能力,拓宽研究领域。要完善内部管理制度,加强培训考核,内强素质,外树形象,不断提高草原工作能力。

第三,协调配合,形成工作合力。搞好协调配合是做好草原工作的保证。草原行政部门和监理机构、技术推广单位是一个有机的整体,要上下联动,密切合作,互相支持,共促发展。行政部门要谋大事,抓落实,抓协调,善于牵头,肯于放权,充分发挥和调动一切积极因素。监理机构要重执法,强队伍,抓普法,抓监督,敢于碰硬,勇于担当,理直气壮地履行好保护草原的神圣职责。技术推广单位要重技能,强服务,抓示范,抓推广,深入一线,指导生产,全力以赴地开展技术支撑与服务。科研机构要跟踪世界科技进步潮流,既要注重解决当前草原保护建设和畜牧业生产中的技术难题,又要搞好基础研究和技术储备,多出科研成果,扎扎实实地推进草业科技进步。要进一步转变作风,改进方法,完善措施,积极争取发展改革、财税、金融等有关部门的支持,形成发展草原事业的良好氛围。

第四,加强宣传,营造良好环境。抓好宣传发动是做好草原工作的关键。草原保护建设事业是一项复杂的系统工程,需要动员全社会力量广泛参与,要善于运用多种宣传手段,紧扣宣传重点、热点,营造鲜活生动的宣传局面。要通过各种现代传媒以及科技服务直通车等丰富多彩、群众喜闻乐见的形式,广泛宣传草原在国计民生和生态文明建设中不可替代的重要作用,大力宣传草原保护建设的政策法规和发展成就,以及生产实践中的好经验、好典型,使种草、爱草、护草的文明理念深入人心,树立“植树种草,绿化祖国”的全新思想,提高全社会参与草原保护建设的积极性、主动性、创造性。

加强牧区水利 保护草原生态

——在“2009 中国草原发展论坛”上的报告摘编

水利部原部长、中华环保联合会副主席 杨振怀

(2009 年 10 月 14 日)

中国草地面积近 4 亿公顷(60 亿亩),比耕地、林地的总面积还多。20 世纪是由于人口增加,有 1333 万公顷(2 亿多亩)牧区草地被开垦。加上过牧、樵采、采矿等人为活动,草原沙化、退化、碱化严重。过去 60 年来水土保持大部分集中在农区,对牧区的水利投入不足。因此今后要加大退耕还草、还灌力度,加大对牧区水利、水土保持的投入,建设灌溉饲草料基地,保障牧区人畜饮水安全,保护大片草原环境和生态。

根据各地经验,平均每公顷灌溉饲草料地的产草量相当 20 ~ 50 公顷天然草原的产草量,可使 40 ~ 100 公顷天然草原休牧 4 ~ 6 个月。灌溉饲草料地的建设,要因地制宜,根据当地地表水、地下水承载能力,合理配置。采取节水灌溉技术,防止超采地下水,防止土地次生盐渍化。同时国家投入发展风力和太阳能提水,以减轻牧区负担。要改变传统的牧区生产和经营方式,随灌溉饲草料地建设,发展舍饲和半舍饲,牲畜过冬暖棚建设,加速牲畜出栏,减少过冬牲畜数量。开展牧区、农区合作双赢,支持牧区架子牛、羊到农区育肥,国家在牛、羊异地运输上给予优惠和支持,以缓解冬春草料资源的短缺。在中国北方长城沿线农牧交错带,目前以农为主;应根据自然条件、水资源条件逐步转变为以牧为主,退耕还草,草田间作、轮作、推广水保型耕作法和免耕法。发展大棚反季节蔬菜,瓜果、药材等。并加强农区畜牧业,利用冬闲田,江、河、湖、海滩涂、山区草地,林区空闲地发展草、灌和畜牧业。

大力发展牧区水利、水保要首先解决人畜饮水安全,给无水草场开辟水源,防止风沙灾害和黑、白灾,使广大草原休养生息、恢复生态。要“以水定草、以草定畜”,“建设小绿洲,保护大草原”。

在各级政府统一领导下,农、林、水、牧紧密结合,在工业化、城镇化的大潮中,城乡统筹,以工补农,全社会齐心协力,团结合作,共同为民族团结、繁荣边疆,保护建设草原长期努力,则草原牧区前景是光明的。

积极发展草原现代畜牧业

——在“2009 中国草原发展论坛”上的报告摘编

国家环境保护局原副局长、全国政协人口资源环境委员会副主任　王玉庆

（2009 年 10 月 14 日）

以草原为根基的畜牧业和草业是国民经济发展的基础之一。保护和建设好近 3 亿公顷（43 亿亩）可利用草原，是一篇大文章。转变过去对草原和畜牧业重视不够的观念，是科学保护和建设草原的前提。

把农业发展重点放在农区种植业的观念，转到重点放在以草业为主的畜牧业与种植业发展并重的认识上来。

我国现行的农业生产格局以农区种植业为主，以保证粮食供应为主，长期忽视山区和牧区的作用，是典型的小农业发展战略。粮、棉、油、肉、蛋、奶主要都由农区生产，农业生产和农区生态环境压力过大。这种农业生产格局难以承担建设小康社会和实现可持续发展的目标，必须进行战略转变。要立足促进农、林、牧、副、渔全面发展的大农业，以实现我国经济社会的可持续发展，要实现从“农桑立国”到“林草兴邦”的战略转变。

把解决 13 亿人口吃饭问题从主要依靠粮食增产，转到依靠畜牧产品发展和粮食增产并重上来。

近 5 年来我国粮食持续增产，但大都属于恢复性增产，随着人口增长，实际人均耕地和粮食占有量是下降的。今后人口还要增加，耕地还将减少，粮食增产难度却更大了。只依靠农区解决我国吃饭问题，从长久看难以为继。唯一出路就是把山区和牧区的 5.33 亿公顷（80 亿亩）大农业用地利用起来。在北方牧区可以建成强大的畜牧基地，提供大量的肉和奶。在山区可以建成强大的林产品特别是木本粮、棉、油生产基地。这两大基地，既可保证食品安全，又可保证吃饱吃好，同时还可解决“三农”问题。可以说，我国农业发展真正的潜力在于草原地区的现代畜牧业。

加速草业产业化的步伐

——在“2009 中国草原发展论坛”上的报告摘编

农业部原副部长、中国草学会名誉理事长　洪绂曾

（2009 年 10 月 14 日）

草业作为一个新兴产业，正日益受到国家的重视。而我国作为一个草原大国也备受全球关注。然而，多年以来，业内人士普遍感到，草产业发展不仅滞后于相关行业，而且草业与草学的发展也欠协调与贯通。表观而言，草的学科发展快，产业发展相对较慢，而从本质来看，产业化发展滞后必然制约学科更快发展。

草业是现代大农业的重要组成部分。现代农业的根本任务是要生产出满足人类基本需求的，不断提高质量、保证安全的农产品，在改变“三农”的弱势地位并融农业于整个社会和国民经济之中的同时，还要提供人与自然和谐并适于人类生存的良好生态环境。而所有这些都与草有密不可分的关系。草与农、与牧是紧密联系不可分割的。首先，为适应人类多种需求，作为植物最广泛，最重要基因库的草类，是创造新物种、提升农产品产量品质的可贵资源。其次，当前因社会发展、耕地面积不断下降，而农业经营方式的滞后带来耕地质量的退化，形成了对生存和发展的巨大压力。因此在控制乱占耕地，改善经营提高耕地质量、确保耕地 1.2 亿公顷（18 亿亩）红线的同时，放眼于另外 5.33 亿公顷（80 亿亩）的草地、林地，扩大林、草食物生产还蕴藏着巨大潜力。其次，掌握自然规律，有效利用山地、沙荒地、滩涂以及江河下游淤积土造田等扩大耕地面积是各地普遍的追求。

当前全球都对草地的多功能给予很大关注。一是发挥草地生态功能。国家不但对占国土 41.7% 的天然草地立项治理，建设生态大屏障，而且在山区、农区也探索了一些行之有效的生态治理和建设路径；二是在提高农业发展方式实施循环经济、低碳经济中发挥草的独特功能。引草入田发展草田轮作可以充分发挥在农牧业生产系统中草的吸碳储碳功能，促进节能减排；三是发挥草在城乡建设中绿化、净化、美化功能，提高生态文明，优化自然环境，提高人们生活质量和文化素养。

草业是现代农业的重要内涵，既是种植业的一员，也是养殖业的基础。要加快草业发展，第一，要用大量科学实证加大对社会的宣传，以提升全社会对草业的认可与支持是首要的步骤；第二，要进一步加强科技的支撑。以应用基础科学的手段验证并阐释草在自然界的生态原理。用创新和集成技术开拓草产业发展的新途径；第三，大力加强草产业企业的发展。企业是产业发展的主体，提升管理水平、扩大企业规模、壮大企业实力，培育龙头企业，同时发展产业合作，是当前草产业化发展的关键；第四，国家应加大对草业产业化的政策扶持。

加强天然草场保护 大力开发人工草场

——在"2009 中国草原发展论坛"上的报告摘编

北京林业大学校长、中国工程院院士 尹伟伦

（2009 年 10 月 14 日）

草原是陆地植被面积的主体，是陆地生态系统的重要组成部分，是畜牧业生产和发展的物质基础。而畜牧过载、生态恶化是造成天然草场退化的根本原因，也是畜产品生产的瓶颈所在。所以应该加大对天然草场的封闭保护力度，大力发展人工草场，提高人工草场饲草的生产能力，为开展设施规模化饲养提供丰富的高质量饲草，满足广大人民对畜牧产品日益增长的需求；走一条逐步解脱畜牧过载给天然草场带来破坏性利用的压力，将人类对畜牧产品的需求压力转入到不断扩大的人工草场上去的道路，实现草原生态保护与畜牧业生产的协调发展。

在有经济实力的鄂尔多斯市，已经探索了将天然草场的牧民转入城市安置就业、上岗务工、改善生活条件、提高生活质量；同时用政策激励城市企业家、老板下乡、开发人工草场、发展饲草产业和规模化设施饲养业；还同时对天然草场封育起来，休养生息。在促进草原生态建设和生态效益发挥的同时，缩小了城乡差异，促进了社会主义新农村建设。

在科学技术研发上，加大草原科学经营管理理论的研究与实践，建立草场质量、饲草产量、生态效益可持续发展的经营管理机制。构建草原保护监理、草原资源合理有效开发利用、畜牧饲养经营业三者相互制约、相互促进、相互协调发展的现代草场经营管理新机制，是值得研究探索的兼顾草原生态建设与畜牧业协调发展的可持续发展之路。

要善待草原文化

——在"2009 中国草原发展论坛"上的报告摘编

中国工程院院士 任继周

（2009 年 10 月 15 日）

游牧是草原文化的基本元素。草原文化随着游牧社会发展的不同阶段逐步发展壮大，并在与其他文化的碰撞融合中激发了人类文明的火花。从徒步游牧到骑马游牧，是草原文化的一大进步，对人类文化的沟通交融做出了重大贡献。

今天我们所见到的中国文化的各个方面，无论衣食住行，还是文学艺术、伦理道德，无不融合了几千年来各个历史时期、各个游牧民族贡献的草原文化元素。如果舍去草原文化，我们将无法想象华夏文明是何等式样，更无从探索其发展历程。

草原文化特征可分为自然的和人文的两个方面。在自然特征方面，草原文化以草地－畜群－人群系统为主轴，推演了草原与人和谐共存的漫长过程，培养了生态伦理观。在人文特征方面，草原文化的人文内涵极其丰富多彩，可简约归纳为浩大壮美、青春活力、崇拜英雄几个方面。严法保护自然，是草原文化的重要特征。

既然我们明确了草原文化给华夏文化送来了活力，就应该善待草原文化。然而，遗憾的是，我们正在自觉不自觉地以非草原文化，尤其是农耕文化来吞噬草原文化。

现代草原科学告诉我们，吸取游牧的合理内核，施行划区轮牧，构建草原的合理利用与休闲，常保草地生产效益和生态安全，像新西兰那样，建成现代草地畜牧业。划区轮牧有多种方式，与传统游牧最接近的是季节轮牧，即以季度为轮牧周期，放牧地逐季轮换。实际上我们可以设计更细致的以月为单位的"月周期划区轮牧"，十天为单位的"旬周期划区轮牧"，也可以设计更长周期的"年周期划区轮牧"。还有长周期与短周期环环相扣的复合轮牧系统。这既可避免传统无计划的自由放牧造成的损害，也保留了游牧的实质，营造草地－畜群－人群的和谐共处，从而给草原文化提供了生存环境。

因此，建立以划区轮牧为核心的，配合多种科技、金融等社会支撑系统，既可促进草原现代化发展，还能使草原文化焕发青春。有草原文化的现代化才是我们的最佳期望值。相反，失去草原文化的现代化将是一种悲剧。

在第二届兽医科技高层论坛上的讲话

农业部副部长 高鸿宾

（2009 年 8 月 17 日）

各位专家，同志们：

今天，我们在青岛举办第二届兽医科技高层论坛，

主要任务是分析当前动物疫病防控新形势,研究新发动物传染病应对策略和措施。我们邀请了兽医科技界的知名专家和各省兽医部门的同志参加本次论坛,希望大家畅所欲言,建言献策,共商大计。下面我讲四点意见。

一、上届论坛以来兽医科技工作回顾

去年这个时候也是在青岛市,我们举办了首届兽医科技高层论坛。在首届论坛上,与会专家对近年来农业部防控重大动物疫病、防止外来动物疫病传入,以及重视兽医法制、队伍和能力建设等方面取得的成效给予了高度评价。就加强兽医科技人才培养、提高兽医科技能力、加快兽医科技成果转化及加强兽医基础性研究等问题,提出了很多好的建议。

一年来,我们认真采纳专家的建议,开展了多项工作。一是加强兽医科技规划性,通过调研,多方征集意见,制定了兽医科技中长期规划框架。二是组织开展了我国重大动物疫病防控中长期战略研究。三是根据当前布鲁氏菌病和结核病防控的紧迫形势,研究制定布病、结核病消灭计划,探索建立我国重大动物疫病防控长效机制。四是启动了动物源细菌耐药性监测工作,为动物源细菌耐药性风险评估与控制奠定基础。五是按照产业技术体系建设的思路,加强科研队伍建设,集合全国科技力量,建立科技交流合作平台,加强科研工作者与基层养殖户的联系,以点带面,开展养殖场疫病净化规律和措施的研究。六是通过加强与科技部等有关部门沟通协调以及实施公益性行业科技项目,加大了对病原学、流行病学、致病机制等基础性科研工作的支持力度。这些工作的开展,丰富了兽医科技的内容,有力地支撑了动物疫病防控工作。

二、兽医科技工作为有效防控动物疫病做出了突出贡献

近年来,我国重大动物疫病防控工作已经取得了显著成效,疫情稳步下降。今年上半年,全国仅新疆、西藏发生2起家禽禽流感疫情,与去年同期相比,家禽疫情起数减少4起,发病数下降67%。4个省份发生4起高致病性猪蓝耳病疫情,与去年同期相比疫情大幅下降。猪瘟、新城疫等其他重大动物疫情基本稳定。为畜牧业平稳发展起到了保驾护航的作用,也为国家公共卫生安全作出了重要贡献。

动物疫病防控工作能够取得显著成效,除了防控机制更加有效、防控行动果断坚决和防控能力大幅提升外,最为关键的是科技进步为防控工作提供了科学手段和决策依据。“十一五”期间,我们开展了“禽流感等重大动物疫病综合防控技术研究”、“高致病性猪蓝耳病防控技术研究”、“重大动物疫病防治关键技术引进项目”等科研工作。经过兽医科技工作者的努力,兽医科研取得了丰硕的成果,为有力处置动物疫情创造了条件。2007年1月确定变异猪蓝耳病病毒是猪“高热病”主要病原,仅用不到3个月时间就成功研制出新型灭活疫苗和配套诊断试剂,及时投入防疫一线,为迅速控制高致病性猪蓝耳病疫情作出贡献。2007年7月西藏阿里地区首次发生小反刍兽疫疫情,我们利用外来重大动物疫病储备技术,成功研制出小反刍兽疫疫苗,并迅速组织新疆、西藏开展免疫工作,构建有效免疫屏障,有效控制了疫情扩散蔓延。今年年初,我国发生A型口蹄疫疫情,及时确诊,并采取果断措施控制了疫情扩散蔓延,同样得益于科技研究成果。4月份境外发生甲型H1N1流感疫情,在不到两个月的时间内,我们建立了5种检测方法标准,为完成全国7亿头次生猪临床检查和6000多份样品的实验室检测工作提供了有力技术支持。可以看出,科技进步成为决定动物疫病防控工作成败的关键,兽医科研工作已经并将继续为有效防控动物疫病作出突出贡献。

三、兽医科技工作面临的形势

我国重大动物疫病防控工作卓有成效,但疫情防控形势依然严峻,防控任务仍十分艰巨。我们面临外来动物疫病入侵和国内新发、复发动物疫病高风险的双重压力。一方面,随着全球经济一体化的发展,国际交流增多,人员和贸易往来频繁,境外动物疫病传入风险加大。另一方面,国内重大动物疫病疫源分布较广,禽流感、口蹄疫等病毒不断出现变异重组,防控难度加大。亚洲I型口蹄疫、小反刍兽疫、A型口蹄疫等新发动物疫病相继在我国发生,提醒我们必须做好应对新发、复发重大动物疫情的准备。目前,我们对一些动物疫病,尤其是新发动物疫病和外来动物疫病的致病机理、传播规律等还不十分清楚,需要系统地研究,早做准备,提出有效应对方案。这是当前兽医科技需要解决的重大课题。我相信通过本次论坛,大家研讨和交流,能够为解决这个重大课题找到一把钥匙,寻找出一条途径。

四、再接再厉,促进兽医科技工作不断上新台阶

防控动物疫病是一项长期的任务,新的问题和挑战会不断地出现,广大兽医科技工作者应该面对挑战,鼓起勇气,挑起重担。

一要不断提高自身业务能力和水平。兽医科技工作要发扬拼搏进取、自觉奉献的敬业精神,求真务实、勇于创新的科学精神。科研人员要安下心来,甘于寂寞,潜心钻研,使自己不断在兽医科技领域取得新的突破。

二要加强基础性研究工作。尤其要加强病原学、流行病学、病毒致病机制及预警预报研究,加强技术储备,为动物疫病的诊断与防治提供技术和理论依据。

三要重视战略性研究。要突出抓好重大动物疫病防控长效机制研究，认真分析疫病流行趋势和特点，针对不同养殖条件，提出相应的解决方案，为我国重大动物疫病净化、消灭以及防堵外来动物疫病提供科学基础和技术支持。

四要加强交流合作。一方面，要把握国际兽医科技前沿与走势，加大国际兽医学术交流与合作力度，开展多形式、有效的合作，增强我兽医科技实力和在国际兽医科技领域的话语权。另一方面，国内同行间要加强交流合作，对重大关键性技术问题开展联合攻关，努力在短时间内研究提出应对措施和技术解决方案。各位专家、同志们，从事兽医科技工作使命光荣，任务艰巨。希望大家不畏艰难，扎实工作，努力多出成果，为防控动物疫病做出应有的贡献！

谢谢大家！

（本栏目主编　郭立彬）

2009年大事记

全国大事记

1月

❀ 19日，农业部会同卫生部发布中华人民共和国农业部公告第1149号，公布了《人畜共患传染病名录》。

❀ 20日，农业部与卫生部联合下发了《关于加强人畜共患病防治工作的通知》；同日，农业部与卫生部、国家工商行政管理总局联合下发了《关于加大活禽经营市场监管力度切实做好人禽流感防控工作的通知》。

2月

❀ 17日，农业部召开饲料质量安全工作会议上，正式启动了以"保障饲料安全，推进健康养殖"为主题的饲料质量安全执法年行动。

农业部召开全国春季重大动物疫病防控工作视频会议，副部长高鸿宾出席会议并讲话。

❀ 18日，农业部印发《关于切实做好2009年草原火灾防控工作的通知》。

❀ 19—20日，农业部畜牧业司在北京召开全国草原处长工作研讨会。

❀ 23—24日，农业部畜牧业司在北京举办了全国畜牧法执法培训班。

3月

❀ 1日，农业部畜牧业司、草原监理中心在山东召开草原承包经营规范化试点方案论证会，正式启动草原承包经营规范化试点工作。

❀ 10—11日，农业部草原防火指挥部召开全国草原防火工作暨《草原防火条例》宣传会议。农业部副部长、农业部草原防火指挥部总指挥高鸿宾出席会议并讲话。

❀ 17—23日，农业部副部长、农业部草原防火指挥部总指挥高鸿宾带队赴内蒙古锡林郭勒盟检查指导草原防火工作。

❀ 22日，农业部畜牧业司组织召开了现代畜牧产业技术体系工作会议，各体系首席科学家和监督评估委员会全体成员参加了会议。

❀ 30日，国务院召开全国造林绿化和森林草原防火工作电视电话会议。中共中央政治局委员、国务院副总理回良玉出席会议并讲话。

❀ 31日，农业部会同工业和信息化部、卫生部、国家质量监督检验检疫总局、国家工商总局等部门召开生鲜乳第三方检测制度研讨会。

4月

❀ 中下旬，农业部畜牧业司、兽医局组成三个联合调研组，分赴北京、江苏、湖北等地就畜牧兽医综合执法进行调研。

❀ 20日，农业部畜牧业司和草原监理中心在贵州省举办了全国种草绿化宣传周活动，农业部副部长高鸿宾和贵州省政府有关领导出席了开幕式。

❀ 28—29日，为贯彻落实《奶业整顿和振兴规划纲要》，推进全国生鲜乳收购站规范化建设和标准化管理工作，农业部在河北省石家庄市组织召开生鲜乳收购站建设与管理现场会。中宣部、工信部、公安部、监察部、商务部、卫生部、国家工商总局、国家质检总局等部门的同志出席了会议。

❀ 30日，农业部组织召开全国畜牧兽医系统甲型H1N1流感防控工作视频会议，副部长高鸿宾出席会议并讲话。

5月

❀ 2日，农业部紧急组织召开猪流感诊断制品快速评审会，推荐使用国家禽流感参考实验室制定的猪流感病毒H1N1亚型RT-PCR检测方法，有效满足了猪流感流行病学调查检测工作的需要。

❀ 5日，农业部畜牧业司组织有关专家召开全国蜂业发展规划座谈会。

农业部印发《农业部办公厅关于下发〈猪感染甲型H1N1流感应急预案〉（试行）的通知》。

❀ 7日，农业部下发农业部公告第1201号，规定国内一旦发现猪感染甲型H1N1流感并发生疫情，将临时采取一类动物疫病的预防控制措施。

❀ 11—15日，农业部组团赴巴西参加第18届国际兽药残留法典委员会（CCRVDF）会议。经代表团不懈努力，CCRVDF同意将莱克多巴胺纳入优先评估的兽药清单，基本达到预期目的，最大限度地维护我方利益。

✽ 13日，全国执业兽医资格考试委员会发布公告，公布2009年全国执业兽医资格考试的相关事宜。

✽ 17—26日，草原监理中心在湖南省举办了首届草原执法师资培训班，来自全国22个省(自治区)的40余名学员参加了培训。农业部原副部长、中国草学会名誉会长洪绂曾和中国农业大学草地研究所、东北师范大学法学研究所的教授及地方草原执法骨干应邀到培训班授课。草原监理中心向考试合格的学员颁发了执法师资资格证书。

✽ 24—29日，世界动物卫生组织(OIE)第77届国际大会在法国巴黎举行。我驻OIE代表张仲秋成功连任OIE亚太区委员会副主席，国家禽流感参考实验室主任陈化兰、中国水产科学研究院黄海水产研究所实验室主任黄倢分别当选OIE生物制品标准委员会和OIE水生动物标准委员会委员。

6月

✽ 29日至7月4日，国际食品法典委员会(CAC)第32届大会在联合国粮农组织(FAO)总部罗马召开。我代表团由农业部、卫生部、国家质检总局、香港食品环境卫生署以及中国驻粮农机构代表处等部门的18名代表组成。代表团成功促使大会决定将莱克多巴胺残留限量标准继续停留在第8步。

7月

✽ 13—18日，全国人大常委、全国人大华侨委副主任、致公党中央副主席杨邦杰率致公党中央调研组，赴内蒙古自治区就"加强草原保护建设、促进农牧民增收"开展调研。

8月

✽ 3日，农业部下发农业部第1246号公告，规定兽药产品的质量标准、规程、标签和说明书不得标注对一类动物疫病具有治疗的功效。

✽ 15日，《全国生猪遗传改良计划(2009—2020)》发布。

✽ 17日，农业部在青岛市举办第二届兽医科技高层论坛，副部长高鸿宾出席会议并讲话。

✽ 24—26日，全国草原工作会议暨草原监理工作会议在青海省召开。农业部副部长高鸿宾、青海省副省长邓本太出席会议并讲话。

9月

✽ 10日，农业部在四川省成都市召开全国秋季重大动物疫病防控工作会议，并在德阳市旌阳区举行全国突发重大动物疫情应急演练。农业部副部长高鸿宾出席会议并讲话。

✽ 11—17日，农业部兽医局组织中国动物疫病预防控制中心和中国兽医药品监察所先后派出16个督查组共计41人次，赴北京、天津、新疆等重点省份开展动物病原微生物实验室和兽用生物制品企业生物安全检查。

✽ 13日，商务部宣布，依照我国法律和世界贸易组织的规则，对原产于美国的进口肉鸡产品启动反倾销和反补贴立案审查程序。

✽ 14—16日，第二届中国兽药大会在南京隆重召开。农业部副部长高鸿宾宣布大会开幕。

✽ 17日，农业部草原防火指挥部召开了中央草原防火物资储备库竣工典礼暨2009年秋季草原防火工作部署会。农业部副部长、农业部草原防火指挥部总指挥高鸿宾出席会议并讲话。

✽ 22日，农业部与卫生部、公安部、国家食品药品监督管理局联合下发了《关于印发〈中国狂犬病防治现状〉的通知》。

10月

✽ 9日，农业部顺利完成新中国成立60周年庆祝活动期间动物产品卫生安全保障工作。

✽ 12日，由农业部畜牧业司司、处领导和农业部草原监理中心与全国畜牧总站领导参加的畜牧系统务虚会召开，高鸿宾副部长出席会议并讲话。

✽ 17日，首次全国执业兽医资格考试举行。农业部派出5个巡视组，赴考试试点省份对考试组织、考场秩序等情况进行巡视。

✽ 28日，中国兽医协会成立大会在北京召开。中共中央政治局委员、国务院副总理回良玉专门为大会发来贺信。

11月

✽ 16—20日，经国务院批准，农业部在上海承办了世界动物卫生组织(OIE)亚洲、远东及大洋洲(以下简称亚太区)委员会第26届会议。亚太区28个国家和地区成员，OIE总部、亚太区委员会和地区代表处、相关国际组织和区域组织，以及国内有关部门的200多名代表参加了会议。全国人大常委会副委员长乌云其木格出席会议开幕式并致辞。

✽ 20日，农业部畜牧业司在昆明召开全国饲料监管工作座谈会，各地70余人参加了会议。

✽ 22日，农业部畜牧业司会同发展计划司在北京组织召开了我国节粮型畜牧业发展问题研讨会，对全国奶牛、牧草、肉牛、肉羊、绒山羊、兔、水禽(鹅)、秸秆等7个节粮型畜牧产业发展进行研讨。

✽ 23日，农业部宣布广州亚运无规定马属动物疫病区通过国家评估。这标志着我国第一个无规定马属动物疫病区正式建成，对于保障亚运会马术比赛顺利举行具有重要意义。

12月

✽ 7日，草原监理中心组织编制的《全国草原资源重点保护名录》通过专家组验收。

✽ 14日，农业部宣布海南省免疫无口蹄疫区正式建成，标志着我国无规定动物疫病区建设和动物疫病区域化管理进入了新阶段。

✻ 15日，农业部召开全国动物防疫专家委员会成立大会，副部长高鸿宾出席会议并讲话。

✻ 17—19日，全国动物卫生监督工作会议在海南省海口市召开，农业部副部长高鸿宾出席会议并做重要讲话。

✻ 20日，农业部下发通知对中国饲料工业协会等54个先进集体和王继彤等199个先进个人予以表扬。

✻ 24日，农业部畜牧业司、科技教育司、中国农业科学院蜜蜂研究所联合召开研讨会，研究落实习近平同志对"蜜蜂授粉作为一项农业增产措施亟待我国政府高度重视"的批示。

农业部草原防火专家组成立暨科研项目启动会在北京召开。农业部畜牧业司司长、农业部草原防火指挥部副总指挥王智才出席会议并讲话。

✻ 29日，农业部中国动物疫病预防控制中心和解放军疾病预防控制中心签订战略合作框架协议。农业部副部长高鸿宾和军事医学科学院院长贺福初出席签约仪式并致辞。

（农业部畜牧业司　兽医局
农业部草原监理中心）

北京市大事记

✻ 2月，《北京市动物防疫体系建设规划(2008—2012)》发布实施。

✻ 4月，养殖环境的监督管理工作首次被纳入北京市动物防疫工作考核体系。

✻ 9月16—18日，第五届北京宠物医师大会举行。

✻ 9月，2014年亚洲宠物医师大会申办成功。

✻ 12月，全市24个公路动物防疫监督检查站被纳入公路综合检查站的统一规划、建设。

（北京市农业局畜牧处　张保延
兽医处　张佳艳）

河北省大事记

✻ 2月10日，由河北省畜牧兽医学会组织承办的2009北方畜牧业人才交流会在石家庄市举行。来自河北、天津、北京、上海、福建、陕西、山东、辽宁等十几个省、直辖市的100多家招聘单位参展，提供就业岗位4 000余个，参会人员总人数1万多人，达成就业意向3 000多个。

✻ 4月28—29日，农业部生鲜乳收购站建设与管理现场会在石家庄市召开，各省(自治区、直辖市)畜牧兽医部门分管厅(局)长及30个奶牛养殖大县的畜牧局长参加会议。中宣部、工业和信息化部、公安部、监察部、商务部、卫生部、国家工商总局、国家质检总局等8个部委的代表应邀出席会议。会议由国家首席兽医师于康震主持，河北省副省长张和出席会议并致辞，农业部副部长高鸿宾作了重要讲话。

✻ 6月5—10日，全国人大副委员长司马义·铁力瓦尔地带领执法检查组，先后到邯郸、邢台、石家庄等3市以及武安市、磁县、成安县、沙河市、邢台县、行唐县等6县，对河北省《畜牧法》贯彻实施情况进行执法检查。

✻ 6月20日，在北京召开的主题为"品牌建设与社会责任"的2009(首届)中国畜牧业品牌发展大会上，河北省畜牧兽医局荣获"中国畜牧业品牌建设政府贡献奖"。农业部原副部长、全国人大常委、农委副主任尹成杰，中国农业专家咨询团主任委员洪绂曾等领导出席。

✻ 7月5—14日，省农业厅张钰副厅长带领有关市畜牧兽医主管局主要负责同志及省局负责同志，赴黑龙江、辽宁考察学习。

✻ 8月14日，由河北省防治重大动物疫病指挥部主办，保定市防治重大动物疫病指挥部和清苑县人民政府承办的2009年河北省重大动物疫情应急演练在清苑县举行。

✻ 9月15—18日，全国动物屠宰检疫现场会在石家庄召开，全国37个省(直辖市、自治区、兵团、计划单列市)动物卫生监督所负责人和河北省各市动物卫生监督所负责人共计150余人参加了会议。

✻ 10月12日，省畜牧兽医局组织召开了院士专家建言献策河北畜牧业座谈会。会议由中国畜牧兽医学会副理事长兼秘书长阎汉平主持，全国人大农业和农村委员会副主任尹成杰，农业部畜牧业司巡视员陈伟生，华中农业大学教授陈焕春、中国军事医学科学院研究员夏咸柱、扬州大学教授刘秀梵等三位中国工程院院士，国家食品药品监督管理局食品安全专员毛振宾，国务院发展中心研究员潘耀国应邀参加会议。省人大黄荣副主任出席会议并讲话，省人大农经委、省政协农委、省农工办、省发改委、省财政厅、省科技厅、省政府研究室、省农开办、省扶贫办、省科协的负责同志出席会议。

✻ 10月12—14日，由中国畜牧兽医学会和河北省畜牧兽医学会联合举办的中国畜牧兽医学会2009年学术年会在石家庄市召开，全国人大农业和农村委员会副主任尹成杰、中国科协书记处书记冯长根、农业部原副部长洪绂曾、河北省人大副主任黄荣等领导以及专家、学者1 000多人与会。

✻ 10月18—20日，由河北省畜牧兽医局和邯郸市人民政府主办的第13届河北省畜牧业畜产品交易大会在邯郸举行。

✻ 8—10月，省畜牧兽医局组织各位局长、各处(站、所)负责人，围绕现代畜牧业发展的关键问题和薄弱环节，在全省开展了大规模集中调研活动，共撰写调研报告19篇。

✻ 11月6日，省委常委、常务副省长付志芳到行唐县就农业产业化项目建设进行调研，先后考察了石家庄华牧牧业公司和明旺乳业公司。

（河北省畜牧兽医局 单守林 吕家兴）

山西省大事记

✻ 2月11—19日，由西藏、海南、湖南三省组成的农业部考核组，对山西省的动物卫生检疫、动物疫病监测（诊断）和追溯体系建设工作进行了考核。

✻ 3月10日至5月10日，全省种畜禽生产经营执法专项检查活动展开。

✻ 3—9月，以查防控措施落实情况，强化制度和机制建设；查基层防疫人员工资和经费落实情况，强化动物防疫体系建设；查政府和部门履行职责情况，强化责任制和责任追究制度建设为重点的"三查三强化"专项整治行动在全省开展。

✻ 5月，《山西省畜禽遗传资源保护名录》出台。

《关于对雁门关生态畜牧经济区标准化养殖小区建设进行"回头看"的通知》下发。

《山西省蓝天碧水助推工程草地生态建设方案》编写完成。

✻ 6月，50个县动物检疫监督基础设施建设项目仪器设备招标采购工作完成。

✻ 6月中旬，奶牛、肉羊、绒山羊、肉牛以及猪、鸡等6个畜种标准化养殖小区建设的培训班分别在应县、右玉、岚县、五台和平定县举办。

✻ 8月7日，山西省兽药监测所申报的2 337个产品、296个参数通过了省技术监督局计量认证和审查认可。

✻ 8月15日，国庆期间重大动物疫病防控工作专项应急预案培训班及应急演练在晋中市举办。

✻ 10月1日，《山西绒山羊》等8项畜禽标准化养殖小区建设管理标准发布并执行。

✻ 10月，应国家奶牛技术体系的要求，奶牛体系建设"金钥匙"工程山西培训班在大同举办。

✻ 11月，中央扶持现代农业建设项目2008年新建的70个奶牛标准化养殖小区全面通过验收。

山西省马身猪保种场和广灵驴保种场被农业部正式挂牌设为国家级资源保种场。

（山西省畜牧兽医局 郑晓静）

内蒙古自治区大事记

✻ 1月22日，自治区政府主席巴特尔主持召开主席办公会议，研究部署全区布鲁氏菌病、结核病防控工作。

《内蒙古自治区生鲜乳收购管理办法》经自治区政府第二次常务会议审议通过并以政府第166号令发布。

《内蒙古自治区人民政府关于修改〈内蒙古自治区饲料和饲料添加剂管理办法〉的决定》经自治区政府第二次常务会议审议通过并以政府第167号令发布。

✻ 3月1日，《内蒙古自治区草原野生植物采集收购管理办法》经自治区政府第14次常务会议审议通过后正式实施。

✻ 3月10日，自治区农牧业厅印发《内蒙古自治区征占用草原审核审批程序》。

✻ 5月31日，自治区农牧业厅成立了内蒙古自治区生鲜乳第三方检测测试中心，出台了《内蒙古生鲜乳质量安全第三方检测管理办法》，建立了全国首家生鲜乳生产收购管理网站——内蒙古生鲜乳生产收购网。

✻ 6月4日，自治区农牧业厅制定《生猪感染甲型H1N1流感应急预案》和《应对人感染甲型H1N1流感应急预案》。

✻ 7月30日，自治区政府批准《内蒙古自治区重点保护草原野生植物名录》。

✻ 8月6日，自治区政府出台《内蒙古自治区奶牛标准化规模养殖场（小区）建设规划纲要》。

✻ 10月28日，自治区政府《关于重新调整公路动物卫生监督检查站的批复》，确定全区公路动物卫生监督检查站50处，其中新增公路检查站21个，变更10个，保留19个。

（内蒙古自治区农牧业厅 黄 伟 郑凤忠）

吉林省大事记

✻ 1月10日，全省畜牧业加快发展三年攻坚战动员大会在长春市召开。会议由省政府副秘书长李福升主持，王守臣副省长到会并讲话，省人大副主任杨绍明、省政协副主席别胜学出席。

✻ 3月11日，省政府召开全省畜牧业加快发展三年攻坚战新闻发布会。

✻ 4月14日，吉林省人民政府、中国农业银行股份有限公司签署战略合作协议暨中国农业银行吉林省分行畜牧业贷款中心揭牌仪式举行。贾涛局长代表吉林省畜牧业管理局与中国农业银行吉林省分行签署了畜牧业金融服务合作框架协议。

吉林省畜牧业管理局在吉林大学农学部广场举办全省畜牧业三年攻坚战动物防疫车发放仪式，王守臣副省长、全国动物疫病预防控制中心王长江处长出席发车仪式并讲话。

✻ 4月23日，韩长赋省长在吉林省畜牧业管理局报送的《关于三年攻坚战督导检查情况的报告》上批示："开局良好，给予肯定；任重道远，不可松懈。畜牧业攻坚要抓到园区，抓到企业，抓到项目，抓到大户，还要抓市场，总之要狠抓落实，务求实效”。

✽ 6月2日，全省畜牧业加快发展三年攻坚战现场会在农安县召开。会议由省政府副秘书长李福升主持，副省长王守臣到会并讲话。

✽ 6月8日，全国人大副委员长严隽琪，在听取吉林省畜牧业管理局代表省政府所作《关于〈畜牧法〉贯彻实施有关情况的汇报》后强调：“吉林省对畜牧业发展认识很到位，而且很有理念，在体制和机制方面进行的创新和探索，走在全国前列，应予肯定。”

✽ 6月12日，国务院总理温家宝在吉林省上报的《吉林生猪生产进入正常猪粮比价范围》专报信息上作出重要批示，对吉林省积极应对国际金融危机和甲型H1N1流感疫情，保护生猪产业发展的做法、经验和成效给予肯定。

✽ 8月3—8日，农业部副部长高鸿宾一行7人，先后赴吉林省伊通满族自治县、梅河口市、辉南县、集安市、长春市等地检查督导重大动物疫病防控及检疫监督、基层兽医站建设等项工作。

✽ 9月8日，省政府与北京市政府签订生猪产销长期战略合作备忘录、与浙江省政府签订生猪和玉米产销战略合作备忘录。

✽ 9月25日，吉林省动物防疫专家委员会成立大会暨动物防疫高层论坛在长春召开。

✽ 10月17日，首届全国执业兽医资格考试正式开考，吉林省共设9个考点，应试考生4 325人，有1 201人获得执业兽医资格，吉林省1名考生总成绩名列全国第一。

✽ 10月19—23日，农业部检查组对吉林省马传染性贫血消灭情况进行考核验收。经现场采血、实验室检验，农业部宣布吉林省达到马传贫消灭标准。

（吉林省畜牧业管理局　朱恒义）

黑龙江省大事记

✽ 3月5日，省畜牧兽医局召开全省春季重大动物疫病防控工作会议，对重大动物疫病防控工作进行安排和部署。

✽ 4月17—19日，农业部饲料生产许可证监督检查组一行3人对黑龙江省饲料生产许可证获证企业进行检查。

✽ 4月26日，中共黑龙江省委、黑龙江省人民政府授予黑龙江省畜牧兽医局“2006—2008年度全省新农村帮建工作先进单位”称号。

✽ 5月22—25日，农业部检查组对2009年春季重大动物疫病防控情况进行检查，肯定了黑龙江省重大动物疫病防控工作成效显著，对今后工作提出了意见和建议。

✽ 6月1—3日，农业部督查组对黑龙江省生鲜乳收购站规范化建设和标准化管理工作进行督查、检查。

✽ 7月7日，全省畜牧工作会议召开，会议传达了胡锦涛总书记6月26—28日视察龙江时的重要讲话精粹及省委常务委员会第57次（扩大）会议精神，吕维峰副省长到会并作重要讲话。

✽ 7月，农业部对黑龙江省消灭马传染性贫血病（简称马传贫）达标情况进行了考核验收，认为完全达到了国家规定的消灭标准。黑龙江省经过近半个世纪的历程终于消灭了马传贫病。

✽ 8月24日，省畜牧兽医局与东北农业大学在哈尔滨签署战略合作协议，将在推进畜牧业信息化等方面展开深度合作。

✽ 9月11日，省畜牧兽医局组建畜产品质量安全监管处，并将综合处更名为政策法规处。

✽ 10月23日，省政府授予黑龙江省畜牧兽医局“2008年度生态省建设目标考核先进单位”称号。

✽ 11月5—8日，农业部畜牧业司副司长杨振海带队就草原生态补偿机制问题到黑龙江省开展了专题调研。

（黑龙江省畜牧兽医局　周志茹）

上海市大事记

✽ 5月8日，市质量技术监督局发布了上海市地方标准《猪活体背膘厚眼肌面积B型超声波测定法》，为我国猪性状检测方法填补了空白。

✽ 7月7日，市农委召开了上海畜牧系统行业协会负责人座谈会。市生猪业行业协会、饲料行业协会、奶业行业协会、肉鸽行业协会、市家禽业协会、市特种养殖业行业协会和宠物业行业协会等7个畜牧系统行业协会的会长、秘书长参加了会议。

✽ 8月20日，本市举办奶业监管培训班，全市119家奶牛场、各区县畜牧兽医主管部门、市乳品质量监督检验站有关负责人共300余人参加了集中培训。

✽ 11月，市发改委、市农委出台了《关于进一步完善上海市原料奶收购价格形成机制的实施方案》，对原料奶收购价格政策作出了新的规定。

✽ 11月17日，世界动物卫生组织（OIE）亚太地区委员会第26届会议在上海正式开幕，来自亚太地区28个国家和地区，OIE总部和地区委员会、相关国际组织和区域组织及国内有关部门的约200余名中外代表参加了会议。

✽ 12月24日，市农委在松江区叶榭镇召开了全市畜牧兽医工作现场会暨突发重大动物疫情应急演练，上海市副市长胡延照出席并讲话。

（曹海平）

江西省大事记

✽ 1月17日，全省畜牧业工作会

议在南昌召开。

✻ 2月7日,江西省农业厅在高安市召开了全省畜禽养殖场沼气工程建设现场会。

✻ 2月20日,全省重大动物疫病防控工作会议在南昌召开,省防治重大动物疫病指挥部指挥长、省委常委、副省长陈达恒出席并讲话。

✻ 3月31日,江西省首个国家级肉牛综合试验站——国家现代肉牛产业技术体系高安综合试验站挂牌成立。

✻ 4月28日,江西省畜牧兽医局组织省内动物疫病防控专家召开甲型H1N1流感防控专家会议。

江西省养猪行业协会在南昌召开第四届科学发展观指导现代猪产业发展论坛。

✻ 5月26日,江西省畜牧兽医局在南昌组织召开全省畜产品质量安全工作座谈会。

✻ 7月21日,全省基层动物防疫体系建设工作现场会在瑞昌市召开。

✻ 8月20日,省统计局与省畜牧兽医局在南昌联合召开全省畜牧业统计工作会议。

✻ 10月22—23日,由江西省畜牧兽医局主办的"江西省首届动物检疫和监督执法大比武"决赛活动在南昌举行。

(江西省畜牧兽医局 刘 翔)

河南省大事记

✻ 1月9日,河南省畜牧兽医工作会在郑州召开。

✻ 2月11日,全省奶业生产规范年活动启动。

✻ 2月19日,河南省畜产品质量安全管理暨推进市场准入工作现场会在南阳召开。

✻ 2月20日,农业部部长孙政才深入河南省漯河等地视察指导春季重大动物疫病防控工作。

✻ 2月24日,省政府在焦作市召开全省重大动物疫病防控工作会。副省长刘满仓出席会议并讲话。

✻ 3月20日,秸秆养畜示范项目工作会议暨培训班在郑州召开。

✻ 3月23日,全省执业兽医资格考试试点工作启动会议暨兽药管理工作会议在郑州召开。

✻ 4月23日,省政府在许昌召开部分肉制品、乳制品轻工业座谈会,副省长刘满仓出席会议并讲话。

✻ 5月8—10日,第三届中国现代肉牛经济高层论坛暨泌阳县第二届夏南牛比赛大会在驻马店泌阳县召开。

✻ 5月26日,农业部部长孙政才深入驻马店等地考察动物疫病防控和生猪生产等农业农村经济工作。

✻ 6月1—10日,全国人大常委会副委员长司马义·铁力瓦尔地率全国人大常委会执法检查组,赴河南对《畜牧法》贯彻实施情况进行执法检查。

✻ 6月16日,全省草地监测工作会议三门峡卢氏召开。

✻ 7月3日,全省"瘦肉精"专项整治工作会议在郑州召开。

✻ 8月11日,全省饲草饲料工作会议在郑州召开。

✻ 8月21日,全省畜牧业银企对接招商引资洽谈会在郑州召开。

✻ 9月20—21日,第二十一届河南家禽交易会在郑州举行。

✻ 9月25日,全省饲料行业管理工作会议在郑州召开。

✻ 10月17日,作为全国执业兽医资格考试的5个试点省份之一,全省执业兽医资格考试在18个省辖市开展。

✻ 10月20日,全省"瘦肉精"整治工作现场会在济源市召开。

✻ 11月9—11日,农业部副部长高鸿宾深入河南实地考察重大动物疫病防控工作。

✻ 11月10—11日,第四届中国牛业发展大会在河南南阳召开。来自全国各地的牛业界领导、专家、企业家共600余人参加了会议。

(王 鹏 蔡文军)

湖北省大事记

✻ 1月22日,农业部副部长高鸿宾、兽医局局长李金祥一行5人到湖北检查督导动物防疫工作。

✻ 1月25日,农业部部长孙政才、副部长高鸿宾一行7人到湖北视察动物防疫工作。

✻ 2月18日,全省终止突发重大动物疫情Ⅱ级应急响应。

✻ 8月1日至11月8日,按照省农业厅《"能力建设年"活动方案》及省畜牧兽医局《2009年畜牧兽医行政执法工作方案》的总体部署,全省各地开展了"动物检疫执法百日行动"。

✻ 8月14日,湖北省种公牛站在中国奶业协会第24次繁殖学术年会上,被农业部认定为"国家奶牛产业技术体系科学研究基地"、"国家肉牛产业技术体系疾病控制科学研究基地"。

✻ 10月19—20日,全省蛋鸡标准化养殖"153"模式推广现场会在浠水举办。

✻ 10月25日至11月3日,省畜牧兽医局陈红颂副局长、省畜禽育种中心主任彭开华陪同省委副书记、武汉市委书记杨松访美,并与俄亥俄州农业部签订了畜牧发展合作备忘录。

✻ 11月2—3日,中国畜牧业协会禽业分会和国家水禽产业技术体系共同主办的第三届全国水禽发展大会在武汉召开。中国畜牧业协会会长张宝文、农业部畜牧业司司长王智才、湖北省政府副秘书长梅祖恩、中国畜牧业协会副会长乔玉锋以及来自全国各地水禽企业代表共400多人参会。

✽ 11月10日,省农业厅与安陆市政府签署协议共同建设畜牧产品加工园,并确定该园区为“全省农业产业化示范园区”。

✽ 12月22日,全省动物产品质量安全执法宣传活动启动仪式在武汉举行。

(湖北省畜牧兽医局 汪明阳 王海朋)

湖南省大事记

✽ 1月9日,湖南省动物卫生监督所和湖南省疫病预防控制中心正式挂牌成立。

✽ 2月15日,湖南省养殖业工作会议在长沙召开。

✽ 3月24日,湖南省副省长徐明华主持召开整治“瘦肉精”等违禁物品工作领导小组会议。

✽ 3月28日,农业部部长孙政才、总经济师陈萌山、兽医局局长李金祥一行深入湖南省考察。孙部长对湖南养殖业发展和动物防疫工作给予了充分肯定。

✽ 4月15—17日,以农业部副部长高鸿宾为组长,卫生部、农业部、水利部、国土资源部、国家广播电影电视总局、国家林业局、中国动物疫病预防控制中心、四川省卫生厅等部门领导和专家来湖南检查血防工作。

✽ 6月16日,第三届中国湖南畜牧渔业暨饲料工业博览会在长沙开幕。

✽ 6月27日,国内第一家以生猪为主要交易对象的电子商务平台——湖南御邦大宗农产品交易所,在湖南宁乡县正式开业。

✽ 9月1—2日,湖南省长周强在省直相关部门领导的陪同下,深入南山牧场、亚华南山分公司、清溪奶牛场等地调研奶业工作。

✽ 9月11日,湖南省人民政府召开全省农村秋冬生产工作电视电话会,副省长徐明华就抓好秋冬动物防疫工作进行了专题部署。

✽ 9月16日,农业部下发关于授予丁颖等100名同志“新中国成立60周年‘三农’模范人物”荣誉称号的决定,湖南邵阳市畜牧水产局家畜疫病防检站站长唐耀平入选。

✽ 11月18—22日,省畜产品质检中心通过国家资质认定和计量认证复查评审,承检范围由原来的149项扩增到肉及肉制品、蛋与蛋制品、乳与乳制品、饲料产品和饲料添加剂、畜禽产品生产环境条件、畜禽产品相关参数六类73个产品110个参数183项标准。

(湖南省畜牧水产局)

广东省大事记

✽ 3月7日,省农业厅、省畜牧兽医局在广州召开了全省畜牧兽医工作会议,省农业厅厅长谢悦新发表讲话。

✽ 3月8日,广东省畜牧兽医六大行业协会2009年联谊会在广州举行。农业部、省政府、省农业厅及省内部分地区1 800多人出席。农业部畜牧业司副司长王宗礼、省政府副省长李容根、省农业厅厅长谢悦新分别讲话,六大行业协会会长就保障畜产品质量安全提出了联合倡议,省农业厅举行了首批重点生猪养殖场授牌仪式。

✽ 5月8日,省政府在广州召开全省防控重大动物疫病工作会议。

✽ 6月16—18日,第27届广东养猪产业博览会在广州市柯木塱种猪测试中心举行。包括台湾省在内的十多个省市以及美国、西班牙、德国等多个国家的相关企业参展。

✽ 9月16日,省农业厅在广州召开了全省秋季重大动物疫病防控工作会议。

✽ 11月21日,省畜牧兽医局在广州召开了2009年全省生猪良种补贴工作会议。

✽ 12月初,农业部评估专家组完成了对广州亚运无规定马属动物疫病区的评审。随后,农业部发布第1291号公告,宣布广州亚运无规定马属动物疫病区通过国家动物卫生风险评估专家委员会评估,成为我国第一个马无疫区。

✽ 12月17日,省农业厅、省畜牧兽医局在广州召开了全省畜牧生态与健康养殖研讨会。

✽ 12月12日,由省农业厅、省畜牧兽医局主办,省饲料行业协会承办的第二届广东饲料发展战略高层论坛在广州召开。

✽ 12月16—18日,第28届国际养猪产业博览会(广州)在广州柯木塱种猪测试中心举办。美国、西班牙、德国等国家以及包括台湾省在内近十个省市企业参展。

(广东省畜牧兽医局)

广西壮族自治区大事记

✽ 1月3日,中共中央政治局常委、国务院副总理回良玉在自治区党委书记郭声琨、自治区主席马飚的陪同下到凭祥市考察调研,并听取了广西水产畜牧兽医局局长梁雨祥有关广西边境动物疫病防堵情况汇报。

✽ 1月9—13日,首届广西名特优渔牧产品推介展销会在南宁举办。来自广西40多家龙头企业和单位的100多种水产畜牧养殖产品、海洋捕捞产品及其加工产品参加了展销。自治区党委常委、宣传部长沈北海、自治区人大常委会副主任邵博文、自治区政府副主席陈章良等莅临指导。

✽ 1月19—20日,广西水产畜牧兽医工作会议在南宁召开。

✽ 1月19—21日，农业部高鸿宾副部长到广西东兴、凭祥等边境地区督查边境重大动物疫病防控情况。

✽ 3月25日，广西历经20多年系统选育的家禽新品种(配套系)良凤花鸡，通过了国家畜禽遗传委员会审定，成为广西第一个经国家审定通过的畜禽品种。

✽ 8月22日，广西水牛文化产业研讨会在南宁召开。中央民族大学校长陈理及成教院院长李曦辉等专家应邀参加了研讨会。

✽ 10月17日，全国首次执业兽医资格考试开考。广西作为全国5个试点省(自治区、直辖市)之一，共有4 000多名考生参加了考试。

✽ 12月26日，由广西壮族自治区农业厅、商务厅、水产畜牧兽医局和广西驻京办事处联合举办的广西名特优农产品精品推介会在北京举行。

(曾辉材)

海南省大事记

✽ 5月6—9日，国家畜禽遗传资源委员会家禽专业委员会专家组对琼海市嘉积鸭、定安县定安鹅、澄迈县白莲鹅遗传资源进行现场考察及鉴定。

✽ 6月26日，全省标准化畜禽养殖小区现场会暨挂牌仪式举行。省农业厅肖杰厅长出席会议并讲话，副厅长、省畜牧兽医局局长朱清敏主持会议。

✽ 7月15日，蓝岛公司与儋州市政府供港中猪养殖基地合作项目签字仪式在海口举行。

✽ 11月24日，中国动物疫病预防控制中心耳标钳技术规范研讨会在海口市召开。

✽ 11月25日，农业部评估验收组召开"无疫区"验收情况反馈会，海南省无规定动物疫病区示范区顺利通过专家组现场验收，海南成为全国最先通过"无疫区"国家评估验收的省份。

✽ 12月11日，2009年中国(海南)国际热带农产品冬季交易会在海口市开幕。农业部副部长陈晓华；全国供销合作总社理事会副主任赵显人；中国国际贸易促进会副会长于平；海南省委书记、省人大常委会主任卫留成；省委副书记、省长罗保铭；省政协主席钟文等领导出席。

✽ 12月17日，2009年全国动物卫生监督工作会议在海口市召开。农业部副部长高鸿宾，海南省人民政府副省长陈成，农业部畜牧业司副司长王宗礼、兽医局副局长张弘，海南省农业厅副厅长朱清敏等出席。

(海南省畜牧兽医局)

重庆市大事记

✽ 3月20—21日，全国首届兽医医政工作会议在重庆召开。

✽ 3月25—30日，农业部发展计划司二处、畜牧业司畜牧处、饲料处、统计监测处领导来渝检查畜牧工作。

✽ 6月24日，由中国饲料工业协会信息中心承办、重庆市饲料工业办公室协办的2009年上半年饲料生产形势分析会在重庆召开。

✽ 8月3日起，重庆西部、中部和东北部的大部分区(县)大范围暴雨。铜梁，潼南，巫山、荣昌、合川、大足等市共15个区(县)达到暴雨，造成畜牧业经济损失共11 439.64万元。

✽ 8月，巴南区畜牧兽医站站长、推广研究员冉元智获"新中国成立60周年'三农'模范人物"荣誉称号。

✽ 9月28日，重庆澳龙生物制品有限公司通过农业部兽药GMP专家检查验收，成为本市第一家建成细菌活疫苗生产车间的兽药生产企业。

✽ 10月23—25日，以"畜产安全与人类健康"为主题的第四届中国畜牧科技论坛暨第六届中国畜牧科技新项目新技术新产品博览会在荣昌县举行。

(重庆市农业委员会)

四川省大事记

✽ 1月8日，组织省内70余家农牧企业，赴杭州参加2009杭州优质农产品迎春大联展，并举办川浙农牧产品购销合同签约仪式和四川·广元(杭州)农产品推介暨农业项目洽谈会，"一展两会"共签订农牧项目和农牧产品购销会同9.59亿元。

✽ 1月20日，四川省畜禽产品质量安全新闻发布会 召开，21家境内外主流媒体的40余名记者参加了新闻发布会。

✽ 2月5日，省委常委、副省长钟勉，省政府副秘书长敖玉明一行到省畜牧食品局调研。

✽ 2月16日，全省畜牧生产现场会在四川遂宁市召开。全省21个市(州)、48个生猪调出大县的畜牧兽医部门负责人出席。

✽ 2月17日，省政府召开全省畜牧经济暨春季动物防疫工作会。省委副书记李崇禧，省委常委、副省长钟勉，省人大副主任郭永祥，省政协副主席陈次昌，省委副秘书长马波，省政府副秘书长敖玉明等领导出席会议。

✽ 3月30日，中国加拿大动物健康推广服务师资培训项目在彭州启动，地震灾区都江堰、彭州、崇州、大邑等市县畜牧兽医技术推广人员30余人参加了培训。

✽ 4月8日，凉山半细毛羊新品种通过国家畜禽遗传资源委员会羊专业委员会专家组审定。

✽ 4月12日，"优质肉蛋奶进部队、医院"活动举办，来自成都军区、成都空军、武警部队、省医院、成都市三医院等10余个单位的后勤部门负责人,与成都、德阳、绵阳、眉山等市20余家规模养殖企业、肉食品和乳品加工企业负责人参加,15家单位签订了采购供应意向书和正式协议,总金额5 700万元。

✻ 4月24日,国际小母牛组织、海惠助贫服务中心在彭州启动首批“小母牛”“5.12”震后重建项目,项目计划5年内直接为彭州市4个村512户受灾贫困家庭提供适合当地发展的畜禽养殖项目。

✻ 4月29日,全省预防甲型H1N1流感紧急防控工作会议召开。

✻ 5月13—17日,中国畜牧业暨饲料工业展览会在成都举行。农业部副部长高鸿宾,中国饲料工业协会会长白美清,中国畜牧业协会会长张宝文,省委副书记李崇禧,省委常委、副省长钟勉等部省领导出席开幕式。

✻ 5月14日,省畜牧食品局、省商务厅、省出入境检验检疫局等部门联合召开“全省猪肉出口企业座谈会”,省委常委、副省长钟勉到会并讲话。

✻ 5月17日,四川省畜产品交易暨畜牧业承接产业转移重大项目签约仪式在成都举行。农业部副部长高鸿宾,省委副书记李崇禧,省委常委、副省长钟勉出席签约仪式。

农业部副部长高鸿宾率农业部调研组对四川眉山市丹棱县等地动物标识及疫病可追溯体系建设试点工作和基层防疫工作进行实地考察。

✻ 5月27日,省政府出台《深化试点加快推进现代畜牧业发展的意见》。

✻ 7月9—11日,农业部畜禽产品质量安全监督检验测试中心(成都)和农业部饲料质量监督检验测试中心(成都)顺利通过了农产品质量安全检测机构考核、机构审查认可和国家计量认证复查现场评审。

✻ 9月10日,全国突发重大动物疫情应急演练在四川德阳市举行,农业部副部长高鸿宾、四川省委副书记李崇禧,农业部有关司局、解放军和武警部队及有关部门负责人等300余人出席。

农业部在四川成都召开秋季重大动物疫病防控工作会议,农业部副部高鸿宾长及有关司局领导、省政府副秘书长敖玉明以及解放军和武警部队有关人员出席会议。四川省畜牧食品局局长杨昌明代表四川在会上作典型交流发言。

✻ 9月16日,四川省畜产品安全检测中心顺利通过国家认监委组织的飞行检查。

✻ 10月22日,养猪经济大讲堂全国巡讲——西南站高峰论坛在成都召开。

(四川省畜牧食品局　陈　婷)

西藏自治区大事记

✻ 1月5日,西藏农村工作会议在拉萨召开。

自治区质量技术监督局通过对自治区动物疫病预防控制中心兽医诊断实验室的CMA资质认定(计量认证),并颁发了资质认定(计量认证)证书。

✻ 1月8日,全区农牧业工作会议在拉萨召开。

✻ 1月19日,中国草原网发布了由农业部草原监理中心组织中国农业科学院、中国农业大学和西藏自治区草原监理站等单位完成的“西藏自治区冬虫夏草调查研究”成果汇报,这是我国首次完成的省级区域冬虫夏草资源调查。

✻ 4月19日,全区农牧业基本建设项目工作会议在拉萨召开。

✻ 4月22日,全区冬虫夏草管理工作会议在拉萨召开。

✻ 4月23日,为期3天的全区冬虫夏草管理执法培训班在拉萨举办。6地(市)26个县的农牧、工商等部门的技术骨干共97人参加了培训。

✻ 4月25日,农业部重大动物疫病防控区域联防会议在林芝闭幕。国家首席兽医师于康震、自治区农牧厅厅长坚参、林芝地委副书记行署专员卓嘎等领导亲临会议。来自四川、重庆、云南、贵州、西藏等五省(自治区)畜牧兽医主管厅长、动物疫病预防防控中心主任、动物卫生监督所所长出席会议;会议还邀请了新疆、内蒙古、青海三省(自治区)的领导参加会议。

✻ 6月2日,自治区农牧厅组织全区各地市农牧局分管局长、畜牧总站站长和种畜场场长等有关人员共27人,先后赴青海、内蒙古、北京、山东等地参观考察畜禽良种繁育体系建设和畜牧业产业发展情况,同时邀请北京奶牛中心的领导和专家对考察人员进行培训。

✻ 7月6日,中共中央政治局委员、国务院副总理回良玉率领考察调研组深入西藏山南、拉萨等地的田间地头、龙头企业、科研院所、福利院和农牧民家中,考察农牧业生产经营、特色产业发展以及农牧民生产生活和安居工程建设情况,亲切看望慰问西藏各族干部群众。

✻ 7月10日,农业部兽医局局长李金祥一行4人赴自治区兽医生物药品厂视察指导。

✻ 7月15日,自治区党委副书记、自治区主席向巴平措在墨竹工卡县视察斯布牦牛育肥项目。

✻ 7月19日,农业部赴西藏调研组历时7天,对日喀则地区定日县、康马县,山南地区浪卡子县草场承包工作情况进行调研。

✻ 7月27日,全区农牧工作座谈会在拉萨召开。

✻ 7月30日,全国畜牧总站援藏

培训班在拉萨开班。

西藏自治区畜禽遗传资源委员会在拉萨成立。

✻ 8月4日，经自治区农牧厅授牌，西藏移动"动力100"——西藏自治区农牧信息化示范基地正式成立运营。

✻ 8月22日，全区草原生态保护奖励机制试点工作启动。作为全国草原面积最大、类型最丰富的省份，西藏在全国率先建立了草原生态保护奖励机制。

✻ 8月27日，农业部部长孙政才一行深入西藏考察调研县级农业技术推广机构、青稞标准化生产基地和草原建设与保护等。

✻ 9月9日，全国草原鼠虫害防治工作座谈会在拉萨召开，新疆、内蒙古、青海、西藏、四川、甘肃、宁夏、黑龙江、吉林、辽宁、河北、山西、陕西等13个省(自治区)及新疆生产建设兵团的100余名代表参加了会议。

✻ 9月11日，自治区动物疫病预防控制中心与青海省畜牧科学院组成青藏高原牧草种质资源调查及收集联合协作组，深入拉萨市墨竹工卡县和林芝地区工布江达县开展牧草种质资源调查及种子收集工作。

✻ 10月1日，《西藏自治区野生植物保护办法》正式施行。

✻ 11月17日，农业部草原监理中心授予西藏自治区那曲地区草原站西绕卓玛同志"草原巾帼卫士"荣誉称号。

✻ 12月8日，自治区党委农村工作领导小组会议在拉萨召开。

自治区建立草原生态保护奖励机制工作领导小组第一次会议在拉萨召开。

(西藏自治区农牧厅　曹仲华)

甘肃省大事记

✻ 1月，农业部出台《全国优势农产品区域布局规划(2008—2015年)》，其中甘肃省甘州区、泾川县、崆峒区、凉州区、灵台县、碌曲县、玛曲县、宁县、夏河县被列入《全国肉牛优势区域规划》；民勤县、金塔县、会宁县、山丹县、景泰县、安西县、东乡县、靖远县、肃南裕固族自治县、玛曲县、永昌县、夏河县被列入《全国肉羊优势区域规划》。

✻ 3月26日，省委办公厅、省政府办公厅在兰州召开全省牛羊大县建设工作会议，省委副书记刘伟平、副省长泽巴足出席会议。

✻ 4月1日，根据《中华人民共和国畜牧法》第十二条规定，省农牧厅确定天祝白牦牛等25个畜禽品种为甘肃省省级畜禽遗传传资源保护品种，发布了《甘肃省省级畜禽遗传资源保护名录》。

✻ 6月9—18日，根以省人大常委会副主任马尚英为组长，省人大常委会委员、农业与农村委员会主任委员程正明、副主任委员邓生来为副组长，部分全国人大代表和省人大代表为成员的畜牧法执法检查组，对全省贯彻实施《中华人民共和国畜牧法》情况进行检查。

✻ 6月29日，甘肃省农牧厅在徽县召开了全省上半年畜牧业生产形势分析会暨养蜂工作座谈会议。

✻ 8月12日，甘肃省人民政府新闻办公室就全省牛羊产业大县项目建设进展情况召开新闻发布会。

✻ 10月23日，省委办公厅、省政府办公厅在平凉市召开了全省秸秆利用现场座谈会，省委副书记刘伟平、副省长泽巴足出席会议。

✻ 11月6日，全省畜禽品种资源清理工作全面完成，正式提交甘南牦牛品种资源的审定申请，10月通过全国牛品种资源审定委员会现场审定，11月6日通过国家审定，正式名命为"甘南牦牛"。天祝白牦牛、八眉猪被农业部正式命名为"国家级天祝白牦牛资源种区"、"国家级八眉猪资源保种场"并予授牌。

(甘肃省农牧厅)

青海省大事记

✻ 1月10日，全省农村牧区工作会议在西宁召开。

✻ 1月11日，全省农牧业工作会议在西宁召开。

✻ 2月16日，省草原监理站被全国妇女巾帼建功活动领导小组评为全国巾帼文明岗。同日，在全国兽药监察系统工作会议上，省兽药饲料监察所被评为2008年度"优质兽药出厂、放心兽药入户"先进集体。

✻ 4月9日，国家肉牛产业技术体系首批综合实验站"大通综合实验站"在大通种牛场挂牌成立。

✻ 4月16日，国家发展和改革委员会、住房与城乡建设部、农业部联合下达了2009年青海省藏区游牧民定居工程，标志着国务院《关于支持青海等省藏区经济社会发展的若干意见》出台后，以改善民生为主的藏区重大建设项目率先启动实施。

✻ 4月28日，厅属省草原总站张生合同志荣获"全国'五一'劳动奖章"称号。

✻ 6月9日，中共青海省委办公厅、青海省人民政府办公厅印发《关于进一步推进农村牧区土地草原承包经营权流转工作的意见》。

✻ 6月26日，省政府办公厅印发《关于转发省农牧厅关于青海省藏区游牧民定居工程建设管理办法的通知》。

✻ 6月28日至7月1日，由农业部畜牧业司(全国饲料工作办公室)主办，全国畜牧总站、中国饲料工业协会信息中心承办，省农牧厅协办的2009年全国饲料工业统计培训班暨重点跟踪企业生产形势分析会在西宁召开。

✻ 9月16—21日，国家畜禽遗传资源委员会办公室6名专家对青海省培育的青海毛肉兼用细毛羊、青海高原毛肉兼用半细毛羊和柴达木绒山羊新品种进行了现场审定，3 个新品种均通过现场审定。

✻ 9 月 29 日，省三角城种羊场牧工尕藏俄力被授予青海省劳动模范称号，省畜牧总站高级畜牧兽医师颜寿东被授予青海省先进工作者称号。

（青海省农牧厅）

新疆维吾尔自治区大事记

✻ 2 月 21 日，经农业部审核批准，国家绒毛用羊产业技术体系建设在新疆正式启动。体系由 4 个功能实验室和 15 个综合实验站组成，由新疆畜牧科学院等 31 家科研院所及重点企业具体实施。

✻ 2 月 23—25 日，自治区畜牧兽医工作会议在乌鲁木齐召开。

✻ 3 月 26 日，自治区人民政府下发了《关于稳定奶业发展的意见》。

✻ 4 月 2 日，自治区稳定奶业发展工作会议在昌吉回族自治州召开。会议决定自治区在 2009 年安排 8 010 万元财政资金，重点用于支持推进学生饮用奶计划，实施乳品企业原料奶收购贷款贴息、奶粉储备补助、乳品外销储运补贴。

✻ 4 月 16 日，西域春乳业三期工程暨 2 000 头核心群高产奶牛示范场建成典礼在呼图壁种牛场举行。自治区副主席钱智出席了建成典礼。

✻ 5 月 14 日，自治区进口德国优质乳用牛冻精推广项目启动仪式在乌鲁木齐举行。

✻ 6 月 1 日，自治区推进学生饮用奶计划启动仪式在乌鲁木齐举行。自治区党委常委尔肯江 · 吐拉洪在启动仪式上作了动员讲话。自治区决定在全区地（州）所在市和条件具备的县市（22 个）城镇义务教育阶段在校中小学生中实施学生饮用奶计划，补贴标准为每人每天 1 元。全区受益中小学生 75.6 万名，日消耗鲜奶 152 吨。15 家学生奶定点生产企业申报的 42 种学生饮用奶产品通过审核并予以备案。

✻ 7 月 11 日，新疆畜禽遗传资源保护项目启动会议召开，自治区畜牧厅公布了新疆畜禽遗传资源保护名录。和田羊等 55 个品种列为自治区级畜禽遗传资源保护品种。吐鲁番斗鸡、伊犁鹅、和田羊、多浪羊、新疆驴、新疆黑蜂 6 个品种（系）被列入国家级畜禽遗传资源保护品种名录。

✻ 8 月 11 日，自治区 2009 年生鲜乳第三方检测和质量安全监管技术人员培训开班仪式在自治区农业职业技术学院举行。自治区生鲜乳第三方检测及质量安全监管体系建设项目同时启动。

✻ 8 月 18 日，自治区畜牧厅在乌鲁木齐召开优质种羊万枚胚胎移植工程启动会议，巩乃斯种羊场等 12 个项目承担单位参加了会议。

✻ 9 月 29 日，自治区人民政府在乌鲁木齐市召开外国专家招待会。自治区主席努尔 · 白克力致词并向 12 位获奖的外国专家颁发了“中国天山奖”奖杯和证书。

✻ 11 月 9 日，自治区牲畜品种改良冷链体系建设项目启动暨天山畜牧生物工程股份有限公司揭牌仪式在昌吉市举行。自治区副主席钱智出席仪式。

✻ 11 月 21 日，塔城市齐巴尔吉迭牧民社区建成，由 1 091 户定居牧民组成，这是新疆第一个牧民社区。

（朱爱新）

大连市大事记

✻ 9 月 7—11 日，农业部举办的第七届中国国际农产品交易会在吉林省长春市举行。大连雪龙产业集团有限公司的黑牛肉荣获本届交易会“金奖”，成为四个获得金奖的肉类产品之一。

✻ 10 月 29 日，大连洪家鸡蛋生产企业——大连洪家畜牧有限公司作为辽宁省内唯一一家蛋品生产企业受邀参与沃尔玛（中国）投资有限公司在北京召开的首届“农超对接”论坛。农业部、商务部以及农业专家学者共 300 余人出席此次论坛。

✻ 12 月 1 日，辽宁省出台的第一部规范无疫区建设与管理的地方性法规——《大连市无规定动物疫病区建设管理条例》正式颁布施行。

✻ 2009 年，大连础明集团有限公司经过十年辛勤耕耘，已成为全国农业产业化重点龙头企业，并跻身于全国肉类食品行业 50 强。

（大连市农村经济委员会　郑　颖）

（本栏目主编　田建华）

附　录

2009 年中华人民共和国农业部公告

饲料

第 1142 号(有效性机构名单,2009 年 1 月 6 日)
第 1150 号(进口饲料和饲料添加剂产品登记证目录(2009-01),2009 年 1 月 19 日)
第 1152 号(饲料添加剂生产许可证名单,2009 年 1 月 24 日)
第 1159 号(批准 7 家公司生产的 8 种饲料产品在我国登记,2009 年 2 月 11 日)
第 1170 号(饲料添加剂生产许可证名单,2009 年 3 月 3 日)
第 1178 号(批准 10 家公司生产的 11 种饲料产品在我国登记,2009 年 3 月 11 日)
第 1181 号(饲料添加剂生产许可证名单,2009 年 3 月 23 日)
第 1187 号(换发 2 家公司的进口登记证,2009 年 4 月 17 日)
第 1195 号(准予 18 家企业从事饲料添加剂生产,2009 年 4 月 23 日)
第 1200 号(批准 11 家公司生产的 15 种饲料和饲料添加剂产品在我国登记或续展登记,2009 年 5 月 7 日)
第 1213 号(批准 15 家公司生产的 20 种饲料产品在我国登记,2009 年 6 月 1 日)
第 1217 号(饲料添加剂生产许可证名单,2009 年 6 月 8 日)
第 1218 号(明令禁止在饲料中人为添加三聚氰胺,2009 年 6 月 8 日)
第 1224 号(饲料添加剂安全使用规范,2009 年 6 月 18 日)
第 1230 号(批准 10 家公司生产的 24 种饲料产品在我国登记,2009 年 7 月 8 日)
第 1231 号(批准丁酸梭菌和地衣芽孢杆菌为新饲料添加剂 2009 年 7 月 7 日)
第 1249 号(批准 13 家公司生产的 35 种饲料产品在我国登记,2009 年 8 月 25 日)
第 1258 号(批准 15 种饲料产品在我国登记或续展登记,2009 年 9 月 7 日)
第 1262 号(准予 23 家企业从事饲料添加剂生产,2009 年 9 月 30 日)
第 1270 号(准予 24 家企业从事饲料添加剂生产,2009 年 9 月 30 日)
第 1276 号(批准 29 种饲料和饲料添加剂产品在我国登记,2009 年 10 月 15 日)
第 1282 号(停止缩二脲作为饲料添加剂生产和使用,2009 年 10 月 29 日)
第 1287 号(批准 9 种饲料和饲料添加剂产品在我国登记,2009 年 10 月 6 日)
第 1293 号(批准 15 家公司生产的 18 种饲料在我国登记,2009 年 11 月 23)
第 1294 号(准予 24 家企业从事饲料添加剂生产,2009 年 11 月 23 日)
第 1300 号(准予 14 家企业从事饲料添加剂生产,2009 年 12 月 3 日)

种畜禽

第 1244 号(《种畜禽生产经营许可证》颁发目录(200902),2009 年 8 月 3 日)
第 1250 号(《种畜禽生产经营许可证》颁发目录(200903), 2009 年 8 月 20 日)
第 1256 号(《种畜禽生产经营许可证》颁发目录(200904),2009 年 9 月 7 日)
第 1289 号 (《种畜禽生产经营许可证》颁布目录,2009 年 11 月 20 日)

品种资源

第 1180 号(滇陆猪等 8 个畜禽新品种配套系证书颁发目录)
第 1278 号(凉山半细毛羊等畜禽新品种配套系证书颁发目录,2009 年 10 月 15 日)

草品种

第1196号（草种检验员考核办法,2009年4月24日）
第1207号(2008年度全国草品种审定委员会审定通过的草品种名录,2009年5月22日)
第1273号(第二批《草种经营许可证》单位名单,2009年9月29日)

生猪

国家发改委　财政部等联合公告　第1号（《防止生猪价格过度下跌调控预案(暂行)》,2009年1月9日）

饲料和饲料添加剂有效性试验机构名单

序号	地区	试验机构	试验报告签发机构	试验报告签发人	试验场地及试验范围
1	北京	农业部饲料效价与安全监督检验测试中心(北京)	农业部饲料效价与安全监督检验测试中心(北京)	张丽英 教授	中国农业大学动物科技学院代谢室(猪、肉鸡)、天津宁河试验基地(猪)、河北滦平试验研究基地(猪)
2	北京	动物营养学国家重点实验室(中国农业大学)	中国农业大学动物科技学院	呙于明 教授(肉鸡、蛋鸡) 孟庆翔 教授(肉牛) 李胜利 教授(奶牛)	中国农业大学校内家禽基地(肉鸡、蛋鸡)、涿州试验基地(肉鸡、蛋鸡、奶牛)、中美奶牛中心(奶牛)、肉牛研究中心大兴基地(肉牛)
3	北京	中国农业科学院北京畜牧兽医研究所动物营养与饲料研究室	中国农业科学院北京畜牧兽医研究所	佟建明 研究员(肉鸡、蛋鸡) 侯水生 研究员(肉鸭)	中国农业科学院北京畜牧兽医研究所昌平马池口试验场(肉鸡、蛋鸡、肉鸭)
		农业部反刍动物饲料安全评价实验室		王加启 研究员	农业部反刍动物饲料安全评价实验室天津奶牛实验站(奶牛)
4	北京	中国农业科学院饲料研究所(农业部饲料安全评价基准实验室)	中国农业科学院饲料研究所	齐广海 研究员	中国农业科学院饲料研究所南口试验基地(肉鸡)、留民营试验基地(蛋鸡)
		国家水产饲料安全评价基地			昌平南口国家水产饲料安全评价基地(水产动物)
5	辽宁	沈阳农业大学畜牧兽医学院	沈阳农业大学畜牧兽医学院	胡建民 教授	沈阳农业大学科研种鸡场(肉鸡、蛋鸡)
6	黑龙江	东北农业大学动物营养研究所	东北农业大学动物营养研究所	单安山 教授	东北农业大学香坊动物实验实习基地(猪)
7	上海	上海农业科学院农产品质量标准与检测技术研究所	上海农业科学院农产品质量标准与检测技术研究所	赵志辉 研究员	上海农业科学院畜牧所周浦试验场(肉鸡、蛋鸡)
8	江苏	南京农业大学动物科技学院	南京农业大学动物科技学院	王恬 教授	南京农业大学珠江校区畜牧试验站(猪、蛋鸡、肉鸡)
9	江苏	南京农业大学无锡渔业学院	南京农业大学无锡渔业学院	谢骏 研究员	南京农业大学无锡渔业学院淡水渔业研究中心南泉基地(淡水鱼)、淡水渔业研究中心宜兴基地(淡水虾蟹类)

（续）

序号	地区	试验机构	试验报告签发机构	试验报告签发人	试验场地及试验范围
10	江苏	扬州大学动物营养与饲料工程技术研究中心	扬州大学动物营养与饲料工程技术研究中心	赵国琦 教授	扬州大学试验农牧场（鹅、山羊、奶牛）
11	江苏	中国农业科学院家禽科学研究所	中国农业科学院家禽科学研究所	厉宝林 副研究员	江苏省家禽科学研究所邵伯基地（肉鸡、蛋鸡）
12	浙江	浙江大学奶业科学研究所	浙江大学奶业科学研究所	刘建新 教授	浙江大学奶业科学研究所试验牧场（奶牛）
13	浙江	浙江大学饲料科学研究所	浙江大学饲料科学研究所	汪以真 教授（淡水水产） 余东游 副研究员（肉鸡、蛋鸡）	浙江大学饲料科学研究所实验基地（肉鸡、蛋鸡、淡水水产动物）
14	浙江	浙江省农业科学院畜牧兽医研究所	浙江省农业科学院畜牧兽医研究所	徐子伟 研究员	浙江省农业科学院海宁科技牧场（猪）
15	浙江	中挪海水养殖鱼类营养与饲料联合实验室	浙江省海洋水产研究所	邵庆均 教授	浙江海洋水产研究所西轩岛试验场（海水鱼）
16	河南	河南农业大学牧医工程学院	河南农业大学牧医工程学院	王志祥 教授	河南农业大学牧医工程学院试验站（肉鸡、蛋鸡）
17	湖南	湖南农业大学动物科技学院	湖南农业大学动物科技学院	方热军 教授	湖南农业大学动物科技学院佳和猪场（猪）
18	广东	广东省农业科学院畜牧研究所（饲料效价与安全评价中心）	广东省农业科学院畜牧研究所	林映才 研究员（猪、肉鸡）	广东省农业科学院畜牧研究所试验场（猪、肉鸡）
19	四川	四川农业大学动物营养研究所	四川农业大学动物营养研究所	陈代文 教授	四川农业大学动物营养研究所教学科研基地（猪、肉鸭、淡水鱼）
20	四川	四川省畜牧科学研究院	四川省畜牧科学研究院	邹成义 研究员	四川省畜牧科学研究院试验兔场（兔、肉种鸡）

饲料和饲料添加剂安全性评价机构名单

序号	地区	报告签发机构	报告签发人	可承担的评价项目
1	北京	中国兽医药品监察所	高光 研究员	急性经口毒性试验、短期经口毒性试验、亚慢性毒性试验、Ames试验、哺乳动物骨髓细胞微核试验、哺乳动物骨髓细胞染色体畸变试验、哺乳细胞染色体畸变试验、代谢动力学试验
2	北京	农业部饲料效价与安全监督检验测试中心（北京）	张丽英 教授	急性经口毒性试验短期经口毒性试验亚慢性毒性试验

（续）

序号	地区	报告签发机构	报告签发人	可承担的评价项目
3	北京	农业部兽药安全监督检验测试中心(北京)	沈建忠教授	急性经口毒性试验、短期经口毒性试验、亚慢性毒性试验、Ames试验、哺乳动物骨髓细胞微核试验、哺乳动物骨髓细胞染色体畸变试验、哺乳细胞染色体畸变试验、哺乳细胞基因突变试验、哺乳动物生殖细胞染色体畸变试验、致畸试验、繁殖试验、慢性毒性试验、代谢动力学试验、局部刺激试验、残留试验、药(毒)代试验、临床试验
4	北京	中国疾病预防控制中心营养与食品安全所	李宁研究员	急性经口毒性试验、短期经口毒性试验、亚慢性毒性试验、Ames试验、哺乳动物骨髓细胞微核试验、哺乳动物骨髓细胞染色体畸变试验、哺乳细胞染色体畸变试验、哺乳细胞基因突变试验、哺乳动物生殖细胞染色体畸变试验、致畸试验、繁殖试验、慢性毒性试验、代谢动力学试验、皮肤刺激试验、眼刺激试验、经皮毒性试验
5	黑龙江	黑龙江省公共卫生监测检验中心	王玉燕主任医师	急性经口毒性试验、短期经口毒性试验、亚慢性毒性试验、Ames试验、哺乳动物骨髓细胞微核试验、哺乳动物生殖细胞染色体畸变试验、致畸试验、眼刺激试验、皮肤刺激试验、皮肤致敏试验
6	江苏	扬州大学兽医学院	秦爱建教授	急性经口毒性试验、短期经口毒性试验、亚慢性毒性试验、Ames试验、哺乳动物骨髓细胞微核试验、致畸试验、繁殖试验、慢性毒性试验、代谢动力学试验、靶动物安全试验
7	陕西	西安交通大学医学院实验动物中心	刘恩歧教授	急性经口毒性试验、眼刺激试验、皮肤刺激试验、皮肤致敏试验

饲料添加剂安全使用规范

1. 氨基酸 Amino Acids

通用名称	英文名称	化学式或描述	来源	含量规格,%		适用动物	在配合饲料或全混合日粮中的推荐用量(以氨基酸计),%	在配合饲料或全混合日粮中的最高限量(以氨基酸计),%	其他要求
				以氨基酸盐计	以氨基酸计				
L－赖氨酸盐酸盐	L－Lysine monohydrochloride	$NH_2(CH_2)_4CH(NH_2)COOH \cdot HCl$	发酵生产	≥98.5(以干基计)	≥78.0(以干基计)	养殖动物	0～0.5		
DL－蛋氨酸	DL－Methionine	$CH_3S(CH_2)_2CH(NH_2)COOH$	化学制备		≥98.5	养殖动物	0～0.2	鸡 0.9	
L－苏氨酸	L－Threonine	$CH_3CH(OH)CH(NH_2)COOH$	发酵生产		≥97.5(以干基计)	养殖动物	畜禽 0～0.3 鱼类 0～0.3 虾类 0～0.8		
L－赖氨酸硫酸盐及其发酵副产物(产自谷氨酸棒杆菌)	L－Lysine sulfate and its by－products from fermentation (Source: Corynebacterium glutamicum)	$[NH_2(CH_2)_4CH(NH_2)COOH]_2 \cdot H_2SO_4$	发酵生产	≥65.0(以干基计)	≥51.0(以干基计)	养殖动物	0～0.5		

（续）

通用名称	英文名称	化学式或描述	来源	含量规格，%		适用动物	在配合饲料或全混合日粮中的推荐用量（以氨基酸计），%	在配合饲料或全混合日粮中的最高限量（以氨基酸计），%	其他要求
				以氨基酸盐计	以氨基酸计				
L－色氨酸	L－Tryptophan	$(C_8H_5NH)CH_2CH(NH_2)COOH$	发酵生产		≥98.0	养殖动物	畜禽 0～0.1 鱼类 0～0.1 虾类 0～0.3		
蛋氨酸羟基类似物	Methionine hydroxy analogue	$C_5H_{10}O_3S$	化学制备		≥88.0（以蛋氨酸羟基类似物计）	猪、鸡、牛	猪 0～0.11 鸡 0～0.21 牛 0～0.27 （以蛋氨酸羟基类似物计）	鸡 0.9（以蛋氨酸羟基类似物计）	
蛋氨酸羟基类似物钙盐	Methionine hydroxy analogue calcium	$C_{10}H_{18}O_6S_2Ca$	化学制备	≥95.0（以干基计）	≥84.0（以蛋氨酸羟基类似物计，干基）				
N－羟甲基蛋氨酸钙	N－Hydro－xymethyl methionine calcium	$(C_6H_{12}NO_3S)_2Ca$	化学制备	≥98.0	≥67.6（以蛋氨酸计）	反刍动物	牛 0～0.14（以蛋氨酸计）		

2. 维生素 Vitamins[注1]

通用名称	英文名称	化学式或描述	来源	含量规格		适用动物	在配合饲料或全混合日粮中的推荐添加量（以维生素计）	在配合饲料或全混合日粮中的最高限量（以维生素计）	其他要求
				以化合物计	以维生素计				
维生素A乙酸酯	Vitamin A acetate	$C_{22}H_{32}O_2$	化学制备		粉剂≥5.0×10^5 IU/g 油剂≥2.5×10^6 IU/g	养殖动物	猪 1 300～4 000IU/kg 肉鸡 2 700～8 000IU/kg 蛋鸡 1 500～4 000IU/kg 牛 2 000～4 000IU/kg 羊 1 500～2 400IU/kg 鱼类 1 000～4 000IU/kg	仔猪 16 000IU/kg 育肥猪 6 500IU/kg 怀孕母猪 12 000IU/kg 泌乳母猪 7 000IU/kg 犊牛 25 000IU/kg 育肥和泌乳牛 10 000IU/kg 干奶牛 20 000IU/kg 14 日龄以前的蛋鸡和肉鸡 20 000IU/kg 14 日龄以后的蛋鸡和肉鸡 10 000IU/kg 28 日龄以前的肉用火鸡 20 000IU/kg 28 日龄后的火鸡 10 000IU/kg	
维生素A棕榈酸酯	Vitamin A palmitate	$C_{36}H_{60}O_2$	化学制备		粉剂≥2.5×10^5 IU/g 油剂≥1.7×10^6 IU/g				

（续）

通用名称	英文名称	化学式或描述	来源	含量规格		适用动物	在配合饲料或全混合日粮中的推荐添加量(以维生素计)	在配合饲料或全混合日粮中的最高限量(以维生素计)	其他要求
				以化合物计	以维生素计				
β－胡萝卜素	beta－Carotene	$C_{40}H_{56}$	提取、发酵生产或化学制备	≥96.0%		养殖动物	奶牛 5~30 mg/kg（以β－胡萝卜素计）		
盐酸硫胺（维生素B_1）	Thiamine hydrochloride（Vitamin B_1）	$C_{12}H_{17}ClN_4OS \cdot HCl$	化学制备	98.5%~101.0%（以干基计）	87.8%~90.0%（以干基计）	养殖动物	猪 1~5mg/kg 家禽 1~5mg/kg 鱼类 5~20mg/kg		
硝酸硫胺（维生素B1）	Thiamine mononitrate（Vitamin B_1）	$C_{12}H_{17}N_5O_4S$	化学制备	98.0%~101.0%（以干基计）	90.1%~92.8%（以干基计）				
核黄素（维生素B_2）	Riboflavin（Vitamin B_2）	$C_{17}H_{20}N_4O_6$	化学制备或发酵生产		98.0%~102.0% 96.0%~102.0% ≥80.0%（以干基计）	养殖动物	猪 2~8mg/kg 家禽 2~8mg/kg 鱼类 10~25mg/kg		
盐酸吡哆醇（维生素B_6）	Pyridoxine hydrochloride（Vitamin B_6）	$C_8H_{11}NO_3 \cdot HCl$	化学制备	98.0%~101.0%（以干基计）	80.7%~83.1%（以干基计）	养殖动物	猪 1~3mg/kg 家禽 3~5mg/kg 鱼类 3~50mg/kg		
氰钴胺（维生素B_{12}）	Cyanocobalamin（Vitamin B_{12}）	$C_{63}H_{88}CoN_{14}O_{14}P$	发酵生产		≥96.0（以干基计）	养殖动物	猪 5~33μg/kg 家禽 3~12μg/kg 鱼类 10~20μg/kg		
L－抗坏血酸（维生素C）	L－Ascorbic acid（Vitamin C）	$C_6H_8O_6$	化学制备或发酵生产		99.0%~101.0%	养殖动物	猪 150~300mg/kg 家禽 50~200mg/kg 犊牛 125~500mg/kg 罗非鱼、鲫鱼 鱼苗 300mg/kg 鱼种 200mg/kg 青鱼、虹鳟鱼、蛙类 100~150mg/kg		
L－抗坏血酸钙	Calcium L－ascorbate	$C_{12}H_{14}CaO_{12} \cdot 2H_2O$	化学制备	≥98.0%	≥80.5%				
L－抗坏血酸钠	Sodium L－ascorbate	$C_6H_7NaO_6$	化学制备或发酵生产	≥98.0%	≥87.1%				

（续）

<table>
<tr><th rowspan="2">通用名称</th><th rowspan="2">英文名称</th><th rowspan="2">化学式或描述</th><th rowspan="2">来源</th><th colspan="2">含量规格</th><th rowspan="2">适用动物</th><th rowspan="2">在配合饲料或全混合日粮中的推荐添加量(以维生素计)</th><th rowspan="2">在配合饲料或全混合日粮中的最高限量(以维生素计)</th><th rowspan="2">其他要求</th></tr>
<tr><th>以化合物计</th><th>以维生素计</th></tr>
<tr><td>L－抗坏血酸－2－磷酸酯</td><td>L－Ascorbyl－2－polyphosphate</td><td></td><td>化学制备</td><td></td><td>≥35.0%</td><td rowspan="2">养殖动物</td><td rowspan="2">草鱼、鲤鱼
300～500mg/kg</td><td rowspan="2"></td><td rowspan="2"></td></tr>
<tr><td>L－抗坏血酸－6－棕榈酸酯</td><td>6－Palmityl－L－ascorbic acid</td><td>$C_{22}H_{38}O_7$</td><td>化学制备</td><td>≥95.0%</td><td>≥40.3%</td></tr>
<tr><td>维生素D_2</td><td>Vitamin D_2</td><td>$C_{28}H_{44}O$</td><td>化学制备</td><td>≥97.0%</td><td>4.0×10^7 IU/g</td><td>养殖动物</td><td>猪150～500IU/kg
牛275～400IU/kg
羊150～500IU/kg</td><td rowspan="2">猪5 000IU/kg
（仔猪代乳料10 000IU/kg）
家禽5 000IU/kg
牛4 000IU/kg
（犊牛代乳料10 000IU/kg）
羊、马4 000IU/kg
鱼类3 000IU/kg
其他动物2 000IU/kg</td><td rowspan="2">饲料中维生素D_3不能与维生素D_2同时使用</td></tr>
<tr><td>维生素D_3</td><td>Vitamin D_3</td><td>$C_{27}H_{44}O$</td><td>化学制备或提取</td><td></td><td>油剂≥1.0×10^6 IU/g
粉剂≥5.0×10^5 IU/g</td><td>养殖动物</td><td>猪150～500IU/kg
鸡400～2 000IU/kg
鸭500～800IU/kg
鹅500～800IU/kg
牛275～450IU/kg
羊150～500IU/kg
鱼类500～2 000IU/kg</td></tr>
<tr><td>DL－α－生育酚乙酸酯（维生素E）</td><td>DL－alpha－Tocopherol acetate（Vitamin E）</td><td>$C_{31}H_{52}O_3$</td><td>化学制备</td><td>油剂≥92.0%
粉剂≥50.0%</td><td>油剂≥920IU/g
粉剂≥500IU/g</td><td>养殖动物</td><td>猪10～100IU/kg
鸡10～30IU/kg
鸭20～50IU/kg
鹅20～50IU/kg
牛15～60IU/kg
羊10～40IU/kg
鱼类30～120IU/kg</td><td></td><td></td></tr>
<tr><td>亚硫酸氢钠甲萘醌</td><td>Menadione sodium bisulfite（MSB）</td><td>$C_{11}H_8O_2\cdot NaHSO_3\cdot 3H_2O$</td><td>化学制备</td><td>≥96.0%
≥98.0%</td><td>≥50.0%
≥51.0%
（以甲萘醌计）</td><td rowspan="3">养殖动物</td><td rowspan="3">猪0.5 mg/kg
鸡0.4～0.6mg/kg
鸭0.5mg/kg
水产动物2～16mg/kg
（以甲萘醌计）</td><td></td><td></td></tr>
<tr><td>二甲基嘧啶醇亚硫酸甲萘醌</td><td>Menadione dimethyl－pyrimidinol bisulfite（MPB）</td><td>$C_{17}H_{18}N_2O_6S$</td><td>化学制备</td><td>≥96.0%</td><td>≥44.0%
（以甲萘醌计）</td><td>猪10mg/kg
鸡5mg/kg
（以甲萘醌计）</td><td></td></tr>
<tr><td>亚硫酸氢烟酰胺甲萘醌</td><td>Menadione nicotinamide bisulfite（MNB）</td><td>$C_{17}H_{16}N_2O_6S$</td><td>化学制备</td><td>≥96.0%</td><td>≥43.7%
（以甲萘醌计）</td><td></td><td></td></tr>
<tr><td>烟酸</td><td>Nicotinic acid</td><td>$C_6H_5NO_2$</td><td>化学制备</td><td></td><td>99.0%～100.5%
（以干基计）</td><td rowspan="2">养殖动物</td><td rowspan="2">仔猪20～40mg/kg
生长肥育猪20～30mg/kg
蛋雏鸡30～40mg/kg
育成蛋鸡10～15mg/kg
产蛋鸡20～30mg/kg
肉仔鸡30～40mg/kg
奶牛50～60mg/kg
（精料补充料）
鱼虾类20～200mg/kg</td><td rowspan="2"></td><td rowspan="2"></td></tr>
<tr><td>烟酰胺</td><td>Niacinamide</td><td>$C_6H_6N_2O$</td><td>化学制备</td><td></td><td>≥99.0%</td></tr>
</table>

（续）

通用名称	英文名称	化学式或描述	来源	含量规格		适用动物	在配合饲料或全混合日粮中的推荐添加量（以维生素计）	在配合饲料或全混合日粮中的最高限量（以维生素计）	其他要求
				以化合物计	以维生素计				
D－泛酸钙	D－Calcium pantothenate	$C_{18}H_{32}CaN_2O_{10}$	化学制备	98.0%～101.0%（以干基计）	90.2%～92.9%（以干基计）	养殖动物	仔猪 10～15mg/kg 生长肥育猪 10～15mg/kg 蛋雏鸡 10～15mg/kg 育成蛋鸡 10～15mg/kg 产蛋鸡 20～25mg/kg 肉仔鸡 20～25mg/kg 鱼类 20～50mg/kg		
DL－泛酸钙	DL－Calcium pantothenate		化学制备	≥99.0%	≥45.5%		仔猪 20～30mg/kg 生长肥育猪 20～30mg/kg 蛋雏鸡 20～30mg/kg 育成蛋鸡 20～30mg/kg 产蛋鸡 40～50mg/kg 肉仔鸡 40～50mg/kg 鱼类 40～100mg/kg		
叶酸	Folic acid	$C_{19}H_{19}N_7O_6$	化学制备		95.0%～102.0%（以干基计）	养殖动物	仔猪 0.6～0.7mg/kg 生长肥育猪 0.3～0.6mg/kg 雏鸡 0.6～0.7mg/kg 育成蛋鸡 0.3～0.6mg/kg 产蛋鸡 0.3～0.6mg/kg 肉仔鸡 0.6～0.7mg/kg 鱼类 1.0～2.0mg/kg		
D－生物素	D－Biotin	$C_{10}H_{16}N_2O_3S$	化学制备		≥97.5%	养殖动物	猪 0.2～0.5mg/kg 蛋鸡 0.15～0.25mg/kg 肉鸡 0.2～0.3mg/kg 鱼类 0.05～0.15mg/kg		
氯化胆碱	Choline chloride	$C_5H_{14}NOCl$	化学制备	水剂≥70.0%或≥75.0% 粉剂≥50.0%或≥60.0%（粉剂以干基计）	水剂≥52.0%或≥55.0% 粉剂≥37.0%或≥44.0%（粉剂以干基计）	养殖动物	猪 200～1 300mg/kg 鸡 450～1 500mg/kg 鱼类 400～1 200mg/kg		用于奶牛时，产品应作保护处理
肌醇	Inositol	$C_6H_{12}O_6$	化学制备		≥97.0%（以干基计）	养殖动物	鲤科鱼 250～500mg/kg 鲑鱼、虹鳟 300～400mg/kg 鳗鱼 500mg/kg 虾类 200～300mg/kg		

（续）

通用名称	英文名称	化学式或描述	来源	含量规格		适用动物	在配合饲料或全混合日粮中的推荐添加量(以维生素计)	在配合饲料或全混合日粮中的最高限量(以维生素计)	其他要求
				以化合物计	以维生素计				
L－肉碱	L－Carnitine	$C_7H_{15}NO_3$	化学制备或发酵生产		97.0%～103.0%（以干基计）	养殖动物	猪30～50mg/kg（乳猪300～500mg/kg）家禽50～60mg/kg（1周龄内雏鸡150mg/kg）鲤鱼5～10mg/kg 虹鳟15～120mg/kg 鲑鱼45～95mg/kg 其他鱼5～100mg/kg	猪1 000mg/kg 家禽200mg/kg 鱼类2 500mg/kg	
L－肉碱盐酸盐	L－Carnitine hydrochloride	$C_7H_{15}NO_3 \cdot HCl$	化学制备或发酵生产	97.0%～103.0%（以干基计）	79.0%～83.8%（以干基计）	养殖动物			

注1:由于测定方法存在精密度和准确度的问题,部分维生素类饲料添加剂的含量规格是范围值,若测量误差为正,则检测值可能超过100%,故部分维生素类饲料添加剂含量规格出现超过100%的情况。

3. 微量元素 Trace Minerals

微量元素	化合物通用名称	化合物英文名称	化学式或描述	来源	含量规格		适用动物	在配合饲料或全混合日粮中的推荐添加量(以元素计),mg/kg	在配合饲料或全混合日粮中的最高限量(以元素计),mg/kg	其他要求
					以化合物计	以元素计				
铁:来自以下化合物	硫酸亚铁	Ferrous sulfate	$FeSO_4 \cdot H_2O$ $FeSO_4 \cdot 7H_2O$	化学制备	≥91.0 ≥98.0	≥30.0 ≥19.7	养殖动物	猪40～100 鸡35～120 牛10～50 羊30～50 鱼类30～200	仔猪(断奶前)250mg/头·日 家禽750 牛750 羊500 宠物1 250 其他动物750	
	富马酸亚铁	Ferrous fumarate	$FeH_2C_4O_4$	化学制备	≥93.0	≥29.3				
	柠檬酸亚铁	Ferrous citrate	$Fe_3(C_6H_5O_7)_2$	化学制备		≥16.5				
	乳酸亚铁	Ferrous lactate	$C_6H_{10}FeO_6 \cdot 3H_2O$	化学制备或发酵生产	≥97.0	≥18.9				
铜:来自以下化合物	硫酸铜	Copper sulfate	$CuSO_4 \cdot H_2O$ $CuSO_4 \cdot 5H_2O$	化学制备	≥98.5 ≥98.5	≥35.7 ≥25.0	养殖动物	猪3～6 家禽0.4～10.0 牛10 羊7～10 鱼类3～6	仔猪(≤30kg)200 生长肥育猪(30～60 kg)150 生长肥育猪(≥60 kg)35 种猪35 家禽35 牛精料补充料35 羊精料补充料25 鱼类25	
	碱式氯化铜	Basic copper chloride	$Cu_2(OH)_3Cl$	化学制备	≥98.0	≥58.1	猪、鸡	猪2.6～5.0 鸡0.3～8.0	仔猪(≤30kg)200 生长肥育猪(30～60kg)150 生长肥育猪(≥60 kg)35 种猪35 鸡35	

（续）

<table>
<tr><th rowspan="2">微量元素</th><th rowspan="2">化合物通用名称</th><th rowspan="2">化合物英文名称</th><th rowspan="2">化学式或描述</th><th rowspan="2">来源</th><th colspan="2">含量规格</th><th rowspan="2">适用动物</th><th rowspan="2">在配合饲料或全混合日粮中的推荐添加量(以元素计),mg/kg</th><th rowspan="2">在配合饲料或全混合日粮中的最高限量(以元素计),mg/kg</th><th rowspan="2">其他要求</th></tr>
<tr><th>以化合物计</th><th>以元素计</th></tr>
<tr><td rowspan="3">锌：来自以下化合物</td><td>硫酸锌</td><td>Zinc sulfate</td><td>$ZnSO_4 \cdot H_2O$
$ZnSO_4 \cdot 7H_2O$</td><td>化学制备</td><td>≥94.7
≥97.3</td><td>≥34.5
≥22.0</td><td rowspan="3">养殖动物</td><td>猪 40～110
肉鸡 55～120
蛋鸡 40～80
肉鸭 20～60
蛋鸭 30～60
鹅 60
肉牛 30
奶牛 40
鱼类 20～30
虾类 15</td><td rowspan="3">代乳料 200
鱼类 200
宠物 250
其他动物 150
农业行业标准《饲料中锌的允许量》(NY 929－2005)自本公告发布之日起废止</td><td></td></tr>
<tr><td>氧化锌</td><td>Zinc oxide</td><td>ZnO</td><td>化学制备</td><td>≥95.0</td><td>≥76.3</td><td>猪 43～120
肉鸡 80～180
肉牛 30
奶牛 40</td><td>仔猪断奶后前 2 周配合饲料中氧化锌形式的锌的添加量不超过 2 250 mg/kg</td></tr>
<tr><td>蛋氨酸锌络(螯)合物</td><td>Zinc methionine complex (chelate)</td><td>$Zn(C_5H_{10}NO_2S)_2$
$(C_5H_{10}NO_2SZn)HSO_4$</td><td>化学制备</td><td>≥90.0</td><td>≥17.2
≥19.0</td><td>猪 42～116
肉鸡 54～120
肉牛 30
奶牛 40</td><td>本产品仅指硫酸锌与蛋氨酸反应的产物</td></tr>
<tr><td rowspan="3">锰：来自以下化合物</td><td>硫酸锰</td><td>Manganese sulfate</td><td>$MnSO_4 \cdot H_2O$</td><td>化学制备</td><td>≥98.0</td><td>≥31.8</td><td rowspan="3">养殖动物</td><td>猪 2～20
肉鸡 72～110
蛋鸡 40～85
肉鸭 40～90
蛋鸭 47～60
鹅 66
肉牛 20～40
奶牛 12
鱼类 2.4～13.0</td><td rowspan="3">鱼类 100
其他动物 150</td><td rowspan="3"></td></tr>
<tr><td>氧化锰</td><td>Manganese oxide</td><td>MnO</td><td>化学制备</td><td>≥99.0</td><td>≥76.6</td><td>猪 2～20
肉鸡 86～132</td></tr>
<tr><td>氯化锰</td><td>Manganese chloride</td><td>$MnCl_2 \cdot 4H_2O$</td><td>化学制备</td><td>≥98.0</td><td>≥27.2</td><td>猪 2～20
肉鸡 74～113</td></tr>
<tr><td rowspan="2">碘：来自以下化合物</td><td>碘化钾</td><td>Potassium iodide</td><td>KI</td><td>化学制备</td><td>≥98.0
(以干基计)</td><td>≥74.9
(以干基计)</td><td rowspan="2">养殖动物</td><td rowspan="2">猪 0.14
家禽 0.1～1.0
牛 0.25～0.80
羊 0.1～2.0
水产动物 0.6～1.2</td><td rowspan="2">蛋鸡 5
奶牛 5
水产动物 20
其他动物 10</td><td rowspan="2"></td></tr>
<tr><td>碘酸钾</td><td>Potassium iodate</td><td>KIO_3</td><td>化学制备</td><td>≥99.0</td><td>≥58.7</td></tr>
</table>

（续）

微量元素	化合物通用名称	化合物英文名称	化学式或描述	来源	含量规格		适用动物	在配合饲料或全混合日粮中的推荐添加量（以元素计），mg/kg	在配合饲料或全混合日粮中的最高限量（以元素计），mg/kg	其他要求
					以化合物计	以元素计				
碘：来自以下化合物	碘酸钙	Calcium iodate	$Ca(IO_3)_2 \cdot H_2O$	化学制备	≥95.0（以 $Ca(IO_3)_2$ 计）	≥61.8	养殖动物	猪 0.14 家禽 0.1～1.0 牛 0.25～0.80 羊 0.1～2.0 水产动物 0.6～1.2	蛋鸡 5 奶牛 5 水产动物 20 其他动物 10	
钴：来自以下化合物	硫酸钴	Cobalt sulfate	$CoSO_4$ $CoSO_4 \cdot H_2O$ $CoSO_4 \cdot 7H_2O$	化学制备	≥98.0 ≥96.5 ≥97.5	≥37.2 ≥33.0 ≥20.5	养殖动物	牛、羊 0.1～0.3 鱼类 0～1	2	
	氯化钴	Cobalt chloride	$CoCl_2 \cdot H_2O$ $CoCl_2 \cdot 6H_2O$	化学制备	≥98.0 ≥96.8	≥39.1 ≥24.0				
	乙酸钴	Cobalt acetate	$Co(CH_3COO)_2$ $Co(CH_3COO)_2 \cdot 4H_2O$	化学制备	≥98.0 ≥98.0	≥32.6 ≥23.1		牛、羊 0.1～0.4 鱼类 0～1.2		
	碳酸钴	Cobalt carbonate	$CoCO_3$	化学制备	≥98.0	≥48.5	反刍动物	牛、羊 0.1～0.3		
硒：来自以下化合物	亚硒酸钠	Sodium selenite	Na_2SeO_3	化学制备	≥98.0（以干基计）	≥44.7（以干基计）	养殖动物	畜禽 0.1～0.3 鱼类 0.1～0.3	0.5	使用时应先制成预混剂，且产品标签上应标示最大硒含量
	酵母硒	Selenium yeast complex	酵母在含无机硒的培养基中发酵培养，将无机态硒转化生成有机硒	发酵生产		有机形态硒含量≥0.1				产品需标示最大硒含量和有机硒含量，无机硒含量不得超过总硒的2.0%
铬：来自以下化合物	烟酸铬	Chromium nicotinate	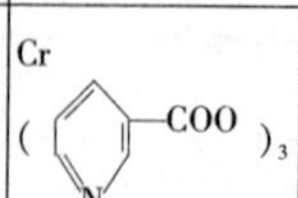	化学制备	≥98.0	≥12.0	生长肥育猪	0～0.2	0.2	饲料中铬的最高限量是指有机形态铬的添加限量
	吡啶甲酸铬	Chromium tripicolinate	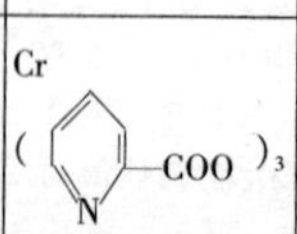	化学制备	≥98.0	12.2～12.4				

4. 常量元素 Macro Minerals

常量元素	化合物通用名称	化合物英文名称	化学式或描述	来源	含量规格 以化合物计	含量规格 以元素计	适用动物	在配合饲料或全混合日粮中的推荐添加量,%	在配合饲料或全混合日粮中的最高限量,%	其他要求
钠：来自以下化合物	氯化钠	Sodium chloride	$NaCl$	天然盐加工制取	≥91.0	Na≥35.7 Cl≥55.2	养殖动物	猪 0.3～0.8 鸡 0.25～0.40 鸭 0.3～0.6 牛、羊 0.5～1.0 （以 NaCl 计）	猪 1.5 家禽 1 牛、羊 2 （以 NaCl 计）	
	硫酸钠	Sodium sulfate	Na_2SO_4	天然盐加工制取或化学制备	≥99.0	Na≥32.0 S≥22.3		猪 0.1～0.3 肉鸡 0.1～0.3 鸭 0.1～0.3 牛、羊 0.1～0.4 （以 Na_2SO_4 计）	0.5 （以 Na_2SO_4 计）	本品有轻度致泻作用，反刍动物应注意维持适当的氮硫比
	磷酸二氢钠	Monosodium phosphate	NaH_2PO_4 $NaH_2PO_4 \cdot H_2O$ $NaH_2PO_4 \cdot 2H_2O$	化学制备	98.0～103.0 （以 NaH_2PO_4 计，干基）	Na≥18.7 P≥25.3 （以 NaH_2PO_4 计，干基）		猪 0～1.0 家禽 0～1.5 牛 0～1.6 淡水鱼 1.0～2.0 （以 NaH_2PO_4 计）		在畜禽饲料中较少使用，在鱼类饲料中适量添加还可补充饲料中的磷元素，使用时应考虑磷与钙的适当比例及钠元素的总量
	磷酸氢二钠	Disodium phosphate	Na_2HPO_4 $Na_2HPO_4 \cdot 2H_2O$ $Na_2HPO_4 \cdot 12H_2O$	化学制备	≥98.0 （以 Na_2HPO_4 计，干基）	Na≥31.7 P≥21.3 （以 Na_2HPO_4 计，干基）		猪 0.5～1.0 家禽 0.6～1.5 牛 0.8～1.6 淡水鱼 1.0～2.0 （以 Na_2HPO_4 计）		
钙：来自以下化合物	轻质碳酸钙	Calcium carbonate	$CaCO_3$	化学制备	≥98.0 （以干基计）	Ca≥39.2 （以干基计）	养殖动物	猪 0.4～1.1 肉禽 0.6～1.0 蛋禽 0.8～4.0 牛 0.2～0.8 羊 0.2～0.7 （以 Ca 元素计）		摄取过多钙会导致钙磷比例失调并阻碍其他微量元素的吸收
	氯化钙	Calcium chloride	$CaCl_2$ $CaCl_2 \cdot 2H_2O$	化学制备	≥93.0 99.0～107.0	Ca≥33.5 Cl≥59.5 Ca≥26.9 Cl≥47.8				
	乳酸钙	Calcium lactate	$C_6H_{10}O_6Ca$ $C_6H_{10}O_6Ca \cdot H_2O$ $C_6H_{10}O_6Ca \cdot 3H_2O$ $C_6H_{10}O_6Ca \cdot 5H_2O$	化学制备或发酵生产	≥97.0 （以 $C_6H_{10}O_6Ca$ 计，干基）	Ca≥17.7 （以 $C_6H_{10}O_6Ca$ 计，干基）				
磷：来自以下化合物	磷酸氢钙	Dicalcium phosphate	$CaHPO_4 \cdot 2H_2O$	化学制备		P≥16.5 Ca≥20.0 P≥19.0 Ca≥15.0	养殖动物	猪 0～0.55 肉禽 0～0.45 蛋禽 0～0.4 牛 0～0.38		水产饲料中磷的使用应该

（续）

微量元素	化合物通用名称	化合物英文名称	化学式或描述	来源	含量规格		适用动物	在配合饲料或全混合日粮中的推荐添加量（以元素计），mg/kg	在配合饲料或全混合日粮中的最高限量（以元素计），mg/kg	其他要求
					以化合物计	以元素计				
磷：来自以下化合物						P≥21.0 Ca≥14.0	养殖动物	羊0～0.38 淡水鱼0～0.6 （以P元素计）		充分考虑避免水体污染，符合相关标准
	磷酸二氢钙	Monocalcium phosphate	$Ca(H_2PO_4)_2 \cdot H_2O$	化学制备		P≥22.0 Ca≥13.0				
	磷酸三钙	Tricalcium phosphate	$Ca_3(PO_4)_2$	化学制备		P≥17.6 Ca≥34.0				
镁：来自以下化合物	氧化镁	Magnesium oxide	MgO	化学制备	≥96.5	Mg≥57.9	养殖动物	泌乳牛羊0～0.5 （以MgO计）	泌乳牛羊1 （以MgO计）	
	氯化镁	Magnesium chloride	$MgCl_2 \cdot 6H_2O$	化学制备	≥98.0	Mg≥11.6 Cl≥34.3		猪0～0.04 家禽0～0.06 牛0～0.4 羊0～0.2 淡水鱼0～0.06 （以Mg元素计）	猪0.3 家禽0.3 牛0.5 羊0.5 （以Mg元素计）	镁有致泻作用，大剂量使用会导致腹泻，注意镁和钾的比例
	硫酸镁	Magnesium sulfate	$MgSO_4 \cdot H_2O$ $MgSO_4 \cdot 7H_2O$	化学制备或从苦卤中提取	≥99.0 ≥99.0	Mg≥17.2 S≥22.9 Mg≥9.6 S≥12.8				

2009年全国饲料添加剂生产许可证名单

生产许可证编号	企业名称	产品名称
饲添（2009）2511	沧州市方正动物药业有限公司	维生素（Ⅱ）：VB_1、VB_2、VC
饲添（2009）2512	南皮县华盈农牧科技有限公司	维生素（Ⅱ）：氯化胆碱；复合酸度调节剂（Ⅱ）：（乳酸、富马酸、柠檬酸、酒石酸、磷酸）
饲添（2009）2513	邵阳市海丰化工有限公司	矿物元素（Ⅰ）：硫酸锰
饲添（2009）2514	凤县金山冶化有限责任公司	矿物元素（Ⅰ）：硫酸锌
饲添（2009）2515	响水县兴源饲料有限公司	矿物元素（Ⅰ）：磷酸氢钙
饲添（2009）2516	广州市梅诺生物科技有限公司	氨基酸（Ⅱ）：L－赖氨酸盐酸盐；复合酶制剂（Ⅱ）：（淀粉酶、纤维素酶、脂肪酶、蛋白酶）；防霉剂（Ⅱ）：丙酸酸度调节剂（Ⅱ）：乳酸；粘结剂（Ⅱ）：（硅酸钙、二氧化硅）
饲添（2009）2517	哈尔滨德宝科丰牧业发展有限公司	复合微生物添加剂（Ⅱ）：（枯草芽孢杆菌、嗜酸乳杆菌、产朊假丝酵母）
饲添（2009）2518	杭州保安康生物技术有限公司	复合酶制剂（Ⅰ）：（淀粉酶产自枯草芽孢杆菌、纤维素酶产自长柄木霉、β－葡聚糖酶产自黑曲霉、蛋白酶产自米曲霉、木聚糖酶产自米曲霉）；微生物添加剂（Ⅰ）：枯草芽孢杆菌
饲添（2009）2519	北京益农博创生物科技有限公司	复合酶制剂（Ⅱ）：（纤维素酶、β－葡聚糖酶、木聚糖酶）；复合微生物添加剂（Ⅱ）：（枯草芽孢杆菌、嗜酸乳杆菌、产朊假丝酵母）

饲添(2009)2520 哈尔滨晟昱百加饲料有限公司	复合微生物添加剂(Ⅱ):(枯草芽孢杆菌、粪肠球菌、嗜酸乳杆菌、产朊假丝酵母、沼泽红假单胞菌)
饲添(2009)2521 昆明正江工贸有限责任公司	矿物元素(Ⅰ):硫酸亚铁、硫酸铜、氧化锌、硫酸锌、硫酸锰
饲添(2009)2522 北京华牧伟业科技有限公司昌平分公司	矿物元素(Ⅱ):硫酸铜、硫酸锌、硫酸锰、吡啶甲酸铬
饲添(2009)2523 厦门汇盛生物有限公司	着色剂(Ⅰ):虾青素(Ⅰ); 甘油脂肪酸酯(Ⅰ)
饲添(2009)2524 三明市丰润化工有限公司	黏结剂、抗结块剂和稳定剂(Ⅰ):二氧化硅
饲添(2009)2525 西安皓天生物工程技术有限责任公司	维生素(Ⅰ):肌醇
饲添(2009)2526 山东隆大生物工程有限公司	酶制剂(Ⅰ):淀粉酶(产自枯草芽孢杆菌)、纤维素酶(产自长柄木霉)、β-葡聚糖酶(产自长柄木霉)、果胶酶(产自黑曲霉)、植酸酶(产自黑曲霉)、蛋白酶(产自黑曲霉)、木聚糖酶(产自米曲霉)
饲添(2009)2527 日照益康有机农业科技发展有限公司	微生物添加剂(Ⅰ):干酪乳杆菌、酿酒酵母
饲添(2009)2528 山东省滨州畜牧兽医工程开发研究院	维生素(Ⅱ):VB_1、VB_2、VB_{12}、VC、VE、VK_3;大蒜素(Ⅱ)
饲添(2009)2529 山东省滨州市利丰达化工有限公司	矿物元素(Ⅰ):磷酸氢钙
饲添(2009)2530 青岛中人智业生物科技有限公司	着色剂(Ⅱ):辣椒红、天然叶黄素(源自万寿菊)
饲添(2009)2531 青岛星星协力生物工程有限公司	微生物添加剂(Ⅰ):枯草芽孢杆菌、沼泽红假单胞菌
饲添(2009)2532 龙口新龙食油有限公司	大豆磷脂(Ⅰ)
饲添(2009)2533 东营德高生物技术有限责任公司	微生物添加剂(Ⅰ):枯草芽孢杆菌、嗜酸乳杆菌、产朊假丝酵母;酸度调节剂(Ⅱ):丁酸钠;甜菜碱(Ⅱ)
饲添(2009)2534 海南泓缘生物科技有限公司	微生物添加剂(Ⅰ):嗜酸乳杆菌
饲添(2009)2535 河北远征禾木药业有限公司	维生素(Ⅱ):L-抗坏血酸-2-磷酸酯
饲添(2009)2536 湖北三新磷钙有限公司	矿物元素(Ⅰ):磷酸三钙
饲添(2009)2537 四川蜀灿化工有限责任公司	矿物元素(Ⅰ):磷酸二氢钠、磷酸二氢钾、磷酸二氢钙
饲添(2009)2538 石家庄牧得发饲料有限公司	矿物元素(Ⅱ):硫酸镁、硫酸亚铁、硫酸铜、硫酸锌、硫酸锰
饲添(2009)2539 福建深纳生物工程有限公司	矿物元素(Ⅰ):硫酸亚铁、硫酸铜、氧化锌、硫酸锌、硫酸锰
饲添(2009)2540 西安新天地草业有限公司	微生物添加剂(Ⅰ):(嗜酸乳杆菌、酿酒酵母)
饲添(2009)2541 昆明金池冶炼有限公司	矿物元素(Ⅰ):硫酸锌
饲添(2009)2542 上海久牧生物技术有限公司	甜菜碱(Ⅱ)
饲添(2009)2543 广州科仁生物工程有限公司	防霉剂(Ⅱ):(双乙酸钠、丙酸钙)
饲添(2009)2544 珠海天凯生物科技有限公司	复合酶制剂(Ⅱ):(纤维素酶、β-葡聚糖酶、蛋白酶、木聚糖酶)
饲添(2009)2545 广西兴美祥钛白粉有限公司	矿物元素(Ⅱ):硫酸亚铁
饲添(2009)2546 哈尔滨市慢精特壮牛饲料厂	非蛋白氮(Ⅰ):缩二脲
饲添(2009)2547 西南合成制药股份有限公司	维生素(Ⅱ):VE
饲添(2009)2548 荆州市正欣生物工程有限公司	微生物添加剂(Ⅱ):枯草芽孢杆菌
饲添(2009)2549 肇东市秉川生物工程技术有限责任公司	微生物添加剂(Ⅰ):枯草芽孢杆菌、产朊假丝酵母、沼泽红假单胞菌
饲添(2009)2550 杭州大凯生物科技有限公司饲料分公司	复合酶制剂(Ⅰ):(纤维素酶产自长柄木霉、β-葡聚糖酶产自黑曲霉、蛋白酶产自黑曲霉、木聚糖酶产自长柄木霉)
饲添(2009)2551 绵阳川银化工有限公司	矿物元素(Ⅰ):磷酸氢钙、磷酸二氢钙
饲添(2009)2552 德阳市锦程化工有限公司	矿物元素(Ⅰ):硫酸锌
饲添(2009)2553 济南新佳和生物工程有限公司	抗氧化剂(Ⅱ):乙氧基喹啉;调味剂和香料(Ⅱ):糖精钠、食品用香料;甜菜碱(Ⅱ)、大蒜素(Ⅱ)

饲添(2009)2554	济南三合饲料添加剂有限公司	矿物元素(Ⅱ):硫酸亚铁
饲添(2009)2555	济南维特福生物科技有限公司	维生素(Ⅱ):VB_2、VB_{12}、VC、VE、VK_3;大蒜素(Ⅱ)
饲添(2009)2556	寿光市天祥饲料添加剂有限公司	矿物元素(Ⅰ):磷酸氢钙
饲添(2009)2557	泰安大农动物保健品有限公司	大蒜素(Ⅱ);大豆磷脂(Ⅱ)
饲添(2009)2558	新泰市益丰源饲料添加剂有限公司	矿物元素(Ⅰ):磷酸氢钙
饲添(2009)2559	海阳海富生物科技有限公司	微生物添加剂(Ⅰ):沼泽红假单胞菌
饲添(2009)2560	长沙英赛特生物技术有限公司	调味剂(Ⅱ):糖精钠
饲添(2009)2561	石家庄市森威生物技术有限责任公司	维生素(Ⅱ):VC、VE、VK_3
饲添(2009)2562	南通中牧生物科技有限公司	防霉剂(Ⅱ):丙酸、丙酸铵
饲添(2009)2563	武汉科诺生物科技股份有限公司	微生物添加剂(Ⅰ):枯草芽孢杆菌
饲添(2009)2564	武汉有机实业股份有限公司	防腐剂、防霉剂和酸度调节剂(Ⅰ):苯甲酸、苯甲酸钠
饲添(2009)2565	厦门金达威维生素股份有限公司东孚分公司	维生素(Ⅱ):VA、VB_{12}、VD_3、VE、D－生物素
饲添(2009)2566	吉林市浩瀚宝生态农业技术开发有限公司	复合微生物添加剂(Ⅰ):(嗜酸乳杆菌、酿酒酵母)
饲添(2009)2567	湖北康博金生物科技有限公司	复合微生物添加剂(Ⅰ)(Ⅱ):(枯草芽孢杆菌、嗜酸乳杆菌、产朊假丝酵母)
饲添(2009)2568	湘潭湘钢瑞辉环保资源有限公司	矿物元素(Ⅰ):硫酸亚铁、硫酸锰
饲添(2009)2569	东方希望包头生物工程有限公司	氨基酸(Ⅰ):L－赖氨酸硫酸盐及其发酵副产物(产自谷氨酸棒杆菌,L－赖氨酸含量不低于51%)
饲添(2009)2570	厦门兴牧威动物保健品有限公司	维生素(Ⅰ):L－抗坏血酸－2－磷酸酯
饲添(2009)2571	武汉远丰生物科技有限公司	微生物添加剂(Ⅰ)(Ⅱ):枯草芽孢杆菌、酿酒酵母
饲添(2009)2572	金光食品(宁波)有限公司	大豆磷脂(Ⅰ)
饲添(2009)2573	天津北方食品有限公司	调味剂和香料(Ⅱ):(糖精钠、食品用香料)
饲添(2009)2574	湖南美可达生物资源有限公司	天然类固醇萨洒皂角苷(源自丝兰)(Ⅰ)
饲添(2009)2575	上海艾魁英生物科技有限公司	溶菌酶(Ⅰ)(Ⅱ)
饲添(2009)2576	陕西易奇生物科技有限责任公司	微生物添加剂(Ⅰ)(Ⅱ):枯草芽孢杆菌、嗜酸乳杆菌、沼泽红假单胞菌
饲添(2009)2577	庆阳金杰生物科技有限公司	抗氧化剂(Ⅱ):乙氧基喹啉、二丁基羟基甲苯(BHT);防霉剂(Ⅱ):(双乙酸钠、丙酸、丙酸铵、苯甲酸钠、富马酸)
饲添(2009)2578	上虞新和成生物化工有限公司	维生素(Ⅰ)(Ⅱ):维生素A乙酸酯;着色剂(Ⅰ):β－胡萝卜素、β,β－胡萝卜素－4,4－二酮(斑蝥黄)、虾青素
饲添(2009)2579	开远市银通经贸有限公司	矿物元素(Ⅰ):磷酸氢钙、磷酸二氢钙
饲添(2009)2580	新疆雅荠生物制品有限公司	微生物添加剂(Ⅰ)(Ⅱ):(嗜酸乳杆菌、植物乳杆菌、酿酒酵母)
饲添(2009)2581	山东晟隆精化高科技有限公司	甜菜碱盐酸盐(Ⅰ)
饲添(2009)2582	邹平巨佳胆碱有限公司	维生素(Ⅱ):氯化胆碱
饲添(2009)2583	寿光市伟泰饲料添加剂厂	矿物元素(Ⅰ):磷酸氢钙
饲添(2009)2584	潍坊昊丰饲料有限公司	香料(Ⅱ):食品用香料甜菜碱(Ⅱ)
饲添(2009)2585	潍坊明天生物科技有限公司	防霉剂(Ⅱ):(双乙酸钠、丙酸、丙酸钙、富马酸);调味剂和香料(Ⅱ):(糖精钠、食品用香料);甜菜碱(Ⅱ)、大蒜素(Ⅱ)
饲添(2009)2586	潍坊市星辰饲料添加剂有限公司	矿物元素(Ⅰ):磷酸氢钙
饲添(2009)2587	潍坊金翠生物科技有限公司	维生素(Ⅱ):VB_1、VB_2、VC、VE、VK_3
饲添(2009)2588	潍坊联众生物化学有限公司	矿物元素及其络(螯)合物(Ⅰ):蛋氨酸铜络(螯)合物、蛋氨酸铁络(螯)合物、蛋氨酸锌络(螯)合物、吡啶甲酸铬;防霉剂(Ⅱ):丙酸;调味剂和香料(Ⅱ):(糖精钠、食品用香料);粘结剂(Ⅱ):木质素磺酸盐;大蒜素(Ⅰ)(Ⅱ)

饲添(2009)2589湖南泰谷生物科技有限责任公司	微生物添加剂(Ⅰ)(Ⅱ):枯草芽孢杆菌、酿酒酵母
饲添(2009)2590泰兴市祥林饲料添加剂有限公司	抗氧化剂(Ⅱ):乙氧基喹啉、二丁基羟基甲苯(BHT);防霉剂(Ⅱ):(双乙酸钠、丙酸钙、苯甲酸、苯甲酸钠、富马酸)
饲添(2009)2591湖北立业生物制品有限公司	酶制剂(Ⅰ):淀粉酶(产自黑曲霉)、植酸酶(产自黑曲霉)、纤维素酶(产自长柄木霉)、木聚糖酶(产自长柄木霉);复合酶制剂(Ⅰ)(Ⅱ):(纤维素酶产自长柄木霉、木聚糖酶产自长柄木霉)
饲添(2009)2592宜昌三峡制药有限公司	氨基酸(Ⅰ):缬氨酸
饲添(2009)2593内蒙古溢多利生物科技有限公司	酶制剂(Ⅰ)(Ⅱ):植酸酶(产自米曲霉)、木聚糖酶(产自枯草芽孢杆菌)
饲添(2009)2594邵阳市神舟化工有限公司	矿物元素(Ⅰ):硫酸锰
饲添(2009)2595四川金沙纳米技术有限公司	矿物元素(Ⅰ):硫酸亚铁
饲添(2009)2596济源市丰田肥业有限公司	矿物元素(Ⅰ):磷酸氢钙
饲添(2009)2597新疆海星资环生物科技有限公司	维生素(Ⅱ):VA、VB_1、VB_2、VC、VD_3;微生物添加剂(Ⅱ):枯草芽孢杆菌、植物乳杆菌、酿酒酵母;抗结块剂(Ⅱ):二氧化硅;大蒜素(Ⅱ)
饲添(2009)2598佛山市顺德区容桂中琦粉体材料厂	二氧化硅(Ⅱ)
饲添(2009)2599清远海贝生物技术有限公司	维生素(Ⅱ):VC;微生物添加剂(Ⅰ):枯草芽孢杆菌、酿酒酵母、沼泽红假单胞菌、植物乳杆菌;大蒜素(Ⅱ)
饲添(2009)2600江苏奕农生物工程有限公司	酶制剂(Ⅰ):淀粉酶(产自黑曲霉)、β-葡聚糖酶(产自黑曲霉)、甘露聚糖酶(产自迟缓芽孢杆菌)、植酸酶(产自黑曲霉)、木聚糖酶(产自米曲霉)
饲添(2009)2601昆山中环实业有限公司	矿物元素(Ⅰ):硫酸铜
饲添(2009)2602贵州省贵定县平山化工有限公司	矿物元素(Ⅰ):磷酸二氢钙
饲添(2009)2603陕西益稼生态科技有限公司	微生物添加剂(Ⅰ):植物乳杆菌、酿酒酵母、沼泽红假单胞菌
饲添(2009)2604潍坊慧科化工有限公司	维生素(Ⅰ):肌醇
饲添(2009)2605湖南省绿衡化工有限公司	矿物元素(Ⅰ):氧化锌、硫酸锌;矿物元素(Ⅱ):硫酸亚铁、硫酸铜
饲添(2009)2606山东天音生物科技有限公司	着色剂(Ⅰ)(Ⅱ):辣椒红、天然叶黄素(源自万寿菊)
饲添(2009)2607建平县宏大禽业有限公司	微生物添加剂(Ⅱ):枯草芽孢杆菌、植物乳杆菌
饲添(2009)2608广西武鸣加成淀粉有限公司	α-淀粉(Ⅰ)
饲添(2009)2609贵州美泰饲料添加剂有限公司	矿物元素(Ⅰ):磷酸氢钙、磷酸二氢钙
饲添(2009)2610齐河巨金洋动物保健品有限公司	维生素(Ⅱ):VC、VE
饲添(2009)2611威海市宏延饲料有限公司	维生素(Ⅱ):VC、VE
饲添(2009)2612嘉祥华萌生物饲料有限公司	维生素(Ⅱ):VB_1、VB_2、VB_6、VC、VE、VK_3
饲添(2009)2613河北科瑞生物科技有限公司	抗氧化剂(Ⅱ):乙氧基喹啉、丁基羟基茴香醚、二丁基羟基甲苯;防霉剂(Ⅱ):丙酸钙、双乙酸钠、苯甲酸钠、山梨酸钾;酸度调节剂(Ⅱ):乳酸、富马酸、柠檬酸;调味剂(Ⅱ):糖精钠、食品用香料;大蒜素(Ⅱ)
饲添(2009)2614广州市名花香料有限公司	香料(Ⅱ):食品用香料
饲添(2009)2615广州市威司特生物科技有限公司花都工厂	酶制剂(Ⅱ):β-葡聚糖酶、甘露聚糖酶、蛋白酶、木聚糖酶
饲添(2009)2616河南金丹乳酸科技有限公司	矿物元素(Ⅰ):乳酸钙、乳酸亚铁;防腐剂、防霉剂和酸度调节剂(Ⅰ):乳酸
饲添(2009)2617哈尔滨宏利动物保健品厂	维生素(Ⅱ):VB_1、VB_2、VC、VE;微生物添加剂(Ⅱ):枯草芽孢杆菌、嗜酸乳杆菌、产朊假丝酵母
饲添(2009)2618吉林市益益生物科技有限公司	微生物添加剂(Ⅰ):枯草芽孢杆菌、嗜酸乳杆菌、酿酒酵母

饲添(2009)2619江苏正通大福饲料有限公司	微生物添加剂(Ⅰ)(Ⅱ):枯草芽孢杆菌、粪肠球菌、产朊假丝酵母、沼泽红假单胞菌
饲添(2009)2620益海(连云港)油化工业有限公司	丙三醇(Ⅰ)
饲添(2009)2621萍乡宝海锌业有限公司	矿物元素(Ⅰ):硫酸锌
饲添(2009)2622新昌县海川生物科技有限公司	维生素(Ⅱ):VE
饲添(2009)2623攀枝花兴加环保技术有限公司	矿物元素(Ⅱ):硫酸亚铁
饲添(2009)2624湖北景襄化工有限公司	矿物元素(Ⅰ):磷酸氢钙、磷酸二氢钙
饲添(2009)2625泰州市盛泰饲料添加剂有限公司	防腐剂(Ⅱ):(双乙酸钠、丙酸、丙酸钙、苯甲酸钠、富马酸);抗氧化剂(Ⅱ):(乙氧基喹啉、丁基羟基茴香醚、二丁基羟基甲苯)
饲添(2009)2626山东润鑫精细化工有限公司	维生素(Ⅰ):VC、L-抗坏血酸-2-磷酸酯
饲添(2009)2627日照澳可生生物科技有限公司	维生素(Ⅱ): VC、VK_3;微生物添加剂(Ⅱ): 枯草芽孢杆菌、沼泽红假单胞菌;甜菜碱盐酸盐(Ⅱ)
饲添(2009)2628巨野润源生物科技有限公司	维生素(Ⅱ):VB_1、VB_2、VB_{12}、VC、VE、VK_3
饲添(2009)2629苏柯汉(潍坊)生物工程有限公司	酶制剂(Ⅰ)(Ⅱ):淀粉酶(产自枯草芽孢杆菌)、纤维素酶(产自长柄木霉)、β-葡聚糖酶(产自黑曲霉)、脂肪酶(产自黑曲霉)、植酸酶(产自黑曲霉)、蛋白酶(产自黑曲霉)、木聚糖酶(产自米曲霉);微生物添加剂(Ⅰ)(Ⅱ):枯草芽孢杆菌、嗜酸乳杆菌、植物乳杆菌、产朊假丝酵母、酿酒酵母
饲添(2009)2630罗田县华阳生化有限公司	维生素(Ⅱ):L-肉碱
饲添(2009)2631长沙赛大汇科饲料有限公司	酸度调节剂(Ⅱ):柠檬酸、磷酸;防霉剂(Ⅱ):丙酸钙、苯甲酸钠;调味剂和香料(Ⅱ):糖精钠、食品用香料
饲添(2009)2632张家界恒兴生物科技有限公司	杜仲叶提取物
饲添(2009)2633湖南利尔康生物有限公司	酶制剂(Ⅰ)(Ⅱ):淀粉酶(产自黑曲霉)、α-半乳糖苷酶(产自黑曲霉)、纤维素酶(产自长柄木霉)、β-葡聚糖酶(产自黑曲霉)、果胶酶(产自黑曲霉)、植酸酶(产自黑曲霉、米曲霉)、蛋白酶(产自黑曲霉)、木聚糖酶(产自长柄木霉)
饲添(2009)2634黑龙江花亭生物技术有限公司	酶制剂(Ⅰ)(Ⅱ):植酸酶(产自黑曲霉)、木聚糖酶(产自米曲霉)
饲添(2009)2635湖州恒亚生物技术有限公司	酶制剂(Ⅱ):淀粉酶、纤维素酶、β-葡聚糖酶、蛋白酶、木聚糖酶
饲添(2009)2636天津市东大化工有限公司	防腐剂、防霉剂和酸度调节剂(Ⅰ):苯甲酸、苯甲酸钠
饲添(2009)2637广济药业(孟州)有限公司	维生素(Ⅰ):VB_2
饲添(2009)2638江西康地恩派尼生物药业有限公司	抗氧化剂(Ⅱ):乙氧基喹啉;防霉剂(Ⅱ):丙酸
饲添(2009)2639广西南宁诺惠动物药业有限公司	维生素(Ⅱ):VB_{12}
饲添(2009)2640魏县兴隆饲料厂	矿物元素(Ⅰ):磷酸氢钙
饲添(2009)2641杨凌柳林制药厂	微生物添加剂(Ⅰ):枯草芽孢杆菌、产朊假丝酵母
饲添(2009)2642宜城市聚鑫磷制品有限公司	矿物元素(Ⅰ):磷酸氢钙
饲添(2009)2643辽宁中信生物科技有限公司	维生素(Ⅰ)(Ⅱ):氯化胆碱
饲添(2009)2644大冶市胜灵生物工程有限公司	矿物元素(Ⅰ):硫酸锰
饲添(2009)2645沙洋天一药业有限公司	氨基酸(Ⅰ):牛磺酸
饲添(2009)2646哈尔滨威尔牧业开发有限公司	微生物添加剂(Ⅱ):枯草芽孢杆菌、嗜酸乳杆菌、产朊假丝酵母
饲添(2009)2647哈尔滨农垦牧王生物科技有限公司	维生素(Ⅱ):VB_1、VB_2、VC、VE; 微生物添加剂(Ⅱ):枯草芽孢杆菌、嗜酸乳杆菌、产朊假丝酵母
饲添(2009)2648潍坊康地恩生物科技有限公司	酶制剂(Ⅰ):纤维素酶(产自长柄木霉)、甘露聚糖酶(产自迟缓芽孢杆菌)、植酸酶(产自黑曲霉)、木聚糖酶(产自米曲霉);微生物添加剂(Ⅰ):枯草芽孢杆菌、粪肠球菌、嗜酸乳杆菌、酿酒酵母

饲添(2009)2649湖南瑞冠生物化工科技有限公司	甜菜碱(Ⅰ)
饲添(2009)2650赤峰四海同心生物科技有限公司	微生物添加剂(Ⅰ):干酪乳杆菌
饲添(2009)2651安徽省思达新材料科技有限公司	矿物元素(Ⅰ)(Ⅱ):碘化钾、碘酸钙、氯化钴、硫酸钴
饲添(2009)2652集贤县福龙达磷脂饲料有限责任公司	大豆磷脂(Ⅰ)
饲添(2009)2653衡水冀化联磷肥制造有限公司	矿物元素(Ⅰ):磷酸氢钙
饲添(2009)2654衡水盛阳工贸有限公司	矿物元素(Ⅰ):硫酸铜
饲添(2009)2655江西春江科技有限公司	矿物元素(Ⅰ):硫酸镁、硫酸亚铁、硫酸铜、氧化锌、硫酸锌、硫酸锰、碘化钾、氯化钴
饲添(2009)2656邵阳三佳饲料添加剂厂	矿物元素(Ⅰ):硫酸锰
饲添(2009)2657电白县亚伯兰生物科技有限公司	微生物添加剂(Ⅰ):枯草芽孢杆菌、嗜酸乳杆菌、酿酒酵母、产朊假丝酵母、沼泽红假单胞菌
饲添(2009)2658广州至圣饲料有限公司	矿物元素及其络(螯)合物(Ⅱ):富马酸亚铁、蛋氨酸铜络(螯)合物、蛋氨酸锌络(螯)合物、甘氨酸铁络(螯)合物、烟酸铬、吡啶甲酸铬;防霉剂(Ⅱ):双乙酸钠、丙酸钙
饲添(2009)2659惠禹饲料蛋白(防城港)有限公司	大豆磷脂(Ⅰ)
饲添(2009)2660灵山长安化工矿业有限公司	矿物元素(Ⅰ):硫酸锰
饲添(2009)2661福泉市黔宇化工有限责任公司	矿物元素(Ⅰ):磷酸二氢钙
饲添(2009)2662武汉千湖生物工程有限责任公司	大蒜素(Ⅱ)
饲添(2009)2663湖南九鼎科技(集团)有限公司兽药分公司	复合微生物添加剂(Ⅱ):枯草芽孢杆菌、粪肠球菌、嗜酸乳杆菌、酿酒酵母
饲添(2009)2664湖南圣雅凯生物科技有限公司	糖萜素(源自山茶籽饼)(Ⅰ)
饲添(2009)2665辽宁西洋特肥有限责任公司	矿物元素(Ⅰ):磷酸氢钙
饲添(2009)2666赤峰川联矿物质饲料有限公司	矿物元素(Ⅰ):磷酸氢钙、磷酸二氢钙
饲添(2009)2667莒南县金秋饲料有限公司	矿物元素(Ⅰ):磷酸氢钙
饲添(2009)2668烟台绿叶动物保健品有限公司	氨基酸(Ⅱ):L－赖氨酸、DL－蛋氨酸、L－苏氨酸、L－色氨酸、L－精氨酸、甘氨酸、L－亮氨酸、异亮氨酸、苯丙氨酸、L－组氨酸、缬氨酸、牛磺酸;酸度调节剂(Ⅱ):甲酸、丙酸、乳酸、柠檬酸、柠檬酸钠;黏结剂、抗结块剂和稳定剂(Ⅱ):海藻酸钠、海藻酸钾、海藻酸铵;多糖和寡糖(Ⅱ):低聚壳聚糖、果寡糖、甘露寡糖
饲添(2009)2669青岛新康生物科技有限公司	维生素(Ⅱ):VB_1、VB_2、VC、VK_3;矿物元素(Ⅱ):富马酸亚铁;酸度调节剂(Ⅱ):乳酸、柠檬酸
饲添(2009)2670上海东辰粮油有限公司	大豆磷脂(Ⅰ)
饲添(2009)2671上海云昕化工有限公司	抗氧化剂(Ⅱ):乙氧基喹啉、丁基羟基茴香醚(BHA)、二丁基羟基甲苯(BHT)
饲添(2009)2672浙江惠嘉生物科技有限公司	氨基酸(Ⅱ):L－赖氨酸盐酸盐、DL－蛋氨酸;维生素(Ⅱ):维生素A乙酸酯、β－胡萝卜素、VD_3、VE;矿物元素(Ⅱ):氧化锌;微生物添加剂(Ⅰ)(Ⅱ):地衣芽孢杆菌、枯草芽孢杆菌、粪肠球菌、嗜酸乳杆菌、乳酸片球菌、丁酸梭菌;酸度调节剂(Ⅱ):乳酸、富马酸、柠檬酸丁酸钠(Ⅱ);调味剂(Ⅱ):糖精钠
饲添(2009)2673宁波大红鹰生物工程股份有限公司	维生素(Ⅱ):β－胡萝卜素、VE
饲添(2009)2674广州市正百饲料科技有限公司	酸度调节剂(Ⅱ):甲酸、甲酸钙、乙酸、丙酸钙、乳酸、富马酸、柠檬酸、柠檬酸钠、磷酸
饲添(2009)2675北京奕农顺丰生物技术有限公司	酶制剂(Ⅱ):淀粉酶、纤维素酶、β－葡聚糖酶、甘露聚糖酶、植酸酶、蛋白酶、木聚糖酶
饲添(2009)2676沈阳顺旺动物药业有限公司	维生素(Ⅱ):VA、VD_3、VE;防霉剂(Ⅱ):丙酸、丙酸铵、富马酸;抗结块剂(Ⅱ):二氧化硅;寡糖(Ⅱ):果寡糖、甘露寡糖
饲添(2009)2677江西省百思特动物药业有限公司	防霉剂(Ⅱ):丙酸铵、丙酸钙

饲添(2009)2678 广西贺州建联化工有限公司	矿物元素(Ⅰ):硫酸亚铁
饲添(2009)2679 攀枝花市龙旺工贸有限公司	矿物元素(Ⅰ):硫酸亚铁
饲添(2009)2680 安徽丰原发酵技术工程研究有限公司	氨基酸(Ⅰ):L－色氨酸
饲添(2009)2681 福建以诺生物科技有限公司	微生物添加剂(Ⅰ):枯草芽孢杆菌、嗜酸乳杆菌、酿酒酵母
饲添(2009)2682 石家庄荣嘉农业科技开发有限公司	抗氧化剂(Ⅱ):乙氧基喹啉、丁基羟基茴香醚(BHA)、二丁基羟基甲苯(BHT)、没食子酸丙酯;防霉剂(Ⅱ):丙酸;酸度调节剂(Ⅱ):柠檬酸、磷酸;调味剂(Ⅱ):糖精钠、谷氨酸钠
饲添(2009)2683 河北寒鹰工贸有限公司元氏活性氧化锌厂	矿物元素(Ⅰ):氧化锌、硫酸锌
饲添(2009)2684 山东亿嘉恒基生物科技有限公司	矿物元素(Ⅰ):磷酸氢钙
饲添(2009)2685 泰安益海生物技术有限公司	微生物添加剂(Ⅰ)(Ⅱ):枯草芽孢杆菌、酿酒酵母
饲添(2009)2686 济南绿康奥生物科技有限公司	微生物添加剂(Ⅱ):枯草芽孢杆菌、嗜酸乳杆菌、酿酒酵母
饲添(2009)2687 潍坊亚欣工贸有限公司	矿物元素(Ⅰ):磷酸氢钙
饲添(2009)2688 山东寿光富士达生物科技有限公司	微生物添加剂(Ⅰ):枯草芽孢杆菌、粪肠球菌、嗜酸乳杆菌、植物乳杆菌、产朊假丝酵母、酿酒酵母

2009 年全国添加剂预混合饲料生产许可证名单

生产许可证编号	企业名称	生产许可证编号	企业名称
饲预(2009)5538	南皮县华盈农牧科技有限公司	饲预(2009)5563	山东省滨州畜牧兽医工程开发研究院
饲预(2009)5539	大连力源牧业有限公司	饲预(2009)5564	临沂市金泉农业科技开发有限公司
饲预(2009)5540	哈尔滨德宝科丰牧业发展有限公司	饲预(2009)5565	莱芜菁华药业有限责任公司
饲预(2009)5541	杭州保安康生物技术有限公司	饲预(2009)5566	东营德高生物技术有限责任公司
饲预(2009)5542	黑龙江格跃玛饲料有限公司	饲预(2009)5567	湖南现代资源农业科技有限公司
饲预(2009)5543	哈尔滨晟昱百加饲料有限公司	饲预(2009)5568	张掖市明珠生物科技有限责任公司
饲预(2009)5544	六安广通生物科技有限责任公司	饲预(2009)5569	福州德创饲料有限公司
饲预(2009)5545	始兴县溢康生物科技有限公司	饲预(2009)5570	汝南县大桥饲料有限公司
饲预(2009)5546	河南德邻饲料有限公司	饲预(2009)5571	洛阳惠德生物工程有限公司
饲预(2009)5547	郑州牧港动物药业有限公司	饲预(2009)5572	东莞市奥元饲料有限公司
饲预(2009)5548	山西瑞莱动医科技有限公司	饲预(2009)5573	珠海天凯生物科技有限公司
饲预(2009)5549	北京益农博创生物科技有限公司	饲预(2009)5574	福建宁德贝迪生物科技有限公司
饲预(2009)5550	南靖县茗联饲料厂	饲预(2009)5575	上海龙园赛鸽制药有限公司
饲预(2009)5551	中盐国本盐业有限公司	饲预(2009)5576	哈尔滨市慢精特壮牛饲料厂
饲预(2009)5552	诺伟司饲料添加剂(上海)有限公司	饲预(2009)5577	广州科仁生物工程有限公司
饲预(2009)5553	江西加大科技饲料有限公司	饲预(2009)5578	广西神达工贸有限公司神达饲料添加剂厂
饲预(2009)5554	江西邦得利饲料科技有限公司	饲预(2009)5579	重庆光辉饲料有限公司
饲预(2009)5555	江西省千目高新科技有限公司	饲预(2009)5580	哈尔滨市群生饲料有限公司
饲预(2009)5556	江苏天蓬饲料有限公司	饲预(2009)5581	郑州峰源生物技术有限公司
饲预(2009)5557	南通全顺饲料有限公司	饲预(2009)5582	江西达葆维生物技术有限公司
饲预(2009)5558	新疆浩祥饲料有限公司	饲预(2009)5583	江西康威饲料有限公司
饲预(2009)5559	亚太兴牧(北京)科技有限公司	饲预(2009)5584	南昌普瑞美饲料厂
饲预(2009)5560	北京中农天成科技有限公司	饲预(2009)5585	江西博大动物保健品有限公司
饲预(2009)5561	赤峰四海同心生物科技有限公司		
饲预(2009)5562	沈阳中牧生物科技有限公司		

饲预(2009)5586 邛崃协同微牧饲料有限公司
饲预(2009)5587 广州市梅诺生物科技有限公司
饲预(2009)5588 天津众凯维科技有限公司
饲预(2009)5589 天津大方饲料有限公司
饲预(2009)5590 赤峰九州大地饲料有限公司
饲预(2009)5591 北京中农兴饲料科技有限公司
饲预(2009)5592 济南维特福生物科技有限公司
饲预(2009)5593 烟台邦基饲料有限公司
饲预(2009)5594 郓城县金牧菁华饲料有限公司
饲预(2009)5595 长沙湘汇栏之宝饲料科技有限公司
饲预(2009)5596 石家庄象大生物药业有限公司
饲预(2009)5597 石家庄市森威生物技术有限责任公司
饲预(2009)5598 常熟吉成生物工程技术有限公司
饲预(2009)5599 北京博思汇科生物技术有限公司
饲预(2009)5600 北京生安药业有限公司
饲预(2009)5601 北京牧天饲料有限公司
饲预(2009)5602 安徽华澳生物技术有限公司
饲预(2009)5603 成都丰泽农牧饲料有限公司
饲预(2009)5604 四川省简阳爱迪饲料药物有限公司
饲预(2009)5605 陕西华兽动物药业有限公司
饲预(2009)5606 哈尔滨市兴华饲料有限责任公司
饲预(2009)5607 湖北农家源饲料科技有限公司
饲预(2009)5608 上海海勤生物技术有限公司
饲预(2009)5609 成都优而优饲料有限公司
饲预(2009)5610 四川旺大农牧科技有限公司
饲预(2009)5611 农标普瑞纳(成都)饲料有限公司
饲预(2009)5612 绵阳市唐记饲料有限责任公司
饲预(2009)5613 厦门市殷海饲料有限公司
饲预(2009)5614 湖南美可达生物资源有限公司
饲预(2009)5615 陕西易奇生物科技有限责任公司
饲预(2009)5616 广东双胞胎饲料有限公司
饲预(2009)5617 河北省生化发展有限公司
饲预(2009)5618 山东福祖畜牧科技有限公司
饲预(2009)5619 临沂和美华饲料有限公司
饲预(2009)5620 临沂惠尔动物营养有限公司
饲预(2009)5621 临沂倍加利科技饲料有限公司
饲预(2009)5622 河南德施普饲料科技有限公司
饲预(2009)5623 郑州后羿制药有限公司
饲预(2009)5624 长治市芬亚华生物工程有限公司
饲预(2009)5625 浚县兴旺饲料有限责任公司
饲预(2009)5626 南江县陈记饲料厂
饲预(2009)5627 四川省丰润兴饲料有限责任公司
饲预(2009)5628 广州市普克生物科技有限公司
饲预(2009)5629 广州市大地动物保健品有限公司
饲预(2009)5630 江门市裕宝生物科技有限公司
饲预(2009)5631 肇庆超凡生物科技有限公司
饲预(2009)5632 福州德裕饲料有限公司
饲预(2009)5633 莆田市金日兴生物科技开发有限公司
饲预(2009)5634 西平县邦威牧业有限公司
饲预(2009)5635 云南绿盛美地农牧发展有限公司
饲预(2009)5636 河南丰源饲料科技发展有限公司
饲预(2009)5637 徐州力生源生物科技有限公司
饲预(2009)5638 宿迁多瑞尔动物营养有限公司
饲预(2009)5639 广州为康饲料有限公司
饲预(2009)5640 新饲记(漳州)饲料有限公司
饲预(2009)5641 漳州新丰牧饲料有限公司
饲预(2009)5642 上海源耀生物科技有限公司
饲预(2009)5643 上海谷歌丰饲料科技有限公司
饲预(2009)5644 郑州福来饲料有限公司
饲预(2009)5645 农标普瑞纳(郑州)饲料有限公司
饲预(2009)5646 漳州大北农农牧科技有限公司
饲预(2009)5647 福州光华百特饲料有限公司
饲预(2009)5648 安徽太阳生物科技有限公司
饲预(2009)5649 新疆呼图壁种牛场有限公司西域春饲料分公司
饲预(2009)5650 云南东道饲料有限公司
饲预(2009)5651 嘉祥华萌生物饲料有限公司
饲预(2009)5652 山东济宁南阳湖农场饲料厂
饲预(2009)5653 齐河巨金洋动物保健品有限公司
饲预(2009)5654 陵县浩月生物科技有限公司
饲预(2009)5655 德州金周牧业有限公司
饲预(2009)5656 威海市宏延饲料有限公司
饲预(2009)5657 山西科维宝生物科技有限公司
饲预(2009)5658 咸阳金星畜牧有限公司
饲预(2009)5659 厦门诺普生物科技有限公司
饲预(2009)5660 石家庄联创动物药业有限公司
饲预(2009)5661 河北科瑞生物科技有限公司
饲预(2009)5662 广州保大饲料有限公司
饲预(2009)5663 广州森亚动物药业有限公司
饲预(2009)5664 广州市闽益生物科技有限公司
饲预(2009)5665 广州市威司特生物科技有限公司花都工厂
饲预(2009)5666 河南碧云天饲料有限公司
饲预(2009)5667 哈尔滨乐农动物营养品有限责任公司
饲预(2009)5668 淮安市淮阴大北农饲料有限公司
饲预(2009)5669 南京敖众生物技术有限公司
饲预(2009)5670 南京帅丰生物科技有限公司
饲预(2009)5671 江西海通农牧有限公司
饲预(2009)5672 内蒙古溢多利生物科技有限公司
饲预(2009)5673 沈阳骆驼湘大牧业有限公司
饲预(2009)5674 内蒙古华天制药有限公司

饲预(2009)5675 禹州市立品饲料有限公司
饲预(2009)5676 北京百家旺生物技术有限公司南宁分公司
饲预(2009)5677 合肥市豪博特生物工程有限公司
饲预(2009)5678 合肥新恒饲料科技有限公司
饲预(2009)5679 湖州天云水产饲料助剂厂
饲预(2009)5680 日照澳可生生物科技有限公司
饲预(2009)5681 青岛大信饲料有限公司
饲预(2009)5682 青岛王牌动物健康产品有限公司
饲预(2009)5683 巨野润源生物科技有限公司
饲预(2009)5684 山东信孚派克饲料有限公司
饲预(2009)5685 济南隆盛罗迪牧业发展有限公司
饲预(2009)5686 潍坊金翠生物科技有限公司
饲预(2009)5687 漳州农腾饲料有限公司
饲预(2009)5688 哈尔滨纳百川饲料有限责任公司
饲预(2009)5689 重庆金邦饲料有限公司
饲预(2009)5690 安阳市正大名仕生物科技有限公司
饲预(2009)5691 黑龙江惠德福丰牧业有限公司
饲预(2009)5692 长沙市粒丰饲料有限公司
饲预(2009)5693 长沙施比龙动物药业有限公司
饲预(2009)5694 河南旺大生物科技有限公司
饲预(2009)5695 天津硕普饲料有限公司
饲预(2009)5696 天津诺信饲料有限公司
饲预(2009)5697 江西坤隆动物保健品有限公司
饲预(2009)5698 岳阳市屈原管理区中顺饲料厂
饲预(2009)5699 益阳双羊科技饲料有限公司
饲预(2009)5700 岳阳市湘辉饲料有限公司
饲预(2009)5701 岳阳市红太阳饲料有限公司
饲预(2009)5702 河北联心饲料有限公司
饲预(2009)5703 邯郸市北辰生物科技有限公司
饲预(2009)5704 陕西安佑饲料科技有限公司
饲预(2009)5705 西安心连心生物技术有限公司
饲预(2009)5706 北京美达特科技发展有限公司
饲预(2009)5707 拜泉县龙大饲料有限责任公司
饲预(2009)5708 哈尔滨丰润牧业有限公司
饲预(2009)5709 哈尔滨农垦牧王生物科技有限公司
饲预(2009)5710 山东鲁维素饲料有限公司
饲预(2009)5711 郑州新纪元饲料科技有限公司
饲预(2009)5712 北京科为博生物科技有限公司
饲预(2009)5713 北京奥特奇生物制品有限公司
饲预(2009)5714 河南大畜牧业生物科技有限公司
饲预(2009)5715 哈尔滨宏利动物保健品厂
饲预(2009)5716 石家庄朋友饲料科技有限公司
饲预(2009)5717 海兴县有国预混合饲料添加剂厂
饲预(2009)5718 中农高科(天津)饲料有限公司
饲预(2009)5719 福州孚源饲料有限公司
饲预(2009)5720 安徽省大河饲料有限公司
饲预(2009)5721 北京和利美生物科技有限公司
饲预(2009)5722 福建深纳生物工程有限公司
饲预(2009)5723 广西北流市神琦饲料添加剂厂
饲预(2009)5724 石家庄市汇丰动物保健品有限公司
饲预(2009)5725 哈尔滨艾普饲料有限公司
饲预(2009)5726 江西春江科技有限公司
饲预(2009)5727 南昌金安饲料有限公司
饲预(2009)5728 湖南帝亿生物科技有限公司
饲预(2009)5729 广州至圣饲料有限公司
饲预(2009)5730 北京奕农顺丰生物技术有限公司
饲预(2009)5731 重庆市大发饲料有限责任公司
饲预(2009)5732 广州市千绿生物科技有限公司番禺分公司
饲预(2009)5733 广州市丰收饲料添加剂有限公司
饲预(2009)5734 广州广佳生物科技有限公司
饲预(2009)5735 广州农宝饲料有限公司
饲预(2009)5736 武汉千湖生物工程有限责任公司
饲预(2009)5737 湖南湘久阳饲料科技有限公司
饲预(2009)5738 湖南圣雅凯生物科技有限公司
饲预(2009)5739 南京劳派斯农牧科技有限公司
饲预(2009)5740 江苏江山制药有限公司
饲预(2009)5741 朝阳市中基牧业饲料发展有限公司
饲预(2009)5742 潍坊祥维斯饲料科技有限公司
饲预(2009)5743 榆林市榆阳区天成畜禽养殖有限公司
饲预(2009)5744 陕西星驰生物技术有限公司
饲预(2009)5745 河南九盛堂农牧有限公司
饲预(2009)5746 北京扬翔饲料有限责任公司
饲预(2009)5747 南昌东海岸农牧发展有限公司
饲预(2009)5748 江西牧之肴生物科技有限公司
饲预(2009)5749 利川市五洲牧业有限责任公司生物饲料厂
饲预(2009)5750 帝斯曼维生素(长春)有限公司
饲预(2009)5751 康地饲料(中国)有限公司漳州分公司
饲预(2009)5752 长沙英赛特生物技术有限公司
饲预(2009)5753 厦门容基生物科技有限公司
饲预(2009)5754 星鑫生物科技(福建)有限公司
饲预(2009)5755 龙岩市宝丰生物科技有限公司
饲预(2009)5756 河北奥龙药业有限公司
饲预(2009)5757 沈阳顺旺动物药业有限公司
饲预(2009)5758 河北旺达饲料兽药开发有限公司
饲预(2009)5759 济南聚成生物科技有限公司
饲预(2009)5760 四川国仁饲料科技有限公司
饲预(2009)5761 营口瑞谷耐火材料有限公司饲料分厂

2009年全国换发饲料添加剂和添加剂预混合饲料生产许可证名单

生产许可证编号	企业名称	变更内容
饲添(2005)0057	上海迪赛诺维生素有限公司	增加产品:维生素(Ⅰ):烟酸、烟酰胺、叶酸
饲添(2005)0059	上海邦成生物科技有限公司	增加产品:微生物添加剂(Ⅰ):枯草芽孢杆菌
饲添(2005)0074	浙江大学阳光营养技术有限公司	增加产品:半胱胺盐酸盐(Ⅱ)
饲添(2005)0219 饲预(2005)0683	沧州市正欣源兽药有限公司	企业原名称为:沧州市中捷兽药有限公司
饲添(2005)0230	厦门牡丹饲料科技发展有限公司	增加产品:防霉剂(Ⅱ):丙酸、丙酸钙
饲添(2005)0231	厦门金达威集团股份有限公司	企业原名称为:厦门金达威维生素股份有限公司
饲添(2005)0243 饲预(2005)0788	鞍山市千山区兴达大地矿物质预混料厂	企业名称变更:原名称为鞍山市千山区兴达矿物质预处理厂
饲添(2005)0278	长沙兴嘉生物工程股份有限公司	企业名称变更:原名称为长沙兴嘉生物工程有限公司
饲添(2005)0329	拜耳(四川)动物保健有限公司	增加产品:维生素(Ⅱ):VA乙酸酯、VB1(硝酸硫胺)、VB_2、VB_6、VC、L-抗坏血酸-2-磷酸酯、VD_3、VE、VK_3、D-泛酸钙、叶酸、D-生物素;酶制剂(Ⅱ):植酸酶;复合酶制剂(Ⅱ):(淀粉酶、纤维素酶、β-葡聚糖酶、甘露聚糖酶、蛋白酶、木聚糖酶);复合微生物添加剂(Ⅱ):(枯草芽孢杆菌、嗜酸乳杆菌)
饲添(2005)0451	济南宏天科技发展有限公司	增加产品:着色剂(Ⅱ):辣椒红、天然叶黄素(源自万寿菊);甜菜碱(Ⅱ)
饲添(2005)0605	衡阳市西城中宝饲料原料厂	增加产品:矿物元素(Ⅰ):硫酸钠、氧化锌、硫酸锌
饲添(2005)0609	新津县红星饲料添加剂厂	增加产品:矿物元素(Ⅱ):硫酸铜
饲添(2005)0361	四川川恒化工股份有限公司	企业名称变更:原名称为四川川恒化工(集团)有限责任公司
饲添(2005)0714	乐达(广州)香味剂有限公司	增加产品:抗氧化剂(Ⅱ):(乙氧基喹啉、没食子酸丙酯)
饲添(2005)0978	湘潭市爱洋饲料科技有限公司	企业原名称为:湘潭市鑫宇化工有限公司
饲添(2005)1617	博纳森(天津)药业有限公司	企业名称变更:原名称为天津市林海兽药有限公司
饲添(2005)1818	绵竹市金坤化工有限公司	企业原名称为:四川绵竹市金坤磷化工有限责任公司
饲添(2005)1824	山东中大牧业集团有限公司	企业原名称为:滨州中大牧业有限公司
饲添(2005)1836 饲预(2005)4153	广东腾骏动物药业股份有限公司	企业名称变更:原名称为广东腾骏动物药业有限公司 企业注册地址变更:广东省中山市火炬开发区国家健康科技产业基地欧亚路8号
饲添(2005)1881	沧州市圣源生物科技有限公司	增加产品:酶制剂(Ⅰ):果胶酶(产自黑曲霉) 企业名称变更:原名称为河北力圣环保科技集团有限公司
饲添(2005)1890	南京苏科农业开发有限公司	增加产品:大豆磷脂(Ⅱ)
饲添(2005)1893	南宁市河杨生物科技有限公司	增加产品:微生物添加剂(Ⅰ):枯草芽孢杆菌
饲添(2005)1939 饲预(2005)4410	潍坊伟正动物保健品有限公司	企业原名称为:潍坊伟正饲料有限公司
饲添(2005)1945	西安乐道生物科技有限公司	增加产品:微生物添加剂(Ⅰ):枯草芽孢杆菌、嗜酸乳杆菌、干酪乳杆菌、酿酒酵母
饲添(2005)1957	河北新华科极兽药有限公司	增加产品:调味剂(Ⅱ):糖精钠
饲添(2006)0203	石家庄正大同德饲料厂	企业原名称为:石家庄中山彩虹饲料有限公司
饲添(2006)0907 饲预(2006)2488	杭州康德权饲料有限公司	企业注册地址变更为:浙江省杭州市余杭区仁和镇花园村 增加产品:氨基酸(Ⅱ):L-赖氨酸盐酸盐、DL-蛋氨酸;稳定剂(Ⅱ):(山梨醇酐脂肪酸酯、蔗糖脂肪酸酯、单硬脂酸甘油酯)

批准文号	企业名称	变更内容
饲添(2006)0950	四川隆达畜牧科技有限公司	增加产品：矿物元素及其络(螯)合物(Ⅰ)：蛋氨酸铁络(螯)合物、甘氨酸铁络(螯)合物
饲添(2006)0979	湘潭市环鑫化工有限公司	企业原名称为：湘潭市环鑫化工厂
饲添(2006)1045	临朐山旺硅藻土有限公司	企业原名称为：山东临朐山旺化工有限责任公司 企业注册地址和生产地址名称变更：山东省临朐县龙岗镇解家河村
饲添(2006)0212 饲预(2006)0673	沧州兴业生物技术有限公司	企业原名称为：沧州华雨药业有限公司
饲添(2006)1758	长沙兴加生物技术有限公司	增加产品：矿物元素(Ⅱ)：氧化锌
饲添(2006)1966 饲预(2005)2268	广州市维特福生物科技有限公司	企业注册地址变更为：广东省广州市番禺区沙湾镇福涌村福陇路民营工业区第三街尾
饲添(2006)1973	河北碧隆饲料添加剂有限公司	增加产品：维生素(Ⅰ)：氯化胆碱 企业名称变更：原名称为沧州临港新星饲料添加剂有限公司
饲添(2006)1986 饲预(2006)4508	沈阳禾丰生物技术有限公司	企业注册地址、生产地址名称变更为：辽宁省沈阳市沈北新区辉山经济开发区辉山大街155号 增加产品：微生物添加剂(Ⅰ)：枯草芽孢杆菌、植物乳杆菌、乳酸片球菌、酿酒酵母、沼泽红假单胞菌；酸度调节剂(Ⅱ)：(磷酸、乳酸、柠檬酸)；防霉剂(Ⅱ)：丙酸、丙酸铵
饲添(2006)1995	福建科佳奇迈生物工程有限公司	企业原名称为：龙岩科佳生物工程有限公司
饲添(2006)2018	广州饲料添加剂厂	增加产品：氯化钾(Ⅱ)
饲添(2006)2019	广州中信特种饲料有限公司	增加产品：氯化钾(Ⅱ)
饲添(2006)2020	广州金水动物保健品有限公司	增加产品：维生素(Ⅱ)：：VC、L－肉碱盐酸盐；寡糖(Ⅱ)：甘露寡糖；甜菜碱(Ⅱ)
饲添(2006)2043	北京阔利达生物技术开发有限公司	增加产品：微生物添加剂(Ⅰ)：嗜酸乳杆菌、植物乳杆菌 企业注册地址和生产地址名称变更为：北京市延庆县康庄镇天佑东路18号
饲添(2006)2055	清远先导稀有材料有限公司	企业原名称为：先导(清远)稀有金属化工有限公司
饲添(2006)2071 饲预(2006)1801	济南普罗顿饲料有限公司	企业原名称为：济南兴发饲料有限公司
饲添(2006)2074 饲预(2006)4720	山东亚康药业股份有限公司	企业原名称为：山东亚康药业有限公司 企业注册地址名称变更为：山东省潍坊市寒亭区通亭街657号 企业生产地址名称变更为：山东省潍坊市寒亭区亚星路228号
饲添(2006)2104 饲预(2006)4736	广东大华农动物保健品股份有限公司动物保健品厂	企业原名称为：广东大华农动物保健品有限公司动物保健品厂
饲添(2006)2146	南宁市泽威尔饲料有限责任公司	增加产品：柠檬酸钙(Ⅰ)
饲添(2007)0536	潍坊祥维斯化学品有限公司	增项产品：矿物元素及其络(螯)合物(Ⅰ)：蛋氨酸铁络(螯)合物、蛋氨酸锰络(螯)合物、甘氨酸铜络(螯)合物、吡啶甲酸铬 甜菜碱(Ⅱ)、甜菜碱盐酸盐(Ⅰ)
饲添(2007)0922	山西新立源生物科技有限公司	增加产品：丁酸钠(Ⅰ)
饲添(2007)0927	上海康鑫化工有限公司	增加产品：维生素(Ⅰ)：L－肉碱
饲添(2007)1028	台州市海盛化工有限公司	增加产品：维生素(Ⅱ)：VD_3
饲添(2007)1032	衡阳市珠晖区京成天宝饲料厂	增加产品：矿物元素(Ⅱ)：碘化钾、碘酸钙、氯化钴、亚硒酸钠 企业名称变更：原名称为衡阳市仕成饲料有限责任公司
饲添(2007)1036	建明工业(珠海)有限公司	增加产品：矿物元素(Ⅱ)：丙酸铬、丙酸锌

饲添(2007)1135 饲预(2005)2270	广东省前沿动物保健有限公司	企业名称变更:原名称为广东省农科集团前沿动物保健有限公司
饲添(2007)1181	新发药业有限公司	增加产品:维生素(Ⅱ):VA 乙酸酯、VD_3、VE
饲添(2007)1983 饲预(2005)1337	山东龙力生物科技股份有限公司	企业原名称为:山东龙力生物科技有限公司
饲添(2007)2168	沈阳金科丰牧业科技有限公司	增加产品:维生素(Ⅱ):VB_1、VB_2、VB_6、VC;矿物元素(Ⅱ):吡啶甲酸铬;微生物添加剂(Ⅰ):嗜酸乳杆菌、产朊假丝酵母;复合酶制剂(Ⅱ):淀粉酶、纤维素酶、蛋白酶、木聚糖酶
饲添(2007)2169	沈阳科硕营养科技有限公司	增加产品:维生素(Ⅰ):L-肉碱 企业原名称为:沈阳东宇精细化工有限公司
饲添(2007)2214	泰州市丰润生物科技有限公司	企业名称变更:原名称为泰兴市丰润生物化工厂
饲添(2007)2217 饲预(2007)5046	广州智新无抗饲料发展有限公司	企业原名称为:广州智新水产科技有限公司
饲添(2007)2261	诸城市浩天药业有限公司	增加产品:矿物元素(Ⅰ):磷酸三钙
饲添(2007)2285	广东瑞生科技有限公司	增加产品:调味剂(Ⅱ):糖精钠、谷氨酸钠
饲添(2007)2287	赤峰制药股份有限公司	增加产品:维生素(Ⅱ):D-生物素
饲添(2007)2307	湘潭县响水饲料原料厂	增加产品:矿物元素(Ⅱ):磷酸氢钙、硫酸亚铁、硫酸锌
饲添(2007)2310	广州市和生堂动物药业有限公司	增加产品:大蒜素(Ⅱ)
饲添(2007)2311	广州正和生物科技有限公司	增加产品:矿物元素(Ⅱ):吡啶甲酸铬;抗结块剂(Ⅱ):三氧化二铝、二氧化硅半胱胺盐酸盐(Ⅱ)
饲添(2007)2317 饲预(2007)5238	临沂海润德生物工程有限公司	企业原名称为:青岛海润德生物科技有限公司 企业注册地址变更为:山东省费县建设东路 276 号
饲添(2008)0687	张家港市金源生物化工有限公司	增加产品:酶制剂(Ⅰ):淀粉酶(产自黑曲霉)、纤维素酶(产自长柄木霉)、β-葡聚糖酶(产自黑曲霉)、果胶酶(产自黑曲霉)、蛋白酶(产自黑曲霉)、木聚糖酶(产自长柄木霉)
饲添(2008)1146 饲预(2008)3689	上海华扩达生化科技有限公司	企业注册地址变更为:上海市张江高科技园区居里路 108 号二期通用厂房丁单元
饲添(2008)1349	北京百林康源生物技术有限责任公司	企业注册地址变更为:北京市海淀区西三环北路 27 号一区 405 室
饲添(2008)1441	苏州海嘉诺药业有限公司	企业原名称为:张家港市宏新化学制药有限公司
饲添(2008)1459	浙江天新药业有限公司	增加产品:维生素(Ⅱ):VB_1(盐酸硫胺)、VB_1(硝酸硫胺)、VB_6
饲添(2008)2359	衡阳市隆盛冶炼化工有限责任公司	企业名称变更:原名称为常宁市水口山隆盛冶炼化工有限责任公司
饲添(2008)2364	诺伟司饲料添加剂(上海)有限公司	增加产品:复合酶制剂(Ⅱ):(淀粉酶、纤维素酶、β-葡聚糖酶、甘露聚糖酶、植酸酶、蛋白酶、木聚糖酶);酶制剂(Ⅱ):植酸酶
饲添(2008)2375	黑龙江成福食品集团有限公司	增加产品:氨基酸(Ⅰ):L-赖氨酸硫酸盐及其发酵副产物(产自谷氨酸棒杆菌,L-赖氨酸含量不低于 51%)
饲添(2008)2391	山东泽生生物科技有限公司	增加产品:复合酶制剂(Ⅱ):(淀粉酶、纤维素酶、葡萄糖氧化酶、甘露聚糖酶、果胶酶、蛋白酶、木聚糖酶)
饲添(2008)2407	开鲁县昶辉生物技术有限责任公司	增加产品:着色剂(Ⅰ)(Ⅱ):虾青素
饲添(2008)2409	河北天寅生物技术股份有限公司	增加产品:维生素(Ⅱ):VC
饲添(2008)2447	广州裕立宝生物技术有限公司	增加产品:酶制剂(Ⅱ):淀粉酶、纤维素酶、β-葡聚糖酶、甘露聚糖酶、蛋白酶
饲添(2008)2479	青岛诺和诺康生物技术有限公司	企业原名称为:青岛龙力生物技术有限公司

饲添(2008)2486	大丰海嘉诺药业有限公司	企业原名称为:大丰迪赛诺制药有限公司
饲添(2008)2495	河南孟成生物药业股份有限公司	企业原名称为:河南三宝药业股份有限公司
饲添(2008)2496	瓮福(集团)有限责任公司	企业名称变更:原名称为翁福(集团)有限责任公司
饲添(2009)1470	四川什邡市天丰磷化工有限公司	增加产品:矿物元素(Ⅰ):磷酸二氢钙
饲添(2009)1698	宁夏伊品生物工程股份有限公司	增加产品:氨基酸(Ⅰ):L-色氨酸
饲添(2009)1712	广东肇庆星湖生物科技股份有限公司生物工程基地	增加产品:氨基酸(Ⅰ):L-赖氨酸盐酸盐
饲添(2009)2544	珠海天凯生物科技有限公司	增加产品:酶制剂(Ⅱ):植酸酶
饲添(2009)2549	肇东市秉川生物工程技术有限责任公司	增加产品:微生物添加剂(Ⅱ):枯草芽孢杆菌、产朊假丝酵母、沼泽红假单胞菌
饲添(2009)2560	长沙英赛特生物技术有限公司	增加产品:调味剂和香料(Ⅱ):谷氨酸钠、食品用香料
饲添(2009)2625	泰州市盛泰饲料添加剂有限公司	增加产品:防霉剂(Ⅱ):双乙酸钠、丙酸、丙酸钙、苯甲酸钠、富马酸
饲预(2005)0018	北京劲能生物科技股份公司	企业名称变更:原名称为北京新世纪劲能生物科技有限公司
饲预(2005)0039	北京德佳牧业科技有限公司	企业注册地址变更为:北京市海淀区大钟寺东路9号B座410号
饲预(2005)0087	海口金长城饲料有限公司	企业名称变更:原名称为海口科利民饲料技术有限公司 企业注册地址变更为:海南省海口市海榆中线30号
饲预(2005)0192	河南牧鹤(集团)饲料有限公司	企业原名称为:河南牧鹤饲料添加剂有限公司
饲预(2005)0284	佳木斯新中旭饲料有限公司	企业名称变更:原名称为黑龙江农垦硕亚饲料有限公司 企业注册地址变更为:黑龙江省佳木斯市东风区长胜路南段
饲预(2005)0337	浙江一星实业股份有限公司	企业名称变更:原名称为浙江一星饲料集团有限责任公司
饲预(2005)0384	无锡大江中盛生物科技有限公司	企业名称变更:原名称为无锡市大江中盛饲料有限公司
饲预(2005)0428	江苏先驱饲料科技有限公司	企业原名称为:徐州先驱饲料科技有限公司
饲预(2005)0495	南通大地和饲料科技有限公司	企业原名称为:南通农发畜禽饲料有限公司
饲预(2005)0676	河北保健饲料有限公司	企业原名称为:沧州市保健饲料开发有限公司
饲预(2005)0830	湖南广安生物技术股份有限公司	企业名称变更:原名称为湖南广安生物技术有限公司
饲预(2005)0832	湖南省天心牧业预混料有限责任公司	企业原名称为:湖南天心牧业有限公司
饲预(2005)0840	湖南龙盛科技实业有限公司	企业原名称为:长沙龙盛饲料实业有限公司
饲预(2005)0944	江西省优奇动物保健品有限公司	企业原名称为:江西省响亮实业有限公司 企业注册地址变更为:江西省南昌市小兰工业园汇仁西大道788号
饲预(2005)1017	北京科新伟业饲料有限公司	企业原名称为:北京市平谷科新饲料厂 企业注册地址变更为:北京市平谷区大兴庄镇陈良屯顺平南路2号
饲预(2005)1227	新疆天康畜牧生物技术股份有限公司	企业注册地址变更为:新疆维吾尔自治区乌鲁木齐市高新区长春南路528号
饲预(2005)1267	武汉金土地饲料有限公司	企业注册地址变更为:湖北省武汉市洪山区珞狮南路519号明泽丽湾2-1703
饲预(2005)1373	陕西华秦农牧科技有限公司	企业名称变更:原名称为陕西省饲料厂
饲预(2005)1579	潍坊泰森新昌饲料有限公司昌邑分公司	企业原名称为:昌邑市新昌饲料有限公司
饲预(2005)1718	山东恒祥普惠农牧科技有限公司	企业原名称为:诸城市恒祥饲料有限公司
饲预(2005)1774	烟台臣诺食品有限责任公司招远饲料分公司	企业原名称为:烟台臣诺贸易有限公司招远饲料分公司

饲预(2005)1960	浙江国茂饲料有限公司	企业注册地址变更为:浙江省建德市杨村桥镇百旗街42号
饲预(2005)1999	安徽祥发饲料科技有限公司	企业名称变更:原名称为安徽恒大集团公司科技饲料厂
饲预(2005)2099	北京天福莱生物科技有限公司	企业注册地址变更为:北京市海淀区四季青路8号832
饲预(2005)2139	浙江省农科生物技术有限公司	企业原名称为:浙江省农科院生物技术公司
饲预(2005)2170	中山市健邦饲料科技有限公司	企业名称变更:原名称为中山市纤宝动物保健品技术开发有限公司 企业注册地址变更为:广东省中山市南头镇升辉北路86号
饲预(2005)2222	广州和美华饲料有限公司	企业名称变更:原名称为广州市维康达科技有限公司
饲预(2005)2313	北京英惠尔生物技术有限公司	企业注册地址变更为:北京市海淀区中关村南大街12号农科院内综合科研楼科海福林大厦二层西南1-4、北1-3
饲预(2005)4351	玉林市今朝饲料厂(普通合伙)	企业原名称为:玉林市今朝饲料厂
饲预(2005)4379	盐城约克饲料科技有限公司	企业原名称为:盐城百姓畜牧科技发展有限公司
饲预(2005)4386	潍坊中晨康地饲料科技有限公司	企业原名称为:潍坊鑫诚动物营养科技有限公司
饲预(2005)4482	广州同美饲料有限公司	企业注册地址变更为:广东省广州市白云区石井唐阁蚬岗岭工业区18号
饲预(2006)0263	齐齐哈尔新中旭饲料有限公司	企业名称变更:原名称为原名:齐齐哈尔市牧源饲料有限公司 企业注册地址变更为:黑龙江省齐齐哈尔市龙沙区
饲预(2006)0430	徐州金大生物科技有限公司	企业名称变更:原名称为徐州金牌药业有限公司 企业注册地址变更为:江苏省沛县沛城镇更新路西侧
饲预(2006)0712	石家庄福林特生物科技有限公司	企业原名称为:河北康利动物药业有限公司
饲预(2006)1421	榆林市田丰饲料有限责任公司	企业注册地址变更为:陕西省榆林市榆阳区崇文路5号(榆林学院生命科学研究中心110室)
饲预(2006)1630	山东众成饲料科技有限公司	企业原名称为:泰安市众成饲料科技有限公司 企业注册地址变更为:山东省肥城市高新技术开发区工业二路西首
饲预(2006)2185	佛山市顺德区至正饲料有限公司	企业原名称为:佛山市顺德区幸丰饲料有限公司
饲预(2006)2417	四川新家园动物保健科技有限公司	企业原名称为:四川省家园动物营养保健有限公司 企业注册地址和生产地址名称变更为:四川省遂宁市南津南路9号
饲预(2006)2427	衢州市丰收饲料有限公司	企业原名称为:衢州市衢江区丰收饲料厂
饲预(2006)2552	上海健之素动物保健品有限公司	企业原名称为:上海维康饲料有限公司 企业注册地址和生产地址名称变更为:上海市浦东新区普新路1015弄-61号
饲预(2006)4524	厦门绿色巨农生物科技有限公司	企业原名称为:厦门大北农饲料有限公司
饲预(2006)4729	石家庄麦迪森动物保健品有限公司	企业原名称为:石家庄麦迪森达动物药业有限公司 企业注册地址和生产地址名称变更为:河北省石家庄高新区燕山大街148号
饲预(2006)4759	铁岭朗克生化添加剂有限公司	企业名称变更:原名称为铁岭宏泰生化添加剂有限公司
饲预(2006)4770	湖南昌业生物科技有限公司	企业原名称为:长沙昌业生物科技有限公司
饲预(2006)4774	深圳市裕农科技有限公司	企业原名称为:深圳市裕农饲料有限公司
饲预(2006)4845	乌鲁木齐金牧生物技术有限公司	企业注册地址和生产地址名称变更为:新疆维吾尔自治区乌鲁木齐市北京北路588号
饲预(2006)4848	石家庄市一诺动物药业有限公司	企业原名称为:石家庄市格瑞特动物药业科技有限公司 企业注册地址变更为:河北省藁城市廉州镇表灵村
饲预(2006)4900	湖南大蓝生物科技饲料有限公司	企业原名称为:湖南大成科技饲料有限公司

饲预(2007)3064	广东温氏食品集团有限公司饲料采购中心	企业原名称为:广东温氏食品集团有限公司 企业注册地址变更为:广东省云浮市新兴县簕竹镇榄根综合办公楼三楼
饲预(2007)3100	哈尔滨鸿璐饲料有限公司	企业名称变更:原名称为黑龙江畜牧兽医职业学院三龙饲料厂 企业注册地址变更为:黑龙江省畜牧兽医职业学院实验农场(双城)
饲预(2007)5176	江西铁骑力士牧业科技有限公司	企业原名称为:江西圣迪乐村生态食品有限公司
饲预(2007)5180	新疆骄龙饲料有限责任公司	企业名称变更:原名称为库尔勒威龙饲料加工厂
饲预(2007)5237	亚太中慧(北京)饲料有限公司	企业原名称为:北京德洋恩普饲料有限公司
饲预(2008)0216	上海百世腾饲料有限公司	企业注册地址变更为:上海市奉贤区青村镇泰青路4188号
饲预(2008)2832	眉山国凤生物科技有限公司	企业名称变更:原名称为眉山市东坡区国凤饲料厂 企业注册地址变更为:四川省眉山市东坡区一环路
饲预(2008)3264	四川省通旺农牧有限公司	企业原名称为:四川营山县通旺饲料科技有限公司
饲预(2008)3330	广州市诚一水产科技有限公司	企业注册地址和生产地址名称变更为:广东省广州市番禺区桥南街陈涌综合开发区兴业大道三横路
饲预(2008)3462	广州迈高畜牧科技有限公司	企业原名称为:广州迈高化学有限公司
饲预(2008)5395	南宁市大盈生物饲料有限公司	企业注册地址和生产地址名称变更为:广西壮族自治区南宁市德化路1号
饲预(2008)5410	大成农牧(河南)有限公司	企业原名称为:河南青青饲料有限公司 企业注册地址变更为:河南省驻马店市新蔡县工业集聚区
饲预(2008)5430	陕西景和生物科技有限公司	企业注册地址变更为:陕西省西安市未央区经济技术开发区凤城八路6号
饲预(2008)5458	欧维力生(山东)动物营养品有限公司	企业原名称为:青岛格跃玛动物营养品有限公司 企业注册地址和生产地址名称变更为:山东省青岛市城阳区棘洪滩青岛高新区新材料团地
饲预(2008)5461	江西高胜动物保健品有限公司	企业原名称为:江西东成生物科技有限公司
饲预(2009)5628	广州市普克生物科技有限公司	企业注册地址变更为:广东省广州市天河区龙洞迎龙路226号A3栋3楼 企业生产地址名称变更为:广东省广州市天河区龙洞迎龙路226号A3栋3楼

2009年全国期满换发饲料添加剂生产许可证名单

生产许可证编号	企业名称	产品名称
饲添(2009)0164	沧州市伟业饲料科技有限公司	维生素(Ⅰ)(Ⅱ):氯化胆碱
饲添(2009)0328	成都蜀星饲料有限公司	矿物元素(Ⅱ):磷酸二氢钠、磷酸二氢钾、硫酸镁、氧化镁、硫酸亚铁、硫酸铜、氧化锌、硫酸锌、硫酸锰、碘化钾、碘酸钾、碘酸钙、氯化钴、亚硒酸钠 氯化钾(Ⅱ)
饲添(2009)0345	成都东港饲料有限公司	调味剂和香料(Ⅱ):糖精钠、食品用香料
饲添(2009)0502	黑龙江省赤牛饲料添加剂有限公司	矿物元素(Ⅱ):富马酸亚铁、烟酸铬、吡啶甲酸铬;丁酸钠(Ⅱ);大蒜素(Ⅱ)、乙酰氧肟酸(Ⅱ)
饲添(2009)0504	哈尔滨大雨科技饲料开发有限公司	维生素(Ⅱ):VB_2、VC、VE;矿物元素(Ⅱ):硫酸亚铁、硫酸铜、硫酸锌;微生物添加剂(Ⅱ):嗜酸乳杆菌、产朊假丝酵母

饲添(2009)0557	哈尔滨市新春饲料添加剂厂	维生素(Ⅱ):VA、VB_1、VB_2、VB_6、VB_{12}、VC、VD_3、VE、VK_3;矿物元素(Ⅱ):硫酸亚铁、硫酸铜、硫酸锌、硫酸锰;微生物添加剂(Ⅱ):枯草芽孢杆菌、嗜酸乳杆菌、产朊假丝酵母
饲添(2009)0988	永年县广府天溪饲料添加剂厂	维生素(Ⅱ):氯化胆碱
饲添(2009)1159	湖南省长沙创亿化工厂	矿物元素(Ⅰ):硫酸锌
饲添(2009)1252	乐斯福(明光)有限公司	微生物添加剂(Ⅰ):酿酒酵母
饲添(2009)1259	江门量子高科生物股份有限公司	寡糖(Ⅰ):果寡糖
饲添(2009)1264	河北万泰动物药业有限公司	维生素(Ⅱ):氯化胆碱;微生物添加剂(Ⅰ):(枯草芽孢杆菌、粪肠球菌、产朊假丝酵母)
饲添(2009)1274	江都市联华锌制品厂	矿物元素(Ⅰ):氧化锌
饲添(2009)1311	自贡市飞达科技发展有限公司	微生物添加剂(Ⅰ):枯草芽孢杆菌、嗜酸乳杆菌、植物乳杆菌、产朊假丝酵母、酿酒酵母
饲添(2009)1365	山东圣旺药业股份有限公司	维生素(Ⅱ):VB_1、VB_2、VB_{12}、VC、VE、VK_3
饲添(2009)1383	浙江嘉善诚达药化有限公司	维生素(Ⅰ)(Ⅱ):L－肉碱;维生素(Ⅰ):L－肉碱盐酸盐
饲添(2009)1392	柳州市柳城县广源化工有限责任公司	矿物元素(Ⅰ):氧化锌、硫酸锌
饲添(2009)1407	陕西秦乐饲料科技有限责任公司	维生素(Ⅱ):L－抗坏血酸－2－磷酸酯;酸度调节剂(Ⅱ):(乳酸、富马酸、柠檬酸、磷酸);大蒜素(Ⅱ)
饲添(2009)1408	邵阳市雨溪民政化工厂	矿物元素(Ⅰ):硫酸锰
饲添(2009)1410	四川省什邡市临江化工有限公司	矿物元素(Ⅰ):磷酸氢钙
饲添(2009)1427	四川蓥峰实业有限公司	矿物元素(Ⅰ):磷酸氢钙
饲添(2009)1442	泰安益丰生物科技有限公司	微生物添加剂(Ⅰ)(Ⅱ):(枯草芽孢杆菌、酿酒酵母)
饲添(2009)1447	文登市雨泽银丰动物药业有限公司	维生素(Ⅱ):VB_1、VB_2、VB_{12}、VC、VE、VK_3
饲添(2009)1449	保康尧治河长磷化工有限公司	矿物元素(Ⅰ):磷酸氢钙、磷酸二氢钙
饲添(2009)1450	湖北百成生物科技有限公司	微生物添加剂(Ⅰ):枯草芽孢杆菌、嗜酸乳杆菌、产朊假丝酵母
饲添(2009)1455	云南陆良酶制剂有限责任公司	酶制剂(Ⅰ):植酸酶(产自黑曲霉);复合酶制剂(Ⅰ):淀粉酶(产自枯草芽孢杆菌)、纤维素酶(产自长柄木霉)、果胶酶(产自黑曲霉)、蛋白酶(产自黑曲霉)、木聚糖酶(产自米曲霉)
饲添(2009)1470	四川什邡市天丰磷化工有限公司	矿物元素(Ⅰ):磷酸氢钙
饲添(2009)1473	哈药集团生物疫苗有限公司	维生素(Ⅱ):VB_1、VB_2、VC;微生物添加剂(Ⅰ)(Ⅱ):枯草芽孢杆菌、粪肠球菌、嗜酸乳杆菌、产朊假丝酵母、沼泽红假单胞菌
饲添(2009)1478	广西百合化工股份有限公司	矿物元素(Ⅰ):硫酸亚铁、硫酸锰
饲添(2009)1481	四川省五友农牧有限公司	矿物元素(Ⅱ):硫酸亚铁、硫酸铜、硫酸锌、硫酸锰
饲添(2009)1487	福建省连江业和发展有限公司	α－淀粉(Ⅰ)
饲添(2009)1492	广西奥立高生物科技有限公司	寡糖(Ⅰ):果寡糖
饲添(2009)1495	四川龙蟒钛业股份有限公司	矿物元素(Ⅰ);硫酸亚铁
饲添(2009)1510	聚祥(厦门)淀粉有限公司	α－淀粉(Ⅰ)
饲添(2009)1511	福建三华东物淀粉有限公司	α－淀粉(Ⅰ)
饲添(2009)1527	邵阳市烨青化工有限公司	矿物元素(Ⅰ):硫酸锰
饲添(2009)1530	海南东方大慧淀粉制品有限公司	α－淀粉(Ⅰ)(Ⅱ)
饲添(2009)1540	哈尔滨马利酵母有限公司	微生物添加剂(Ⅰ):酿酒酵母
饲添(2009)1542	富阳市优派特生物技术有限公司	维生素(Ⅰ):L－抗坏血酸钙、L－抗坏血酸－2－磷酸酯维生素(Ⅱ):VC;矿物元素(Ⅰ):硫酸锌

饲添(2009)1558	北京爱绿生物科技有限公司	复合酸度调节剂(Ⅱ):(乳酸、富马酸、柠檬酸、苹果酸、磷酸、碳酸氢钠、氯化钾、碳酸钠)
饲添(2009)1563	石药集团维生药业(石家庄)有限公司	维生素(Ⅰ)(Ⅱ):VC、维生素(Ⅰ):L-抗坏血酸钙、L-抗坏血酸-2-磷酸酯
饲添(2009)1564	通化万赢生物科技有限公司	微生物添加剂(Ⅰ):干酪乳杆菌
饲添(2009)1568	四川省眉山市嘉泰化工有限公司	矿物元素(Ⅰ):磷酸氢钙、磷酸二氢钙
饲添(2009)1574	哈尔滨神农微维饲料有限公司	维生素(Ⅱ):VC、VE;复合酶制剂(Ⅱ):淀粉酶、蛋白酶
饲添(2009)1577	北京都润科技有限公司	微生物添加剂(Ⅰ)(Ⅱ):枯草芽孢杆菌、粪肠球菌、屎肠球菌、嗜酸乳杆菌、酿酒酵母
饲添(2009)1580	邵阳市东宝化工有限责任公司	矿物元素(Ⅰ):硫酸锰
饲添(2009)1581	邵阳市新兴矿物化工厂	矿物元素(Ⅰ):硫酸锰
饲添(2009)1594	青岛润牧动物药业有限公司	维生素(Ⅱ):VB_1、VB_2、VB_{12}、VC、VE、VK_3
饲添(2009)1595	淄博梅康特酶工程有限公司	酶制剂(Ⅰ):纤维素酶(产自长柄木霉)、蛋白酶(产自枯草芽孢杆菌);微生物添加剂(Ⅰ):枯草芽孢杆菌、嗜酸乳杆菌、酿酒酵母
饲添(2009)1597	山东寿光巨能金玉米开发有限公司	氨基酸(Ⅰ):L-赖氨酸盐酸盐、L-赖氨酸硫酸盐及其发酵副产物(产自谷氨酸棒杆菌,L-赖氨酸含量不低于51%)
饲添(2009)1598	山西亿安生物工程有限公司	微生物添加剂(Ⅰ):(嗜酸乳杆菌、酿酒酵母)
饲添(2009)1599	北京牧丰堂生物技术有限责任公司	矿物元素(Ⅱ):富马酸亚铁、烟酸铬大蒜素(Ⅱ)、乙酰氧肟酸(Ⅱ)、半胱胺盐酸盐(Ⅱ)
饲添(2009)1601	赵县亚龙肌醇有限责任公司	维生素(Ⅰ):肌醇
饲添(2009)1603	上海福尔福特种材料科技发展有限公司	抗氧化剂(Ⅰ):乙氧基喹啉
饲添(2009)1604	苏州维华生物科技有限公司	维生素(Ⅰ):L-抗坏血酸-2-磷酸酯
饲添(2009)1609	云南澄江云达化工有限公司	矿物元素(Ⅰ):磷酸氢钙、磷酸二氢钙
饲添(2009)1613	常州市新鸿医药化工技术有限公司	维生素(Ⅰ):叶酸
饲添(2009)1616	北京康华远景科技有限公司	复合酶制剂(Ⅱ):纤维素酶、木聚糖酶;酸度调节剂(Ⅱ):乳酸、柠檬酸;调味剂和香料(Ⅱ):糖精钠、食品用香料
饲添(2009)1621	杭州明瑞饲料科技有限公司	矿物元素及其络(螯)合物(Ⅱ):甘氨酸铁络(螯)合物;调味剂(Ⅱ):糖精钠
饲添(2009)1622	江西天佳实业有限公司	矿物元素(Ⅱ):吡啶甲酸铬;酸度调节剂(Ⅱ):乳酸、柠檬酸、磷酸;调味剂(Ⅱ):糖精钠;大蒜素(Ⅱ)、半胱胺盐酸盐(Ⅱ)
饲添(2009)1629	广东绿百多生物科技有限公司	复合酶制剂(Ⅰ):淀粉酶(产自黑曲霉)、纤维素酶(产自长柄木霉)、果胶酶(产自黑曲霉)、蛋白酶(产自黑曲霉)、木聚糖酶(产自长柄木霉);微生物添加剂(Ⅰ):枯草芽孢杆菌、植物乳杆菌、产朊假丝酵母、沼泽红假单胞菌
饲添(2009)1631	成都旭卫生物科技有限责任公司	矿物元素及其络(螯)合物(Ⅰ):蛋氨酸铜络(螯)合物、蛋氨酸铁络(螯)合物、蛋氨酸锌络(螯)合物、甘氨酸铁络(螯)合物
饲添(2009)1633	寻甸县天浩锌业有限公司	矿物元素(Ⅰ):硫酸锌
饲添(2009)1636	南通醋酸化工股份有限公司	维生素(Ⅰ):烟酸、烟酰胺
饲添(2009)1639	西安骏宝生物有限责任公司	微生物添加剂(Ⅰ):枯草芽孢杆菌、嗜酸乳杆菌、酿酒酵母、沼泽红假单胞菌
饲添(2009)1645	青岛科谷生物制品研发有限公司	微生物添加剂(Ⅰ):枯草芽孢杆菌、粪肠球菌、嗜酸乳杆菌、产朊假丝酵母;复合酶制剂(Ⅰ):淀粉酶(产自枯草芽孢杆菌)、蛋白酶(产自枯草芽孢杆菌)

饲添(2009)1649	昆明市海口和伟有限责任公司	矿物元素(Ⅰ):磷酸氢钙、磷酸二氢钙
饲添(2009)1656	四川绵竹新清华化工有限责任公司	矿物元素(Ⅰ):磷酸氢钙
饲添(2009)1657	四川蓉兴化工有限责任公司	矿物元素(Ⅰ):硫酸钠
饲添(2009)1659	成都三友特种添加商品研究所	微生物添加剂(Ⅰ):沼泽红假单胞菌
饲添(2009)1672	江西博兰生物工程有限公司	酶制剂(Ⅰ)(Ⅱ):纤维素酶(产自长柄木霉)、植酸酶(产自黑曲霉)、木聚糖酶(产自米曲霉)
饲添(2009)1674	浙江省淡水水产研究所鱼药厂	微生物添加剂(Ⅰ):枯草芽孢杆菌
饲添(2009)1683	海城市江勤矿产品有限公司	矿物元素(Ⅰ):氧化镁
饲添(2009)1684	哈尔滨市乳家科技饲料有限公司	复合微生物添加剂(Ⅰ):植物乳杆菌、产朊假丝酵母
饲添(2009)1690	广州巨元生化有限公司	维生素(Ⅰ):肌醇;维生素(Ⅱ):维生素 A 乙酸酯、VE、D－生物素;着色剂(Ⅰ)(Ⅱ):β－胡萝卜素、β,β－胡萝卜素－4,4－二酮(斑蝥黄);着色剂(Ⅱ):天然叶黄素(源自万寿菊);调味剂和香料(Ⅱ):糖精钠、食品用香料
饲添(2009)1691	山东高唐奥星科技有限公司	维生素(Ⅰ)(Ⅱ):氯化胆碱
饲添(2009)1698	宁夏伊品生物工程股份有限公司	氨基酸(Ⅰ):L－赖氨酸盐酸盐、L－赖氨酸硫酸盐及其发酵副产物(产自谷氨酸棒杆菌,L－赖氨酸含量不低于51%)、L－苏氨酸
饲添(2009)1712	广东肇庆星湖生物科技股份有限公司生物工程基地	氨基酸(Ⅰ):L－赖氨酸、L－苏氨酸
饲添(2009)1718	杭州下沙生物科技有限公司	维生素(Ⅰ)(Ⅱ):VD_3
饲添(2009)1730	山东龙昌动物保健品有限公司	抗氧化剂(Ⅱ):乙氧基喹啉双乙酸钠(Ⅱ);调味剂(Ⅱ):5′－鸟苷酸二钠;甘油脂肪酸酯(Ⅱ);甜菜碱(Ⅱ)、大蒜素(Ⅱ)
饲添(2009)1731	济南润牧饲料有限公司	抗氧化剂(Ⅱ):乙氧基喹啉;调味剂(Ⅱ):食品用香料
饲添(2009)1740	陕西中科纳米材料股份有限公司	矿物元素(Ⅰ):氧化锌
饲添(2009)1747	正定县运莱添加剂厂	矿物元素(Ⅰ):磷酸氢钙
饲添(2009)1748	正定县金常山饲料厂	矿物元素(Ⅰ):磷酸氢钙
饲添(2009)1753	河南新乡华星药厂	氨基酸(Ⅰ):L－赖氨酸盐酸盐
饲添(2009)1755	株洲市中南饲料原料厂	矿物元素(Ⅱ):硫酸亚铁、硫酸铜、硫酸锌、硫酸锰
饲添(2009)1772	济宁胆碱厂	维生素(Ⅰ)(Ⅱ):氯化胆碱
饲添(2009)1804	珠海市天贝生物科技有限公司	矿物元素及其络(螯)合物(Ⅱ):蛋氨酸锌络(螯)合物、甘氨酸铁络(螯)合物;复合酶制剂(Ⅱ):(淀粉酶、蛋白酶);微生物添加剂(Ⅱ):枯草芽孢杆菌;抗氧化剂(Ⅱ):(乙氧基喹啉、丁基羟基茴香醚);防霉剂(Ⅱ):(丙酸钠、丁酸钠);酸度调节剂(Ⅱ):(丙酸钙、丁酸、乳酸、富马酸);着色剂(Ⅱ):辣椒红、天然叶黄素(源自万寿菊);调味剂(Ⅱ):糖精钠
饲添(2009)1897	威海华岳动物保健品有限公司	维生素(Ⅱ):VB_1、VB_2、VD_3、VC、VE、VK_3;大蒜素(Ⅱ)
饲添(2009)2082	福州金佰慧生物技术有限公司	矿物元素(Ⅰ):硫酸镁、硫酸亚铁、硫酸铜、氧化锌、硫酸锌、硫酸锰
饲添(2009)2154	武汉华扬科技发展有限公司	维生素(Ⅱ):VC;酸度调节剂(Ⅱ):磷酸、柠檬酸、乳酸、富马酸;调味剂(Ⅱ):糖精钠;甘露寡糖(Ⅱ);蔗糖脂肪酸脂(Ⅱ)、半胱胺盐酸盐(Ⅱ)
饲添(2009)2231	邢台欣美饲料有限公司	维生素(Ⅱ):氯化胆碱 甜菜碱(Ⅰ)(Ⅱ)、甜菜碱盐酸盐(Ⅰ)
饲添(2009)2333	广州市白云区康顺饲料添加剂厂	矿物元素(Ⅱ):硫酸铜、硫酸锰、硫酸亚铁、硫酸锌;酶制剂(Ⅱ):纤维素酶、β－葡聚糖酶、蛋白酶、木聚糖酶
饲添(2009)2509	麦仑(厦门)生物科技有限公司	调味剂和香料(Ⅱ):糖精钠、食品用香料;酸度调节剂(Ⅱ):乳酸、富马酸、柠檬酸、磷酸

饲添(2009)2547 西南合成制药股份有限公司 维生素(Ⅰ)(Ⅱ):VE

2009年全国期满换发添加剂预混合饲料生产许可证名单

许可证编号	企业名称	许可证编号	企业名称
饲预(2009)0059	北京坤泰嘉业科技有限公司	饲预(2009)2837	甘肃武威新天马制药有限责任公司
饲预(2009)0214	上海黑马饲料有限公司	饲预(2009)2963	银川市永宁农林牧科技服务公司
饲预(2009)0223	上海大江饲料有限公司	饲预(2009)3014	宿迁康嘉饲料有限公司
饲预(2009)0230	上海奥登饲料科技有限公司	饲预(2009)3031	滨州市红鲁饲料有限公司
饲预(2009)0250	上海高龙生物科技有限公司	饲预(2009)3044	重庆市万龙饲料有限公司
饲预(2009)0259	哈尔滨神农微维饲料有限公司	饲预(2009)3085	河北万泰动物药业有限公司
饲预(2009)0278	哈尔滨市凯弘饲料厂	饲预(2009)3086	沧州市方正动物药业有限公司
饲预(2009)0303	黑龙江新中旭牧业股份有限公司	饲预(2009)3119	潍坊鹤来饲料有限公司
饲预(2009)0344	浙江海莱特饲料科技有限公司	饲预(2009)3172	新疆伊宁保健饲料有限公司
饲预(2009)0355	南京新华军渔牧技术有限公司	饲预(2009)3176	漳州丰年饲料有限公司
饲预(2009)0363	南京汇通饲料有限公司	饲预(2009)3145	广州市富泉生物科技有限公司
饲预(2009)0374	无锡正大畜禽有限公司	饲预(2009)3186	安徽九牛饲料有限责任公司
饲预(2009)0452	南通中牧生物科技有限公司	饲预(2009)3207	北京红旗饲料有限公司
饲预(2009)0495	南通大地和饲料科技有限公司	饲预(2009)3214	天津市禽泰兽药厂
饲预(2009)0738	厦门星鲨动物保健品厂	饲预(2009)3242	宁夏康益乐生化科技有限公司
饲预(2009)0856	湖南农泰饲料有限公司	饲预(2009)3253	哈尔滨龙威牧业发展有限公司
饲预(2009)1050	成都三友生物工程有限公司	饲预(2009)3298	天津市利普动物饲料添加剂厂
饲预(2009)1073	成都旭农饲料有限公司	饲预(2009)3312	讷河市文丰饲料厂
饲预(2009)1076	成都东港饲料有限公司	饲预(2009)3319	滁州巨大饲料有限公司
饲预(2009)1319	曲阜圣旺饲料有限公司	饲预(2009)3343	长沙美龙生物科技有限公司
饲预(2009)1336	上海新杨饲料工业有限公司五厂	饲预(2009)3350	成都川越维大生物科技有限公司
饲预(2009)1374	陕西石羊集团饲料发展有限公司	饲预(2009)3356	北京驰翔伟业科技有限公司
饲预(2009)1412	西安爱丽丝畜牧有限公司	饲预(2009)3361	内蒙古壮源生物技术有限责任公司
饲预(2009)1417	陕西秦乐饲料科技有限责任公司	饲预(2009)3383	河北荣发生物科技有限公司
饲预(2009)1454	河南雄峰科技有限公司	饲预(2009)3384	吉林华展生物工程有限责任公司
饲预(2009)1490	黑龙江省赤牛饲料添加剂有限公司	饲预(2009)3390	上海高得饲料有限公司
饲预(2009)1492	哈尔滨大江牧业科技有限公司	饲预(2009)3420	徐州利民饲料科技有限公司
饲预(2009)1510	佳木斯北牧饲料有限公司	饲预(2009)3416	大连赛姆生物工程技术有限公司
饲预(2009)1526	哈尔滨大雨科技饲料开发有限公司	饲预(2009)3417	哈药集团生物疫苗有限公司
饲预(2009)1623	临沂启发饲料有限公司	饲预(2009)3434	广西南宁市武鸣益大饲料厂
饲预(2009)1694	潍坊超大科技饲料有限公司	饲预(2009)3438	卜蜂水产饲料(海南)有限公司
饲预(2009)1854	哈尔滨市奥博饲料制造有限公司	饲预(2009)3441	重庆市牧科动物饲料有限公司
饲预(2009)2014	淮北矿务局九一0厂饲料厂	饲预(2009)3449	宁夏农林科学院畜牧兽医研究所(有限公司)
饲预(2009)2018	遂宁市益新饲料有限公司		
饲预(2009)2435	北京普泽泰科技发展有限公司	饲预(2009)3451	内蒙古天使动物保健品有限责任公司
饲预(2009)2496	天津市汉沽区海源饲料厂	饲预(2009)3461	佛山市南海区平洲中区科思利饲料厂
饲预(2009)2500	上海都灵饲料有限公司	饲预(2009)3479	徐州申江饲料有限公司
饲预(2009)2635	太原市小店区凯峰饲料添加剂厂	饲预(2009)3480	徐州市方正饲料厂
饲预(2009)2674	绵阳天大饲料有限公司	饲预(2009)3486	永州市惠康科技有限公司
饲预(2009)2718	天津市普丰饲料科技有限公司	饲预(2009)3504	北京市三元绿荷饲料厂
饲预(2009)2781	遂宁市致富饲料有限公司	饲预(2009)3506	北京华园绿宝科技发展有限公司
饲预(2009)2834	四川富昌饲料有限公司	饲预(2009)3507	北京今日饲料有限公司

饲预(2009)3510　康地饲料(长春)有限公司
饲预(2009)3515　桐乡市大陆生物技术研究所
饲预(2009)3521　宜城市襄大农牧有限公司
饲预(2009)3522　武汉骏辉饲料有限公司
饲预(2009)3550　北京爱绿生物科技有限公司
饲预(2009)3551　北京普顿饲料有限公司
饲预(2009)3554　宿迁市阳光科技饲料有限公司
饲预(2009)3555　徐州强林饲料科技有限公司
饲预(2009)3556　南通市鑫有动物营养品有限公司
饲预(2009)3561　山东九州大地生物技术有限公司
饲预(2009)3563　潍坊华升饲料有限公司
饲预(2009)3567　日照市福得饲料厂
饲预(2009)3572　广西大比大畜牧有限公司
饲预(2009)3579　陕西金科生物科技有限公司
饲预(2009)3582　北京金海伟业饲料有限公司
饲预(2009)3583　河北明日达饲料有限公司
饲预(2009)3584　唐山高尚饲料添加剂厂
饲预(2009)3587　大名县智成畜牧有限公司
饲预(2009)3592　黑龙江九州大地饲料有限公司
饲预(2009)3595　宿迁普朗克生物科技有限公司
饲预(2009)3597　嘉兴红太阳饲料有限公司
饲预(2009)3600　商丘市梁园区起来饲料添加剂厂
饲预(2009)3607　广州市能佳特种饲料厂
饲预(2009)3616　北京万利和科技发展有限责任公司
饲预(2009)3617　北京爱地科技有限公司
饲预(2009)3620　河北国威动物药业有限公司
饲预(2009)3621　呼和浩特市旺牧饲料有限公司
饲预(2009)3622　锦州市玉祥牧业有限公司
饲预(2009)3625　瓦房店市华瑞饲料厂
饲预(2009)3626　连云港力生农牧有限公司
饲预(2009)3627　扬州梵太新天地牧业有限公司
饲预(2009)3628　江西明天饲料科技有限公司
饲预(2009)3631　湖南中联生物技术有限公司
饲预(2009)3638　广州环球生物药品有限公司
饲预(2009)3639　四川省顶呱呱饲料有限公司
饲预(2009)3640　成都农心饲料有限公司
饲预(2009)3647　山东希牛农牧饲料发展有限公司
饲预(2009)3656　青岛润牧动物药业有限公司
饲预(2009)3662　潍坊聚慧科技饲料有限公司
饲预(2009)3666　哈尔滨市奥丰牧业有限公司
饲预(2009)3667　齐齐哈尔市建华区北牧饲料添加剂厂
饲预(2009)3669　哈尔滨英瑞斯饲料有限责任公司
饲预(2009)3678　北京正中博达生物饲料有限公司
饲预(2009)3684　天津市金士利动物饲料添加剂厂
饲预(2009)3685　博纳森(天津)药业有限公司
饲预(2009)3686　现代新农业(集团)股份有限公司
饲预(2009)3688　广州市广吉康饲料有限公司
饲预(2009)3697　郑州九州大地生物技术有限公司
饲预(2009)3700　湖北同星农业有限公司
饲预(2009)3711　重庆蓝天饲料有限公司
饲预(2009)3715　榆林时代牧业科技有限公司
饲预(2009)3716　陕西芳欣动物药业有限公司
饲预(2009)3720　金朝生物科技(河北)有限公司
饲预(2009)3724　淮安恒创生物饲料有限公司
饲预(2009)3725　杭州明瑞饲料科技有限公司
饲预(2009)3730　寿光市山牧饲料有限公司
饲预(2009)3732　寿光市润源饲料有限公司
饲预(2009)3733　广东绿百多生物科技有限公司
饲预(2009)3736　成都旭卫生物科技有限责任公司
饲预(2009)3742　岳阳市屈原管理区丰田饲料厂
饲预(2009)3746　合肥保吉康饲料科技有限公司
饲预(2009)3751　南昌百世腾牧业有限公司
饲预(2009)3752　开封市天泰饲料有限公司
饲预(2009)3754　榆林市榆阳区民利预混合饲料厂
饲预(2009)3755　江西丙申饲料发展有限公司
饲预(2009)3762　科菲特饲料(长春)有限公司
饲预(2009)3763　哈尔滨联众牧业发展有限公司
饲预(2009)3768　厦门德百特生物科技有限公司
饲预(2009)3769　厦门银祥饲料有限公司
饲预(2009)3770　郑州明珠饲料科技有限公司
饲预(2009)3771　开封丰年饲料有限公司
饲预(2009)3775　长沙东立饲料有限公司
饲预(2009)3778　浙江省江山市景明科技饲料有限公司
饲预(2009)3780　佛山市正典生物技术有限公司
饲预(2009)3782　沧州市阳光牧业有限公司
饲预(2009)3784　四川省眉山市畜丰饲料厂
饲预(2009)3785　四川长鸣饲料有限公司
饲预(2009)3787　四川省什邡福斯多饲料有限公司
饲预(2009)3788　天津诺贝达饲料科技发展中心
饲预(2009)3789　天津万象饲料有限公司
饲预(2009)3792　海安县昌农饲料厂
饲预(2009)3793　郑州诺美农饲料有限公司
饲预(2009)3794　海安永泽饲料厂
饲预(2009)3797　湛江市国诚饲料有限公司
饲预(2009)3798　广州市兴达动物药业有限公司
饲预(2009)3801　上海博驰饲料有限公司
饲预(2009)3807　河北民旺饲料有限公司
饲预(2009)3814　湖北九如饲料有限责任公司
饲预(2009)3816　武汉创仡生物技术有限公司
饲预(2009)3819　岳阳市求实饲料科技有限公司
饲预(2009)3834　滨州和美绿色畜牧有限公司
饲预(2009)3840　杭州康源饲料科技有限公司
饲预(2009)3843　荣县方元饲料厂
饲预(2009)3848　绵阳市冯氏饲料有限公司
饲预(2009)3849　广州市嘉仁高新科技有限公司
饲预(2009)3850　广州市康昕饲料有限公司

饲预(2009)3853 安徽隆华生物技术有限责任公司
饲预(2009)3854 安徽强农生物科技有限公司
饲预(2009)3859 岳阳鸿佑饲料有限公司
饲预(2009)3865 上海富朗特动物保健有限公司
饲预(2009)3881 潮州市百发百生物科技有限公司
饲预(2009)3882 广州百世腾饲料有限公司
饲预(2009)3884 惠州市龙泰饲料有限公司
饲预(2009)3898 邵武市利达生物技术有限公司
饲预(2009)3901 成都世纪投资有限公司
饲预(2009)3905 上海农创饲料科技有限公司
饲预(2009)3911 陕西精英牧业科技有限公司
饲预(2009)3915 上海东方希望动物营养食品有限公司
饲预(2009)3918 昆明蓝翔农牧科技有限公司
饲预(2009)3919 郑州益源饲料有限公司
饲预(2009)3920 商丘市宇生饲料有限公司
饲预(2009)3924 哈尔滨市松北区宝丰饲料厂
饲预(2009)3926 山西晋牧源饲料科技有限公司
饲预(2009)3928 济南润牧饲料有限公司
饲预(2009)3941 重庆力士饲料有限公司
饲预(2009)3942 重庆市科发饲料有限公司
饲预(2009)3949 双胞胎饲料有限公司
饲预(2009)3974 浦城县紫丁香饲料添加剂厂
饲预(2009)3975 厦门兴牧威动物保健品有限公司
饲预(2009)3977 长沙贝雅特科技有限公司
饲预(2009)3984 中山市科佳力饲料发展有限公司
饲预(2009)4001 上海新中牧饲料有限公司北京分公司
饲预(2009)4002 江苏安佑科技饲料有限公司
饲预(2009)4005 哈尔滨农垦兴旺饲料有限公司
饲预(2009)4014 重庆市福旺达饲料有限公司
饲预(2009)4023 天津市正元饲料科技有限公司
饲预(2009)4027 大连正泰饲料有限公司
饲预(2009)4040 合肥正美饲料科技有限公司
饲预(2009)4072 嘉善百世威生物技术有限公司
饲预(2009)4116 上海飞帆饲料有限公司
饲预(2009)4195 上海优仕饲料科技有限公司
饲预(2009)4232 奥格生物技术(上海)有限公司
饲预(2009)4345 威海华岳动物保健品有限公司
饲预(2009)4392 徐州远东饲料有限公司
饲预(2009)4398 成都伍田生物科技有限责任公司
饲预(2009)4422 哈尔滨大牧人饲料有限公司
饲预(2009)4504 湖州南珠粒状饲料助剂厂
饲预(2009)4511 四川省华泰牧业发展有限公司
饲预(2009)4768 南京日升昌生物技术有限公司
饲预(2009)4773 珠海市天贝生物科技有限公司
饲预(2009)4897 合肥博特饲料科技有限公司
饲预(2009)4953 黑龙江美龙牧业股份有限公司
饲预(2009)5061 武汉华龙饲料有限公司
饲预(2009)5127 世纪牧歌(北京)动物科技有限公司
饲预(2009)5259 广州市白云区康顺饲料添加剂厂
饲预(2009)5439 石家庄市中农冀丰生物科技有限公司

2009 年全国注销饲料添加剂和添加剂预混合饲料生产许可证名单

生产许可证号	企业名称	注销原因	所在省市
饲添(2002)1155	长沙振驰化工厂	有效期届满未延续的	湖南省
饲添(2003)1421	内蒙古佳农生物技术有限责任公司	已不具备基本生产条件	内蒙古自治区
饲添(2003)1582	邵阳市喜瑞化工厂	有效期届满未延续的	湖南省
饲添(2005)0076 饲预(2005)0322	杭州正大动物保健品有限公司	拆迁	浙江省
饲添(2005)0084	湖州狮王精细化工有限公司	被兼并	浙江省
饲添(2005)0337	成都新创百盛科技饲料有限公司	连续两年未上报备案材料	四川省
饲添(2005)0360	广汉市舒氏白梅添加剂有限公司	连续两年未上报备案材料	四川省
饲添(2005)1619	内蒙古威郡农业环保生物技术有限公司	已不具备基本生产条件	内蒙古自治区
饲添(2005)1756	北京中科景明生物技术有限公司	不具备基本生产条件	北京市
饲添(2005)1782	会东高鑫校办实业有限责任公司西昌分公司	停产 1 年以上	四川省
饲添(2005)1829	横店集团金华家园生物化工有限公司	搬迁至异地	浙江省
饲添(2005)1831 饲预(2005)1937	浙江省德清县江林饲料实业有限公司	其他	浙江省

饲添(2005)1835	湖南海纳百川生物工程有限公司	停产1年以上	湖南省
饲添(2005)1839	邛崃市桑园镇大成饲料添加剂厂	连续两年未上报备案材料	四川省
饲添(2005)1918 饲预(2005)4376	杭州罗华士生物科技有限公司	拆迁	浙江省
饲添(2005)1928	桐庐天地生物有限公司	停产	浙江省
饲添(2005)1948	北京普仁生态技术有限公司	企业已转产	北京市
饲添(2006)0680	衡阳市珠晖地矿饲料添加剂厂	停产1年以上	湖南省
饲添(2006)0807	杭州新港动物保健品厂	停产	浙江省
饲添(2006)0917	天津天动药业有限公司	规划占地,不再建厂	天津市
饲添(2006)1984	杭州明扬生物科技有限公司	停产1年以上	浙江省
饲添(2006)2016	嘉善善生药业有限公司	停产1年以上	浙江省
饲添(2006)2041	浙江普康生物技术股份有限公司	获证后未生产	浙江省
饲添(2006)2042 饲预(2006)4631	杭州万得富生物技术有限公司	拆迁	浙江省
饲添(2006)2068	大诚生化科技(武汉)有限公司	停产1年以上	湖北省
饲添(2006)2114	杭州长三角生物科技有限公司	获证后未生产	浙江省
饲添(2007)1134	绵竹市福利化工厂	连续两年未上报备案材料	四川省
饲添(2007)2209	长沙市开福区光泽生物科技有限公司	停产1年以上	湖南省
饲添(2007)2221	杭州华扬奥博生物技术有限公司	企业已搬迁工商已注销	浙江省
饲添(2007)2233	黑龙江省蓝莓生物工程有限公司	停产1年以上	黑龙江省
饲添(2007)2303	新昌和宝生物科技有限公司	停产	浙江省
饲预(2002)2879	长沙大丰生物科技有限公司	有效期届满未延续的	湖南省
饲预(2002)2975	湘潭市雨湖区比天高预混料厂	有效期届满未延续的	湖南省
饲预(2004)3757	呼和浩特市天奇饲料添加剂厂	已不具备基本生产条件	内蒙古自治区
饲预(2005)0030	北京市开力生物技术公司	已经停产一年以上,已不具备生产条件	北京市
饲预(2005)0123	重庆市永强实用科技有限公司	破产	重庆市
饲预(2005)0313	浙江振兴畜业科技服务中心	其他	浙江省
饲预(2005)0334	宁波饲料工业有限公司	拆迁	浙江省
饲预(2005)0348	浙江衢州双飞饲料有限公司	不具备基本生产条件	浙江省
饲预(2005)0827	汨罗市进军饲料厂	停产1年以上	湖南省
饲预(2005)0891	天津足立饲料科技有限公司	企业重组	天津市
饲预(2005)1019	北京正兴饲料有限责任公司	生产地址和设备发生重大变化,企业不存在	北京市
饲预(2005)1055	成都华罗畜牧饲料科技有限公司	停产1年以上	四川省
饲预(2005)1105	四川省三台县嘉发饲料有限责任公司	连续两年未上报备案材料	四川省
饲预(2005)1118	资中县江南饲料添加剂厂	停产1年以上	四川省
饲预(2005)1124	四川省安岳县龙利饲料添加剂厂	停产1年以上	四川省
饲预(2005)1132	四川国光农化有限公司	停产1年以上	四川省
饲预(2005)1137	四川省乐至县川王牧业科技开发有限公司	不具备基本生产条件	四川省
饲预(2005)1242	北京正天元生物科技发展中心	生产地址和设备发生重大变化,企业不存在	北京市
饲预(2005)1429	咸阳保安兽药有限责任公司	连续两年备案不合格、停产1年以上	陕西省
饲预(2005)1835	哈尔滨市华康饲料加工厂	企业迁址未通知主管部门	黑龙江省
饲预(2005)1891	衡阳市石鼓区牧欢饲料厂	停产1年以上	湖南省
饲预(2005)1945	衢州市衢升兽药有限公司	拆迁	浙江省
饲预(2005)1951	嘉兴市超越饲料有限责任公司	其他	浙江省

饲预(2005)2082	内蒙古曙光饲料添加剂厂	已不具备基本生产条件	内蒙古自治区
饲预(2005)2135	浙江省新昌县金塔兽药有限公司	停产1年以上	浙江省
饲预(2005)2244	三旺饲料添加剂(成都)有限公司	连续两年未上报备案材料	四川省
饲预(2005)4003	赤峰大壮食品科技有限公司	已不具备基本生产条件	内蒙古自治区
饲预(2005)4096	成都翘宝饲料有限公司	连续两年未上报备案材料	四川省
饲预(2005)4097	成都市亿万饲料科技发展有限公司	连续两年未上报备案材料	四川省
饲预(2005)4101	天津市儒邦动物营养添加剂有限公司	搬迁至异地	天津市
饲预(2005)4113	杭州维特康生物科技有限公司	不具备基本生产条件	浙江省
饲预(2005)4115	嵊州市旭源工贸有限公司	停产	浙江省
饲预(2005)4148	自贡市天成饲料有限责任公司	连续两年未上报备案材料	四川省
饲预(2005)4149	大英县永发饲料有限责任公司	停产1年以上	四川省
饲预(2005)4156	北京清大维康科技发展有限公司分公司	生产地址和设备发生重大变化,企业不存在	北京市
饲预(2005)4163	武冈市腾龙饲料有限责任公司	停产1年以上	湖南省
饲预(2005)4223	成都可意得饲料有限公司	连续两年未上报备案材料	四川省
饲预(2005)4320	绵阳市紫阳福兴饲料厂	连续两年未上报备案材料	四川省
饲预(2005)4322	泸州大旺饲料有限公司	停产1年以上	四川省
饲预(2005)4391	绵阳市金龙饲料有限公司	连续两年未上报备案材料	四川省
饲预(2005)4404	天津康普饲料有限公司	停产1年以上	天津市
饲预(2005)4406	绵阳市铁龙饲料厂	连续两年未上报备案材料	四川省
饲预(2005)4446	北京刚德吉尔科技发展有限公司	生产地址和设备发生变化,已不具备生产条件	北京市
饲预(2006)2130	浙江省食品有限公司预混合饲料厂	拆迁	浙江省
饲预(2006)2067	内蒙古青丰化工科技有限公司	已不具备基本生产条件	内蒙古自治区
饲预(2006)2073	准格尔旗正中饲料厂	已不具备基本生产条件	内蒙古自治区
饲预(2006)2265	巴中市蓝德饲料厂	不具备基本生产条件	四川省
饲预(2006)2299	衢州(上海)同仁药业有限公司	拆迁	浙江省
饲预(2006)3446	成都正昌饲料科技有限责任公司	连续两年未上报备案材料	四川省
饲预(2006)4371	天津市东宝饲料有限责任公司	停产一年以上	天津市
饲预(2006)4517	长沙展望饲料科技有限公司	停产1年以上	湖南省
饲预(2006)4537	西安诺邦生物科技有限公司	连续两年备案不合格、停产1年以上	陕西省
饲预(2006)4558	重庆贵福饲料有限公司	破产	重庆市
饲预(2006)4596	成都柯尔金生物技术有限公司	连续两年未上报备案材料	四川省
饲预(2006)4624	绵阳方园饲料有限公司	连续两年未上报备案材料	四川省
饲预(2006)4627	绵阳玛特莱饲料有限公司	破产	四川省
饲预(2006)4742	四川博客亚动物保健品有限公司	连续两年未上报备案材料	四川省
饲预(2007)2261	衡阳市正康科技饲料有限公司	停产1年以上	湖南省
饲预(2007)2495	天津天动药业有限公司	规划占地,不再建厂	天津市
饲预(2007)3578	南充市华珑饲料有限责任公司	不具备基本生产条件	四川省
饲预(2007)4928	城固县万山生物饲料开发有限公司	连续两年备案不合格、停产1年以上	陕西省
饲预(2007)5022	天津市万诺高科生物技术有限公司	不具备基本生产条件	天津市
饲预(2007)5032	长沙誉地生物技术有限公司	停产1年以上	湖南省
饲预(2007)5038	四川省井研县威王饲料厂	不具备基本生产条件	四川省
饲预(2007)5086	常德广天饲料有限公司	停产1年以上	湖南省
饲预(2007)5105	天津天大饲料有限公司	转产	天津市

饲料和饲料添加剂新产品目录(2009-01)

证书编号	申请单位	通用名称	商品名称	主要成分	载体	产品类别	基本信息	使用范围	推荐用量	质量要求								
										性状	活菌数	杂菌数	水分	砷	铅	大肠菌群	霉菌总数	沙门氏菌
新饲证字(2009)01号	杭州惠嘉丰牧科技有限公司	丁酸梭菌 *Clostridium butyricum*	酪肠生	丁酸梭菌	玉米淀粉	微生物饲料添加剂	丁酸梭菌液体发酵生产	断奶仔猪、肉仔鸡	断奶仔猪:500~750克/吨配合饲料(1×10^{11}~1.5×10^{11}个丁酸梭菌活菌/吨配合饲料);0~42日龄鸡:200~400克/吨配合饲料(4×10^{10}~8×10^{10}个活菌/吨配合饲料)	褐色粉状	$\geq 2.0\times10^{8}$ CFU/g	$\leq 2.0\times10^{6}$ CFU/g	≤10%	≤2mg/kg	≤5mg/kg	≤3000MPN/100g	$\leq 2.0\times10^{4}$ CFU/g	不得检出
新饲证字(2009)02号	杭州惠嘉丰牧科技有限公司	地衣芽孢杆菌 *Bacillus licheniformis*	地肠生	地衣芽孢杆菌	砻糠	微生物饲料添加剂	地衣芽孢杆菌固体发酵生产	猪、鸡	50~100克/吨配合饲料(1×10^{12}~2×10^{12}个地衣芽孢杆菌活菌/吨配合饲料)	褐色粉状	$\geq 2.0\times10^{10}$ CFU/g	$\leq 2.0\times10^{7}$ CFU/g	≤9%	≤2mg/kg	≤5mg/kg	≤400MPN/100g	$\leq 2.0\times10^{4}$ CFU/g	不得检出

2009年进口饲料和饲料添加剂产品登记证目录(外文略)

登记证号	通用名称	商品名称	产品类别	使用范围	生产厂家	有效期限
(2009)外饲准字001号	二钾酸钾	爱康美	饲料添加剂	猪	爱德康挪威公司	2009.01-2014.01
(2009)外饲准字002号*	植酸酶(产自黑曲霉)	酶他富5000G	饲料级酶制剂	猪和禽	德国巴斯夫欧洲公司	2009.01-2014.01
(2009)外饲准字003号*	植酸酶(产自黑曲霉)	酶他富5000L	饲料级酶制剂	猪和禽	德国巴斯夫欧洲公司	2009.01-2014.01
(2009)外饲准字004号	乳清粉	低蛋白乳清粉	能量饲料	乳猪	荷兰DV营养公司	2009.01-2014.01
(2009)外饲准字005号	乳清粉	普兰特	能量饲料	猪、禽和水产	美国普兰特乳制品公司	2009.01-2014.01
(2009)外饲准字006号*	乳清粉和精炼椰子油	佳能	能量饲料	仔猪、犊牛和家禽	德国Eurolat股份有限公司	2009.01-2014.01
(2009)外饲准字007号	乳制品和啤酒酵母	营养派	能量饲料	母猪	美国国际原料公司	2009.01-2014.01
(2009)外饲准字008号	鱼粉	红鱼粉(三级)	蛋白质饲料	非反刍动物	马来西亚祥丰鱼粉厂有限公司	2009.01-2014.01
(2009)外饲准字009号*	烟酸	饲料级烟酸	饲料级维生素	所有动物	瑞士龙沙有限公司	2009.02-2014.02
(2009)外饲准字010号	维生素和矿物元素	先进成长期浓缩饲料9577	添加剂预混合饲料	猪和禽	先进饲料有限公司	2009.02-2014.02

（续）

登记证号	通用名称	商品名称	产品类别	使用范围	生产厂家	有效期限
(2009)外饲准字011号	维生素和矿物元素	先进育种期浓缩饲料9598	添加剂预混合饲料	猪和禽	先进饲料有限公司	2009.02－2014.02
(2009)外饲准字012号	维生素和棕榈油粉	繁奶康	饲料添加剂	奶牛和肉牛	马来西亚 Premier Oil Industries Sdn Bhd 公司	2009.02－2014.02
(2009)外饲准字013号	乳清粉、啤酒酵母及其培养物	百泰P	能量饲料	家禽	美国国际原料公司	2009.02－2014.02
(2009)外饲准字014号	鱼油	饲料级鱼油	能量饲料	猪、鱼和虾	智利三文鱼油公司	2009.02－2014.02
(2009)外饲准字015号	鱼粉	红鱼粉(一级)	蛋白质饲料	猪、禽、鱼和虾	秘鲁 Conservas Santa Adela 公司	2009.02－2014.02
(2009)外饲准字016号＊	鱼粉	Agustiner 牌白鱼粉(一级)	蛋白质饲料	猪、禽、鱼和虾	阿根廷 Agustiner 公司	2009.02－2014.02
(2009)外饲准字017号	β－阿朴－8′－胡萝卜素乙酸酯	加丽素黄10%	饲料着色剂	家禽	帝斯曼营养产品法国有限公司	2009.03－2014.03
(2009)外饲准字018号	酿酒酵母、酵母细胞壁及水合硅铝酸钠钙	霉可吸	饲料添加剂	养殖动物	巴西奥特奇公司	2009.03－2014.03
(2009)外饲准字019号	维生素和矿物元素	佳得素	添加剂预混合饲料	仔猪	新加坡大祥资源私人有限公司	2009.03－2014.03
(2009)外饲准字020号	乳清粉	Wheyco 低蛋白乳清粉	能量饲料	犊牛和乳猪	德国 Wheyco 有限公司	2009.03－2014.03
(2009)外饲准字021号	乳清粉、棕榈油及大豆浓缩蛋白	素乐旺	能量饲料	仔猪	荷兰纽维德公司	2009.03－2014.03
(2009)外饲准字022号	鱼油	Lota 蛋白质牌饲料级鱼油	能量饲料	禽、仔猪和鱼	智利 Lota 蛋白质有限公司	2009.03－2014.03
(2009)外饲准字023号	鱼油	饲料级鱼油	能量饲料	水产动物	纳米比亚 Namsov 渔业有限公司	2009.03－2014.03
(2009)外饲准字024号	鱼粉	蒸汽烘干红鱼粉(一级)	蛋白质饲料	非反刍动物	纳米比亚 Namsov 渔业有限公司	2009.03－2014.03
(2009)外饲准字025号	奶酪粉和大豆粉	奇能佳	蛋白质饲料	仔猪	美国饲料营养公司	2009.03－2014.03
(2009)外饲准字026号＊	乳清粉、大豆浓缩蛋白及大米蛋白	肥得美	蛋白质饲料	仔猪	比利时纽卡米公司	2009.03－2014.03
(2009)外饲准字027号	鱼饲料	海丰世纪红观赏鱼饲料	配合饲料	热带观赏鱼	海丰饲料股份有限公司	2009.03－2014.03
(2009)外饲准字028号	DL－蛋氨酸	饲料级DL－蛋氨酸	饲料级氨基酸	单胃动物	德国 Evonik Degussa GmbH 公司	2009.05－2014.05
(2009)外饲准字029号	碳酸钙和硅藻土	麦尔007	饲料添加剂	养殖动物	德国麦尔威股份有限公司	2009.05－2014.05
(2009)外饲准字030号	酵母培养物	益生酵母1026	饲料添加剂	养殖动物	美国奥特奇公司	2009.05－2014.05
(2009)外饲准字031号	天然叶黄素(源自万寿菊)	金闪闪® 粉剂	饲料着色剂	禽	新加坡建明工业(亚洲)私人有限公司	2009.05－2014.05
(2009)外饲准字032号＊	天然叶黄素(源自万寿菊)	金闪闪® 20 粉剂	饲料着色剂	禽	新加坡建明工业(亚洲)私人有限公司	2009.05－2014.05
(2009)外饲准字033号＊	枯草芽胞杆菌和酿酒酵母	牧哥益佰	微生物饲料添加剂	猪、禽、牛和鱼	韩国 Eunjin 国际生物技术株式会社	2009.05－2014.05
(2009)外饲准字034号＊	糖精钠	特佳甜	饲料调味剂	仔猪	英国 BFI Innovations Limited 公司	2009.05－2014.05
(2009)外饲准字035号	维生素和矿物元素	捷强补助饲料2S	添加剂预混合饲料	猪	凯迈化学制药股份有限公司	2009.05－2014.05

（续）

登记证号	通用名称	商品名称	产品类别	使用范围	生产厂家	有效期限
(2009)外饲准字036号	维生素和矿物元素	捷强补助饲料1A	添加剂预混合饲料	猪	凯迈化学制药股份有限公司	2009.05－2014.05
(2009)外饲准字037号*	鱼饲料	新爱鱼仔鱼宝	配合饲料	海产鱼苗	日本林兼产业株式会社饲料事业部长府工厂	2009.05－2014.05
(2009)外饲准字038号*	鱼饲料	大海鱼耀	配合饲料	海产鱼	日本林兼产业株式会社饲料事业部长府工厂	2009.05－2014.05
(2009)外饲准字039号*	鱿鱼肝粉	鱿鱼肝粉	蛋白质饲料	幼虾	韩国东佑产业有限公司	2009.05－2014.05
(2009)外饲准字040号	鱼粉	秘鲁鱿鱼粉	蛋白质饲料	猪、禽和水产	秘鲁太平洋冷冻公司E. I. R. L水产品残余粉加工厂	2009.05－2014.05
(2009)外饲准字041号	狗干粮	超越妙克犬粮	配合饲料	成犬	巴西艾丽苏食品有限公司	2009.05－2014.05
(2009)外饲准字042号	狗干粮	超越天然犬粮	配合饲料	成犬	巴西艾丽苏食品有限公司	2009.05－2014.05
(2009)外饲准字043号	β,β－胡萝卜素－4,4－二酮(斑蝥黄)	加丽素® 红10%	饲料着色剂	家禽	帝斯曼营养产品法国有限公司	2009.06－2014.06
(2009)外饲准字044号	β－胡萝卜素	罗维素β－胡萝卜素10%	维生素类饲料添加剂	养殖动物	帝斯曼营养产品法国有限公司	2009.06－2014.06
(2009)外饲准字045号	酿酒酵母	瘤胃康	微生物饲料添加剂	牛和羊	丹麦De Danske Gærfabrikker A/S公司	2009.06－2014.06
(2009)外饲准字046号	酿酒酵母	布拉迪	微生物饲料添加剂	母猪和仔猪	丹麦De Danske Gærfabrikker A/S公司	2009.06－2014.06
(2009)外饲准字047号	嗜酸乳杆菌和枯草芽孢杆菌	三利宝	微生物饲料添加剂	养殖动物	日本新水株式会社	2009.06－2014.06
(2009)外饲准字048号	β－葡聚糖酶(产自黑曲霉和长柄木霉)、β－木聚糖酶(产长柄木霉)和果胶酶(产自黑曲霉)	英威02 CS液体复合酶	饲料酶制剂	单胃动物	比利时艾威NV公司	2009.06－2014.06
(2009)外饲准字049号	β－葡聚糖酶和β－木聚糖酶(产自长柄木霉)	英威XG10液体复合酶	饲料酶制剂	单胃动物	比利时艾威NV公司	2009.06－2014.06
(2009)外饲准字050号	蛋白酶(产自枯草芽孢杆菌)	杰富宝125	饲料酶制剂	猪、禽和鱼	加拿大集富动物营养公司	2009.06－2014.06
(2009)外饲准字051号	多种有机酸	猪宝500	饲料酸化剂	仔猪	加拿大Jefagro科技有限公司	2009.06－2014.06
(2009)外饲准字052号	丙酸钙	凯米拉霉菌控制剂SP1	饲料防霉剂	猪、禽和牛	荷兰凯米拉化学技术有限公司	2009.06－2014.06
(2009)外饲准字053号	蛋白铜	企利蛋白铜	矿物质饲料添加剂	猪、禽和奶牛	美国企利矿物质公司	2009.06－2014.06
(2009)外饲准字054号	大茴香油和百里香油	必需壮	饲料添加剂	禽	奥地利DELACON生物技术公司	2009.06－2014.06
(2009)外饲准字055号	啤酒酵母	欧迪美素贝斯603	蛋白质饲料	猫和狗	美国AFB International公司	2009.06－2014.06
(2009)外饲准字056号	大豆粉和啤酒酵母	欧迪美DD604	蛋白质饲料	猫和狗	美国AFB International公司	2009.06－2014.06
(2009)外饲准字057号	乳清粉	特伟佳低蛋白乳清粉	能量饲料	猪	美国Trega食品有限公司	2009.06－2014.06

（续）

登记证号	通用名称	商品名称	产品类别	使用范围	生产厂家	有效期限
(2009)外饲准字058号	肠黏膜蛋白	猪肠黏膜蛋白粉	蛋白质饲料	猪、禽和水产	美国蛋白质资源公司	2009.06–2014.06
(2009)外饲准字059号	鱼粉	白鱼粉(一级)	蛋白质饲料	猪和水产	纳米比亚Exigrade饲料有限公司	2009.06–2014.06
(2009)外饲准字060号	鱼粉	红鱼粉(一级)	蛋白质饲料	非反刍动物	墨西哥农产品工业外销公司	2009.06–2014.06
(2009)外饲准字061号	乳清粉和大豆浓缩蛋白	得力奶38	蛋白质饲料	仔猪	荷兰蒙戴尔乳品公司	2009.06–2014.06
(2009)外饲准字062号	乳清粉和大豆浓缩蛋白	得力奶11	蛋白质饲料	仔猪	荷兰蒙戴尔乳品公司	2009.06–2014.06
(2009)外饲准字063号*	β,β–胡萝卜素–4,4–二酮(斑蝥黄)	露康定红	饲料着色剂	家禽	德国巴斯夫欧洲公司	2009.07–2014.07
(2009)外饲准字064号*	禽内脏和磷酸	易思猫粮口味增强剂	饲料调味剂	猫	澳大利亚SPF DIANA公司	2009.07–2014.07
(2009)外饲准字065号*	牛内脏和磷酸	凯咪高级猫粮口味增强剂	饲料调味剂	猫	澳大利亚SPF DIANA公司	2009.07–2014.07
(2009)外饲准字066号*	牛内脏和磷酸	德旺高级狗粮口味增强剂	饲料调味剂	狗	澳大利亚SPF DIANA公司	2009.07–2014.07
(2009)外饲准字067号	维生素和矿物元素	荣都ST–10	添加剂预混合饲料	仔猪	西班牙Produmix S. A.公司	2009.07–2014.07
(2009)外饲准字068号	维生素和矿物元素	荣都MEGA40	添加剂预混合饲料	仔猪	西班牙Produmix S. A.公司	2009.07–2014.07
(2009)外饲准字069号	丁基羟基茴香醚、二丁基羟基甲苯和没食子酸丙酯	纽埃特PG抗氧化剂	饲料抗氧化剂	养殖动物	比利时英伟–纽埃特国际营养公司	2009.07–2014.07
(2009)外饲准字070号	牛舔砖	KNZ传统盐舔块	精料补充料	牛	荷兰阿克苏诺贝尔制盐公司	2009.07–2014.07
(2009)外饲准字071号	牛舔砖	KNZ生物素盐舔块	精料补充料	牛	荷兰阿克苏诺贝尔制盐公司	2009.07–2014.07
(2009)外饲准字072号	牛羊舔砖	KNZ牛羊盐舔块	精料补充料	牛和羊	荷兰阿克苏诺贝尔制盐公司	2009.07–2014.07
(2009)外饲准字073号	鱼油	双马鱼油	能量饲料	猪、鸡和水产	越南禾瑞康水产物料加工有限公司	2009.07–2014.07
(2009)外饲准字074号	膨化豆粕	优力蛋白	蛋白质饲料	养殖动物	达邦蛋白股份有限公司	2009.07–2014.07
(2009)外饲准字075号	鱼粉	秘鲁红鱼粉(一级)	蛋白质饲料	非反刍动物	秘鲁Tecnologica De Alimentos S. A.公司Razuri工厂	2009.07–2014.07
(2009)外饲准字076号	鱼粉	秘鲁红鱼粉(一级)	蛋白质饲料	非反刍动物	秘鲁Tecnologica De Alimentos S. A.公司Chimbote工厂	2009.07–2014.07
(2009)外饲准字077号	鱼粉	秘鲁红鱼粉(一级)	蛋白质饲料	非反刍动物	秘鲁Tecnologica De Alimentos S. A.公司Samanco工厂	2009.07–2014.07
(2009)外饲准字078号	鱼粉	秘鲁红鱼粉(一级)	蛋白质饲料	非反刍动物	秘鲁Tecnologica De Alimentos S. A.公司Supe工厂	2009.07–2014.07
(2009)外饲准字079号	鱼粉	秘鲁红鱼粉(一级)	蛋白质饲料	非反刍动物	秘鲁Tecnologica De Alimentos S. A.公司Callao工厂	2009.07–2014.07

（续）

登记证号	通用名称	商品名称	产品类别	使用范围	生产厂家	有效期限
(2009)外饲准字080号	鱼粉	秘鲁红鱼粉(一级)	蛋白质饲料	非反刍动物	秘鲁 Tecnologica De Alimentos S. A. 公司 Pisco 工厂	2009.07–2014.07
(2009)外饲准字081号	鱼粉	秘鲁红鱼粉(一级)	蛋白质饲料	非反刍动物	秘鲁 Tecnologica De Alimentos S. A. 公司 Paracas 工厂	2009.07–2014.07
(2009)外饲准字082号	鱼粉	秘鲁红鱼粉(一级)	蛋白质饲料	非反刍动物	秘鲁 Tecnologica De Alimentos S. A. 公司 Ilo 工厂	2009.07–2014.07
(2009)外饲准字083号	鱼饲料	丸九鱼饵(Power 鱼粉鲫)	配合饲料	淡水鱼	日本丸九株式会社	2009.07–2014.07
(2009)外饲准字084号	鱼饲料	丸九鱼饵(培来道)	配合饲料	淡水鱼	日本丸九株式会社	2009.07–2014.07
(2009)外饲准字085号	狗干粮	超越幼犬粮	配合饲料	幼犬	巴西艾丽苏食品有限公司	2009.07–2014.07
(2009)外饲准字086号	狗干粮	超越成犬粮	配合饲料	成犬	巴西艾丽苏食品有限公司	2009.07–2014.07
(2009)外饲准字087号*	β–阿朴–8′–胡萝卜素酸乙酯	露康定黄	饲料着色剂	家禽	德国巴斯夫欧洲公司	2009.08–2014.08
(2009)外饲准字088号*	α–生育酚乙酸酯	维生素E醋酸酯油剂	饲料级维生素	养殖动物	德国巴斯夫欧洲公司	2009.08–2014.08
(2009)外饲准字089号*	木聚糖酶(产自枯草芽孢杆菌)	钮莱思酶	饲料级酶制剂	单胃动物	比利时 Beldem 公司	2009.08–2014.08
(2009)外饲准字090号*	乳清粉和棕榈油	高脂甜乳清	能量饲料	犊牛、羔羊和仔猪	法国宝莱蛋白质公司	2009.08–2014.08
(2009)外饲准字091号*	代乳粉	速溶仔猪代乳粉	蛋白质饲料	仔猪	法国宝莱蛋白质公司	2009.08–2014.08
(2009)外饲准字092号	α–生育酚乙酸酯	生育酚乙酸酯	饲料级维生素	养殖动物	瑞士帝斯曼营养产品有限公司	2009.08–2014.08
(2009)外饲准字093号	枯草芽孢杆菌	班克	微生物饲料添加剂	猪	韩国 Woogene 株式会社	2009.08–2014.08
(2009)外饲准字094号	硫酸钙和氯化钙	博威钙	矿物质饲料添加剂	母牛	勃林格殷格翰(丹麦)公司	2009.08–2014.08
(2009)外饲准字095号	香芹油和柠檬油	肥速达	饲料添加剂	猪、犊牛、羊、兔和马	奥地利 DELACON 生物技术公司	2009.08–2014.08
(2009)外饲准字096号	乳清粉	A级乳清粉	能量饲料	仔猪	美国爱达荷奶制品公司	2009.08–2014.08
(2009)外饲准字097号	鱼粉	红鱼粉(二级)	蛋白质饲料	猪、禽和水产动物	秘鲁 Don Fernando S. A. C. 公司	2009.08–2014.08
(2009)外饲准字098号	鱼粉	白鱼粉(一级)	蛋白质饲料	猪、禽和水产动物	阿根廷 Sanford 渔业股份有限公司(工船生产)	2009.08–2014.08
(2009)外饲准字099号	虾粉	QrillTM 牌磷虾粉	蛋白质饲料	鱼和虾	挪威 Aker 生物海产南极公司(工船生产)	2009.08–2014.08
(2009)外饲准字100号	狗干粮	普瑞纳冠能大型犬幼犬配方犬粮	配合饲料	幼犬	澳大利亚雀巢有限公司雀巢普瑞纳宠物食品分公司	2009.08–2014.08
(2009)外饲准字101号	狗干粮	普瑞纳冠能幼犬鸡肉米饭配方犬粮	配合饲料	幼犬	澳大利亚雀巢有限公司雀巢普瑞纳宠物食品分公司	2009.08–2014.08

（续）

登记证号	通用名称	商品名称	产品类别	使用范围	生产厂家	有效期限
(2009)外饲准字102号	狗干粮	普瑞纳冠能成犬鸡肉米饭配方犬粮	配合饲料	成犬	澳大利亚雀巢有限公司雀巢普瑞纳宠物食品分公司	2009.08－2014.08
(2009)外饲准字103号	狗干粮	普瑞纳冠能成犬三文鱼米饭配方犬粮	配合饲料	成犬	澳大利亚雀巢有限公司雀巢普瑞纳宠物食品分公司	2009.08－2014.08
(2009)外饲准字104号	狗干粮	普瑞纳冠能小型犬成犬配方犬粮	配合饲料	成犬	澳大利亚雀巢有限公司雀巢普瑞纳宠物食品分公司	2009.08－2014.08
(2009)外饲准字105号	猫干粮	普瑞纳冠能幼猫鸡肉米饭配方猫粮	配合饲料	猫	澳大利亚雀巢有限公司雀巢普瑞纳宠物食品分公司	2009.08－2014.08
(2009)外饲准字106号	猫罐头	希尔思处方食品－猫用 w/d(鸡肉配方)	配合饲料	成猫	美国希尔思宠物营养食品有限公司(堪萨斯州工厂)	2009.08－2014.08
(2009)外饲准字107号	猫罐头	希尔思处方食品－猫用 k/d(鸡肉配方)	配合饲料	成猫	美国希尔思宠物营养食品有限公司(堪萨斯州工厂)	2009.08－2014.08
(2009)外饲准字108号	猫罐头	希尔思处方食品－猫用 c/d(鸡肉配方)	配合饲料	成猫	美国希尔思宠物营养食品有限公司(堪萨斯州工厂)	2009.08－2014.08
(2009)外饲准字109号	猫罐头	希尔思处方食品－猫用 z/d 无过敏原	配合饲料	成猫	美国希尔思宠物营养食品有限公司(堪萨斯州工厂)	2009.08－2014.08
(2009)外饲准字110号	猫罐头	希尔思处方食品－猫用 l/d	配合饲料	成猫	美国希尔思宠物营养食品有限公司(堪萨斯州工厂)	2009.08－2014.08
(2009)外饲准字111号	猫罐头	希尔思处方食品－猫用 i/d	配合饲料	成猫	美国希尔思宠物营养食品有限公司(堪萨斯州工厂)	2009.08－2014.08
(2009)外饲准字112号	猫罐头	希尔思处方食品－猫用多功效 c/d(海鲜口味)	配合饲料	成猫	美国希尔思宠物营养食品有限公司(堪萨斯州工厂)	2009.08－2014.08
(2009)外饲准字113号	猫/狗罐头	希尔思处方食品－犬用/猫用 a/d	配合饲料	猫和狗	美国希尔思宠物营养食品有限公司(堪萨斯州工厂)	2009.08－2014.08
(2009)外饲准字114号	狗罐头	希尔思处方食品－犬用 u/d	配合饲料	成犬	美国希尔思宠物营养食品有限公司(堪萨斯州工厂)	2009.08－2014.08
(2009)外饲准字115号	狗罐头	希尔思处方食品－犬用 k/d	配合饲料	成犬	美国希尔思宠物营养食品有限公司(堪萨斯州工厂)	2009.08－2014.08
(2009)外饲准字116号	狗罐头	希尔思处方食品－犬用 c/d	配合饲料	成犬	美国希尔思宠物营养食品有限公司(堪萨斯州工厂)	2009.08－2014.08
(2009)外饲准字117号	狗罐头	希尔思处方食品－犬用 z/d 无过敏原	配合饲料	成犬	美国希尔思宠物营养食品有限公司(堪萨斯州工厂)	2009.08－2014.08
(2009)外饲准字118号	狗罐头	希尔思处方食品－犬用 d/d(三文鱼配方)	配合饲料	成犬	美国希尔思宠物营养食品有限公司(堪萨斯州工厂)	2009.08－2014.08
(2009)外饲准字119号	狗罐头	希尔思处方食品－犬用 s/d	配合饲料	成犬	美国希尔思宠物营养食品有限公司(堪萨斯州工厂)	2009.08－2014.08

（续）

登记证号	通用名称	商品名称	产品类别	使用范围	生产厂家	有效期限
(2009)外饲准字120号	狗罐头	希尔思处方食品－犬用h/d	配合饲料	成犬	美国希尔思宠物营养食品有限公司(堪萨斯州工厂)	2009.08－2014.08
(2009)外饲准字121号	狗罐头	希尔思处方食品－犬用l/d	配合饲料	成犬	美国希尔思宠物营养食品有限公司(堪萨斯州工厂)	2009.08－2014.08
(2009)外饲准字122号＊	多种有机酸	酸化剂核心料42439Z	饲料酸化剂	养殖动物	西班牙乐达公司	2009.09－2014.09
(2009)外饲准字123号＊	蛋白酶、脂肪酶、果胶酶(产自黑曲酶)、淀粉酶(产自枯草芽孢杆菌)和纤维素酶(产自长柄木霉)	新乐酶	饲料级酶制剂	养殖动物	日本新水株式会社	2009.09－2014.09
(2009)外饲准字124号＊	蛋白酶、脂肪酶、果胶酶(产自黑曲酶)、淀粉酶(产自枯草芽孢杆菌)和纤维素酶(产自长柄木霉)	饲乐酶CF	饲料级酶制剂	养殖动物	日本新水株式会社	2009.09－2014.09
(2009)外饲准字125号＊	蛋白铁	企利蛋白铁	矿物质饲料添加剂	猪、禽和奶牛	美国企利矿物质公司	2009.09－2014.09
(2009)外饲准字126号	蛋白锌	企利蛋白锌	矿物质饲料添加剂	猪、禽和奶牛	美国企利矿物质公司	2009.09－2014.09
(2009)外饲准字127号	糖精钠、香兰素和麦芽酚	瑞甜甜	饲料调味剂	仔猪	瑞士潘可士玛公司	2009.09－2014.09
(2009)外饲准字128号	多种电解质、大豆磷脂、酿酒酵母	达可	添加剂预混合饲料	犊牛、羔羊、仔猪和马驹	勃林格殷格翰(丹麦)公司	2009.09－2014.09
(2009)外饲准字129号	代乳粉	乳康美E	配合饲料	犊牛	比利时纽卡米公司	2009.09－2014.09
(2009)外饲准字130号	乳清粉	乳康美10	能量饲料	仔猪	比利时纽卡米公司	2009.09－2014.09
(2009)外饲准字131号	鱼油	鱼油	能量饲料	猪、鱼和虾	智利San Jose渔业公司Coronel工厂	2009.09－2014.09
(2009)外饲准字132号	鱼粉	红鱼粉(一级)	蛋白质饲料	猪、禽、鱼和虾	秘鲁Tecnologias En Favor Del Medio Ambiente公司	2009.09－2014.09
(2009)外饲准字133号	鱼粉	秘鲁红鱼粉(一级)	蛋白质饲料	非反刍动物	秘鲁Corporacion Pesquera Coishco S. A.公司Sechura工厂	2009.09－2014.09
(2009)外饲准字134号	鱼粉	秘鲁红鱼粉(一级)	蛋白质饲料	非反刍动物	秘鲁Corporacion Pesquera Coishco S. A.公司Coishco工厂	2009.09－2014.09
(2009)外饲准字135号	鱼粉	秘鲁红鱼粉(一级)	蛋白质饲料	非反刍动物	秘鲁Pesquera Lila S. A.公司	2009.09－2014.09
(2009)外饲准字136号	鱼粉	白鱼粉(三级)	蛋白质饲料	非反刍动物	挪威Brodrene Sperre AS公司(工船生产)	2009.09－2014.09
(2009)外饲准字137号	酵母硒	赛乐硒	矿物质饲料添加剂	猪、牛、马和禽	美国奥特奇公司	2009.10－2014.10
(2009)外饲准字138号	氧化锌	保锌旺	矿物质饲料添加剂	猪、家禽、牛	韩国西梯茜公司	2009.10－2014.10
(2009)外饲准字139号	硫酸锌和蛋氨酸	锌旺	矿物质饲料添加剂	猪、鸡、水产动物和牛	贸立实业股份有限公司	2009.10－2014.10

（续）

登记证号	通用名称	商品名称	产品类别	使用范围	生产厂家	有效期限
(2009)外饲准字140号	硫酸亚铁和蛋氨酸	铁旺	矿物质饲料添加剂	猪、鸡、水产动物和牛	贸立实业股份有限公司	2009.10－2014.10
(2009)外饲准字141号	糖精钠	甜味素	饲料调味剂	仔猪	西班牙埃特亚公司	2009.10－2014.10
(2009)外饲准字142号	维生素和氨基酸	艾可肥维他	添加剂预混合饲料	养殖动物	西班牙百卫公司	2009.10－2014.10
(2009)外饲准字143号	维生素和矿物元素	产得乐	添加剂预混合饲料	奶牛	德国威廉绍曼爱尔斯雷本有限责任公司	2009.10－2014.10
(2009)外饲准字144号*	牛羊舔砖	黄洛奇	精料补充料	牛和羊	英国泰邦公司	2009.10－2014.10
(2009)外饲准字145号*	牛舔砖	红洛奇	精料补充料	牛	英国泰邦公司	2009.10－2014.10
(2009)外饲准字146号*	β－甘露聚糖酶(产自迟缓芽孢杆菌)	和美酵素(粉剂)	饲料级酶制剂	猪和家禽	美国ChemGen公司	2009.10－2014.10
(2009)外饲准字147号*	β－甘露聚糖酶(产自迟缓芽孢杆菌)	和美酵素(液剂)	饲料级酶制剂	猪和家禽	美国ChemGen公司	2009.10－2014.10
(2009)外饲准字148号*	丰年虫卵	丰年虫卵(孵化率≥60%)	蛋白质饲料	虾苗	美国海星国际有限公司	2009.10－2014.10
(2009)外饲准字149号*			蛋白质饲料	虾苗	美国海星国际有限公司	2009.10－2014.10
(2009)外饲准字150号*	丰年虫卵	丰年虫卵(孵化率≥80%)	蛋白质饲料	虾苗	美国海星国际有限公司	2009.10－2014.10
(2009)外饲准字151号	脂肪包被蛋氨酸	百佳美	饲料级氨基酸	牛和羊	马来西亚Premier Oil Industries Sdn Bhd公司	2009.10－2014.10
(2009)外饲准字152号	棕榈油粉	百佳能	能量饲料	仔猪和母猪	马来西亚Premier Oil Industries Sdn Bhd公司	2009.10－2014.10
(2009)外饲准字153号	棕榈核油、大豆浓缩蛋白和大豆磷脂	速能	能量饲料	养殖动物	马来西亚Premier Oil Industries Sdn Bhd公司	2009.10－2014.10
(2009)外饲准字154号	乳清粉和大豆浓缩蛋白	百事利	蛋白质饲料	仔猪	荷兰纽维德公司	2009.10－2014.10
(2009)外饲准字155号	鱼粉	秘鲁红鱼粉(一级)	蛋白质饲料	非反刍动物	秘鲁Corporacion Industrial Milagros Del Mar S. A.公司Chimbote工厂	2009.10－2014.10
(2009)外饲准字156号	鱼粉	秘鲁红鱼粉(一级)	蛋白质饲料	非反刍动物	秘鲁Corporacion Pesquera Inca S. A. C.公司Huarmey工厂	2009.10－2014.10
(2009)外饲准字157号	鱼粉	秘鲁红鱼粉(一级)	蛋白质饲料	非反刍动物	秘鲁Pesquera Jada S. A.公司Chimbote工厂	2009.10－2014.10
(2009)外饲准字158号	鱼粉	EMDEPES牌白鱼粉(特级)	蛋白质饲料	猪和水产动物	智利渔业发展有限公司(工船生产)	2009.10－2014.10
(2009)外饲准字159号	鱼粉	EMDEPES牌白鱼粉(特级)	蛋白质饲料	猪和水产动物	智利渔业发展有限公司(工船生产)	2009.10－2014.10
(2009)外饲准字160号	虾饲料	Lansy－Shrimp ZM虾苗饲料	配合饲料	虾苗	泰国英伟公司	2009.10－2014.10
(2009)外饲准字161号	虾饲料	Lansy－Shrimp PL虾苗饲料	配合饲料	虾苗	泰国英伟公司	2009.10－2014.10
(2009)外饲准字162号	猫干粮	普瑞纳冠能成猫三文鱼金枪鱼配方猫粮	配合饲料	成猫	澳大利亚雀巢有限公司雀巢普瑞纳宠物食品分公司	2009.10－2014.10

（续）

登记证号	通用名称	商品名称	产品类别	使用范围	生产厂家	有效期限
(2009)外饲准字163号	猫干粮	普瑞纳冠能室内猫鸡肉米饭配方猫粮	配合饲料	成猫	澳大利亚雀巢有限公司雀巢普瑞纳宠物食品分公司	2009.10－2014.10
(2009)外饲准字164号	狗干粮	普瑞纳冠能大型犬成犬配方犬粮	配合饲料	成犬	澳大利亚雀巢有限公司雀巢普瑞纳宠物食品分公司	2009.10－2014.10
(2009)外饲准字165号	狗干粮	普瑞纳冠能成犬成比赛犬配方犬粮	配合饲料	成犬	澳大利亚雀巢有限公司雀巢普瑞纳宠物食品分公司	2009.10－2014.10
(2009)外饲准字166号*	L－赖氨酸盐酸盐	L－赖氨酸盐酸盐98.5%(饲料级)	饲料级氨基酸	养殖动物	美国ADM公司	2009.11－2014.11
(2009)外饲准字167号*	L－苏氨酸	L－苏氨酸98.5%(饲料级)	饲料级氨基酸	养殖动物	美国ADM公司	2009.11－2014.11
(2009)外饲准字168号*	牛羊舔砖	富磷洛齐	精料补充料	牛和羊	英国泰邦公司	2009.11－2014.11
(2009)外饲准字169号	牛羊舔砖	富磷洛齐(5%)	精料补充料	牛和羊	英国泰邦公司	2009.11－2014.11
(2009)外饲准字170号	丙酸和丙酸铵	克霉N CH	饲料防霉剂	养殖动物	西班牙埃特亚公司	2009.11－2014.11
(2009)外饲准字171号	禽内脏、灭活酵母和柠檬酸	德旺高级干狗粮口味增强剂	蛋白质饲料	狗	巴西SPF工业贸易有限公司	2009.11－2014.11
(2009)外饲准字172号	禽内脏、灭活酵母和柠檬酸	干狗粮口味增强剂	蛋白质饲料	狗	巴西SPF工业贸易有限公司	2009.11－2014.11
(2009)外饲准字173号	奶粉与奶酪	金乳	蛋白质饲料	乳仔猪和犊牛	美国国际原料公司	2009.11－2014.11
(2009)外饲准字174号	鸡饲料	雏鸡宝	配合饲料	幼禽	美国太平洋兽医集团	2009.11－2014.11
(2009)外饲准字175号*	α－生育酚乙酸酯	露他维® E50	饲料级维生素	养殖动物	德国巴斯夫欧洲公司	2009.11－2014.11
(2009)外饲准字176号*	D－泛酸钙	露他维® 泛酸钙	饲料级维生素	养殖动物	德国巴斯夫欧洲公司	2009.11－2014.11
(2009)外饲准字177号*	DL－蛋氨酸	饲料级DL－蛋氨酸	饲料级氨基酸	养殖动物	美国Evonik Degussa Cooperation公司	2009.11－2014.11
(2009)外饲准字178号*	酵母硒	阿富硒2000	矿物质饲料添加剂	养殖动物	美国达农威公司	2009.11－2014.11
(2009)外饲准字179号*	木聚糖酶和β－葡聚糖酶(源自长柄木霉)	艾克拿斯	饲料级酶制剂	单胃动物	芬兰罗尔公司	2009.11－2014.11
(2009)外饲准字180号*	嗜酸乳杆菌和屎肠球菌	利生素(浓缩物)	微生物饲料添加剂	养殖动物	美国奥特奇公司	2009.11－2014.11
(2009)外饲准字181号	天然类固醇萨洒皂角苷(源自丝兰)	除臭灵	饲料添加剂	猪、马、家禽和反刍动物	美国奥特奇公司	2009.11－2014.11
(2009)外饲准字182号	天然类固醇萨洒皂角苷(源自丝兰)	雅可40	饲料添加剂	家畜和家禽	美国天然原料公司	2009.11－2014.11
(2009)外饲准字183号	核黄素(维生素B_2)	露他维B2 80	饲料级维生素	养殖动物	韩国巴斯夫公司	2009.11－2014.11
(2009)外饲准字184号	家禽和牛内脏、磷酸和硫酸钠	易迪2液体狗粮口味增强剂	饲料调味剂	狗	澳大利亚SPF DIANA有限公司	2009.11－2014.11
(2009)外饲准字185号	食用香料	奥利欧LX189P2	饲料调味剂	猪和家禽	法国馥蒂公司	2009.11－2014.11

（续）

登记证号	通用名称	商品名称	产品类别	使用范围	生产厂家	有效期限
(2009)外饲准字186号	丙酸、苯甲酸钠和丙酸钠	康富鲜谷物防腐剂	饲料防腐剂	养殖动物	德国爱德康欧洲有限公司	2009.11－2014.11
(2009)外饲准字187号	氯化钙、双乙酸钠、氯化钠和氯化镁	比尔佳电解液	添加剂预混合饲料	赛鸽	荷兰佛罗瑞斯兽医产品公司	2009.11－2014.11
(2009)外饲准字188号	鱼油	Bumi indo 牌鱼油(饲料级)	能量饲料	猪、禽和鱼	印度尼西亚 CV. BUMI INDO 公司	2009.11－2014.11
(2009)外饲准字189号	鱼油	鲶鱼鱼油	能量饲料	猪、家禽和水产	越南顺安劳务生产商贸责任有限公司	2009.11－2014.11
(2009)外饲准字190号	鱼粉	鲶鱼鱼粉	蛋白质饲料	猪、家禽和水产	越南顺安劳务生产商贸责任有限公司	2009.11－2014.11
(2009)外饲准字191号*	牛肉骨粉	牛肉骨粉	蛋白质饲料	非反刍动物	乌拉圭 Frigorifico Tacuarembo 公司	2009.11－2014.11
(2009)外饲准字192号*	鱼饲料	NRD 鱼苗饲料(100～2 000微米)	配合饲料	海产鱼苗	泰国英伟公司	2009.11－2014.11

说明：此表内登记证号标有*者为续展登记。

2009年换发进口饲料和饲料添加剂产品登记证目录(外文略)

登记证号	商品名称	产品类别	生产厂家	变更内容	原名称	变更名称
(2006)外饲准字078号		饲料酸化剂	意大利亚士可化工大药厂	中文商品名称	威力酸	立必安
(2006)外饲准字168号	秘鲁红鱼粉(一级)			申请者和生产厂家名称	秘鲁亚历山大公司	秘鲁 CFG Investment S. A. C. 公司
(2006)外饲准字171号	秘鲁红鱼粉(一级)			申请者和生产厂家名称	秘鲁亚历山大公司	秘鲁 CFG Investment S. A. C. 公司
(2007)外饲准字006号	秘鲁红鱼粉(一级)			申请者和生产厂家名称	秘鲁 Sindio 集团公司	秘鲁 Tecnologica De Alimentos S. A. 公司
(2007)外饲准字034号	秘鲁红鱼粉(一级)			申请者和生产厂家名称	秘鲁 Sindio 集团公司	秘鲁 Tecnologica De Alimentos S. A. 公司
(2007)外饲准字035号	秘鲁红鱼粉(一级)			申请者和生产厂家名称	秘鲁 Sindio 集团公司	秘鲁 Tecnologica De Alimentos S. A. 公司
(2007)外饲准字036号	秘鲁红鱼粉(一级)			申请者和生产厂家名称	秘鲁 Sindio 集团公司	秘鲁 Tecnologica De Alimentos S. A. 公司
(2007)外饲准字037号	秘鲁红鱼粉(一级)			申请者和生产厂家名称	秘鲁 Sindio 集团公司	秘鲁 Tecnologica De Alimentos S. A. 公司
(2007)外饲准字039号	秘鲁红鱼粉(一级)			申请者和生产厂家名称	秘鲁 Sindio 集团公司	秘鲁 Tecnologica De Alimentos S. A. 公司
(2008)外饲准字035号	希尔思处方食疗配餐－犬用 i/d 罐头	配合饲料	美国希尔思宠物营养食品有限公司(堪萨斯州工厂)	中文商品名称	希尔思处方食疗配餐－犬用 i/d 罐头	希尔思处方食品－犬用 i/d 罐头
(2006)外饲准字196号	高流动性乳清粉	能量饲料		申请公司名称	法国 Lactalis 工业集团 Protilact 有限公司	法国 Lactalis Ingredients 公司
				生产厂家名称	法国 Lactalis 工业 Protilact 有限公司 Mayenne 工厂	法国 Lactalis Ingredients 公司 Mayenne 工厂
(2008)外饲准字149号	倍多喜		法国拉曼公司	产品中文名称	倍多喜	倍特赛

（续）

登记证号	商品名称	产品类别	生产厂家	变更内容	原名称	变更名称
(2004)外饲准字218号	鲜贮宝青贮接种菌		法国拉曼公司	产品中文名称	鲜贮宝青贮接种菌	鲜得利青贮接种菌
(2008)外饲准字059号	益宁易		美国凡立得工业股份有限公司	申请者和生产厂家中文名称	美国凡立得工业股份有限公司	美国伟克公司
(2008)外饲准字108号	麦可食 超浓缩型-酵母培养物		美国凡立得工业股份有限公司	申请者和生产厂家中文名称	美国凡立得工业股份有限公司	美国伟克公司
(2008)外饲准字139号	必驱霉 Bg-Max		美国凡立得工业股份有限公司	产品中文名称	必驱霉	倍吉美
				申请者和生产厂家中文名称	美国凡立得工业股份有限公司	美国伟克公司
(2008)外饲准字155号	麦可食酵母培养浓缩物		美国凡立得工业股份有限公司	申请者和生产厂家中文名称	美国凡立得工业股份有限公司	美国伟克公司
(2009)外饲准字054号		饲料添加剂	奥地利 DELACON 生物技术公司	中文商品名称	必需壮	百奥壮510

农业部《种畜禽生产经营许可证》颁发目录

许可证编号	单位名称	生产经营范围	有效期
(2009)001509	四平市种牛冷冻精液站	西门塔尔、夏洛来牛冷冻精液	2009.08.01-2012.07.31
(2009)001510	山东省种公牛站有限责任公司	西门塔尔、鲁西牛、利木赞牛冷冻精液	2009.08.01-2012.07.31
(2009)001511	亚达艾格威（唐山）畜牧有限公司	荷斯坦牛冷冻精液	2009.08.01-2012.07.31
(2009)001512	赤峰赛奥牧业技术服务有限公司	西门塔尔、夏洛莱牛冷冻精液	2009.09.01-2012.08.31
(2009)001513	安徽精英种畜有限公司	荷斯坦牛冷冻精液	2009.09.01-2012.08.31
(2009)001514	南阳昌盛牛业有限公司	荷斯坦、利木赞、皮埃蒙特、夏洛莱、德国黄牛、南阳牛冷冻精液	2009.09.01-2012.08.31
(2009)001515	武汉兴牧生物科技有限公司	西门塔尔、夏洛莱、槟榔江水牛、利木赞、安格斯、劳莱恩牛冷冻精液	2009.09.01-2012.08.31
(2009)001516	成都汇丰动物育种有限公司（四川省家畜冷冻精液中心站）	荷斯坦、娟姗牛、西门塔尔牛冷冻精液	2009.09.01-2012.08.31
(2009)001517	长春新牧科技有限公司	西门塔尔、夏洛莱牛冷冻精液	2009.12.01-2012.11.30
(2009)001518	大庆市银螺乳业有限公司种公牛站	荷斯坦牛冷冻精液	2009.12.01-2012.11.30
(2009)001519	上海金晖家畜遗传开发有限公司	南德温牛冷冻精液	2009.12.01-2012.11.30

各单位验收合格种公牛名单

品种	公牛号	来源	外貌评分	冻精检测
四平市种牛冷冻精液站				
西门塔尔	22406001	澳大利亚	特级	合格
西门塔尔	22406002	澳大利亚	特级	合格
西门塔尔	22406003	澳大利亚	特级	合格
西门塔尔	22406004	澳大利亚	特级	合格
西门塔尔	22406005	澳大利亚	特级	合格
西门塔尔	22406006	澳大利亚	特级	合格
西门塔尔	22406007	澳大利亚	特级	合格
西门塔尔	22406008	澳大利亚	特级	合格
西门塔尔	22402009	查干花种畜场	特级	合格
西门塔尔	22403010	查干花种畜场	特级	合格
西门塔尔	22401011	齐齐哈尔种畜场	一级	合格

（续）

品种	公牛号	来源	外貌评分	冻精检测	品种	公牛号	来源	外貌评分	冻精检测
西门塔尔	22404012	齐齐哈尔种畜场	一级	合格	西门塔尔	37107628	德国胚胎移植	特级	合格
西门塔尔	22405013	齐齐哈尔种畜场	特级	合格	西门塔尔	37104301	新疆呼图壁种牛场	特级	合格
西门塔尔	22402014	齐齐哈尔种畜场	特级	合格	西门塔尔	37105302	新疆呼图壁种牛场	特级	合格
西门塔尔	22405015	齐齐哈尔种畜场	特级	合格	西门塔尔	37105303	新疆呼图壁种牛场	特级	合格
西门塔尔	22408016	查干花种畜场	特级	合格	西门塔尔	37105304	新疆呼图壁种牛场	特级	合格
西门塔尔	22406017	查干花种畜场	特级	合格	西门塔尔	37105305	新疆呼图壁种牛场	特级	合格
西门塔尔	22406019	查干花种畜场	特级	合格	西门塔尔	37105307	新疆呼图壁种牛场	特级	合格
西门塔尔	22406020	查干花种畜场	特级	合格	西门塔尔	37106308	新疆呼图壁种牛场	特级	合格
西门塔尔	22407021	齐齐哈尔种畜场	特级	合格	西门塔尔	37106309	新疆呼图壁种牛场	特级	合格
西门塔尔	22406022	齐齐哈尔种畜场	特级	合格	西门塔尔	37106310	新疆呼图壁种牛场	特级	合格
西门塔尔	22407023	齐齐哈尔种畜场	特级	合格	鲁西牛	37103112	山东鲁西黄牛原种场	特级	合格
西门塔尔	22405024	查干花种畜场	一级	合格	鲁西牛	37105111	山东科龙公司	一级	合格
西门塔尔	22406025	查干花种畜场	特级	合格	鲁西牛	37106100	山东科龙公司	一级	合格
西门塔尔	22497026	齐齐哈尔种畜场	一级	合格	鲁西牛	37106518	山东鲁西黄牛原种场	一级	合格
西门塔尔	22403027	高林屯种畜场	一级	合格	鲁西牛	37107123	山东鲁西黄牛原种场	一级	合格
西门塔尔	22403028	查干花种畜场	特级	合格	利木赞	37105188	山东鲁西黄牛原种场	特级	合格
西门塔尔	22407029	查干花种畜场	特级	合格	亚达艾格威(唐山)畜牧有限公司				
西门塔尔	22407032	查干花种畜场	一级	合格	荷斯坦	13306001	澳大利亚	特级	合格
西门塔尔	22407033	查干花种畜场	特级	合格	荷斯坦	13306002	澳大利亚	特级	合格
西门塔尔	22407035	查干花种畜场	特级	合格	荷斯坦	13306003	澳大利亚	特级	合格
西门塔尔	22407036	查干花种畜场	特级	合格	荷斯坦	13306004	澳大利亚	特级	合格
西门塔尔	22407037	查干花种畜场	特级	合格	荷斯坦	13307005	澳大利亚	一级	合格
夏洛来	22406030	齐齐哈尔种畜场	特级	合格	荷斯坦	13307006	澳大利亚	特级	合格
夏洛来	22407031	齐齐哈尔种畜场	特级	合格	荷斯坦	13307007	澳大利亚	一级	合格
夏洛来	22407034	齐齐哈尔种畜场	特级	合格	荷斯坦	13307008	澳大利亚	一级	合格
山东省种公牛站有限责任公司					荷斯坦	13307009	澳大利亚	一级	合格
西门塔尔	37105401	德国胚胎移植	特级	合格	荷斯坦	13307010	澳大利亚	一级	合格
西门塔尔	37106204	新疆呼图壁种牛场	一级	合格	荷斯坦	13307011	澳大利亚	特级	合格
西门塔尔	37107601	德国胚胎移植	特级	合格	荷斯坦	13307012	澳大利亚	特级	合格
西门塔尔	37107605	德国胚胎移植	一级	合格	荷斯坦	13307013	澳大利亚	一级	合格
西门塔尔	37107606	德国胚胎移植	特级	合格	荷斯坦	13307014	澳大利亚	一级	合格
西门塔尔	37107608	德国胚胎移植	一级	合格	荷斯坦	13307015	澳大利亚	一级	合格
西门塔尔	37107614	德国胚胎移植	一级	合格	荷斯坦	13307016	澳大利亚	一级	合格
西门塔尔	37107618	德国胚胎移植	特级	合格	荷斯坦	13307017	澳大利亚	一级	合格
西门塔尔	37107619	德国胚胎移植	特级	合格	荷斯坦	13307018	澳大利亚	一级	合格
西门塔尔	37107620	德国胚胎移植	特级	合格	荷斯坦	13307019	澳大利亚	特级	合格
西门塔尔	37107621	德国胚胎移植	特级	合格	荷斯坦	13307020	澳大利亚	一级	合格
西门塔尔	37107623	德国胚胎移植	特级	合格	荷斯坦	13307021	澳大利亚	特级	合格
西门塔尔	37107624	德国胚胎移植	特级	合格	荷斯坦	13307022	澳大利亚	特级	合格
西门塔尔	37107625	德国胚胎移植	特级	合格	荷斯坦	13307023	澳大利亚	一级	合格
西门塔尔	37107627	德国胚胎移植	一级	合格	荷斯坦	13307024	澳大利亚	一级	合格

（续）

品种	公牛号	来源	外貌评分	冻精检测	品种	公牛号	来源	外貌评分	冻精检测
荷斯坦	13307025	澳大利亚	特级	合格	荷斯坦	34303077	澳大利亚	特级	合格
荷斯坦	13307026	河北三河华夏牧场	一级	合格	荷斯坦	34303079	澳大利亚	特级	合格
荷斯坦	13307029	河北三河华夏牧场	一级	合格	荷斯坦	34304001	美国胚胎移植	特级	合格
荷斯坦	13307030	河北唐山恒天然	一级	合格	荷斯坦	34304003	美国胚胎移植	特级	合格
荷斯坦	13307031	河北唐山恒天然	一级	合格	荷斯坦	34304005	美国胚胎移植	特级	合格
荷斯坦	13307032	河北唐山恒天然	一级	合格	荷斯坦	34304007	美国胚胎移植	特级	合格
赤峰赛奥牧业技术服务有限公司					荷斯坦	34304009	美国胚胎移植	特级	合格
西门塔尔	15401478	加拿大	特级	合格	荷斯坦	34304011	美国胚胎移植	特级	合格
西门塔尔	15401479	加拿大	一级	合格	荷斯坦	34304013	美国胚胎移植	一级	合格
西门塔尔	15401483	加拿大	一级	合格	荷斯坦	34304331	加拿大胚胎移植	特级	合格
西门塔尔	15401484	加拿大	特级	合格	荷斯坦	34304601	美国胚胎移植	特级	合格
西门塔尔	15403181	内蒙古高林屯种畜场	特级	合格	荷斯坦	34304602	美国胚胎移植	特级	合格
西门塔尔	15404417	内蒙古高林屯种畜场	特级	合格	荷斯坦	34304603	美国胚胎移植	一级	合格
西门塔尔	15404431	内蒙古高林屯种畜场	特级	合格	荷斯坦	34304604	美国胚胎移植	特级	合格
西门塔尔	15405026	澳大利亚	特级	合格	荷斯坦	34304605	美国胚胎移植	特级	合格
西门塔尔	15405077	澳大利亚	特级	合格	荷斯坦	34304606	美国胚胎移植	特级	合格
西门塔尔	15405091	澳大利亚	特级	合格	荷斯坦	34304608	美国胚胎移植	特级	合格
西门塔尔	15405094	澳大利亚	一级	合格	荷斯坦	34304610	美国胚胎移植	一级	合格
西门塔尔	15405104	澳大利亚	特级	合格	荷斯坦	34304611	美国胚胎移植	特级	合格
西门塔尔	15405108	澳大利亚	一级	合格	荷斯坦	34304801	美国胚胎移植	特级	合格
西门塔尔	15405206	澳大利亚	一级	合格	荷斯坦	34304808	美国胚胎移植	一级	合格
西门塔尔	15406202	澳大利亚	特级	合格	荷斯坦	34304809	美国胚胎移植	特级	合格
西门塔尔	15406207	澳大利亚	特级	合格	荷斯坦	34304811	美国胚胎移植	特级	合格
西门塔尔	15406223	澳大利亚	特级	合格	荷斯坦	34304813	美国胚胎移植	特级	合格
西门塔尔	15406224	澳大利亚	特级	合格	荷斯坦	34304815	美国胚胎移植	特级	合格
西门塔尔	15406225	澳大利亚	特级	合格	荷斯坦	34304821	美国胚胎移植	一级	合格
西门塔尔	15406226	澳大利亚	特级	合格	荷斯坦	34304822	美国胚胎移植	特级	合格
西门塔尔	15406227	澳大利亚	特级	合格	荷斯坦	34304826	美国胚胎移植	特级	合格
西门塔尔	15406229	澳大利亚	特级	合格	荷斯坦	34304829	美国胚胎移植	特级	合格
西门塔尔	15407204	澳大利亚	特级	合格	荷斯坦	34304830	美国胚胎移植	特级	合格
西门塔尔	15407205	澳大利亚	一级	合格	荷斯坦	34304831	美国胚胎移植	特级	合格
西门塔尔	15407209	澳大利亚	特级	合格	荷斯坦	34304832	美国胚胎移植	特级	合格
西门塔尔	15407211	澳大利亚	特级	合格	荷斯坦	34304839	美国胚胎移植	特级	合格
夏洛莱	15405016	澳大利亚	特级	合格	荷斯坦	34304852	美国胚胎移植	特级	合格
夏洛莱	15405018	澳大利亚	特级	合格	荷斯坦	34305002	加拿大胚胎移植	特级	合格
夏洛莱	15405069	澳大利亚	特级	合格	荷斯坦	34306119	新西兰	特级	合格
夏洛莱	15406214	澳大利亚	特级	合格	荷斯坦	34306128	新西兰	特级	合格
夏洛莱	15406215	澳大利亚	特级	合格	荷斯坦	34306246	新西兰	特级	合格
夏洛莱	15406218	澳大利亚	特级	合格	荷斯坦	34306285	新西兰	特级	合格
夏洛莱	15406219	澳大利亚	一级	合格	荷斯坦	34307042	新西兰	特级	合格
安徽精英种畜有限公司					荷斯坦	34307116	新西兰	一级	合格

（续）

品种	公牛号	来源	外貌评分	冻精检测	品种	公牛号	来源	外貌评分	冻精检测
荷斯坦	34307125	新西兰	特级	合格	武汉兴牧生物科技有限公司				
荷斯坦	34307166	新西兰	一级	合格	西门塔尔	42100043	新西兰	特级	合格
南阳昌盛牛业有限公司					西门塔尔	42101047	新西兰	特级	合格
南阳牛	41398112	南阳市黄牛场	一级	合格	西门塔尔	42104185	澳大利亚	特级	合格
南阳牛	41398070	南阳市黄牛场	特级	合格	西门塔尔	42104194	澳大利亚	特级	合格
南阳牛	41306704	南阳市高新区	特级	合格	西门塔尔	42106208	澳大利亚	特级	合格
南阳牛	41301119	南阳市唐河县	特级	合格	西门塔尔	42106242	澳大利亚	特级	合格
南阳牛	41304321	南阳市高新区	特级	合格	西门塔尔	42106285	澳大利亚	特级	合格
利木赞	41301074	自繁	特级	合格	西门塔尔	42106287	澳大利亚	特级	合格
利木赞	41302074	自繁	特级	合格	西门塔尔	42106288	澳大利亚	特级	合格
利木赞	41306039	自繁	特级	合格	西门塔尔	42106289	澳大利亚	特级	合格
利木赞	41307501	自繁	一级	合格	西门塔尔	42106294	澳大利亚	特级	合格
利木赞	41307805	自繁	特级	合格	西门塔尔	42106295	澳大利亚	特级	合格
皮埃蒙特	41301077	自繁	特级	合格	西门塔尔	42106297	澳大利亚	特级	合格
皮埃蒙特	41306427	南阳市黄牛场	特级	合格	夏洛莱	42195005	新西兰	一级	合格
夏洛莱	41300111	黑龙江齐齐哈尔	特级	合格	夏洛莱	42100007	新西兰	特级	合格
夏洛莱	41305057	自繁	特级	合格	夏洛莱	42100009	新西兰	一级	合格
夏洛莱	41300127	黑龙江齐齐哈尔	特级	合格	夏洛莱	42102013	自繁	特级	合格
夏洛莱	41301069	黑龙江齐齐哈尔	特级	合格	夏洛莱	42103058	澳大利亚	特级	合格
夏洛莱	41302059	黑龙江齐齐哈尔	特级	合格	夏洛莱	42103121	澳大利亚	特级	合格
夏洛莱	41302011	黑龙江齐齐哈尔	特级	合格	夏洛莱	42104070	澳大利亚	特级	合格
夏洛莱	41306614	自繁	一级	合格	槟榔江水牛	42104089	云南腾冲	特级	合格
夏洛莱	41307112	自繁	一级	合格	槟榔江水牛	42104095	云南腾冲	特级	合格
荷斯坦	41303065	郑州中荷	特级	合格	槟榔江水牛	42105097	云南腾冲	特级	合格
荷斯坦	41305006	陕西西安	特级	合格	槟榔江水牛	42105101	云南腾冲	特级	合格
荷斯坦	41307008	陕西西安	特级	合格	槟榔江水牛	42105228	云南腾冲	特级	合格
荷斯坦	41307375	澳大利亚	一级	合格	槟榔江水牛	42105250	云南腾冲	一级	合格
荷斯坦	41307377	澳大利亚	一级	合格	利木赞	42196017	新西兰	特级	合格
德国黄牛	41399058	南阳市黄牛场	特级	合格	利木赞	42198013	新西兰	特级	合格
德国黄牛	41301112	河南鼎元	特级	合格	利木赞	42198015	新西兰	一级	合格
德国黄牛	41304114	自繁	特级	合格	利木赞	42101019	自繁	特级	合格
德国黄牛	41305083	自繁	特级	合格	安格斯	42100005	新西兰	特级	合格
德国黄牛	41305122	自繁	特级	合格	安格斯	42100013	新西兰	特级	合格
德国黄牛	41305215	自繁	特级	合格	安格斯	42101017	新西兰	特级	合格
德国黄牛	41305810	自繁	特级	合格	劳莱恩	42198211	澳大利亚	特级	合格
德国黄牛	41305813	自繁	特级	合格	劳莱恩	42101196	澳大利亚	特级	合格
德国黄牛	41306046	自繁	特级	合格	劳莱恩	42101244	澳大利亚	特级	合格
德国黄牛	41306114	自繁	特级	合格	成都汇丰动物育种有限公司				
德国黄牛	41306501	自繁	特级	合格	（四川省家畜冷冻精液中心站）				
德国黄牛	41307330	自繁	一级	合格	西门塔尔	51105072	四川阳平	特级	合格
德国黄牛	41307327	自繁	特级	合格	西门塔尔	51105073	四川阳平	特级	合格

（续）

品种	公牛号	来源	外貌评分	冻精检测	品种	公牛号	来源	外貌评分	冻精检测
西门塔尔	51106074	四川阳平	一级	合格	荷斯坦	51105066	美国胚胎移植	特级	合格
西门塔尔	51106075	四川阳平	特级	合格	荷斯坦	51105067	美国胚胎移植	特级	合格
西门塔尔	51106077	四川宣汉	特级	合格	娟姗牛	51103384	新西兰	一级	合格
西门塔尔	51106078	四川宣汉	一级	合格	娟姗牛	51103512	新西兰	特级	合格
西门塔尔	51106079	四川阳平	一级	合格	娟姗牛	51103700	新西兰	特级	合格
西门塔尔	51106080	四川阳平	特级	合格	娟姗牛	51103898	新西兰	特级	合格
西门塔尔	51106081	四川阳平	特级	合格	娟姗牛	51105812	美资乃奇乐公司	特级	合格
西门塔尔	51106082	四川阳平	特级	合格	娟姗牛	51105814	美资乃奇乐公司	特级	合格
西门塔尔	51106083	四川阳平	特级	合格	娟姗牛	51105818	美资乃奇乐公司	特级	合格
西门塔尔	51106084	四川阳平	特级	合格	长春新牧科技有限公司				
西门塔尔	51106085	四川阳平	特级	合格	西门塔尔	22101211	加系自繁	特级	合格
西门塔尔	51106086	四川阳平	特级	合格	西门塔尔	22102309	加系自繁	特级	合格
西门塔尔	51106087	四川阳平	特级	合格	西门塔尔	22102329	加系自繁	特级	合格
西门塔尔	51106088	四川阳平	特级	合格	西门塔尔	22102333	加系自繁	特级	合格
西门塔尔	51106089	四川阳平	特级	合格	西门塔尔	22103405	加系自繁	特级	合格
西门塔尔	51106090	四川阳平	特级	合格	西门塔尔	22103421	加系自繁	特级	合格
西门塔尔	51106091	四川阳平	特级	合格	西门塔尔	22104513	加系自繁	特级	合格
西门塔尔	51106092	四川阳平	特级	合格	西门塔尔	22104521	加系自繁	特级	合格
西门塔尔	51106093	四川阳平	特级	合格	西门塔尔	22104531	加系自繁	特级	合格
西门塔尔	51106094	四川阳平	一级	合格	西门塔尔	22104533	加系自繁	特级	合格
西门塔尔	51106095	四川阳平	特级	合格	西门塔尔	22105545	加系自繁	特级	合格
西门塔尔	51106096	四川阳平	特级	合格	西门塔尔	22106244	澳大利亚	特级	合格
西门塔尔	51107097	四川阳平	特级	合格	西门塔尔	22106250	澳大利亚	特级	合格
西门塔尔	51107098	四川阳平	一级	合格	西门塔尔	22106251	澳大利亚	特级	合格
西门塔尔	51104032	四川阳平	一级	合格	西门塔尔	22106252	澳大利亚	特级	合格
荷斯坦	51102512	美国	特级	合格	西门塔尔	22106261	澳大利亚	特级	合格
荷斯坦	51102513	美国	一级	合格	西门塔尔	22106263	澳大利亚	特级	合格
荷斯坦	51102514	美国	特级	合格	西门塔尔	22106273	澳大利亚	特级	合格
荷斯坦	51102515	美国	特级	合格	西门塔尔	22106274	澳大利亚	特级	合格
荷斯坦	51102516	美国	特级	合格	西门塔尔	22106276	澳大利亚	特级	合格
荷斯坦	51103021	加拿大胚胎移植	一级	合格	西门塔尔	22106277	澳大利亚	特级	合格
荷斯坦	51104536	加拿大胚胎移植	特级	合格	西门塔尔	22106278	澳大利亚	特级	合格
荷斯坦	51105015	美国胚胎移植	特级	合格	西门塔尔	22106279	澳大利亚	特级	合格
荷斯坦	51105020	美国胚胎移植	特级	合格	西门塔尔	22106280	澳大利亚	特级	合格
荷斯坦	51105022	加拿大胚胎移植	特级	合格	西门塔尔	22106613	加系自繁	特级	合格
荷斯坦	51105030	加拿大胚胎移植	一级	合格	西门塔尔	22106621	加系自繁	特级	合格
荷斯坦	51105034	加拿大胚胎移植	特级	合格	西门塔尔	22106625	加系自繁	特级	合格
荷斯坦	51105039	加拿大胚胎移植	特级	合格	西门塔尔	22106627	加系自繁	特级	合格
荷斯坦	51105540	加拿大胚胎移植	特级	合格	西门塔尔	22106629	加系自繁	特级	合格
荷斯坦	51105043	加拿大胚胎移植	特级	合格	西门塔尔	22106637	加系自繁	特级	合格
荷斯坦	51105060	加拿大胚胎移植	特级	合格	西门塔尔	22107246	澳大利亚	特级	合格

（续）

品种	公牛号	来源	外貌评分	冻精检测	品种	公牛号	来源	外貌评分	冻精检测
西门塔尔	22107248	澳大利亚	特级	合格	荷斯坦	23203133	加拿大胚胎	一级	合格
西门塔尔	22107249	澳大利亚	特级	合格	荷斯坦	23203135	加拿大胚胎	特级	合格
西门塔尔	22107254	澳大利亚	特级	合格	荷斯坦	23203136	加拿大	一级	合格
西门塔尔	22107258	澳大利亚	一级	合格	荷斯坦	23203143	加拿大	一级	合格
西门塔尔	22107267	澳大利亚	特级	合格	荷斯坦	23203160	加拿大	一级	合格
西门塔尔	22107703	加系自繁	特级	合格	荷斯坦	23203161	加拿大胚胎	特级	合格
西门塔尔	22107705	加系自繁	特级	合格	荷斯坦	23203162	加拿大胚胎	特级	合格
西门塔尔	22107715	加系自繁	特级	合格	荷斯坦	23203165	加拿大胚胎	特级	合格
西门塔尔	22107721	加系自繁	特级	合格	荷斯坦	23203174	加拿大	一级	合格
西门塔尔	22107723	加系自繁	一级	合格	荷斯坦	23203177	加拿大	一级	合格
西门塔尔	22107733	加系自繁	特级	合格	荷斯坦	23203178	自繁	一级	合格
西门塔尔	22107739	加系自繁	一级	合格	荷斯坦	23203187	加拿大胚胎	特级	合格
西门塔尔	22107751	加系自繁	特级	合格	荷斯坦	23203191	加拿大胚胎	特级	合格
西门塔尔	22107755	加系自繁	特级	合格	荷斯坦	23204026	自繁	特级	合格
西门塔尔	22107759	加系自繁	特级	合格	荷斯坦	23204050	加拿大胚胎	特级	合格
西门塔尔	22108001	德系自繁	特级	合格	荷斯坦	23204051	加拿大胚胎	特级	合格
西门塔尔	22108801	加系自繁	特级	合格	荷斯坦	23204092	自繁	一级	合格
西门塔尔	22108803	加系自繁	一级	合格	荷斯坦	23204176	加拿大胚胎	特级	合格
西门塔尔	22108805	加系自繁	特级	合格	荷斯坦	23204180	自繁	特级	合格
夏洛来	22105531	加系自繁	特级	合格	荷斯坦	23204185	加拿大胚胎	特级	合格
夏洛来	22106603	加系自繁	特级	合格	荷斯坦	23204303	加拿大胚胎	特级	合格
夏洛来	22106641	加系自繁	特级	合格	荷斯坦	23204317	加拿大胚胎	特级	合格
大庆市银螺乳业有限公司种公牛站					荷斯坦	23205001	加拿大胚胎	特级	合格
荷斯坦	23203018	加拿大胚胎	特级	合格	荷斯坦	23205002	自繁	一级	合格
荷斯坦	23203020	加拿大胚胎	特级	合格	荷斯坦	23205003	自繁	一级	合格
荷斯坦	23203025	加拿大胚胎	特级	合格	荷斯坦	23205004	自繁	特级	合格
荷斯坦	23203029	加拿大	一级	合格	荷斯坦	23205005	加拿大胚胎	一级	合格
荷斯坦	23203037	加拿大胚胎	一级	合格	荷斯坦	23205008	加拿大胚胎	特级	合格
荷斯坦	23203042	加拿大胚胎	特级	合格	荷斯坦	23205011	自繁	一级	合格
荷斯坦	23203043	加拿大胚胎	特级	合格	荷斯坦	23205012	自繁	特级	合格
荷斯坦	23203088	加拿大	特级	合格	荷斯坦	23205013	加拿大胚胎	特级	合格
荷斯坦	23203094	加拿大	一级	合格	荷斯坦	23205015	加拿大胚胎	特级	合格
荷斯坦	23203096	加拿大	特级	合格	荷斯坦	23205016	自繁	特级	合格
荷斯坦	23203100	加拿大	特级	合格	荷斯坦	23205022	自繁	特级	合格
荷斯坦	23203101	加拿大	一级	合格	荷斯坦	23205023	自繁	特级	合格
荷斯坦	23203106	加拿大胚胎	特级	合格	荷斯坦	23205024	自繁	一级	合格
荷斯坦	23203109	加拿大胚胎	特级	合格	荷斯坦	23205025	自繁	一级	合格
荷斯坦	23203117	加拿大胚胎	一级	合格	荷斯坦	23205026	自繁	一级	合格
荷斯坦	23203118	加拿大胚胎	一级	合格	荷斯坦	23205027	加拿大胚胎	特级	合格
荷斯坦	23203130	加拿大胚胎	特级	合格	荷斯坦	23205028	自繁	一级	合格
荷斯坦	23203132	加拿大胚胎	一级	合格	荷斯坦	23205139	自繁	特级	合格

（续）

品种	公牛号	来源	外貌评分	冻精检测	品种	公牛号	来源	外貌评分	冻精检测
荷斯坦	23206031	自繁	特级	合格	南德温牛	31202018	自繁	特级	合格
荷斯坦	23206032	自繁	特级	合格	南德温牛	31203018	自繁	一级	合格
荷斯坦	23206035	自繁	特级	合格	南德温牛	31203019	自繁	特级	合格
荷斯坦	23206037	自繁	特级	合格	南德温牛	31204001	自繁	特级	合格
荷斯坦	23206040	自繁	特级	合格	南德温牛	31204003	自繁	特级	合格
荷斯坦	23206041	自繁	特级	合格	南德温牛	31204004	自繁	特级	合格
荷斯坦	23206042	加拿大胚胎	特级	合格	南德温牛	31204006	自繁	一级	合格
荷斯坦	23206044	自繁	一级	合格	南德温牛	31204008	自繁	特级	合格
荷斯坦	23206046	自繁	特级	合格	南德温牛	31204012	自繁	一级	合格
荷斯坦	23206048	自繁	一级	合格	南德温牛	31204013	自繁	特级	合格
荷斯坦	23206070	加拿大胚胎	特级	合格	南德温牛	31204021	自繁	特级	合格
荷斯坦	23206072	加拿大胚胎	特级	合格	南德温牛	31204022	自繁	特级	合格
荷斯坦	23206079	加拿大胚胎	一级	合格	南德温牛	31205001	自繁	特级	合格
荷斯坦	23206085	自繁	一级	合格	南德温牛	31205004	自繁	特级	合格
荷斯坦	23206086	自繁	特级	合格	南德温牛	31205005	自繁	一级	合格
荷斯坦	23206089	自繁	特级	合格	南德温牛	31205007	自繁	特级	合格
荷斯坦	23206093	自繁	特级	合格	南德温牛	31205008	自繁	特级	合格
荷斯坦	23206097	自繁	特级	合格	南德温牛	31205015	自繁	特级	合格
荷斯坦	23207003	自繁	一级	合格	南德温牛	31205017	自繁	特级	合格
荷斯坦	23207005	自繁	特级	合格	南德温牛	31205020	自繁	一级	合格
荷斯坦	23207006	自繁	一级	合格	南德温牛	31205022	自繁	一级	合格
荷斯坦	23207007	自繁	特级	合格	南德温牛	31205023	自繁	一级	合格
荷斯坦	23207008	自繁	特级	合格	南德温牛	31205029	自繁	特级	合格
荷斯坦	23207009	自繁	一级	合格	南德温牛	31205030	自繁	一级	合格
荷斯坦	23207010	自繁	特级	合格	南德温牛	31206001	自繁	外貌	合格
荷斯坦	23207011	自繁	特级	合格	南德温牛	31206002	自繁	特级	合格
荷斯坦	23207012	自繁	一级	合格	南德温牛	31206003	自繁	特级	合格
荷斯坦	23207013	自繁	一级	合格	南德温牛	31206005	自繁	特级	合格
上海金晖家畜遗传开发有限公司					南德温牛	31206007	自繁	特级	合格
南德温牛	31299014	自繁	特级	合格	南德温牛	31206008	自繁	特级	合格
南德温牛	31299020	自繁	特级	合格	南德温牛	31206009	自繁	特级	合格
南德温牛	31299022	自繁	特级	合格	南德温牛	31206011	自繁	特级	合格
南德温牛	31200003	自繁	特级	合格	南德温牛	31206012	自繁	特级	合格
南德温牛	31201019	自繁	一级	合格	南德温牛	31206013	自繁	特级	合格
南德温牛	31201022	自繁	特级	合格	南德温牛	31206016	自繁	特级	合格
南德温牛	31201024	自繁	一级	合格	南德温牛	31206017	自繁	特级	合格
南德温牛	31201025	自繁	特级	合格	南德温牛	31206023	自繁	特级	合格
南德温牛	31202005	自繁	一级	合格	南德温牛	31206024	自繁	特级	合格
南德温牛	31202007	自繁	一级	合格	南德温牛	31206027	自繁	特级	合格
南德温牛	31202008	自繁	特级	合格	南德温牛	31206030	自繁	一级	合格
南德温牛	31202010	自繁	特级	合格	南德温牛	31207001	自繁	特级	合格

（续）

品种	公牛号	来源	外貌评分	冻精检测	品种	公牛号	来源	外貌评分	冻精检测
南德温牛	31207002	自繁	一级	合格	南德温牛	32107018	自繁	一级	合格
南德温牛	32107009	自繁	一级	合格	南德温牛	31207024	自繁	特级	合格
南德温牛	31207011	自繁	一级	合格	南德温牛	31207026	自繁	特级	合格
南德温牛	31207012	自繁	一级	合格	南德温牛	31207031	自繁	特级	合格
南德温牛	31207013	自繁	特级	合格	南德温牛	31207033	自繁	一级	合格
南德温牛	31207014	自繁	一级	合格	南德温牛	31207036	自繁	一级	合格
南德温牛	31207017	自繁	一级	合格					

畜禽新品种配套系证书颁发目录

证书编号	畜禽名称	培育单位	参加培育单位
农03新品种证字第6号	凉山半细毛羊	凉山彝族自治州畜牧局、四川农业大学、四川省畜牧科学研究院、凉山彝族自治州畜牧兽医科学研究所	凉山半细毛羊原种场、昭觉县畜牧局、会东县畜牧局、金阳县畜牧局、凉山州螺髻山种畜场、凉山州七里坝种羊场、凉山州乌科育种场竹核分场、凉山州畜科所种羊场、会东县夹马石种羊场、昭觉县好谷草种场、昭觉县豹口牧场、金阳县丙底育种场，雷波县箐口牧场
农03新品种证字第7号	文登奶山羊	文登市畜牧兽医技术服务中心	山东农业大学、西北农林科技大学、文登市种羊场、文登市界石畜牧兽医工作站、文登市葛家畜牧兽医工作站、文登市大水泊畜牧兽医工作站、文登市文登营畜牧兽医工作站、文登市小观畜牧兽医工作站
农01新品种证字第16号	滇陆猪	云南省陆良县种猪试验场、云南省畜牧兽医科学院、云南省陆良县畜牧兽医局	云南省曲靖市畜禽改良工作站、云南省陆良县畜禽改良站
农09新品种证字第20号	京海黄鸡	江苏京海禽业集团有限公司、扬州大学、江苏省畜牧总站	
农09新品种证字第21号	京红1号蛋鸡配套系	北京市华都峪口禽业有限责任公司、北京华都集团有限责任公司良种基地	
农09新品种证字第22号	京粉1号蛋鸡配套系	北京市华都峪口禽业有限责任公司、北京华都集团有限责任公司良种基地	
农09新品种证字第23号	良凤花鸡配套系	广西南宁市良凤农牧有限责任公司	
农09新品种证字第24号	墟岗黄鸡1号配套系	广东省鹤山市墟岗黄畜牧有限公司	
农09新品种证字第25号	皖南黄鸡配套系	安徽华大生态农业科技有限公司	
农09新品种证字第26号	皖南青脚鸡配套系	安徽华大生态农业科技有限公司	
农09新品种证字第27号	皖江黄鸡配套系	安徽华卫集团禽业有限公司	安徽农业大学
农09新品种证字第28号	皖江麻鸡配套系	安徽华卫集团禽业有限公司	安徽农业大学

（续）

证书编号	畜禽名称	培育单位	参加培育单位
农09新品种证字第29号	雪山鸡配套系	江苏省常州市立华畜禽有限公司	
农09新品种证字第30号	苏禽黄鸡2号配套系	江苏省家禽科学研究所、扬州市翔龙禽业发展有限公司	
农09新品种证字第31号	金陵麻鸡配套系	广西金陵养殖有限公司	
农09新品种证字第32号	金陵黄鸡配套系	广西金陵养殖有限公司	

畜禽遗传资源名单

畜禽名称	申请单位	畜禽名称	申请单位
尧山白山羊	河南省畜牧局	闽东山羊	福建省畜牧兽医局
乌冉克羊	内蒙古自治区农牧业厅	莱芜黑山羊	山东省畜牧兽医局
渝东黑山羊	重庆市农业委员会	酉州乌羊	重庆市农业委员会
大足黑山羊	重庆市农业委员会	贵州黑山羊	贵州省农业委员会
黔北麻羊	贵州省农业委员会	长垣驴	河南省畜牧局
阿巴嘎黑马	内蒙古自治区农牧业厅	确山黑猪	河南省畜牧局
黔北黑猪	贵州省农业委员会	滨湖黑猪	江西省畜牧兽医局
太湖鸡	江苏省农业委员会	如皋黄鸡	江苏省农业委员会
安义瓦灰鸡	江西省畜牧兽医局	吉安红毛鸭	江西省畜牧兽医局
金湖乌凤鸡	福建省畜牧兽医局	闽清毛脚鸡	福建省畜牧兽医局
德化黑鸡	福建省畜牧兽医局	长顺绿壳蛋鸡	贵州省农业委员会
平坝灰鹅	贵州省农业委员会	大宁河鸡	重庆市农业委员会
城口山地鸡	重庆市农业委员会	麻旺鸭	重庆市农业委员会
广西乌鸡	广西壮族自治区水产畜牧兽医局	天峨六画山鸡	广西壮族自治区水产畜牧兽医局
龙胜翠鸭	广西壮族自治区水产畜牧兽医局	龙胜凤鸡	广西壮族自治区水产畜牧兽医局
融水香鸭	广西壮族自治区水产畜牧兽医局	黄山黑鸡	安徽省畜牧兽医局
五华鸡	安徽省畜牧兽医局	枞阳媒鸭	安徽省畜牧兽医局

2009年各地区草原火灾

地区	火灾次数（次）	重大火灾	特大火灾	受害草原面积（公顷）	烧死牲畜（头、只）	烧毁房舍（平方米）	被迫转移牲畜（头、只）	参加扑火人工日（工·日）
总　计	192	1	2	24 795.28	372	250	28 000	19 762
河　北	1			20				10
山　西	4			259.8				2 620
内蒙古	10	1	2	20 014.86	358	250	26 400	2 646
辽　宁	9			115				1 105
吉　林	40			1 850				250
黑龙江	7			81.1				150
四　川	32			1 629				8 770
陕　西	16			17.7				228
甘　肃	41			528.17				2 011
青　海	24			169.75				1 182
宁　夏	1			1.1				19
新　疆	7			108.8	14		1 600	771

此表数据由农业部草原监理中心黄明亮提供。

2009年度全国草品种审定委员会审定通过的草品种名录

品种名称	申报单位	品种类别	适应区域
京草1号偃麦草	北京草业与环境研究发展中心、赤峰市农牧科学研究院	育成品种	适合于我国北方干旱半干旱年均降水量300毫米以上的地区种植
麦迪多年生黑麦草	云南农业大学、云南省草山饲草饲料工作站、北京正道生态科技有限公司	引进品种	适宜于云南海拔800~2 500米，年降水量800~1 500毫米的温凉湿润地区及相似生态条件的区域种植
尼普顿多年生黑麦草	贵州省草业研究所、贵州省饲草饲料工作站、四川省金种燎原种业科技有限责任公司	引进品种	适宜在云、贵、川三省的海拔800~2 500米，年降水量800~1 500毫米的温凉湿润地区及相似生态条件的区域种植
阿坝老芒麦	四川省阿坝大草原草业科技有限责任公司、四川省金种燎原种业科技有限责任公司、阿坝藏族羌族自治州草原工作站	野生栽培品种	适宜在四川阿坝海拔2 000~4 000米地区栽培，能够获得较高的种子和牧草产量
冀草2号高粱－苏丹草杂交种	河北省农林科学院旱作农业研究所	育成品种	全国各地适宜高粱、苏丹草种植的地区均可种植
中饲1877小黑麦	中国农业科学院作物科学研究所	育成品种	适宜黄淮海地区和西北部分地区秋播，也可以在南方地区冬种
鄂引3号狗牙根	湖北省农业科学院畜牧兽医研究所	引进品种	适宜我国长江流域中下游及以南地区种植，用于放牧、刈割，边坡防护及生态修复等
桂闽引象草	广西壮族自治区畜牧研究所、福建省畜牧总站	引进品种	喜温暖湿润气候，适于我国热带、南亚热带地区种植
苏牧2号象草	江苏省农业科学院畜牧研究所、浙江绍兴白云建设有限公司	育成品种	适于我国长江流域及以南的地区种植
德纳塔鸭茅	云南农业大学、云南省草山饲料工作站、北京正道生态科技有限公司	引进品种	适宜于长江流域及以南，在海拔600~3 000米，年降水量600~1 100毫米的温暖湿润山区种植
瓦纳鸭茅	云南省草地动物科学研究院、百绿国际草业(北京)有限公司	引进品种	适宜于云南海拔1 500~3 400米，年降水量≥550毫米的温带至北亚热带地区，秦岭以南中高海拔地区种植
陇燕3号燕麦	甘肃农业大学	育成品种	适宜甘肃天祝、岷县、甘南、通渭及其他冷凉地区种植
阿坝燕麦	四川省草原科学研究院、四川省红原县畜牧兽医局	地方品种	适宜西南地区高山及青藏高原高寒牧区，海拔2 000~4 500米区域种植。
盈江危地马拉草	云南省草地动物科学研究院、云南省盈江县畜牧兽医局	地方品种	适于我国海南、广东、广西、福建以及云南、四川、贵州部分地区种植
约翰斯顿苇状羊茅	北京克劳沃草业技术开发中心	引进品种	适宜在年降水量450毫米以上，海拔1 500米以下温暖湿润地区种植
德梅特苇状羊茅	云南省草地动物研究院、百绿国际草业(北京)有限公司	引进品种	适宜在云南海拔大于1 200米，年降水量大于700毫米北亚热带，温带地区种植
水城高羊茅	贵州省草业研究所、贵州阳光草业科技有限公司、四川农业大学	野生栽培品种	适宜我国云贵高原、长江中上游及类似生态区种植
青引3号莜麦	青海省畜牧兽医科学院	引进品种	适宜青海省高寒地区海拔1 700~3 000米地区种植

（续）

品种名称	申报单位	品种类别	适应区域
阿坝垂穗披碱草	四川省草原科学研究院	野生栽培品种	适宜在四川阿坝海拔 3 000 ~ 4 500 米的地区种植
塔乌库姆冰草	新疆维吾尔自治区畜牧科学院草业研究所	引进品种	适宜新疆年均降水量 300 毫米以上的干旱半干旱地区种植
新农 3 号狗牙根	新疆农业大学	育成品种	适宜用于我国北方暖温带及亚热带，干旱、半干旱平原区城乡绿化、生态建设及人工草地建设
苏植 1 号杂交结缕草	江苏省中国科学院植物研究所	育成品种	适宜用于长江三角洲及以南地区的观赏草坪、公共绿地、运动场草坪以及保土草坪的建植
欧歌菊苣	四川省金种燎原种业科技有限责任公司、四川省川草生态草业科技开发有限责任公司、重庆格莱特牧业发展有限公司	引进品种	适宜于四川年降水量 500 ~ 1 500 毫米，气候较温和地区及类似气候条件地区种植
清水紫花苜蓿	甘肃农业大学、中国农业科学院北京畜牧兽医研究所	野生栽培品种	适宜我国甘肃省海拔 1 100 ~ 2 600 米的半湿润、半干旱区，可作为刈割草地或水土保持利用
甘农 6 号紫花苜蓿	甘肃农业大学	育成品种	适应于我国西北内陆绿洲灌区和黄土高原地区种植
公农 5 号紫花苜蓿	吉林省农业科学院	育成品种	适于我国北方温带地区种植
德钦紫花苜蓿	云南农业大学、迪庆藏族自治州动物卫生监督所	野生栽培品种	适宜于云南省迪庆州海拔 2 000 ~ 3 000 米及类似地区种植
中草 3 号紫花苜蓿	中国农业科学院草原研究所	育成品种	适宜在我国北方干旱寒冷地区，尤其适宜内蒙古及周边地区种植
新牧 4 号紫花苜蓿	新疆农业大学	育成品种	适宜在有灌溉条件的南北疆及甘肃河西走廊、宁夏引黄灌区等地种植
威斯顿紫花苜蓿	北京克劳沃种业科技有限公司	引进品种	适宜范围为海拔 1 500 ~ 3 400 米，年均温 5 ~ 16℃，夏季最高温不超过 30℃，年降水量 ≥560 毫米的温带至中亚热带地区。尤其适宜在我国西南和南方山区种植
东苜 1 号紫花苜蓿	东北师范大学	育成品种	适宜我国东北干旱寒冷地区种植
龙牧 808 紫花苜蓿	黑龙江省畜牧研究所	育成品种	适于在东北、西北、内蒙古等地区种植
甘农 5 号紫花苜蓿	甘肃农业大学	育成品种	适宜我国北纬 33° ~ 36° 的西北地区种植
中苜 6 号紫花苜蓿	中国农业科学院北京畜牧兽医研究所	育成品种	适宜在我国华北中部及北方类似条件地区种植
江淮光叶紫花苕	安徽省农业科学院畜牧兽医研究所	地方品种	适宜在江淮地区年降水量 450 毫米以上，最低温度 −10℃以上的地区种植
润高扁豆	四川农业大学、百绿国际草业（北京）有限公司	引进品种	适宜在年降水量 650 ~ 2 000 毫米且无霜期 120 天以上，≥10℃有效积温 2 100℃以上的区域种植
海沃扁豆	百绿（天津）国际草业有限公司、北京安多霖科技发展有限公司	引进品种	适宜在我国北方地区无霜期 110 天以上，≥10℃有效积温 2 100℃以上的地区作为饲草种植，但不能结实。在广西、海南等地区，既可以作为青饲料，也可利用籽实

（续）

品种名称	申报单位	品种类别	适应区域
桂引山毛豆	广西壮族自治区畜牧研究所	引进品种	适宜我国年降水量600毫米以上的热带和南亚热带地区种植
延边东方野豌豆	东北师范大学、延边草原开发公司	野生栽培品种	适应于吉林省东部和南部山区、半山区草原区，吉林省西部盐碱化草原区中的轻度盐碱化地区或东北同等条件的地区种植
热研20号圭亚那柱花草	中国热带农业科学院热带作物品种资源研究所	育成品种	适宜在海南、广东、广西、云南、福建等热带南亚热带地区种植
绿帝1号沙打旺	内蒙古绿帝牧草种业技术开发中心	育成品种	适合在内蒙古通辽、赤峰、鄂尔多斯、临河、包头、乌海、乌兰察布南郊地区及辽宁、吉林地区种植利用
鄂尔多斯草木樨状黄芪	内蒙古自治区农牧业科学院、鄂尔多斯市草原工作站	野生栽培品种	适宜于内蒙古中西部及毗邻地区推广种植
鄂尔多斯中间锦鸡儿	内蒙古自治区农牧业科学院、鄂尔多斯市草原工作站、乌兰察布市草原工作站	野生栽培品种	适宜于内蒙古中西部及毗邻地区栽培作为饲用灌木和防风固沙，保持水土、蜜源、薪柴等多种用途
龙引细绿萍	东北农业大学	引进品种	适宜在黑龙江省各地静止肥沃水面养殖，冬季种萍需保护过冬
乌兰察布型华北驼绒藜	内蒙古自治区农牧业科学院	野生栽培品种	适宜内蒙古中西部地区及宁夏、甘肃、新疆等地种植，尤其适宜干旱荒漠草原地区
松原罗布麻	东北师范大学	野生栽培品种	适宜在我国东北盐碱地上种植饲用，亦可用于生态治理

此表资料由全国畜牧总站齐晓提供。

《草种经营许可证》单位名单（第二批）

单位名称	住　所	法定代表人	申请注册资本	经营范围	经营方式	有效区域	许可证编号	有效期	备注
百绿国际草业（北京）有限公司	北京市朝阳区京港城市大厦写字楼3C室	陈谷	1 000万元	草种	批发、零售、进出口	全国	（农）草种经许字（2009）第002号	至2014年10月9日	期满重新申请
北京正道生态科技有限公司	北京市海淀区清河四街南口1号种业交易市场3846号	邵进犟	1000万元	草种	批发、零售、进出口	全国	（农）草种经许字（2009）第003号	至2014年10月9日	期满重新申请

（本栏目主编　杨泽霖　余　欣）

索　　引

说　明

1. 本索引采用主题分析方法，按主题词首字笔画笔顺排列。首字相同时，按第二字笔画笔顺排列。以此类推。

2. 本刊的“大事记”、“统计资料”、“领导论坛”、“政策法规”以及“附录”等栏目未作索引。

3. 本索引主题词后面的数字表示索引内容所在页码。

十二画

十三画

中国畜牧业年鉴编辑部

主　　编　刘增胜　谷继承　陈伟生
副 主 编　徐　晖　石有龙
责任编辑　耿增强
编　　辑　徐　晖　梁书升　丁福辉
　　　　　吴洪钟　汪子涵　章　颖　杨泽霖

栏 目 主 编

发展概况	石有龙　张利宇	**行业管理**	贠旭疆
各地畜牧业	王志刚　武玉波 寇占英　李　扬	**统计资料**	刘桂珍
政策法规	冯葆昌	**领导论坛**	郭立彬
附　　录	杨泽霖　余　欣	**大 事 记**	田建华

特 约 编 辑

张保延（北　京）　卢万强（天　津）　吕家兴（河　北）
郑晓静（山　西）　黄　伟（内蒙古）　刘怀野（辽　宁）
朱恒义（吉　林）　周志茹（黑龙江）　曹海平（上　海）
王　彬（江　苏）　丁巧丽（浙　江）　汤　洋（安　徽）
蔡春继（福　建）　刘　翔（江　西）　孙　涛（山　东）
王　鹏（河　南）　王海朋（湖　北）　林益平（湖　南）
林　敏（广　东）　曾辉材（广　西）　陈圣法（海　南）
向柯霖（重　庆）　陈　婷（四　川）　邓晓静（贵　州）
肖　毅（云　南）　曹仲华（西　藏）　张宏兴（陕　西）
万占全（甘　肃）　马清德（青　海）　张　军（宁　夏）
朱爱新（新　疆）　郑　颖（大　连）　王清信（青　岛）
项益锋（宁　波）　陈旭波（厦　门）　张碧华（深　圳）
杨　勇（新疆兵团）

中国畜牧业年鉴 2010

主管:中华人民共和国农业部
主办:中国农业出版社
编辑出版:中国畜牧业年鉴编辑部
100125 北京市朝阳区麦子店街 18 号楼
电话 010 - 59194986 65061875
传真 010 - 65005665 65061875
E - mail xmynjcn@ ccap. com. cn
发行:新华书店北京发行所 中国畜牧业年鉴编辑部
印制:中国农业出版社印刷厂
出版日期:2010 年 12 月
刊号:ISSN 1009 - 7996 / CN 11 - 4584/S
广告经营许可证:京朝工商广字第 0122 号
定价:200.00 元

ISSN 1009-7996
9 771009 799103 12>

山东时星机械有限公司

山东时星机械有限公司位于新泰市西郊，西临泰山，南接曲阜，境内有铁路、公路，地理位置优越，下设时星饲料机械公司、时星轻钢结构工程公司、时星机械工程安装公司、时星饲料公司、时星饲料机械研究所、济南营销总部等多家分公司，是长江以北全国最大的饲料机械加工基地之一，技术力量雄厚。时星人始终视质量为企业生命，质量第一是时星人从事饲料加工业的一贯准则，生产和经营技术领先、坚固耐用、性能可靠的饲料加工机组是时星人坚定不移的信念，100% 的顾客满意是时星人失志不移的奋斗目标。时星饲料成套机组被中国畜牧工业学会评为推荐产品；中国技术监督情报协会用户市场调查 3·15 质量无投诉、服务无投诉诚信企业；山东省粮办工业三十佳企业；山东省高新技术企业。2007 年 7 月 16 日通过 ISO9001-2000 版质量管理体系认证。

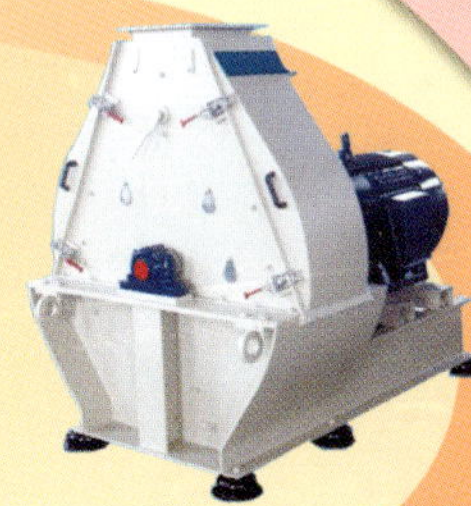

饲料粉碎机

本公司设备齐全，工艺先进，技术力量雄厚，是集研制、开发、销售、安装为一体的综合企业，拥有多项国家专利及技术创新，2005 年公司与韩国株式会社，韩国酪农技术研究会合作，共同研制开发生产 TMR 牛饲料搅拌机并于 2007 年获得国家专利产品证书，同时获得农业机械推广鉴定证书，同年又被国家列入推广产品目录，由于饲料搅拌机质量可靠，迅速占领了全国奶牛市场，产品销售全国 20 多个省市，受到了广大客户的好评和信赖。

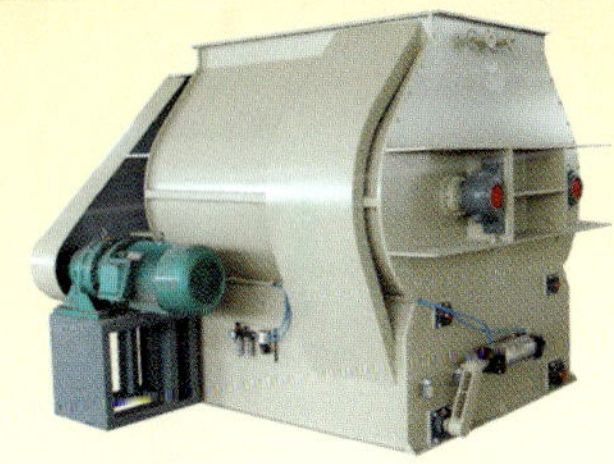

饲料混合机

公司可承建年班产 2 000 至 30 万吨饲料厂成套工程、年班产 2 000 吨至 30 万吨浓缩饲料厂成套工程、年班产 1 000 吨至 6 万吨预混料成套工程、提供主车间建设、制造、安装工程，近 20 年来，先后为山东六和、山东天聚、济南壮大、山东宝来利来、泰安普瑞纳、青州中惠、河北唐山正虹、东营和美、滨州中农、法国罗纳普郎克公司等 300 多厂家装配饲料厂、预混饲厂、兽药厂及辅助设备。

随着畜牧业的蓬勃发展，公司设计制造了时产 0.5 吨、1 吨、2.5 吨、5 吨小型成套系列饲料机组，可生产粉料、颗粒料、浓缩饲料、预混料及复合肥，深受用户欢迎。

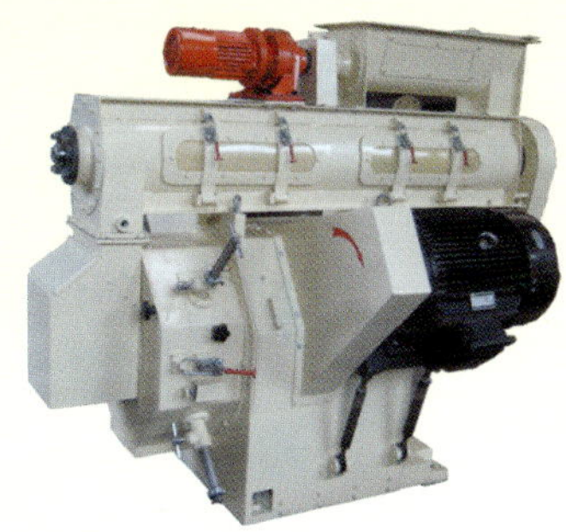

饲料制粒机

公司宗旨：“先交朋友，后做生意，真诚面对父老乡亲。”我们愿与畜牧界同仁，共创辉煌明天。

河南雏鹰农牧股份有限公司

董事长：侯建芳 先生
清华EMBA毕业
经济师
河南省劳动模范
河南省农业产业化优秀企业家
市十大杰出青年
改革开放30周年全国畜牧富民功勋人物
中国畜牧业领军人物

河南雏鹰农牧股份有限公司是于2009年7月经河南雏鹰畜禽发展有限公司整体改制设立，是一家有多年历史的大型养殖企业，已经建立了包括种猪繁育、生猪养殖、种蛋生产、鸡苗孵化、饲料生产，技术研发、疫病防治等在内的一体化经营模式，产业链不断延伸和完善。

公司及其前身自2003年成立以来，本着“扎根农村、艰苦奋斗、创新为魂、富民为本”的经营理念，在实践中不断探索，对传统的“公司＋基地＋农户”模式进行了深化，创新性地建立了具有丰富内涵和特色的“雏鹰模式”。该模式的成熟和可复制性，已使公司迅速成长为具有综合实力的大型生猪养殖企业。

公司注册资金1亿元，养殖基地总占地面积近万亩，其中生猪养殖场40多个，家禽养殖基地12个。主要产品分为两类：一类是生猪产品，包括商品仔猪、二元种猪、商品肉猪；另一类是家禽产品，包括种蛋、鸡苗肉鸡(淘汰种鸡)。

公司地处中原，毗邻京珠高速公路和京广铁路运输线，北傍郑州新郑国际航空港。公司所在地农业发达，地域平坦、开阔，具有得天独厚的区域优势和便利的立体交通条件，生态环境优良。此外，公司拥有与京广铁路主干道相连接的铁路专用线及其周边10公顷土地，这在很大程度上方便了公司饲料原料的外购运输和生产。

企业荣誉：
2003河南无公害畜产品产地
　　郑州市农业产业化重点龙头企业
2004获河南省农业产业化优秀龙头企业
2005获河南省科技企业
　　中央储备肉活畜储备基地
2006河南省出入境检疫局豫检法[2006]28号，豫检法[2006]212号文件将雏鹰饲料、商品猪场予以企业备案。
2007公司主营生猪产品，通过国家绿色食品发展中心认证。
2008获得农业产业化国家重点龙头企业称号
通过国际ISO9001质量管理体系认证
北京奥运会上海分赛区猪肉原料指定供应商
2009首批出口食品农产品质量安全示范区
通过HACCP食品安全管理体系认证
通过GAP中国良好农业规范认证
中国畜牧业协会常务理事单位
2010　2010年世博会猪肉原料指定供应商
郑州市养猪协会会长单位
(雏鹰农牧)获畜牧业影响力品牌

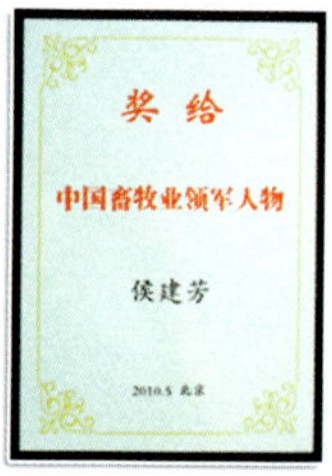

联系方式
地址：河南郑州航空港开发区世纪大道
邮编：451162
电话：86 0371 62583099 62581338
传真：86 0371 62586298
网站：http://www.chu-ying.com

占地130多公顷年出栏15万头第一生猪出口基地

中国名牌
中国驰名商标
中国名牌
CHINA TOP BRAND
正虹饲料
中国名牌
正 虹 带 给 您 田 野 的 风
湖南正虹科技发展股份有限公司
地址：长沙市五一大道235号湘域中央一栋30楼
电话：0731-84599888 传真：0731-84599999 邮编：410011
网址：www.chinazhjt.com.cn 邮箱：zcb@chinazhjt.com.cn

广州市奶牛研究所有限公司
Guangzhou Dairy Research Institute Ltd

广州市奶牛研究所有限公司为目前我国华南地区唯一一所从事奶牛业研究的民营科技企业，前身为广州市奶牛研究所。主要从事良种奶牛的引进和培育，奶牛冷冻胚胎、种公牛冷冻精液的生产推广和奶牛业先进实用技术的开发、应用推广及奶牛业技术咨询服务。产品主要有良种奶用种公牛冷冻精液、胚胎、种牛、牛奶及奶制品和各类兽用药器械等。

公司总部位于广州市白云山风景区内的麓景路，下属的奶牛繁育基地位于增城市中新镇，公司具体的组织结构如下图：

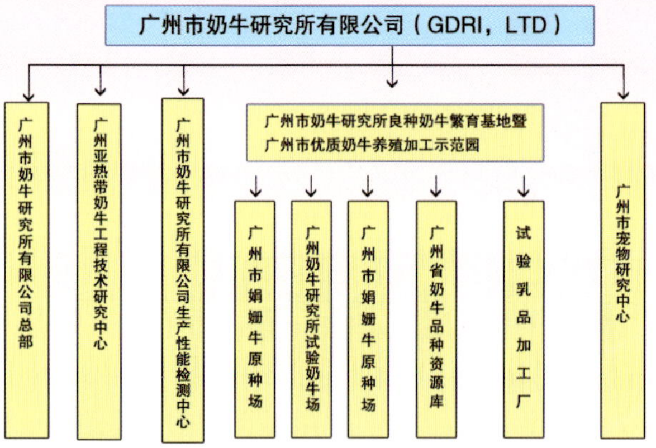

我所曾于我国率先从美国引进荷斯坦种公牛和娟姗种公牛，目前在娟姗牛的品种研究上及娟姗牛的种群水平上都居于国内领先水平，2002 年经农业部批准，该所又承担了建设我国首个娟姗牛原种场的任务，前农业部部长陈耀邦先生也亲临该所基地视察，并为娟姗牛原种场题字。我所下属的种公牛站于 2007 年 4 月通过了农业部组织的验收，并获得《种畜禽生产经营许可证》。现种公牛存栏 31 头以上。

我所未来的目标是：发展成为辐射整个东南亚热带地区的奶牛技术中心，在世界亚热带奶牛的繁殖、育种、饲养管理和疾病防治的技术开发、利用和推广上发挥重要作用，为推动地区奶业技术进步作出应有的贡献。

Guangzhou Dairy Research Institute Ltd.(GDRI) is a technological enterprise of dairy industry in South China. For almost 30 years, it has been engaged in introducing and breeding of well-bred dairy cattle, the production and distribution of frozen semen got from stud bulls, the development and extension of advanced and practical technology in dairy industry, and advisory service of dairy technology. As formerly the Guangzhou Dairy Research Institute set up in 1984, today its subordinate enterprises include: a DHI Lab, the Guangzhou Pet' s Research Center, and the Breeding Base of well-bred dairy cattle (Guangzhou Exemplar Land of the Breeding and Processing of High-quality Cows) consisted of Guangzhou Stud Bulls' Center, the Experimental Dairy Farm of Guangzhou Cow' s Research Institution, and Guangzhou Dairy Farm of original-breed Jersey.

The Breeding Base of well-bred dairy cattle of Guangzhou Dairy Research Institute was originally set up in 1999, with a designed scale of 1500 cattle. Now it has basically completed the construction of auxiliary infrastructure, installing many advanced equipments such as TMR feed mixer,and easily-operated Apollo automatic milking system. Also two breeds of stud cows, Jersey and Holstein , have been taken in.

The headquarters of GDRI. is located in Lujing Rd. in Guangzhou (GZ),the capital city of Guangdong province, closed to famous Luhu Park under beautiful Baiyun mountain and its experimental base(as said above) is located in Zengcheng city about 50 km from GZ.

The chief products supplied by GDRI contain well-bred cows (including Holstein and Jersey), embryos, frozen semen, milk, serum, and varieties of animal-applying medicine and equipment aimed at dairy farms.

It will be our future goals to develop into a technology center in dairy industry spreading the whole tropic and subtropic zones in Southeast Asia, and to exert significant function in the technological development, application and extension of breeding, raising managing for dairy cattle and disease prevention in the world' s subtropical zones; hence contributing to the technological progress of regional cow' s industry.

广州宏基种禽有限公司

Guangzhou Hongji Breeder Co.,Ltd

企业简介

广州宏基种禽有限公司长期致力于肉鸡祖代的繁育和父母代种鸡饲养的生产工作，并取得了令人瞩目的成绩，经国家遗传资源委员会育种专家组对金钱麻鸡一号配套系种鸡审定全票通过。

公司位于广州市萝岗区九龙镇佛塱村，面积近20公顷，年饲养金钱麻鸡种鸡12万套，年产商品鸡苗1 200万羽，父母代100万套，有着较好的经济效益和社会效益。公司三面环山树林茂盛环境优美，具有天然的防疫屏障和交通便利的优势。

诚信和谐、开拓创新是我们企业的经营宗旨，未来企业将不断的努力，为我国的优质鸡健康养殖做出贡献。本公司愿携手业界同仁，共创中国养鸡行业美好的明天。

佛山市高明区新广农牧有限公司

快大黄K996父母代母鸡

铁脚麻父母代母鸡

快大黄k996父母代公鸡

广东省佛山市高明区新广农牧有限公司始创于 1993 年，是一家专业研究繁育和生产肉鸡品种的大型现代化养鸡企业，下设贵州麻江新广种鸡有限公司和云南玉溪新广家禽有限公司两个分公司。经过十多年的育种研究及技术积累，配合新广丰富、优秀的育种资源，运用科学、创新的理念成功培育出节粮快大型的 K99 系列第六代新品种新广快大黄鸡 K996 和具有全国领先技术水平的节粮快大型新广铁脚麻鸡和麻乌鸡；以及节粮型快大麻鸡和中速型麻黄鸡等多个配套系品种。其中新广节粮型快大黄鸡 K996 和新广节粮型快大铁脚麻鸡两个品种配套系业经国家畜禽遗传资源委员会审定，并获得了国家级畜禽新品种（配套系）认定证书。

新广节粮型品系种鸡优势显著，父母代母鸡体型小，生产性能稳定，消耗饲料少，与传统大体型种鸡全期节约饲料 25% 左右；商品代鸡具有生长速度快、料肉比低、抗病力强、容易饲养、成活率高、均匀度好和公母体重差异度小等特点。经多年大规模推广饲养以来，覆盖面和影响力不断扩大，父母代种鸡和商品代鸡苗除广东省外，还销往广西、湖南、湖北、河南、安徽、上海、江西、新疆、宁夏、兰州、云南、贵州、四川等地区。

佛山市高明区新广农牧有限公司建立了完善的育种配套体系，存栏品系鸡（纯系）18 个 1.6 万只，祖代种鸡 6 万多套，父母代 80 多万套，累计总投资达 1 亿多元人民币；每年可生产祖代种鸡 20 多万套、父母代种鸡 300 多万套。每年可生产商品鸡苗 8 000 多万只。

科技创新，追求卓越，诚信服务，共同发展是新广农牧公司发展的追求目标，在育种科研工作中我们将努力开拓创新，培育优良品种，与业界朋友共享资源、共谋发展。

地址：广东佛山市高明区杨和镇杨梅红梅路27号　邮编：528515
电话：0757-88851628　传真：0757-88851698
网址：www.fsxgnm.cn;　www.fsxgnm.com
E-mail: admin@fsxgnm.cn

雷州市国平养殖有限公司

我公司创建于 1998 年 2 月，2002 年 1 月办理了工商营业执照。注册号为：440882000006993，注册资金为 301 万元，具有生产企业的自营进出口权，编号为 4400735015836，是粤西地区唯一的一间供港澳活禽注册场，注册证号为：GDP071。我公司于 2003 年 9 月在国家工商总局商标局办理了“海康黄”商标注册证，注册证号为 3303360。2008 年 11 月向广东省出入境检疫检验局申请办理了出境加工用家禽饲养场的注册，注册证号为 440/CH089。我公司每月种鸡存栏量为 2 万多只，每年鸡苗销售量为 250 万多只。目前，我公司分别与湛江食品进出口公司、茂名食品进出口公司、肇庆食品进出口公司签订出口供货协议，出口活鸡到香港，还每年委托加工冰鲜鸡 15 万多只供应香港。生产销售稳定。在生产过程中，我公司在湛江出入境检疫检验局的监管下，严格按照饲养规程规范生产，积极做好防疫检控工作，保证优质安全活鸡、种苗供应市场。同时，我公司各项管理制度健全，各种证件齐全，符合畜禽标准化示范场的标准。

第 3303360 号

商标注册证

haikanghuang
海康黄

核定使用商品(第 31 类)

活动物；贝壳类动物（活的）；活鱼；活家禽；甲壳动物；虾（活）；孵化蛋（已受精）；种家禽；鲜水果；新鲜蔬菜（截止）

注册人 雷州市国平养殖有限公司

注册地址 广东省雷州市白沙镇小西村

注册有效期限 自公元 2003 年 09 月 07 日 至 2013 年 09 月 06 日止

局长签发 李建昌

商标局

海南罗牛山种猪育种有限公司

海南罗牛山种猪育种有限公司是全国首家以养猪为主业的“菜篮子”股份制股票上市公司——海口农工贸（罗牛山）股份有限公司的直属企业，一次性通过ISO14000环保质量体系、ISO9001-2000国际质量体系认证。

公司在海南岛建有10个育种场，3个优质猪人工授精站，1个种猪测定中心。存栏核心群（GGP）母猪1 500头，扩繁群（GP）母猪1.5万头，饲养不同品系的优质公猪600多头，年产优质种猪6万头。

公司与丹麦进行技术合作，2006年12月16日从丹麦国家育种公司引进国际先进水平的丹麦大白、长白、杜洛克、（SPF）原种猪528头，从国外购进种猪测定系统设备56套，聘请猪遗传育种专家、教授指导开展种猪测定、联合育种。

公司定期对各种猪场猪群进行免疫监测，采用超早期隔离断奶技术、沼气发电、液体饲喂、人工授精技术、全进全出、多点布局、母猪分胎次饲养等多种管理方法，为猪群健康提供有力保障。

公司建有生物工程实验室、肉质分析实验室、兽医诊断实验室、种猪测定中心和强大的科研基地，依托罗牛山博士后工作站、海南养猪研究所、海口市畜牧兽医研究开发中心进行技术研发创新。公司聘请著名育种专家、兽医专家、动物营养专家等组成的专家组和高学历的生产、管理、营销与售后技术服务专业团队，联合实施“猪育种高新技术”课题。

公司致力于研究开发具有自主知识产权的高健康、高生产性能的罗牛山新配套系种猪，服务于罗牛山生猪系统38个商品场和岛内外客户。公司下属种猪营销分公司负责整个罗牛山种猪销售和售后技术服务。

罗牛山六万头种猪场

罗牛山南吕（SPF）原种猪场

聘

1、种猪育种技术人员
2、种猪场场长
3、一条龙猪场场长
4、猪场、营销技术人员

海南罗牛山种猪育种有限公司

董事长：陈银开
营销经理：万长华 13337571178
电话/传真：0898－65872779
地址：中国海南省海口市美兰区江东新市工业园区
http://www.luoniushan.com

重庆光大（集团）有限公司

地址：重庆市江北区建新北路9号同聚远景30F
电话：023-89077077　89077055
传真：023-89077055　　邮编：400020
网址：HTTP：//WWW.GDCOW.COM

重庆光大（集团）有限公司成立于2007年，其前身为重庆光大畜牧业有限公司。

集团立足于产投结合、多元发展的新型经营模式，以“科技为根，打造现代产业；资源为本，营造绿色家园”为经营宗旨，围绕“生态农业为主营业务的相关多元化”的企业定位，各子公司坚持经营相对独立，资源相互融合，构成有机结合的整体，为集团发展成为集畜牧业、乳品加工业、环保产业、观光农业等为一体的综合型现代生态农业企业奠定优势基础。

集团一直以推动当地“建设社会主义新农村”事业为己任，积极开展城乡统筹发展的试点工作。集团在江北区双溪村大力开展为农民提供牛种改良、普及科学饲养、增加就业岗位，免费技术培训，一对一扶持特困户等多项措施，切实带动了区域农业经济结构调整和农业可持续性发展。集团的阶段性发展成绩得到了社会各界的充分肯定，先后荣获全国科普惠农兴村先进单位、全国服务新农村建设百佳乡镇（民营）企业、重庆市农业产业化龙头企业等称号。中央和地方各级领导先后光临光大奶牛梦工场视察和指导工作，国务院总理温家宝曾于2006年4月23日亲临光大科技园视察工作，为科技园题词：“我有一个梦，让每个中国人，首先是孩子，每天能喝上一斤奶。”全国政协主席贾庆林、国务院副总理回良玉等国家领导，曾先后到公司视察工作。

集团致力于建立和完善一个充满凝聚力和竞争力的平台，吸纳企业最需要的人才并为之提供激励、培训和发展的机会，使员工在为光大创造价值的同时，实现个人的职业发展目标。集团已与国内一流农业大学及学院建立了良好的人才战略合作关系。目前，集团现有员工800余人，其中本科以上学历、具备中高级职称者、农牧业科技人员占职工总数比例超过90%。

实现温总理“每个中国人每天喝一斤奶”的梦想是集团全体员工不懈追求的目标。集团在西南地区投资数亿的三大核心牧场，饲养奶牛5000头，年产10万吨乳制品加工厂的一期工程3万吨加工车间已投付使用。同时，集团还与韩国、日本国际知名乳制品企业建立了全面合作关系，与广州奶牛研究所建立了奶牛引进合作关系。

“创中国名牌，树百年光大”，集团全体员工正团结协作，以现代化的管理手段为基础，以高端的农牧业及食品专业技术为保证，通过完善的市场营销网络和优质的服务体系，立足重庆，放眼全国，走向世界，为实现温家宝总理的梦想，把集团建设成为中国最有影响力的生态农业示范企业而奋斗！

蓬勃发展的131团奶牛场

131团奶牛场地处天山北麓的奎屯市东北郊，占地面积百余公顷，主要建有奶牛舍、犊牛舍等12座圈舍，是一个集养殖、品种改良、生产、销售为一体的规模化、集约化、现代化的奶牛场。

2004年，131团先后从澳大利亚、新西兰分两批引进1 312头纯正的荷斯坦奶牛，为牛场的规模化、集约化发展奠定了基础。为实现饲喂技术的现代化，牛场引进了两台集取料、搅拌、混合为一体“意大利司达特全混合日粮车”，实现了奶牛营养按需、精准、均衡投喂，提高了奶牛的生产性能，降低了饲养成本，减轻了劳动强度。集中监控挤奶，是保证牛奶品质安全的关键。131团奶牛场建有两座现代化的挤奶厅，装备2×18并列式德国韦斯伐利亚电脑监控自动计量的挤奶设备，日挤奶牛可达3 600头次。该挤奶设备配备有先进的自动脱杯电了计量系统和分析管理软件，可对牛群结构、产奶水平和后备牛选育等参数进行评估分析，并集成报表，为科学化决策提供了准确依据。牛场全球眼智能化闭路监控系统的建立，进一步提升了信息化管理水平。在牛舍、挤奶厅、草料场等重要部位安装摄像头、智能遥控装置14套。通过光纤将奶牛的生产、生活、健康状况、发情情况等信息传输到主监控室，监控人员在监视器上，就能掌握场区所有信息情况，达到现代信息管理的目的。在场区周界安装远红外对射防盗系统，对整个场区实施24小时监控，起到了电子警察的作用。

团长李庆龙

此外，奶牛场还配套饲草料基地1 300多公顷，每年可生产绿色、无公害优质饲草35 000吨。

131团奶牛场始终把奶牛育种技术放在第一位。以胚胎移植、性控冷冻精等先进的繁殖技术为手段，加速扩繁高产优质核心母牛群。截止目前，年产奶在10吨以上的核心成年母牛群存栏头数已达800余头，占全体成年母牛的66.7%，预计到2015年核心群可达1万余头，生产水平将飞跃提高。

为确保牛群健康安全，严把牛场的消毒、防疫、检疫关，成立了疾病防疫防控技术小组，隔离病源、阻断传染途径，努力提高奶牛免疫力，严密控制乳房炎、代谢病等疾病的发生。

131团奶牛场有一支专业的饲养管理队伍。全场共有员工65人，其中管理人员5人，技术员16人，都具有畜牧兽医本科或大专学历，44名员工通过培训都取得了高级饲养职称。

政委包建刚

科学化、信息化、集约化、规模化的管理，是131团奶牛场始终坚持的发展思路。经过5年多的发展，牛场现存栏达2 000余头，年产犊1 200头，年产优质鲜奶7 000余吨。2008年、2009年连续两年实现利润都在400万元以上。

2008年10月被农业部批准为“新疆兵团农七师131团哈拉苏种牛场”。

2009年4月被新疆奶业协会确定为学生饮用奶生产基地。

2009年12月5日，国家奶业技术体系首席科学家李胜利、肖定汉一行，在新疆奶协有关专家的陪同下，对131团学生饮用奶生产基地进行了现场技术指导，从技术上进一步促进了牛场的规范管理。

131团奶牛场以此为契机，进一步加强了科学管理，严格挤奶厅挤奶操作规程，规范了电脑信息化动态系谱管理，完善了整个奶牛场的环境治理，使牛奶品质达到了国家学生饮用奶生产标准。

2010年3月14日，由“全国知名奶牛专家肖定汉等一行7名专家组成的验收小组，对131团奶牛场“国家学生奶奶源示范基地”进行了考评验收。经综合评定，131团奶牛场已达到“国家学生奶奶源示范基地”的标准。

面对日益激烈的市场竞争，131团奶牛场在兵、师、团党委的正确领导和关怀下，抢抓机遇、迎接挑战、自主创新，坚持不懈地做大、做强奶牛养殖业。以奶牛场现有的规模为基础，2009年10月，该团启动了现代化万头奶牛建设工程，已投资近800万元新建现代化钢架结构奶牛舍一栋和500立方米的沼气池一座。2010年1月16日，600头奶牛搬进了它们的新家。131团党委研究决定，计划再用三年的时间，新建8栋跨度32米、长220米、可容纳750头的成年母牛舍和一座60位转盘式挤奶厅等配套设施，扩建存栏规模达1万头的现代化奶牛场一座，力争年创利润4千万元以上，实现牛场利润占全团种植业利润的70%以上。以发展畜牧业为主，带动种植业，发展园艺业，实现131团综合经济的快速发展。

西北农林科技大学
教育部肉牛奶牛遗传改良与种质创新团队

2010 年教育部公布的 2009 年度“长江学者和创新团队发展计划”创新团队名单中，由西北农林科技大学国家肉牛改良中心主任昝林森教授牵头申报的“肉牛奶牛遗传改良与种质创新团队”榜上有名。

团队是在邱怀教授等老一辈科学家进行的大量基础性、开拓性研究工作及其丰厚的科研积累基础上逐步形成并发展壮大起来的。近 10 年来，团队主要根据国家中长期科技发展规划和农村产业结构调整的方向，依托学校“动物遗传育种与繁殖”国家级重点学科、教育部“985”工程“畜禽养殖与重大疫病防治科技创新平台”和国家肉牛改良中心等科研条件，秉承学校多年来在肉牛、奶牛良种选育和黄牛杂交改良方面的传统优势和工作积累，先后承担国家 863 计划、自然科学基金、科技支撑计划、转基因育种重大专项、农业科技跨越计划以及陕西省“13115”工程专项等 30 余项，在主要牛种经济性状分子遗传研究、肉牛选育改良及良种繁育技术体系建立、奶牛遗传改良及良种快速繁育技术体系建立、牛生殖细胞冷冻保存及高效繁育关键技术体系建立等 4 个方面协同攻关，积极构建拥有自主知识产权的肉牛、奶牛良种繁育及优质高效产业化工程的主体技术框架，努力与国际接轨，不断提升科技创新能力和竞争实力，服务于经济建设主战场。

团队先后鉴定科技成果 12 项，其中获省部级一、二等奖各 3 项，主编和参编专著 32 部，公开发表研究论文 395 篇，其中 SCI 收录 78 篇，申请专利 15 项，已授权 9 项，在国内该领域已形成明显的优势和研究特色，多项成果被鉴定达到国际先进或国内领先水平，一批成果在生产中得到了广泛应用，取得了显著成效。

团队选育的秦川牛肉用新品系（母）

团队选育的秦川牛肉用新品系（公）

团队带头人昝林森教授2007年获CCTV三农人物奉献奖

海南黑山羊（雷州山羊）

一、产地和分布

海南黑山羊（雷州山羊）主产于海南省。分布于海南省全省和广东湛江地区的徐闻县，是我国热带地区以产肉为主的优良地方品种。现有羊约70万只。

二、特征特性

1. 体型外貌

海南黑山羊（雷州山羊）体质结实、紧凑。全身被毛黑色，被毛短密而有光泽，无绒毛。公、母均有角，有髯，颈细长。背腰垂直，十字部高，胸稍窄。腹部膨大而不垂直，乳房多呈球形，有赘生乳头者很多。海南黑山羊按体型可分为高脚种和矮脚种。高脚种体高，腹部紧缩，乳房不发达，多产单羔，好走动，喜攀岩。矮脚种体型较矮，腹大，乳房发达，生长快，采食安定，多产双羔，育羔能力强。

2. 体尺体重

（1） 体尺 海南黑山羊（雷州山羊）不同生长阶段体尺见表1。

表1 海南黑山羊（雷州山羊）不同生长阶段体尺

性状 年龄	性别	样本含量/n	体高 / cm	体斜长 / cm	胸深 / cm	胸宽 / cm	腰角宽 / cm	胸围 / cm
2月龄	公	358	35.42±3.26	36.26±3.13	14.94±1.75	9.36±1.18	7.12±1.17	42.54±3.89
	母	445	34.20±3.36	33.86±3.15	14.58±1.82	9.25±1.21	6.95±1.16	41.56±3.85
4月龄	公	262	38.56±4.47	39.00±5.71	17.96±2.95	10.56±1.49	8.17±1.33	49.87±4.43
	母	427	36.34±4.62	37.65±5.16	16.87±2.57	10.25±1.38	8.01±1.41	48.78±4.42
6月龄	公	142	40.06±4.54	41.16±3.79	18.41±1.85	10.88±2.03	8.31±0.94	52.91±4.34
	母	414	39.10±4.58	40.26±3.76	18.02±1.88	10.42±2.12	8.19±1.25	51.38±4.32
8月龄	公	113	44.45±4.20	45.41±3.84	19.60±1.82	10.65±1.47	9.09±1.06	55.61±5.60
	母	393	44.12±4.15	45.23±3.25	19.25±1.78	10.54±1.34	8.95±1.16	55.34±4.83
10月龄	公	91	45.80±3.74	46.02±3.46	21.17±2.37	12.15±1.38	9.84±1.13	58.90±4.44
	母	381	45.65±3.57	45.85±3.24	20.82±2.26	11.75±1.25	9.43±1.08	56.61±4.48
1周岁	公	81	46.52±3.63	48.48±5.27	22.73±2.19	13.02±1.28	11.37±1.51	60.58±9.80
	母	366	46.02±3.56	48.10±5.47	21.95±2.15	12.81±1.16	11.01±1.32	58.65±7.58
成年	公	117	57.51±2.79	61.00±3.58	29.44±1.82	17.38±2.30	13.63±1.92	80.88±6.73
	母	1532	49.40±5.02	56.62±7.03	27.95±9.49	14.74±2.02	13.62±1.37	67.51±8.41

（2） 体重

海南黑山羊（雷州山羊）不同生长阶段体重见表2。

表2 海南黑山羊（雷州山羊）不同生长阶段体重

年龄	2月龄		4月龄		6月龄		8月龄		10月龄		1周岁		成年	
性别	公	母	公	母	公	母	公	母	公	母	公	母	公	母
样本含量/n	358	445	262	427	142	414	113	393	91	381	81	366	117	1532
体重/kg	5.42	5.09	8.92	7.78	11.32	9.90	14.01	12.42	17.93	14.62	19.66	16.52	38.88	28.45

3. 生产性能

（1） 产肉性能 海南黑山羊（雷州山羊）6月龄和1周岁的屠宰率、净肉率、胴体净肉率分别为47.07%和55.34%、33.14%和34.18%、70.55%和72.06%。育肥羯羊屠宰率可达70%左右。

（2） 肌肉品质 海南黑山羊（雷州山羊）肉质细嫩，皮薄肉厚，绝少膻味，味道鲜美，营养滋补。成年海南黑山羊（雷州山羊）肌间脂肪含量、肌肉纤维直径、肌肉含水率、24小时悬挂失水率分别为4.01%、40.55微米、48.97%。

（3）繁殖性能 海南黑山羊（雷州山羊）性成熟较早，羔羊出生后3个月就有性表现，5～6月龄性成熟，一般8～10月龄配种。母羊发情周期一般16～20天，持续期48～72小时，妊娠期为146～150天，哺乳期一般2.5个月左右。终年均可发情，但每年8、9月份发情配种较多。第一胎多产单羔，以后产双羔的几率增加。母羊一般在3～5胎产羔率较高，平均产羔率为160%。种羊利用年限一般为5～6年，种公羊以3～4岁利用较好。

三、评价

海南黑山羊（雷州山羊）成熟早，发育快，肉质好，繁殖率高，是我国热带地区优良的地方山羊品种。

内蒙古农牧业科学院动物医学研究所

内蒙古农牧业科学院动物医学研究所是我区最早成立的兽医科学研究机构，自 1954 年成立以来为自治区经济建设的发展和社会进步做出了巨大贡献；始终坚持站在内蒙古自治区畜牧业动物疫病、地方病、人畜共患病研究和防治的前沿。在“八五”期间跻身于全国农业科研开发综合实力评估“百强所”之列。

长期的研究积累和人才、知识的凝聚，动物医学研究所已形成较好的实验条件和研究环境。其人才的成长和研究的方向、研究的项目成为内蒙古畜牧业发展和第二、三畜牧相关产业不可缺少的重点技术资源与储备。先后承担完成国家及自治区、国际合作项目 70 余项，先后获科技成果 48 项，其中获国家科技进步二等奖一项；自治区科技进步一等奖一项，二等奖 4 项，三等奖 15 项；获国家专利三项，国家星火计划一等奖一项，四等奖一项；自治区丰收奖一项；国家认证二类新兽药生物制剂两项。在国家、自治区学术刊物上公开发表论文近 200 篇。近年来加大了科技成果转化力度，科技成果转化率有所提高。

动物医学研究所现有正高级职称 5 人，副高级职称 7 人，中级职称 8 人，其中博士 1 人，在读博士后 1 人，硕士 4 人，享受政府特殊津贴 2 人。国家“321”人才工程 1 人，自治区“321”人才工程 4 人，硕士生导师 5 人，每年与农大共同培养在读硕士研究生 2 ~ 4 名。

动物医学研究所现共设置兽医预防医学、临床医学、生物工程技术和新兽药研究等 4 个实验室。

目前正在承担国家科技攻关项目“农牧交错区奶牛牧场园区主要疾病防制关键性技术研究应用与示范”，主席创新基金项目“牧场奶牛疾病防制及保健体系建立”，公益性行业（农业）科研专项经费项目“边境地区动物疫病防控技术研究”，公益性行业（农业）– 肉羊产业体系建设项目—疫病防病课题，公益性行业（农业）– 羊布病项目，国家自然基金项目“蒙古牛羊水来源多潜能干细胞分离鉴定及克隆牛的制备”，鄂尔多斯市科技支撑项目“家畜疾病防治技术推广与应用”，内蒙科技厅奶业项目“奶牛布氏杆菌病研究”等项目。

在家畜遗传病、人畜共患病、分子生物学技术、益生微生物及微生态制剂、蒙兽医药等方面具有深厚的研究基础。在绒山羊遗传甲状腺肿分子遗传病理及基因诊断技术、绒山羊流产衣原体分子生物学及核酸探针检测技术及其新型油苗研制与应用、益生微生物及复合微生态制剂研究与应用、禽白血病病毒 ALV. 分子生物学及禽内源性 ALV.—JP85 基因序列及生物学特性研究、奶牛布病防制、蒙兽药等研究方面在国内具有领先水平。现拥有自治区级兽医生物技术重点实验室和内蒙古兽医站联合 P3 生物实验室及通过农业部 GMP 验收的现代化兽药生产企业，成为保障畜牧业健康发展的重要技术支撑力量。

除此我院还拥有自治区级开放式分子生物学重点实验室，设备先进，技术力量雄厚，具有开展动物、植物、微生物分子生物学和基因工程研究的基本设施和技术条件，是畜牧业科技创新的重要技术平台。

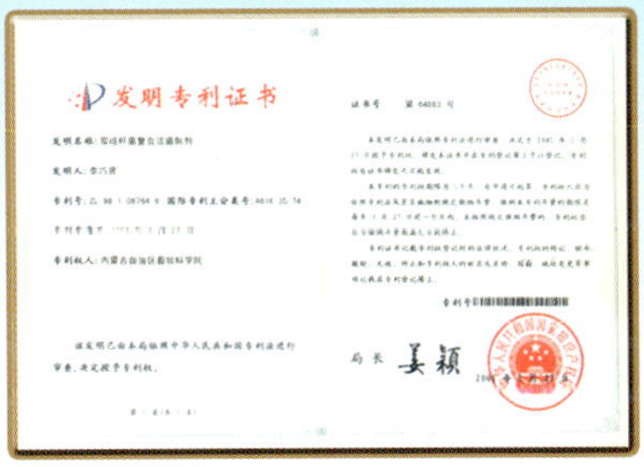

江西省兽药饲料监察所

袁小红，女，1968年1月出生，大学本科学历，高级农经师，现任江西省兽药饲料监察所会计，先后在《江西农业》、《江西科协》等杂志发表多篇论文，其中“树立新观念，开辟新思路”一文获得江西科协组办的论文评比三等奖。

邢磊，女，1979年12月31日出生，动物医学硕士研究生，中共党员，2006年参加工作，江西省兽药饲料监察所／农业部饲料质量监督检验测试中（南昌）饲料站检验员。现主要从事饲料中粗蛋白、粗脂肪、三聚氰胺、反刍动物饲料中牛羊源性成分以及饲料中违禁药物的检测等。参与不同形式和水平的微量元素（铜，锌）对动物生产性能和免疫功能影响的课题研究，并撰写论文《不同水平的蛋白质螯合铜对育成蛋鸡免疫功能和生产性能的影响》和《微量元素铜的营养与免疫功能研究进展》。

赵薇娜，女，一九八一年九月生。大学本科学历。畜牧兽医师。从事所（中心）业务室检验报告单编制、档案管理等工作。现就读于江西农业大学动物营养与饲料科学硕士研究生。在省级核心期刊发表《仔猪铁营养的研究进展》等7篇专业论文。2009年被评为“江西省农产品质量安全整治暨执法年活动先进个人”。

王琤（韦华），男，1982年1月出生，江西省兽药饲料监察所畜牧兽医师，现为江西农业大学动物遗传育种与繁殖专业博士研究生。先后以第一作者在《动物营养学报》、《江西农业大学学报》、等核心、省级专业期刊上发表论（译）文30余篇。

青海省家畜改良中心

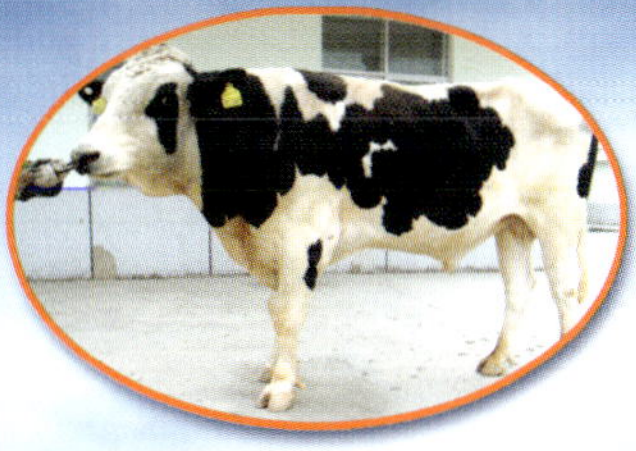

牛号：63105008 #
品种：荷斯坦 出生日期：2005.4.18 TPPI 1213
美国进口胚胎移植所生，父亲 2001 年 11 月排名第 1，02 年 2 月和 2003 年 2 月排名第 3。母亲 305 天产奶 287 千克，乳脂率 4.5%，乳蛋白率 3.6%。

青海省家畜改良中心成立于 1972 年，是青海省农牧厅所属的社会公益兼经营服务类事业单位，主要承担全省优良种畜的引进、饲养、培育和选育；制作、生产冷冻精液、移植胚胎和液氮；对基层育种（配种）业务进行技术指导和优良品种的推广。是全省唯一获准推广荷斯坦、西门塔尔、劳莱恩、牦牛等良种牛的国家级种公牛站。也是青海唯一一家集科研和生产于一体的牛羊良种工程和动物生物工程技术研究开发基地。中心占地 35 公顷，拥有半封闭公牛舍 4 栋，全封闭母牛舍 2 栋，育成牛舍 1 栋，以及冻精制作室和办公楼等建筑，饲草料地面积逾 25 公顷。现有职工 47 名。其中：专业技术人员 26 名，占职工总数的 55.3%。专业技术人员中具有高级职称 4 人，中级职称 11 名，初级职称 11 名。

中心现有种公牛 35 头（荷斯坦牛 7 头、西门塔尔牛 2 头、劳莱恩牛 4 头、牦牛 22 头）。1999 年实验室引进法国卡苏公司细管冻精生产线，2008 年又从卡苏公司引进程控冷冻仪、喷码机，冻精生产实现自动一体化。2007 年青海省实施奶牛良补项目，中心入选冻精生产供应单位，年细管冻精生产能力达 30 万支以上。冻精生产质量稳定，每年参加农业部质量检测，合格率达到 100%。成功实施2007 年度科技攻关项目“无角陶赛特肉羊细管冻精制作与推广”，通过省级验收。制定并颁布了青海省地方标准《陶赛特肉羊细管冷冻精液制作技术规程》和《陶赛特肉羊细管冷冻精液人工授精技术规程》，填补了省内空白。“无角陶赛特肉羊细管冻精制作与推广项目”获得 2009 年度地方成果奖。认真开展《藏獒基因保种项目》的实施工作，藏獒细管冻精生产研制成功。

如今，青海省畜牧业已进入发展的新阶段，家畜改良中心将会牢牢抓住有利时机，发挥自身技术优势，创新思路，锐意进取，扎实工作，为农牧业增效，农牧民增收和共同推进畜牧业持续健康发展做出新贡献。

牛号：237 号
品种：昆仑山型野牦牛
出生日期：2002 年 5 月
出 生 地：玉树州曲麻莱

牛号：63106073
品 种：西门塔尔
出生日期：2006.08.06
出 生 地：新疆呼图壁种牛场
出 生 重：52 kg

创新检疫出证模式 大大提高工作效率

——深圳市动物卫生监督所启用信息化监管手段

深圳拥有一千多万人口，是畜禽产品的消费大市，全市牲畜定点屠宰场每天屠宰牲畜约 1.5 万头，畜禽批发市场平均每日批发畜禽 20 多万只（羽）。动物检疫工作是《动物防疫法》赋予动物卫生监督机构的一项重要职能，为保证市民餐桌畜禽产品的质量及安全，深圳市各级动物卫生监督机构的检疫人员长期坚守检疫工作一线，驻场对动物及其产品实施检疫。针对传统检疫合格证明易伪造、效率低的落后现状，2009 年，深圳市动物卫生监督所借鉴农业部“动物标识与疫病可追溯体系建设”项目的先进检疫管理理念，结合工作实际，制定设计方案并委托专业公司开发设计了一套动物检疫电子出证系统，于 8 月开始试运行并逐步推广使用，取得了良好效果，受到了基层使用单位的欢迎和一致好评。该系统具有“出证快捷、信息准确、真实可靠、责任明确”等几大特点，平均 3 秒钟出一张检疫证明，大大提高了出证效率，减轻了检疫人员的工作量，检疫证明上标注详细的货主信息以及加印二维码，可有效杜绝检疫证明的伪造及倒卖现象，另外还开通了查询网站，供市民查验有关检疫信息，真正实现动物产品的可监督、可追溯。

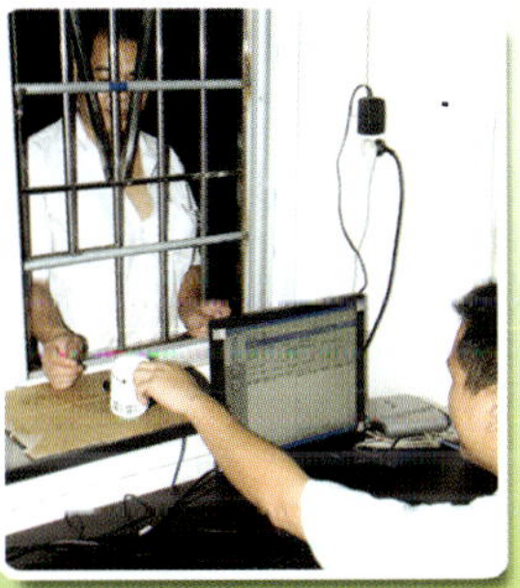

2010 年，深圳市动物卫生监督所将在全市全面推广使用电子检疫系统，并在该系统的基础上进一步开发“深圳市动物卫生监督管理信息系统”平台，将动物免疫管理、防疫物资管理、防疫监督报表、动物防疫监督执法及兽药管理监督执法等工作纳入该平台，实现市民与信息平台的互动，为深圳食品安全构筑一道坚实的防线。

制定规划，谋划未来

2009年北京市农业局组织编制了《北京市畜牧业发展规划（2010-2015年）》。重点发展畜禽良种产业和食品加工业，建成主要畜禽品种研发、选育和繁育基地，高端畜禽产品研发和加工基地，创知名品牌和开拓国际市场；用现代技术和装备提升畜牧业，实现标准化规模养殖，提高单产水平，适度规模减栏增量，利用有限空间资源，创造最大产能；发展种养联动模式，实现达标排放或零排放和可持续发展；实现“两心三区四带五网络”的区域布局。

两心：一是构建北京市畜牧业发展的知识转化创新中心，二是构建北京市都市型现代畜牧业技术和推广服务中心。三区：既禁养区、限制养殖区和可持续发展区。四带：既生猪产业带、奶牛产业带、肉禽产业带和蛋禽产业带。五网络：既生猪产销网络、奶制品产销网络、肉禽产销网络、牛羊产品产销网络和畜禽良种产销网络。

围绕空间布局，重点实施五大产业发展工程，既畜禽良种体系强化提升工程、规模养殖基地建设提升工程、生态健康养殖模式推广工程、质量安全监管体系建设工程、畜禽产品品牌培育与服务联盟建设工程，包涵20个建设项目。

唐山市芦台经济开发区发展奶牛场

唐山市芦台经济开发区发展奶牛场，座落在唐山市芦台经济开发区二分厂（原芦台农场二分厂），我牛场前身是芦台农场畜牧四队，2002 年国有企业改制，转为私营企业，现牛场占地面积近 8 公顷，大小牛棚 8 幢，有奶牛 710 头，其中成母牛 310 头，青年牛犊牛 400 头，日产奶 6 吨，平均日单产 29 千克。

在硬件配置方面：我牛场引进了法国库恩立式 TMR 饲料搅拌车，挤奶设备为以色列 SCR 公司的产品（带自动按摩，自动脱落，自动计量）。

人员配置方面：牛场全部工作人员 23 人，专职兽医，专职配种员，大学学历 3 人，高级技术人员 5 人，平均从业时间达到 10 年以上，经验丰富。

大同市良种奶牛有限责任公司

利拉伐阿波罗并列式挤奶厅

进口新西兰奶牛

大同市良种奶牛公司，位于山西大同市南郊区口泉乡张留庄，2003 年正式投产运营，注册资金 900 万元，目前投资总额 5 800 万元。是山西省较大的奶牛养殖企业之一。2003 年以来连续多年获省及大同市“先进养殖园区（场）”、“农业战线红旗单位”、“优秀养殖企业”等称号。

2005 年，被省农业厅确立为“山西省标准化奶牛示范养殖场”。

2007 年 12 月被农业部确立为国家奶牛产业技术体系大同综合实验站依托单位。2010 年 11 月被农业部确立为国家级标准化奶牛养殖场。

公司占地面积逾 15 公顷，现有奶牛 1 336 头，年产鲜奶 5 000 吨。配备有瑞典利拉伐阿波罗并列式挤奶厅，使用 TMR 日粮搅拌车饲喂奶牛。现有员工 63 人，其中各类技术人员 11 人。

2009 年，公司总产牛奶 5 000 吨，奶牛单产 8 082 千克，总产值 2 020 万元，实现利润 410 万元。2010 年，总产牛奶 5 000 吨，产值 2 000 万元，预计实现利润 300 万元。

农业部副部长尹成杰、山西省省长王君等领导先后莅临公司检查和指导工作。公司目前正在建设新的养殖场即大同市四方高科农牧公司，占地面积 30 多公顷，预计饲养奶牛 5 000 头，总投资 1.8 亿元。

凉城县惠农边鸡保护繁育有限公司

边鸡近况

凉城县惠农边鸡保种繁育有限公司创建于 2008 年，种鸡、种蛋采集于乌兰察布市巨宝庄乡、天成乡和曹碾满族乡等地，经孵化繁殖初具规模，2009 年经乌兰察布市农牧业局组织专家评审，呈报内蒙古自治区农牧业厅，经审核颁发《种畜禽生产许可证》核定为种畜禽生产企业。公司发展目标，以保护边鸡遗传基因资源为宗旨，致力开展边鸡遗传基因产品，坚持以保护促开发，以开发促保护的原则努力发展边鸡产业，使边鸡产业惠及农民服务市民。公司有完善的管理制度和健全的饲养繁育、免疫技术规程，具备先进的孵化、繁育、消毒免疫设备，饲养模式恢复边鸡原生态散放养殖。公司现有种鸡 6000 余只，家系 30 个生产能力达到年生产雏鸡 30 万只。可为边鸡保种扩繁提供优质服务。

边鸡在原产地养殖已有 300 多年的历史，是随移民迁入内蒙古乌兰察布市周边地区，经过长期驯化，逐步繁衍而适应了高寒气候地区养殖，形成了一个独特的地方品种。主要分布于乌兰察布市凉城县、卓资县、兴和县、察右前旗、中旗、四子王旗以及山西省的左云县、右玉县，种质经济类型为肉蛋兼用型品种。体型特征，体型中等，身躯宽深，前胸发达，背平面宽，休躯呈元宝型，年产蛋量 120 枚左右，平均蛋重 60 克左右，6 月龄屠宰净膛重 1.5 ~ 2 千克，肉质细腻，风味鲜香，抗病力强，觅食力强，适宜散养，是家禽品种中珍贵的遗传基因资源，列入国家地方鸡品种保护目录。

进入 80 年代，随着一些优良种鸡和先进养殖技术的推广普及。一大批优良种鸡先后进入市场，边鸡面临灭绝境况，2007 年乌兰察布市家禽资源普察，结果公布全市边鸡养殖数量不足 2 000 只，且纯种稀少，频临绝种，急需各级政府及相关部门协同配合，协助保护，使边鸡珍贵资源源远流传。

蓬勃发展的凌海市畜牧业

2009 年，凌海市畜牧业生产在加快畜牧业“生产方式、经营方式和增长方式”转变的前提下，实现了畜牧业持续、健康发展，畜牧业产值实现 28.5 亿元，占农林牧渔业总产值的 46.9%。生猪、家禽、黄牛、绵羊饲养量分别达到 275 万头、2 950 万只、13.5 万头和 58 万只。畜产品产量达到 20.6 万吨，新建、改建、扩建省级标准化畜禽生产小区 144 个。全市建有大型家禽加工企业 4 家，生猪屠宰企业 2 家，年加工肉鸡 3 500 万只，肉鸭 20 万只，生猪 25 万头。饲料加工企业 24 家，年生产饲料 100 万吨，奶站 8 处，人工输精站 30 处，猪人工输精 5.1 万头。奶牛及黄牛人工输精改良 2.8 万头，绵羊人工改良 1.5 万只，发酵床养猪面积达 1.2 万平方米，养猪 1.2 万头。

凌海市动物卫生监督管理局

辽宁阜新原种猪场

监控设备

测定站

辽宁阜新原种猪场始建于 1997 年，是辽宁省重点种畜场、省级农业产业化龙头企业。场区总占地面积已达 30 多公顷、猪舍总建筑面积达 3.6 万平方米，固定资产达 1.2 亿元。存栏基础母猪达 2 200 头，年生产能力达 4 万头。阜新原种猪场坚持高起点、高科技、高效率的原则，采用全封闭工厂化流水线生产工艺模式，设有先的计算机信息管理系统和资料档案室、实验室，人工输精站、种猪性能测定站、研发中心，装备有 ACEMA64 猪测定系统和 ACEMO 湿料自动饲喂系统、畜禽空调、HS-1500VB 超等世界一流仪器设备。在生产规模、工设施、种猪质量等方面均达到国内一流水平。阜新原种猪场先后进行了二期、三期扩建，并三次从加拿大、瑞典、国引进长白、大约克夏、杜洛克、汉普夏四个品种的原种猪。

阜新原种猪场多次承担国家及省科技项目。2002 年《双肌臀瘦肉型原种猪选育技术开发》科研课题获阜新科技进步一等奖，2003 年与沈阳农业大学合作主持的《瘦肉型猪品质改良及高效养殖综合配套技术研究》项获辽宁省科技进步一等奖，2006 年《阜新市瘦肉型猪配套体系开发》项目荣获年度市科技进步一等奖。先后担国家级星火计划项目、国家“948”工程项目、国家良种工程项目及国家成果转化项目，先后被推选为中国牧业协会猪业分会理事单位、中国农业机械化养猪协会常务理事单位、辽宁省畜牧业协会副会长单位。阜新种猪场 2006 年通过国际 ISO9001 质量体系认证，并被全国畜牧业协会评选为“ 十一五 ”期间全国畜牧行业十强先进企业，2010 年被评为第一届全国养猪行业百强企业。

彰武县畜牧业迅猛发展

改革开放以来，彰武县畜牧业发展迅猛。2009 年全县白鹅、黄牛、奶牛、羊、猪、鸡的饲养量已分别达到 360 万只、12.4 万头、2.18 万头、39.1 万只、165 万头、565 万只，向社会提供肉 15.5 万吨、鲜奶 9 万吨、鲜蛋 5.5 万吨、羊毛 704.2 吨，实现牧业产值 25.5 亿元。畜牧业产值由 1978 年的 0.961 亿元增长到 2009 年的 25.5 亿元，牧业产值占农林牧渔业总产值的比重由 1978 年的 18% 增长到 2009 年的 44.7%。2009 年争取国家资金 3 545 万元。

畜牧业生产的经营模式已经由一家一户的散养逐渐向标准化、规模化、集约化方向发展，由粗放饲养向科学管理化方向发展，由专业化向产业化方向发展，由传统畜牧业向产业化方向发展。彰武县是全国商品牛基地县、生猪调出大县、辽宁省畜牧业重点县、辽宁省饲养白鹅第一县，饲草饲料及畜禽品种资源丰富。生猪以长白、约克、杜洛克为当家品种；奶牛以荷斯坦为当家品种；白鹅以长绒鹅、长白鹅、昌图豁鹅、彰武白鹅为当家品种；蛋鸡以迪长褐、海塞克斯、海兰褐为当家品种；肉牛以夏洛莱为当家品种；肉羊以夏洛莱、萨福克、道塞特为当家品种；肉驴以德州驴、广灵驴、疆岳驴为当家品种。现已形成了以辉山乳业为龙头的奶牛产业，以阜新双汇为龙头的瘦肉猪产业，以美中鹅业为龙头的白鹅产业，以法库宏大集团为龙头的肉鸡产业。

1988—2009 年彰武县境内有草地近 6 万公顷，其中天然草地 2.1 万公顷，退耕还牧草地 2.86 万公顷，人工草地 1 万公顷，围栏封育面积逾 4 900 公顷。

畜牧兽医服务体系健全，动物卫生监督管理局下设动物疫病预防控制中心、动物卫生监督所、草原监理站、种畜禽监督管理站、种畜场、12 个区域性动物卫生监督所，负责指导全县畜牧兽医工作，到 2009 年末，全系统有职工 339 人，在职职工 243 人，其中有技术职称的 216 人（高级职称 8 人、中级职称 90 人、初级职称 118 人），离退休职工 96 人。

昌图欢迎您

昌图县位于辽宁省最北部，辽、吉、蒙三省区交界处。是全国最大的粮食生产基地县，是辽宁省首批“一县一业”生猪产业示范县和肉牛产业示范县，是国家商品瘦肉型猪基地县、国家生猪调出大县、国家秸秆养牛示范县，是中国豁鹅之乡。昌图县动物卫生监督管理局属正科级建制，是全县畜牧兽医行政管理部门，内设办公室、人事股、计财股、综合股、畜牧股、信息股、安全股、医政股、防疫股、监督股 10 个股室，以及局属县种畜禽监督管理站、县动物疫控中心、县动监所、县畜产品安全监察所 4 个事业单位，局长王连印同志率领全县畜牧兽医工作者竭诚欢迎四海宾朋，来昌图县兴办畜牧企业，共创美好未来。

单位名称：昌图县动物卫生监督管理局
局　　长：王连印
单位地址：昌图县政府路38号
邮　　编：112500
单位电话：0410-5822511

阜新市美中鹅业工贸有限责任公司

阜新市美中鹅业工贸有限责任公司位于辽宁省阜新市彰武县工业园区，主要经营鹅、鸭等家禽收购、屠宰加工、产品销售、熟食成品加工、羽绒产品加工与销售及公司自产产品和相关技术的进出口业务等。

公司选用在松辽平原和科尔沁大草原自然条件下放牧的优质瘦肉型白鹅为原料，按照“公司＋基地＋农户”的经营模式，形成了以市场牵龙头、以龙头带基地、以基地连农户的产供销一条龙、农工贸一体化的产业化格局。根据市场需求及未来市场的发展趋势，公司分别开发了风鹅熟食系列制品和羽绒被等羽绒制品，产品销往全国各地。“辽鹅”牌系列鹅品是“辽宁名牌产品”，并顺利通过了绿色食品认证，“辽鹅”商标是“辽宁省著名商标”，公司的冷冻产品占全国同类市场份额的 10% 左右，连续多年产销量居同行业首位。

公司始终恪守“诚信、敬业、务实、创新”的企业精神，坚持“始于顾客需求、归于顾客满意、努力发展自我、真诚服务社会”的企业理念。在全国同行业企业中率先通过了 ISO9001—2000 质量管理体系认证，美中鹅业是“农业产业化国家级重点龙头企业”“国家扶贫龙头企业”、“全国农产品加工业示范企业”、“农产品加工企业技术创新机构”、“省级农业产业化重点龙头企业”、辽宁省“守合同重信用企业”，是 QS 获证企业。

公司的迅速发展带动了彰武县及周边地区种植、养殖、饲料、运输、包装、餐饮等行业的发展，直接带动养殖户达 6 万余户，使农民直接获益超亿元。

目前，企业的繁育、收购、屠宰加工、产品深加工及销售一条龙式的生产格局，正在逐渐发展且蕴含着无限商机，借助阜新地区生态环境优势、采用规模化生产和现代化工艺手段，按照标准化管理，以“求实、创新”的精神，积极开拓进取，把“辽鹅”牌打造成国内、国际知名品牌。董事长丁美中先生携全体员工努力构建企业与社会、发展与环境和谐共处的可持续发展格局，弘扬白鹅文化，推动白鹅产业走向世界！公司以强企、兴县、富民为宗旨，重点抓好白鹅产业延伸，积极开发高科技产品，培育新的生长点，欢迎社会各界有识之士前来共谋发展、共同致富！

公司地址：辽宁省阜新市彰武县工业园区
联系电话：0418—7739977　传　　真：0418—7729977
服务热线：0418—7728977　养殖热线：0418—7841999
收购热线：0418—7729088　销售热线：0418—7769799
公司网址：www.mzey.com　电子信箱：mzey84888@163.com

快速发展的阜蒙县畜牧业

在县委、县政府的高度重视和正确领导下，阜蒙县畜牧局在局长韩学军同志的带领下，认真贯彻落实中央、省、市有关方针政策，坚持科学发展，协调发展，以实施畜牧业倍增计划为主线，以防控重大动物疫病为重点，以农民增收为目标，抢抓机遇，狠抓落实，经过全局上下共同努力，各项工作取得了可喜的成效。

2009年全县猪、牛、羊、禽饲养量分别达到270万头、20万头、200万只和3 800万只，出栏分别达到164万头、9万头、130万只和2 800万只，肉驴饲养量达到28万头，出栏达到9万头，奶牛存栏实现3万头；肉、蛋、奶总产量分别实现25万吨、6.5万吨和15.5万吨。牧业产值达到44.11亿元，增加值实现11.74亿元。

一、加快省级标准养殖小区建设。 按照因地制宜、统筹规划、合理布局、政府引导、市场运作、自主经营的原则，以实现退出散养、退出庭院、退出村庄和进入小区、进入规模、进入市场的“三退三进”原则，加快省级标准化养殖小区建设和规模养殖户发展。全年共新建各类养殖小区338个。

二、在全县实施了良种工程。新建肉羊改良站35个，引进肉种羊70只。新建肉驴改良站35个，改良肉驴3.2万头；实施了生猪良种补贴项目，巩固扩建生猪人工授精站50个，完成猪人工授精14万头次；实施了奶牛性控冻精输配繁殖示范工作，效果良好。

三、出色完成标准化规模养殖小区（重点户）改扩建工程。经过现场勘察领导小组审核筛选，确定标准化规模养殖小区（重点户）7户，到12月末，改扩建工程全面完成。

四、实施了草原沙化治理项目。总治理面积1万公顷，完成围封1万公顷。

五、开展了能繁母猪保险工作。有5个乡镇的养殖户参加能繁母猪保险。至此全县能繁母猪已全部参加了保险，参保率达100%。

六、动物防疫工作卓有成效

一是按照 “以防为主、防治结合”和“政府保密度、部门保质量”的原则，加强领导、认真部署，精心组织、全面落实各项综合防控措施，确保了无重大动物疫情发生。二是保证了疫苗的主渠道供应，保证疫苗质量。三是推行管理相对人公开承诺制，与全县的大型规模饲养场（小区）签定了承诺书，加强对饲养场（小区）管理力度，做到“四个报告”、“四个确保”、“四个健全”。

七、深入开展“生鲜乳、兽药、饲料”质量安全专项整治行动。全年组织执法检查12次，对饲料生产企业、规模饲养场、兽药经营单位为重点开展执法检查。

八、密切关注国家产业政策和投资方向，加强同省、市畜牧、发改等部门的联系和协调。2009年共争取项目资金6 406万元。通过争取项目争取资金，增强了我县畜牧业发展后劲。

黑龙江省宝泉岭农垦玉兰牧业有限公司

- 中美农牧企业联合会常务理事单位
- 国家生猪活体储备基地场
- 国家出口备案场
- 农业部质量追溯项目承担单位
- 黑龙江省级原种猪场
- 黑龙江畜牧业协会副会长单位
- 黑龙江省级生猪活体储备基地场
- 黑龙江省肉类协会常务理事单位
- 黑龙江垦区生猪人工授精定点单位
- 黑龙江农垦现代农业示范区

黑龙江省宝泉岭农垦玉兰牧业有限公司总部位于宝泉岭农场，占地面积30万平方米，建筑面积 12万平方米，下设种猪场和商品猪场五个，是集种猪繁育、生猪生产、销售、人工授精服务为一体的大型畜牧养殖企业，可存栏基础母猪6 000头、后备母猪1 000头，年可出栏优质种猪、生猪10万头。

种猪场品种包括，纯繁法系、新美系、苹系大白、长白；美系、台系杜洛克等，各核心群结构合理、血源丰富、遗传性能稳定。

2008年，玉兰牧业有限公司从美国引进纯种曾祖代大白、长白、杜洛克种猪。新美系种猪因其繁育能力强、生长速度快、饲料转化率高、瘦肉率高等特点，近几年受到了国际种猪市场的欢迎，也得到了国内专家及业界人士的认可。这批新美系种猪为黑龙江省生猪品种的改良起到了重要的推动作用。

地址：黑龙江省宝泉岭农场第27作业站（154211）　电话：0468-3806169
网址：www.yulanmy.com　Email：yulanmy@163.com　传真：0468-3806168

八五九农场畜牧业

场长　徐耀辉

书记　李建军

一直以来，八五九农场坚持发展以奶牛业为主的多元化畜牧业，现有已加入完达山乳业集团的乳品加工厂 1 座（日可处理鲜奶 40 吨），集中饲养奶牛小区 1 处，奶牛散养户 192 户，初步形成了以乳品加工厂龙头、以奶牛小区为基地，带动散养户发展的奶牛业产业化格局。

截止到 2009 年底，我场养牛户 220 户，从业人员 700 余人，奶牛存栏 4 195 头，其中奶牛小区 1 600 余头，实现分舍饲养标准化、全群榨奶集中化、小区管理科学化。2009 年，淡季日交售鲜奶 20 ~ 22 吨，高产期达 30 吨，其中小区 7 吨，总计为乳品厂提供鲜奶 6 600 吨。

八五九农场为扶持畜牧业发展，稳定出台一系列优惠政策，如给予青贮玉米种植户每公顷补贴 1 500 元；购买奶牛需贷款的，农场出面与银行协调解决；建设牛舍需要木杆等建筑材料的，给予价格优惠；免费提供奶牛布鲁氏菌病、结核病防疫、检疫服务和优质性控冻精；布病、结核检出阳性牛给予高价捕杀补偿等。

八五九农场非常重视动物防疫体系建设，先后投入 100 余万元，用于农场兽医化验室建设；配齐配强技术人员，现有兽医 30 人，90% 为大专以上学历。能够开展口蹄疫、禽流感、新城疫、蓝耳病抗体监测，布病平板及试管凝集实验，以及各种常规项目的生化检验，动物疫病防控能力得到大幅提升，强力保障畜牧业健康、稳定发展。

黑龙江省饶河东北黑蜂国家级自然保护区是1997年12月8日，国务院国函[1997]109号文件批准建立。自然保护区面积11 365平方千米，其中核心保护区面积4 385平方千米，缓冲区面积2 380平方千米，隔离带面积5 504平方千米。区内蜂群以由建区前的8 000群发展到现在的33 000余群，专业养蜂户达600余户。2008年农业部1058号公告，将该区列为国家级畜禽遗传资源保护区。

饶河东北黑蜂具有耐低温、早春繁殖快、抗病抗逆性强、维持大群、节省饲料、采集力强、遗传性状稳定等特点，可与欧洲黑蜂、高加索蜂、卡尼阿兰蜂、意大利蜂等世界四大西方蜂种相媲美。尤为突出的，一是具有惊人的采集力，曾创椴树一季蜜源单产超250千克，日上蜜量最高单群突破12千克；毛水苏一季蜜源单产超500千克的纪录，成为“中华之最”。二是具有良好的遗传性状，经科研院所一些著名养蜂专家学者试验，利用东北黑蜂培育的杂交一代蜂可提高产蜜量30%以上，是一个难得的良好育种素材，倍受国内外专家的青睐，被称之为世界不可多得的极其宝贵的蜜蜂基因库，为国之瑰宝，被列入中国首批138个国家级畜禽遗传资源保种名录。

1996年，饶河县生产的椴树蜜、王浆、花粉被国家环保局有机食品发展中心认定为有机食品。1999—2008年，又被欧盟有机食品组织（ECOCERT）连续9年认定为有机食品；椴树蜜、王浆蜜在北京33届国际养蜂大会上分别荣获金牌和铜牌；椴树蜜在全国首届农业博览会上荣获银牌；硒力王浆蜜荣获国家发明专利；花粉宝、四宝液获国家科委“七五”、“八五”星火计划科技进步奖；椴树蜜、王浆蜜被黑龙江省名牌农产品评审委员会认定为黑龙江省名牌产品，被中国国际农业博览会认定为中国国际名牌产品；黑龙江省东北黑蜂开发有限责任公司有机椴树蜜系列产品开发荣获全国食品工业科技进步优秀项目奖，饶河开发的有机系列蜂产品在国内外博览会上均受到好评。目前，东北黑蜂产品主要有蜜、浆、胶、粉四大系列60余个品种，在国内外市场具有很强的竞争力，为东北黑蜂产业的发展奠定雄厚的基础

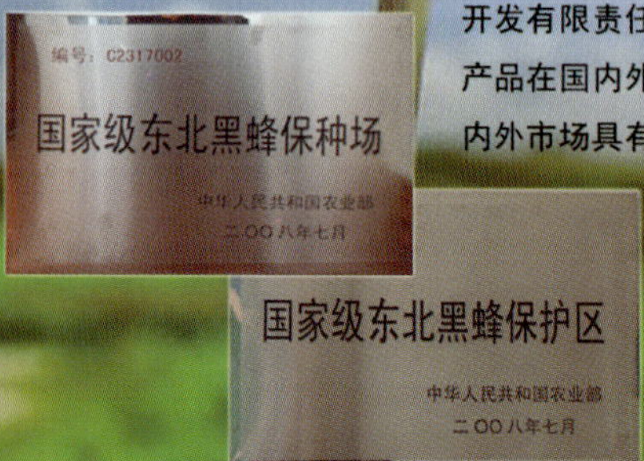

黑龙江省饶河
东北黑蜂国家级自然保护区

上海市浦南病死畜禽无害化处理站

上海市浦南病死畜禽无害化处理站是经农业部和上海市人民政府批准、由上海市农委畜牧办公室负责建设的，该项目总投资2 223万元，总占地面积12 250平方米,自2001年5月开始施工，分两期建设，于2003年9月全部建成运行。

该项目建设焚烧炉两台套及其辅助设备，设计规模每小时处理420千克，日处理10吨，实际日处理能力15吨，年处理量5 000吨。该套处理系统由上海同济大学建筑设计研究院设计，属国内首创。焚烧处理流程为：由专用运输车将病死畜禽运回处理站，经称重后放入冷库冷冻、冷藏，大型动物经过切割处理后通过输送系统送入焚烧炉焚烧，小型动物直接投入焚烧炉焚烧。焚烧中产生的烟气进入半干式喷淋塔，对烟气实施降温，再由脉冲式布袋除尘器进一步净化，达标后的烟气经烟囱排入大气。

从项目建成后的运转情况看，焚烧处理工艺总体上是成功的，取得了预期效果。2002年我站共接收处理了各类病死动物及动物产品820吨，2007年处理了3 236吨，比2002年增长近3倍。由于处理站的建立，对控制畜禽疫病的传播、促进上海市畜牧业的健康发展和市民的食品安全起了一定的保障作用。

目前，将病死动物以及动物产品送我站作无害化处理的单位有：（1）市郊畜禽养殖场；（2）市境道口检疫部门；（3）出入境检验检疫部门；（4）教学、科研单位；（5）生化制品企业；（6）公安、工商、城管部门；（7）畜禽交易市场；（8）市区各宠物医院等。

我站接收处理病死动物及动物产品的操作程序为：进站车辆消毒—过磅卸货—随车人员紫外线消毒—签发接收单—车辆冲洗消毒—车辆离站。

焚烧系统

焚烧炉为多级炉排式，采用二级燃烧。二燃室温度达到1 100℃，烟气在1 100℃以下停留2秒，炉内烟气充分扰动，保证焚烧过程中臭气和二恶英的消除

畜禽在烘干过程中收集的油脂和焚烧系统运行中的清洗消毒水均汇集后喷入焚烧炉，确保无生产废水排放

烘干系统

余热回收系统

采用余热锅炉和换热器回收热量，产生的蒸汽和热水回用，节约能源

上海市嘉定区梅山猪育种中心

- 国家级重点种畜场
- 国家级梅山猪资源保护场
- 上海市一级种猪场

上海市嘉定区梅山猪育种中心（原嘉定区种畜场）创建于1958年，主要承担梅山猪的保种选育工作，是农业部1993年首批确定的重点种畜场，2001年又被确定为国家级梅山猪资源保护场，也是上海市畜牧办公室确认的梅山猪一级原种场和杜洛克、大约克一级原种场。本中心是集育种、科研和生产于一体的大型种猪场，常年饲养生产种母猪1 000头，主要品种有：梅山猪、大约克、杜洛克、长白猪、上海白猪及其杂交母猪。本中心技术力量雄厚，致力于种猪的遗传育种、兽医卫生，先后获得10余项科技成果，采用现代化管理手段、GPS育种软件技术，使种猪的质量和生产性能不断提高，竭诚为客户提供优质服务。

地址：上海市嘉定区嘉唐公路1991号
邮编：201807
联系人：陆林根
联系电话：021-59543109
传真：021-59546196

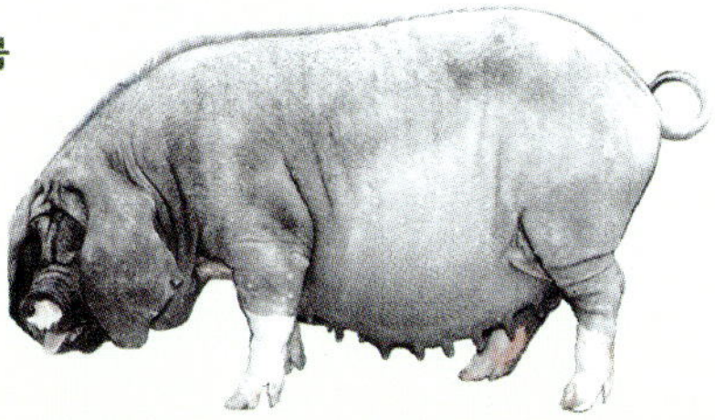

江苏畜牧兽医职业技术学院

江苏畜牧兽医职业技术学院是一所隶属于省农业委员会，经省政府批准，教育部备案的面向全国招生的全日制公办普通高等院校，是中国南部地区唯一的高等畜牧兽医学院，是江苏省首批人才培养水平评估优秀高校、江苏省示范性高等职业院校，是全国办学规模最大的动物科技类高校。学院占地面积 200 公顷，建筑面积 48 万平方米。学院设有动物科技学院、动物医学院、动物药学院、食品科技学院、宠物科技系、水产科技系、园林科技系、经济贸易系、信息工程系、机电工程系等 10 个院系；围绕畜牧产业链开设了 52 个专业。学院有各类教职工 1 000 多人。专任教师中，教授、副教授等高级职称 130 多人；具有博士、硕士学位教师 300 多人。2009 年，学院以党的十七届四中全会精神为指引，深入贯彻落实科学发展观，以内涵建设为主线，推教改、抓团队、促就业、强服务、建和谐，各项工作取得了显著成绩。学院被省教育厅评为省大学生创业教育示范校，被省农委表彰为江苏省农民培训工程先进集体。学院实施的“挂县强农富民”工程，取得了阶段性成果。

按照江苏省示范性高职院校专业建设方案，在全面自查的基础上，通过有针对性选择部分专业开展教育教学改革试点，在专业建设、课程建设、教育研究等方面取得显著成绩，多个项目或课题获得国家级或省级奖励。

在科研工作方面，学院加强科技开发团队建设，项目经费和科技成果取得新跨越。申报各级各类科研项目 83 个，成功申报项目 70 项，项目经费达 1 600 多万元。学院成功申报省高技术研究重点实验室和省级企业院士工作站，成为全省高职院校中唯一获此殊荣的单位。全年共完成省农林厅、省财政厅标准化建设项目、技改项目和农业三项工程等 8 个项目和泰州市 9 个科技项目的验收；申报专利 3 项，获省部级科技进步奖 3 项、泰州市科技进步奖 6 项。

除上述工作外，学院还在师资队伍建设、社会服务、学生管理、成教培训以及招生就业创业和校园与基地建设等方面取得了丰硕成果，得到社会各界的一致好评与肯定。

丹陽市樂天動物標識有限公司

丹阳市乐天动物标识有限公司前身是生产塑料包装瓶的企业，2007 年 2 月成立了耳标生产厂，如今是专业生产牲畜耳标的企业。

公司坐落于全国百强县——丹阳陵口镇，注册资金 500 万元，拥有打码车间、注塑车间、包装车间、原材料仓库、成品仓库、质检室；激光打标生产线 8 条，注塑机 8 台，生产格局与设备均符合农业部关于牲畜耳标生产的最新标准及规定，年生产耳标能力达到 1 亿套以上。公司凭借多年塑料生产经验，以及严谨务实，诚信可靠的工作作风，分别在 2007 年吉林省、山西省，2008 年黑龙江省、海南省、安徽省，2009、2010 年陕西省等地政府招标采购中中标，猪、牛、羊二维码耳标在农业部 2009 年度两次抽检中全部合格。

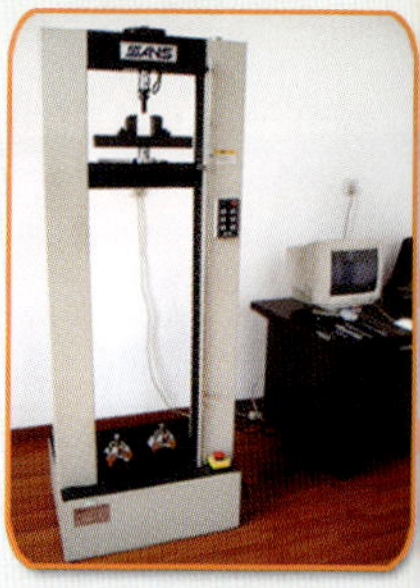

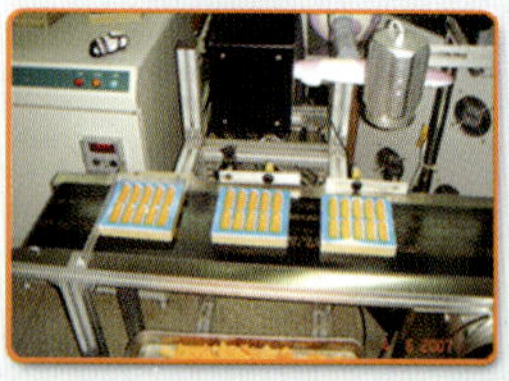
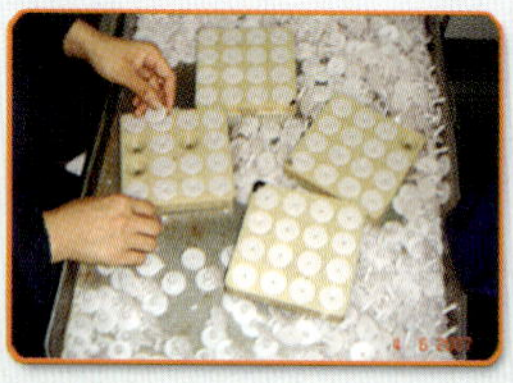
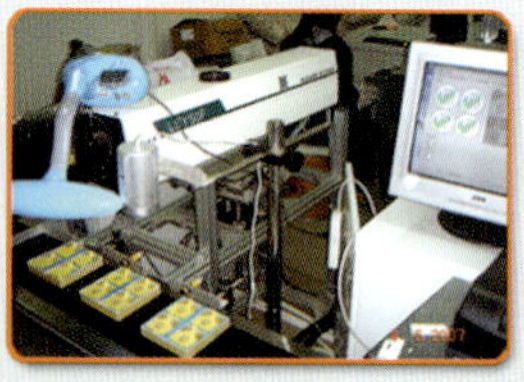
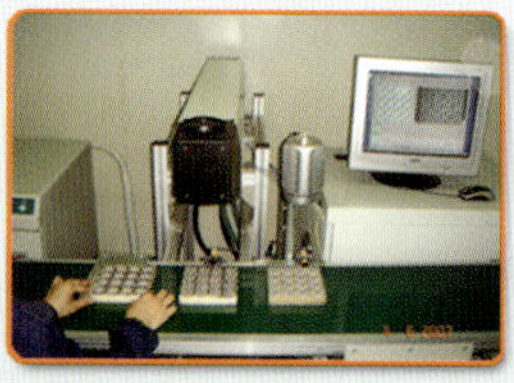
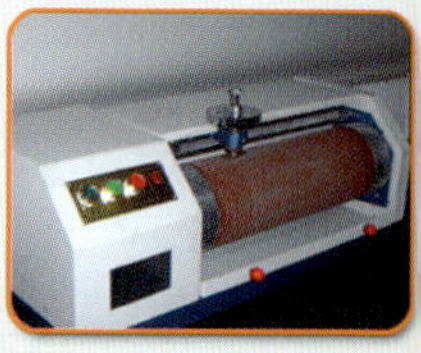

杭州荐量兽用生物制品有限公司

杭州荐量兽用生物制品有限公司（原浙江荐量生物工程有限公司），前身为杭州生药厂，始创于 1958 年，具有 50 多年的兽用生物制品生产经验。公司注册资金 900 万美元，总资产 2.4 亿元人民币。投入生产的八大类疫苗品种十条兽用生物制品生产线分别于 2006 年 6 月、2007 年 5 月和 2008 年 11 月通过了农业部 GMP 动态验收。公司正严格按照 GMP 标准高效运行，综合实力居行业前列。

公司位于杭州经济技术开发区，占地面积 3 万多平方米，总建筑面积 2.3 万平方米，现有员工 260 名，大专及本科以上学历员工占员工总数的 88%，专业技术人员占 61%。公司拥有一流的厂房设施，先进的技术装备，雄厚的技术实力。

公司目前拥有兽用生物制品 30 余种，以猪蓝耳病疫苗、猪瘟活疫苗、禽类疫苗为主，持续稳定的产品质量，受到用户的广泛赞誉。公司高度重视技术投入和产品研发，以专家队伍为先导，大专院校科研机构为依托，致力于高品质兽用生物制品的研发与生产。目前已经与中国农业科学院、浙江省农业科学院畜牧兽医研究所、浙江大学动物科学学院、河南农业大学、韩国微生物研究所等国内外同行开展合作。

公司拥有一支临床经验丰富、专业技术熟练、服务热情周到的售后服务队伍，具有中级职称以上的人员占整个服务队伍的 90%。严格执行用户访问、投诉处理、产品回收制度。公司结合各地实际疫情与饲养状况，加强防病与饲养技术的指导与服务，在全国范围举办技术讲座与服务工作，与广大用户建立了长期友好的合作关系。产品市场占有率日益提高，形成了除西藏和台湾之外的覆盖全国的营销与服务网络，为公司发展奠定了坚实的市场基础。

荐量公司的发展历程，就是我们不断尝试为畜禽养殖者提供帮助的过程，也是广大养殖者越来越多地接受我们的产品与服务的过程。成为国内外生物制品先进企业是我们最大的目标，我们将努力进取，为促进我国畜牧兽医事业持续稳定健康发展作出应有的贡献！

国兽药广审（文)2011010019

公司名称：杭州荐量兽用生物制品有限公司
企业英文名称：HANGZHOU JIANLIANG VETERINARY BIOLOGICAL PREPARATIONS CO.,LTD
通讯地址：浙江省杭州经济技术开发区（下沙）10 号大街 266 号
技术服务热线 :0571-28968812　销售服务热线 :0571-28968865　传 真：0571-28968818
电子信箱 :market@hzjlsw.com　公司网址：http://www.hzjlsw.com

杭州鑫剑印业有限公司

杭州鑫剑印业有限公司创建于 1993 年，是一家专业从事印刷、包装、塑料制品和牲畜耳标研制及配套产品生产的企业。公司于 1993 年成为农业部动物防疫证、章标志定点生产厂商，并在 2009 年通过了 ISO 9001 质量管理体系认证。

近年业绩

自 1993 年，我公司已为全国各地生产各种动物防疫证、章、标志 5 000 多万本（枚），生产动物免疫耳标数百批次，总产量 3.5 亿套，耳钳 15 万把。

2006 年，农业部开始在全国统一定点生产牲畜耳标后，我公司通过了农业部定点资格认定，从而得到了迅速发展并取得巨大成绩。

质量信誉

我公司秉承“ 质量第一 ”的原则，长期不懈地坚持产品质量管理，赢得了广大用户的广泛好评与信赖。

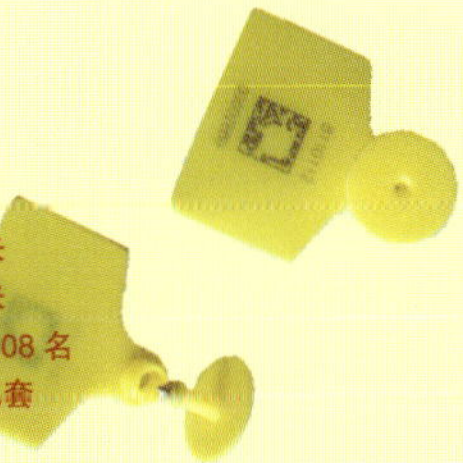

生产基地
场地：6 400 平方米
车间：1 200 平方米
技术与生产人员：108 名
年生产能力：1.5 亿套
机器设备：38 台

杭州灯塔养殖总场

杭州灯塔养殖总场始建于 1984 年，是一家以养猪为主业的集种猪育繁、商品猪养殖、饲料加工、生猪屠宰加工、酒店物业经营为一体的大型农牧企业。

杭州灯塔养殖总场是国家级农业龙头企业，也是省、市农业龙头企业，杭州市重要的菜篮子基地，首批无公害农产品生产基地，也是国家、省、市活猪储备基地，其生产的“杭塔”牌三元杂交商品猪是浙江省名牌产品，企业先后通过 ISO9001 和 GAP 认证。

经过 20 多年的艰苦创业，目前全场拥有杭州天元农业开发有限公司、衢州宝莲灯种猪有限公司、湖州东新养殖有限公司、德清北景养殖有限公司四个养殖基地。杭州茉莉花大酒店、杭州茉莉花国际大酒店两个三星级酒店。浙江灯塔种猪有限公司、杭州金富非织造布有限公司、杭州五合肉类食品有限公司等三个股份制企业。总场拥有固定资产 4.5 亿元，职工 1 000 余人，包括教授、研究员、高级畜牧师等专业技术人员 80 余人（其中二人享受国务院特殊津贴，一人为农业部兽药评审专家库专家）。现有养殖基地 117 公顷，建筑面积近 22 万平方米，存栏母猪 16 500 头，已具备年出栏商品猪 30 万头的能力，主要供应杭州市和上海市等周边市场。

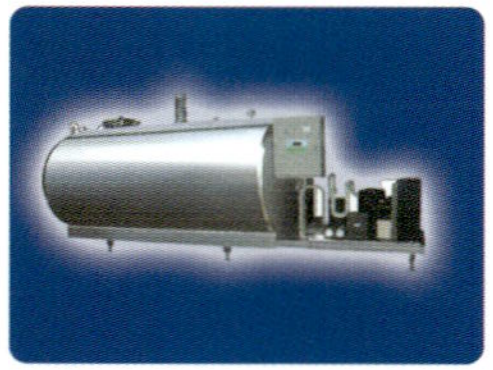

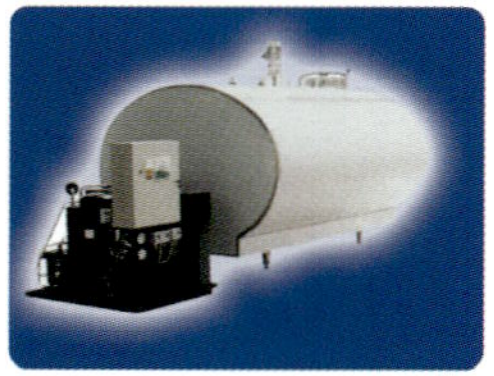

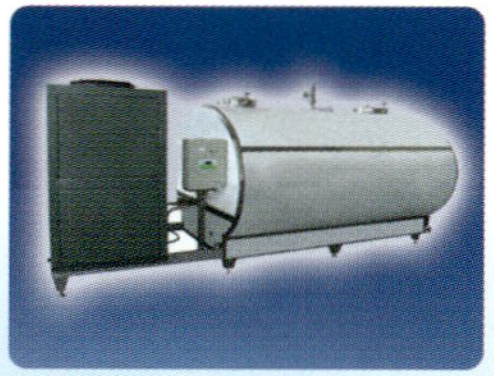

福建省沙县闽富种猪有限公司

福建省沙县闽富种猪有限公司建于 1998 年。公司自创建以来，注重科学管理、坚持守法诚信经营。2005 年被省经济贸易委员会确定为省级城市副食品（生猪）基地，2006 年省农业厅授予“福建省无公害农产品生猪基地”，2007 年被列入全省养猪“零排放”示范单位，2009 年又被评为现代农业生猪产业技术体系建设示范猪场，2010 年被确定为农业部畜禽养殖标准化示范单位。公司于 2003 年注册了“闽富”牌商标。

2008 年 4 月，公司从县城郊的棉被山搬迁到沙县高桥镇官林窠的省军区幼溪农场。新场进行高科技、高标准、大规模的投入和一项更环保、节能、良性循环的生态农业项目——二楼养猪与无水自清粪资源化利用项目。全场采用吊顶保温、水帘降温、电子控制氨氮及自动调节空气质量，安装智能料槽和恒温饮水系统做到饲料不浪费饮水不外溅。该项目的实施，将从源头上解决生猪生产发展和环境污染的矛盾，达到生猪养殖污染“零排放”。以上措施真正实现了污染物的零排放，实现了经济效益和环保效益的双赢。

公司建有 2.28 万平方米零排放猪舍，饲养能繁母猪 1 200 头，年出栏优质无公害生猪 2.5 万头。

福建省沙县闽富种猪有限公司是我省高科技标准化、规模化的现代化养殖场；更是第一座完全实行二楼养猪、无水自清、粪便资源化利用、绿色环保的生态养殖场。

采用吊顶保温、电子控制氨氮猪舍

总经理：程清乐

电　话：13950986713

地　址：福建省沙县高桥镇

E-mail：SXZYK203@163.com

邮　编：365500

水帘降温及自动调节空气质量猪舍

公司总部

福建省宁德市南阳实业有限公司

公司发展于 1995 年，成立于 2002 年，目前注册资本 9 300 万元，总资产 4.65 亿元，拥有员工 680 人，其中各类专业技术人员 106 人。公司下设有南阳养殖公司、南阳饲料公司、南阳食品公司、南阳米业公司、南阳物流公司、开源生物工程公司、南阳养猪科学研究所等 6 个直属公司、1 个科研机构。拥有年销售 2 万头的种猪育种基地；销售 13 万头的商品猪养殖基地；5 万吨的饲料加工基地；屠宰 10 万头的生猪定点屠宰场；销售 6 500 多吨的无公害猪肉连锁专卖店；销售冷冻调理制品 8 000 多吨的食品加工基地；销售优质大米 5 万吨的大米加工厂；生产销售 1 万吨的生物有机肥厂等 9 个经营实体，2009 年创综合产值 6.1 亿元。实现了猪肉产品从基地到餐桌质量安全保障一条龙生产目标，形成了福建省唯一特色生猪产业集群发展的企业。公司先后被评定为农业产业化国家重点龙头企业，国家扶贫龙头企业、国家生猪活体储备基地、全国农产品加工示范企业，是福建省高新技术企业、福建省品牌农业企业金奖、福建省十强农业龙头企业；产品通过了 HACCP、ISO9001 体系认证及 QS、农业部无公害农产品认证等。

吉屿猪场

南阳种猪养殖

河南广安集团

河南广安集团成立于 1996 年 6 月 28 日，是以安全饲料和绿色养殖为主经营业务，以动物保健、饲料原料、网络信息服务为辅助业务的农业产业化国家重点龙头企业。公司先后获得了中国饲料 50 强企业、中国信息化 500 强企业、河南省高新技术企业、河南农产品加工示范企业、河南省著名商标等三十多项荣誉和称号。公司通过了 ISO9001：2000 质量管理体系认证和 HACCP 食品安全管理体系认证。集团下属的中国牧业网（http://www.china-ah.com），被称为“环球牧业的电子通道”。

集团公司现有员工 700 多名，大专以上学历人员达到 75%，其中博士 3 人，硕士 25 人。公司 2006 年被国家人事部批准设立了博士后科研工作站，公司设有省、市两级企业技术中心，省、市两级生物预混料工程技术中心，与中国农业大学、农业部饲料工业中心、中国农科院饲料所、河南农业大学、河南工业大学等高等院校和科研机构开展了多层次、多方位的产学研合作。目前公司共拥有国家专利 9 项，国内领先科研成果 15 项，获得国家、省市科技进步奖 9 项。公司主导产品先后被评为河南优质、河南省名牌产品。

郑州市永兴禽业育种有限公司

永兴禽业是全国最大的单体铁脚麻鸡、乌鸡生产基地之一，公司创办于 1993 年 3 月，总部设在人文始祖的发源地“轩辕黄帝故里”河南新郑，公司下设家禽育种中心、技术研发中心、销售中心和品牌推广中心；在全国拥有重庆、成都、广州三个分公司及昆明、贵阳两个办事处，公司年孵化鸡苗 3 000 多万羽，是郑州市重点龙头企业、2007 河南之星最佳企业。

公司在全国拥有四个现代化种鸡场，占地逾 27 公顷，存栏种鸡 30 多万套，现有员工 300 余人，永兴禽业坚持以科技为动力，以客户为导向，采用现代科学管理和遗传育种技术，对支原体、鸡白痢、白血病彻底净化。

公司以“发展绿色养殖，帮助客户成功”为己任，在“公司 + 农户”经营模式基础上，不断加快产品的换代升级，并充分发挥永兴禽业重点龙头企业作用，使企业成为养殖科技进步与农户致富奔小康的领头人。“郑州市农业产业化经营重点龙头企业”、河南省“科技创新 名牌企业”、“河南省无公害畜产品基地”，2009 年 8 月被农业部首批验收合格为“标准化养殖场”，一项项荣誉纷至沓来，永兴禽业的发展成长得到了同行和客户的大力支持和广泛赞誉。

15 年专注，300 多名永兴人倾情奉献，成就了永兴系列品牌鸡的卓越品质，产品供不应求，畅销全国各地。永兴禽业以信誉求生存，视品质为生命，愿与天下养殖同仁携手合作，共同缔造中国养殖行业最有价值的第一品牌！

企业愿景——做养禽业最有价值的标杆企业

企业使命——推动绿色养殖　帮助客户成功

企业精神——追求卓越品质　坚守黄金承诺

确山黑猪

一、品种特征

确山黑猪全身被毛黑色，周身被毛较稀，鬃毛粗长，皮肤灰黑色。体格较大，身躯较长，腿臂发达，体质结实。头大，面部稍凹，额部有菱形皱纹，中间有两条纵褶，分为长嘴和短嘴两种。耳大下垂，背腰较宽，母猪腹大下垂不拖地，臀部较丰满，稍倾斜。公猪平均体重 115.1 ± 14.1 千克，体长 136.30 ± 10.21 厘米，体高 71.08 ± 14.07 厘米，胸围 115.0 ± 7.5 厘米；母猪平均体重 144.39 ± 22.32 千克，体长 139.06 ± 9.11 厘米，体高 67.58 ± 5.30 厘米，胸围 120.40 ± 7.61 厘米。确山黑猪性成熟较早，一般 120 日龄开始发情并可开始配种；发情周期为 18 ~ 21 天。妊娠期平均为 113 ~ 115 天。平均窝产仔数 12 头。瘦肉率平均 47.96%。

确山县畜牧局党组书记、局长赵国保

二、发展分布

确山黑猪的中心产区位于县境西部的竹沟、瓦岗、石滚河 3 个乡镇，其周围的蚁蜂、三里河、任店、李新店等乡镇以及桐柏县的回龙、吴城、毛集，泌阳县的大路庄、老河等亦有分布。1984 年河南省农业区划时对确山县黑猪进行了全面调查，河南省农业厅组织专家对确山黑猪进行了鉴定，确定为河南省地方优良品种。2006 年全国畜禽遗传资源调查时，组织人员对确山黑猪现状进行了详细调查，在竹沟镇肖庄村建立了确山黑猪保种基地，对饲养确山黑猪种公母猪的农户进行资金补贴，提高了养殖户的积极性，确山黑猪数量得到了恢复和发展。2009 年农业部组织专家对确山黑猪遗传资源进行了鉴定，被正式确定为国家畜禽遗传资源（中华人民共和国农业部公告 [第 1278 号]）。

三、保护措施

确山黑猪被列为国家畜禽遗传资源后，县委、县政府及畜牧局领导高度重视，成立了确山黑猪保种领导小组，制定了切实有效的保种措施：一是继续加大对饲养确山黑猪的农户进行资金补贴，饲养 1 头确山黑猪公猪每年补贴 2 000 元，饲养确山黑猪母猪的，每繁育 1 窝纯种确山黑猪，补贴 200 元。二是建立确山黑猪保种场。成立了确山黑猪保种中心，建立确山黑猪保种场，以河南省种猪场为依托，开展确山黑猪的保种选育研究。三是积极提升确山黑猪品牌效应。制定优惠政策，与北京美全食品有限公司联合对确山黑猪产品进行系列研究开发，拉长产业链条，提高确山黑猪产品附加值，进一步提高确山黑猪的综合经济效益。

鹤壁市聚隆养殖场

河南省鹤壁市聚隆养殖场坐落于鹤壁市鹤山区杨家庄村西岭，距鹤壁市中心区 30 千米，紧邻太行山麓，这里空气清新，环境优美。

本场始建于 1999 年 11 月占地面积 10 005 平方米，建筑面积 6 300 平方米，注册资金 500 万，现有正式员工 30 人，管理人员 6 人，技术人员 4 人，大专以上技术人员 2 人，是一座大型家禽养殖企业，建有一次育雏 15 000 羽（套）育雏舍，青年鸡舍，产蛋鸡舍，饲养种鸡 5 万多羽（套），肉鸡场年出栏 10 万羽。

主要从事于三黄种鸡及商品肉鸡的饲养与繁育，多年与广东、湖南、云南等南方省份的公司和农户合作，近年来注重本场及周边地区的生产与发展。按照科学的饲养方式，采用全封闭管理，同批次全进全出饲养模式，全部鸡舍采用全自动温控与通风系统及光照系统，严格按规程进行防疫和消毒，建立科学合理的饲养规程，完善各项生产管理记录。2007 年获得“河南省无公害畜产品产地”认证，成为鹤壁市绿色家禽饲养基地；2010 年 6 月获得“河南省经济建设先进单位”；2010 年 7 月积极响应并参与农业部“畜禽标准化规模养殖”创建工作，积极配合相关部门的指导，按照标准化规模养殖的标准标准要求改进和完善，最终评为首批“养殖标准化示范场”。

本场以“团结、协助、求实、创新、学习、进步”为指导，坚持科学养殖，在经营管理好现有规模的基础上延长产品产业的链条，再建年出栏 20 万只三黄肉鸡场及屠宰场，努力探索发展肉鸡深加工技术，创建自己的品牌，为市场提供更多更优质健康的食品，为社会创造更大的价值。

“郧阳白羽乌鸡”

郧阳白羽乌鸡是1982年定名的湖北省著名家禽品种，1985年、2004年两次被收入《湖北省家畜家禽品种志》。它具有补气养血、调经止带、治疗头晕心悸的功效，在当地又称为“药鸡”。其特征是：单冠、绿耳、白毛、片羽、翘尾、光胫、四趾、乌皮、乌骨、乌肉。据中国农业科学院畜牧研究所1981年8月对该鸡肌肉氨基酸分析，结果表明，该鸡17种氨基酸总含量高于全国同类品种，而且肉嫩、味鲜，是一种营养价值比较全面的肉食品。

奉献绿色食品 | offer the green food
创造健康生活 | create the healthy life

WIHON 伟鸿食品

立足基地建设 打造企业品牌
充分发挥生猪产业龙头作用

伟鸿食品有限公司创建于 1999 年 11 月，注册资本 9 000 万元，是一家国家级农业产业化重点龙头企业、国家级农产品加工示范企业和湖南省高新技术企业。主要从事生猪产业经营，主产品有冻猪分割肉、冰鲜肉、生鲜肉及深加工产品等 100 多个品种，是一个融畜禽养殖、屠宰加工、连锁销售、出口贸易、科研服务为一体的综合性企业。

公司资产总规模 3.6 亿元，员工 826 人，占地面积 40 余公顷，拥有 1 个年屠宰加工生猪 200 万头的现代化出口注册生产厂，一个大型的畜禽产品批发市场、100 余家连锁专卖店和自销网点，1 个八万头生猪养殖小区和 4 个一万头生猪养殖场、带动了 43 个生猪养殖专业合作社和 1.8 万多生猪养殖规模户，并利用“生物发酵床”养殖法进行安全、生态环保养殖，现已建好了 400 多户，每户年出栏生猪 1 500 头以上。公司基地年出栏生猪达 100 万头。

公司将进一步挖掘企业发展潜力，努力打造国内领先、全国知名的分割肉加工出口基地。一是建设好 2 000 户安全、环保、规模的生物发酵床养猪示范场，年出栏生猪达 300 万头以上；二是建设好中南地区最大的肉禽蛋伟鸿国际冷链物流中心，投产后年交易额近 50 亿元；三是建设好千头原种猪扩繁场和 5 000 头父母代场及 10 万头商品猪养殖基地，使区域内 100 多万农民直接和间接受益；四是建设一条深加工生产线，开发精、深加工产品，将企业打造成为中南地区的肉品深加工企业。

长沙市沙龙畜牧有限公司

长沙市沙龙畜牧有限公司始创于2005年，位于湖南省宁乡县，肩负保护和开发“流沙河土花猪”（畜牧学名宁乡猪）的重任，集流沙河土花猪的保种、养殖、屠宰、肉制品深加工及销售于一体，是一家按现代企业管理制度进行“流沙河土花猪”品种资源保护及综合开发的市级农业产业化龙头企业。

公司生产的流沙河土花猪原产于湖南省宁乡县境内的流沙河和草冲一带，故又称宁乡猪或草冲猪，有千余年的养殖历史，是中国四大名猪之一。流沙河土花猪是我国乃至世界宝贵的家畜基因库，2006年7月，纳入农业部确定的首批国家级畜禽遗传资源保护品种名录，成为中国的“国宝”。

近年来公司以市场为导向，相继开发了冷鲜肉、冷冻肉、生鲜肉、腊制品、高温肉制品等五大系列50多个品种的精包装高档肉系列上市。目前，流沙河土花猪肉食已经大量进入湖南省长沙市、湘潭市等地区，并畅销湖南、北京、上海和广东等省市。

公司在各级党委政府特别是畜牧水产部门的关心支持下，以“服务农业，带动农民增收”为己任，在做大做强流沙河土花猪产业和带动农民致富等方面取得了一定成绩，得到了社会各界的认可。公司先后荣获：长沙市农业产业化优秀龙头企业、湖南省十大湘菜原材料供应基地、长沙市文明单位、湖南省非公有制经济先进单位、湖南省现代农业特色产业科技示范基地。

流沙河土猪肉食先后荣获：“中国定向运动锦标赛唯一指定供应肉食品”、农业部无公害农产品认证、湖南第八届（国际）农博会金奖、湖南省名牌农产品、第二届畜博会金奖和中国有机产品认证。

“雄关漫道真如铁，而今迈步从头越”。我们热忱欢迎全国各地有致于农牧业发展的商家加盟我公司流沙河土猪肉食品的市场营销事业，共创发展新天地。

通讯地址：湖南省宁乡县行政中心一楼0115室
邮政编码：410600
联 系 人：陈伟光
联系电话：0731-88980268　15074977362

湖南永兴黄郎鸡原种场

湖南永兴黄郎鸡原种场是农业部2010年畜禽标准化养殖示范场之一，是湖南省目前规模最大、基础设施最全、管理最规范的黄郎鸡原种场。位于湖南省永兴县境内，占地20公顷，距县城1.2千米，距京广铁路、京珠高速公路、107国道仅20千米。原种场主要承担黄郎鸡原种保护、商品黄郎鸡开发、技术咨询服务工作。原种场现有专业技术人员28人。有原种核心群鸡8 000羽套和一个黄郎鸡原种保护区。

该鸡是永兴人民经过数千年培育出来的地方小珍禽，具有机灵好动、反应灵活，喜飞翔。食性广、抗病力强，药用价值高，肉嫩味美，营养价值极高等特点。

该鸡育种价值高，蕴含较丰富的遗传变异。经济价值高，市场前景看好。属肉蛋兼用品种，性成熟5 ~ 5.5个月。成年母鸡1.4千克，年产蛋150 ~ 200枚，成年公鸡1.7千克。市场价格32元/千克以上。

联系电话：0735-5520532
传真电话：0735-5520003
地址：永兴县城关镇干劲路
电子信箱：522323621@qq.com

桑植县畜牧水产局

桑植县畜牧水产局是桑植县人民政府主管的全额拨款正科级行政事业单位，全局干部职工 183，其中公务员 12 人、高级职称 31 人、中级职称 53 人。主要承担全县畜牧水产行政执法、生产技术指导、动物防疫防控等工作。内设一室三股，即办公室、畜牧股、防检股、水产渔政股。下设动物防疫监督管理局、畜牧兽医技术服务中心、饲料工业办公室、畜牧站、种猪场、渔政站、鱼苗渔种场、南滩牧场（正科级事业单位）。

桑植县山川秀美，是澧水发源地，境内溪河纵横有大小河流 72 条，沿河两岸植被覆盖，水域生态良好，娃娃鱼资源丰富，素有“娃娃鱼之乡”的美誉，1996 年被国务院列为湖南张家界大鲵国家级自然保护区的核心区。桑植素有“九山半水半分田”之称，特定的自然环境蕴涵着丰富的草山资源，全县有草山近 12 万公顷，占县域总面积的 33.27%，自然草地理论载畜量达 16 万个黄牛单位，其中万亩成片的草场有 16 块，位于白石乡的南滩草场 1 万多公顷，是中国南方最大的天然草场之一。有湘西黄牛、湘西黑猪、马头羊等地方优良品种。先后被省政府列为全省 35 个草食动物生产基地县、6 个重点县之一和湘西南 9 县市肉牛优势产区。2006 年，被国家扶贫办列为全国草食动物产业扶贫开发重点县。

我局紧紧围绕桑植县委、县政府提出的“打造产业精品，实现跨越发展”的工作目标，以工业化的理念、市场化的运作模式、科学化的技术手段加快农业产业化建设；充分利用草地资源和大鲵资源优势，走发展节约型、低碳养殖的路子；实施名牌战略，打造“湘西黄牛”、“马头山羊”、“湘西黑猪”、“娃娃鱼”等优势品牌；全面实施“无公害食品”、“有机食品”认证；稳固发展 100 万头瘦肉型牲猪养殖产业带，主导发展 20 万头优质湘西黄牛、肉羊养殖产业带，突破发展 20 万尾大鲵养殖产业带。把我县建设成全省最大的“草食动物生产基地”、全国最大的“大鲵生产基地”及“大鲵保护基因库”。力争在“十二五”全县养殖业产值达到 10 亿元，占农林牧渔业生产总值的 50% 以上。

班子成员集体

左一：钟建军　南滩牧场副场长（兼局办公室主任）

分管接待工作、主持办公室全面工作

左二：钟为武　副局长（兼动物防疫监督管理局局长）

主持动检局全面工作

左三：刘玉平　副局长（兼南滩牧场场长）

分管财务、水产渔政、鱼苗鱼种场、主持南滩牧场工作

左四：钟建国　局长（党组书记）

主持全面工作、侧重抓财务、项目申报和重大动物疫病防控工作左五：朱芳社　副局长

分管服务中心（饲料兽药办）、人事、党务、老年、行政执法

左六：王贞仕　纪检组长

分管办公室、内务、纪检、宣传、统战、安全生产、计划生育、综治、普法、依法治局、创卫工作

左七：向新国　工会主席

主持工会工作、抓监察工作

左八：黎克常　南滩牧场副场长

分管畜牧站、主抓品改、畜牧基地和农产品质量安全工作

TRIPHIL

深圳市三方圆生物科技有限公司

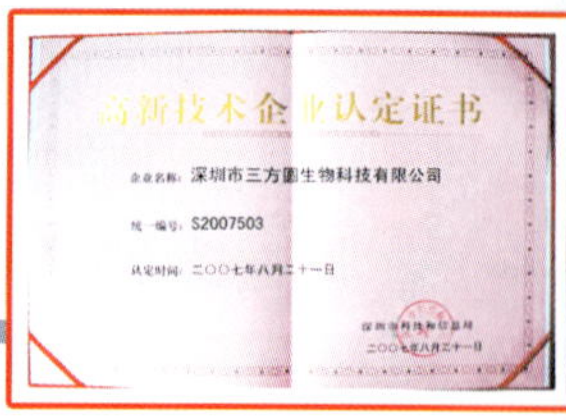

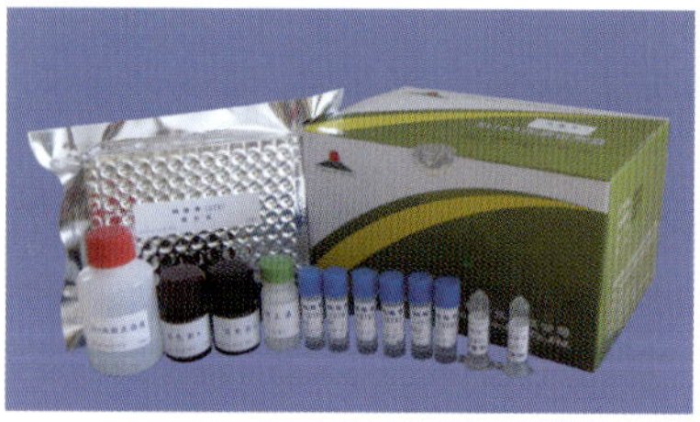

链霉素酶联免疫检测试剂盒

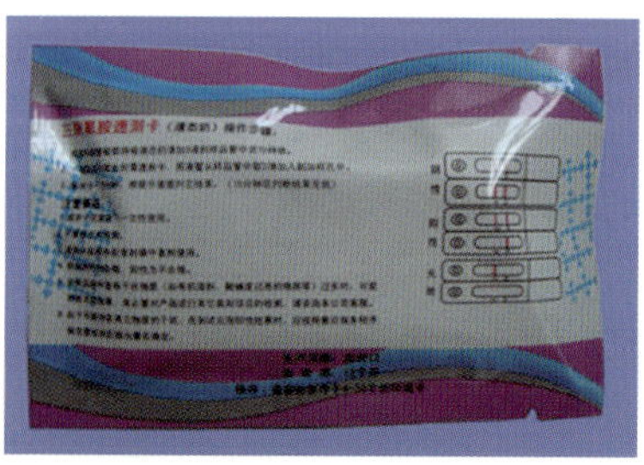

三聚氰胺速测卡（液态奶）

深圳市三方圆生物科技有限公司是一家专业从事食品安全检测试剂研发、生产、销售；食品安全检测及咨询服务的高新技术型企业。公司位于风景秀丽的深圳宝安桃花源科技创新园内，现有全职员工 30 余人，生产营业面积达 1 500 平方米。具有先进的研发、实验、生产、品质控制设备及建有高效、完善的售后服务体系，目前为国内最具专业化的单克隆抗体和多克隆抗体生产基地。

公司建有专业、规范的动物实验室及通过 GMP 认证的洁净生产室，相继构建了酶联免疫检测平台、胶体金快速检测平台、荧光定量 PCR 检测平台，是国内第一家有能力生产孔雀石绿快速检测试纸条、国内第一家能生产孔雀石绿检测试剂盒、小反刍兽疫试纸条的生产、服务供应商。目前，公司生产及销售的产品达 40 多种，产品性能均达到国际标准要求。一直以来，公司致力于开发具有自主知识产权的高科技食品安全检测产品，先后申请了 12 项覆盖 9 个重大领域的产品专利，在食品安全检测产品研发方面成绩斐然。公司产品的高稳定性及检测使用的高精确性为业界先进水平，为执法部门的执法监督和食品生产企业自身监管提供了有效协助及保障。

展望未来，公司将继续秉承“为客户创造价值”的使命，加大研发力度、增强自主创新水平、提高产品科技含量、保证产品品质、完善高效客户服务体系、保持环保理念，立足自我、多方借鉴、有效汲取、全力汇聚、携手一致，努力为达成“业界最具规模，最具专业化的食品安全检测产品研发、生产基地”的企业建设目标而努力，与客户共创辉煌！

强壮中国　从我做起

广州燕都果牧生态示范园有限公司自 2000 年初创建以来，在创始人——董事长李玉奇的领导下，历经磨难，由一穷二白发展为拥有十余栋牛舍、存栏千余头奶牛，与广东温氏、深圳光明等齐名的广东省十大奶牛养殖企业之一。在企业快速发展过程中，尽管先后多次面临征地搬迁、规模化标准化改革困难，以及合作者的变故，都未能阻挡公司前进的脚步，通过坚持科学决策、规范管理，多次在逆境中转危为安并逐步发展壮大。公司的发展也得到了有关方面的重视与支持，广州市农业局已划拨 38 万元资金扶持燕都牛场进行粪污处理，从化市政府也拨款 18 万元为奶牛场修建一条水泥路，从化工商银行同意贷款 350 万元供燕都发展之用。

面向未来，燕都人将继续在董事长李玉奇的带领下，为实现温家宝总理“我有一个梦，让每个中国人，首先是孩子，每天都能喝上一斤奶！”的愿望而不懈努力。

鹤山市墟岗黄畜牧有限公司

鹤山市墟岗黄畜牧有限公司是广东省祖代种鸡场，广东省家禽业协会会员单位，江门市重点农业龙头企业。

我公司聘请育种专家并与高校和科研单位进行技术合作，开展商业育种工作，把矮小型基因导入黄鸡生产中，成功培育出系列节粮高产型品种：节粮高产型快大快羽、慢羽配套系，节粮高产型大三黄配套系，节粮高产型黄麻鸡配套系。各配套系均具有产蛋高、种蛋合格率高、耗料少的特性。

节粮高产型快大快羽配套系——“墟岗黄鸡 1 号”已通过国家畜禽品种审定。

为进一步提高育种水平，搭建企业与科研单位的科技合作平台，我公司与中国农业科学院家禽研究所建立长期合作关系，并在我公司设立了中国农业科学院家禽研究所育种研究基地。

本公司一贯坚持产品“质量第一”和“安全第一”的方针。通过 ISO9001：2008 国际质量管理体系认证；通过无公害农产品产地认证和鲜蛋无公害产品认证。

本公司秉承“以人为本、诚信经营”的企业宗旨。志创国内一流品牌，竭诚为中国养鸡业的发展贡献我们的力量。

地址：广东省鹤山市双合镇合成华侨农场　　邮政编码：529734
公司电话：0750-8636300　　销售部：0750-8613308　　养殖部：0750-8636611
网址：www.xuganghuang.com　　邮箱：heshanxuganghuang@163.oom

广州珠江牛奶有限公司

广州珠江牛奶有限公司是由前国营广州市新洲奶牛场于1999年从市区搬迁后改制，由广州市牛奶公司和广州市国营珠江华侨农工商联合公司共同合资经营的股份制畜牧企业。公司现有奶牛1 600多头，以荷斯坦奶牛为主,奶牛品种优良。公司所产生鲜牛奶主要销售到香港、深圳和广州风行牛奶有限责任公司乳品厂（广东省学生奶指定生产企业）。公司占地逾17公顷，拥有职工82人，其中技术人员12人。截止到2009年底，完成固定资产投资4 593万元。

公司是广州市学生饮用奶奶源基地。2000年公司被广州市政府列为广州市农业产业化十大示范区之一，又是2005年国家发改委授予的广东省现代牧业示范基地。2002年，公司通过了ISO9001:2000版质量体系认证和中国绿色食品认证，目前整个体系运作良好！

公司采用先进的TMR饲喂模式，散栏饲养，最大的特点是全面使用沙睡床，同时配备数量充足的大功率风扇，确保奶牛有良好的采食和休息环境。公司每年聘请外国专家驻场对所有技术人员进行技术和管理培训，不断提高技术人员的生产技术水平和管理水平，使公司这几年的生产运作一直处于良性循环状态，生产管理水平稳步提高：2009年公司实现奶产6 220吨，成母牛年平均单产达到6 644千克，在广东地区处于绝对领先地位；2010年将实现奶产7 000吨以上，成母牛年单产有望达到7 200千克，继续领跑着广东地区的奶牛生产发展。

标准化挤奶

干净舒适的牛睡床和风扇

整洁干净的奶库

悠闲的高产奶牛

韶关市罗氏农牧发展有限公司

公司创立于2006年5月，系一家民营农牧企业，位于韶关市曲江区枫湾镇大竹山石背（韶枫公路19千米处右转直入600米，距106国道5千米），占地近67公顷，三面环山小盆地，环境优美，有防疫隔离的天然屏障。主要经营快大黄鸡父母代饲养、孵化、饲养商品化肉鸡（年上市200万只）、批发活鸡。活肉鸡获无公害农产品认证（证书号 WGH-09-03562）；配套种植优质沙田柚10 000棵、绿化树10 000株、鱼塘近9公顷，场内种养实现循环生态养殖，申领广东省排放污染许可证（440205030215）。

罗氏农牧发展有限公司鸡舍（4）

罗氏农牧发展有限公司鸡舍内部（3）

地址：韶关市曲江区枫湾镇大竹山石背
电话：0751-6582788 传真：0751-6582788
手机：13509862407　　13318590902
商标注册证：　第6108152号

罗氏农牧公司的鱼塘一角和远处的鸡舍（1）

罗氏农牧发展有限公司鱼塘和鸡舍（7）

罗氏农牧公司的鱼塘一角和远处的鸡舍

广西金陵养殖有限公司

广西金陵养殖有限公司创办于 1997 年，总部位于南宁市西乡塘区金陵镇，是一家专业从事良种金陵肉种鸡培育、肉鸡产业化养殖、饲料、鸡苗生产与销售的大型民营企业。拥有金陵种鸡场等 10 家生产基地，占地总面积达 100 多公顷。公司是国家 2010 年科普惠农兴村先进单位、广西农业产业化重点龙头企业、广西种畜禽生产经营重点场、广西第三家通过自治区动物卫生监督所健康种禽场认定企业、南宁市“菜篮子”工程建设基地、通过 ISO9001：2008 国际质量管理体系认证企业、自治区无公害肉鸡养殖基地。公司年生产能力：存栏种鸡 77 万套以上、鸡苗生产量 10 500 万只、出栏肉鸡量 1 100 万只、生产饲料 10 万吨。2009 年总产值 7.4 亿元，带动的农户数达到 22 800 户，为农户增加收入 1.72 亿元。

十多年来，公司始终坚持以科技兴业为宗旨，除积极承担国家及省级科技项目近 10 项外，还长期保持与中国农业科学院家禽研究所、中国农业大学等科研院校的密切联系，第一时间将新的科学技术应用到生产中，公司自主培育的金陵麻鸡、金陵黄鸡于 2009 年 10 月通过了国家畜禽遗传资源委员会审定，获得国家级畜禽配套系新品种证书，成为广西唯一拥有两个获得国家审定颁发证书的肉鸡新配套系品种的企业。

公司用人原则是任人唯贤，能者上，平者让，庸者下。在企业内部形成人人争当先进，人人争当标兵的良性竞争氛围。为进一步提高企业的员工的综合素质，不定期邀请技术专家、著名管理大师到公司进行企业内训。

公司奉行“诚信、创新、服务、共赢”的核心价值观，始终将人才队伍建设当作最重要的工作来抓。目前公司现有员工 889 人，其中硕士研究生 4 人，本科生 39 人，大专生 82 人，中等学历人员 94 人。具有高级职称专业技术人员 5 人，中级职称专业技术人员 12 人，初级职称专业技术人员 28 人。

为将公司培育的新品种科研成果更好地服务于社会，公司坚持“诚信经营，共创双赢”的经营理念，采取“公司 + 基地 + 农户”模式，与农户合作进行无公害肉鸡产业化养殖生产，极大地推动了南宁市乃至整个广西黄羽肉鸡养殖规模化、产业化的发展，延伸了龙头企业的产业链，既为当地社会提供了更多的就业岗位，又很好地促进了当地农业增效和农民增收。

公司鸡苗产品除了畅销广西区内，还远销到广东、云南、贵州、四川、重庆、浙江、上海、湖南、湖北、河南等省市，公司在云南、贵州、重庆、浙江等地设有销售部，年销售推广黄羽肉鸡商品鸡苗在 7 000 万只以上。为黄羽肉鸡事业在西南各省及长江中下游地区的推广发展作出了重要的贡献。

环江畜牧业

食品加工厂一角

环江菜牛

环江香猪

环江是全国唯一的毛南族聚居县，地处广西西北部，全县总人口40多万人，土地总面积45.6万公顷，土地肥沃，资源丰富，发展畜牧业生产条件得天独厚。多年来，县委、县政府高度重视发展畜牧业，依托县域优势，抢抓机遇，大力调整农业产业结构，在稳定发展基础牧渔业，保障农民增收的前提下，积极开发生态绿色型牧渔业，重点发展环江香猪、环江菜牛两项名特优特色产业，提出了到2011年实现年出栏40万头香猪和10万头菜牛的奋斗目标，并通过抓加工，树品牌，培育市场，加快产品流通，以销促产，不断推进标准化、规模化生产进程，全面推动全县畜牧业和特色产业的健康发展，促进农民增收。据2009年统计，全县牛饲养量7.79万头，出栏2.22万头；生猪饲养量33.80万头，出栏19.34万头；羊饲养量4.64只，出栏2.41只；家禽饲养量224.34万羽，出笼149万羽；香猪出栏37.84万头，肉类总产量2.11万吨，水产品产量3 091吨，全县肉类加工厂12家，加工香猪8万头，加工牛肉300吨，牧渔业总产值6.57亿元。

环江有丰富的畜牧品种资源自然优势，盛产环江香猪、环江菜牛、环江香鸭、香牛等各种名优特产。，环江香猪是广西优良的地方品种之一，产于我县东北部特定的地理区域，2000年列入国家畜禽品种保护名录，2003年通过国家原产地地理标志注册认证，成为可以在国际成员国间流通的畜产品。现全县环江香猪母猪存栏23 000多头，年生产销售小香猪38多万头。主要产品有冷冻白条猪、烤全猪、腊全猪、香猪肉干等系列产品，产品销往区内外及港澳地区。环江菜牛历史悠久，是我县两大名特优畜产肉品之一，产于我县毛南山乡3个乡镇。其菜牛是当地农民利用山间饲草及野生饲料，加上传统的育肥方法对本地黄牛进行3～6个月的育肥而形成。其肉质有独特的特点：肌肉和脂肪之间呈大理石状，尤其是肋间肉比一般牛肉特别肥厚，有“三隔肉”之称，是其它牛肉无与伦比的。环江菜牛不但在国内享有较高声誉，而早在70年代已进入港澳市场，深受港澳市民的欢迎，2008年4月中国特产之乡推荐暨宣传活动组织委员会正式授予环江县“中国菜牛之乡”称号，产品供不应求。

迅速发展的北流市生态养殖业

北流市水产畜牧业近年来认真贯彻落实科学发展观，大力实施科技兴牧战略，积极推进产业结构调整优化，使水产畜牧业成为农村经济的重要支柱产业和农民增收最有效最直接的途径。特别是依靠科技开展畜禽品种改良和在大力推进生态养殖业，狠抓产业结构调整的优化升级，开拓创新，与时俱进，勇争一流，使北流市水产畜牧业发展成为农村经济发展和农民增收的支柱产业。2010 年水产畜牧业产值达到 20.8 亿元，占农林牧渔业总产值的 55.36%，水产畜牧业成为农民增效见效最快的增长点。近年来，先后获得“奶水牛规模养殖示范县(市)”、“百万改良牛养殖示范、“水牛奶产业化开发、“农业部奶水牛科技入户示范工程项目”、“奶水牛良种补贴项目”、“水生动物疫病防治站建设、“奶水牛养殖小区项目”、“广西新增奶水牛项目(市)”、“生猪良种补贴”等十多项国家级、省级科技项目在北流实施，获广西畜牧业十强县(市)”称号，2006 年 -2009 年连续获得广西区人民政府授予“牛奶产业”、“草食动物产业”、“水产品产业”三大产业农业新兴优势产业奖励，2008-2009 年获农业部全国生猪调出大县奖励；北流市凉亭鸡获广西优质品牌鸡、连续获得三届东南亚(广西)国际水产畜牧博览会金奖、香港第七届(两岸三地)优质鸡研讨会金鸡奖、获得广州十大名鸡最受市场欢迎名鸡品种奖；凉亭基地获中国惟一《凉亭土鸡》品牌保护的生产基地；“凉亭”商标获得广西著名商标。北流市畜牧业各项工作走在广西乃至全国的前列。

近年来在农业部、广西区业务主管部门的大力支持下，北流市把生态养殖业作为促进农业农村经济持续发展的重要措施，在广西率先引进微生物发酵垫料和发酵饲料喂猪技术，解决了多年来困挠和制约养殖业发展的瓶颈问题，有力地推动了养殖业结构调整，提高了养殖效益和产品竞争力，取得了显著成效。2009 年以来北流市把扶持推广发酵床生态养猪模式列入水产畜牧业工作重点，成立专门技术推广机构，对生态养殖进行指导和服务，2010 年市政府投入资金 463 万元扶持生态发酵床养猪。全市建设生态养猪发酵床 10 万多平方米，发展生态养猪基地 15 个，出栏绿色生态猪 50 多万头，生态养殖实现增收超亿元。目前北流市已成为广西最大的生态养猪示范基地。计划“十二五”期间北流市生态养猪发酵床面积扩展到 50 万平方米，打造广西生态养殖第一示范县(市)。

北流市奶水牛

北流市生物发酵床生态猪舍

大足 黑山羊

“大足黑山羊”是在近百年的自然封闭选育、小规模饲养繁殖过程中形成的一个高产系黑山羊品种。它有三大特点：一是繁殖力高，平均胎产仔达到2.5～3只左右。二是生长发育快。三是适应性强。目前，大足黑山羊数量已达2.4万余只，能繁母羊12 900余只，保护区发展种羊5 800余只。联诚公司与西南大学合作，致力于大足黑山羊的育种、生产与深加工产业化的建设；目前已在铁山镇，城南等地建设保种场，在农户中建立了多个扩繁场，发展种羊5 200余只。

四川洁康消毒药品有限责任公司

国兽药广审（文）2011020027

四川洁康消毒药品有限责任公司是在和多家科研院校进行技术合作的基础上组建而成的融科研、开发、生产、营销为一体的现代化专业消毒药品企业。公司座落在四川省成都市温江区海峡两岸科技产业开发园，占地面积1.2万平方米，建筑面积6 000平方米，绿化面积50%，环境优美，风景秀丽，交通便利。公司固定资产1 300万元，配备有国内外先进的各类生产设备及理化生物实验室。已于2005年6月14日一次性通过国家GMP认证。

公司坚持走自主创新、科技创新的发展道路，坚持管理创新，研发创新，生产创新，营销创新，售后服务创新的理念。公司生产的大卫牌系列消毒剂，经农业部指定的权威机构——中国农业科学院兰州兽医研究所、哈尔滨兽医研究所检测，对多种病原微生物均有杀灭作用。公司现有的产品于2005年已全部获得农业部国家批文（全部是国标产品）。产品广泛用于畜牧、蚕桑、水产养殖、公共环境、卫生防疫等行业，并具有广谱、高效、环保的特点。现已形成以四川为中心，面向全国各地辐射的销售网络，产品自推向市场以来，得到了广大用户的一致好评和认可。

公司本着以“质量第一，服务精诚”的宗旨，“不断创新”的理念，与新老客户共同发展，携手为人类创造更加美好的生活环境而努力。

地址：成都市温江区天府街道办事处金府路1号
电话：028-82684878　　传真：028-82681488
联系人：方中地总经理

滇陆猪

滇陆猪怀孕母猪

滇陆猪产仔母猪（13头仔猪）

滇陆猪后备公猪

滇陆猪是陆良县种猪试验场、云南省畜牧兽医科学院、陆良县畜牧兽医局联合攻关，利用两个中国优良著名地方猪种（乌金猪、大河猪）和两个国外著名猪种（大白猪、约克夏猪）为原始育种素材，利用现代遗传育种理论，采用群体继代选育法，通过杂交合成、横交固定、继代选育和定向培育。历经了15年10个世代而培育成功的一个国家级猪新品种，分别于1999年、2004年荣获云南省政府科技进步二等奖和三等奖。于2009年3月通过了国家农业部畜禽遗传资源委员会的审定。证书编号：农01新品种证字第16号。滇陆猪具有繁殖性能好（产仔数多）、肉质好、生长速度较快、母性强、适应性、抗逆性强，耐粗饲、瘦肉率高等优良特性。

滇陆猪研究所

联系人：张桂生

电　话：13466126269

传　真：0874-6267427

畜禽新品种（配套系）

证　书

新品种（配套系）名称　滇陆猪

培　育　单　位　云南省陆良县种猪试验场

云南省畜牧兽医科学院

云南省陆良县畜牧兽医局

该品种业经审定，根据《中华人民共和国畜牧法》和《畜禽新品种配套系审定和畜禽遗传资源鉴定办法》，特发此证。

发证机关

大围山微型鸡

屏边苗族自治县“大围山微型鸡”是2006年开展畜禽品种遗传资源调查时发现并命名的一个小型鸡种。成年公鸡体重860克左右，成年母鸡680克左右。羽色分为黄红羽、白羽、白花羽、白黑麻花羽等，多以黑褐麻羽为主，胫为黄色。经云南省动科院检测其遗传基因与原鸡有所区别，2009年10月经国家畜禽遗传资源委员会专家组现场鉴定，2010年1月15日公告列入了国家级畜禽遗传资源保护名录。大围山微型鸡好斗性强，在调查发现前，农村饲养大围山微型鸡是作为宠物饲养，养作“诱子”，用于诱捕、诱打原鸡（野鸡），是屏边苗族自治县民间的又个一斗鸡品种。有的农户饲养成鸡直接当作原鸡（野鸡）出售给饭店加工成野味菜肴，价格从80 ~ 200元一只不等，具有很好的开发利用价值。引起了各级领导的高度重视，把它作为一个特色品种来扶持发展，对品种进行了保护，并开发利用。

宁强矮马

宁强矮马产于陕、甘、川三省交界的陕西省宁强县境内，主要分布在嘉陵江流域的曾家河、苍社、太阳岭、燕子砭、青木川等乡镇的狭长地带，是我国濒临绝迹珍稀矮马品种。该马体小精悍，善走山路，是春秋战国以前古羌人从青海游牧地南下西南，进入宁强时遗留下来的，当地山区群众多用其拉磨和驮柴。它比日本矮马115厘米还要低。新华社、人民网、陕西日报、汉中日报等媒体先后对宁强矮马做了详实报道。

1988 年 7 月，中国农业科学院畜牧所研究员、全国马匹育种委员会矮马登记会会长王铁权博士及西北农大畜牧系侯文通教授赴宁强共同考察矮马起源，肯定了宁强矮马是我国濒临绝迹珍稀矮马品种。

2002 年，宁强县农业局在县良种繁育中心建立了宁强矮马保种场，群体共 30 匹，使这一濒临灭绝的古老马种得到了保护和发展。

该中心隶属于宁强县农业局，具有独立法人资格，拥有土地逾 13 公顷，固定资产 210 万元，员工 30 余人，其中专业技术人员 10 人，主要从事农作物丰产栽培、生产性技术研究，新品种、新技术引进试验、繁育推广，是集种植、养殖和加工于一体的综合性示范区，2002 年被省农业厅授予“ 省级农业科技示范园 ”称号。现投资 1 000 余万元的集矮马保种、旅游观光、休闲骑乘为一体的新型宁强马保种场正在建设之中。

青海省门源种马场

青海省门源种马场始建于 1937 年，原为马步芳的军马场，解放后隶属青海省畜牧厅，现归省三江集团责任有限公司，是一个以牧为主、农牧结合的国有种畜场，是青海省农牧业产业化龙头企业之一，主要从事养殖业、种植业、马匹保种、优良畜品种改良和推广。全场占地面积 3 万多公顷，其中耕地 3 000 多公顷，草场面积 2.8 万公顷。

青海省门源种马场现有总人口 3 115 人，在册职工 950 人。各类专业技术人员 65 人，其中：具有高级职称人员 11 人，中级 35 人，初级 19 人。2009 年末农牧业生产总值 2 657.6 万元，资产总额 4 092.4 万元，其中：固定资产 2 080.3 万元，资产负债 1 129 万元，资产负债率 27.6%。2009 年末存栏牲畜 6.04 万头(只)，其中：羊 5.4 万只，牛 6 000 头，马 400 匹。我场经营的青海大通马和青海挽乘兼用马，选用卡巴金、奥尔洛夫、小型阿尔登马和部分河曲马为父系，以本场浩门马为母系，进行杂交育种而成的新品种。在 2007 年 3 月被列入青海省省级畜禽遗传资源保护名录。

草场为高寒草甸草场，由莎草科、禾本科、蓼科等植物组成。是青海省发展畜牧业基地之一。

甘肃省天祝白牦牛育种实验场

甘肃省天祝白牦牛育种实验场（天祝白牦牛保护繁育中心）始建于 1990 年，属科级事业单位，隶属天祝县畜牧局，承担着全县天祝白牦牛的保种选育、种质资源保护、种群扩繁、科学研究、先进技术推广及种牛繁育推广等工作，并承担着向省内外提供天祝白牦牛纯种种牛的任务。1998 年后连续被甘肃省农牧厅评定为“甘肃省重点种畜育场”。现有职工 20 名，其中技术干部 10 名，技术工人 8 名，合同制牧工 10 名，在技术干部中，高级畜牧师 4 名，畜牧师 3 名，兽医师 1 名，助理畜牧师 2 名。总建筑面积 1 800 平方米，其中棚舍 800 平方米，办公面积 324 平方米，其他用房 666 平方米。建有核心群 20 群 1 000 头，选育群 60 群 4 000 头。在管理上实行事业单位目标管理，定任务、定指标、定效益、承包经营、责任到人。天祝白牦牛现存栏 4.5 万头，占全县牦牛总数 8.95 万头的 50%。毛色纯白、遗传性能稳定的纯种天祝白牦牛有 0.4 万头，占天祝白牦牛总数的 8.9%。2008 年 7 月天祝白牦牛主产区被农业部确定为“国家级天祝白牦牛保护区”（中华人民共和国农业部公告第1058号）。

天祝白牦牛育种实验场先后承担了农业部、省农牧厅、市科委等所列的“天祝白牦牛种质资源保护”、“天祝白牦牛保种选育”、“天祝白牦牛扩繁提高及推广利用”、世界银行／全球环境基金（GEF）等多个生产及科研项目，已完成了天祝白牦牛的采精、冻精试制和人工授精、胚胎移植等试验研究工作，为天祝白牦牛的保护和发展做出了突出贡献。1980 年以来，天祝白牦牛育种实验场先后有 13 项科研成果获得了农业部、省人民政府、省科技局、省农牧厅、武威市科技进步奖和其它奖项，其中，甘肃省列项的“天祝白牦牛种质资源保护与产品开发利用”项目获甘肃省人民政府科技进步二等奖。胚胎移植试验研究获得成功，首开了牦牛胚胎移植的先河，居国内领先水平。同时在天祝白牦牛品种资源保护、生理生化指标测定、繁殖性能测定、遗传规律研究、细管冻精研制、核心群组建及建档管理、种牛培育及推广、种群扩繁等业务技术工作方面取得了显著成绩，促进了天祝白牦牛种群数量的增加与品质的提高，取得了显著的经济效益、社会效益和保种效益。

特级母牛及其犊牛

秋场中的特级母牛

青海省互助八眉猪原种育繁场

高原瘦肉性商品仔猪

八眉猪后备母猪

八眉猪生产母猪

八眉猪二元母猪

八眉猪是国家级畜禽遗传资源保护品种，已有 6 000 多年的驯养历史，主要分布在黄土高原地区，在青海省主要分布于湟水河流域的互助、湟中、大通等县，俗称“互助猪”、“大耳朵猪”。其杂交优势明显，遗传性状稳定，近交不易衰退，肉质好，肉色鲜红、肌肉大理石纹状明显、柔嫩味香、含水率低。

互助八眉猪原种育繁场始建于 1951 年，现存栏各类母猪 1 200 头，其中八眉猪原种母猪 460 头，有 7 个血统的八眉猪原种公猪 18 头，每年向省内外提供各类仔猪 2 万多头。育繁场始终坚持“保用结合、以保带用、以用促保”的原则，在纯繁保种的基础上先后进行了多个杂交利用组合，体现了明显的杂交优势，为保护国家畜禽资源、推动全省养猪业发展做出了巨大贡献。

以八眉猪为母本培育的高原瘦肉型猪，2002 年被青海省畜牧厅、青海省质量技术监督局和国家标准化管理委员会授予“无公害瘦肉型猪肉”，互助八眉猪原种育繁场被授予“无公害瘦肉型猪肉生产基地”；2007 年成功注册了“互助八眉猪”地理标志证明商标；2008 年互助八眉猪原种育繁场被农业部认定为第一批国家级地方畜禽遗传资源保护场。

广东省食品进出口集团公司

GUANGDONG FOODSTUFFS I/E (GROUP) CORP.

广东食出简介

广东省食品进出口集团公司（下称“广东食出”）是一家始创于1954年的国有外贸型企业，目前已发展成为新型科工贸内外销一体化，累计出口超110亿美元，年总营业额超30亿元的大型综合企业集团。旗下“珠江桥”牌系列产品畅销全球120多个国家和地区，拥有国家级实验室，参股广东太古可口可乐、广东太古冷链物流、中外运佛山仓码等一系列国际知名企业。广东食出被商务部纳入22家重点联系的大型流通企业；是广东省政府列为13家冲刺世界名牌重点扶持的企业之一；被广东省知识产权局认定为知识产权优势企业；被广东省科技厅等部门评定为第一批省级创新型企业；被中国食品工业协会确定为中国食品行业第二批创新型试点企业。在2006年10月的百届广交会上获得温家宝、李长春、吴仪等多位党和国家领导人的关注与赞誉。

目前，广东食出已初步形成了以中国最受欢迎商标“GDFOK”为总商标，以中国驰名商标“珠江桥”牌为主商标阵容强大的商标群（包括“御品”、“东达”、“鼎”、“TOPIN”、“新仑”、“鲜鲜岛”、“省食出及图”等）。“省食出”牌活猪在境外市场也享有较高的知名度，连续多年出口卖价名列前茅，在港、澳市场占有率位居前列，深得广大消费者的认同。

承前启后，继往开来。广东食出将继续秉承“诚信，尽责，祥和，竞进”之企业精神，创新优势，谋新发展，进一步增强企业的核心竞争力和可持续发展能力，为努力把广东食出打造成为市场营销网络化、企业发展产业化、产权结构多元化、经营管理现代化、资源配置国际化，集“贸易、研发、生产、投资”于一体的卓越企业而奋斗不懈！

广东省紫金县宝金畜牧有限公司简介

广东省紫金县宝金畜牧有限公司成立于1992年，是广东省食品进出口集团公司属下的供港澳活猪生产基地，是紫金县“菜篮子工程”，公司占地 20多公顷，拥有年产万吨的饲料加工厂，现存栏母猪1 800多头，年出栏大中猪30 000多头，我公司是河源市第一家通过广东省出入境检验检疫局出口港澳市场注册的养猪场之一（针印号GD240），年出口大猪近万头，出口卖价在港澳市场名列前茅。

我公司地处紫金山区有优越的自然防疫条件，公司以现代化、规范化、高标准、严要求、高品质、高效益为目标，秉承“诚信、尽责、祥和、竞进”的企业精神，严格执行国家质检总局的相关规定，严格按照出口港澳活大猪生产场和无公害农产品的要求，建立完善的企业管理体系，完善的防病、防疫体系，猪场一直以来未发生任何传染疫病，不使用明令禁止的药物，无药残超标记录，没有伪狂犬病、猪繁殖和呼吸障碍综合症等主要疾病，健康状况良好。2002年6月更是第一批被广东省养猪业协会评为“健康与卫生合格猪场”，成为出口业内首批39家获评万头以上猪场之一，是河源地区首家获得此荣誉的出口猪场，2009年被评为河源市重点农业龙头企业。

已获成效：

1、获得广东省养猪行业协会“健康与卫生合格猪场”称号；
2、取得农业部无公害农产品及基地注册认证；
3、成为广东省科技厅授予的广东省星火技术产业带示范单位；
4 、成为广东省河源市第一批农业创新中心企业；
5、中华人民共和国出入境检验检疫供港澳活猪养殖注册场；
6、河源市重点农业龙头企业。

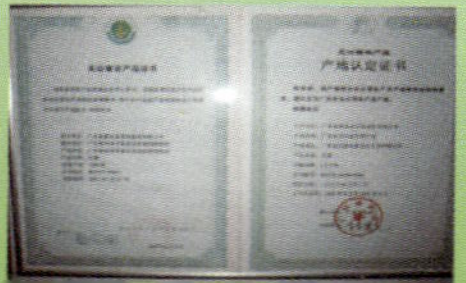

蓬勃发展的民丰县畜牧业

民丰县位于昆仑山北麓、塔克拉玛干大沙漠南缘，东临且末县，西接于田县，南与西藏接壤，北与沙雅县相邻。国土面积5.8万平方千米，其中47.2%为戈壁，21%为山地。民丰县作为和田地区唯一的牧业县，也是国家重点扶持的贫困县，草原畜牧业历来是全县国民经济的重要支柱产业。近年来，在上级部门的大力支持和关心帮助下，民丰县委、县人民政府始终坚持把现代畜牧业“五化”要求和“牧果富民”发展战略作为牧业增效和牧民增收及农村经济繁荣稳定的支柱产业来抓，立足现有资源，坚持“山区与农区繁殖并重，农区育肥出栏”，注重饲草利用，加大品种改良，全力推进畜牧业快速发展。2009年全县农牧民人均纯收入3 697.63元，其中：畜牧业人均收入达1 064.16元

局领导陪同县领导视察双层草场建设

局长　多来提尼雅孜·依明

一、主要经济概况：截止到2009年，全县拥有天然草场51.9万公顷，其中可利用草场近26万公顷，退化草场面积26万公顷，苜蓿面积1 240公顷；牲畜存栏26.5万头（只），出栏19.07万头（只），年提供商品畜16.93万头（只），适龄母畜19.6万头（只）；全年产肉2 916吨，产蛋350吨，产奶525吨，产绵羊毛329吨，产山羊绒17.64吨（经过努力绒山羊个体绒产量达到287.3克，平均每只提高了60克）。

二、品种改良：黄牛改良2 228头，绵羊改良21 046只，山羊改良22 490只，驴改良510头。全年繁殖成活18.4万头（只）。驴的品种类型主要为南疆型新疆驴。绵羊品种以肉用型、杂交品种为主。品种改良坚持山区以和田羊为主、农区以萨福克羊为主，山羊改良以绒山羊为主，牛改良以西门塔尔肉牛为主，驴改良以山东德州驴为主。

三、动物疫病免疫和防治：2009年，县畜牧局共完成14次大型免疫工作，免疫率都达到100%。同时，坚持“春秋两季，月月补针”和“巡回免疫补针”制度，确保补免工作取得了实效。常规防治工作：一是羊痘免疫完成50 600只；二是四联苗完成165 000只；三是肉毒苗完成44 500只；四是布病疫苗完成14 500只；五是驱虫完成248 056只；六是药浴完成382 496只；七是治疗完成27 116只。实行对县、乡两级畜牧专业技术人员目标管理，责任到人；坚持任务承包到乡、到村、到户，做到村不漏户、户不漏畜、畜不漏针，确保畜牧业稳步发展。

和田羊

四、抗灾保畜：一是保障暖圈建设；二是饲草保障；三是青贮保障，加强青贮料的管理，保证青贮质量，防止青贮腐败变质；四是抓秸秆粉碎，确保牲畜安全越冬；五是抓饲料。落实“133”工程（一个羊单位准备30千克料、300千克草）的标准要求，做到以草定畜；六是抓出栏。当年的幼公畜，加快出栏力度，对老羊和被淘汰的种公畜及杂羊、花色羊，争取11月上旬前全部出栏；七是抓防疫免疫，确保牲畜健康；八是密切关注天气变化，做好防大灾的准备工作。

五、培训工作：开展农牧民育肥、养殖、虫鼠害预测预防、青贮饲料培训、饲草加工机械管理使用技术、黑鸡养殖、村级防疫员培训、畜牧专业户、经营户、屠宰户、防疫、草地使用管理等技术培训，培训18期15 600人次，提高了广大农牧民学科学、用科学的积极性；开展技术干部市场管理、屠宰管理、草场管理、动物防疫、动物疫病治疗、诊断灯的业务培训，培训100人次，提高了技术干部为基层服务的能力。

六、抓特色养殖：由于和田黑鸡具有独特的生物学特征。2009年被列入自治区一级遗传资源保护名录，也得到了国家遗传资源委员会的认定。目前已建立和田黑鸡保种场繁育基地和孵化小鸡养殖点，先后投入资金200万元。

技术人员指导芦苇青贮工作

七、管理机构概况：民丰县畜牧兽医局成立于1981年11月，其前身是畜牧科，1978年8月成立。县畜牧兽医局内设办公室、畜牧股、兽医股、财务室等四个科室，下设草原站、草原监理所、畜牧技术服务中心、畜牧兽医站（动物防疫控制与诊断中心）、动物卫生监督所、动物检疫消毒检查站、尼雅镇畜牧兽医站、尼雅乡畜牧兽医站、若克雅乡畜牧兽医站、萨吾则克乡畜牧兽医站、叶亦克乡畜牧兽医站、安迪尔乡畜牧兽医站、安迪尔牧场畜牧兽医站。其中行政单位是畜牧兽医局、动物卫生监督所、草原监理所、动物检疫消毒检查站等4个单位，其中10个单位为事业单位。

2009年，民丰县畜牧系统共有编制127个，实有人数109名，缺员18名。本科24人占总人数的22%，大专63人占总人数的58%，中专14人占总人数的13%，高中以下8人占总人数的7%；高级职称5人，中级职称26人，助理20人，技术员34人；行政干部22人，事业干部78人，工人9人；男44名，女65人；少数民族98人，汉族11名。

尼雅黑鸡养殖

民丰县黑鸡孵化场景

封育草场全景

人工草地